MW00638771

SECCIÓN DE OBRAS DE ECONOMÍA LATINOAMERICANA

LA HISTORIA ECONÓMICA DE AMÉRICA LATINA DESDE LA INDEPENDENCIA

Traducción de
Mónica Utrilla de Neira

VICTOR BULMER-THOMAS

La historia económica
de América Latina
desde la Independencia

FONDO DE CULTURA ECONÓMICA

Primera edición en inglés,   1994
Primera edición en español, 1998
Segunda edición en inglés,   2003
Segunda edición en español, 2010

Bulmer-Thomas, Victor
   La historia económica de América Latina desde la Independencia / Victor
Bulmer-Thomas ; trad. de Mónica Utrilla de Neira. – 2ª ed. – México : FCE, 2010.
   541 p. ; 23 x 17 cm – (Colec. Economía Latinoamericana)
   Título original: The Economic History of Latin America Since Independence
   ISBN 978-607-16-0554-2

   1. Economía – Historia – América Latina – Independencia I. Utrilla de Neira,
Mónica, tr. II. Ser. III. t.

LC HC123   Dewey 330.09 B279h

Distribución mundial

Título original: *The Economic History of Latin America since Independence*
Publicado en inglés por The Press Syndicate of the University of Cambridge,
The Pitt Building, Trumpington Street, Cambridge, United Kingdom
D. R. © 1994, 2003, Cambridge University Press

D. R. © 1998, Fondo de Cultura Económica
Carretera Picacho-Ajusco, 227; 14738 México, D. F.
Empresa certificada ISO 9001:2008

Comentarios: editorial@fondodeculturaeconomica.com
www.fondodeculturaeconomica.com
Tel. (55) 5227 4672; fax (55) 5227 4694

ISBN 978-607-16-0554-2

Impreso en México • *Printed in Mexico*

Para el 30% que recibe 5%: un rayo de esperanza;
para el 5% que recibe 30%: una advertencia

SUMARIO

SIGLAS Y ACRÓNIMOS

ADIEU	Agencia para el Desarrollo Internacional, de Estados Unidos
AEX	agricultura para la exportación
AIC	Acuerdo Internacional del Café
ALALC	Asociación Latinoamericana de Libre Comercio
ALC	acuerdo de libre comercio
ALCA	Acuerdo de Libre Comercio de las Américas
Alpro	Alianza para el Progreso
AUI	agricultura para uso interno
BID	Banco Interamericano de Desarrollo
Caricom	Comunidad del Caribe
CAT	certificado de abono tributario
CC	creación de comercio
CE	Comunidad Europea
CEAL, CEALC, CEPAL	Comisión Económica para América Latina (y el Caribe)
CEE	Comunidad Económica Europea
CIAD	Comisión Interamericana de Desarrollo
CRC	cambio de rumbo del comercio
CW	"consenso de Washington"
DEP	desarrollo de exportaciones primarias
DETC	depreciación efectiva del tipo de cambio
EMN	empresas multinacionales
EPE	empresas propiedad del Estado
EPM	empresas pequeñas y medianas
FMI	Fondo Monetario Internacional
GATT	Acuerdo General sobre Aranceles y Comercio
IED	inversión extranjera directa
IFI	institución(es) financiera(s) internacional(es)
IR	integración regional
ISI	industrialización para la sustitución de importaciones
ITC	ingresos en términos de comercio
IVA	impuesto al valor agregado
LA14	Latinoamérica 14 (las repúblicas que no pertenecen a LA6)
LA6	Latinoamérica 6 (Argentina, Brasil, Chile, Colombia, México y Uruguay)
LVE	limitaciones voluntarias a la exportación
MCCA	Mercado Común Centroamericano
Mercosur	Mercado Común del Sur

NMF	nación más favorecida
OCDE	Organización para la Cooperación y el Desarrollo Económico
OMC	Organización Mundial del Comercio
OPEP	Organización de Países Exportadores de Petróleo
PA	Pacto Andino
PAE	poder adquisitivo de las exportaciones
PD	países desarrollados
PE	promoción de exportaciones
PEA	población económicamente activa
PIB	producto interno bruto
PIR	países de industrialización reciente
PMD	países menos desarrollados
PNB	producto nacional bruto
PPA	paridad de poder adquisitivo
PREALC	Programa Regional del Empleo para América Latina y el Caribe
SE	sustitución de exportaciones
SGP	sistema generalizado de preferencias
SIA	sustitución de importaciones agrícolas
SSI	servicio por sustitución de importaciones
TBD	tasa bruta de defunciones
TBN	tasa bruta de nacimientos
TCER	tipo de cambio efectivo real
TEC	tarifas externas comunes
TEP	tasa efectiva de protección
TLCAN	Tratado de Libre Comercio de América del Norte
TMI	tasa de mortalidad infantil
TNIC	términos netos de intercambio comercial
UE	Unión Europea
UNCTAD	Conferencia de las Naciones Unidas sobre Comercio y Desarrollo
ZEBM	zonas exportadoras de bienes manufacturados

PREFACIO A LA SEGUNDA EDICIÓN

Desde la primera edición de esta obra, que fue publicada en 1994, el nuevo modelo basado en políticas favorables al mercado y en el crecimiento guiado por las exportaciones se ha consolidado en América Latina. Cuando se publicó esta primera edición era demasiado pronto para evaluar la repercusión de este nuevo modelo económico sobre el desempeño de la economía a largo plazo, y era difícil hacer comparaciones entonces con los modelos anteriores. Sin embargo, hoy se ve con claridad que es improbable que el resultado del nuevo modelo difiera sustancialmente del de sus predecesores. Unos cuantos países han sido capaces de elevar significativamente sus tasas de crecimiento de largo plazo, pero la mayoría no lo ha conseguido y varios han actuado mucho peor que durante la fase de desarrollo interno. Así, la perspectiva latinoamericana de alcanzar muy pronto elevados niveles de vida es aún remota y la brecha entre su ingreso per cápita y el de los países desarrollados, sobre todo el de los Estados Unidos, es tan ancha como siempre.

La influencia del contexto internacional siempre ha sido muy importante para el subcontinente. Sin embargo, la nueva ola de globalización —que permite la integración de mercado de producto y factor en el mundo— ha incrementado el efecto del ambiente externo sobre la región pese a la reducida importancia de los productos primarios. América Latina sigue luchando por encontrar una manera de elevar al máximo los beneficios de la globalización mientras minimiza el efecto negativo de los choques externos. Este dilema se ha hecho más difícil por la pérdida de importancia de una escuela latinoamericana de pensamiento económico independiente. La mayoría de las ideas recientes sobre la política económica ahora proceden de fuera de la región y se les da cabida con sólo pequeñas adaptaciones.

El interés global en el efecto del nuevo paradigma sobre la distribución del ingreso y la pobreza se ha reflejado en reciente investigación referente a la región. Este es uno de los principales avances desde que se publicó la primera edición de esta obra. También ha resurgido el interés en la integración regional, que se está extendiendo a todo el hemisferio debido al cambio de la política estadunidense hacia el regionalismo. Los problemas de la deuda y la afluencia de capitales siguen atrayendo muchísimo la atención.

La investigación acerca de la historia económica iberoamericana se ha hecho más fácil en los últimos años gracias a varias series de publicaciones periódicas. Incluso algunas de éstas se remontan a los tiempos de la Independencia en los comienzos del siglo XIX, aunque la mayoría se limita al siglo XX. Esto aumentará el profesionalismo de la próxima generación en cuanto se refiera a indagar la historia económica de Iberoamérica, y hará posible la comparación con otras muchas regiones y países. Mientras tanto, innumerables ideas expuestas en esta obra estarán sujetas a un examen profundo. Espero leer los resultados de tal investigación y ver qué ideas han resistido la prueba del tiempo.

PREFACIO

Cualquier autor cuya obra abarque toda América Latina se enfrenta a una serie de dificultades, y éstas se complican cuando el periodo cubre casi dos siglos. Por ello no es de sorprender que relativamente pocos estudios pretendan abarcar la historia económica de América Latina desde la Independencia, pese a que hay una bibliografía cada vez más voluminosa sobre los progresos de países y provincias en particular. Sin embargo, lo que hace necesaria y factible una nueva historia económica para toda la región es la penetración al nivel subregional. Desde Chile hasta México, una nueva generación de especialistas se ha valido de las técnicas más avanzadas para llegar a las fuentes primarias y ampliar nuestro conocimiento sobre toda una gama de problemas.

Cualquier historia económica de América Latina requiere un enfoque multidisciplinario, lo cual entraña el riesgo de ofender la sensibilidad de esos estudiosos que prefieren trabajar dentro de los límites de una única disciplina. Por ser representante de la última generación a la que se alentó a trasponer esas barreras, he tenido la oportunidad de basarme en una inmensa bibliografía que abarca economía, historia económica, historia, política, sociología, antropología y relaciones internacionales. Como editor del multidisciplinario *Journal of Latin American Studies*, desde 1986, he gozado del privilegio único de tener acceso a las nuevas investigaciones realizadas en este ámbito antes de que se difundieran.

Un libro como éste no se puede escribir sin acumular muchas deudas. Aquí sólo puedo mencionar unas cuantas. Rosemary Thorp y Laurence Whitehead me enseñaron las limitaciones de un enfoque estrecho en economía. Leslie Bethell me dio la oportunidad de trabajar con historiadores de la monumental *Cambridge History of Latin America*. El difunto Carlos Díaz-Alejandro —quien casi con certeza hubiera escrito este libro de no haber sido por su muerte prematura— y José Antonio Ocampo me demostraron cómo los economistas profesionales podían ayudar a comprender la economía de América Latina en el siglo XIX. Y, finalmente, tengo una deuda especial con todos los estudiantes que asistieron a mis conferencias y clases sobre la historia económica de América Latina. Su reacción fue, a menudo, la prueba última de cuál era —o no era— el modo aceptable de presentar ideas nuevas y hacerlas comprensibles a los grupos que probablemente integrarán la mayoría de los lectores de este libro.

I. EL DESARROLLO ECONÓMICO LATINOAMERICANO: PANORAMA GENERAL

LA EXPRESIÓN *América Latina*, cuyo origen todavía se discute acaloradamente,[1] al principio tuvo una importancia casi exclusivamente geográfica: se refería a todos los países independientes, al sur del río Bravo, en que se hablaba, predominantemente, un idioma derivado del latín (español, portugués, francés). En este sentido original, las únicas características comunes a los países de América Latina eran su ubicación en el hemisferio occidental y el origen de sus lenguas. En muchos aspectos las diferencias entre los países fueron consideradas tanto o más importantes que lo que tenían en común.

Estas diferencias —de tamaño, población, raza, recursos naturales, clima o nivel de desarrollo— siguen siendo muy importantes, pero también se ha vuelto claro que las repúblicas se mantienen unidas por muchas cosas, aparte de la geografía y el lenguaje. La experiencia colonial compartida, como divisiones de los imperios español y portugués, fue decisiva al forjar los destinos económicos y políticos de las nuevas repúblicas después de la Independencia. El patrón de desarrollo del siglo xix, basado en la exportación de riquezas naturales a los países industrializados, reforzó esta sensación de compartir un pasado.

Así, la frase *América Latina* tiene un significado real, y los factores comunes son más poderosos que los que unen a los países de África, Asia o Europa. Además, el número de miembros del "club" latinoamericano ha sido bastante estable desde la Independencia, con relativamente pocos ingresos o egresos como resultado de cambios de fronteras, secesión o anexión (véanse los mapas i.2 y i.3); de hecho, en los últimos 150 años los límites de los Estados latinoamericanos, aunque a menudo hayan sido causa de conflicto interestatal y no hayan cesado por completo,[2] han cambiado mucho menos que las fronteras de otras partes.

Los países de América Latina son las 12 repúblicas de América del Sur (excepto Guayana Francesa), las seis repúblicas de América Central (incluyendo a Panamá, pero excluyendo a Belice), México, Cuba, República Dominica-

---

[1] De acuerdo con algunos, fue el colombiano José María Torres Caicedo quien en 1856 acuñó por primera vez el término *América Latina* (véase Bushnell y Macaulay, 1988, p. 3). Otros lo atribuyen ya al académico francés L. M. Tisserand, ya al chileno Francisco Bilbao más o menos por la misma fecha.

[2] Las principales disputas fronterizas (incluyendo los límites marítimos) aún vigentes son las siguientes: Guatemala y Belice; Colombia y Venezuela; Venezuela y Guyana; Honduras y Nicaragua. La prolongada disputa territorial entre Argentina y el Reino Unido por las Islas Malvinas sigue sin resolverse.

na y Haití: un total de 23. El español es la lengua principal en 19 repúblicas mientras que el portugués predomina en Brasil, el neerlandés en Surinam, el inglés en Guyana y el criollo (derivado del francés) en Haití. Grandes enclaves de la población de México, Guatemala, Ecuador, Perú, Bolivia y Paraguay aún hablan lenguas indígenas; y el inglés es la lengua materna de numerosas minorías de toda la región. Puede oírse hablar japonés en las calles de São Paulo, Brasil, donde al menos un millón de habitantes es de ascendencia japonesa, y hay importantes colonias de origen chino en muchas de las repúblicas.

Puerto Rico, que fue colonia española hasta 1898, fue anexado por Estados Unidos y es un Estado libre asociado con este país.[3] Aunque sin duda fue parte de América Latina en el siglo XIX, a menudo se le excluye de ella; esta decisión les parece drástica a muchos, pero ha resultado justificada por su modelo de desarrollo muy diferente, como resultado de su relación especial con Estados Unidos. Por ello, en este libro Puerto Rico aparecerá en los estudios del siglo XIX, pero con menor frecuencia en los análisis posteriores. En contraste, Panamá no fue considerado un país latinoamericano en el siglo XIX porque aún formaba parte de Colombia. Su secesión en 1903, incitada por el presidente estadunidense Theodore Roosevelt, condujo a la independencia. Por ello se le incluye en la lista de las repúblicas latinoamericanas posterior al siglo XIX.[4]

La mayor parte de los países latinoamericanos se independizó de los gobiernos europeos en el decenio de 1820.[5] Los relatos de la época, de latinoamericanos y extranjeros por igual, estaban llenos de entusiastas informes sobre las perspectivas de la región cuando España y Portugal perdiesen sus monopolios comerciales y de otros tipos. Los niveles de vida eran bajos, pero no mucho más que en América del Norte; probablemente estaban en el mismo rango que gran parte de Europa central, y tal vez eran más elevados que en los países recién descubiertos de las antípodas. Se pensaba que sólo se necesitaba capital y mano de obra calificada para aprovechar los recursos naturales del vasto interior inexplorado de América Latina, y tener acceso ilimitado a los ricos mercados de Europa occidental.

Casi dos siglos después ese sueño aún no se ha realizado. Ninguna de las 23 repúblicas de América Latina puede considerarse desarrollada, y algunas siguen siendo extremadamente pobres. En todas ellas se encuentran ciertos reductos de riqueza, que no ocultan la privación y las estrecheces que sufren los habitantes más pobres de la región. Aunque América Latina no se cuenta

[3] Acerca de la historia de Puerto Rico y su peculiar estatus constitucional véase Carr (1984). La preferencia de su pueblo por su posición de Estado libre asociado fue confirmada por un referéndum en diciembre de 1998.

[4] Sobre la secesión de Panamá de Colombia y su fundación como república independiente véase Lafeber (1978).

[5] Las excepciones son las siguientes: Haití conquistó su independencia de Francia en 1804; Uruguay se creó en 1828 como Estado amortiguador entre Argentina y Brasil; República Dominicana se independizó de Haití en 1844. Cuba conquistó su independencia de España en 1898, y ya hemos mencionado el caso especial de Panamá (véase la nota 4).

entre las regiones más pobres del mundo, su nivel ha sido alcanzado hoy por ciertas partes de Asia que casi con seguridad tuvieron niveles de vida mucho más bajos durante todo el siglo xix.[6] Los logros latinoamericanos en materia de literatura, pintura, música y cultura popular han ganado una justa admiración en todo el mundo, pero ésta es apenas una compensación parcial ante la incapacidad de salvar la enorme brecha que existe entre el desarrollo económico de la región y el de los países avanzados.

El desarrollo económico suele medirse con toda una serie de indicadores, de los cuales los más comúnmente empleados son el producto interno bruto (PIB) y el producto nacional bruto (PNB) per cápita.[7] Otros indicadores son la esperanza de vida al nacer, las emisiones de dióxido de carbono por cabeza, la mortalidad infantil, el número de teléfonos por cada mil habitantes, etc. Casi con cualquier indicador América Latina aparece a medio camino entre los países desarrollados (PD) de América del Norte y Europa occidental, y los países más pobres del África subsahariana y del sur de Asia (véase el cuadro I.1). El Banco Mundial clasifica a todas las repúblicas latinoamericanas como "de mediano ingreso", con excepción de Haití y Nicaragua, que son clasificadas como "de bajos ingresos"; pero esto no puede ocultar el hecho de que el PNB per cápita en la región sólo era de 13% del nivel de los países con ingresos elevados a comienzos del siglo xxi.[8]

La falta de éxito económico no significa estancamiento. Por el contrario, en América Latina el cambio h<a sido rápido, y esto puede verse sobre todo en la tasa de urbanización. La expansión demográfica se ha centrado en las ciudades, en parte como resultado de la migración internacional, en el siglo xix, y de la emigración rural-urbana, en el xx. Así, como puede verse en el cuadro I.2, hoy América Latina es predominantemente urbana: 75% de sus habitantes viven en poblados o ciudades. Dado que la tasa media de urbanización para todos los países de ingresos medios es de 50%, esto ha planteado que América Latina es "prematuramente madura". De hecho, el espectacular crecimiento del sector informal en las ciudades latinoamericanas es prueba de la dificultad que tienen muchos recién llegados al mercado urbano de mano de obra para encontrar empleos seguros y productivos.[9]

---

[6] Ejemplos de ello son Corea del Sur, Taiwán, Singapur y Hong Kong (véase World Bank 2002, cuadro I.1).

[7] El PIB se refiere al producto neto generado por los factores de la producción, sin tomar en cuenta si son residentes. El PNB ajusta la cifra del PIB para el ingreso del factor neto que se paga en el extranjero. La diferencia puede ser importante en algunas repúblicas latinoamericanas como resultado, por ejemplo, de la presencia de compañías de propiedad extranjera.

[8] Las comparaciones internacionales del PNB dependen en gran medida de la elección del tipo de cambio. Otras comparaciones (basadas, por ejemplo, en la paridad del poder adquisitivo), indican una brecha menor, aunque la diferencia sigue siendo considerable. Véase World Bank (2002a).

[9] Existen muchas definiciones del sector informal, pero lo más fácil es pensar que emplea a todos los trabajadores que no fueron absorbidos por las empresas medianas o grandes de los sectores privado y público. Según esa definición, el sector informal urbano recibe más de 50% de la fuerza laboral en muchas ciudades latinoamericanas. Véase, por ejemplo, Thomas (1995).

CUADRO I.1. *Indicadores comparativos del desarrollo*
para América Latina, ca. 2000

	PNB *per cápita*[a] *(en dólares* *estadunidenses)*	*Esperanza* *de vida* *(años)*	*Tasa de* *mortalidad* *infantil* *(por mil)*	*Emisiones de* *dióxido de* *carbono per* *cápita* *(en ton)*
Ingresos bajos				
y medios	1 230	64	85	5.1
Sur de Asia	460	63	99	0.9
África subsahariana	480	47	159	0.8
América Latina y el				
Caribe	3 680	70	38	2.6
Ingresos altos	27 510	78	6	12.6
Reino Unido	24 500	77	6	8.8
Estados Unidos	34 260	77	8	19.4
Suiza	38 120	80	5	6.1

[a] Las economías en el Banco Mundial (2000) se dividen entre grupos de ingresos de acuerdo con el ingreso nacional bruto per cápita 2000, calculado según el método del World Bank Atlas. Los grupos son los siguientes: ingresos bajos, 755 dólares o menos; ingresos medios bajos, entre 756 y 2 995 dólares; ingresos medios superiores, de 2 996 a 9 265 dólares, e ingresos altos, de 9 266 dólares en adelante.
FUENTE: World Bank (2002), p. 233.

América Latina incluye algunas de las zonas urbanas más grandes del mundo: la Ciudad de México y São Paulo, las cuales tienen, ambas, unos 20 millones de habitantes en sus áreas metropolitanas, y padecen todos los problemas de contaminación relacionados con las grandes concentraciones urbanas de los países industriales. Sin embargo, lo asombroso de la urbanización latinoamericana es el problema de la primacía; es decir, el desarrollo desproporcionadamente rápido de la ciudad principal de cada república. Con excepción de Brasil, Venezuela y El Salvador, la proporción de la población urbana que vive en la urbe más importante está muy por encima del promedio mundial. Por ello la capital suele ser el principal centro industrial, comercial, financiero y cultural, así como administrativo.[10]

[10] La principal excepción es Brasil, donde la capital, durante la década de 1950, fue trasladada de Rio de Janeiro a la recién creada Brasilia. La nueva capital, aunque sea una ciudad importante por derecho propio, sigue bajo la sombra de Rio de Janeiro y de São Paulo en casi todas las áreas de la empresa privada.

MAPA I.1. *Principales recursos y productos de Centro y Sudamérica*, ca. *1930. Adaptado de Horn y Bicc (1949).*

MAPA I.2. *América Latina*, ca. *1826*.

ESTADOS UNIDOS

MÉXICO

Ciudad de México •

La Habana • CUBA

HAITÍ

REPÚBLICA DOMINICANA
PUERTO RICO

BELICE
HONDURAS

JAMAICA

GUATEMALA
EL SALVADOR
NICARAGUA

COSTA RICA

PANAMÁ

Mar Caribe

Caracas
VENEZUELA

GUYANA

SURINAM

GUAYANA FRANCESA

Bogotá
COLOMBIA

Quito •
ECUADOR

PERÚ

BRASIL

Lima •

BOLIVIA

• Brasilia

Océano Pacífico

PARAGUAY

São Paulo •

Rio de Janeiro

CHILE

ARGENTINA

URUGUAY

Santiago •

Buenos Aires •

Montevideo

Océano Atlántico

| 0 | 1 600 km |
| 0 | 1 000 millas |

MAPA I.3. *América Latina, 2000.*

La tasa de crecimiento demográfico, como lo muestra claramente el cuadro 1.2, ha empezado a disminuir. Está en proceso una transición demográfica, en la cual la tasa de natalidad empieza a coincidir con la reducción previa de la tasa de mortalidad, y algunos países —en especial Argentina, Cuba y Uruguay— han alcanzado ya tasas de crecimiento demográfico muy bajas. En cambio, los dos países más populosos, Brasil y México, han tenido tasas de crecimiento muy elevadas hasta el decenio de 1990. Cabe esperar que su participación en el total latinoamericano —53% en 2000— se estabilice ahora que las tasas de natalidad están decreciendo.

En la mayoría de los países menos desarrollados (PMD) la rápida tasa de urbanización coincide con una creciente población rural. La emigración del campo a la ciudad es importante, pero el pequeño tamaño de las zonas urbanas implica que éstas no pueden absorber todo el aumento de la población rural. No obstante, las poblaciones en expansión deben encontrar nuevas oportunidades de trabajo en las zonas rurales. Sin embargo, en la mayoría de los países latinoamericanos la urbanización ha llegado al punto en que la migración rural-urbana ha producido una pérdida neta de la población rural, y no sólo en su tasa de crecimiento. Por ejemplo, Uruguay ha presenciado una reducción de casi 50% de su población rural desde 1960, y en 2000 sólo 5% de su fuerza de trabajo fue clasificada como agrícola.

En contraste, la población de América Latina en el decenio de 1820 —no mucho mayor, en su conjunto, que la de la Ciudad de México en la actualidad— era abrumadoramente rural; la fuerza laboral se concentraba en la agricultura y la minería. Los recursos naturales producidos por estos sectores constituyeron su nexo con el resto del mundo, y los flujos internacionales de mano de obra y de capital se interesaron directa o indirectamente por aumentar el excedente exportable. Algunos de los artículos por los cuales aún es famosa América Latina, como el azúcar, ya eran importantes en la época de la Independencia; muchos otros, como el café, se agregaron a la lista en el siglo XIX.

La importancia de estos artículos primarios ha ido reduciéndose, pero a fines de la primera década de 2000 seguían representando dos tercios de las exportaciones (véase el cuadro 1.3). Además, muchas de las exportaciones manufacturadas no tradicionales de América Latina —como productos textiles o de cuero y muebles— se basan en sus recursos naturales. Por ello es válido decir que los artículos primarios constituyen aún el principal nexo con el resto del mundo. Esto es todavía más cierto si en la lista de exportaciones incluimos las drogas ilegales, como la cocaína y la mariguana. En el caso de Colombia, donde la repercusión del comercio de las drogas es particularmente importante, el valor de los narcóticos se calcula en 25% de las exportaciones y 3% del PIB.[11]

---

[11] Los cálculos del valor de las exportaciones de narcóticos de América Latina difieren enormemente. Para un estudio de esta industria, véase Joyce (1998); para Colombia, Steiner (1998).

CUADRO I.2. *Indicadores demográficos*

País	Población en 2000 (miles)	Urbanización[a]	Crecimiento demográfico (porcentaje anual)			
			1961-1970	1970-1980	1980-1990	1990-2000
Argentina	37 032	89.4	1.4	1.7	1.4	1.3
Bolivia	8 329	64.8	2.4	2.6	2.5	2.4
Brasil	170 406	81.3	2.8	2.4	2.1	1.4
Chile	15 211	84.6	2.3	1.6	1.7	1.5
Colombia	42 299	74.9	3.0	2.2	2.0	1.9
Costa Rica	3 811	51.9	3.4	2.8	2.9	2.0
Cuba	11 188	75.3	2.0	1.3	0.9	0.5
Ecuador	12 646	62.4	3.2	3.0	2.6	2.1
El Salvador	6 276	46.6	3.4	2.3	1.3	2.1
Guatemala	11 385	40.4	2.8	2.8	2.9	2.6
Haití	7 959	35.7	2.0	1.7	1.9	2.1
Honduras	6 417	46.9	3.1	3.4	3.4	2.8
México	97 966	74.4	3.3	2.9	2.3	1.6
Nicaragua	5 071	64.7	3.2	3.1	2.8	2.8
Panamá	2 856	57.7	3.0	2.8	2.1	1.7
Paraguay	5 496	56.0	2.9	3.0	3.1	2.6
Perú	25 661	72.8	2.9	2.7	2.2	1.7
República Dominicana	8 373	65.0	3.2	2.6	2.3	1.9
Uruguay	3 337	91.3	1.0	0.4	0.6	0.7
Venezuela	24 170	87.4	3.5	3.5	2.5	2.1
América Latina	505 889	75.4	2.8	2.4	2.1	1.6

[a] Definida como porcentaje de la población que vive en zonas urbanas. La población clasificada como urbana se apega a las definiciones de cada país.
FUENTES: World Bank (2000), p. 232; World Bank (2002a).

La explotación de recursos naturales en América Latina, como en tantas otras partes del mundo, se ha llevado a cabo con poco respeto al ambiente. Se agotó la cubierta forestal, se contaminaron ríos y lagos, y a la cadena alimenticia entraron peligrosos productos químicos. La conciencia local de estos problemas ha ido aumentando con lentitud, pero América Latina se enfrenta al problema adicional de que la Cuenca del Amazonas —que comparten Brasil, Colombia, Ecuador, Perú, Venezuela y las Guayanas— alberga las reservas de bosques tropicales más grandes e importantes del mundo. Se cree que su destrucción contribuirá de manera importante al calentamiento global y al efecto invernadero, por lo que América Latina es presionada por el

CUADRO I.3. *Exportaciones de productos primarios como porcentaje del total*

País	1980	1990	2000
Argentina	76.9	70.9	67.9
Bolivia	97.1	95.3	72.9
Brasil	62.9	48.1	42.0
Chile	88.7	89.1	84.0
Colombia	80.3	74.9	65.9
Costa Rica	70.2	72.6	34.5
Ecuador	97.0	97.7	89.9
El Salvador	64.6	64.5	51.6
Guatemala	75.6	75.5	68.0
Honduras	87.2	90.5	64.4
México	87.9	56.7	16.5
Nicaragua	81.9	91.8	92.5
Panamá	91.1	83.0	84.1
Paraguay	88.2	90.1	80.7
Perú	83.1	81.6	83.1
Uruguay	61.8	61.5	58.5
Venezuela	98.5	89.1	90.9
América Latina[a]	80.0	77.2	66.4

[a] Del total se excluye a Cuba, República Dominicana y Haití, cuyos datos no estaban disponibles en la fuente.
FUENTE: ECLAC (2001), pp. 518-521.

resto del mundo para que adopte normas ambientales que los países más ricos consideran apropiadas.[12]

Sin embargo, el problema del daño al ambiente no se limita a los recursos naturales. En las repúblicas más extensas, la rápida urbanización ha ido acompañada por un impresionante crecimiento industrial. Por toda la región han proliferado plantas de productos químicos, acerías, fábricas de cemento y líneas de montaje de automóviles, a medida que los gobiernos han ido adoptando una política a favor de la industrialización. Este proceso, que comenzó a fines del siglo XIX en los países más importantes de la región, se aceleró después de 1930, cuando la Gran Depresión y la segunda Guerra Mundial sirvieron de estímulo a las empresas, que lograron sustituir las importaciones de bienes manufacturados con productos locales. En 1955 la

[12] Para un buen estudio de las cuestiones ambientales planteadas por la Cuenca del Amazonas, véase Barbier (1989), capítulo 6. Véase también Jenkins (2000).

contribución de las manufacturas al PIB real había rebasado a la de la agricultura,[13] y en 2000 había llegado a 21%, frente al 7% para la agricultura (véase el cuadro I.4).

Durante gran parte del siglo xx el crecimiento industrial ha sido rápido pero no muy eficiente. Las empresas industriales (incluyendo las compañías multinacionales, o CMN), protegidas por aranceles y otras barreras a la importación, han explotado el mercado interno con bienes de alto precio y baja calidad. Por lo tanto casi todas resultaron incapaces de competir internacionalmente, por lo cual hubo que seguir pagando la deuda externa con los ingresos obtenidos por productos primarios. La rápida acumulación de deuda externa en el decenio de 1970, después de dos crisis del petróleo, dejó a América Latina en una situación peligrosamente frágil, y las exportaciones de productos primarios no lograron producir ingresos suficientes para el servicio de la deuda externa durante los ochenta. Como resultado, se cobró conciencia de la necesidad de que la industria fuese competitiva en el mercado internacional, y las empresas se han visto presionadas por todos los flancos para que reduzcan costos y mejoren la calidad.

La extracción de recursos naturales en América Latina y las inversiones relacionadas con ella en infraestructura social —como los ferrocarriles— atrajo capital extranjero. Gran Bretaña, principal inversionista en el siglo xix, fue remplazada en la mayoría de los países por los Estados Unidos hacia 1930. Después el Estado, en las diversas naciones, ha ido aumentando continuamente su participación en la actividad económica, adueñándose de instalaciones públicas, ferrocarriles y recursos naturales que antes habían quedado en poder de extranjeros. Sin embargo, el capital foráneo siguió siendo importante en buen número de artículos primarios, sobre todo minerales —con excepción del petróleo— y fue atraído por las nuevas oportunidades que ofreció la industria después de la segunda Guerra Mundial.

La participación del Estado en la economía, ampliamente aceptada en los decenios de 1960 y 1970, no logró reducir la gran desigualdad en la distribución del ingreso en la mayoría de las repúblicas latinoamericanas. Esta desigualdad, que al principio fue producto de la desigual distribución de la tierra, heredada de tiempos coloniales, se ha reforzado por la concentración industrial y financiera en el siglo xx, con lo que la distribución del ingreso de América Latina es una de las peores en el mundo. En realidad, como lo muestra el cuadro I.5, es muy común ver que 10% de las familias de nivel más alto reciba más de 40% del ingreso total, mientras que 40% de las de nivel inferior en general reciba menos de 15%. De igual manera, el coeficiente de Gini (un indicador de la desigualdad en el ingreso de uso muy extendido) es uniformemente alto en Latinoamérica (véase dicho cuadro).

Las diferencias dentro de los respectivos países se reflejan, en menor grado, en las que hay entre las diversas naciones. Por ejemplo, en 2000 el PNB

[13] A precios y costos netos de 1970. Véase CEPAL (1978), cuadro 5.

CUADRO I.4. *Contribución sectorial al PIB en 2000*

País	Agricultura (valor agregado como porcentaje del PIB)	Manufactura (valor agregado como porcentaje del PIB)	Participación del campo en el total de la manufactura (porcentaje)
Argentina	4.8	17.6	14.2
Bolivia	22.0	12.8	0.3
Brasil	7.4	24.0	33.3
Chile	10.5	15.9	3.2
Colombia	13.8	13.8	3.1
Costa Rica	9.4	24.4	1.1
Cuba	6.7	37.2	s/d
Ecuador	10.0	16.9	0.7
El Salvador	10.1	23.4	0.9
Guatemala	22.8	13.2	0.8
Haití	28.0	7.0	0.1
Honduras	17.7	19.9	0.3
México	4.4	20.7	32.2
Nicaragua	32.0	14.0	0.1
Panamá	6.7	7.6	0.2
Paraguay	20.6	14.4	0.3
Perú	7.9	14.3	2.3
República Dominicana	11.1	17.0	1.0
Uruguay	6.0	16.9	1.0
Venezuela	5.0	14.4	4.9
América Latina	7.0	21.0	100.0

FUENTE: World Bank (2002a).

per cápita (véase el cuadro I.6) varió de cerca de 6 000 a 7 000 mil dólares en los países más ricos a unos 500 dólares en el más pobre. Esto implica que el mexicano promedio es, por ejemplo, 12 veces más rico que el nicaragüense promedio, y que el ciudadano estadunidense medio (véase el cuadro I.1) es 10 veces más rico que el latinoamericano. Por todo ello, una historia económica de América Latina debe explicar no sólo la incapacidad de la región en su conjunto para llegar a ser desarrollada, sino también las diferencias de los niveles de vida entre los países que la integran.

Casi todas las teorías del desarrollo económico han tendido a destacar una cara de la explicación en detrimento de la otra. Por ejemplo, se aplicaron teorías raciales,[14] hoy en gran parte desacreditadas, para explicar la posición

[14] Véase, por ejemplo, Bryce (1912), capítulo 13.

Cuadro I.5. *Distribución del ingreso: porcentaje de participación del ingreso familiar y el coeficiente de Gini, ca. 2000*

País	40% de los más pobres	30% del nivel siguiente	20% del nivel inferior a 10% de los más ricos	10% de los más ricos	Coeficiente de Gini[a]
Argentina[b]	15.4	21.6	26.1	37.0	0.542
Bolivia	9.2	24.0	29.6	37.2	0.586
Brasil	10.1	17.3	25.5	47.1	0.640
Chile	13.8	20.8	25.1	40.3	0.559
Colombia	12.3	21.6	26.0	40.1	0.572
Costa Rica	15.3	25.7	29.7	29.4	0.473
Ecuador[c]	14.1	22.8	26.5	36.6	0.521
El Salvador	13.8	25.0	29.1	32.1	0.518
Guatemala	12.8	20.9	26.1	40.3	0.582
Honduras	11.8	22.9	28.9	36.5	0.564
México	15.1	22.7	25.6	36.7	0.539
Nicaragua	10.4	22.1	27.1	40.5	0.584
Panamá	12.9	22.4	27.7	37.1	0.557
Paraguay	13.1	23.0	27.8	36.2	0.565
República Dominicana	14.5	23.6	26.0	36.0	0.517
Uruguay[c]	21.6	25.5	25.9	27.0	0.440
Venezuela	14.6	25.1	29.0	31.4	0.498

[a] El coeficiente de Gini mide la desigualdad en el ingreso y varía de 0 en el caso de la igualdad absoluta a 1 en el caso de la desigualdad absoluta.

[b] Zona metropolitana de Buenos Aires.

[c] Total urbano.

Fuente: cepal (2001), pp. 69 y 71.

inferior en materia de ingreso real per cápita en Bolivia (con su mayoría de población indígena), y en Haití (donde la población es mayoritariamente de origen africano), pero no sirvieron para explicar la incapacidad de países con una población europea predominante, como Costa Rica y Uruguay, para alcanzar el estatus de PD. Las teorías raciales también resultaron desesperadamente inadecuadas para explicar la transformación de una historia de triunfo a una de fracaso en ciertos países (por ejemplo, Argentina), o a la inversa (por ejemplo, Venezuela).[15]

[15] Argentina fue rebasada, en términos de PIB real per cápita (precios de 1970), por Venezuela en 1956 (véase CEPAL [1978], cuadro 1.2). Argentina había representado la principal historia de éxito de América Latina durante los años previos a la década de 1920; Venezuela había sido uno de los peores fracasos.

CUADRO I.6. *PNB per cápita (en dólares estadunidenses):*
1980, 1990 y 2000

País	1980	Lugar	1990	Lugar	2000	Lugar
Argentina	2739	4	4346	1	7695	1
Bolivia	519	19	741	17	994	17
Brasil	1933	9	3143	3	3494	7
Chile	2474	5	2315	7	4638	5
Colombia	1174	13	1152	12	1922	13
Costa Rica	2115	7	1874	9	4159	6
Cuba[a]	2325	6	2458	6	2030	12
Ecuador	1474	10	1041	13	1076	16
El Salvador	779	16	940	15	2105	10
Guatemala	1155	15	874	16	1668	14
Haití	273	20	461	19	509	19
Honduras	719	18	626	18	924	18
México	3308	3	3157	2	5864	3
Nicaragua	734	17	264	20	473	20
Panamá	1954	8	2216	8	3463	8
Paraguay	1470	11	1248	10	1369	15
Perú	1193	12	1219	11	2084	11
República Dominicana	1164	14	1002	14	2349	9
Uruguay	3477	2	2990	4	5908	2
Venezuela	4597	1	2492	5	4985	4
América Latina	2168		2586		3879	

[a] La cifra cubana para 1980 es un cálculo tomado de Brundenius y Zimbalist (1989); la cifra de 1990 se refiere a la tasa de crecimiento entre 1980 y 1990 en Thorp (1998), p. 353, a la cifra de 1980; la cantidad de 2000 se refiere a la tasa de crecimiento del PIB ajustado por aumento poblacional en ECLAC (2001), pp. 286-287, a la cifra de 1990. Las cantidades cubanas de 1990 y 2000 no son estrictamente comparables con las cifras de otros países latinoamericanos porque se basan en precios constantes en pesos y no en dólares de los Estados Unidos.
FUENTE: World Bank (2002a).

Algunas teorías sobre el desarrollo económico de América Latina han hecho mucho hincapié en los rasgos institucionales y estructurales de la región.[16] El sistema de tenencia de la tierra, legado de la Península Ibérica, por

[16] Véanse, por ejemplo, Griffin (1969) y Frank (1969).

ejemplo, fue considerado un obstáculo al desarrollo, y el aparato jurídico y administrativo, heredado de las potencias coloniales, se consideró una barrera a la empresa privada y a la eficiente toma de decisiones en el sector público. Empero, no debemos permitir que el atractivo superficial de estas teorías oscurezca sus muchas deficiencias. El panorama institucional y estructural heredado del periodo colonial no fue homogéneo y, al correr de los años, ha cambiado considerablemente.

Por otra parte, la teoría de la dependencia, que subrayaba la dicotomía entre el "centro" (los países avanzados) y la "periferia" (América Latina), así como las desiguales relaciones de intercambio entre ambas regiones, pareció inicialmente una explicación convincente de la relativa incapacidad de América Latina para alcanzar el alto nivel de vida que podía verse en los países desarrollados, pero no pudo aclarar por qué algunos países latinoamericanos tenían mucho mejor desempeño que otros.[17] Además, la teoría de la dependencia tampoco pudo explicar la transformación de un país como Argentina, que pasó del éxito al fracaso en un lapso relativamente breve.

La teoría de la dependencia forma parte de una larga tradición de obras teóricas que han considerado que el principal obstáculo al desarrollo económico latinoamericano son sus desiguales relaciones con las potencias extranjeras. Numerosas evidencias circunstanciales ilustran la arrogante actitud hacia América Latina de varias potencias europeas (especialmente Gran Bretaña y Francia) en el siglo XIX, y de Estados Unidos en el XX. Sin embargo, resulta insostenible la tesis de que existe una relación negativa entre la cercanía de los nexos con una potencia exterior y la tasa de desarrollo económico. Países pobres y atrasados (por ejemplo, Bolivia) nunca han recibido tanta atención como países relativamente ricos (por ejemplo, Argentina que, ya muy avanzado el decenio de los cuarenta, solía ser descrita como miembro informal del Imperio británico).[18]

Las teorías ortodoxas no lo han hecho mejor. Incontables teorías sobre el crecimiento guiado por las exportaciones han sostenido que los países con los niveles más altos de integración a la economía mundial alcanzarían las mayores tasas de desarrollo económico y, a la postre, llegarían a la categoría de PD.[19] Y sin embargo, algunas de las repúblicas latinoamericanas más pobres, como Honduras, se han contado entre las economías más abiertas del mundo, mientras que la transformación de Brasil, que pasó de ser uno de los países más pobres de América Latina durante la década de 1920 a uno de los más ricos durante la de 1970, se logró en un panorama de alejamiento de la economía mundial durante gran parte de ese periodo.

[17] El planteamiento clásico de la teoría de la dependencia en el contexto latinoamericano es el de Cardoso y Faletto (1979).

[18] Pueden verse opiniones encontradas sobre el imperio informal y la situación argentina en Thompson (1992) y Hopkins (1994).

[19] Para una investigación bibliográfica, véanse Giles (2000) y Giles (2000a); véase también Gylfason (1999).

El neoliberalismo, versión extrema de la ortodoxia, ha estado muy en boga en años recientes. Sostiene que América Latina fue paralizada por la intervención del Estado, el cual distorsionó los precios relativos, impidió el surgimiento de un sector privado dinámico y obligó a muchas personas a desempeñar actividades informales (frecuentemente ilegales).[20] Sus críticos se apresuraron a señalar el carácter ahistórico de este argumento, pues la intervención del Estado en América Latina —como en muchas otras regiones del mundo— fue en gran parte una respuesta a las fallas del mercado en un medio "liberal", no regulado. De hecho, el medio siglo anterior a 1930, que en América Latina estuvo dominado por la ideología liberal, se caracterizó por el modesto papel del Estado y la importancia de la inversión privada extranjera. Aunque la intervención estatal no siempre fue la respuesta apropiada a las fallas del mercado, no se sigue que la ausencia de intervención estatal condujera, infaliblemente, a una asignación más eficiente de los recursos.

No hay ninguna teoría que, por sí sola, explique la posición intermedia de América Latina en la escala del ingreso mundial per cápita y las diferencias que, con el tiempo, han surgido entre los países latinoamericanos. Y sin embargo, es esencial contar con un marco teórico si se quiere que la historia de la economía sea algo más que una simple descripción. A lo largo de este libro se repetirán tres ideas básicas, tendientes a explicar la posición de la zona en su conjunto y de los diversos países de la región: la lotería de bienes, la mecánica del crecimiento guiado por las exportaciones y el medio de la política económica.

La integración de América Latina a la economía mundial se llevó a cabo por la exportación de productos primarios. Como hemos visto, éste sigue siendo su nexo más importante con el resto del mundo. Sin embargo, los productos primarios no son homogéneos, y la frase "lotería de bienes" intenta llamar la atención hacia las diferencias que hay entre ellos. Algunos productos (por ejemplo, el ganado bovino) se prestaron en forma natural a establecer vínculos por medio de nuevos procesos previos a la exportación, mientras que otros (como el plátano) tienen pocas posibilidades en ese sentido. Los artículos con nexos hacia adelante pueden actuar como estímulo para la industria y la urbanización —el ejemplo más claro es el de la carne en Argentina durante el siglo XIX—, pero los productos también difieren en su demanda de insumos (nexos hacia atrás). Los que se extraen de la tierra utilizando sólo mano de obra (como el guano)[21] no ofrecen ningún estímulo a las industrias que aportan insumos, mientras que otros (los nitratos) exigen toda una gama de insumos, incluyendo maquinaria, antes de que se les pueda explotar con provecho.

Los bienes también difieren en las características de su demanda. Algu-

---

[20] Una de las más contundentes afirmaciones del argumento se puede encontrar en De Soto (1987). Para una buena investigación, véase Stokes (2001). También véase Gwynne (2000).

[21] El guano —un fertilizante natural formado por el excremento de las aves— se descubrió en abundancia frente a las costas de Perú, y empezó a ser explotado comercialmente en el siglo XIX.

nos, como la carne, gozaron y siguen gozando de una elasticidad relativamente alta de demanda de ingreso, de modo que un aumento de 5% del ingreso en el mundo real produce un aumento de demanda del producto superior a 5%. Otros, como el café, han visto reducirse con el tiempo su elasticidad de ingreso, a medida que pasaban de ser artículos suntuarios a ser bienes de consumo básico. Algunos productos (como el oro) no tienen un sustituto sintético directo, mientras que otros (por ejemplo, el algodón) se enfrentan a la competencia de las fibras sintéticas, de modo que la elasticidad del precio de demanda es alta. En algunos productos (por ejemplo, la cocaína) América Latina tiene el monopolio del abasto mundial; en otros (el azúcar), la competencia internacional es intensa.

La diversidad geográfica y geológica de América Latina hizo que cada república tuviese sólo una gama limitada de productos de exportación. Chile, país templado, pudo exportar trigo, pero no café; tenía enormes depósitos de cobre, pero poco petróleo. La lotería de bienes determinó que Chile se integrara a la economía mundial sobre la base de productos diferentes, por ejemplo, de los de Colombia, donde el clima tropical y el terreno montañoso hacen particularmente apropiada la producción del café. Fue inevitable que estas diferencias en la especialización de los productos de los diversos países acarrearan importantes repercusiones para el desarrollo a largo plazo.

La especialización de la producción ocasionó una creciente productividad laboral en el sector exportador y entrañó la perspectiva de un desarrollo basado en la exportación. No obstante, la mecánica del desarrollo encabezado por la exportación tiene un papel fundamental. Una máquina bien lubricada puede transferir los aumentos de productividad del sector exportador al resto de la economía, elevando los niveles de vida y el ingreso real per cápita; una máquina deficiente hará que los aumentos de productividad se concentren en el sector exportador, a menudo para ser explotados por compañías extranjeras, y no por los factores de la producción internos. El excedente capitalista posible por la especialización de las exportaciones no es, pues, garantía de acumulación de capitales.

Hay tres mecanismos de especial importancia en la máquina de desarrollo guiada por las exportaciones: el capital (incluyendo innovaciones y transferencias de tecnología), el trabajo y el Estado. Cuando estos mecanismos no funcionan con eficiencia puede lograrse un crecimiento en el sector exportador con estancamiento o hasta retroceso de la economía no exportadora. El resultado serán crecientes exportaciones per cápita y un aumento de la parte del PIB real causado por las exportaciones, pero no la garantía de un nivel de vida que vaya a ascender con rapidez. Desde luego, con el tiempo, cuando las exportaciones eleven la tasa de crecimiento del PIB real, deberán coincidir con la tasa de crecimiento de las exportaciones, pero para entonces la especialización de la exportación habrá llegado al punto en que la economía sea muy vulnerable a las condiciones adversas en los mercados mundiales, y una recesión causada por ciclos del comercio mundial pudiera ser profunda y duradera. En cambio, donde los tres mecanismos funcionan eficientemente la economía no exportadora se ampliará junto con el sector exportador. Aumentarán las exportaciones per cápita, pero en realidad la participación de las exportaciones en el PIB real podría reducirse, y los niveles de vida se elevarían. El dinamismo de la economía no exportadora la defiende, pues, de los choques adversos externos, de modo que cualquier recesión causada por ciclos del comercio mundial tenderá a ser breve.

El primer mecanismo —el capital— incluye la transferencia de una parte del excedente de capital del sector exportador a una inversión productiva en la economía no exportadora. Esta transferencia dista mucho de ser automática. Por ejemplo, será menos probable que ocurra si el excedente recae en inversionistas extranjeros, si hay pocos intermediarios financieros y si el mercado interno es pequeño. Habrá más posibilidades de que se lleve a cabo si el excedente recae en factores locales de producción, si está bien difundida la intermediación financiera y el mercado interno es grande y en expansión.

Las dimensiones del mercado interno son función no sólo de la población, sino también del poder adquisitivo. Donde el trabajo —el segundo mecanismo— del sector exportador se paga en especie, el mercado interno queda restringido artificialmente. Una fuerza de trabajo basada en la esclavitud —como la de Brasil o Cuba hasta finales del decenio de 1880— es un estímulo pobre para transferir las ganancias derivadas de la productividad del sector exportador a la economía no exportadora. En cambio, una fuerza de trabajo calificada y asalariada no sólo representa una concentración importante del poder adquisitivo para los vendedores en la economía no exportadora, sino también una fuente potencial de futuros empresarios que podrán llevar su capacidad y sus conocimientos a otras ramas de la economía.

El tercer mecanismo se refiere al Estado. La expansión del sector exportador permite la de las importaciones, y los impuestos al comercio exterior en las primeras etapas de desarrollo son invariablemente la fuente más importante de ingresos para el gobierno. El monto de los ingresos y la manera en que se gastan resultan factores decisivos del éxito o el fracaso del desarrollo guiado por las exportaciones. Cuando los recursos son escasos y se los utiliza básicamente para reforzar al sector exportador, el no ex portador puede perder todo dinamismo; donde los recursos son considerables y se los emplea para fomentar la economía no exportadora, ambos sectores podrán crecer con rapidez. Sin embargo, el equilibrio es delicado, porque una excesiva carga fiscal al sector exportador podría hacer que se estancara.

La lotería de bienes y la mecánica del crecimiento guiado por la exportación han sido factores decisivos del éxito o fracaso del desarrollo económico de América Latina desde la Independencia, pero también lo ha sido el medio político-económico. La política económica incongruente, o aplicada de manera incongruente, ha causado considerable daño tanto al sector exportador como al no exportador. La política económica congruente, basada en un consenso general y apoyada por la estabilidad política, en cambio, ha creado un medio apropiado para transferir los aumentos de productividad del sector exportador a la economía no exportadora. A medida que las economías latinoamericanas van ganando en complejidad, el medio político-económico se ha vuelto más importante, hasta el punto de que en algunas repúblicas es hoy el determinante principal del éxito o el fracaso.

Durante la mayor parte del primer siglo posterior a la Independencia todas las repúblicas de América Latina siguieron una política de crecimiento guiado por las exportaciones de sus productos primarios. Donde la combinación de la lotería de bienes, la mecánica del desarrollo guiado por las exportaciones y el medio político-económico fue favorable, los resultados fueron impresionantes. Por ejemplo, Argentina, que salió beneficiada en la lotería de bienes y donde la mecánica del desarrollo basado en las exportaciones funcionó perfectamente, se encontró entre los 12 países más ricos del mundo en la década de 1920 en función del ingreso real per cápita, pese a numerosas deficiencias de su política económica. En cambio, donde los tres elementos fueron desfavorables, como en Haití y Bolivia, se obtuvieron resultados terriblemente decepcionantes.

En el medio siglo que siguió a la Depresión de 1929 cierto número de países —principalmente las repúblicas más grandes— se apartaron del crecimiento guiado por las exportaciones y favorecieron el desarrollo interno basado en la industrialización por sustitución de importaciones (ISI). En esos países el sector exportador perdió dinamismo y la lotería de bienes dejó de ser relevante, aunque las exportaciones de productos primarios siguieran siendo la principal fuente de captación de divisas. El nuevo sector dinámico fue la ISI, y el problema pasó a ser cómo transferir los aumentos de productividad del sector ISI al resto de la economía. Por consiguiente, la necesidad de que funcionaran bien los mercados de factores y productos siguió vigente en esta nueva situación, y el medio político-económico se volvió más importante que nunca: sus errores resultaban más costosos.[22]

A fines de la década de 1960 algunos países comenzaron a apartarse del desarrollo hacia adentro y a buscar un nuevo tipo de integración a la economía mundial, sobre la base de exportaciones no tradicionales, incluyendo manufacturas. Este proceso aceleró el paso durante la de 1980 y, al comienzo de la de 1990, en toda América Latina se había iniciado una nueva era de crecimiento guiado por las exportaciones. Mucho se espera de este nuevo modelo, pero habrá que recordar las lecciones del pasado. El medio político-económico sigue siendo decisivo: el carácter global que hoy tiene la economía mundial exige que los factores de la producción internos estén cada vez más conscientes de las oportunidades que surgen fuera de la región, de modo que los errores políticos se pagan con la fuga de capitales y de mano de obra calificada de América Latina. La mecánica del crecimiento basado en expor-

---

[22] Cuando las barreras al comercio internacional crearon una brecha entre los precios nacionales y los internacionales, la política económica interna se volvió un factor clave de la asignación de recursos y el ritmo del desarrollo económico.

taciones se ha vuelto más compleja, y la transferencia y difusión de la tecnología mucho más decisiva, pero subsiste el problema básico de transferir los aumentos de productividad del sector exportador a la economía no exportadora. La lotería de bienes ya no es tan importante, pero la elección de exportaciones no tradicionales aún podrá ejercer un efecto importante sobre el éxito o el fracaso del desarrollo económico.

Las lecciones de la historia económica de América Latina nos indican que no hay nada determinado en la baja ubicación actual de la región en materia de desarrollo económico en general y de ingreso real per cápita en particular. Hoy no es más fácil lograr la alquimia del éxito que en tiempos de la Independencia. No existen varitas mágicas, y la competencia internacional es más feroz que nunca. No todas las repúblicas latinoamericanas pueden esperar la transición a la categoría de PD en el presente siglo, pero sería sorprendente que no lo lograsen al menos unas cuantas.[23] Aun así, habrá que aprender las lecciones del pasado —tanto los fracasos como los éxitos— si se quiere que los nietos de los latinoamericanos de hoy tengan asegurado un nivel de vida decente.

[23] México ha sido aceptado como miembro de la Organización para la Cooperación y el Desarrollo Económico (OCDE), el "club" al que pertenecen todos los PD, pero esto tiene más que ver con la política de libre comercio de América del Norte que con la auténtica posición económica de México.

II. LA LUCHA POR LA IDENTIDAD NACIONAL DESDE LA INDEPENDENCIA HASTA MEDIADOS DEL SIGLO XIX

LA INDEPENDENCIA, que la mayor parte de América Latina conquistó a comienzos del decenio de 1820, llegó al final de un largo periodo de perturbaciones económicas y disturbios políticos durante el cual cabe suponer que los niveles de vida bajaron en forma notoria. Desde el principio de las hostilidades entre Gran Bretaña y España durante las guerras napoleónicas, el comercio exterior de América Latina —importaciones y exportaciones— se vio gravemente perturbado. La invasión de la Península Ibérica por Napoleón, en 1808, y la imposición de su hermano José como rey de España, hizo que la familia real portuguesa se trasladase a Brasil y creó una alianza temporal entre Gran Bretaña y las fuerzas antinapoleónicas de España. Las exportaciones de Latinoamérica se vieron afectadas, y el comercio interno fue socavado por el alud de importaciones que entraron a la región cuando los comerciantes británicos buscaron una alternativa al mercado continental, que se hallaba bloqueado.[1]

La invasión de España por Napoleón minó la autoridad española en el subcontinente y dio al movimiento de Independencia —hasta entonces débil y desarticulado— el ímpetu que necesitaba con tanta urgencia. Cuando Napoleón finalmente fue derrotado, en 1815, el movimiento ya había adquirido una dinámica propia y la reafirmación de la autoridad española y portuguesa sobre la Península Ibérica no pudo ya extenderse a América Latina. Brasil, que era un reino separado desde 1815, se negó a reconocer las demandas de Juan VI en Lisboa, y en 1822 coronó emperador a su hijo don Pedro.[2] La Nueva España se convirtió en México (durante nueve meses fue un imperio encabezado por Agustín de Iturbide), y se extendió fugazmente hacia la frontera septentrional de Colombia, después de la anexión de América Central.[3] Las colonias sudamericanas de España optaron desde el principio por el gobierno republicano, y a mediados del decenio de 1820 España sólo dominaba en Cuba y Puerto Rico.[4] Aun Santo Domingo, parte oriental de La Española, fue arrancado en 1822 a España por Haití, el cual había conquistado su independencia de Francia en 1804.[5]

Los disturbios políticos no terminaron con la Independencia. Antes bien,

---

[1] El valor declarado de las exportaciones británicas a América, sin contar a los Estados Unidos, pasó de 7.8 millones de libras en 1805 a 18.0 millones en 1809. Véase Platt (1972), p. 28.

[2] Véase Bethell (1985), pp. 179-187.

[3] Véase Anna (1985), pp. 86-93.

[4] Véase F. Knight (1990), capítulo 6.

[5] Véase Moya Pons (1985), pp. 237-255.

las fronteras nacionales heredadas de España y Portugal fueron a menudo causa de disputa. América Central se había separado de México en 1823, perdiendo en el proceso la provincia de Chiapas a manos de su vecino del Norte, y funcionó como federación —con enormes dificultades— hasta 1838, cuando se separó en sus cinco partes constituyentes.[6] Texas se separó de México en 1836,[7] y Yucatán hizo lo mismo en 1839 (aunque la península fue reincorporada en 1843).[8] La Gran Colombia —la unión de Venezuela, Colombia y Ecuador, creada por Simón Bolívar— terminó por desintegrarse en 1830, después de la muerte del Libertador,[9] y la efímera unión de Perú y Bolivia durante esa misma década se desplomó después de una invasión chilena.[10]

Ni siquiera Brasil, donde la Independencia se había conquistado sin mayores trastornos, estuvo después libre de disputas fronterizas. Su intento de incorporar la Banda Oriental al imperio provocó la furia de Argentina, y la guerra resultante condujo a la creación de Uruguay como Estado amortiguador en 1828.[11] Brasil también tuvo que hacer frente a numerosas revueltas de carácter claramente secesionista,[12] y los gobiernos de Argentina y Chile emprendieron guerras contra sus poblaciones indias, en un esfuerzo por extender las fronteras de las nuevas repúblicas sobre tierras dominadas por pueblos indígenas que no habían sido sometidos por España.[13] La dominación haitiana de Santo Domingo llegó a su fin con la creación de República Dominicana, en 1844.[14] Paraguay sólo logró aplazar las disputas fronterizas con sus vecinos al retraerse a un refugio aislacionista creado por el absolutista José Gaspar Rodríguez de Francia.[15]

Las disputas territoriales fueron consecuencia inevitable de la decadencia del poder ibérico. España, en particular, no veía ninguna razón para prestar especial atención a unas fronteras trazadas casi exclusivamente por con-

---

[6] Las cinco repúblicas son Costa Rica, El Salvador, Guatemala, Honduras y Nicaragua. Sin embargo, Gran Bretaña ejerció un control formal e informal sobre gran parte de la costa atlántica del Istmo en el siglo XIX a través de sus colonias o protectorados en Belice (Honduras Británicas), Mosquitia y las Islas de la Bahía. Véase Williams (1916).

[7] Texas se unió a Estados Unidos en 1845; así, la República de la Estrella Solitaria duró menos de 10 años. Véase Meyer y Sherman (1979), pp. 335-342.

[8] Véase Reed (1964), pp. 4-32.

[9] El derrumbe de la Gran Colombia puso fin al sueño de una unión panamericana esbozada por Bolívar en 1826 en el Congreso de Panamá. Sobre las tensiones de este temprano intento de integración regional, véase Bushnell (1970).

[10] Véase Bonilla (1985), pp. 564-570.

[11] Véase Lynch (1985), p. 688.

[12] Véase Bushnell y Macaulay (1988), pp. 167-175.

[13] Sin embargo, la derrota y subyugación final de las poblaciones indígenas no se produjo sino hasta el decenio de 1880.

[14] Véase Moya Pons (1985), pp. 255-268.

[15] La guerra entre Paraguay y sus vecinos no comenzó sino hasta 1865, pero cuando estalló fue desastrosa para la república sin salida al mar. La Guerra de la Triple Alianza entre Argentina, Brasil y Uruguay, en un bando, y Paraguay, en el otro, hizo que este último perdiera la mitad de su población y una gran parte de su territorio.

veniencia administrativa. Además, por las pequeñas dimensiones de la población (véase el cuadro II.1) y su poca densidad, las fronteras pasaban a menudo por zonas tan despobladas que la costumbre local no era una buena guía para trazarlas. Las potencias extranjeras no vacilaron en aprovechar esta debilidad de los nacientes Estados de América Latina: los actuales límites de Belice y de Guyana (ex colonias británicas) se trazaron a comienzos del siglo XIX a expensas de las repúblicas vecinas,[16] y México perdió casi la mitad de su territorio a manos de los Estados Unidos en la guerra de ambas naciones a mediados del siglo XIX.[17]

Los disturbios políticos no se limitaron a conflictos entre repúblicas. Por lo general, la guerra civil fue causa aún más importante de fricciones, cuando las élites políticas combatieron entre sí por la naturaleza del Estado, por las relaciones con la Iglesia católica y por la organización de ciertas instituciones clave. Estas tensiones, mucho más graves que las que afectaron a Estados Unidos a finales del siglo XVIII (donde poco después de la guerra revolucionaria había surgido un consenso sobre muchos temas), no habrían de resolverse durante largas décadas. Un sistema colonial formado y evolucionado en el curso de tres siglos no podía ser desmantelado de la noche a la mañana, y gran parte de los disturbios pueden interpretarse como una disputa sobre qué debía mantenerse del sistema colonial y qué tenía que remplazarse. Por consiguiente, conviene analizar brevemente los principales rasgos de la economía colonial heredada por las repúblicas latinoamericanas.

EL LEGADO COLONIAL

La organización de la economía colonial sufrió muchos cambios tras la llegada de los conquistadores, pero siempre se guió por los principios del mercantilismo.[18] De acuerdo con esta doctrina la prosperidad de una nación estaba relacionada con la acumulación de capital; y el capital solía identificarse con los metales preciosos. En el caso de España y de Portugal, donde no había oro ni plata en cantidades apreciables, la doctrina exigió, por lo tanto, la acumulación de metales preciosos a través del comercio exterior.

El mercantilismo tuvo diversas consecuencias especiales para las relaciones entre la América Latina colonial y los países de la Península Ibérica. Según la teoría, América Latina debía adquirir todos sus bienes importados de España y Portugal, y debía vender sus productos de exportación (excepto

---

[16] Sobre la disputa anglo-guatemalteca por Belice (antes Honduras Británica), véase Humphreys (1961). Sobre la disputa fronteriza entre Guyana (antes Guayana Británica) y Venezuela, véase Lieuwen (1965), pp. 166-168.

[17] Véase Bazant (1985), pp. 441-444. Aunque la pérdida territorial de México fue considerable, sólo afectó a 2% de su población.

[18] Sobre la teoría del mercantilismo y su profunda influencia en toda la Europa de la época, véase Blaug (1976), pp. 10 y ss.

CUADRO II.1 *Población de América Latina antes y después de la Independencia (en millones)*

País	1788	1810	1823
Nueva España[a]	5.9	7.0	6.8
Guatemala[b]	1.2	—[c]	1.6
Cuba y Puerto Rico	0.6	—[d]	0.8
Venezuela	0.9	0.95	0.79
Nueva Granada[e]	1.8	2.0	2.0
Perú[f]	1.7	2.05	1.4
Chile	—[g]	—[g]	1.1
Río de la Plata[h]	1.1	2.35	2.3
Subtotal	13.2	14.35	16.79
Brasil[i]	1.9[j]	3.3[k]	4.0
Total	15.1	17.65	20.79

[a] Aproximadamente México antes del decenio de 1850.
[b] Aproximadamente la moderna América Central.
[c] Incluida en la Nueva España.
[d] No hay datos.
[e] Equivalente a los modernos Panamá y Colombia.
[f] Equivalente a los modernos Bolivia, Ecuador y Perú.
[g] Incluido en Perú.
[h] Equivalente a los modernos Argentina, Paraguay y Uruguay.
[i] Excluye a los indígenas no catequizados.
[j] Los datos son para 1776.
[k] Los datos son para 1800.
FUENTE: Rippy (1945), pp. 106, 107 y 127. Las investigaciones más recientes han reducido las cifras totales de población. Véase por ejemplo Lockhart y Schwartz (1983), p. 338, quienes dan para *ca.* 1800 una cifra de 12 557 000 (sin contar a Brasil), como resultado de una población menor para el Río de la Plata.

oro y plata) en ese mismo mercado. El notorio déficit comercial resultante se financiaría por la transferencia de oro y plata a la Península Ibérica. Cuanto mayor fuese el déficit comercial, mayor había de ser —en teoría— la acumulación de metales preciosos por parte de España y Portugal; el límite estaría dado por la capacidad física de las minas de oro y plata de América Latina.

Dado que el comercio con otros países reduciría el déficit comercial con la Península Ibérica, la doctrina del mercantilismo exigía que se le suprimiera. Por lo tanto, España y Portugal impusieron un monopolio y un monopsonio comercial a sus colonias, con lo que se favoreció la exportación de productos latinoamericanos, siempre que no compitieran con la Madre Patria y no se vendieran en ella. Por consiguiente, fueron bien recibidas las exportaciones latinoamericanas de productos tropicales como el tabaco y el azúcar.

El visible déficit comercial no era el único mecanismo por el cual España y Portugal trataban de obtener metales preciosos de las colonias. La división de los minerales entre los productores privados, la administración colonial y los monarcas ibéricos redundó en transferencias considerables a la Península Ibérica, de modo que el déficit de la balanza de pagos aumentó más aún. Esto sólo podía financiarse con un flujo de metálico. Además de los impuestos a las minas, se esperaba que también la recaudación de muchos otros impuestos locales se transfiriese a la metrópoli.

La repercusión del mercantilismo sobre las relaciones entre la Península Ibérica y América Latina se resume en el cuadro II.2, en el que se supone que no hay comercio con el resto del mundo. Las exportaciones de artículos de la Península Ibérica (500 unidades) se equiparan, por lo tanto, con las importaciones de productos latinoamericanos, y las exportaciones de productos latinoamericanos (300 unidades) son iguales a las importaciones de productos de la Península Ibérica. El resultado es un visible desequilibrio comercial (200 unidades) en favor de la Península Ibérica. Las transferencias oficiales netas (100 unidades) —que consistían en cosas tales como el impuesto real a las minas— dejan un balance de la cuenta corriente de 300 unidades, que se financia por la exportación de metales preciosos de América Latina a España y Portugal.

Dado que los embarques de metales estaban limitados por la capacidad de la industria minera, no es de llamar la atención que aquellas partes del imperio que tenían los depósitos más importantes de oro y plata —la Nueva España, el Alto Perú, Chile y la Nueva Granada—[19] recibieran la mayor atención. Otras zonas, como la Audiencia de Guatemala,[20] fueron bastante desatendidas y tuvieron que depender de sus propios y limitados recursos.

En el caso de Portugal, el descubrimiento de oro en el centro de Brasil (Minas Gerais), en el siglo XVIII, modificó la atención prestada a la zona, y fue la principal razón que determinó el traslado de la capital de Bahía a Rio de Janeiro.[21]

La teoría del mercantilismo puede haber guiado la organización económica de la América Latina colonial, pero la realidad solía verse afectada por hechos sobre los cuales España y Portugal tenían poco control. Ninguna de

[19] La industria minera de la Nueva España se encontraba ubicada en lo que hoy es México; la del Alto Perú, en Bolivia, y la de Nueva Granada, en Colombia. En Humphreys (1946) pueden verse mapas que muestran la correlación entre la América Latina colonial y la independiente.

[20] La Audiencia de Guatemala corresponde a la moderna América Central, más Chiapas (anexada por México en la época de la Independencia). En Honduras y Nicaragua se producían pequeñas cantidades de metales preciosos, pero no bastante como para despertar el interés de la Corona.

[21] Véase Lockhart y Schwartz (1983), pp. 370-387.

CUADRO II.2. *El sistema económico colonial*

	Península Ibérica		América Latina		
	Crédito	Débito	Crédito	Débito	
Exportaciones de bienes tangibles	500			500	Importaciones de bienes tangibles
Importaciones de bienes tangibles		300	300		Exportaciones de bienes tangibles
Balanza comercial	200 (excedente)		200 (déficit)		Balanza comercial
Transferencias gubernamen- tales netas	100			100	Transferencias gubernamen- tales netas
Importaciones de metales preciosos		300	300		Exportaciones de metales preciosos
Balance general	0			0	Balance general

las dos potencias imperiales pudo nunca aportar todos los bienes que las colonias necesitaban. Los esfuerzos por reexportar a América Latina los productos adquiridos en el resto de Europa no sólo aumentaban el costo para las colonias, sino que también ocasionaban un flujo de metales preciosos de España y Portugal hacia sus rivales imperiales. Además, en muchos lugares de América Latina el alto costo de los artículos comprados a la potencia imperial desencadenó un animado contrabando con mercaderes británicos, franceses y holandeses.

Con las reformas borbónicas iniciadas en 1759 España hizo serios esfuerzos por remodelar los sistemas comerciales externo e interno en la América española.[22] Aunque España nunca abandonó formalmente su monopolio del comercio exterior, se facilitó el negocio de la exportación y la importación. Las exportaciones de América Latina aumentaron su importancia y se diversificaron más. En particular se ampliaron las agrícolas (véase el cuadro II.3), vinculando a la América española no sólo con España, sino también —por la reexportación o el contrabando— con otras partes de Europa.

---

[22] La bibliografía sobre las reformas borbónicas y su impacto sobre la economía es enorme. Por ejemplo, véase Fisher (1985), capítulo 1.

Un proceso similar se observó en Brasil, donde las reformas pombalinas (llamadas así por el marqués portugués de Pombal) redujeron las restricciones al comercio y propiciaron el aumento de las exportaciones, que coincidió con la declinación de la producción aurífera de Minas Gerais.[23]

También aumentó el comercio interno (intrarregional) (véase el cuadro II.3). Se suprimieron molestas restricciones a éste y se desarrolló un activo comercio entre muchas partes de los imperios ibéricos, estimulado por la que era, de hecho, una unión aduanera. El comercio agrícola, tanto extrarregional como intrarregional, contribuyó a mejorar la eficiencia, lo que afectó no sólo a la plantación (dedicada en general a un solo producto para su venta en el mercado mundial), sino también a las haciendas (las grandes propiedades que producían muchos artículos diferentes para el autoconsumo, la venta en el mercado local y la exportación).

La economía no relacionada con la exportación, muy descuidada por los Habsburgo durante los siglos XVI y XVII, también recibió atención a partir de las reformas borbónica y pombalina. La economía no exportadora estaba dominada por la agricultura, pero también contenía un importante sector artesanal asentado, de manera principal, en las pequeñas ciudades imperiales. Aunque en la mayor parte de América Latina predominaba la economía de subsistencia —sobre todo en las zonas con una considerable población indígena, que aún poseía comunalmente la tierra—, en el mercado había demanda del excedente agrícola. Éste provenía de los pequeños núcleos de las ciudades, de trabajadores no agrícolas de las zonas rurales (especialmente los centros mineros) y de trabajadores de las plantaciones (con frecuencia esclavos). Al aumentar la producción de estas tres actividades, gracias a las reformas del siglo XVIII, también aumentó la necesidad de bienes agrícolas para el consumo interno, lo que redundó en beneficio, principalmente, de la hacienda.

El sector artesanal, protegido por reglamentaciones y por una red de gremios casi feudal, había crecido en respuesta a las necesidades de la administración colonial y al modesto poder adquisitivo de los habitantes de la región. Protegido por la legislación de las importaciones no ibéricas debido a su alto costo y atrasada tecnología, no pudo defenderse muy bien del contrabando. Sin embargo, prosperaron algunas actividades artesanales —en especial los textiles de la Nueva España—[24] y unos cuantos productos manufacturados ingresaron al comercio intrarregional (véase el cuadro II.3).

Con excepción de un puñado de monopolios reales (por ejemplo, el tabaco y la sal), la mayoría de las actividades productivas se encontraba en manos privadas. Las fuentes de financiamiento para la inversión privada eran muy limitadas, y muchas empresas dependían de la reinversión de las ganancias o del capital que traían consigo los recién llegados de la Península

---

[23] Sobre las reformas pombalinas, véase Lockhart y Schwartz (1983), pp. 383-397.

[24] Existe un número considerable de buenos estudios sobre la industria textil en la Nueva España. Véase, por ejemplo, Thomson (1989), parte primera.

CUADRO II.3. *Comercio extrarregional e intrarregional de América Latina a finales de la época colonial*

Área	Región	Productos	Mercados	
			Extrarregional	Intrarregional
México	Centro	Azúcar, textiles		*
	Oaxaca	Cereales	*	*
	Yucatán	Añil	*	*
	Norte	Ganado, textiles		*
	Norte	Plata	*	
América Central y Caribe	El Salvador	Añil	*	*
	Honduras	Plata	*	
	Costa Rica	Tabaco		*
	Antillas	Azúcar	*	
Venezuela	Costa	Cacao	*	*
	Llanos	Cueros	*	*
Colombia	Altos Orientales	Oro, plata	*	
Ecuador	Altos	Textiles		*
	Costa	Cacao	*	*
Perú y Bolivia	Altos	Plata	*	
	Altos	Mercurio		*
	Costa norte	Azúcar		*
	Costa sur	Algodón		*
Chile	Norte	Plata	*	
	Centro	Trigo	*	*
Argentina	Norte y Centro	Productos artesanales		*
Paraguay y Uruguay	Cuyo	Vino		*
	Nordeste	Yerba mate, ganado bovino		*
	Nordeste	Azúcar	*	
	Río de la Plata	Sebo, cueros	*	
Brasil	Centro	Oro, diamantes	*	
	Sur	Ganado bovino		*
	Amazonia	Silvicultura	*	

FUENTE: Cardoso y Brignoli (1979a), pp. 218-220.

Ibérica. Las otras grandes fuentes financieras eran la Iglesia católica y la pequeña clase mercantil. A menudo escaseaban los medios de pago (sobre todo en metálico) como resultado de la sangría de metales preciosos que se enviaba a la Madre Patria.

El mercado laboral evolucionó continuamente tras la llegada de los españoles y portugueses, pero en general siguió caracterizándose por la coerción y la falta de trabajo libre asalariado, aun en la época de la Independencia. En las plantaciones seguía siendo común el trabajo esclavo, que por fin fue abolido en Cuba y Brasil a finales del decenio de 1880. En la hacienda el trabajo dependía, a menudo, del peón acasillado —un contrato de trabajo que hacía virtualmente imposible para muchos trabajadores buscar empleo en otra parte—, y las leyes contra la vagancia, al obligar a los trabajadores rurales a demostrar que tenían empleo, aumentaron la oferta de trabajo. Algunas minas dependían del trabajo asalariado, pero otras seguían apoyándose en la *mita*, una forma especialmente brutal de trabajo forzado, destinada a garantizar a los dueños de las minas una oferta adecuada de trabajo, por lo general indígena.[25]

El sistema fiscal estaba diseñado para maximizar el flujo de recursos a la metrópoli, sujeto a la limitación impuesta por los requerimientos mínimos para administrar las colonias. En la práctica, esta limitación superó a menudo la capacidad de las colonias de remitir fondos a España o Portugal. El ingreso procedía de los impuestos al comercio exterior (principalmente gravámenes a la importación), los impuestos a la minería (el quinto), la ubicua alcabala (que en realidad era un impuesto a las ventas), los monopolios reales, una parte de los diezmos eclesiásticos, el tributo indio (impuesto a las comunidades) y la venta de los cargos públicos a peninsulares (los recién llegados de España y de Portugal, a quienes, en teoría, se reservaban todos los puestos públicos más importantes).[26] Los gastos consistían en costos administrativos, costos militares y pagos de servicio de la deuda, pero en las regiones más pobres de la América española estos tres rubros rebasaban los ingresos, lo que obligó a la Corona española a aplicar un sistema de transferencias intrarregionales de las regiones más prósperas (como la Nueva España). Así, a menudo quedaba poco o ningún excedente, aun en las regiones más prósperas, para mandarlo a España, aunque Brasil siempre logró enviar algunos fondos a Portugal.

La economía colonial pasó por una serie de ciclos, que en la época de los Habsburgo estuvieron determinados principalmente por los altibajos de la industria minera. Sin embargo, las reformas borbónicas produjeron, durante la segunda parte del siglo XVIII, un aumento basado en la minería, las ex-

[25] La organización de la mano de obra en la industria minera colonial ha sido bien investigada. Para un buen estudio, véase Bakewell (1984), pp. 123-131.

[26] El contraste entre los criollos (españoles nacidos en América) y los peninsulares, y la relación —frecuentemente compleja— entre ambos, han sido tema de numerosos estudios. Para una visión general, véase Lockhart y Schwartz (1983), capítulo 9.

portaciones agrícolas y el comercio intrarregional. Hacia el año 1800, según una fuente,[27] América Latina era ya la parte más rica del Tercer Mundo, con un producto nacional bruto (PNB) per cápita (en precios de 1960), de 245 dólares, similar al de América del Norte (239 dólares). Aunque casi con seguridad esa primera cifra es excesiva, la categoría relativamente privilegiada de la región dentro de lo que hoy llamamos el Tercer Mundo, a finales del siglo XVIII, resultaría difícil de refutar.[28]

Esta posición de privilegio sufrió los efectos de los levantamientos relacionados con la lucha independentista. Podemos suponer que las dificultades económicas de las dos primeras décadas del siglo XIX redujeron considerablemente el ingreso real per cápita en América Latina.[29] El comercio exterior descendió, hubo una severa disminución de los capitales de la región, tanto por fuga como por el regreso de muchos peninsulares a su tierra, y el sistema fiscal prácticamente se desplomó, y algo todavía peor fue que la productividad de las minas —la joya más refulgente de la Corona imperial— se vio muy afectada por las inundaciones y el agotamiento, así como por los perjuicios debidos a las perturbaciones del comercio exterior.

LAS CONSECUENCIAS ECONÓMICAS DE LA INDEPENDENCIA

La independencia política dio a las nuevas repúblicas el derecho de modificar muchos aspectos de la economía colonial. El primer candidato fue el monopolio del comercio exterior, tan irritante durante todo el periodo colonial, y que había privado a América Latina de la oportunidad de vender en el mercado de mejor precio y de comprar en el más barato. La perspectiva del libre comercio despertó el interés de las potencias no ibéricas durante la lucha latinoamericana por la Independencia, lo que constituyó un poderoso incentivo para que Gran Bretaña en particular, con su excedente exportable de bienes manufacturados, reconociera a las jóvenes repúblicas.[30]

El fin del monopolio del comercio exterior representó una considerable

[27] Véase Bairoch y Lévy-Leboyer (1981), cuadros 1.6 y 1.7.

[28] Sin embargo, el crecimiento real del PIB per cápita en América Latina, comparado con el de los Estados Unidos de América, era decepcionante en el siglo XVIII. Véase Coatsworth (1993), cuadro 3, p. 14.

[29] Sobre el desalentador desempeño económico de México en la época de la Independencia, véanse Coatsworth (1978) y Salvucci (1997). Randal (1977), p. 224, también nos ofrece una estimación aproximada del PIB de México, que confirma la impresión de una decadencia durante la primera mitad del siglo XIX.

[30] El reconocimiento de la Independencia hispanoamericana por parte de Gran Bretaña fue relativamente claro, y esta historia se relata con excelente estilo en los textos contemporáneos, recopilados en Webster (1938). En Brasil la situación se complicó por la larga e íntima relación de Gran Bretaña con Portugal. Sin embargo, las perspectivas comerciales tomaron precedencia, y Gran Bretaña reconoció en 1825 la independencia de Brasil. Véase Manchester (1933), pp. 186-219. El reconocimiento de la Independencia latinoamericana por parte de otros países también

mejora, pero los efectos combinados de las reformas borbónica y pombalina, y la ulterior decadencia de la autoridad española y portuguesa, habían dado ya a América Latina, antes de lograr la Independencia, muchas de las ventajas del libre comercio. Por ejemplo, los mercaderes británicos se habían precipitado a llenar el vacío dejado por la invasión napoleónica de la Península Ibérica y se habían establecido en número considerable en las ciudades de Rio de Janeiro, Buenos Aires, Valparaíso y Lima.

La Independencia también le dio a América Latina la oportunidad de reunir capital en el mercado internacional. En la práctica, esto significó que la bolsa de valores de Londres y los inversionistas británicos se apresuraran a responder a la emisión de bonos ofrecida por las nuevas repúblicas. Sin embargo, el acceso al mercado internacional de capitales resultó un verdadero Caballo de Troya. Una combinación de fraudes, mala administración e inversiones improductivas de las utilidades hizo que casi todos los gobiernos emisores se encontraran en quiebra al término del decenio de 1820.[31]

Además, las ventajas del libre comercio y el acceso al mercado internacional de capitales se contrapesaban con ciertas desventajas relacionadas con el derrumbe del régimen colonial. En primer lugar, la creación de numerosas repúblicas independientes y de un imperio (Brasil) puso fin a la unión aduanera *de facto* que había estado funcionando en América Latina. Empezaron a aplicarse gravámenes a todas las importaciones —no sólo a las extrarregionales— y la consecuencia inevitable fue la desviación del comercio, es decir, la sustitución de importaciones baratas de un socio por productos nacionales más caros.

En segundo lugar, la fuga de capitales asestó un duro golpe a la apremiante tarea de acumulación de capital. El problema no sólo era la salida de capital financiero de la región, sino también la descapitalización de las empresas existentes como resultado de la guerra civil y los trastornos políticos. Los activos físicos de las minas no se mantuvieron ni repusieron, y muchas haciendas se desmoronaron, lo cual, a su vez, produjo problemas para el pago de deudas —principalmente a la Iglesia—, lo que inmovilizó el mercado interno de capital en los primeros años de la Independencia.[32]

En tercer lugar, el derrumbe del sistema fiscal no sólo se debió a las guerras de Independencia. No era razonable esperar que los gobiernos republicanos mantuvieran los impuestos reales; se empezó a ver con malos ojos la venta de cargos públicos, y en muchos países se ejerció una poderosa presión para que se suprimiesen los impuestos comunales. Las primeras con-

estuvo fuertemente influido por las perspectivas comerciales. Para el caso de Estados Unidos, véase Gleijeses (1992).

[31] Esta historia, entretejida con intrigas y personajes exagerados, ha sido bien descrita por Dawson (1990). Pueden encontrarse comparaciones entre esta y posteriores crisis de la deuda en Marichal (1989).

[32] La relación entre la Iglesia católica, las finanzas y la acumulación de capitales ha sido estudiada con la mayor profundidad en México. Véase, por ejemplo, Chowning (1990).

cesiones fiscales resultaron desastrosas para la salud del sistema fiscal, y hubo que volver a aplicar algunos impuestos "coloniales", como los tributos de los indios. En algunos casos las nuevas administraciones carecían de autoridad para cobrar los gravámenes tradicionales, y no querían complicar más sus problemas políticos fijando nuevos impuestos.

En cuarto lugar, el problema de la balanza fiscal se agravó por los gastos adicionales que tuvieron que hacer las repúblicas recién independizadas. Había que mantener ejércitos nacionales, pensionar a los veteranos de las guerras de Independencia y proteger las fronteras. Las reclamaciones por daños de guerra fueron considerables, y se agravaron por toda una serie de disputas regionales que proliferaron después de la Independencia.

Vemos así que la Independencia ofreció dos grandes ventajas —el libre comercio y el acceso a los mercados internacionales de capital—, que en el largo plazo crearon oportunidades para el avance económico, pero también acarreó toda una serie de desventajas que, en el corto plazo, en la mayoría de las repúblicas superaron esos beneficios. Donde se pudieron minimizar los costos gracias a fronteras relativamente seguras, un gobierno estable y unos ingresos fiscales saludables (como en Chile), las primeras décadas de la Independencia fueron exitosas; donde los costos se exacerbaron por conflictos territoriales, inestabilidad política y crisis fiscal (como en México) no se pudo revertir la crisis económica de las dos primeras décadas del siglo.

Tras la Independencia siguieron existiendo elementos importantes de continuidad con la economía colonial. El sistema de tenencia de la tierra, que giraba en torno de la plantación, la hacienda, la pequeña propiedad[33] y las tierras comunales indígenas, casi no se vio afectado. Además, donde los países recién independizados hicieron concesiones de tierra en gran escala (como en Argentina en tiempos del general Juan Manuel de Rosas), se tendió a seguir el patrón colonial. Algunos veteranos de las guerras recibieron pequeñas parcelas como recompensa por sus servicios militares, pero no alcanzaron a constituir una amenaza para el sistema tradicional de tenencia de la tierra.

El acceso al mercado internacional de capital, después de la desastrosa experiencia del decenio de 1820, no representó mayor problema para el mercado nacional de capital, heredado de la Colonia. La Iglesia recuperó lentamente su posición, pese a los esfuerzos de los liberales por reducir su riqueza y su poder temporales, y los comerciantes —engrosadas sus filas por los numerosos extranjeros ahora dedicados al comercio— continuaron desempeñando un papel importante en la intermediación financiera. La única gran innovación fue la creación, en México, de un banco estatal, el Banco de Avío, para promover actividades que compitieran con las importaciones. Este ex-

---

[33] La pequeña propiedad, en general propiedad de una familia que la administraba, ha sido relativamente descuidada en la historia económica de América Latina. Una excepción se encuentra en Brading (1978).

perimento, como el de los primeros bancos comerciales en Brasil, no sobrevivió más allá de mediados del siglo.[34]

El mercado laboral fue más problemático para la élite política de los países independientes. La permanencia del sistema de tenencia de la tierra y de los mercados internos de capital impidió que pudieran hacerse cambios drásticos en las relaciones laborales o en la operación de los mercados de trabajo. No cabía esperar una inmigración en masa, y no era probable que desapareciera la ya tradicional escasez de mano de obra, de que tanto habían padecido muchas actividades coloniales. Y sin embargo, incontables miembros de la élite política, sobre todo los que habían absorbido las ideas de las revoluciones francesa y estadunidense, se apresuraron a abolir la esclavitud y las muchas formas de coerción que se habían aplicado a los trabajadores indígenas. Además, los miembros de las clases trabajadoras que habían luchado valientemente por la Independencia no veían con buenos ojos un retorno a las prácticas coercitivas de trabajo.

De hecho, el mercado laboral sólo cambió ligeramente. Se abolió la esclavitud en aquellas repúblicas en que tenía poca importancia (por ejemplo, en América Central), pero se mantuvo donde desempeñaba un papel decisivo para la producción (como en Brasil, Cuba y Perú).[35] Al principio se canceló el tributo, pero a menudo se le restauró cuando se hizo evidente que los trabajadores indígenas ya no tenían los mismos incentivos para buscar un trabajo remunerado. Se puso fin a la *mita,* pero se mantuvieron el peonaje por deudas y las leyes contra la vagancia, y hasta se les adoptó en zonas fronterizas, como las pampas argentinas, donde antes no se aplicaba. Para las mayorías indígenas de México, Guatemala, Perú y Bolivia la Independencia no representó un cambio perceptible; y en el Brasil independiente los esclavos negros se encontraron en posición muy similar a la de sus equivalentes en las colonias españolas de Cuba y Puerto Rico.

Hubo continuidad con el colonialismo no sólo en la esfera económica sino también en la organización política. Algunos miembros de la élite política estaban en favor de un cambio radical, pero otros preferían un sistema que dejara intactas las estructuras básicas del poder. El caso más claro fue el de Brasil, donde la colonia simplemente se declaró imperio independiente, y también fue uno de los principales temas en las luchas políticas de México después de la Independencia. Estas disputas se harían extensivas —como veremos— a debates sobre la organización y la política económicas, y muchas repúblicas impidieron que surgiera el consenso indispensable para una buena administración económica.

[34] Sobre el Banco de Avío en México, véase Potash (1983). Sobre la incapacidad de establecer una banca comercial en Brasil, véase Prado (1991), pp. 135-165.

[35] La esclavitud fue abolida en Perú en 1854, mucho antes que en Brasil y Cuba. Un factor importante fue el ingreso generado por el auge del guano, que permitió al gobierno peruano dar una compensación a los antiguos propietarios de esclavos. Véase Bushnell y Macaulay (1988), pp. 243-244.

La cuestión del libre comercio

La abolición del monopolio imperial en el comercio internacional y la transición al libre comercio no significaron el *laissez-faire*. Por el contrario, la cuestión de qué impuestos, aranceles y otras restricciones debían aplicarse al comercio exterior fue causa importante del debate en los primeros decenios posteriores a la Independencia. Una élite acostumbrada a las innumerables restricciones coloniales al desplazamiento de bienes y personas no estaba bien preparada para aceptar plenamente la teoría comercial ricardiana y la doctrina de la ventaja comparativa. Además, Gran Bretaña —la nación comercial más poderosa del mundo y la más comprometida con el libre comercio— seguía aplicando numerosas restricciones a su comercio con el resto del mundo, así como gravámenes discriminatorios en favor de sus colonias, y los textos de Alexander Hamilton en Estados Unidos ya habían establecido el caso teórico en favor de los impuestos a la importación de manufacturas, para promover la industrialización.[36]

Por consiguiente, el debate en torno al libre comercio no trató sobre la conveniencia de fijar impuestos, sino el grado de esos gravámenes y la asignación de los recursos. Los "partidarios del libre comercio" deseaban que las restricciones comerciales fuesen lo más bajas posibles, y sus argumentos fueron enérgicamente apoyados por los comerciantes extranjeros que se habían establecido en toda la región desde el derrumbe del poder ibérico, y cuya razón de ser era la importación de bienes extranjeros. Los partidarios del comercio exterior en general eran apoyados por los gobiernos, aunque debe recordarse que los accionistas extranjeros (sobre todo británicos) tenían el interés opuesto, porque en muchos casos se suponía que el pago del servicio de la deuda estaría garantizado por los ingresos aduanales.

Los grupos internos de presión que apoyaban la escasa restricción al comercio exterior incluían a productores de artículos de exportación y comerciantes dedicados a exportar o importar, así como al reducido grupo de intelectuales que favorecía una división internacional del trabajo basada en el intercambio de productos primarios por manufacturas. Contra estos grupos estaban los numerosos comerciantes dedicados a la distribución de artículos de producción nacional, terratenientes y granjeros, los vendedores de bienes que se veían amenazados por las importaciones de otros países (incluso de otras partes de América Latina), y los gremios artesanales concentrados en los pequeños centros urbanos, donde no cabía esperarse que la producción artesanal compitiera con las importaciones no limitadas por elevados gravámenes.

Las líneas de batalla, por lo tanto, estaban claramente trazadas, y la deci-

---

[36] La importante obra de Hamilton fue publicada en 1791, apenas 15 años después de que *La riqueza de las naciones*, de Adam Smith, presentase el argumento más fuerte posible en favor de la mínima intervención del Estado y del libre comercio.

sión final dependía del gobierno. Dado que el Ejecutivo solía proceder precisamente de los grupos alineados en diferentes bandos del debate acerca del libre comercio, no es sorprendente que a menudo las posiciones del gobierno fueran ambivalentes, incongruentes y mudables. Y sin embargo, casi todos los gobiernos latinoamericanos se veían sujetos a una limitación insuperable —el presupuesto— que solía ser decisiva al determinar la política arancelaria.

La transición del colonialismo a la Independencia había aumentado la dependencia de los impuestos al comercio, en lugar de reducirla. Los impuestos fijados a otras actividades solían ser muy impopulares, difíciles de administrar y fáciles de evadir. Colombia abolió la alcabala en 1836, y fue reduciendo gradualmente el monopolio del tabaco; a mediados del siglo más de 50% de los ingresos del gobierno procedía de los ingresos aduanales, y tan sólo el arancel impuesto a los paños, zapatos y sombreros representaba 75% del total de impuestos al comercio. Este ejemplo dista mucho de ser el único.

Ante una enorme brecha entre los ingresos y los egresos, los gobiernos de los Estados recién independizados —con excepción del aislacionista Paraguay— emitieron bonos que colocaron en todo el mercado internacional de capital, en un esfuerzo por aumentar sus fuentes de ingreso. En casi todos los casos el resultado fue insatisfactorio. Los préstamos, reducidos por exorbitantes comisiones y descuentos, no pudieron pagarse, y a los pocos años los gobiernos se vieron obligados a declarar una moratoria.

A finales de la década de 1820, por lo tanto, los préstamos extranjeros habían dejado de representar una opción y los impuestos comerciales llegaron a ser, durante los años treinta de ese siglo, una proporción mayor de los ingresos del gobierno que 50 años antes. Es probable que los gobiernos fuesen conscientes de la función "protectora" de los aranceles, pero en una crisis fiscal había que dar prioridad a los ingresos.

Maximizar los ingresos del gobierno a partir de impuestos al comercio no significaba una tasa punitiva de impuestos. Por el contrario, las tasas demasiado altas desalentarían toda importación y favorecerían el contrabando, dejando sin ingresos al gobierno. Por ello los tratados comerciales, que sobre todo Gran Bretaña deseaba firmar con los Estados independientes, solían verse un compromiso aceptable, porque permitían mantener los gravámenes a tasas que podían maximizar el ingreso. La única excepción, el tratado comercial de 1810 entre Gran Bretaña y Brasil, que daba a la primera acceso preferencial al mercado del segundo, a bajas tasas arancelarias, provocó una comprensible reacción y no fue renovado a su vencimiento, en 1844. Gran Bretaña perdió su categoría preferencial y las tasas arancelarias brasileñas aumentaron considerablemente.[37]

La maximización del ingreso era un arte, no una ciencia. Además, la

---

[37] Un relato excelente de las fricciones generadas entre Brasil y Gran Bretaña por el tratado del comercio preferencial se encuentra en Manchester (1933), pp. 69-108.

existencia de incontables gravámenes con distintas tasas —normalmente entre 15 y 100%— para los bienes que competían con la producción nacional daban amplio margen para solicitar condiciones especiales. En Perú, por ejemplo, el cabildeo proteccionista logró elevar los aranceles para cierto número de productos durante el decenio de 1830.[38] En Argentina el código arancelario de 1835 era casi abiertamente proteccionista. En México el conservador Lucas Alamán logró incluso, en sus esfuerzos por promover la industria textil mexicana, prohibir la importación de algodón inglés.[39]

De este modo, durante los primeros años después de la Independencia los intereses locales pudieron aprovechar, con fines proteccionistas, los gravámenes destinados a aumentar los ingresos.

No obstante, el elemento proteccionista de los aranceles —subproducto de la maximización del ingreso— era vulnerable de dos maneras. Primera, si una industria local no lograba responder con bienes de suficiente calidad y cantidad para competir con las importaciones solía causar resentimientos cuando el costo de la vida empezaba a subir. El arancel era, asimismo, sumamente regresivo. Un ejemplo revelador nos lo ofrece Salvador Camacho Roldán, para Colombia, en 1852: un campesino que podía ganar 300 pesos al año consumía paños por valor de 50 pesos y pagaba 20 pesos de aranceles (7% de su ingreso); mientras tanto, un comerciante próspero, con un ingreso de 6 000 pesos, podía comprar sedas importadas por 50 pesos, y pagar un arancel de sólo 5 pesos (menos de 0.1% de su ingreso).[40]

En segundo lugar, la maximización del ingreso sólo era una meta condicionada. Si empezaba a reducirse la crisis fiscal —por ejemplo, como resultado de una expansión del comercio exterior— se podrían alcanzar los objetivos fiscales con tasas arancelarias más bajas. Por lo tanto, el buen desempeño de las exportaciones era decisivo para el resultado del debate por el libre comercio. Procederemos ahora a analizar ese importante tema.

EL SECTOR EXPORTADOR

Las reformas borbónica y pombalina de la segunda mitad del siglo XVIII habían allanado el camino al surgimiento de buen número de nuevas exportaciones agrícolas de América Latina, mas para muchos países la base de la economía exportadora seguía siendo la minería. Las minas habían sufrido mucho durante los dos primeros decenios del siglo XIX: los mercados exterio-

---

[38] El cabildeo proteccionista y sus esfuerzos por influir sobre la política están bien ilustrados por Gootenberg (1989), capítulo 3.

[39] La promoción de la industria textil mexicana después de la Independencia llegó a ser una *cause célèbre* entre quienes no sucumbieron a la doctrina del libre comercio. Véase Salvucci (1987), pp. 166-176.

[40] El ejemplo aparece en Deas (1982), como parte de un detallado estudio del ingreso público colombiano del siglo XIX.

res habían sido trastornados por las guerras napoleónicas, y la lucha por la Independencia había obligado a muchos dueños de minas a abandonar la producción, lo que a su vez había causado inundaciones y agotamiento.[41]

Se pensó que recuperar la capacidad de las minas era de máxima prioridad en aquellas economías que, por tradición, dependían de sus exportaciones mineras (México, Colombia, Perú, Bolivia y Chile). Escaseaba el capital interno para rehabilitar las minas, pero capitalistas extranjeros —alentados por relatos (infundados) sobre la fabulosa riqueza minera de la región— se apresuraron a participar, no sólo en la recuperación de la capacidad minera en las zonas tradicionales sino, asimismo, en la búsqueda de nuevos yacimientos. En 1824-1825 se formaron nada menos que 25 sociedades mineras británicas para operar en América Latina, con un capital total de 3.5 millones de libras esterlinas. Sus actividades se extendieron desde México hasta Chile; Paraguay fue el único país excluido.[42]

Lo mismo que ocurrió con los bonos gubernamentales emitidos durante ese periodo aconteció con las sociedades mineras. Casi todas ellas quebraron, el capital se perdió y los inversionistas extranjeros comenzaron a ver con desconfianza una región que pocos años antes pareciera tan prometedora. El capital invertido había resultado insuficiente para la rehabilitación, y tal vez los extranjeros no fuesen los mejor situados para enfrentarse al problema de administrar un negocio floreciente en países que aún eran víctimas de una grave inestabilidad política.

A pesar de todo, sería erróneo suponer que el retiro de los intereses extranjeros representó el desastre de esa industria. En la mayor parte de las zonas mineras la producción y las exportaciones habían empezado a recuperarse ya en el decenio de 1840, y en algunos casos la recuperación fue muy anterior. La producción peruana de plata se duplicó durante los treinta; la plata mexicana tuvo sus peores años durante los veinte, y luego empezó a recuperarse lentamente. Las exportaciones de oro colombiano siguieron estancadas durante todo ese periodo, pero la producción mexicana de oro se duplicó entre los veinte y los cuarenta; para entonces casi había regresado a sus niveles de finales del siglo XVIII.

La producción minera en Chile no sólo se recuperó sino que superó, con mucho, los niveles coloniales de producción. Esto se debió, ante todo, al descubrimiento de impresionantes vetas de plata en Chañarcillo, y de nuevos depósitos de cobre, de acceso relativamente fácil, en varias localidades, lo que ayudó a elevar la producción, de un promedio anual de 1.5 millones de kg antes de la Independencia, a 12.3 millones en el decenio de 1850.[43] La fa-

---

[41] Prados de la Escosura (1993) tiene buenos estudios de caso acerca de varios países en la época de su independencia.

[42] El fracaso de estas empresas mineras extranjeras ha sido descrito por Rippy (1959), pp. 23-25.

[43] Sobre la expansión de la producción chilena de cobre y plata después de la Independencia, veáse Pederson (1966).

cilidad de acceso a los nuevos depósitos mantuvo bajos los costos de capital, evitando así el problema de México, donde la necesidad de grandes inversiones de capital hizo que la recuperación de la producción se retrasara.

La demanda mundial de cobre se relacionó con la Revolución Industrial, ya iniciada en Europa y en América del Norte. En la lotería de bienes (véase el capítulo i), Chile fue muy afortunado al conquistar acceso al mercado mundial con base en un producto cuya demanda en todo el orbe iba en rápido aumento, cuya participación del mercado podía aumentar, y que tenía además bajos costos de producción. Sin embargo, la exportación minera predominante de América Latina siguió siendo la plata, cuya demanda estaba determinada principalmente por su uso como medio de pago. Una vez que Gran Bretaña estableció el patrón oro, y cuando lo adoptaron otros países, la industria de la plata entró en una larga decadencia estructural, por lo que no estuvo en condiciones de servir como cabeza de sector en un modelo de crecimiento guiado por las exportaciones.

Las restricciones impuestas a la economía no minera hasta las reformas borbónicas del siglo xviii determinaron que sólo un puñado de exportaciones agrícolas pudieran describirse como "tradicionales". Algunas de ellas, como el añil de México y la cochinilla de América Central, pronto se enfrentarían a la competencia de los tintes sintéticos. Otro producto, el azúcar, fue discriminado por las potencias imperiales en favor de sus propias colonias, y por medidas destinadas a promover la industria de la remolacha azucarera en Europa.

Por todo ello no es sorprendente que muchas exportaciones agrícolas tradicionales sufrieran una decadencia relativa y, en algunos casos, absoluta, en los años que siguieron a la Independencia. Sin embargo, en un caso hubo un auge espectacular. Fue el del azúcar cubano, que se benefició del desplome de la industria azucarera en la vecina isla La Española (gobernada desde Puerto Príncipe hasta la división permanente de la isla, en 1844), y de la inmigración de plantadores llegados de otras partes de América Latina tras la caída de los imperios español y francés.

De hecho, Cuba fue el primer país de América Latina que construyó un ferrocarril —como respuesta directa al crecimiento de la industria azucarera— cuyas primeras líneas se inauguraron en 1838.[44]

No obstante, el desempeño general de las exportaciones tradicionales fue decepcionante. Por consiguiente, la expansión de las exportaciones agrícolas dependió de exportaciones no tradicionales: las que se habían establecido en la segunda mitad del siglo xviii, o productos nuevos que hasta entonces no se habían exportado. En Brasil el café siguió avanzando, y a mediados del siglo llegó a representar casi 50% de las exportaciones; en Colombia empezó a echar raíces permanentes,[45] y en Costa Rica se exportó por primera vez durante el decenio de 1830, y en los cuarenta ya estaba sólidamente establecido.

[44] El desarrollo de la industria azucarera cubana de este periodo ha sido tema de muchos estudios. Véase, por ejemplo, Thomas (1971), pp. 109-127.

[45] Ocampo (1984a), pp. 301-346, ofrece una excelente descripción del aumento de las expor-

El cacao, exportación casi tradicional, respondió a la creciente demanda europea de chocolate, y aumentaron considerablemente las exportaciones de Venezuela y de Ecuador.[46]

La exportación de ganado bovino y sus subproductos (cueros, tasajo, sebo) era importante en Argentina ya antes de la Independencia. Tras un periodo de virtual estancamiento, en el decenio de 1820, la industria empezó a crecer a un ritmo que se aceleró durante los cuarenta. Aunque las exportaciones de ganado también iban en aumento en otras partes de América Latina (especialmente en Venezuela), lo notable del caso argentino es el temprano testimonio de nexos con el exterior. A mediados del siglo en Buenos Aires se habían establecido muchos saladeros —algunos de ellos con varios cientos de trabajadores— para preparar el tasajo destinado al mercado exterior, incluido el de Brasil, donde era producto de consumo común para muchos esclavos de las plantaciones.[47]

La exportación no tradicional más espectacular fue el guano de Perú. A partir de una base cero en 1840, el guano alcanzó 350 mil toneladas anuales en el decenio de 1850: casi 60% de las exportaciones peruanas de la década. Aunque la época del guano peruano se inició en 1850, no tardaron en manifestarse sus principales flaquezas. Requería muy poco capital, se valía de una mano de obra barata, importada y no calificada, y era una actividad rentable, en la cual el excedente se dividía entre el Estado y los comerciantes (en su mayoría extranjeros), pero como ninguno de los dos grupos se mostraba muy dispuesto a utilizar su parte de las utilidades para promover inversiones productivas en otras ramas de la economía, la lucha por la participación en el ingreso no hizo mayor diferencia en el desarrollo a largo plazo de la economía peruana.[48]

El desempeño acumulado de las exportaciones en América Latina a mediados del siglo se vio afectado, entonces, por tres corrientes generales. Primera, la región estaba recuperando las exportaciones perdidas durante las dos o tres primeras décadas del siglo xix; segunda, el desempeño de las exportaciones sufrió los efectos de ciertas actividades tradicionales que ya se encontraban en una decadencia secular; tercera, las exportaciones fueron afectadas por el aumento o la introducción de productos no tradicionales. Por ello no debe llamar la atención que a mediados del siglo —si se le compara con el fin del siglo xviii— el panorama exportador no fuese muy notable en países como México y Bolivia, donde tan poderosa fue la repercusión negati-

taciones de café en Colombia durante el siglo xix. Aunque las exportaciones de café quedaron establecidas en la primera parte del siglo, su principal expansión ocurrió después de 1850.

[46] En cuanto a la industria del cacao, tanto en la América Latina como en otras partes, véase Clarence Smith (2000).

[47] Muchas excelentes monografías tratan este periodo de la historia económica argentina. Véase, por ejemplo, Brown (1979).

[48] La clásica declaración de los tenues nexos hacia atrás y hacia adelante asociados con el guano puede encontrarse en Levin (1960). Para una evaluación más positiva, véase Hunt (1985).

va de las dos primeras corrientes. En los casos en que la declinación inicial de las exportaciones fue modesta (como en Argentina), o en los cuales creció enormemente la importancia de las exportaciones no tradicionales (como Brasil y Perú), aquéllas lograron crecer, en los tres primeros decenios de vida independiente, a un ritmo que superó el de la expansión demográfica. Los mejores desempeños se registraron en Chile y en Cuba, donde las condiciones favorables del lado de la oferta permitieron que ambos países conquistaran una parte del mercado del cobre y del azúcar, respectivamente.

Las estadísticas de exportación en este periodo de la historia económica latinoamericana son deficientes e incompletas, pero podemos utilizar los testimonios disponibles para calcular un índice aproximado de las exportaciones per cápita a mediados del siglo XIX (véase el cuadro II.4).[49] Algunos de los resultados no son sorprendentes. Cuba, cuya industria azucarera iba en aumento, alcanzó un nivel de exportaciones per cápita superior al de Australia (16.5 dólares) y tan alto como el de Nueva Zelanda (21.4). Uruguay, con su diminuta población y elevado nivel de comercio, apoyado en parte por las reexportaciones de Argentina y Brasil, alcanzó la cifra más alta. A mediados de siglo Costa Rica había obtenido buenos frutos de su temprana especialización en el café. Sin embargo, en general las cifras indican que los esfuerzos por promover el comercio exterior sólo habían tenido un éxito modesto. Un puñado de países, sobre todo Paraguay, habían desdeñado el crecimiento guiado por las exportaciones después de la Independencia,[50] lo que explica la baja de exportación en relación con el número de habitantes. Y sin embargo, otros países ostensiblemente comprometidos con la expansión del comercio exterior, como Colombia y México, parecen no haber logrado casi ningún progreso.

Por consiguiente, el crecimiento de las exportaciones después de la Independencia distó mucho de ser espectacular, pero al menos parece haber ido acompañado por una mejoría en los términos netos de intercambio comercial (TNIC). Aunque descendió el precio de algunas exportaciones de productos primarios latinoamericanos (como cueros, añil y vainilla), cayó más aún el precio de las importaciones (en particular textiles y prendas de vestir). Por ejemplo, Leff encuentra claras evidencias de una mejora considerable de los TNIC para Brasil hasta el decenio de 1850; esto se confirma para muchos otros países latinoamericanos en un estudio de su comercio con Francia.[51]

[49] Bairoch y Etemard (1985), cuadro 1.5, ofrece una estimación de 5.1 dólares de las exportaciones per cápita para América Latina durante 1829-1831. Aunque su cálculo está basado en cifras incompletas. es muy similar al de 5.2 en 1850 que aparece en el cuadro II.4. confirmando el estancamiento de las exportaciones per cápita en los primeros decenios de Independencia.

[50] El aislamiento de Paraguay en este periodo no está a discusión. Por ejemplo, véase Pastore (1994). Burns (1980) sostiene que Guatemala, durante el gobierno de Rafael Carrera (1838-1865), siguió un camino similar. Esto ayudaría a explicar la cifra extraordinariamente baja de las exportaciones per cápita de Guatemala que aparece en el cuadro II.4.

[51] Para los TNIC de Brasil en este periodo, véase Leff (1982a), p. 82. Para los términos de comercio entre Francia y América Latina, véase Schneider (1981).

CUADRO II.4. *Exportaciones, población y exportaciones per cápita, ca. 1850*

País	Exportaciones (en miles de dólares)	Población (en miles)	Exportaciones per cápita (en dólares)
Argentina	11 310	1 100	10.3
Bolivia	7 500	1 374	5.5
Brasil	35 850	7 230	5.0
Chile	11 308	1 443	7.8
Colombia	4 133	2 200	1.9
Costa Rica	1 150	101	11.4
Cuba	26 333	1 186	22.2
Ecuador	1 594	816	2.0
El Salvador	1 185	366	3.2
Guatemala	1 404	847	1.7
Haití	4 499	938	4.8
Honduras	1 125	230	4.9
México	24 313	7 662	3.2
Nicaragua	1 010	274	3.7
Paraguay	451	350	1.3
Perú	7 500	2 001	3.7
Puerto Rico	6 204[a]	495	13.7[a]
República Dominicana	500	146	3.4
Uruguay	7 250	132	54.9
Venezuela	4 865	1 490	3.3
América Latina	159 484	30 381	5.2

NOTA: Siempre que fue posible se utilizó un promedio de tres años.
[a] Las cifras de exportaciones y exportaciones per cápita son para 1844.
FUENTE: Véase el apéndice I.

La mejora de los TNIC en América Latina para este periodo no es sorprendente. El desarrollo de la industria moderna en Europa y en América del Norte produjo un descenso en las curvas de la oferta industrial, junto con una baja en el precio de muchas manufacturas, y la competencia hizo que esto llegara a los consumidores de todo el mundo. Sin embargo, la producción de la mayoría de las materias primas aún no experimentaba la misma revolución tecnológica, y por ello los precios estaban mucho más determinados por las alteraciones de la curva de la demanda mundial. Cuando ésta creció, aumentó el precio de muchos productos y mejoraron los TNIC de los productores primarios. En realidad, los economistas clásicos que escribieron a mitad del siglo XIX nunca pusieron en duda la idea prevaleciente de que a la larga los TNIC de los productores primarios mejorarían.

La mejora de los TNIC provocó que, pese a las dificultades del sector exportador, empezara a aumentar la capacidad de importar. Se elevaron los ingresos aduanales y la crisis fiscal se hizo menos aguda. No desaparecieron las disputas acerca de los aranceles, pero varios gobiernos optaron por una actitud menos proteccionista, y al menos uno —el de Perú— se había vuelto dinámicamente liberal a comienzos de los años cincuenta.[52] Hasta Paraguay, después de la muerte del dictador Francia, ocurrida en 1840, había empezado a poner fin, gradualmente, a su aislamiento autoimpuesto, y a propiciar una estrategia de desarrollo más orientada hacia las exportaciones.[53]

La economía no exportadora

No es raro que la adopción de una estrategia abierta al exterior en América Latina después de la Independencia haya motivado una enorme cantidad de investigaciones sobre el sector exportador. Mucho menos se sabe acerca de la economía no exportadora, sobre todo en los primeros 50 años de vida independiente, lo cual resulta comprensible en vista de la escasez de estadísticas en comparación con las del comercio exterior. El descuido de la economía no exportadora en la labor teórica y empírica acerca de la historia económica de América Latina resulta muy lamentable por diversas razones.

En primer lugar, América Latina heredó tras la Independencia una economía no exportadora que puede haber padecido niveles muy bajos de productividad y altos de ineficiencia, pero que era mucho mayor que el sector exportador. Las reformas borbónica y pombalina del siglo XVIII no pudieron ocultar que los niveles de comercio internacional, en términos absolutos y per cápita, eran muy modestos, por lo cual el sector exportador integraba una pequeñísima proporción del producto interno bruto (PIB) real. En Brasil, la razón exportaciones-PIB a comienzos del decenio de 1820 probablemente apenas rebasaba 5%.[54] Eso mantenía bajas las importaciones per cápita, lo

[52] El triunfo final de los librecambistas sobre sus rivales proteccionistas está bien descrito en Gootenberg (1991).

[53] Véase Lynch (1985b), pp. 668-670. Para una encendida defensa del aislacionismo impuesto por Francia, véase Burns (1980).

[54] Las exportaciones per cápita de Brasil a comienzos del decenio de 1820 fueron, aproximadamente, de dos dólares a precios de 1880. Véase Leff (1982), p. 80. El nivel de subsistencia del PIB per cápita a precios de 1880 —es decir, la más baja cifra realista— es de cerca de 40 dólares. Si suponemos que Brasil estaba cerca de este nivel durante el decenio de 1820, esto implica una razón exportaciones-PIB (a precios de 1880), de 5 por ciento.

que obligaba a Brasil a satisfacer el grueso de sus requerimientos de consumo por medio de la producción nacional de bienes y servicios. El flujo de importaciones —sobre todo británicas— que entraban a América Latina por la época de la Independencia bien pudo distorsionar temporalmente la relación entre el consumo y la producción interna, pero a finales de los veinte se habían restablecido las proporciones tradicionales.

Las pequeñas dimensiones del sector exportador hacían que una política de crecimiento guiado por las exportaciones no resultase rentable, a menos que la productividad del sector no exportador mejorara como consecuencia del aumento de las exportaciones. Sería más probable que se efectuase esa transformación si una gran parte del sector no exportador servía de complemento a las exportaciones. Pero en las décadas posteriores a la Independencia no se observa este proceso. Los nexos hacia atrás y hacia adelante del sector exportador con el resto de la economía solían ser débiles, y la demanda de bienes y servicios derivada de los ingresos podía estimular lo mismo las importaciones que la producción local.

La economía no exportadora era sumamente heterogénea, y consistía en aquellas actividades que, en teoría, competían con las importaciones (sustituibles) y las que no lo hacían (no sustituibles). Los renglones sustituibles más importantes eran la agricultura para consumo interno, los oficios y la producción artesanal, aunque algunos servicios —sobre todo la navegación costera— también tenían que enfrentarse a la competencia extranjera. En el comercio al mayoreo y al menudeo penetraron mercaderes extranjeros, pero de cualquier manera tiene que clasificarse como no sustituible, porque la actividad misma no se podía satisfacer por medio de importaciones. Otras importantes actividades no sustituibles eran la construcción, el transporte y los servicios personales, sobre todo los sirvientes domésticos. En contraste, los servicios financieros y la administración pública (en la actualidad renglones no sustituibles de gran importancia) estaban muy subdesarrollados.

La agricultura para consumo interno se centraba en la hacienda, en la pequeña propiedad (conocida en México como rancho), y —en algunos países—, en las tierras comunales indígenas. A finales del siglo XVIII el crecimiento económico había producido un aumento del excedente que vendían las haciendas, mientras que la pequeña propiedad se había extendido en aquellas zonas en que la producción minera había entrado en decadencia, como Minas Gerais en Brasil. La agricultura para consumo interno no padeció en los dos primeros decenios del siglo XIX tanto como la minería, aunque el ocaso de las uniones aduaneras coloniales representó un severo golpe para granjeros como los del centro de Chile, habituados a abastecer a otras partes del imperio.[55]

El paso de la América Latina independiente hacia el libre comercio no

---

[55] Chile pudo exportar trigo y harina a Australia y California durante la "fiebre del oro" de mediados de ese siglo. Véase García (1989), pp. 84-86.

constituyó una gran amenaza para la agricultura dirigida al consumo interno. Subsistieron las restricciones a la importación de muchos alimentos, y el alto costo del transporte representó una barrera adicional a la competencia internacional. Abundaban las tierras y tan pronto como se aplacaron las perturbaciones del movimiento de Independencia se dispuso de capital de trabajo —al menos para la hacienda— por medio del conducto tradicional de la Iglesia y de la clase mercantil.

El crecimiento del sector exportador tampoco fue una amenaza para ese tipo de agricultura, salvo en algunos casos aislados, cuando la competencia por una mano de obra escasa hizo subir los salarios. Más graves fueron los efectos de la poca difusión, por el inadecuado sistema de transporte interno en la mayoría de los países. El aumento de las exportaciones de henequén de Yucatán, por ejemplo, no pudo contribuir a la creación de un excedente mayor en el Bajío,[56] pues los medios de transporte seguían siendo ineficientes. Gracias a la navegación costera los países que tenían población litoral, como Brasil, se encontraron en mejor posición para aprovechar las oportunidades. Chile, con los mismos rasgos geográficos, al principio fue aún más lejos y restringió la navegación de cabotaje a las empresas locales, aunque en este comercio desempeñaran un papel importante muchos extranjeros (como particulares).[57]

La parte más problemática del sector de sustitución fue la producción artesanal. Este sector se había desarrollado en respuesta a las necesidades de consumo de una población que en buena medida no había contado con productos importados, o no había estado en condiciones de pagar por ellos. Aunque en algunos casos la calidad de fabricación era excelente, los costos por unidad eran altos y la tecnología era sumamente atrasada. Además, la falta de materias primas apropiadas hacía que los bienes producidos —aunque ingeniosos— a menudo sólo fuesen un sustituto imperfecto de lo que se necesitaba.[58]

La única forma en que el sector pudo protegerse eficazmente contra las importaciones consistió en transformarse en una industria moderna mediante la transferencia de tecnología importada. Este proceso, conocido como protoindustrialización, ya había tenido lugar en ciertas partes de Europa y estaba llevándose a cabo en Estados Unidos, como respuesta a la Revolución Industrial de Gran Bretaña. Los estudios sobre la protoindustrialización en América Latina están aún en sus primeros pasos, pero no parece que aquélla haya sido de importancia.[59] Antes bien, el desarrollo de la indus-

[56] Haber (1992) ha llamado la atención sobre los cuellos de botella del transporte, que impidieron el desarrollo de la industria mexicana en el primer medio siglo tras la Independencia.

[57] La marina mercante chilena fue promovida por una ley de 1835, que reservaba todo el comercio nacional de cabotaje a los navíos chilenos. Sin embargo, para 1850 se había puesto fin a esta discriminación contra las naves extranjeras. Véase García (1989), pp. 112-118.

[58] Un buen ejemplo es el difundido uso de ventanas de cuero en las regiones ganaderas de América Latina en las que no se podía conseguir vidrio o éste era prohibitivamente caro.

[59] Berry (1987) nos ofrece una minuciosa evaluación de los obstáculos puestos a la protoindustrialización en el caso de Colombia.

tria moderna en América Latina fue un proceso independiente que representó para el sector artesanal una amenaza de tanta envergadura como las importaciones.

La industria textil nos proporciona el ejemplo más claro de estas tensiones. El consumo —aparte del de las telas más finas— se había podido satisfacer tradicionalmente con la producción de los obrajes o talleres, que trabajaban con una sencilla tecnología intensiva en mano de obra.[60]

Después de la Independencia las importaciones se ampliaron y llegaron a representar la mayor parte del comercio de importación. La penetración de estos productos de la industria moderna, sobre todo de Gran Bretaña, Estados Unidos y Francia, permitió a varias repúblicas —especialmente a México— promover técnicas modernas de manufactura, que pudieran competir tanto con la producción de los obrajes como con las importaciones.

La incapacidad del sector artesanal para adaptarse a la difusión de la nueva tecnología no se manifestó de inmediato. El bajo nivel de las exportaciones y su lento crecimiento en los primeros decenios posteriores a la Independencia limitaron la penetración de las importaciones, y los inadecuados medios de transporte sirvieron de sólida protección a la producción artesanal en el interior. En algunos casos —por ejemplo, el atuendo indígena tradicional de Guatemala— las importaciones nunca pasaron de ser un sustituto imperfecto, dada la complejidad y variedad de los diseños nacionales.

El sector artesanal también resultó protegido por el modestísimo crecimiento de las manufacturas modernas en las primeras décadas de vida independiente. Las razones de esto no son claras. La transición al libre comercio, como ya se dijo, no significó un *laissez-faire,* y las barreras, arancelarias o no, protegieron muy bien a muchos bienes industriales. Los mercados eran pequeños, pero la población iba creciendo, y algunas zonas de América Latina tenían perfiles demográficos no muy distintos de los países europeos en que empezaba a arraigar la Revolución Industrial.[61]

El establecimiento de una industria textil moderna en México mostró lo que se podía lograr. El Banco de Avío del Estado, financiado por los gravámenes a las importaciones, canalizaba dinero hacia las nuevas actividades, mientras que la política comercial llegó a prohibir ciertas categorías de importaciones que pudieran competir con los textiles. La transferencia de tecnología se efectuó mediante la importación de maquinaria y, cuando fue necesario, de mano de obra calificada.[62]

En otros países no hubo ese consenso en favor de las manufacturas mo-

[60] Véanse Salvucci (1987) y Thomson (1989). Para la industria textil en Perú, véase Gootenberg (1989), pp. 46-48.

[61] Por la época de la Independencia la población de Brasil, por ejemplo, era aproximadamente comparable a la de Portugal, Rumania y Suecia, y mucho mayor que la de Dinamarca, Finlandia, Grecia, Noruega y Serbia. Véase Berend (1982), p. 46.

[62] Sobre las medidas políticas mexicanas destinadas a promover la industria en general, véase Thomson (1985), pp. 113-142.

dernas, y la política no siempre fue congruente. Perú, por ejemplo, osciló entre una política liberal hacia las importaciones y la prohibición total hasta el decenio de 1850 cuando, por fin, la república se decidió por un régimen comercial abierto. Brasil adoptó una actitud más proteccionista en 1844, al término del tratado de comercio preferencial con Gran Bretaña, pero no adoptó otras medidas en apoyo de las manufacturas modernas.[63] Ni siquiera México pudo sostener el consenso en favor de las manufacturas modernas: el Banco de Avío cerró sus puertas durante la década de 1840, dejando una grave laguna en el mercado de capital industrial.

Es comprensible la renuencia a promover las manufacturas modernas. La fabricación de textiles en México, por ejemplo, puede haber tenido éxito en términos de producción, pero los costos unitarios siguieron siendo altos y la industria no pudo competir en los mercados de exportación. Mientras tanto, el precio de las importaciones manufacturadas —incluida la de textiles— continuó bajando conforme las innovaciones tecnológicas hacían descender las curvas de la oferta. Los argumentos en pro de basar la ventaja comparativa en las exportaciones de materias primas no eran infundados.

La consecuencia fue un sector no exportador muchas de cuyas ramas estaban mal equipadas para aprovechar el aumento de las exportaciones. El rápido desarrollo económico con nexos débiles exigió un desempeño excepcional de las exportaciones; y sin embargo, como hemos visto, el aumento de las exportaciones en los decenios posteriores a la Independencia distó mucho de ser espectacular. La transición al libre comercio presionó a las diversas ramas del sector no exportador, que competían con las importaciones, mientras que el resto del sector no exportador sólo obtenía un estímulo modesto del crecimiento de las exportaciones. Muchas repúblicas padecieron las consecuencias de ambas situaciones.

LAS DIFERENCIAS REGIONALES

A mediados del siglo XIX en todos los países de América Latina había consenso en favor del desarrollo guiado por las exportaciones. Sin embargo, la adopción del mismo no había sido clara, y en diversas naciones (como México y Brasil), las medidas políticas destinadas a apoyar el desarrollo guiado por las exportaciones fueron poco consistentes. Además, unas cuantas repúblicas aún se encontraban en un estado tan crónico de inestabilidad política (el caso de América Central, Ecuador y Bolivia), que sus gobiernos no tenían los medios necesarios para poner en práctica una política en favor del desarrollo basado en las exportaciones aun cuando hubiese ya consenso para apoyarlo.

Los países que adoptaron políticas congruentes en favor del desarrollo basado en las exportaciones fueron en general los más favorecidos por la lo-

[63] Véase Prado (1991), pp. 118-165

tería de bienes. Chile, bajo la austera influencia del conservador Diego Portales, aplicó una serie de reformas que reforzaron la expansión del comercio exterior, gracias a la contribución de las exportaciones de cobre y de plata. Perú, después de su éxito con el guano, adoptó un modelo íntegro guiado por las exportaciones, y en Cuba la administración colonial suprimió los últimos obstáculos a la exportación de azúcar.

Los principales países beneficiados en la lotería de bienes estuvieron mejor situados para satisfacer la creciente demanda de productos alimentarios y materias primas por parte de las crecientes economías de Europa y Estados Unidos. Debido a los altos costos del transporte internacional se trató en general de aquellos que tenían puertos bien equipados en el Atlántico, como Argentina y Cuba. Mas para una nación que gozaba de una posición predominante en el mercado mundial —como en el caso de Perú y el guano— la ubicación en la costa del Pacífico no constituía un grave problema. Además, en el caso de los minerales —como el cobre chileno— la alta razón del valor de exportación-costos de transporte contribuía a que la ubicación no fuese tan importante.

Pero las ventajas de esa lotería para ciertos productos bien podían perderse al declinar las exportaciones tradicionales. Esto ocurrió claramente en el caso de Colombia, donde las crecientes exportaciones de quinina, tabaco y (en menor grado) café sólo pudieron compensar en parte la disminución de las exportaciones de oro. Lo mismo puede decirse de Brasil, donde la reducción del algodón y el azúcar en el nordeste aminoró el impacto expansionista del auge del café; y de Argentina, donde el aumento de las exportaciones relacionado con la industria ganadera tuvo que compensar la pérdida de las reexportaciones de plata de las minas del Potosí.[64]

En algunos casos el descenso o el estancamiento de las exportaciones tradicionales no fue compensado por el aumento de las no tradicionales, y el desempeño de las exportaciones acumuladas fue sumamente insatisfactorio. En Haití y en la República Dominicana la pérdida de la industria azucarera como resultado de la lucha por la Independencia dejó un enorme vacío en la economía. América Central —con excepción de Costa Rica y su café— se esforzó infructuosamente por descubrir nuevos productos con los cuales penetrar en el mercado mundial; y Bolivia no logró compensar la decadencia de su tradicional industria de la plata.

Paraguay, en autoimpuesto aislamiento hasta el decenio de 1840, fue el último país en adoptar el desarrollo guiado por las exportaciones, y a mediados del siglo XIX los resultados eran apenas perceptibles. Obligado por su situación geográfica a exportar sus productos principalmente por el Río de la Plata, Paraguay se encontró a merced de sus más poderosos vecinos sobre el Atlántico. Pero no tenía mayores opciones: los años de aislamiento debidos a

---

[64] Durante la administración colonial, después de las reformas borbónicas, había empezado a exportarse plata del Alto Perú (Bolivia) a través de Buenos Aires. Este lucrativo comercio se redujo después de la Independencia.

Francia habían representado para el país poca prosperidad material, y la falta de importaciones para adquirir bienes de capital era una grave barrera al surgimiento de casi todas las nuevas actividades.[65]

El desempeño de las exportaciones fue un importante factor del desarrollo impulsado por las mismas; pero no fue el único determinante, pues hay que considerar, asimismo, los nexos entre el sector exportador y el resto de la economía. Aunque la investigación en este terreno aún es incipiente, parece claro que estos nexos iban de moderados a muy tenues. En Perú el rápido crecimiento de las exportaciones coincidió con una severa reducción del número de empresas manufactureras y de servicios en la economía limeña,[66] y sólo el comercio experimentó una expansión considerable. En Brasil y Cuba el empleo de mano de obra esclava en las crecientes exportaciones de café y azúcar, respectivamente, redujo al mínimo la demanda derivada de bienes de consumo.

Los nexos entre los sectores exportador y no exportador fueron determinados por muchos factores. El producto "ideal" generaba nexos hacia adelante por requerir un grado significativo de procesamiento, nexos hacia atrás por medio de los insumos de producción interna, altos ingresos fiscales por impuestos, y demanda de bienes de consumo, producidos internamente, mediante el pago de factores de ingreso. Sin duda no había productos que satisficieran todos estos requerimientos; pero algunos lo hicieron mejor que otros. Podemos decir, así, que el cobre chileno generó ciertos nexos hacia adelante gracias a un sencillo proceso de refinación, obtuvo considerables ingresos para el Estado y logró una demanda derivada de bienes de consumo mediante el pago de altos ingresos salariales. En cambio, el guano peruano no tuvo nexos hacia atrás o hacia adelante, y sólo generó una modesta demanda de bienes de consumo, aunque sí contribuyó, y abundantemente, a los ingresos del gobierno.[67]

Vemos así que sólo Chile pareció disfrutar a la vez de un rápido desarrollo de sus exportaciones y de nexos moderados entre los sectores exportador y no exportador de la economía. Probablemente Chile es el único país que se ha acercado al crecimiento de 1.5% del ingreso real per cápita registrado en ese periodo por Estados Unidos.[68] En el resto de la zona, dada la expansión

[65] Ésta es la opinión generalmente aceptada sobre el régimen de Francia, aunque sea puesta en duda por Burns (1980). En esta obra y en otras posteriores —véase por ejemplo Burns (1991), para un estudio de Nicaragua durante el siglo xix— Burns sostiene que la igualdad de la distribución del ingreso y la prosperidad material para "el pueblo" variaban en proporción inversa a la extensión del comercio exterior.

[66] Véase Gootenberg (1989), cuadro 2.1, p. 165.

[67] Es la contribución fiscal, que posibilita un aumento del gasto del gobierno, la que permite a Hunt (1985) sostener que la contribución del guano fue mucho más positiva de lo que ha solido decirse.

[68] El estudio más cuidadosamente elaborado acerca de las tasas de crecimiento per cápita de los Estados Unidos de América después de 1774 es el de Gallman (2000). Díaz, Lüders y Wagner (1998, AE18) calculan que la tasa de crecimiento del PIB per cápita chileno tuvo que haber sido de

demográfica,[69] el aumento del ingreso real per cápita probablemente fue muy modesto, o hasta negativo.

Entre los muchos miles de personas que a partir de entonces cruzaron el Atlántico desde Europa pocas escogieron voluntariamente a América Latina como destino final. Además, el tráfico de esclavos africanos que llegaban a Brasil, Cuba y Puerto Rico continuó intacto, pese a la prolongada ofensiva diplomática de Gran Bretaña. Muchos de los comerciantes extranjeros que habían llegado con tanto entusiasmo hacia la época de la Independencia habían vuelto a sus lugares de origen, y pocos obreros calificados se habían sentido atraídos por la minería u otras actividades de exportación. Las grandes esperanzas surgidas en la época de la Independencia no se habían materializado, y se había desvanecido la visión bolivariana de la unidad de América Latina. Para la mayoría de los latinoamericanos el principal consuelo era que las cosas sólo podían cambiar para bien.

1.4% entre 1820 y 1850. En cambio, Maddison (1995, p. 202) supone una tasa negativa de crecimiento para México y un simple 0.2% para Brasil.

[69] Para 1850 (véase cuadro II.4), la población de América Latina había llegado a 30 millones. Suponiendo que sea precisa la cifra que aparece en el cuadro II.1 para 1823, esto implica una tasa anual de crecimiento demográfico de 1.4 por ciento.

III. EL SECTOR EXPORTADOR
Y LA ECONOMÍA MUNDIAL *CA.* 1850-1914

A MEDIADOS del siglo XIX el crecimiento de la economía mundial y la expansión secular del comercio internacional constituyen el trasfondo de todo análisis sobre la política y el desarrollo económicos de América Latina. En todo el subcontinente se pensaba, en general, que la mejor esperanza de un rápido avance económico en América Latina se basaba en una integración más directa a la economía mundial por medio de la exportación de productos y la importación de capitales; algunos países también favorecían la inmigración europea. Otras teorías, que subrayaban la protección a las actividades nacionales que compitieran con las importaciones, o bien (en términos menos realistas) la promoción de las exportaciones manufacturadas, encontraron poco apoyo entre la élite política.

Como lo había mostrado el primer periodo de vida independiente, no podía darse por sentado el desarrollo de las exportaciones de productos en presencia de un estímulo externo favorable. Del lado de la oferta los obstáculos seguían siendo considerables, y la debilidad política de muchos de los Estados nacientes constituía una gran desventaja. Hasta un Estado aparentemente fuerte, como la Argentina del general Juan Manuel de Rosas (1829-1852), carecía del necesario consenso político para aplicar con éxito un conjunto de medidas político-económicas coherentes.

El problema no se facilitó por la atención de las potencias extranjeras, cuyo respeto a la Independencia latinoamericana podía ser ambivalente. Por ejemplo, en el decenio de 1860[1] España hizo un intento fallido por restablecer su autoridad sobre la República Dominicana y las islas del Pacífico situadas frente a las costas de Perú, pero logró sofocar una lucha que duró 10 años por la independencia en Cuba (1868-1878).[2]

Francia intervino en México (1861-1867) para imponer y luego apoyar a Maximiliano de Habsburgo como emperador, en un gesto imperialista al que Estados Unidos, pese a la doctrina Monroe, no pudo oponerse en un principio debido a su Guerra de Secesión.[3]

---

[1] El más grave de estos episodios fue la anexión de Santo Domingo (República Dominicana) por España, en 1861. Pasaron cuatro años antes de que se restaurase la independencia del país. Véase Moya Pons (1985), pp. 272-275.

[2] Esta inútil lucha de 10 años por la independencia elevó a José Martí como jefe del movimiento nacionalista cubano. Véase Foner (1963), capítulos 15-21. Martí fue el jefe del movimiento nacionalista durante la guerra (1895-1898) que terminó por poner fin al gobierno español en Cuba, aunque él murió asesinado en 1895.

[3] La doctrina Monroe, proclamada en los años veinte del siglo XIX, advertía que Estados Uni-

Gran Bretaña, Francia y los Países Bajos, que tenían en América colonias que proteger, participaron en ocasionales disputas territoriales con Estados latinoamericanos independientes, pero estas pugnas sólo fueron de importancia relativa.[4] Más graves fueron las fricciones con potencias europeas causadas por el comercio en general, y por ciertos inversionistas en particular. Brasil rompió relaciones diplomáticas con Gran Bretaña tras los vigorosos esfuerzos de ésta por suprimir el tráfico de esclavos.[5] La intervención francesa en México comenzó como un esfuerzo tripartito con Gran Bretaña y España, en 1861, para exigir el pago de bonos.[6] En 1902 la irritación causada por la falta de pago de intereses de unos bonos llevó a Gran Bretaña, Alemania e Italia a efectuar un bloqueo contra Venezuela.[7]

La aparición de barcos de guerra europeos frente a la costa venezolana fue un desafío, no sólo para el gobierno de Caracas, sino también para Estados Unidos. Envalentonado por haber ayudado a expulsar a España de Cuba, Puerto Rico y Filipinas,[8] Estados Unidos se precipitó al Caribe de una manera que sólo de nombre no era colonialista.[9] Panamá fue arrancado de Colombia en 1903 e inmediatamente se iniciaron los trabajos del canal interoceánico.[10] Nicaragua fue ocupada por primera vez en 1912,[11] y pocos

dos opondría resistencia a cualquier intento por establecer nuevas posesiones europeas en América. La intervención francesa en México ha sido descrita en Haslip (1971).

[4] En el siglo XIX también Dinamarca y Suecia tenían pequeñas colonias en el Caribe. Sólo Gran Bretaña (Honduras Británica, Guyana), Francia (Guayana Francesa) y los Países Bajos (Guayana Holandesa) tenían posesiones en el continente; las tres potencias europeas dominaban islas en el Caribe y —en el caso británico— en el Atlántico del Sur (las islas Malvinas y aledañas). Los protectorados británicos en las islas de la Bahía (frente a Honduras) y en la costa de Mosquitos en América Central (Honduras y Nicaragua) fueron abandonados después de 1860.

[5] Brasil consideraba vital el tráfico de esclavos por el Atlántico para mantener el abasto de esta clave de mano de obra. Sobre la fricción creada por este comercio entre Brasil y Gran Bretaña, véase Bethell (1970).

[6] Las reformas liberales promulgadas por el presidente Benito Juárez tras la adopción de la Constitución de 1857 provocaron una poderosa reacción conservadora que condujo a la guerra civil. El Estado mexicano no pudo cumplir con el pago de su deuda, por lo que Europa intervino en 1861 (véase Marichal [1989], pp. 65-67).

[7] Este bloqueo, analizado con todo detalle por Hood (1975), provocó dos reacciones muy distintas. Los Estados latinoamericanos promovieron la doctrina Drago, destinada a asegurar que la falta de pago de una deuda nunca fuera razón para una intervención militar extranjera. Por su parte, Estados Unidos no tardó en proclamar el corolario Roosevelt a la doctrina Monroe, cuyo propósito era reducir la justificación de una intervención europea, por medio de una mayor participación estadunidense en los asuntos internos de los países que estuvieran "en riesgo".

[8] Esta proyección de la fuerza de Estados Unidos, reflejo de su elevación como potencia económica de primera fila en el último cuarto del siglo XIX, se analiza en Smith (1986).

[9] Un excelente relato "desde adentro" de este periodo de la expansión estadunidense aparece en Munro (1964). Dana Munro fue funcionario del Departamento de Estado que se ocupó durante muchos años de los asuntos del Caribe y América Central.

[10] La bibliografía sobre el papel de Estados Unidos en la independencia de Panamá es enorme. Véase por ejemplo Schoonover (1991), capítulo 6.

[11] La primera fase de la intervención estadunidense en Nicaragua se describe a través de los

años después entraban en Haití y en República Dominicana los *marines* estadunidenses.[12] Puerto Rico trocó el gobierno español por la soberanía estadunidense, y Cuba estuvo a punto de sufrir el mismo destino.[13] Estados Unidos, siguiendo una tradición establecida por las potencias europeas, se apoderó de las aduanas de diversas repúblicas para asegurar el pronto pago de su deuda externa, y para reducir la posibilidad de nuevas intervenciones europeas.[14]

Esos episodios de historia imperialista fueron a la vez causa y efecto de la debilidad y la inestabilidad políticas en América Latina. La estabilidad política también se vio amenazada por cierto número de disputas territoriales entre Estados latinoamericanos, que en algunos casos llegaron a poner en peligro la supervivencia misma de un país. El ejemplo más trágico fue la Guerra de la Triple Alianza (1865-1870), que lanzó a Paraguay, gobernado por Francisco Solano López, a un conflicto suicida con Argentina, Brasil y Uruguay. Al final se permitió que Paraguay, derrotado, sobreviviera como país independiente, pero sólo tras haber perdido algunos de sus territorios y que la mayor parte de sus varones adultos hubieran sido asesinados.[15]

También Bolivia padeció por su debilidad militar. Durante la Guerra del Pacífico (1879-1883) unió fuerzas con Perú contra Chile, pero la derrota le hizo perder su litoral en el Pacífico y —junto con Perú— una extensa franja de desierto rica en nitratos.[16] Unos 20 años después, Bolivia tuvo que ceder Acre a Brasil, en un episodio notablemente similar a la pérdida de Texas por México, y Ecuador, durante todo el siglo XIX, se vio obligado a ceder territorios a Colombia, Perú y Brasil. En este juego de suma cero de cesiones territoriales el que más ganó fue Brasil. Se valió de una mezcla de fuerza y diplo-

ojos de un periodista en Denny (1929). Sobre todo en lo que atañe al periodo de intervención militar, que finalmente terminó en 1933, véase Bulmer-Thomas (1990b).

[12] Estas intervenciones estadunidenses en La Española (nombre dado por Colón a la isla compartida por haitianos y dominicanos) han sido bien descritas en Langley (1983), capítulos 10-12.

[13] La transición de Puerto Rico de colonia española a posesión estadunidense ha sido descrita en Carr (1984). La independencia de Cuba fue reconocida oficialmente por Estados Unidos, pero sólo después de que la nueva república aceptó incorporar a su constitución la enmienda Platt, que imponía numerosas restricciones a la soberanía cubana y daba a Estados Unidos el derecho de intervenir en ciertas circunstancias. También se dio a este país a perpetuidad el control sobre la bahía de Guantánamo. Sobre la enmienda Platt, que finalmente fue abrogada en 1934, véase Langley (1968).

[14] Esta práctica formó parte de lo que llegó a conocerse como la "diplomacia del dólar"; véase Munro (1964).

[15] Las estimaciones de la población de Paraguay en el siglo XIX están sujetas a un gran margen de error. Los cálculos más confiables parecen indicar que la población se redujo de 350 mil habitantes en 1850 a 221 mil en 1870, y que hasta 1890 no se volvió a la cifra de 1850 (véase el apéndice I).

[16] La pérdida boliviana de su litoral en el Pacífico, y sus implicaciones para el desarrollo de la nación, se analizan en Bonilla (1985).

macia para extender sus fronteras aún más allá de las que había heredado de Portugal.

La omnipresente amenaza de disputas territoriales en el siglo XIX obligó a los gobiernos a mantener ejércitos que no sólo eran una sangría para sus escasos recursos fiscales, sino que también anulaban los esfuerzos por establecer instituciones políticas sólidas, gobernadas por civiles. Al estallar la primera Guerra Mundial, sólo un puñado de países (Argentina, Colombia, Costa Rica, Chile y Uruguay) se habían acercado siquiera a establecer un sistema político representativo, y aun en estas repúblicas tales instituciones distaban mucho de ser perfectas. Pequeñas élites, por lo general con intereses terratenientes, seguían ejerciendo una fuerza política y económica predominante en toda la región.

En el siglo previo a la primera Guerra Mundial en la mayor parte de América Latina la opción era entre la anarquía, el gobierno oligárquico o la dictadura. Esta última podía ofrecer estabilidad durante algún tiempo —como lo hizo en Venezuela con Antonio Guzmán Blanco (1870-1888)—[17] y hasta progreso económico —como lo hizo en México Porfirio Díaz (1876-1911)—,[18] pero nunca se basó en un consenso general y, por lo tanto, sólo reflejó los intereses de un grupo limitado.

Durante el periodo transcurrido entre mediados del siglo XIX y la primera Guerra Mundial las cuestiones clave del debate público no eran tanto económicas como políticas: liberalismo contra conservadurismo, centralismo contra federalismo, las relaciones entre la Iglesia y el Estado, positivismo y organización social, cuestiones raciales, la naturaleza de la constitución, etc.[19] Las cuestiones económicas, que han ocupado lugar tan importante en el debate público en la segunda parte del siglo XX, causaron relativamente pocas controversias después de mediados del siglo XIX. Se había resuelto la cuestión del libre comercio, se consideraba aceptable cierto grado de protección para la actividad interna y, en general, se alentaban la inversión y la inmigración extranjeras.

Esta falta de controversia no debe ocultarnos los problemas de aplicar un conjunto congruente de políticas económicas. Los gobiernos sabían —o creían saber— qué hacer para promover la exportación de productos primarios: se consideraba que los principales ingredientes eran impuestos modestos a la exportación, inversiones públicas en infraestructura social y promo-

[17] Antonio Guzmán Blanco fue la figura dominante de la política venezolana durante casi dos decenios, en los cuales la república conoció por primera vez desde la Independencia la estabilidad política y un programa liberal de modernización como los que se adoptaron en otras partes de América Latina. Sin embargo, no había nada de "liberal" en el sistema de control político de Guzmán Blanco. Véase Deas (1985).

[18] Los logros económicos de este periodo, conocido como el Porfiriato, se analizan en Rosenzweig Hernández (1989), capítulos 4-6. La política del periodo y el trasfondo de la Revolución mexicana han sido soberbiamente esbozados en Knight (1986a), capítulos 1-3.

[19] Sobre todas estas cuestiones del debate público, véase Hale (1986).

ción de la inversión extranjera. Pero no se analizaba demasiado cómo transformaría el desarrollo del sector exportador al resto de la economía, aunque éste —aun al comienzo de la primera Guerra Mundial— seguía siendo mucho más importante que los anteriormente mencionados.

La política económica se preocupaba ante todo de las necesidades del sector exportador, y su repercusión sobre el resto de la economía seguía siendo incierta. La opinión dominante subrayaba la necesidad de ampliar el sector exportador, basándose en el supuesto de que, de alguna manera imprecisa, el aumento de las exportaciones incrementaría el desarrollo de la productividad y el cambio estructural de toda la economía. Se suponía que el aumento de las exportaciones era prácticamente lo mismo que el desarrollo guiado por las exportaciones.

Teniendo esto en mente, no es difícil reconciliar el optimismo de los informes de la época —particularmente del decenio previo a la primera Guerra Mundial— con lo que según veremos fue un desempeño económico insatisfactorio en términos generales. Los extranjeros y los latinoamericanos de la época se preocupaban ante todo por el sector exportador y por actividades complementarias de las exportaciones (como las vías férreas); se decía que un buen desempeño de las exportaciones era la clave del éxito. Siempre que el sector de las exportaciones se expandiera, el resto de la economía se las arreglaría. Este optimismo acaso estuviera bien fundado en el caso de Argentina, donde los beneficios del aumento del sector exportador estaban produciendo realmente la transformación de la agricultura, las manufacturas y servicios nacionales; pero obviamente estaba fuera de lugar en el caso de países como Bolivia y Ecuador, donde la baja productividad de la economía no exportadora casi no se modificó ni siquiera durante los periodos de rápida expansión de las exportaciones.

En los dos capítulos siguientes examinaremos con mucho mayor detalle el contexto político; pero antes es necesario considerar la lógica del modelo de crecimiento basado en las exportaciones y la expansión de la economía mundial que dio impulso al desarrollo. También deberemos analizar cómo y por qué la respuesta del sector exportador a este estímulo no fue la misma en toda América Latina. Éstos son los dos temas principales del presente capítulo.

LA DEMANDA MUNDIAL Y EL MODELO DE CRECIMIENTO
IMPULSADO POR LAS EXPORTACIONES

En el siglo XIX el producto nacional bruto (PNB) real per cápita en Estados Unidos aumentó a un ritmo anual de 1.5%.[20] Podemos considerar esto como la meta de la tasa de desarrollo de los países de América Latina después

---

[20] Obtenido de Gellman (2000), cuadro 1.6, p. 22, utilizando cifras para 1800 y 1909 a precios constantes.

de 1850: el ritmo que necesitaban si querían emular el extraordinario éxito de la economía estadunidense. Esta meta significaba duplicar los niveles de vida en poco menos de 50 años, objetivo bastante modesto para las normas más exigentes del siglo xx.

En ese periodo la población de América Latina creció aproximadamente al mismo ritmo (1.5%), aunque hubo notables variaciones entre los países. Así, puede considerarse que el objetivo de la tasa de crecimiento para el producto interno bruto (PIB) durante este lapso fue de 3% anual para la región, aun cuando para ciertos países esta cifra, obviamente, debe ser ajustada hacia arriba o hacia abajo, según el aumento de la población superase o no alcanzase la tasa regional de la expansión demográfica.

Con objeto de analizar la lógica del crecimiento guiado por las exportaciones podemos considerar que la economía real consistía en dos partes: un sector exportador y un sector no exportador. El primero corresponde a todo el valor agregado en actividades de exportación; el segundo al valor agregado de todo lo demás. Podemos entonces describir el objetivo de la tasa de crecimiento, $g(y)$, como:

$$g(y) = w \cdot g(x) + (1 - w) \cdot g(nx), \qquad (\text{III.1})$$

donde w es la parte del sector de exportación en el PIB real, $g(x)$ la tasa de crecimiento del sector exportador, y $g(nx)$ la tasa de crecimiento de la economía no exportadora (todas las tasas de crecimiento están expresadas como promedios anuales). De modo que la tasa de crecimiento del sector exportador, congruente con la tasa de crecimiento que era el objetivo del PIB real, puede escribirse así:

$$g(x) = [g(y)/w] - [(1 - w)/w] \, g(nx). \qquad (\text{III.2})$$

De este modo, la ecuación III.2 puede emplearse para resolver la requerida tasa de crecimiento del sector exportador, dada una tasa-objetivo de crecimiento $g(y)$ del PIB, mientras se hacen varias suposiciones acerca de la parte w del sector exportador en el PIB, y el crecimiento del sector no exportador, $g(nx)$.

A mediados del siglo la participación del sector exportador en el PIB real seguía siendo modesta, aunque puede suponerse con certeza que había aumentado durante el periodo previo a la primera Guerra Mundial, cuando el crecimiento de las actividades exportadoras superó el crecimiento de la economía no exportadora. Si también suponemos que la participación en el PIB del sector exportador (medida por su producción neta) y la de las exportaciones (medida por el gasto final) son similares, se puede calcular w entre 10 y 40% para todos los países y durante todo el periodo (véase el apéndice II). Cabe esperar que la parte menor aparezca en países grandes con bajos niveles de exportaciones per cápita (Brasil), y que la mayor aparezca

| $g(nx)$ | 1.5 | 2.0 | 2.5 | 3.0 |
w				
0.1	16.5	12.0	7.5	3.0
0.2	9.0	7.0	5.0	3.0
0.25	7.5	6.0	4.5	3.0
0.3	6.5	5.3	4.2	3.0
0.4	5.3	4.5	3.8	3.0

FIGURA III.1. Tasa requerida de crecimiento de las exportaciones para alcanzar el objetivo de una tasa de crecimiento de 1.5% real del PIB per cápita: $g(nx)$ = tasa de crecimiento anual (%) del sector no exportador; w = participación del sector exportador en el PIB; tasa de crecimiento de la población = 1.5% anual.

en países pequeños con altos niveles de exportación per cápita (por ejemplo, Cuba).

El crecimiento del sector no exportador es más complejo. Podemos considerar cuatro posibilidades. Primera, la productividad laboral en la economía no exportadora no cambia, por lo cual el valor agregado aumenta linealmente con la oferta de mano de obra. Sin embargo, las dimensiones relativas del sector no exportador —($1 - w$), es decir, un cálculo de 60 a 90% del PIB— son tales que cabe suponerse que su oferta de mano de obra crecerá aproximadamente al mismo ritmo que la población en su conjunto. Así, en este primer caso el valor agregado al sector no exportador aumenta al mismo ritmo que la población. En segundo lugar, la productividad del trabajo aumenta de manera modesta, a un ritmo de 0.5% anual, como resultado del progreso tecnológico, por lo cual el valor agregado al sector no exportador crece 0.5% más el crecimiento anual de la población. En tercer lugar, la productividad de la mano de obra se incrementa a 1% anual, por lo cual el valor agregado en el sector no exportador se eleva 1% más el crecimiento anual de la población. La cuarta posibilidad es que la productividad del trabajo en el sector no exportador crezca al ritmo deseado de crecimiento para la economía en general —1.5%—, de modo que el valor agregado en el sector no exportador se incremente a 1.5% más el crecimiento anual de la población. Pero esto es menos probable, pues implica que el sector exportador y el sector no exportador están creciendo al mismo ritmo, sin ningún aumento de la participación de las exportaciones en el PIB. Aunque éste podría ser un resultado muy deseable al término de un largo periodo de crecimiento guiado por las exportaciones, en general no podría esperarse que se produjera al principio.

Con la ecuación (III.2) podemos calcular ahora la tasa de crecimiento del sector exportador en América Latina congruente con el objetivo de una tasa de crecimiento de 3% del PIB real (1.5% del PIB real per cápita más 1.5% de crecimiento demográfico), mientras desarrollamos diferentes suposiciones acerca de la participación del sector exportador en el PIB real, w, y la tasa de crecimiento de la economía no exportadora. El resultado es una matriz (cuadro III.1) en la cual en sentido vertical se registran las diferentes suposiciones sobre el crecimiento anual del sector no exportador, y en el horizontal se muestran los diversos supuestos acerca de la participación del sector exportador en el PIB. Los números de la matriz indican la tasa de crecimiento del sector exportador que se requiere para alcanzar una tasa anual de crecimiento deseada de 1.5% para el PIB real per cápita, según los diferentes supuestos.

La tasa anual de crecimiento "requerida" del desarrollo de las exportaciones para América Latina en conjunto, en la figura III.1, se encuentra entre 3.0 y 16.5%, según los supuestos respecto a la participación de las exportaciones en el PIB, w, y la tasa de crecimiento del sector no exportador, $g(nx)$. Es un rango muy amplio, pero se le puede reducir considerablemente si se hacen algunas consideraciones adicionales (y realistas). Primera, es probable que la participación de w para América Latina en su conjunto sólo variase entre 0.1 y 0.25 en el periodo que estamos considerando (véase el apéndice II). Segunda, se puede suponer que hubo cierto desarrollo de la productividad laboral en el sector no exportador, y que fue menor a 1.5% anual. Esto elimina la primera y la última columnas de la figura III.1. Con estos supuestos adicionales el rango relevante para el crecimiento anual de las exportaciones entre 1850 y la primera Guerra Mundial es de 4.5 a 12.0% anual, con lo que el requisito mínimo para elevar el PNB real per cápita a 1.5% anual fue una tasa de crecimiento anual de las exportaciones de 4.5 por ciento.

Éste fue el desafío al que tuvo que enfrentarse el modelo de desarrollo guiado por las exportaciones. Para ver si era factible debemos analizar el crecimiento de la demanda mundial. Al llegar la segunda mitad del siglo XIX la Revolución Industrial había creado cuatro potencias económicas mundiales (Gran Bretaña, Francia, Alemania y Estados Unidos), cuyo crecimiento estimado del PIB aparece en el cuadro III.1. A su vez, estas tasas de crecimiento generaron una demanda de importaciones (también registrada en el cuadro III.1), que en general —con la principal excepción de Estados Unidos— creció con más rapidez que el PIB real.

Enorme fue el peso específico de estos cuatro países en la economía mundial. En el último cuarto del siglo XIX sumaban casi 60% de las exportaciones e importaciones mundiales,[21] y desempeñaban un papel predominante en el comercio exterior de América Latina. Y sin embargo, como se advierte en el cuadro III.1, la tasa de crecimiento de sus importaciones en general estuvo por debajo de la tasa de crecimiento requerida por las exportaciones de América Latina para alcanzar la meta de la tasa de crecimiento del PIB real. Sólo en periodos excepcionales, como 1899-1902 en Estados Unidos, el crecimiento de las importaciones superó el 5% anual.

De ahí no se sigue que el modelo de desarrollo guiado por las exportacio-

---

[21] La importancia de estos cuatro países en la economía mundial quedó demostrada en Lewis (1978). Véanse también Latham (1978) y Solomou (1990).

nes fuera erróneo. En realidad, hubo cuatro razones principales para que las exportaciones latinoamericanas pudiesen crecer con mayor rapidez que las importaciones mundiales en el periodo que estamos considerando. Primera, iba cambiando la composición de las importaciones de los países avanzados, y la demanda de ciertas materias primas y productos alimenticios (básicamente productos primarios) crecía con desproporcionada rapidez. El surgimiento de la industria había desencadenado una demanda de materias primas sin precedentes —en muchos casos no se contaba con ellas en los países avanzados— y el aumento del ingreso real iba estimulando una demanda de productos alimenticios, algunos de los cuales eran suntuarios y, por lo tanto, gozaban de elasticidades de altos ingresos.

En segundo lugar, la industrialización de los países avanzados iba produciendo una transferencia de recursos de la agricultura a las manufacturas, así como una rápida migración rural-urbana. Esto llevó a reconsiderar el proteccionismo a la agricultura (sobre todo en Gran Bretaña), y progresivamente se fueron reduciendo las barreras arancelarias y no arancelarias. Esto, a su vez, produjo un aumento de la proporción del consumo satisfecho por las importaciones. Aunque el proteccionismo agrícola empezó a intensificarse a finales del siglo en las partes menos industrializadas de Europa.[22] Al principio esto no representó una amenaza seria para América Latina, pues sólo una pequeña fracción de sus exportaciones se vendía en la periferia de Europa.

En tercer lugar, el giro hacia el libre comercio en el siglo XIX redujo las preferencias concedidas a las colonias europeas. La discriminación de América Latina en los mercados europeos empezó a menguar, y se inició un proceso de creación de comercio, que permitió que aquélla aumentara su participación en el mercado a expensas de otros países. Gran Bretaña es el ejemplo más claro de este proceso: a finales del siglo XIX las ventajas de sus colonias en el comercio internacional habían desaparecido casi por completo.[23]

En cuarto lugar, los datos del cuadro III.1. se refieren en general al *valor* de las importaciones. Sin embargo, lo relevante para el PIB real de América Latina fue el *volumen* de las exportaciones. Si los precios descendían el volumen de las importaciones de países desarrollados crecía con más rapidez que su valor. Esto permitiría, si la situación global no cambiaba, un mayor crecimiento de las exportaciones por volumen procedentes de América Latina.

Por lo tanto, el crecimiento del comercio mundial que aparece en el cuadro III.1. no fue por fuerza incongruente con las tasas de crecimiento de las exportaciones iberoamericanas implícitas en la figura III.1. En teoría, era po-

[22] La industrialización en la periferia europea se analiza en Berend (1982).

[23] La decisión clave fue la derogación de las Leyes de Cereales, en 1846, que puso fin a la protección a los cultivadores británicos de granos. El fin de la preferencia colonial tardó más, pero sus efectos sobre América Latina fueron importantes. Por ejemplo, la participación de la región en las exportaciones de frutas y verduras del Tercer Mundo aumentó, y pasó de cero en 1829-1831 a 29% en 1911-1913. Véase Bairoch y Etemard (1985), p. 79.

CUADRO III.1. *Crecimiento anual de la producción y las importaciones mundiales, ca. 1850-1913*

	Crecimiento del PIB real[a] (Porcentaje)	Crecimiento de las importaciones (Porcentaje)	Notas
Estados Unidos			
1873-1892	4.6	1.2	
1892-1906	4.1	3.9	
1884-1899	4.3	1.9	
1899-1912	3.8	7.9	
1850-1912	4.1	3.7	
Reino Unido			
1845-1913	2.0	3.2	Las importaciones a precios cons-
1856-1913	1.9	2.7	tantes en el siglo XIX se duplicaron
1856-1873	2.1	4.6	cada 19 años, lo que implica un
1873-1899	2.1	1.0	crecimiento anual en términos de
1899-1913	1.3	3.4	volumen de 3.7%.[b]
Alemania			
1857-1874	2.5	s/d	
1874-1884	1.3	s/d	
1884-1900	3.2	3.7	
1900-1913	2.9	4.9	
1884-1913	3.1	4.2	
Francia			
1852-1912	1.5	3.6	Las importaciones de 1830 a 1913
1852-1869	1.8	7.1	se duplicaron cada 22 años, lo que
1875-1892	0.7	1.0	implica un crecimiento anual de
1892-1912	1.9	3.4	3.2%.[b]
Mundial			
1882-1890	2.6	3.0	El crecimiento de las importacio-
1890-1899	2.8	s/d	nes se calculó en términos de vo-
1899-1907	3.1	3.8	lumen. Los períodos son ligera-
1907-1913	2.6	4.5	mente distintos de los empleados
1881-1913	s/d	3.5	para el crecimiento del PIB.

[a] Para Alemania las tasas son del producto interno neto (PIN).
[b] Staley (1944), p. 127.
FUENTE: *Estados Unidos:* las tasas de crecimiento del PIB fueron tomadas de Solomou (1990), p. 49, excepto para 1850-1912, que se tomaron de Mitchell (1983); las tasas de crecimiento de las importaciones se derivaron de Mitchell (1983). *Reino Unido:* las tasas de crecimiento del PIB se tomaron de Solomou (1990), p. 28; las de crecimiento de las importaciones de Mitchell (1988). *Alemania:* las tasas de crecimiento del PIN se tomaron de Solomou (1990), p. 37; las de crecimiento de las importaciones de Mitchell (1980). *Francia:* las tasas de crecimiento del PIB provienen de Solomou (1990), p. 43; las de las importaciones de Mitchell (1980). *Mundial:* las tasas de crecimiento del PIB se tomaron de Solomou (1990), p. 58; las del aumento de las importaciones de Staley (1944), p. 126.

sible que los países latinoamericanos aumentaran sus exportaciones a un ritmo congruente con un alza de los niveles de vida similar a los de Estados Unidos. No obstante, existía un dilema evidente. Si se buscaba un desarrollo guiado por las exportaciones, sin tomar mucho en consideración el aumento de la productividad en el sector no exportador, se requerirían tasas de crecimiento de aquéllas (véase, por ejemplo, la primera columna de la figura III.1) que sólo serían posibles en circunstancias muy especiales. En cambio, si sólo se esperaba que las exportaciones crecieran linealmente con las importaciones de los países industrializados, la política económica tendría que enfrentarse a los obstáculos que habían impedido un aumento más rápido de la productividad en el sector no exportador.

Además, el comercio internacional estaba sometido a numerosas fuerzas que dificultaban enormemente el crecimiento más rápido de las exportaciones a largo plazo. El primer problema era el patrón cíclico del comercio internacional, resultante de los grandes vaivenes a los que eran propensas las economías capitalistas. Aunque recientes investigaciones han arrojado dudas sobre la existencia de las ondas de Kondratieff (sujetas a un ciclo de 50 años),[24] el testimonio de todos los principales países capitalistas revela claramente un ciclo de negocios de Juglar (de nueve a 10 años) y ondas de Kuznets (aproximadamente 20 años).[25] En contraste con la depresión de fines del decenio de 1920, estos ciclos no afectaron al mismo tiempo a todos los países —la integración económica internacional no estaba tan avanzada como lo estaría en el periodo entre guerras—, por lo que no todos los mercados cayeron simultáneamente en la misma depresión. Sin embargo, una depresión, aunque fuese en un solo mercado importante, constituiría un grave golpe para un país que tratara de sostener un crecimiento a ritmos muy rápidos, a largo plazo, de las exportaciones.

En segundo lugar, el comercio internacional se vio afectado con frecuencia por choques exógenos, que no mostraban un patrón evidente. Por ejemplo, la Guerra de Secesión en Estados Unidos deprimió el mercado estadunidense de las importaciones durante buen número de años, en el decenio de 1860;[26] la Guerra Franco-Prusiana de 1870 perturbó las importaciones francesas durante la primera mitad de los setenta; la crisis financiera de Gran Bretaña en 1890 afectó negativamente, durante varios años, las importaciones de sus principales socios comerciales latinoamericanos.[27] En todos estos casos el comercio se recuperó con prontitud una vez pasada la crisis, pero la tasa de crecimiento de las exportaciones a largo plazo se vio adversamente afectada.

[24] Véase Solomou (1990), capítulo 1.

[25] Véase Lewis (1978), capítulo 2.

[26] Las importaciones de Estados Unidos, valuadas en 336 millones de dólares en 1860, se habían reducido a 192 millones en 1862. Véase Mitchell (1993). En cuanto al comercio exterior de los Estados Unidos antes de la primera Guerra Mundial, véase Lipsey (2000).

[27] Véase Platt (1972), apéndice II.

En tercer lugar, en muchos casos los países latinoamericanos adquirieron una posición dominante en los mercados de determinados productos antes de la primera Guerra Mundial. En vísperas del conflicto, Brasil aportaba mas de 70% de la producción mundial de café; Bolivia, más de 20% de la producción mundial de estaño, y Ecuador más de 15% de las exportaciones mundiales de cacao. Esa posición dominante era un reconocimiento al rápido crecimiento de las exportaciones en el pasado, pero hacía mucho más difícil sostener el ritmo de crecimiento de las exportaciones sobre la base de una mayor participación en el mercado, ya que las exportaciones tendían a aumentar —en el mejor de los casos— al mismo ritmo que las importaciones mundiales; no era probable que el ritmo fuera suficiente para mantener el crecimiento de las exportaciones totales a una tasa congruente con un rápido aumento de los niveles de vida. De este modo, la lógica del desarrollo guiado por las exportaciones señaló la necesidad de la diversificación a fin de evitar una situación en la cual las ganancias por exportación dependieran de uno o dos artículos en los que el país ya hubiese adquirido una posición dominante.

La difusión de la industrialización hacia la periferia europea y Japón, a finales del siglo XIX, creó nuevas demandas de materia prima para sus crecientes sectores manufactureros. Entre 1880 y 1913 la demanda de importaciones en Japón se duplicó cada 10 años; la de Rusia, cada 13 y la de Suecia cada 17 años, o sea, a un ritmo mucho más rápido que las importaciones mundiales, que durante ese mismo periodo se duplicaron cada 20 años.[28]

Las implicaciones son evidentes: en los países muy industrializados el progreso tecnológico y el cambio estructural estaban determinando una menor elasticidad del ingreso para las materias primas importadas.[29] En las naciones más avanzadas las nuevas actividades industriales dependían menos de las materias primas, y empezaban a agotarse los efectos de la menor protección a la agricultura sobre la creación de comercio.[30] La lógica del modelo guiado por las exportaciones requirió una diversificación de los mercados (y de los productos) en favor de los países de industrialización reciente de Europa, así como de Japón.

Por lo tanto, el modelo guiado por las exportaciones tenía que ser extraordinariamente dinámico. Había que introducir nuevos productos y en-

[28] Véase Staley (1944), capítulo 8.

[29] Entre 1850 y 1913 las importaciones británicas aumentaron 600% en precios constantes de 1913, pero las de materias primas sólo crecieron 400%. La categoría de importaciones de más rápido crecimiento era la de bienes manufacturados, en la que América Latina no podía competir. Véase Mitchell (1988).

[30] En cuanto se completaron los efectos propicios al comercio de la reducción de aranceles a las importaciones agrícolas europeas, el mercado comenzó a crecer linealmente con la elasticidad del ingreso de la demanda de productos alimenticios. Por ejemplo, las importaciones británicas de alimentos y ganado aumentaron su participación en las importaciones entre 1850 y 1890, cuando era importante la creación de nuevo comercio; pero su participación bajó entre 1890 y 1913, lo que reflejó en parte la relativamente baja elasticidad del ingreso en la demanda de alimentos.

contrar nuevos mercados. En esas circunstancias sólo sería posible lograr una considerable elevación de los niveles de vida si el dinamismo del sector exportador se reflejaba también en un aumento de la productividad de la mano de obra en el sector no exportador. Donde la productividad del sector no exportador permaneció igual, o hasta se redujo —como ocurrió en el caso de México—, la naturaleza de la economía mundial hizo difícil pensar que las exportaciones pudiesen alcanzar las tasas de crecimiento necesarias para sostener el aumento a largo plazo del ingreso real per cápita, aun con una diversificación geográfica y de bienes.

La peor situación era, sin duda, aquella en la cual las exportaciones se concentraban en un solo producto y un solo mercado, y en la que la productividad del sector no exportador no era afectada por un aumento de las exportaciones. En tales circunstancias era casi seguro que fracasara el crecimiento guiado por las exportaciones. Como veremos, tales casos se vieron con lamentable frecuencia en América Latina, aun durante la llamada edad de oro del crecimiento guiado por las exportaciones.

EL DESEMPEÑO DE LAS EXPORTACIONES

El periodo comprendido entre mediados del siglo XIX y la primera Guerra Mundial presenció el surgimiento de nuevos productos de exportación en toda América Latina como respuesta a las demandas creadas por la Revolución Industrial.[31] Por consiguiente, los patrones coloniales de las exportaciones, basados principalmente en metales preciosos, terminaron de eclipsarse. En México y Perú las exportaciones de plata siguieron siendo importantes —en 1913 México produjo más de 30% del total mundial— y el oro continuó representando el factor fundamental para los ingresos por exportaciones en Colombia. Sin embargo, los metales preciosos en ningún caso ascendieron a más de 50% de las ganancias por exportación en 1913. Aun en México, donde siguieron siendo más importantes que en ningún otro lugar de América Latina, su contribución se había reducido de casi 80% a comienzos del Porfiriato a cerca de 45% en vísperas de la primera Guerra Mundial. Esta reducción, ya iniciada antes de terminar el siglo XIX, se aceleró por el descubrimiento de importantes yacimientos de petróleo en el golfo de México a comienzos del siglo XX.[32]

El eclipse del patrón tradicional de las exportaciones coloniales no significó la decadencia de la minería. En el siglo XIX surgieron nuevos productos

[31] Para un buen examen de la historia de la economía latinoamericana en este periodo, véase Cárdenas, Ocampo y Thorp (2000).

[32] La naturaleza "pirata" de la industria petrolera mexicana en sus primeros años ha sido captada en Spender (1930), quien narra la historia de Weetman Pearson, empresario británico que amasó una fortuna en México durante el Porfiriato y llegó a ser el primer *lord* Cowdray. Véase también Young (1966).

CUADRO III.2. *Relación de concentración*
de productos de exportación, ca. *1913*

País	Primer producto	Porcentaje	Segundo producto	Porcentaje	Total
Argentina	Maíz	22.5	Trigo	20.7	43.2
Bolivia	Estaño	72.3	Plata	4.3	76.6
Brasil	Café	62.3	Caucho	15.9	78.2
Chile	Nitratos	71.3	Cobre	7.0	78.3
Colombia	Café	37.2	Oro	20.4	57.6
Costa Rica	Plátano	50.9	Café	35.2	86.1
Cuba	Azúcar	72.0	Tabaco	19.5	91.5
Ecuador	Cacao	64.1	Café	5.4	69.5
El Salvador	Café	79.6	Metales preciosos	15.9	95.5
Guatemala	Café	84.8	Plátano	5.7	90.5
Haití	Café	64.0	Cacao	6.8	70.8
Honduras	Plátano	50.1	Metales preciosos	25.9	76.0
México	Plata	30.3	Cobre	10.3	40.6
Nicaragua	Café	64.9	Metales preciosos	13.8	78.7
Panamá	Plátano	65.0	Coco	7.0	72.0
Paraguay	Yerba mate	32.1	Tabaco	15.8	47.9
Perú	Cobre	22.0	Azúcar	15.4	37.4
Puerto Rico	Azúcar	47.0	Café	19.0	66.0
República Dominicana	Cacao	39.2	Azúcar	34.8	74.0
Uruguay	Lana	42.0	Carne	24.0	66.0
Venezuela	Café	52.0	Cacao	21.4	73.4

FUENTE: Las cifras se tomaron de Mitchell (1993) siempre que fue posible. Las excepciones son Bolivia (Walle, 1914), Colombia (Eder, 1912), El Salvador y Guatemala (Young, 1925), Haití (Benoit, 1954), México (Enock, 1919), Panamá (Bureau de Publicidad de la América Latina, 1916-1917), Paraguay (Koebel, 1919), Puerto Rico (Dietz, 1986), Uruguay (Finch, 1981) y Venezuela (Dalton, 1916)

minerales que adquirieron rápida prominencia en la estructura de las exportaciones de ciertas repúblicas. En Perú la importancia del cobre aumentó a partir de 1890 hasta llegar a representar más de 20% de las exportaciones en 1913 (véase el cuadro III.2). En Bolivia la reducción de las exportaciones de plata a partir de 1890 fue compensada por el aumento del estaño, que en 1905 representaba más de 60% de las exportaciones bolivianas. Al estallar la primera Guerra Mundial esta cifra se había elevado a más de 70%, y la plata —60% en 1891— había descendido casi a 4%. En Chile el auge del nitrato, que se inició cuando este país se adueñó de los depósitos de nitrato en el desierto del norte durante la Guerra del Pacífico, opacó las exportaciones de cobre y de plata, y en 1913 los nitratos sumaban no menos de 70% del total de las exportaciones.

En el resto de América Latina las nuevas exportaciones que llegaron a dominar los ingresos por ese rubro fueron de origen agrícola. Algunas, como el caucho (Brasil, Perú) y la lana (Argentina, Uruguay), eran indispensables para las fábricas de Europa y Estados Unidos. Otras, como el henequén de México,[33] se expandieron en respuesta a las nuevas tecnologías que se adoptaban en las praderas de América del Norte. Muchas, como los cereales y la carne, eran necesarias para satisfacer los requerimientos alimentarios de la Revolución Industrial. El ingreso creciente de Europa y América del Norte creó también una demanda de productos "suntuarios" tropicales, como el café, el cacao y los plátanos; se elevó asimismo la fuerte demanda de productos de las selvas tropicales, como la quinina, el extracto de quebracho[34] y el bálsamo peruano,[35] necesarios para fines medicinales o como materias primas industriales.

En algunos casos las principales exportaciones representaban productos que habían sido introducidos en las reformas borbónicas. El azúcar de Cuba continuó su espectacular desarrollo, y la industria sobrevivió a la abolición final de la esclavitud, en 1886, y a las guerras de independencia que culminaron con la ocupación estadunidense (1898-1902). En 1913 la producción cubana de azúcar representaba 25% de la producción mundial, y una propor-

---

[33] El centro de la industria henequenera mexicana era Yucatán. Esa materia prima demostró ser ideal para el cordel necesario en la cosecha mecanizada de cereales en América del Norte. En Estados Unidos la gigantesca International Harvester Corporation desempeñó un papel predominante como principal compradora del henequén de México. Véase Joseph (1982).

[34] La quinina, apreciada para fines medicinales, se obtenía del árbol llamado chinchona en muchas de las repúblicas andinas. El quebracho, que abundaba en Paraguay y en las provincias del noreste argentino, producía un extracto de tanino que en un tiempo fue apreciado como tinte.

[35] Pese a su nombre, el bálsamo peruano —extracto de un árbol de madera dura, con muy ensalzadas propiedades medicinales— no procedía de Perú sino de El Salvador. Véase Browning (1971), pp. 61 y 62. El nombre de "peruano" se debió casi seguramente a las peculiaridades del comercio colonial. De manera muy similar, los sombreros de paja de Colombia y de Ecuador llegaron a conocerse como "panamás" en el siglo XIX, porque se les transportaba a través del istmo antes de venderlos en Europa o América del Norte.

ción mucho mayor de las exportaciones de caña de azúcar. El éxito de Cuba se enfrentó a un pequeño desafío con el reinicio de las exportaciones de azúcar de Santo Domingo (República Dominicana) después de su Independencia, en 1844, aunque el cultivo de caña siguió siendo tabú en el resto de La Española durante muchos años por su vinculación con la esclavitud. En Haití las principales exportaciones hasta la primera Guerra Mundial fueron el café y el cacao (véase el cuadro III.2).

La introducción de nuevos productos no necesariamente condujo a la diversificación de las exportaciones. Por el contrario, el aumento de exportaciones nuevas a menudo coincidió con el eclipse de los productos tradicionales, por lo que la concentración de exportaciones siguió siendo muy alta. En la mayoría de los países (véase el cuadro III.2) un solo producto representaba más de 50% de las exportaciones en 1913; sólo en dos países (Argentina y Perú), el artículo principal participó con 25%. Los dos bienes más importantes sumaban más de 50% del total en 18 repúblicas, más de 70% en 13 de ellas, y más de 90% en otras tres naciones.

Estos índices de concentración eran altos desde cualquier punto de vista. Ningún país que exportara productos primarios podía tener la esperanza de librarse de los efectos de una depresión mundial, pero las altas tasas de concentración los volvieron muy vulnerables a los ciclos del mercado de un solo producto. Por ejemplo, el café era el principal artículo de exportación de siete repúblicas en 1913, y en todas, salvo en una (Colombia), representaba más de 50% de las exportaciones (véase el cuadro III.2). Era el segundo producto de exportación en otros tres países (Costa Rica, Ecuador y Puerto Rico), y desempeñó un papel predominante en el total de ingresos por exportaciones de América Latina.[36]

Pocos y espaciados fueron los ejemplos de una buena diversificación de los productos de exportación. Perú, tras el fin del auge del guano en el decenio de 1880, logró diversificar sus ingresos por exportación entre una vasta gama de artículos que incluían azúcar, algodón, café, plata, cobre, caucho y lana de ovejas y de alpaca.[37] Paraguay, cuyo modelo guiado por las exportaciones fue aplazado, primero por el autoimpuesto aislamiento de Francia (1810-1840) y luego por la desastrosa Guerra de la Triple Alianza (1865-1870), gradualmente logró integrarse a las economías mundial y regional sobre la base de yerba mate, tabaco, maderas, cueros, carne y extracto de quebracho.

Sin embargo, la diversificación de las exportaciones más exitosa fue la de Argentina. La introducción de nuevos productos no eclipsó a los antiguos, y Argentina simplemente amplió la gama de sus exportaciones. En 1913 recibía divisas por una impresionante variedad de productos cerealeros y gana-

[36] El café era 18.6% del total de las exportaciones latinoamericanas en 1911-1913. La cifra aumenta a 26.5% si se excluye a Argentina. Véase Bairoch y Etemard (1985), p. 77.

[37] Véase Thorp y Bertram (1978), cuadros A.1.1 y A.1.2.

deros. Los primeros incluían trigo, linaza, centeno, cebada y maíz; los últimos, carne congelada y refrigerada, corderos, lana y cueros. Ningún otro país se acercó siquiera a la variedad y calidad de las exportaciones argentinas antes de la primera Guerra Mundial, que eran de tal magnitud que para 1913 representaban casi 30% de los ingresos totales latinoamericanos por exportación, pese a que Argentina sólo tenía 9.5% de los habitantes de la región.

El crecimiento de las exportaciones era decisivo para el triunfo (o fracaso) del modelo guiado por las mismas. Como se vio en el apartado anterior, se requería una tasa *regional* anual de crecimiento de las exportaciones a largo plazo al menos de 4.5%, aun con supuestos bastante optimistas acerca de la elevación de la productividad laboral en el sector no exportador y de la importancia relativa de las exportaciones. Sin embargo, la tasa *nacional* de crecimiento de las exportaciones requerida dependía de la de expansión demográfica en cada país. En la figura III.2 se calcularon las tasas de crecimiento de las exportaciones necesarias partiendo de los mismos supuestos que en la figura III.1, pero esta vez tomando en cuenta las diferentes tasas nacionales de crecimiento demográfico. Por lo tanto, cada país ha sido dispuesto en una matriz en la figura III.2 sobre la base de su tasa de crecimiento demográfico estimada (véase el apéndice I), y la tasa requerida de crecimiento de las exportaciones se calculó de acuerdo con la ecuación III.2.

Las matrices de la figura III.2 nos brindan un rango muy amplio para la tasa requerida de crecimiento de las exportaciones. Sin embargo, como ocurrió para América Latina en su conjunto, es posible reducir ese rango con algunos supuestos simplificadores. Primero, como antes, podemos suponer que el aumento de la productividad laboral en el sector no exportador fue modesto (0.5 a 1.0% anual), y no nulo o rápido. Esto elimina la primera y la última columnas de cada matriz en la figura III.2.[38] En segundo lugar, se puede restringir la participación de las exportaciones, *w,* para ciertos países en particular (véase el apéndice II). De este modo, el rango meta del crecimiento de las exportaciones es un subconjunto del rango implicado por cada matriz de la figura III.2; las mejores "conjeturas" aparecen en el cuadro III.3. Por ejemplo, a Argentina se le asigna un rango meta de 5.7 a 8.5% sobre la base de un ritmo de crecimiento demográfico de 3.1% (matriz *f* en la figura III.2), un aumento de la productividad laboral en el sector no exportador de entre 0.5 y 1.0% anual, y una participación del sector exportador, *w,* que varía entre 0.2 y 0.3.

Como se observa en el cuadro III.3, sólo dos repúblicas, Argentina y Chile,

---

[38] La primera columna de cada matriz, en la figura III.2, implica un aumento cero de la productividad laboral, lo cual es un supuesto muy riguroso. La columna final implica un aumento de la productividad del trabajo (1.5%) igual a la tasa de crecimiento deseada del PIB real per cápita. Sin embargo, este resultado, aunque deseable, es improbable en las primeras etapas de un crecimiento guiado por las exportaciones, pues implica que los sectores exportador y no exportador están creciendo al mismo ritmo.

(a)   TCD = 0.5%

w \ g(nx)	0.5	1.0	1.5	2.0
0.1	15.5	11.0	6.8	2.0
0.2	8.0	6.0	4.0	2.0
0.3	5.5	4.3	3.2	2.0
0.4	4.3	3.5	2.8	2.0

(b)   TCD = 1.0%

w \ g(nx)	1.0	1.5	2.0	2.5
0.1	16.0	11.5	7.0	2.5
0.2	8.6	6.5	4.5	2.5
0.3	6.0	4.8	3.7	2.5
0.4	4.8	4.0	3.3	2.5

(c)   TCD = 1.5%

w \ g(nx)	1.5	2.0	2.5	3.0
0.1	16.5	12.0	7.5	3.0
0.2	9.0	7.0	5.0	3.0
0.3	6.5	5.3	4.2	3.0
0.4	5.3	4.5	3.8	3.0

(d)   TCD = 2.0%

w \ g(nx)	2.0	2.5	3.0	3.5
0.1	17.0	12.5	8.0	3.5
0.2	9.5	7.5	5.5	3.5
0.3	7.0	5.8	4.7	3.5
0.4	5.8	5.0	4.3	3.5

(e)   TCD = 2.5%

w \ g(nx)	2.5	3.0	3.5	4.0
0.1	17.5	13.0	8.5	4.0
0.2	10.0	8.0	6.0	4.0
0.3	7.5	6.3	5.2	4.0
0.4	6.3	5.5	4.8	4.0

(f)   TCD = 3.0%

w \ g(nx)	3.0	3.5	4.0	4.5
0.1	18.0	13.5	9.0	4.5
0.2	10.5	8.5	6.5	4.5
0.3	8.0	6.8	5.7	4.5
0.4	6.8	6.0	5.3	4.5

FIGURA III.2. Tasa de crecimiento de las exportaciones requerida para alcanzar la tasa de crecimiento deseada de 1.5% del PIB real per cápita en diversos países: (a) Bolivia; (b) Cuba, Ecuador, Guatemala, Haití, México, Nicaragua, Paraguay y Venezuela; (c) Chile, Colombia, Honduras, Perú y Puerto Rico; (d) Brasil, Costa Rica y El Salvador; (e) República Dominicana; (f) Argentina y Uruguay; $g(nx)$ = tasa de crecimiento anual (porcentaje) del sector no exportador; w = participación del sector exportador en el PIB; TCD = tasa de crecimiento demográfico; los porcentajes son anuales.

lograron alcanzar una tasa de crecimiento de las exportaciones dentro del objetivo deseado durante el largo periodo de 1850 a la primera Guerra Mundial. La tasa de crecimiento argentina (6.1%) fue impresionante, como resultado de una continua expansión del volumen de las exportaciones, con sólo breves interrupciones. Es una asombrosa demostración de las posibilidades del crecimiento impulsado por las exportaciones, en el contexto de la expansión de la economía mundial durante la segunda parte del siglo XIX. La tasa de crecimiento de las exportaciones chilenas (4.3%) fue menos notable, pero su tasa mucho menor de crecimiento demográfico (1.4%) hizo que el desempeño de las exportaciones de ese país quedara aún dentro del objetivo deseado.

En muchos países la tasa de crecimiento de las exportaciones cayó muy por debajo del objetivo mínimo necesario. Brasil, con un objetivo mínimo de 4.7%, sólo pudo lograr una tasa de crecimiento de las exportaciones de largo plazo de 3.7%. Esto hizo que la meta de duplicar los niveles de vida aproximadamente cada 50 años (como ocurrió en Estados Unidos) quedara muy lejos de su alcance. Hasta en Cuba, pese al aparente triunfo de la industria azucarera, el ritmo de crecimiento de largo plazo de las exportaciones (2.9%) quedó por debajo del objetivo mínimo deseado (3.3%).

Si la productividad del trabajo en el sector no exportador hubiese crecido con mayor rapidez de lo supuesto, habría sido necesario reducir el objetivo mínimo deseado. En la mayoría de las repúblicas latinoamericanas semejante suposición no se justifica; sin embargo, Uruguay puede ser una excepción. Sus centros urbanos (sobre todo Montevideo) resultaron atractivos para los inmigrantes europeos, y el sector no exportador se amplió rápidamente en los años previos a la primera Guerra Mundial. Aunque el ritmo a largo plazo del crecimiento de las exportaciones (3.4%) no fuera impresionante (estaba apenas por debajo del crecimiento demográfico), Uruguay puede haber sido capaz de elevar sus niveles de vida a un ritmo rápido, como resultado del buen desempeño de su sector no exportador.[39]

Ningún país pudo compararse con Argentina y Chile en la continua expansión de sus exportaciones, pero algunos lograron un rápido crecimiento al menos durante un subperiodo (véase el cuadro III.4). En las dos décadas transcurridas entre 1850 y 1870, aproximadamente, que abarcan la Guerra de Secesión norteamericana, ocho países (Chile, Colombia, Costa Rica, Cuba, Ecuador, El Salvador, Perú y Venezuela) pudieron incrementar sus exportaciones a una tasa superior al objetivo mínimo deseado del cuadro III.3. En Perú la tasa de crecimiento se debió por entero al auge del guano, iniciado en el decenio de 1840; en Cuba a la rápida expansión del azúcar. Por ello, ambos países resultaron vulnerables a los cambios del mercado de estos dos productos. Perú, en particular, sufrió la pérdida de algunos de los depósitos de guano que tuvo que ceder a Chile en la Guerra del Pacífico, y el agotamiento de los que quedaban en territorio peruano.[40]

En el subperiodo siguiente, 1870 a 1890, aproximadamente, seis países (Argentina, Costa Rica, Guatemala, Honduras, Nicaragua y Paraguay) aumentaron sus exportaciones a un ritmo más rápido que el objetivo mínimo deseado, y México estuvo cerca de alcanzarlo. En Guatemala y Nicaragua,

---

[39] Aunque la productividad del trabajo del sector hubiese crecido a razón de 1.5% anual, no habría bastado para elevar el PIB real per cápita hasta la tasa de crecimiento deseada en Uruguay. La productividad del trabajo habría tenido que aumentar 2% anual antes de que el desempeño de las exportaciones de Uruguay pudiera ser congruente con esa meta (suponiendo una participación de las exportaciones de 0.3 a 0.4).

[40] Sobre los ciclos del comercio del guano, véase Hunt (1985).

CUADRO III.3. *Tasa anual de crecimiento de las exportaciones,*
ca. *1850 a ca.* 1912 *(en dólares)*

País	Crecimiento demográfico (porcentaje)[a]	Clase[b]	w[c]	Objetivo deseado[d]	Crecimiento de las exportaciones (porcentaje)[e]	Dentro/ fuera[f]
Argentina	3.1	F	.2-.3	5.7-8.5	6.1	Dentro
Bolivia	0.5	A	.1-.3	3.2-11.0	2.5	Fuera
Brasil	2.0	D	.1-.3	4.7-12.5	3.7	Fuera
Chile	1.4	C	.1-.3	4.2-12.0	4.3	Dentro
Colombia (incluido Panamá)	1.4	C	.1-.2	5.0-12.0	3.5	Fuera
Costa Rica	2.0	D	.2-.4	4.3-7.5	3.5	Fuera
Cuba	1.1	B	.3-.4	3.3-4.8	2.9	Fuera
Ecuador	1.2	B	.1-.2	4.5-11.5	3.5	Fuera
El Salvador	1.8	D	.1-.2	5.5-12.5	3.4	Fuera
Guatemala	1.2	B	.1-.2	4.5-11.5	3.6	Fuera
Haití	1.1	B	.1-.2	4.5-11.5	1.5	Fuera
Honduras	1.5	C	.1-.2	5.0-12.0	1.4	Fuera
México	1.0	B	.1-.2	4.5-11.5	3.0	Fuera
Nicaragua	1.2	B	.1-.2	4.5-11.5	2.9	Fuera
Paraguay	0.8	B	.1-.2	4.5-11.5	3.9	Fuera
Perú	1.3	C	.1-.3	4.2-12.0	2.9	Fuera
Puerto Rico	1.4	C	.2-.3	4.2-7.0	3.0	Fuera
República Dominicana	2.6	E	.1-.2	6.0-13.0	5.2	Fuera
Uruguay	3.5	F	.3-.4	5.3-6.8	3.4	Fuera
Venezuela	0.8	B	.1-.2	4.5-11.5	2.7	Fuera
América Latina	1.5	C	.1-.25	4.5-12.0	3.9	Fuera

[a] Sobre las fuentes utilizadas para obtener esta columna, véase el apéndice I.
[b] Las letras se refieren a las matrices de la figura III.2.
[c] La primera cifra se refiere a la estimación del autor de la participación del sector exportador en el PIB *ca.* 1850; la segunda a la participación *ca.* 1912. Véase el apéndice II.
[d] Este objetivo se deriva de las figuras III.1 y III.2.
[e] Respecto a las fuentes empleadas para derivar esta columna, véase el apéndice I.
[f] "Dentro" significa que el crecimiento de las exportaciones está dentro del objetivo requerido para alcanzar una tasa de crecimiento del PIB per cápita de 1.5% anual; "fuera" significa que está por debajo de ese objetivo.

CUADRO III.4. *Crecimiento anual promedio y aumento del poder adquisitivo de las exportaciones,*
1850-1870, 1870-1890 y 1890-1912 (en porcentajes)

País	1850-1870		1870-1890		1890-1912	
	Crecimiento de las exportaciones	Crecimiento del poder adquisitivo de las exportaciones	Crecimiento de las exportaciones	Crecimiento del poder adquisitivo de las exportaciones	Crecimiento de las exportaciones	Crecimiento del poder adquisitivo de las exportaciones
Argentina	4.9	4.1	6.7	8.2	6.7	5.4
Bolivia	2.8	2.0	2.3	3.8	2.5	1.2
Brasil	4.3	3.5	2.5	4.0	4.3	3.0
Chile	4.6	3.8	3.3	4.8	5.0	3.7
Colombia	7.8	7.0	0.5	2.0	2.4	1.1
Costa Rica	4.7	3.9	5.6	7.1	0.5	-0.8
Cuba	3.5	2.7	2.3	3.8	2.4	1.1
Ecuador	4.9	4.1	1.7	3.2	3.9	2.6
El Salvador	5.7	4.9	2.0	3.5	2.6	1.3
Guatemala	3.2	2.4	6.9	8.4	1.1	-0.2
Haití	2.5	1.7	3.3	4.8	-1.0	-2.3
Honduras	-0.5	-1.3	14.8	16.3	-0.3	-1.6
México	-0.7	-1.5	4.4	5.9	5.2	3.9
Nicaragua	0.8	0	6.1	7.6	2.3	1.0
Paraguay	4.4	3.6	6.0	7.5	2.2	0.9
Perú	6.4	5.6	-4.9	-3.4	6.9	5.6
Puerto Rico	0.1	-0.7	1.8	3.3	7.6	6.3
República Dominicana	4.5	3.7	5.1	6.6	5.9	4.6
Uruguay	3.1	2.3	3.7	5.2	3.4	2.1
Venezuela	4.6	3.8	2.4	3.9	1.2	-0.1
América Latina	4.5	3.7	2.7	4.2	4.5	3.2

NOTA: Los datos sobre el poder adquisitivo de las exportaciones se obtuvieron dividiendo el valor de las exportaciones entre un índice de valores unitarios de las importaciones. Sobre las fuentes de las exportaciones, véase el apéndice I, y sobre los valores unitarios de las importaciones, véase el apéndice II.

como ocurriera en Colombia, Costa Rica y El Salvador en el periodo anterior, el rápido crecimiento de las exportaciones se debió básicamente a la expansión del café.[41] México, cuya estabilidad política estaba garantizada por la dictadura de Porfirio Díaz, finalmente llegó a superar el mediocre desempeño de sus exportaciones de la primera mitad del siglo posterior a la Independencia gracias a la expansión de las exportaciones de minerales no tradicionales (como el cobre), la intensificación de las de plata y la continuación del auge del henequén en Yucatán.[42] Honduras y Paraguay tuvieron la ventaja de partir de una base tan baja que hasta un desempeño modesto logró producir una rápida tasa de crecimiento de las exportaciones.

En el último subperiodo, 1890 a 1912, aproximadamente, cinco países (Argentina, Chile, México, Perú y Puerto Rico) registraron tasas de crecimiento de las exportaciones superiores al mínimo del objetivo deseado. Perú volvió a la alta tasa de desarrollo de que había disfrutado en el periodo 1850-1870, dejando de depender del guano y diversificándose en toda una vasta gama de productos. En realidad, si hubiese logrado evitar la caída de las exportaciones en el lapso 1870-1890, cuando su tasa de crecimiento fue negativa, la tasa de crecimiento a largo plazo de las exportaciones habría podido igualarse a la de Argentina. La tasa de crecimiento de las exportaciones mexicanas se aceleró cuando el Porfiriato entró al siglo xx; Puerto Rico, con su industria azucarera revitalizada por inversiones estadunidenses después de 1898, experimentó un enorme auge de las exportaciones.

Los problemas básicos del sector exportador latinoamericano quedan muy claros en el cuadro III.4. Primero, aunque una gran minoría de los países logró mantener tasas de crecimiento de las exportaciones satisfactorias durante uno o hasta dos subperiodos, sólo dos naciones, Argentina y Chile, pudieron sostener el ritmo requerido durante todo el periodo. Segundo, el subperiodo menos satisfactorio es el último (1890 a 1912), cuando supuestamente la economía mundial estaba en auge y había mayores oportunidades para las exportaciones latinoamericanas. Sin embargo, en ese lapso el modelo de crecimiento de las exportaciones estaba llegando a la madurez, por lo cual resultaba más difícil conseguir la participación en el mercado mundial. Varias de las naciones más pequeñas (por ejemplo, Costa Rica, Guatemala y Nicaragua), que habían mostrado un desempeño satisfactorio en el subperiodo anterior, empezaron a tener problemas para incrementar la exportación de su principal producto (el café), como resultado, entre otras cosas, de los descensos de precio causados por la excesiva expansión de Brasil, y el nivel de las exportaciones de otros países (como Honduras y Paraguay) no pudo ya sostenerse una vez ampliada su base de exportaciones.

Las tasas de crecimiento de las exportaciones que aparecen en el cuadro III.3

[41] En Guatemala la industria del café se benefició del gran apoyo que le dio el presidente Justo Rufino Barrios, de acuerdo con las reformas liberales. Véase McCreery (1983).

[42] Hoy se acepta en general el papel decisivo de los ferrocarriles en esta expansión de las exportaciones. Véase Coatsworth (1981).

se calcularon a partir del valor en dólares. Dado que en algunos casos los precios iban bajando, tal vez el volumen aumentara más rápido que su valor. Por lo tanto, una interpretación más benévola del desempeño de las exportaciones latinoamericanas haría un ajuste para presentar el mayor crecimiento del volumen como resultado del descenso de los precios. Si lo calculamos en 0.5% anual, lo que implicaría que los precios de las exportaciones bajaron 27% entre 1850 y la primera Guerra Mundial,[43] se podrá reducir en 0.5% el objetivo mínimo deseado para cada país del cuadro III.3. Y sin embargo, aun este ajuste hace poca diferencia. Sólo podría decirse que Cuba, junto con Argentina y Chile, habían alcanzado una tasa de crecimiento de las exportaciones congruente con un aumento del ingreso real per cápita de 1.5% anual.

En realidad, no hay muchas evidencias de que los precios de las exportaciones declinaran tan pronunciadamente en el largo plazo (véase el apéndice II). Por el contrario, los precios tanto de las exportaciones como de las importaciones tendieron a subir en el primer subperiodo (1850 a 1870), a bajar en el segundo (1870 a 1890) y a subir otra vez en el tercero (1890 a 1912), con lo que a lo largo de todo el periodo casi no cambiaron. Sin embargo, los precios del azúcar sí bajaron, por lo que no es irrazonable incluir a Cuba, cuyo desempeño exportador dependía tanto de ese producto, en la lista de los países "que tuvieron éxito". De hecho, el volumen de las exportaciones de azúcar cubano durante todo el periodo —1850 a la primera Guerra Mundial— aumentó con mayor rapidez que su valor.

Si utilizamos la información disponible sobre los precios de importación (véase el apéndice II) para calcular el poder adquisitivo de las exportaciones (véase el cuadro III.4) los resultados serán diferentes en cada subperiodo, sin ser más favorables para América Latina en su conjunto. En el primer subperiodo, en el que se supuso que los precios de las importaciones iban en aumento, sólo dos países, Colombia y Perú, registraron un desempeño satisfactorio de las exportaciones. En el segundo, mientras el poder adquisitivo de las exportaciones ascendía con mayor rapidez que su valor, como resultado del supuesto descenso de los precios de importación, los casos de éxito pasan de siete a 12, y en el tercero se reducen de cinco a dos (Perú y Puerto Rico). Significativamente, si tomamos todo el periodo de 1850 a la primera Guerra Mundial y utilizamos como medida el poder adquisitivo de las exportaciones, sólo Argentina alcanza una tasa de crecimiento de éstas que se encuentra dentro del objetivo deseado. Hasta en Chile el desempeño de las exportaciones se reduce y queda ligeramente por debajo del objetivo mínimo.

La prueba del éxito en el crecimiento de las exportaciones supone que el objetivo deseado del crecimiento real del PIB per cápita es de 1.5%. Si lo reducimos a un más modesto 1%, lo que implica una duplicación de los niveles de vida cada 70 años, la prueba será menos exigente y sin embargo, sorpren-

---

[43] Este resultado se obtiene aplicando la fórmula para el interés compuesto, $A = P\,[(0.995)]^{62}$, donde P es el valor inicial (por ejemplo, 100), y A es el valor final al cabo de 62 años (1850 a 1912).

dentemente, no se observa gran diferencia. Sólo el desempeño de las exportaciones de tres países (Argentina, Chile y Cuba) se puede considerar satisfactorio, es decir, congruente con una tasa de crecimiento deseada del PIB real per cápita al menos de 1% anual. Si añadimos a Uruguay, ya que la productividad de su sector no exportador iba creciendo con mayor rapidez que en ninguna otra parte, quedamos con 16 países (17 si incluimos a Panamá), en los que el desempeño de las exportaciones estuvo por debajo del mínimo requerido incluso para duplicar los niveles de vida cada 70 años. Vemos así que el desempeño de las exportaciones durante la edad de oro del desarrollo guiado por las mismas dejó mucho que desear.

De hecho, la mayoría de los países registraron una tasa desalentadora de crecimiento de las exportaciones en el largo plazo. Nada menos que siete no lograron ampliarlas más que en 3% entre 1850 y la primera Guerra Mundial. Aunque nos concentramos en el periodo de 1890 a 1912, cuando supuestamente el estímulo de la economía mundial fue muy favorable, y ya había transcurrido tiempo suficiente para que todos los países latinoamericanos superaran los problemas de la oferta en el sector exportador, 11 naciones registraron una tasa de crecimiento de las exportaciones menor a 3% anual (véase el cuadro III.4). Sólo si nos concentramos en los 10 años previos a la primera Guerra Mundial encontramos un desempeño satisfactorio en términos generales.[44]

Sería sumamente engañoso juzgar el éxito del modelo guiado por las exportaciones a partir del desempeño de las mismas en un solo decenio. La verdad es que la evolución de la economía mundial ofreció una gran oportunidad a los exportadores de productos primarios después de 1850 (si no antes), que debió ser aprovechada en una etapa anterior. Sin embargo, esa oportunidad no habría de perdurar; de hecho, después de la primera Guerra Mundial ya no se volvería a presentar por completo. El éxito en un subperiodo (por ejemplo, Perú en la época del guano) no era garantía del desempeño a largo plazo de las exportaciones. El crecimiento debía sostenerse durante un periodo mucho más largo para que el modelo guiado por las exportaciones tuviese una verdadera oportunidad de éxito.

En vísperas de la primera Guerra Mundial 14 países aún tenían exportaciones per cápita valuadas en menos de 20 dólares, y ocho no habían podido llevarlas más allá de 10 dólares, en comparación con 51.9 en Canadá, 87 en Australia y 98.8 en Nueva Zelanda (véase el cuadro III.5). Es cierto que la cifra per cápita de Estados Unidos, 24.4 dólares, no era muy superior al promedio latinoamericano, pero este país había dejado de buscar el crecimiento impulsado por las exportaciones en el sentido usual del término desde mediados del siglo XIX, concentrándose en cambio en su vasto mercado interno, con el rápido crecimiento de la productividad del trabajo en el sector no ex-

---

[44] Se ha calculado que durante este periodo (excepcional), las exportaciones de América Latina crecieron a razón de 6.8% anual. Véase Bairoch y Etemard (1985), p. 25.

portador. Costa Rica había llevado sus exportaciones per cápita por encima de 20 dólares, y Chile y Puerto Rico rebasaron los 40, mientras que Uruguay (casi sin cambio desde 1850) registraba un nivel de 50 dólares. Hacia 1913 Argentina tuvo exportaciones superiores a 60 dólares per cápita, aunque la cifra más alta de América Latina, 64.7, fue la de Cuba. Sin embargo, debe recordarse que Cuba tenía un ritmo de crecimiento demográfico mucho más lento que Argentina, y que comenzó el siglo xix con un valor de exportaciones per cápita superior, por su importancia durante la Colonia.

Los cuatro países de América Latina con exportaciones de cerca de 45 dólares o más per cápita antes de la primera Guerra Mundial (Argentina, Chile, Cuba y Uruguay) también fueron aquellos cuyo crecimiento impulsado por las exportaciones había pasado las pruebas menos duras. Recordemos que éstas suponían que la meta de elevación del ingreso real per cápita era sólo de 1%. México no había conseguido un rápido crecimiento a largo plazo de las exportaciones ni tampoco un nivel considerable de exportaciones per cápita, pero al menos la actividad exportadora durante el Porfiriato había sido impresionante. En el resto de la región el desarrollo de las exportaciones fue decepcionante.

Los ciclos de exportación

Sólo relativamente en pocos casos las exportaciones se estancaron entre 1850 y la primera Guerra Mundial. Casi todas las naciones[45] experimentaron periodos de auge, que luego fueron parcial o totalmente anulados por depresiones. Esta vulnerabilidad a los ciclos económicos es la verdadera razón del mal desempeño de las exportaciones de la mayoría de los países latinoamericanos durante la "edad de oro" del crecimiento impulsado por las exportaciones.

Perú representa el caso extremo de una caída de las exportaciones tras un periodo de auge. La depresión peruana del periodo 1870-1890 (véase el cuadro iii.4) se debió al desplome de las exportaciones de guano como resultado del agotamiento de una riqueza (casi) no renovable, y a la pérdida de depósitos de nitrato a manos de Chile. Por ello esta depresión no puede atribuirse a los ciclos comerciales de la economía mundial. Se debió, ante todo, a la derrota y la pérdida de territorios en la Guerra del Pacífico. Otros ejemplos de caída de las exportaciones son México (1850-1870), cuando la guerra civil y la inquietud política socavaron el desempeño de sus exportaciones; Honduras (1850-1870 y 1890-1912), y Haití (1890-1912). En cada uno de estos casos la tasa de crecimiento de las exportaciones fue negativa, con lo que

---

[45] Los peores desempeños en el largo plazo fueron registrados por Haití y Honduras, pero en ambos casos hubo periodos más breves de crecimiento positivo y negativo, en lugar de un estancamiento de largo plazo.

CUADRO III.5. *Exportaciones per cápita en dólares:*
promedios trianuales

País	ca. *1850*	ca. *1870*	ca. *1890*	ca. *1912*
Argentina	10.3	16.5	32.4	62.0
Bolivia	5.5	8.6	12.4	18.6
Brasil	5.0	8.6	9.6	14.2
Chile	7.8	14.2	20.3	44.7
Colombia[a]	1.9	6.6	5.7	6.4
Costa Rica	11.4	21.2	37.9	27.1
Cuba	22.2	44.3[b]	55.7	64.7
Ecuador	2.0	4.1	4.6	7.9
El Salvador	3.2	7.3	6.8	8.3
Guatemala	1.7	2.5	7.5	7.2
Haití	4.8	6.5	10.1	6.1
Honduras	4.9	3.6[c]	8.1	4.7
México	3.2	2.3	4.4	10.7
Nicaragua	3.7	3.5	10.1	10.8
Paraguay	1.3	5.8[d]	8.5	8.6
Perú	3.7	10.1	3.3	9.4
Puerto Rico	13.7[e]	9.6	11.0	40.1
República Dominicana	3.4	5.0	8.1	15.5
Uruguay	54.9	46.6	44.6	50.3
Venezuela	3.3	6.8	8.3	10.5
América Latina	5.2	8.9	11.7	20.4
Australia	16.5	63.3	52.8	87.0
Canadá[f]	6.4	20.4	21.7	51.9
Nueva Zelanda	21.4	97.1	77.3	98.8
Estados Unidos	7.0	10.0	13.7	24.4

[a] Incluye a Panamá.
[b] El dato es para 1877.
[c] El dato es para 1882.
[d] El dato es para 1879.
[e] El dato es para 1844.
[f] Incluye a Terranova.
FUENTE: Véase el apéndice I.

se canceló casi toda perspectiva de lograr una tasa de crecimiento de largo plazo dentro del mínimo del rango meta.[46]

La mayor parte de los países evitaron una caída absoluta del valor de las exportaciones en todos los subperiodos, pero esto no significó necesariamente que el valor de las exportaciones per cápita fuese en ascenso. Como lo muestra el cuadro III.5, Colombia (1870-1890), Costa Rica (1890-1912), El Salvador (1870-1890), Guatemala (1890-1912), Nicaragua (1850-1870), Puerto Rico (1844-1870) y Uruguay (1850-1890) sufrieron una baja del valor en dólares de sus exportaciones per cápita, caída que no siempre fue desastrosa. Los tres dominios británicos incluidos en el cuadro III.5 (Australia, Canadá y Nueva Zelanda) experimentaron un descenso de sus exportaciones per cápita entre 1870 y 1890 —por depender del mercado británico con lento crecimiento—,[47] pese a lo cual lograron sostener una tasa satisfactoria de crecimiento de sus exportaciones a largo plazo.[48] Con todo, una baja temporal de las exportaciones per cápita demostró que las exportaciones debían tener un desempeño excepcional durante otros subperiodos (como ocurrió en esos dominios), para sostener la tasa de desarrollo requerida en el largo plazo.

Pese a lo que se ha dicho acerca de Perú y de México, sería erróneo atribuir el desempeño —generalmente mediocre— de las exportaciones a las condiciones militares o políticas. Brasil, por ejemplo, registró una modestísima tasa de crecimiento de sus exportaciones en las dos décadas (relativamente estables) transcurridas antes del fin del Imperio;[49] durante ese periodo (1870-1890) predominó el café, rubro en el cual participó con más de 50% mundial, mientras ese producto representó más del 60% de sus ingresos de divisas. En

[46] Se puede utilizar el caso de México a manera de ilustración. Aunque el desempeño de sus explotaciones estuviera cerca del objetivo mínimo deseado a partir de 1870 y muy por encima del mismo después de 1890, el desempeño de largo plazo fue minado por la reducción absoluta del valor de aquéllas entre 1850 y 1870. Las exportaciones mexicanas tenían que llegar a 372 millones de dólares en 1912 (más del doble de su nivel real), para ser congruentes con el objetivo de la tasa de crecimiento del PIB real per cápita a largo plazo.

[47] Recientemente se han revisado las ideas convencionales acerca de la larga "depresión" británica posterior a 1873. Hoy parece que fue un periodo de baja de precios, y no de pérdida o estancamiento del ingreso real. Esto queda confirmado por el cuadro III.1, en el cual la tasa de crecimiento del PIB británico real entre 1873 y 1899 (2.1%) es absolutamente congruente con su desempeño en el resto del siglo. Sin embargo, el valor de las importaciones sólo aumentó 1% anual como resultado de la caída de los precios. que se reflejó en el valor de las exportaciones de aquellos países (por ejemplo, Australia), que dependían esencialmente del mercado británico.

[48] Si suponemos una participación w de las exportaciones de 0.2 a 0.4, los objetivos deseados de las exportaciones (como se ve en el cuadro III.3), y las exportaciones a largo plazo (1850-1912, aproximadamente) para los tres dominios británicos son los siguientes: para Australia, el primero está entre 5.3 y 8.5 y las segundas son de 5.7; para Canadá, las cifras son de entre 4.3 y 7.5, y 5.3, respectivamente; para Nueva Zelanda el primero se ubica entre 8.3 y 11.5 y las segundas son de 8.8. De este modo, el desempeño de las exportaciones a largo plazo de los tres países superó el objetivo mínimo deseado, y fue congruente con un crecimiento anual del PIB per cápita real de 1.5 por ciento.

[49] La transición de Imperio a República en 1889, un año después de la abolición de la esclavitud, se logró con relativamente pocos trastornos sociales o políticos. Véase Viotti da Costa (1986).

esas circunstancias ningún país podía esperar que sus exportaciones siguieran aumentando indefinidamente a un ritmo rápido, y Brasil pagó el precio de estar excesivamente expuesto a los ciclos del mercado mundial del café.[50]

Además, entre 1890 y 1913, cuando en América Latina la estabilidad política era la regla, y no la excepción, las exportaciones de muchos países fueron insatisfactorias. En un caso, el de Bolivia, la explicación es sencilla: sin duda el aumento de las exportaciones de estaño boliviano fue espectacular, pero a la larga se vieron arrastradas por la caída relativa y absoluta de la plata. Con frecuencia se seguían explotando las mismas vetas, pero con la diferencia de que los empresarios mineros se concentraban en extraer el estaño, y no el contenido de plata, aunque también se descubrieron algunos nuevos depósitos de aquel metal.

En ciertos casos en que el clima y la tierra desempeñaron un papel de particular importancia se podría atribuir el escaso crecimiento de las exportaciones al agotamiento de tierras apropiadas para los cultivos de exportación, tras muchas décadas de expansión. Costa Rica, El Salvador, Guatemala, Haití y Venezuela habían empezado a enfrentarse a este problema a finales del siglo XIX con el café; República Dominicana, Ecuador y Venezuela tuvieron la misma dificultad con el cacao. Sin embargo, la producción por hectárea del producto en cuestión, en muchos de estos países, era muy baja, y el problema de la escasez de tierras apropiadas habría podido superarse mejorando el rendimiento.

Costa Rica logró compensar hasta cierto punto los problemas de la exportación de café mediante la rápida expansión de sus cultivos de plátano. A comienzos del decenio de 1870 el plátano había remplazado al café como exportación de mayor importancia antes de la primera Guerra Mundial.[51] No obstante, tal como ocurrió con los demás exportadores de plátanos de la región, la producción se vio afectada por plagas para las cuales no se conocía cura alguna. Los ingresos de los principales países exportadores de plátano (Costa Rica, Guatemala, Honduras y Panamá) siguieron siendo vulnerables a las plagas y a los desastres naturales aun después de la primera Guerra Mundial.[52]

Los ciclos del comercio mundial también intervinieron en la reducción de los ingresos por exportaciones, aunque ninguna de las depresiones comerciales anteriores a la guerra parece haber afectado a todos los países industrializados al mismo tiempo. Por ello, las naciones con exportaciones

[50] Véase Catão (1991), capítulo 4.

[51] Las exportaciones de plátanos habían empezado como subproducto de los ferrocarriles. El alto costo de construir el ferrocarril de la costa atlántica hasta la capital, San José, hizo necesario encontrar un cultivo que se pudiera producir con rapidez en las fértiles tierras situadas junto a las vías para generar una fuente de ingresos conforme el ferrocarril avanzaba desde la costa. Véase Stewart (1964), para una biografía de Minor Cooper Keith, figura clave tanto en la construcción de los ferrocarriles como en la industria platanera de Costa Rica.

[52] Los orígenes de la industria platanera y los mil problemas asociados con su expansión se analizan en Adams (1914).

geográficamente diversificadas (véanse las pp. 95-101) lograron compensar la depresión de un mercado mediante el aumento de las exportaciones a otros, lo cual no sirvió de mucho a los que vendían el grueso de sus exportaciones en un mercado único.

El peor caso de depresión comercial fue el estancamiento del valor de las importaciones británicas en los 15 años posteriores a 1873, que se reflejó en las importaciones del Imperio Austro-Húngaro, Bélgica, Dinamarca e Italia. Esto constituyó una clara amenaza a todas aquellas naciones que habían llegado a tener una fuerte dependencia de esos mercados (el más importante de los cuales era, con mucho, el británico). Colombia, que a comienzos de los setenta enviaba más de un tercio de sus exportaciones a Gran Bretaña, aumentó sus ventas a Estados Unidos, pero el desempeño general en este periodo siguió siendo insatisfactorio, al menos en términos de valor. En contraste, Argentina, pese a que dependía del mercado británico, obtuvo una impresionante tasa de crecimiento anual de las exportaciones de 6.7% entre 1870 y 1890, como resultado de una buena diversificación geográfica (y de productos).

Las alteraciones externas podían interrumpir la expansión del comercio exterior durante muchos años hasta en los países de mayor éxito, como lo demuestra la crisis de Baring de 1890. El Banco Mercantil Baring había establecido tan íntima y provechosa asociación con los sectores privado y público de muchas repúblicas latinoamericanas, sobre todo Argentina, que la credibilidad de la empresa dependía en gran parte de la buena operación de sus acciones sudamericanas. Cuando el gobierno del presidente Miguel Juárez Celman, después de haberse endeudado en exceso en el mercado internacional de capital, no pudo pagar oportunamente a la casa Baring, se produjo una crisis financiera con graves repercusiones no sólo en Argentina, sino también en otros países latinoamericanos, en especial Uruguay, y en todo el sistema financiero británico. Se organizó una operación de rescate por medio del Banco de Inglaterra, pero los préstamos a Argentina (y a Uruguay) se vieron muy restringidos y los dos países tuvieron que reducir notablemente sus importaciones. Las exportaciones se vieron menos afectadas, pero aun así el valor auténtico de las exportaciones argentinas no sobrepasaría su marca de 1889 hasta 1898, y las importaciones hasta 1904.[53]

La naturaleza cíclica del desempeño de las exportaciones después de 1850 en tantos países latinoamericanos tuvo muy diversas causas, tanto internas como externas. La economía internacional en los 60 años previos a la primera Guerra Mundial ofreció a la expansión de exportaciones primarias oportunidades que nunca se repetirían; los ciclos del desempeño de las exportaciones latinoamericanas se debieron sólo en parte a alteraciones externas de la economía internacional. Como hemos visto, tuvieron muchas causas.

---

[53] Las estadísticas comerciales pueden encontrarse en Ferns (1960), pp. 492-493. Sobre la propia crisis de Baring véase Ferns (1992).

Algunos de esos ciclos, como las perturbaciones externas, dejaban poco o ningún espacio de maniobra. Otros, como la concentración de bienes y los bajos rendimientos, indicaban que la solución al pobre desempeño de las exportaciones se encontraba firmemente en manos nacionales.

El modelo del comercio exterior

En Europa y en Estados Unidos la industrialización fue la fuerza impulsora del desarrollo de las exportaciones de productos primarios en el largo periodo transcurrido entre mediados del siglo XIX y el estallido de la primera Guerra Mundial. Al mismo tiempo, la industrialización produjo un excedente de bienes manufacturados para el cual era necesario encontrar nuevos mercados. América Latina, con su débil base industrial y su sistema de comercio abierto, era el mercado obvio, y la competencia por una participación en él entre los principales países industrializados se intensificó hacia fines de esa época.

Por consiguiente, el modelo general del comercio era claro, aunque hubiese unas pocas excepciones. Algunos países latinoamericanos (por ejemplo, Ecuador y México) eran grandes exportadores de productos alimenticios, comercio que beneficiaba a los Estados Unidos más que a Europa. Unas cuantas naciones canalizaron gran parte de su comercio a través de otros países latinoamericanos, y no por el "centro". Paraguay, cuya principal exportación era la yerba mate, que sólo se consumía en Sudamérica, dependió principalmente del mercado argentino y, en realidad, acabó por amarrar su moneda al peso argentino. Bolivia compraba muchas de sus importaciones a naciones vecinas, aunque en gran parte de este comercio "intrarregional" los países de origen casi siempre estaban fuera de América Latina.

El ejemplo boliviano nos indica un problema general para la interpretación de las estadísticas comerciales anteriores a la primera Guerra Mundial. Se suponía que el destino de las exportaciones era el puerto en que se desembarcaban los productos, y que el origen de las importaciones era el último puerto de embarque. De este modo los artículos británicos enviados a Bolivia a través de Buenos Aires aparecen como argentinos en las estadísticas comerciales bolivianas. De manera similar, las exportaciones guatemaltecas de café enviadas a Francia pasando por Alemania figuran en las estadísticas comerciales guatemaltecas como ventas a Alemania. Por consiguiente las cifras comerciales deben interpretarse con cautela.[54]

A mediados del siglo XIX el principal mercado para las exportaciones de casi todos los países latinoamericanos seguía siendo Gran Bretaña. En 1913 Gran Bretaña continuaba representando un importador de primer nivel para

---

[54] En Platt (1971) puede encontrarse un completo análisis de los problemas de interpretación de las estadísticas comerciales del siglo XIX.

América Latina, pero sólo era el principal mercado en cuatro casos (Argentina, Bolivia, Chile y Perú) (véase el cuadro III.6). Francia aparece como principal mercado para tres repúblicas (Ecuador, Haití y Venezuela), pero ésta es, casi seguramente, una ilusión estadística (salvo para Haití), porque los productos en cuestión (carne, lana, café y cacao) se destinaban a su consumo final no sólo en Francia, sino también en otras partes de Europa. Alemania figura como principal mercado de tres países (Guatemala, Paraguay y Uruguay); esto es verosímil para Guatemala, en vista de la presencia de una numerosa colonia alemana (en particular los cafetaleros de la Alta Verapaz).

En 1913 el principal mercado de exportación para la mayoría de las repúblicas latinoamericanas era ya, en realidad, Estados Unidos (véase el cuadro III.6). Nada menos que 11 de los 21 países lo consideraban su principal mercado ya antes de la primera Guerra Mundial, y no es probable que estas cifras hayan sido muy alteradas por la forma en que se registraban las exportaciones.[55] La mayor parte de estos países, comprensiblemente, se encontraban en el hemisferio norte; para muchos, el mercado estadunidense era con mucho el más importante. Honduras, Panamá y Puerto Rico le vendían más de 80% de sus exportaciones en 1913; Cuba y México, más de 70%. Estados Unidos también era el principal mercado para Brasil y Colombia, básicamente como resultado de la gran demanda estadunidense de café.[56]

Las exportaciones a Estados Unidos siguieron careciendo de importancia en unos cuantos países. Los aranceles proteccionistas impuestos por los estadunidenses a la lana y los cueros habían perjudicado su comercio con Argentina y Uruguay,[57] y Haití enviaba casi todo el café y el cacao a Europa. Sin embargo, en 1913 Argentina era, con mucho, el más importante exportador latinoamericano, y el elevado nivel de su comercio con Europa fue el factor más importante para impedir que Estados Unidos adquiriera una posición aún más dominante como mercado de las exportaciones latinoamericanas. Aun así, los Estados Unidos sumaron 29.7% de las exportaciones, en comparación con 20.7% de Gran Bretaña (véase el cuadro III.6), y el mercado estadunidense era ligeramente más importante que el británico incluso para las exportaciones de las repúblicas sudamericanas (todas las ubicadas al sur de Panamá). Era también el más importante para México, América Central y las repúblicas del Caribe, con 70% de las exportaciones en vísperas de la primera Guerra Mundial.

No es posible medir con tanta precisión la concentración geográfica como la de bienes, pero las estadísticas indican sin lugar a dudas que, en el

---

[55] La distorsión más importante de las estadísticas estadunidenses se relaciona con las importaciones de tabaco de Cuba, algunas de las cuales estaban destinadas a la reexportación. Véase Stubbs (1985), capítulo 1.

[56] La preferencia británica por el té, importado de Asia, ha continuado reduciendo el consumo per cápita de café en el Reino Unido hasta la actualidad, aunque la brecha entre Gran Bretaña y otros países consumidores fuese más marcada en el siglo XIX.

[57] Véase Bureau of the American Republics (1892g), p. 132.

CUADRO III.6. *Exportaciones por mercados principales, 1913*

País	Exportaciones por valor (en millones dólares)	Estados Unidos (%)	Reino Unido (%)	Alemania (%)	Francia (%)	Total (%)
Argentina	510.3	4.7	24.9	12.0	7.8	49.4
Bolivia	36.5	0.6	80.8	8.5	4.9	94.8
Brasil	315.7	32.2	13.1	14.0	12.2	71.5
Chile	142.8	21.3	38.9	21.5	6.2	87.9
Colombia	33.2	44.5	13.5	7.1	2.0	67.1
Costa Rica	10.5	49.1	41.3	4.8	0.9	96.1
Cuba	164.6	79.7	11.2	2.8	1.0	94.7
Ecuador	15.8	24.3	10.3	16.6	34.1	85.3
El Salvador	9.3	29.7	7.4	17.9	21.4	76.4
Guatemala	14.5	27.1	11.1	53.0	0.1	91.3
Haití	11.3	8.8	7.1	37.2	44.2	97.3
Honduras[a]	3.2	86.9	1.8	5.3	0.2	94.2
México[b]	148.0	75.2	13.5	3.5	2.8	95.0
Nicaragua	7.7	35.3	12.9	24.5	22.9	95.6
Panamá	5.1	94.1	1.3	4.3	0.3	99.9
Paraguay	5.5	—	s/d	22.0	0.6	28.1
Perú	43.6	33.2	37.2	6.7	3.5	80.6
Puerto Rico[c]	46.2	84.6	s/d	s/d	s/d	84.6
República Dominicana	10.5	53.5	2.3	19.8	8.5	84.1
Uruguay	71.8	4.0	11.2	19.5	17.4	52.1
Venezuela	28.3	29.4	7.6	19.3	34.7	91.0
América Latina[d]	1 588.2	29.7	20.7	12.4	8.0	70.8

[a] Año fiscal 1912-1913.
[b] Año fiscal 1911-1912.
[c] Los datos son para 1910.
[d] Excluye a Puerto Rico.
FUENTES: Pan-American Union (1952); Dietz (1986).

caso de las exportaciones, había una gran dependencia de los cuatro principales países industrializados (Estados Unidos, Gran Bretaña, Alemania y Francia). En 1913 estos cuatro mercados sumaban más de 90% de las exportaciones en 10 países, y más de 70% en otros 18 (véase el cuadro III.6). Sólo Argentina, Paraguay y Uruguay habían evitado depender en exceso de ellos, aunque en el caso de Paraguay esto no representa diversificación geográfica, porque dependía esencialmente del mercado argentino.

Por consiguiente, debemos señalar una vez más la posición extraordinariamente favorable de Argentina. Con el ritmo más rápido de crecimiento de las exportaciones a largo plazo, la mayor proporción del total de las exportaciones latinoamericanas y una producción diversificada, Argentina también distribuyó sus productos en una gran variedad de mercados. Aunque a Gran Bretaña llegaba casi la cuarta parte de las exportaciones argentinas en 1913, otros siete países recibían más de 3% cada uno.[58] Las otras naciones que habían evitado la concentración de bienes (México, Perú y Paraguay) no habían logrado evitar la concentración geográfica, mientras que los países con una tasa satisfactoria de crecimiento exportador de largo plazo (Chile y, según ciertos criterios, Cuba), padecían en vísperas de la primera Guerra Mundial tanto la concentración de bienes como la falta de diversificación geográfica.[59]

A primera vista el modelo de las importaciones (véase el cuadro III.7) parece narrar la misma historia. De hecho, la posición era mucho más sana de lo que aparentan indicar las cifras. En primer lugar, con unas cuantas excepciones, el modelo geográfico de las importaciones estaba más diversificado que a mediados del siglo XIX, cuando Gran Bretaña era el principal proveedor de casi todos los países. En segundo lugar, aunque las cuatro naciones principales dominaran el comercio de importación de América Latina en 1913, a menudo la competencia entre ellas era muy intensa, y aún era relativamente raro el uso (y el abuso) de un poder monopólico. En tercer lugar, como ya lo hemos indicado, es probable que la estructura de las importaciones estuviese más diversificada de lo que se refleja en las estadísticas, como resultado de reexportaciones de las potencias europeas.

La pérdida de la exclusividad de Gran Bretaña fue consecuencia inevitable de la difusión de la Revolución Industrial. Otros países —ante todo Francia, Alemania y Estados Unidos— generaron un excedente de bienes manufacturados para su venta en el exterior, y fue natural que su esfuerzo exportador se enfocara en las naciones que, por no tener nexos coloniales, eran libres de comprar al proveedor más barato.

Esa pérdida de predominio británico reflejó también el cambio en la composición de los artículos de importación. Durante el periodo que culminó con la primera Guerra Mundial las exportaciones británicas a América Latina siguieron concentrándose en los textiles y prendas de vestir. La indus-

[58] Véase Mills (s/f), p. 159.

[59] Sin embargo, Uruguay tenía en común con Argentina exportaciones geográficamente diversificadas. Véase Finch (1981), p. 131.

tria de las potencias rivales no llegó a representar una seria amenaza para Gran Bretaña en este campo, pero sí lograron superarla en otros. A finales del siglo XIX la maquinaria agrícola y minera de Estados Unidos tenía gran demanda, los artículos "elegantes" alemanes eran muy apreciados y se consideraba a Francia como el mejor proveedor de bienes de consumo suntuario. Al reducirse el peso de las importaciones de textiles y paños —en Colombia, por ejemplo, durante el decenio de 1850, aún representaban más de 60% del total—[60] tendió a menguar la participación británica.

Consideremos el caso de Venezuela justo antes de la primera Guerra Mundial. El total de las importaciones de textiles se valuó en 876 016 libras esterlinas; la participación británica era, con mucho, la mayor. En cambio, las importaciones de productos alimenticios y de maquinaria estaban dominadas por Estados Unidos. Francia y Alemania mostraban cifras impresionantes en la categoría de "mercancías generales". Por la pérdida de importancia relativa de los textiles, a finales del siglo XIX Estados Unidos le había arrebatado a Gran Bretaña el primer lugar en el comercio venezolano de importaciones, aunque el Reino Unido seguía estando por delante de Alemania y Francia.[61]

En 1913 Gran Bretaña era el principal proveedor de siete países, incluyendo a Argentina, Brasil, Chile y Uruguay. Casi la mitad de las exportaciones británicas iban a Argentina.[62] Como resultado de su predominio en este país —el principal mercado de importación de América Latina— Gran Bretaña igualó las exportaciones de Estados Unidos a toda América Latina. Cada uno de estos dos países realizaba casi una cuarta parte de las importaciones totales en 1913 (véase el cuadro III.7). Huelga decir que la participación británica era muy superior en las naciones del Sur que en las del Norte, donde Estados Unidos había logrado aumentar su papel en las importaciones a 54.1% al estallar la primera Guerra Mundial, y donde la proporción de Gran Bretaña se había reducido a un modesto 12.3% (aún en segundo lugar).

En algunas de las naciones del Norte el predominio de Estados Unidos representaba un grave problema. Con casi 70% del mercado hondureño de importación, los proveedores estadunidenses —que por lo general trabajaban por medio de las compañías bananeras— tenían poca competencia. Lo mismo podía decirse de Costa Rica, Nicaragua, Panamá, Cuba, Haití y República Dominicana. Estados Unidos también tenía una enorme participación en las importaciones mexicanas (más de 50%), pero las dimensiones del mercado produjeron una mayor competencia entre los proveedores.[63]

[60] Véase Ocampo (1984), p. 157.
[61] Véase Dalton (1916), pp. 276-277.
[62] Véase Platt (1972), apéndice 1.
[63] Aunque Estados Unidos aceptó implícitamente la preeminencia del comercio de Gran Bretaña en el Cono Sur (Argentina, Chile y Uruguay), y Gran Bretaña hiciera lo mismo con respecto al papel de Estados Unidos en el Caribe y América Central, la rivalidad anglo-estadunidense en el mercado mexicano antes de la primera Guerra Mundial solía ser intensa. Véase Katz (1981).

CUADRO III.7. *Importaciones por mercados principales, 1913*

País	Estados Unidos (%)	Reino Unido (%)	Alemania (%)	Francia (%)	Total (%)
Argentina	14.7	31.0	16.9	9.0	71.6
Bolivia	7.4	20.3	36.7	3.8	68.2
Brasil	15.7	24.5	17.5	9.8	67.5
Chile	16.7	30.0	24.6	5.5	76.8
Colombia	26.7	20.5	14.1	15.5	76.8
Costa Rica	50.7	14.6	15.2	4.4	84.9
Cuba	53.7	12.3	6.9	5.2	78.1
Ecuador	31.9	29.6	17.8	4.9	84.2
El Salvador	39.5	27.2	10.8	6.6	84.1
Guatemala	50.2	16.4	20.3	4.0	90.9
Haití	73.0	7.3	6.6	10.1	97.0
Honduras[a]	67.5	14.7	11.5	2.9	96.6
México[b]	53.9	11.8	13.1	8.6	87.4
Nicaragua	56.2	19.9	10.7	6.9	93.7
Panamá	55.5	22.1	9.9	3.1	90.6
Paraguay	6.0	28.6	27.6	6.6	74.8
Perú	28.8	26.3	17.3	4.6	77.0
Puerto Rico[c]	88.5	s/d	s/d	s/d	88.5
República Dominicana	62.2	7.9	18.1	3.0	91.2
Uruguay	12.7	24.5	15.5	8.1	60.8
Venezuela	32.8	25.5	16.5	9.1	83.9
America Latina[d]	25.5	24.8	16.5	8.3	75.1

[a] Año fiscal 1912-1913.
[b] Año fiscal 1911-1912.
[c] Los datos son para 1910.
[d] No incluye a Puerto Rico.
FUENTES: Pan-American Union (1952); Dietz (1986).

La adopción del patrón oro y la plena convertibilidad de la moneda entre las naciones industrializadas hizo que los países latinoamericanos —aún con papel moneda inconvertible— no tuviesen ninguna razón para equilibrar su comercio bilateral. El excedente comercial de Brasil con Estados Unidos pudo emplearse para pagar el déficit comercial con Gran Bretaña y Alemania. Era un sistema auténticamente multilateral, con algunos ejemplos notables de desequilibrios bilaterales. En 1913 Haití envió menos de 10% de sus exportaciones a Estados Unidos, pero adquirió más de 70% de sus importaciones del país que pronto habría de ocuparlo militarmente. Antes de la primera Guerra Mundial Colombia mandaba casi la mitad de sus exportaciones a Estados Unidos, pero sólo le compró una cuarta parte de sus importaciones. No es sorprendente que el derrumbe de la convertibilidad cambiaria, en 1914, causara grandes alteraciones en muchos lugares de América Latina como resultado de estos fuertes desequilibrios bilaterales.

Los términos comerciales
y los costos del transporte internacional

El comercio exterior de América Latina estaba dominado por el intercambio de productos primarios por bienes manufacturados. Sólo había unas cuantas excepciones: algunas exportaciones (por ejemplo, sombreros de paja de Ecuador y Colombia,[64] harina de trigo de Argentina y Chile) podían clasificarse como manufacturas; algunas importaciones (por ejemplo, el trigo comprado por México) eran sin duda materias primas. Y sin embargo, estos artículos no pudieron alterar el cuadro general: el lugar de América Latina en la economía mundial dependía de la exportación de materias primas y la importación de bienes manufacturados.

Los precios de las exportaciones de materias primas y de las importaciones de manufacturas no fueron estables en el prolongado periodo que terminó en la primera Guerra Mundial, por lo que los términos netos de intercambio comercial (TNIC) fluctuaban constantemente.[65] Estas fluctuaciones eran parte del orden natural del desarrollo económico capitalista, y apenas serían dignas de mención de no ser porque algunos autores han afirmado haber advertido en las estadísticas un prolongado deterioro de los TNIC de América Latina a partir del siglo XIX.[66]

En el periodo transcurrido entre la Independencia, en la década de 1820, y mediados del siglo XIX, las importaciones latinoamericanas estuvieron do-

---

[64] En vísperas de la primera Guerra Mundial, estos sombreros "panamá" representaban 4% de las exportaciones colombianas. Véase Ocampo (1984), p. 100.

[65] Los TNIC se definen como el precio de las exportaciones, $p(x)$, dividido entre el precio de las importaciones, $p(m)$. De este modo, un aumento o una reducción de los TNIC significa un aumento o una reducción relativos en el precio de las exportaciones.

[66] Esta hipótesis se analiza con más detalle en el capítulo IX.

minadas por los textiles. Sin embargo, el precio de los mismos iba cayendo espectacularmente conforme la Revolución Industrial reducía los costos unitarios de producción de los países exportadores. Los precios de las materias primas fluctuaban considerablemente, pero casi todos los países latinoamericanos experimentaron una mejora de los TNIC durante este lapso. En el caso de Brasil, se calcula que los TNIC se duplicaron entre 1826-1830 y 1851-1855.[67]

Los precios de las materias primas siguieron fluctuando desde el decenio de 1850 hasta 1913. Ya estaban bien establecidos los ciclos de los precios del café, el cacao y el azúcar, por lo que los países cuyas exportaciones se concentraban en estos productos padecieron considerables variaciones del valor unitario de sus exportaciones, empleados para calcular los TNIC. También fluctuaron los precios de las importaciones, que bajaron a partir de 1870 y subieron a partir de 1890, sin una tendencia significativa de largo plazo, según la mayoría de las estimaciones.[68]

En los países de los que tenemos información, los TNIC experimentaron marcados altibajos durante todo este periodo. Resulta difícil, si no imposible, discernir una tendencia. Brasil gozó una modesta mejoría de los TNIC entre 1850 y 1913, pero esto oculta enormes fluctuaciones, que incluyen una mejora de 55% durante el decenio de 1850 y un desplome no menos espectacular durante la década siguiente.[69] Colombia sufrió un grave deterioro de los TNIC después de 1880,[70] pero México parece haber vivido una mejoría igualmente drástica, pese a la caída del precio oro de la plata.[71] Chile, según una fuente, experimentó un deterioro de los TNIC en el decenio de 1890, cuando empezaron a subir los precios de importación,[72] mientras en Perú mejoraban durante la época del guano, y padecían después una seria declinación.[73]

La interpretación de estas cifras se complica aún más por los métodos utilizados para calcular los precios de las importaciones. En vista del uso difundido de los valores oficiales o declarados de las importaciones en las estadísticas comerciales de los países latinoamericanos antes de la primera Guerra Mundial —ninguno de los cuales es guía fidedigna de los auténticos precios de importación—,[74] se ha vuelto práctica común utilizar los precios de un exportador importante de bienes manufacturados (por lo general Gran Bretaña) como sustituto de los precios latinoamericanos de importación.

[67] Véase IBGE (1987), cuadro 11.11.

[68] Por ejemplo, los de las exportaciones británicas, que muchos han utilizado en lugar de los precios de las importaciones latinoamericanas, fueron de 100.8 en 1850 (1880 = 100), y de 96.9 en 1913. Véase Imlah (1958), pp. 94-98.

[69] Véase Leff (1982a), p. 82.

[70] Véase Ocampo (1984), p. 93.

[71] Véase Rosenzweig (1989), pp. 181-182. Sin embargo, para el periodo posterior a 1880 hubo una disminución debido a la aguda caída de los precios de la plata. Véase Beatty (2000).

[72] Véase Palma (1979), apéndices 18 y 32.

[73] Véase Hunt (1985), cuadro 2.

[74] Véase Platt (1971).

Este procedimiento se presta a una serie de objeciones. El modelo de las exportaciones británicas (dominadas por los textiles) no reflejó las variaciones de las importaciones latinoamericanas. Como el descenso del precio de los textiles se concentró en la primera parte del siglo XIX, es posible que la reducción del precio de las importaciones a partir de 1850 fuese más rápida de lo que implica el uso de los precios de las exportaciones británicas. Esta sospecha queda confirmada por las estadísticas mexicanas que indican que, por ejemplo, entre 1891 y 1895, los precios de las exportaciones británicas se redujeron 15% y los de las importaciones mexicanas 35 por ciento.[75]

Una objeción aún más importante se basa en la revolución del transporte internacional en la segunda mitad del siglo XIX. Los TNIC de cualquier país latinoamericano deberían reflejar los precios de las importaciones en el puerto de entrada (precios CIF). En cambio, los de las exportaciones británicas se han calculado en el puerto de embarque (precios FOB). Esta diferencia no importaría si los costos del transporte internacional fueran estables, pero la introducción de barcos de vapor en las rutas comerciales de América Latina redujo los fletes y la diferencia entre los precios CIF y FOB de las importaciones.[76] Podemos suponer que, a medida que los precios FOB de éstas iban reduciéndose entre 1850 y 1913, el precio CIF iba descendiendo aún más rápidamente. Sin embargo, incluso si el precio aumentaba, es posible que el CIF se moviera en la dirección opuesta.

Por lo tanto, debemos ver con extrema cautela cualquier sugerencia de una caída de los TNIC de América Latina antes de 1913. Sin duda hubo largos periodos en que los TNIC de un país determinado podían deteriorarse. Por ejemplo, la crisis de la sobreoferta en el mercado del café en el decenio de 1890 causó un grave deterioro de los TNIC de todas aquellas naciones cuyas exportaciones se concentraban en ese producto. Los precios del azúcar pasaron por largos periodos de baja, causando problemas a los TNIC de países como Cuba y Puerto Rico. Y sin embargo, no es difícil encontrar ejemplos en sentido contrario. El auge de los precios del nitrato causó una gran mejoría a los TNIC chilenos a partir de 1898. La época del guano en Perú también se caracterizó por una mejoría de los TNIC. Y la expansión económica en Bolivia, en el decenio anterior a la primera Guerra Mundial, fue un reflejo, en parte, del precio mucho más alto del estaño.

La supuesta decadencia constante de los TNIC en América Latina antes de 1913 fue casi seguramente una ilusión. Si acaso, la tendencia a largo plazo durante ese periodo iba en desmedro de los países industrializados. Sin embargo, los cambios de los TNIC en ambas regiones tuvieron causas distintas.

El descenso de precios de las exportaciones británicas fue, en parte, consecuencia de la mayor productividad del sector exportador. Por ello la caída de los TNIC reflejó la mayor productividad, y no necesariamente produjo una

---

[75] Véase Rosenzweig (1989), p. 162.
[76] Véase Oribe Stemmer (1989).

caída del poder adquisitivo. Por otra parte, la declinación de los precios de las exportaciones en los países latinoamericanos fue con frecuencia producto de los cambios en el equilibrio entre la oferta y la demanda mundiales, sobre lo cual no tenían ningún control. Por consiguiente, una baja de los TNIC pudo producir una marcada reducción del poder adquisitivo.[77]

Por esa razón suele ser preferible trabajar con otras medidas de los términos de comercio. Un ejemplo son los ingresos términos de comercio (ITC), que multiplican los TNIC por el volumen de las exportaciones y con ello miden la capacidad de importar.[78] Los ITC se han calculado para un pequeño número de países antes de 1913;[79] dado el aumento del volumen de las exportaciones, en general muestran una mejoría prolongada; no obstante, también se observan periodos en los cuales se mantuvieron estacionarios, o incluso se redujeron. Un ejemplo es el de Brasil en el decenio de 1890, cuando el deterioro de los TNIC fue tan marcado que los ITC permanecieron casi intactos, pese al aumento del volumen de las exportaciones.

La experiencia de Brasil con las fluctuaciones del precio del café y el deterioro del TNIC influyó en la decisión de São Paulo y otros estados productores de café de lanzar un plan radical y novedoso de estabilización de los precios del producto. El plan, conocido como la valorización del café Taubaté (adoptado inicialmente en 1906), aprovechaba la posición cuasimonopólica del país en el mercado mundial para estabilizar sus precios. Al aumentar o reducir sus inventarios de café Brasil podía regular la cantidad que llegaba al mercado mundial, y ajustar la oferta mundial en un nivel de demanda congruente con un precio deseado. Sin embargo, cuanto más subiera el precio del café más costoso sería el plan y mayor el riesgo de que los exportadores de otros países aumentaran sus ventas y conquistaran una parte del mercado a expensas de Brasil. Dado que los cafetos tienen que crecer cinco años antes de dar la primera cosecha, al principio se minimizaron los riesgos relacionados con la valorización del café. En general se consideró que el primer plan de valorización del café había tenido éxito, aun cuando se vino abajo al estallar la primera Guerra Mundial.[80]

El café no fue la única mercancía para la cual las condiciones del mercado justo antes de la guerra distaban mucho de ser la competencia perfecta

---

[77] Sin embargo, algunas caídas de precio se debieron a aumentos de la productividad. Esto parece haber ocurrido con el azúcar cubano durante gran parte del siglo XIX, cuando la mecanización produjo un aumento de la productividad del trabajo y un descenso de los costos unitarios. Véase Moreno Fraginals (1986).

[78] Los ITC podrían representarse como $ITC = TNIC \cdot q(x) = [p(x)/p(m)] \cdot q(x) = e(x)/p(m)$, donde $q(x)$ es el volumen de las exportaciones y $e(x)$ es el valor de las mismas. Así, los ITC pueden derivarse del valor de las exportaciones dividido entre el precio de las importaciones. Por consiguiente, miden el volumen de las importaciones que se pueden adquirir por un valor determinado de las exportaciones.

[79] Las series más completas son las de Brasil (IBGE, 1987), Chile (Palma, 1979) y Perú (Hunt, 1973). Para México, después de 1880, véase también Beatty (2000).

[80] Sobre el primer plan de valorización del café brasileño, véase Fritsch (1988), pp. 13-18.

descrita en los libros de texto. El azúcar siguió siendo un producto sumamente "político",[81] y la producción y venta de plátanos fueron controladas por un oligopolio de compañías extranjeras. Las barreras arancelarias —y hasta las no arancelarias— se volvían más comunes para los productos de tierras templadas que competían con la agricultura de Europa y América del Norte. Hasta entonces Gran Bretaña se había resistido a todos los intentos por poner fin a su política de libre comercio, pero el mercado británico iba perdiendo importancia relativa para América Latina. La campaña de Joseph Chamberlain a fines del siglo XIX para favorecer al comercio del Imperio fue una advertencia de los cambios por venir.[82]

---

[81] *Sir* Arthur Lewis a menudo ha destacado la naturaleza política de los mercados para ciertos productos, lo que hace sumamente difícil optimizar el comportamiento de los agentes económicos. Para un resumen de la diplomacia del azúcar antes de 1914, véase Chalmin (1984).

[82] Joseph Chamberlain, renegado del Partido Liberal, sostenía que la política de libre comercio de Gran Bretaña llevaba a una pérdida de competitividad. Su influencia populista fue considerable y, aunque perdió el debate, es indiscutible que su campaña socavó la fe británica en el libre comercio. Véase Bulmer-Thomas (1965), vol. 1, pp. 162-163.

IV. EL CRECIMIENTO IMPULSADO POR LAS EXPORTACIONES: EL LADO DE LA OFERTA

EL AUMENTO de las exportaciones fue condición necesaria, pero no suficiente, para un buen crecimiento impulsado por las exportaciones. Y sin embargo, como vimos en el capítulo III, sólo de un pequeño número de países puede decirse que satisficieron esta condición básica. En general, el problema no fue la falta de demanda; mucho más importantes fueron las limitaciones a la expansión de la oferta de exportaciones. Los países con rápido aumento de las exportaciones han solido superar esos obstáculos por el lado de la oferta, mientras que los de lento crecimiento fueron incapaces de resolver los problemas —a menudo formidables— a los que tuvo que enfrentarse el sector exportador durante todo el siglo XIX.

La expansión de las exportaciones, fuese rápida o lenta, podía producir uno de tres modelos guiados por ellas: el aditivo, el destructivo o el transformativo. En el modelo aditivo el sector de las exportaciones se insertaba en la estructura existente de la producción, con muy pocos cambios para la economía no exportadora. Se atraían recursos al sector exportador, sin reducir la producción en otras áreas, y el factor productividad en la economía no exportadora no se veía afectado por el crecimiento de aquél. Un ejemplo de crecimiento aditivo nos lo ofrece la expansión de las exportaciones plataneras de Honduras al comienzo del siglo XX. La tierra —antes no utilizada— tenía un costo de oportunidad cero, el capital era extranjero y la mano de obra era aportada en gran parte por trabajadores inmigrantes de las Antillas y de El Salvador. La repercusión sobre el resto de la economía fue insignificante.[1]

En el modelo destructivo la expansión de las nuevas exportaciones se logró atrayendo recursos de actividades existentes en el resto de la economía, bien del propio sector exportador o de la economía no exportadora. Un buen ejemplo del primer caso es la expansión de la minería del estaño en Bolivia, en que la tierra, la mano de obra y el capital se tomaron, en gran parte, de recursos antes dedicados a exportaciones de plata.[2] Un ejemplo del segundo son las exportaciones de café de Puerto Rico, tras la abolición final de la esclavitud, en 1873, que se logró desviando recursos antes dedicados a la producción agrícola para el mercado interno.[3] El modelo destructivo implicó una desviación de recursos hacia factores de rendimiento más altos (princi-

---

[1] Se han escrito buenos estudios sobre los primeros días de la industria platanera. Véase por ejemplo Kepner y Soothill (1935), capítulos 1-2.

[2] Sobre el cambio de la plata al estaño véase Klein (1982), capítulo 6.

[3] Véase Bergad (1983), capítulos 3-4.

palmente capital y tierra), aunque la mayor parte de la economía no exportadora no se vio afectada.

En el modelo transformativo el sector exportador se expandió de tal manera que la productividad (capital y trabajo) de la economía no exportadora
se vio afectada en grado significativo. Es muy probable que los recursos
atraídos al sector exportador en este modelo llegaran con un costo de oportunidad de no cero (como en el modelo destructivo), pero esta vez el efecto
fue considerable sobre los mercados del factor y del producto de toda la economía. Los mercados funcionaron de manera eficiente, se atrajeron recursos
a actividades en que podían obtener la máxima tasa de rendimiento, y los
beneficios del cambio tecnológico y los aumentos de productividad se trans-
mitieron a todas las ramas de la economía. La expansión de la carne y los
cereales en Argentina constituye el mejor ejemplo de un modelo transformativo de crecimiento basado en las exportaciones, en el periodo anterior a la
primera Guerra Mundial.

En la mayoría de los países el crecimiento basado en las exportaciones
presentó elementos de los tres modelos. Hasta en Argentina el crecimiento
de algunas exportaciones menores —como el azúcar de Tucumán— fue destructivo, y no transformativo.[4] Desde el punto de vista del desarrollo económico latinoamericano el modelo transformativo fue muy superior a los otros
dos, e inequívocamente positivo. El modelo aditivo fue positivo (por definición), pero su efecto general a menudo fue tenue. El modelo destructivo
también pudo ser positivo, porque implicó un giro hacia actividades con mayor factor de productividad, pero el nivel agregado de productividad del trabajo dependió de que todos los trabajadores despedidos encontraran pleno
empleo en las nuevas actividades. El subempleo en las plantaciones caribe-
ñas de caña de azúcar —donde los trabajadores permanecían ociosos hasta
ocho meses del año— demostró que esta suposición no siempre era válida.[5]

Que el modelo del crecimiento basado en las exportaciones fuese aditivo,
destructivo o transformativo dependió, hasta cierto grado, de la lotería de
bienes. Por ejemplo, la industria de exportación de carne incluyó tantos procesos separados (pastura, cercados, engorda, matanza y empaque), que no se
le pudo organizar con éxito sin transformar muchas ramas de la economía
no exportadora. En contraste, las exportaciones de plátano fueron posibles a
partir de enclaves física y económicamente separados del resto de la economía. Sin embargo, el modelo también reflejó la eficiencia con que funcionaran los mercados de factores. La operación de éstos determinó en buena medida que el propio desarrollo de las exportaciones fuera rápido o lento. Por
consiguiente, resulta apropiado empezar por un análisis de los mercados de
trabajo, tierras y capital en América Latina antes de la primera Guerra
Mundial.

[4] Véase Rack (1986), pp. 406-407.
[5] Moreno Fraginals (1986), pp. 217-220, brinda una buena descripción de este aspecto de la
industria azucarera.

EL MERCADO DE TRABAJO

El crecimiento basado en las exportaciones se logró en un entorno de expansión demográfica. El crecimiento natural de la población —la diferencia entre nacimientos y muertes por millar de personas— varió entre 1 y 2% anual en el periodo previo a la primera contienda mundial, a menos que prevalecieran condiciones excepcionales, como una guerra. La tasa bruta de nacimientos (TBN) fue muy estable —como se reflejó en el bajo coeficiente de variación— tanto en los diversos países (véase el cuadro IV.1), como a lo largo del tiempo: apenas por encima de 40%. Sólo Uruguay, con una población más urbana y de clase media que ningún otro país de América Latina, había experimentado una considerable reducción de la TBN al llegar 1913.

La TBN tuvo un promedio de cerca de 26%, pero esto ocultó variaciones significativas. Al principio éstas fueron aleatorias —afectadas ante todo por epidemias como cólera y fiebre amarilla, o por la devastación de las guerras— pero gradualmente la TBN cedió a las mejoras de sanidad, calidad del agua y la difusión de la medicina moderna. Las tasas de mortalidad infantil (TMI), sumamente elevadas a mediados del siglo XIX —en México más de 300 de cada mil nacidos vivos morían antes de cumplir un año—, se habían reducido a finales del siglo; por consiguiente, la esperanza de vida, aunque aún muy baja para las normas modernas, había empezado a aumentar.[6] Aun así, la TMI fue superior a 100 en toda América Latina antes de 1914, en comparación con 72 en Australia y 57 en Nueva Zelanda (véase el cuadro IV.1).

La tasa natural de crecimiento demográfico fue alta de acuerdo con las normas internacionales durante todo el periodo que estamos considerando (*ca.* 1850 a *ca.* 1914) —tal vez como tributo a las proporciones sumamente favorables entre tierra y hombres que prevalecían en casi toda América Latina—, pero todos los patrones del sector exportador se quejaban de la escasez de mano de obra. Y era cierto, tanto si consideramos los sectores exportadores en rápido crecimiento —el café del estado de São Paulo, en Brasil—, como actividades en lento crecimiento, como el azúcar durante el siglo XIX en República Dominicana. El aumento anual de la mano de obra derivado del crecimiento previo de la población nunca bastó, al parecer, para satisfacer la necesidad de trabajadores adicionales en el sector exportador, y con frecuencia se oyeron quejas acerca de la escasez de mano de obra también en otras ramas de la economía. Por consiguiente, el sector exportador tuvo que atraer su mano de obra por medio de migración interna o internacional.

Empecemos por considerar el caso de la migración interna. Durante el

---

[6] En Brasil, por ejemplo, la esperanza de vida de los varones recién nacidos, en 1879, era de 27.1 años, lapso característico de gran parte de América Latina en esa época. En 1920 había aumentado a 31.4 años. Véase Arriaga (1968), pp. 29 y 34. Sólo Argentina, donde la esperanza de vida en 1914 era de 48 años, llegó a acercarse al nivel de los países avanzados. Véase Sánchez Albornoz (1986), p. 142.

CUADRO IV.1. *Perfiles sociodemográficos*, ca. *1910-1914*

País	TBN[a]	TBM[b]	TMI[c]	Urbanización[d] (número de ciudades)		Periódicos[e]
Argentina	40.3	17.7	121	31.2	(9)	87
Bolivia				4.3	(1)	6
Brasil	47.3[f]			10.7	(14)	9
Chile	44.4	31.5	261	14.5	(2)	44
Colombia	44.1	26.0	177	7.1	(8)	3
Costa Rica	43.0	23.7	191	9.0	(1)	31
Cuba	44.7	21.4	140	15.1	(2)	9
Ecuador	46.5[g]	30.2[g]	188[g]	9.1	(2)	15
El Salvador	44.7	31.1	169	6.3	(1)	13
Guatemala	46.6	33.0	142	5.1	(1)	
Haití				5.6	(1)	3
Honduras	43.7	24.5	126	3.9	(1)	5
México	43.2	46.6	228	7.6	(11)	12
Nicaragua				7.0	(1)	28
Panamá	42.0	19.0	122	11.1	(1)	53
Paraguay				14.2	(1)	20
Perú				5.0	(4)	20
Puerto Rico	35.9	21.8	153	4.3	(1)	
República Dominicana				3.0	(1)	9
Uruguay	31.5	13.2	103[h]	28.7	(1)	80
Venezuela	44.5	28.3	154	3.6	(1)	16
Media (no ponderada)	42.8	26.3	163			
Coeficiente de variación[i]	0.098	0.313	0.27			
Australia	27.8	10.7	72	37.6	(7)	
Canadá	31.1	13.0	170	19.4	(11)	
Nueva Zelanda	26.2	8.5	57	26.6	(3)	

[a] Tasa bruta de nacimientos (nacidos vivos por millar de habitantes).
[b] Tasa bruta de mortalidad (muertes por millar de habitantes).
[c] Tasa de mortalidad infantil (niños de menos de un año por millar de nacidos vivos).
[d] Definida como la proporción de la población que vivía en grandes ciudades. El número de éstas aparece entre paréntesis.
[e] La circulación de periódicos diarios por millar de habitantes.
[f] Tomado de Sánchez Albornoz (1986), p. 144.
[g] Promedio de 1915-1919.
[h] Promedio de 1921-1924.
[i] Definido como razón de la desviación estándar a la media.
FUENTES: TBN, TBM y TMI tomados de Mitchell (1983); cifras de urbanización tomadas de Mitchell (1983); circulación de periódicos tomada de Wilcox y Rines (1917).

siglo xix en América Latina la población fue abrumadoramente rural. Esto continuó hasta la primera Guerra Mundial en todos los países, salvo Argentina y Uruguay (véase el cuadro iv.1). Por ello el sector exportador tuvo que atraer mano de obra de las actividades rurales, sobre todo agrícolas. Dado que su crecimiento solía estar por encima del promedio con una productividad laboral también superior al promedio, habría sido natural que el sector exportador ofreciera mayores salarios reales (salarios nominales adaptados al costo de la vida), ya que la curva de la oferta de mano de obra iba en ascenso.

Esta situación se dio sin duda en algunas partes de América Latina. Los migrantes que se trasladaron del valle central de Chile a las minas de nitrato y otros minerales en el norte sin duda fueron atraídos por tasas salariales superiores a las que podían obtener en su empleo anterior.[7] Los trabajadores que se fueron del centro y el sur de México al norte, a trabajar en la ganadería y (después de 1900) en la industria petrolera, también estuvieron motivados por la esperanza de mayores salarios reales. Algunos migrantes del nordeste brasileño, donde el azúcar y el algodón estaban en decadencia, fueron atraídos por la perspectiva de mejores salarios como resultado del auge del café en São Paulo.

Y sin embargo esta operación normal del mercado de trabajo se distorsionó de diversas maneras. A menudo los salarios reales del sector exportador no cambiaban en mucho tiempo, y en algunos casos hasta se reducían. Los patrones se resistían a atraer trabajadores ofreciéndoles mayores salarios. Y aun cuando pagaban salarios nominales más altos, muchas veces lograron reducir el costo real con las tiendas de raya, donde los trabajadores tenían que cobrar sus salarios en artículos vendidos a precios inflados.

Vemos así que la coerción —rasgo tan pronunciado del mercado de trabajo en tiempos coloniales— seguía vigente en muchas partes de América Latina en vísperas de la primera Guerra Mundial. Los métodos de los productores de café de Guatemala y El Salvador para conseguir mano de obra a un costo real fijo o reducido solían ser brutales,[8] y lo mismo podría decirse de lo ocurrido durante el auge del caucho en Brasil y Perú.[9] La mano de obra utilizada para producir yerba mate en Paraguay sólo era libre de nombre,[10] y no era mucho mejor la situación de los trabajadores del otro lado de la frontera argentina, que producían azúcar en Tucumán.[11]

Las reformas liberales difundidas en muchas partes del subcontinente en

[7] Véase Sunkel (1982), pp. 82-86.

[8] Para Guatemala, véase Jones (1940), capítulo 12; para El Salvador, Menjívar (1980), pp. 87-112.

[9] El auge del caucho en Brasil es el tema de una excelente monografía de Dean (1987). Para Perú, donde el trato dado a los trabajadores del caucho llegó a ser un escándalo internacional, véase Vivian (1914), pp. 151-154.

[10] Bureau of the American Republics (1892b), pp. 96-104, es un esclarecedor relato contemporáneo de la industria de la yerba mate escrito por un cónsul de Estados Unidos.

[11] Véase Bauer (1986), p. 182

la segunda mitad del siglo xix tenían por objeto, entre otras cosas, reducir la escasez de mano de obra a que se enfrentaban los patrones. La apropiación de tierras comunales pertenecientes a poblados indígenas introdujeron la propiedad privada en el sector de subsistencia de la economía, y se adoptaron (y adaptaron) leyes contra la vagancia, tratando de obligar a quienes no tenían propiedades a ofrecer su fuerza de trabajo al sector capitalista de la economía. Sin embargo, ante la falta de salarios reales más altos, sólo la coerción pudo hacer que los patrones contaran con mano de obra adecuada.[12]

La renuencia de los patrones a pagar salarios más elevados para mejorar el mercado de trabajo tiene muchas explicaciones. La mayor parte de las exportaciones latinoamericanas de productos primarios competían en el mercado mundial con los de otras partes del mundo (incluso de la misma América Latina). Para muchas exportaciones intensivas en mano de obra el costo de ésta era, con mucho, el mayor gasto, y se consideró que los salarios más altos eran un juego de suma cero, en el que las ganancias de los trabajadores significarían menores rendimientos y utilidades. Algunos patrones también se mostraban pesimistas ante la declinación de la curva de la oferta, y suponían que sólo un enorme aumento de los salarios aportaría voluntariamente la mano de obra adicional que necesitaban; otros compartían el desprecio a las clases inferiores que prevalecía entre la mayoría de las élites, y suponían que sólo una migración europea podría resolver el problema de la escasez de mano de obra.

En realidad, la migración internacional a América Latina antes de la primera Guerra Mundial fue de dos clases: selectiva y masiva. La primera no significó un mercado libre de trabajo: se importaron obreros para labores específicas. Por ejemplo, se emplearon abundantes culíes chinos en las industrias azucarera y algodonera de Perú,[13] en las plantaciones de caña de azúcar en Cuba[14] y en la construcción de ferrocarriles en Costa Rica.[15] En la industria del henequén en México se les unieron trabajadores coreanos bajo contrato.[16] Numerosos jornaleros de las Antillas se emplearon en la industria platanera de la cuenca del Caribe, en el tendido de vías férreas y en la construcción del canal de Panamá después de 1903.[17] La industria cubana del azúcar usaba mano de obra de Puerto Rico, y la de República Dominicana había empezado a depender de trabajadores haitianos —lo que llegaría a ser tradicional— desde antes de la primera Guerra Mundial.[18] Muchos gobiernos latinoamericanos favorecieron también el establecimiento de colonias agrícolas de inmigrantes europeos. En su mayor parte fracasaron, pero algu-

---

[12] Estas cuestiones son tema de varios excelentes ensayos que se encuentran en Duncan *et al.* (1977).

[13] Véase Gonzales (1989).

[14] Véase Thomas (1971), p. 186.

[15] Pero la tasa de mortalidad de estos trabajadores era alta, y los remplazaron con trabajadores de las Antillas. Véase Echeverri Gent (1992).

[16] Véase Bauer (1986), p. 184.

[17] Sobre los trabajadores de las Antillas en Panamá véase Conniff (1985), capítulos 1-3.

[18] Véase Hoetink (1986), p. 293.

nas del Cono Sur —especialmente el sur de Chile, el sur de Brasil y el sur de Argentina— tuvieran notable éxito.[19]

El caso más extremo de migración selectiva fue el tráfico internacional de esclavos. Este comercio, finalmente suprimido en Brasil en el decenio de 1850, y en Cuba en el de 1860, se destinaba a compensar la baja tasa de crecimiento de la población esclava, impidiendo así que aumentara el costo de adquisición de los mismos. Con la supresión del tráfico de esclavos Brasil y Cuba se vieron obligados a recurrir a otros tipos de migración selectiva para mantener bajos los costos. Sólo cuando la esclavitud finalmente fue abolida y —en el caso de Cuba— después de la Guerra Hispano-Norteamericana, ambos países adoptaron una política de migración internacional en masa.[20]

La inmigración masiva no era bien vista por todos los gobiernos. Mientras que la migración selectiva era como una espita que se podía abrir y cerrar, según conviniera a las condiciones del mercado de trabajo local, la migración en masa —el ingreso irrestricto de extranjeros— entrañaba el riesgo de que los migrantes no trabajaran en las áreas en que había escasez de mano de obra, que trajeran consigo ideas sociales o religiosas "peligrosas", y que no se fueran en épocas de depresión. Además, aunque un gobierno favoreciera la migración masiva, no había ninguna seguridad de que la lograra, porque los incentivos ofrecidos tenían que competir con los de Estados Unidos, Canadá y otros países de "reciente colonización".

De hecho, la migración en masa a América Latina se limitó a unos cuantos países. El caso más notable fue Argentina. La migración internacional empezó en el decenio de 1860, se aceleró en el siguiente, después de la Guerra de la Triple Alianza, y se sostuvo —con sólo un breve intervalo, a comienzos de 1890— hasta la primera Guerra Mundial. Para entonces los nacidos en el extranjero representaban 30% de la población, cifra muy superior a la de los Estados Unidos. Los inmigrantes representaban la mitad del aumento demográfico desde 1870, y mucho más de la mitad del aumento de la fuerza de trabajo. Aunque una alta proporción decidió quedarse en Buenos Aires, incrementando enormemente la población urbana de Argentina, y dando a América Latina su primera ciudad de más de un millón de habitantes,[21] el mercado de trabajo funcionó con bastante eficiencia. La escasez de mano de obra nunca afectó gravemente la expansión de las exportaciones, y hay ciertos testimonios de crecientes salarios reales hasta en las zonas rurales, antes de 1914.[22]

También Uruguay favoreció una política de inmigración masiva. Como

[19] Muchas nacionalidades participaron en estas colonias agrícolas, y por muy diversas razones. Para los galeses que se establecieron en Patagonia uno de los motivos era la conservación de su idioma. Véase Williams (1991), capítulo 8. Marshall (1991) contiene una buena bibliografía sobre la inmigración europea en general.

[20] Sobre la economía de la emigración europea a Brasil, véase Leff (1982a), capítulo 4.

[21] Había llegado a más de 1.5 millones en 1910. Su único rival serio era Rio de Janeiro, con 870 mil habitantes. Véase Mitchell (1993).

[22] Véase Cortés Conde (1986), p. 340.

en Argentina, el mayor número de inmigrantes era de origen italiano, pero mostraron una preferencia aún mayor por la vida urbana —en este caso en Montevideo— que sus compatriotas en Argentina. Las inciertas condiciones políticas hasta comienzos del siglo xx limitaron el influjo de migrantes, por lo que los extranjeros "sólo" representaron 17% de la población en el censo de 1908.[23] También Brasil adoptó la política de inmigración masiva después de la abolición de la esclavitud, en 1888, y atrajo gran número de italianos y portugueses al estado de São Paulo. A partir de 1907 éste se convirtió en centro de atracción para los inmigrantes japoneses, pero los extranjeros nunca sumaron más de 10% de la población.

Después de la derrota de España, Cuba optó por la inmigración masiva en un esfuerzo deliberado por reconstruir su población, devastada por la guerra, y por resolver el problema estructural de la escasez de trabajadores en la industria azucarera. Sin embargo, los prejuicios raciales limitaron el ingreso de trabajadores de las Antillas hasta el decenio de 1920, cuando la escasez de mano de obra fue particularmente aguda, de modo que los principales beneficiarios de la política inmigratoria cubana fueron españoles (incluyendo al padre de Fidel Castro, quien llegó a Cuba como miembro del ejército español). En otras partes, con la parcial excepción de Chile, no se adoptaron —o bien fracasaron— las políticas favorables a la inmigración en masa. En México, al llegar la época de la Revolución, sólo uno de cada 200 habitantes había nacido en el extranjero, y en Venezuela sólo 10% de los que llegaron acabarían por quedarse.[24]

La combinación de crecimiento demográfico natural, inmigración interna, selectiva y masiva, alivió el problema de la escasez de mano de obra, pero en general no lo resolvió. En muchas partes de América Latina persistieron las quejas de falta de trabajadores hasta la primera Guerra Mundial, y la ineficiencia con que operó el mercado laboral es sin duda una de las explicaciones de la baja tasa de formación de capitales en algunas repúblicas. Los inversionistas, fuesen extranjeros o nacionales, naturalmente se mostraban renuentes a invertir en actividades cuya rentabilidad podía ser cancelada por una escasez de mano de obra.

Fueron pocos los países en los que la tasa de crecimiento de las exportaciones no fue contenida por la escasez de trabajadores. La escala de la inmigración a Argentina, aunada a un mercado laboral relativamente eficiente que permitía que los salarios reales subieran o bajaran de acuerdo con la brecha existente entre la oferta y la demanda, logró eliminar en el largo plazo la escasez de mano de obra.[25] Sin embargo, no todas las naciones que

[23] Véase Finch (1981), p. 25.
[24] Véase Sánchez Albornoz (1986), p. 129.
[25] Williamson (1999) calculó los salarios urbanos reales de la mano de obra no calificada de seis países latinoamericanos antes de 1914 y los comparó con los salarios reales del Reino Unido. En el caso de Argentina, los datos muestran un aumento sustancial de 1873-1883 a 1899-1903. Los datos pueden encontrarse en Williamson (1998).

adoptaron la inmigración masiva tuvieron resultados tan favorables. Brasil y Cuba, después de la abolición de la esclavitud —en 1888 y 1898, respectivamente—, descubrieron que ni siquiera la inmigración internacional lograba organizar el mercado laboral, y la razón fue la misma en ambos países: la manipulación del mercado de trabajo por los patrones, en un esfuerzo por impedir un aumento de los salarios reales.[26]

Los países que dependían de los minerales para obtener divisas (como Bolivia, Chile y México) también evitaron, en general, la escasez de mano de obra en el sector exportador.[27] El sector minero era menos intensivo en mano de obra que las exportaciones agrícolas, y los patrones estaban más dispuestos a tolerar salarios más altos como medio de atraer trabajadores. Sin embargo, la coerción para llevar trabajadores a las minas seguía vigente, y a menudo se respondió con la fuerza a las quejas de los trabajadores.[28]

Un último grupo de países fue el de aquellos —como Haití y El Salvador— donde el aumento de las exportaciones era tan modesto que la tasa natural de crecimiento demográfico aun permitía la emigración de trabajadores a los países vecinos. El nordeste de Brasil —una región, en este caso— se encontró en una situación similar. En estos ejemplos la incapacidad del sector exportador para crecer con más rapidez no puede achacarse al funcionamiento del mercado laboral.

En el resto de la región persistía la escasez de mano de obra, lo que contribuyó al lento desarrollo de las exportaciones. El origen del problema era la renuencia de los patrones a valerse de los salarios como un medio para impulsar el mercado. El salario real de los cortadores de caña cubanos, los cultivadores de café brasileños y los trabajadores del cacao ecuatorianos, por ejemplo, se mantuvo sin modificación alguna durante largos periodos, pese a la evidente escasez de mano de obra.[29] Los esfuerzos de los gobiernos por aumentar el abasto laboral restringiendo el acceso a la tierra pudieron aliviar ese problema básico, pero no resolverlo. Las autoridades se mostraron dispuestas incluso a subsidiar los costos de la inmigración internacional

---

[26] La migración internacional (masiva) fue un mal instrumento para resolver la escasez de trabajadores en el sector exportador. En primer lugar, no todos los inmigrantes se quedaban en el país; además, muchos decidían no trabajar en el sector exportador. Se ha calculado, en el caso del estado de São Paulo, en Brasil, que 79% de quienes llegaron entre 1892 y 1895 se quedaron permanentemente, mientras que sólo permaneció 9% de los que arribaron entre 1906 y 1910. Véase Holloway (1980), p. 179.

[27] Aun así, hay pocas pruebas de que los salarios reales hayan aumentado. Para un estudio cuidadoso acerca de México, véase Gómez-Galbarriato (1998).

[28] El ejemplo más tristemente célebre fue el aplastamiento de una huelga en el puerto de Iquique, productor de nitrato, en el norte de Chile, en 1907, con la pérdida de cientos de vidas. Véase Blakemore (1986), p. 529.

[29] Por ejemplo, se ha dicho de Brasil que "estas condiciones parecen haber conducido a un patrón de expansión en el cual el sector avanzado de la economía pudo crecer durante casi un siglo sin aumentar los salarios reales". Véase Leff (1982), p. 69. Véase también Williamson (1998) y (1999).

(como en Brasil), o a ceder parcelas de tierra a extranjeros (como en El Salvador), antes que tolerar un aumento del salario real.

En un esfuerzo por garantizarse una fuerza laboral adecuada sin necesidad de aumentar sus salarios reales, muchos grandes terratenientes difundieron la práctica (existente desde los tiempos coloniales) de dar a los trabajadores acceso a la tierra a cambio de su trabajo. Estos campesinos, conocidos como inquilinos en Chile, huasipungueros, colonos, concertados o yanaconas en los Andes, y peones acasillados en México, a menudo se encontraban prácticamente fuera de la economía monetaria, pues se les pagaba en especie, y no en efectivo. Aun los jornaleros, contratados durante el año para tareas específicas, solían estar al margen de la economía monetaria; esto ocurría cuando se daba crédito al trabajador, muchas veces en circunstancias dudosas, a cambio de sus labores futuras. La deuda no siempre quedaba cancelada con la muerte del deudor; podía pasar a sus hijos, por lo que a menudo se llama a este sistema servidumbre por deuda.[30]

La reticencia de los patrones a permitir el aumento de los salarios reales tuvo implicaciones a niveles tanto macro como microeconómicos. De esta manera se concentraba el ingreso, en particular del sector exportador, en manos de los propietarios de la tierra y del capital. También mermaba la búsqueda de innovaciones tecnológicas que ahorraran mano de obra en respuesta a salarios reales crecientes. No podría ser mayor el contraste con Australia, Nueva Zelanda y Canadá, países de inmigración masiva con mercados de trabajo libre (para 1914) y crecientes salarios reales.[31] Sólo Argentina se acercó a este modelo; las mejoras técnicas en la agricultura y los crecientes salarios reales fueron notables características del sector exportador en el periodo que terminó con la primera Guerra Mundial.

LA TIERRA

La expansión de las exportaciones agrícolas desde mediados del siglo XIX —y en algunos casos antes— requería acceso a nuevas tierras. En 50 años, si suponemos que no hubo cambio en los rendimientos, un aumento anual de 5% en las exportaciones agrícolas implica el uso de 10 veces más tierra. Aun tomando en cuenta las mejoras de rendimiento y las tasas más modestas de crecimiento de la mayoría de los países, el crecimiento impulsado por las

---

[30] La servidumbre o peonaje por deudas ha sido recientemente tema de una interpretación revisionista, en la que se considera que la escasez de mano de obra favoreció al deudor y no al acreedor. Véase, por ejemplo, Miller (1990). Aunque se puede estar de acuerdo en que la escasez de mano de obra debió haber favorecido al deudor, dista mucho de ser seguro que así fuera.

[31] Australia, pese a su poco promisorio comienzo como colonia penal, presenció un aumento de 120% de los salarios en 1841-1845 y 1886-1890, en comparación con un aumento de 10% de los precios. Véase Tregarthen (1897), p. 421.

exportaciones —al menos el basado en la agricultura— implicaba un aumento muy considerable de la tierra requerida.

Ningún país latinoamericano —ni siquiera El Salvador y Haití, muy densamente poblados— padeció escasez física de tierra, ni al principio del periodo de Independencia ni en vísperas de la primera Guerra Mundial. La región fue mundialmente famosa por su favorable relación tierra-hombres. Algunos de los países más extensos (por ejemplo, Argentina y Brasil), tenían menos de tres habitantes/km² en 1913; aun en El Salvador y Haití la razón estaba por debajo de 70.

El acceso a la tierra, sin embargo, era otra cosa. América Latina tenía dos graves problemas. Primero, los inadecuados transportes hicieron que vastas extensiones de tierra fuesen virtualmente inaccesibles hasta la llegada de los ferrocarriles; y aun entonces en muchas naciones había zonas físicamente aisladas, que no se incorporaron al territorio nacional hasta que, en el siglo XX, se estableció una extensa red ferroviaria. En segundo lugar, Latinoamérica había perpetuado el sistema de tenencia de la tierra heredado de España y Portugal, que concentraba en extremo la propiedad de la misma.

Según toda la información, la concentración de la propiedad de la tierra había cambiado muy poco en todo el siglo posterior a la Independencia. Y sin embargo, sería erróneo achacar esto exclusivamente —como a menudo se ha hecho— al sistema de tenencia de la tierra heredado de la Península Ibérica. De hecho el área de propiedad privada durante el decenio de 1820 no era más que una fracción de la observada en 1914. El aumento a lo largo de casi un siglo fue enorme, y habría ofrecido muchas oportunidades de modificar la tasa de concentración si las nuevas tierras de propiedad privada se hubiesen asignado en forma más equitativa. No se hizo así más por el equilibrio del poder político y las exigencias económicas que por los esquemas heredados de la Colonia. La prueba más notable de esto fue que en países largo tiempo olvidados por España, como Argentina, El Salvador y Uruguay, se reprodujeron las altas tasas de concentración encontradas en las áreas coloniales dilectas, como México y Perú.

El aumento de las tierras en manos privadas se debió a una variedad de causas. En algunos países fue parte del resultado de la Conquista; las guerras indígenas en Argentina, Chile y México, todavía en el último cuarto del siglo XIX, incrementaron considerablemente el patrimonio nacional y representaron una oportunidad para que el Estado recompensara a sus partidarios. En unos pocos casos las nuevas tierras se utilizaron para fomentar la creación de colonias agrícolas integradas por inmigrantes europeos, pero por lo general se dividieron en enormes fincas. En un caso, después de la derrota de los yaquis en el norte de México durante el Porfiriato, a una sola compañía se le concedieron 547 mil hectáreas: el equivalente a una cuarta parte de todo El Salvador.[32]

---

[32] La cesión se dio a la Richardson Construction Company de Los Ángeles. Véase Knight (1986a), p. 111.

El método más habitual de aumentar la superficie de propiedad privada fue la venta o concesión de antiguas tierras de la Corona. Cada república heredó una vasta zona de las mismas, de las que podía disponer de acuerdo con el cambio de las necesidades y las circunstancias. La posesión de estas tierras públicas dio al Estado un poderoso instrumento para alcanzar muchas y diversas metas, incluyendo —si lo hubiese deseado— un esquema menos concentrado de la propiedad. En ocasiones se favoreció el minifundio, pero el modelo general de transmisión de la propiedad reprodujo —y hasta agravó— la concentración heredada.

Lo mismo puede decirse de la enajenación de los ejidos, o tierras comunales. La introducción de la propiedad privada en pueblos en que la tierra había sido comunal durante siglos habría podido crear un sistema de minifundios y labranza como el de muchas partes de Europa. Algunos poblados indígenas sobrevivieron a la transición, pero con demasiada frecuencia el principal beneficiario fue el gran terrateniente, que tenía acceso al crédito e influencias políticas. Muchas de las enormes fincas de El Salvador y de Guatemala, por ejemplo, deben su origen a la enajenación de tierras comunales a partir de 1870, cuando el Estado liberal decidió promover la difusión del cultivo de café.

La expropiación de las tierras de la Iglesia, en la segunda mitad del siglo XIX, representó otra oportunidad de disminuir la concentración de la propiedad. En México las reformas liberales introducidas por Benito Juárez en 1857 tenían el propósito de favorecer la agricultura minifundista, otorgando las tierras del clero a campesinos de escasos recursos. Sin embargo, los objetivos de la Reforma fueron casi anulados por los grandes terratenientes, y México entró en el siglo XX con uno de los sistemas más concentrados de propiedad de la tierra jamás vistos.[33] En otros lugares, como Colombia y Ecuador, la disposición de tierras de la Iglesia tuvo un efecto muy similar.[34]

La capacidad de la clase de los grandes terratenientes para socavar la intención expresa de la Reforma mexicana es evidencia del poder político vinculado a la tenencia de la tierra en la América Latina del siglo XIX. En los 50 años previos a la primera Guerra Mundial hubo pocas ocasiones en que los terratenientes no ejercieran su hegemonía política, y —no es de sorprender— utilizaran el poder del Estado, siempre que era posible, para reforzar su posición de privilegio. De hecho, en algunos países como Paraguay, después de 1870, la unión del Estado y de la clase terrateniente fue tan grande que anuló todo intento de distinguir analíticamente uno y otra.[35]

Sin embargo, sería erróneo suponer que la supervivencia de la concen-

[33] El censo de 1910 —en vísperas de la Revolución— mostró que 11 mil terratenientes (0.1% de la población) controlaban 57% de la tierra. Véase Singer (1969), p. 49.

[34] En Ecuador no se repartieron las tierras del clero expropiadas por el Estado a finales del siglo XIX, y sólo quienes tenían considerables recursos lograron acceso a ellas. Véase Deas (1986), pp. 666-667.

[35] Sobre este periodo de la historia económica de Paraguay, véase Abente (1989).

tración de tierras no fue más que un reflejo del poder político de la élite terrateniente. La persistente escasez de mano de obra durante todo el siglo XIX dio al Estado otra justificación para restringir el acceso a la propiedad de la tierra a la mayoría de sus ciudadanos. Por muy artificial que pudiera ser esa escasez (después de todo, reflejaba tanto las imperfecciones y la ineficiencia del mercado laboral como otros factores), queda en pie el hecho de que la élite política veía la escasez de trabajadores como obstáculo importante al desarrollo económico, en general, y a la promoción de las exportaciones, en particular. Por ello se consideraba contraproducente la idea de convertir tierras comunales en parcelas unifamiliares y ponerlas en manos privadas, ya que la fuerza de trabajo agrícola tendría pocos incentivos para buscar empleos.

Ciertos cultivos de exportación se prestaban a la agricultura tecnificada en gran escala. La necesidad de procesar la caña de azúcar en las 24 horas siguientes a su corte exigía una compleja división del trabajo que habría sido difícil lograr en la agricultura en pequeña escala. Algo similar podría decirse de las exportaciones de plátano. En América Central los primeros esfuerzos por aumentar las ventas —controlados por campesinos en pequeña escala— se vieron frustrados por las graves pérdidas causadas por el deterioro de las cosechas ante la carencia de transporte adecuado.[36]

Las economías de escala en la agricultura de exportación fueron relativamente raras. Cultivos como el café, el tabaco, el cacao y el trigo experimentaban ingresos constantes cualquiera que fuese su escala, y por lo tanto podían cultivarse con igual eficiencia en pequeñas propiedades. De hecho, la producción de café en Costa Rica y en algunos lugares de Colombia brinda los mejores ejemplos de agricultura minifundista de exportación en América Latina durante el siglo XIX, y en algunas zonas de Chile, Ecuador, México y Perú prosperaron granjas familiares independientes, que a menudo producían cereales, frutas y verduras para el mercado interno. Los pocos ejemplos de éxito en la agricultura colonial, sobre todo en el hemisferio austral, demostraron que las propiedades de tamaño mediano podían ser lucrativas; en algunos lugares de la pampa argentina florecieron granjas de proporciones modestas, cultivadas en medianía.[37]

No hay una explicación única de estos ejemplos relativamente aislados de éxito de la minicultura. Algunos de estos enclaves se desarrollaron en zonas de América Latina en que la escasez de mano de obra era tan aguda que no cabía esperar que ninguna manipulación del mercado laboral produjese una adecuada fuerza de trabajo asalariado. Tal fue el caso de Costa Rica durante todo el siglo XIX. Muchas familias se vieron obligadas a cultivar sólo un área proporcional al trabajo familiar. Otras —como en el Bajío de México—

---

[36] Sobre la economía del azúcar, véase Moreno Fraginals (1986); sobre la economía de escala en la industria platanera, véase Karnes (1978), capítulo 2.

[37] Véanse Gallo (1986), p. 367; Taylor (1948), pp. 190-204

fueron resultado de la subdivisión de haciendas en parcelas de tamaño familiar después de los problemas financieros de los grandes terratenientes.[38]

No obstante, la agricultura en general, y la de exportación en particular, siguieron dominadas por las grandes haciendas. La incorporación de nuevas tierras en la frontera, la venta de las mismas y la enajenación de tierras comunales cercanas a los pueblos reforzaron el esquema tradicional de tenencia de la tierra heredado de la Colonia. Ni siquiera la venta de grandes fincas en un mercado de la tierra cada vez más transparente y activo impidió la concentración en unas pocas manos, pues las haciendas solían venderse como unidad completa, sin subdivisiones.

Los medios disponibles para aumentar la cantidad de tierra en manos privadas bastaban para asegurar que su oferta rara vez fuese un obstáculo a la expansión de las exportaciones. Sólo donde había condiciones climáticas muy específicas, como en el caso del cacao, el café o el tabaco, pudo decirse que el total de las exportaciones se viese limitado por falta de tierras apropiadas. Además, dentro de las grandes fincas era común dejar sin cultivar una buena parte de las tierras, lo que daba considerable flexibilidad al aumento de la producción de acuerdo con las circunstancias del mercado. Debemos reconocer que, como institución capaz de responder con rapidez y flexibilidad a los cambios de las condiciones del mercado mundial, la gran finca tenía ciertas ventajas sobre la pequeña o mediana.

Sin embargo, la gran propiedad no puede ni debe considerarse aislada del resto de la economía. La escasez de mano de obra a la que había respondido era muchas veces más aparente que real, sobre todo a comienzos del siglo XX. El patronazgo político que había promovido la gran hacienda también influyó en el sistema fiscal, y alentó a los gobiernos a sustituir los impuestos a la tierra (potencialmente progresivos), por impuestos a la importación (regresivos). El ejercicio de la hegemonía política por parte de la clase terrateniente dio lugar a la manipulación de factores del mercado y a una participación en el ingreso nacional, lo que marginaba a gran parte de la fuerza de trabajo en términos económicos y políticos, y que sólo podía justificarse si producía una alta tasa de acumulación de capital. Como veremos, esto no ocurrió muy a menudo.

LOS MERCADOS DE CAPITAL

El aumento del sector exportador con el modelo guiado por las exportaciones requirió insumos adicionales de tierra y mano de obra, así como de capital, lo mismo si las exportaciones de materia prima eran minerales o agrícolas, aunque el capital requerido por unidad de producción solía ser mayor en la minería que en la agricultura. Además, el aumento de la productividad del trabajo en el sector exportador fue posible gracias a la adopción de innova-

[38] Véanse Brading (1978), capítulo 6; Knight (1986a), p. 12.

ciones técnicas, que consistían por lo general en nuevo equipo productivo. En gran medida, como vemos, el éxito del modelo a base de exportaciones dependía de la inyección de capital al sector exportador.

A menudo la rentabilidad del sector exportador dependía de inversiones complementarias en actividades relacionadas, como transportes, infraestructura pública, puertos, comunicaciones y alojamientos. Por ello los requerimientos generales de capital asociados con este modelo fueron considerables. Una buena movilización de los recursos, indispensable para lograr una alta tasa de acumulación de capital, no podía garantizar el éxito del modelo, pero era casi seguro que no hacer las inversiones necesarias iría en su detrimento. Sólo en casos excepcionales, como el del guano en Perú, puede decirse que el crecimiento guiado por las exportaciones no se vio limitado por la disponibilidad de capital.[39]

El capital físico requerido directa e indirectamente para la expansión del sector exportador consistía en máquinas, herramientas, repuestos, obras de construcción, mejoras de la tierra (incluyendo el riego), ganado, árboles y arbustos. También incluía inversiones en capital humano.

En la primera parte del siglo XIX la forma de inversión más importante en este tipo de capital, en diversos países latinoamericanos, fue en esclavos, pero a finales del siglo se refería más generalmente a los costos de preparación, educación pública e importación subsidiada de mano de obra calificada.

Para muchos empresarios del sector exportador también era importante la oferta de capital de trabajo. Una *fazenda* cafetalera en Brasil a comienzos del siglo XX tenía que gastar dinero en salarios, herramientas, transporte y almacenamiento muchos meses antes de contar con el pago por la venta de la cosecha. La falta de acceso a capital de trabajo en cantidades suficientes podía obligar a un cultivador o un minero a venderle su producto a una firma exportadora con un descuento sustancial sobre el precio del mercado, lo que reducía la rentabilidad y desalentaba la expansión.

Los tres tipos de capital —físico, humano y de trabajo— requerían financiamiento, por lo cual la primera prueba de eficiencia del mercado de capitales era la canalización de recursos de prestamistas potenciales a prestatarios potenciales. Un sector exportador que dependiera exclusivamente de la reinversión de sus utilidades no lograría crecer con suficiente rapidez para sostener un modelo exitoso de crecimiento guiado por las exportaciones, pero el sector exportador no era el único prestatario potencial. Podía esperarse que diversos gobiernos —en los niveles nacional, provincial y municipal— hicieran inversiones en infraestructura social, que en general no podían financiarse con el ingreso corriente, y no cabía pensar que las nuevas empresas del sector privado invirtieran en actividades vitales para la salud del sector exportador, como los ferrocarriles, sin acceso a las finanzas.

---

[39] El guano podía extraerse utilizando mano de obra no calificada y las herramientas más primitivas (por ejemplo, palas). Véase Levin (1960).

Por consiguiente, la identidad de los prestatarios potenciales era evidente, pero no podía efectuarse ningún préstamo sin un marco institucional que
los pusiera en contacto con los prestamistas. En la primera parte del siglo
xix los principales prestamistas habían sido la Iglesia, la clase mercantil y
algunas fuentes extranjeras, pero el mercado de capitales no había funcionado bien. A los políticos liberales les disgustaba el poder económico de la Iglesia, y consideraban que los préstamos eclesiásticos eran un modo ineficiente
de promover el crecimiento guiado por las exportaciones.[40] En muchas ocasiones la clase comerciante hizo préstamos a gobiernos en apuros, pero las
finanzas rara vez promovieron la acumulación de capitales, y no es de sorprender que los comerciantes, que buscaban la rentabilidad, exigieran a
cambio diversos privilegios. Por último, los fondos obtenidos del exterior
mediante la emisión de bonos en el decenio de 1820 quedaron insolventes
prácticamente en todos los casos, y en general las inversiones mineras promovidas por extranjeros fracasaron.[41]

En un intento por mejorar la eficiencia del mercado de capitales un pequeño número de gobiernos (especialmente los de Argentina y Brasil) habían
promovido bancos modernos, que se deterioraron rápidamente, convirtiéndose en instituciones para financiar los déficit gubernamentales, lo que le dio
mala fama al papel moneda en muchas partes del subcontinente.[42] Sin embargo, todo empezó a cambiar a partir de mediados del siglo. El Banco y
Casa de Moneda de Argentina, fundado en 1854, funcionó desde su origen
como banco comercial. Cambió su nombre a Banco de la Provincia de Buenos Aires en 1863, y llegó a ser una de las principales instituciones financieras del país. En Brasil, Baron Maua empezó a construir un imperio financiero en el decenio de 1850 para complementar sus inversiones en agricultura
y minería, y la banca comercial quedó establecida en muchos otros países
durante los decenios de 1860 y 1870.[43]

La difusión de la banca comercial en América Latina se vio favorecida
por un cambio en las reglas de la responsabilidad limitada en Gran Bretaña,
que hizo extensivo el privilegio a las instituciones financieras. Los bancos británicos se apresuraron a aprovechar la oportunidad, y en 1870 se habían establecido en América Latina tres de esas instituciones, con sucursales en muchos países diferentes. Pronto los siguieron bancos franceses, alemanes e
italianos, pero a los bancos estadunidenses no se les permitió invertir en América Latina sino hasta poco antes de la primera Guerra Mundial.[44] Los bancos

[40] Sobre los préstamos de la Iglesia en México, véase Chowning (1990).
[41] Sobre los fracasos de la minería, véase Rippy (1959), capítulo 1. Una rara excepción fue la
St. John D'el Rey Mining Company, de propiedad británica, en Brasil. Sobre los primeros incumplimientos de los bonos, véase Eakin (1989), capítulo 2.
[42] En el caso de Argentina, véase Irigoin (2000).
[43] Jones (1977a) contiene una excelente descripción de la difusión de la banca comercial.
Para un buen estudio del mercado de capitales de México en el siglo xix, véase Marichal (1997).
[44] El National City Bank (hoy Citibank) fue el primero en aprovechar el cambio de la legisla-

europeos eran extranjeros, pero recibían depósitos locales, canalizaban los recursos a los prestatarios latinoamericanos y competían con las instituciones financieras locales. Al estallar la primera Guerra Mundial se habían establecido bancos comerciales extranjeros en la mayoría de los países latinoamericanos (véase el cuadro IV.2), y algunos de ellos obtuvieron grandes ganancias.[45] En realidad, el rendimiento de las inversiones británicas en bancos comerciales latinoamericanos en 1913 se ha calculado en 13.4%:[46] mucho mayor que el de otras inversiones británicas en la región, y muy superior al rendimiento promedio de las inversiones en la propia Gran Bretaña.[47]

La banca comercial fue una contribución importante a la movilización de recursos para la acumulación de capitales en América Latina, pero tenía dos debilidades importantes: todavía en 1914 el volumen de los depósitos atraídos a las bancas comerciales de la mayoría de los países seguía siendo modesto. Sólo en Argentina podía decirse que el hábito de los bancos había sido generalmente aceptado, pero incluso ahí los depósitos per cápita tenían la mitad del nivel de Australia y Canadá (véase el cuadro IV.2). En otros lugares, como se observa en ese cuadro, el resultado cuantitativo de la banca comercial seguía siendo pequeño. Ecuador tenía depósitos per cápita de 1.6 dólares en 1913, y Venezuela —que aún no era exportadora de petróleo— registró tan sólo 1.2 dólares en el mismo año.

La segunda debilidad fue el limitado efecto de la banca comercial sobre la asignación de recursos en general, y sobre la diversificación de las exportaciones en particular. Puesto que los depósitos recibidos eran a corto plazo (como en Europa), los preceptos ortodoxos de la banca exigían que también los préstamos fueran a corto plazo; por ello muchos bancos concentraron sus préstamos en actividades ya existentes en el sector exportador que requerían financiamiento comercial. Ésta fue una buena noticia para las actividades exportadoras establecidas (y contribuyó a la rentabilidad de los propios bancos), pero hizo poco por estimular la creación de nuevas actividades y de una estructura exportadora más diversificada.

Algunos bancos experimentaron con estrategias de préstamo heterodoxas, financiando proyectos de larga gestación. Pero en general esas innovaciones fracasaron, porque en los accesos periódicos de pánico financiero —característica habitual del capitalismo decimonónico de todo el mundo— los cuentahabientes corrían a retirar sus fondos y sólo los bancos ortodoxos podían hacer frente a esa demanda. Dado que los bancos de propiedad ex-

ción estadunidense y abrió una sucursal en Buenos Aires en noviembre de 1914. Véase Stallings (1987), pp. 64-66.

[45] El haber total de los cuatro principales bancos anglolatinoamericanos, por ejemplo, pasó de 8.9 millones de libras esterlinas en 1870 a 32.6 millones en 1890 y a 66.3 millones en 1910. Véase Jones (1977a), p. 21.

[46] Véase Rippy (1959), p. 74.

[47] El nivel promedio de rendimientos de las inversiones productivas por capital extranjero (británico) fue de 6 a 7%. Esto era de 3 a 4% superior (es decir cerca del doble) que el de Inglaterra o el de las acciones del gobierno colonial. Véase Platt (1977), p. 12.

CUADRO IV.2. *La banca en América Latina*, ca. *1913*

País	Número de bancos	Número de sucursales de bancos foráneos[a]	Circulación de billetes per cápita (en dólares)	Depósitos bancarios per cápita (en dólares)
Argentina	13	76	45.6	75.7
Bolivia	4	2	3.5	3.3
Brasil	17	48	11.6	9.4
Chile	11	23	11.8	26.0
Colombia	6	2		
Costa Rica	5	0		
Cuba	9	25		
Ecuador	5	1	2.5	1.6
El Salvador	4	2		2.3
Guatemala	5	0		0.9
Haití	1	0		
Honduras	3	0		
México	32	14	6.7[b]	
Nicaragua	5	1		
Panamá	6	1		
Paraguay	4	0		
Perú	8	20		0.9
Puerto Rico	4	3	7.5[c]	5.6[d]
República Dominicana	3	2		
Uruguay	7	9	16.4	29.5
Venezuela	3	1		1.2
Australia			10.6	150.3
Canadá			15.7	142.9
Nueva Zelanda			16.4	108.5

[a] Se han incluido los siguientes bancos internacionales: Anglo-South American Bank, Ltd.; Banque Française et Italienne pour l'Amérique du Sud; Commercial Bank of Spanish America; British Bank of South America; Deutsch-Sudamerikanische Bank Aktien-Gesellschaft; Deutsche Ueberseeische Bank; London and River Plate Bank, Ltd.; London and Brazilian Bank, Ltd.; Banque Italo-Belge; National City Bank of New York y Royal Bank of Canada.

[b] Datos obtenidos de Catão (1991), pp. 241-245.

[c] Datos obtenidos de Carroll (1975), p. 450; se refiere a 1898.

[d] Datos obtenidos de Clark *et al.* (1975); se refiere a 1908.

FUENTES: Los datos sobre sucursales y bancos internacionales fueron tomados de Wilcox y Rines (1917). Los datos sobre circulación de billetes y depósitos bancarios per cápita se tomaron de League of Nations (1927), a menos que se especifique lo contrario.

tranjera (en particular británicos) eran los que más insistían en la disciplina financiera ortodoxa, sobrevivieron a las crisis mejor que las instituciones financieras de propiedad local, y en consecuencia aumentó su participación en el total de los depósitos.

En un esfuerzo por superar estas limitaciones de la banca comercial algunos países experimentaron con otros tipos de instituciones financieras. Por ejemplo, los bancos hipotecarios emitieron bonos hipotecarios a largo plazo y estuvieron en condiciones de prestar dinero para inversiones a largo plazo en agricultura, con tierras como garantía. Donde mejor funcionaron esos bancos fue en los países en los que la propiedad de la tierra estaba claramente definida y que tenían suficiente crédito para ofrecer bonos hipotecarios en los mercados extranjeros. Inevitablemente Argentina, Chile y Uruguay fueron las repúblicas en las cuales mejor prosperaron tales bancos; en el resto de América Latina su rendimiento fue más limitado.[48] Los países más grandes (Argentina, Chile, México y Perú) también habían establecido, ya en 1914, bolsas de valores, pero eran casi exclusivamente un lugar para intercambiar bonos del gobierno.[49]

El inadecuado marco institucional para canalizar fondos de los prestamistas a los prestatarios hizo que muchas actividades nuevas sólo pudieran emprenderse gracias al uso de canales más informales. Numerosas empresas de éxito en América Latina dependieron de redes familiares, que permitían que las ganancias de las compañías establecidas fuesen canalizadas hacia nuevas empresas. Tal fue el caso de la familia Di Tella en Argentina,[50] la familia Prado en Brasil,[51] la familia Edwards en Chile[52] y la familia Gómez en México.[53] La recurrente aparición de estos apellidos en la historia de sus respectivos países durante el siglo xx pone en claro la eficiencia de las redes financieras establecidas entre los miembros de las familias.

Otra forma popular de promover la acumulación de capitales, que no dependía del acceso a las instituciones financieras, era por las inversiones de los inmigrantes. Fuera de los países de inmigración masiva (véanse las páginas 112-114), los migrantes solían llevar consigo pequeños capitales para invertidos en actividades nuevas; el crecimiento manufacturero previo a la primera Guerra Mundial (véase el capítulo v) debió mucho a este tipo de transferencia financiera.

---

[48] De las 85 compañías financieras, de tierras e inversiones en América Latina, nada menos que 19 trabajaban en Argentina. Véase Wilcox y Rines (1917), pp. 840-844.

[49] Para el caso de Brasil, véase Hanley (1998).

[50] Lewis (1990), capítulo 4, tiene una buena descripción de Di Tella y otros importantes capitalistas argentinos.

[51] Antonio Prado (1840-1929) fue uno de los primeros que pasó la base de la fortuna de la familia de las tierras a la industria y las finanzas. Véase Levi (1987).

[52] Agustín Edwards tenía intereses establecidos en industria, finanzas, comercio y agricultura antes de que terminara el siglo xix. Véase Kirsch (1977), p. 102.

[53] En la generación anterior a la primera Guerra Mundial, la familia Gómez se encontraba bien establecida en la industria y las profesiones liberales. Véase Lomnitz y Pérez Lizaur (1987), p. 106.

Estos recursos eran útiles, pero no se les podía considerar una solución enteramente satisfactoria, y no lograban disimular la naturaleza ineficiente del mercado de capitales en la mayoría de los países latinoamericanos. El marco institucional formal prefirió reforzar la tendencia del modelo impulsado por las exportaciones a concentrarse en un número limitado de bienes y a desalentar la diversificación dentro y fuera del sector exportador. Por otra parte, las disposiciones informales pusieron en contacto a los prestamistas con un número limitado de prestatarios (proceso interno en el caso de los inmigrantes) y en ocasiones no tuvieron la fuerza necesaria para provocar consecuencias de importancia sobre la asignación general de recursos.

El marco institucional para invertir en capital humano fue aún más deficiente en casi todos los países. La oferta de mano de obra calificada —o hasta semicalificada— se vio limitada por un sistema de escuelas primarias que daba una educación rudimentaria a una pequeña proporción de los niños. Antes de la primera Guerra Mundial no eran raras tasas de analfabetismo de más de 80% entre los adultos. La Argentina del presidente Domingo Faustino Sarmiento, inspirada en el ejemplo de Estados Unidos, había optado por la educación primaria masiva desde el decenio de 1860;[54] Chile, que nunca se quedó muy atrás de su vecina, pronto la imitó;[55] Costa Rica había adoptado ese mismo compromiso educativo en la década de 1890,[56] y Uruguay lo hizo en la siguiente.[57] Pero fueron la excepción; en las dos repúblicas más grandes de América Latina (Brasil y México) el sistema de educación primaria siguió siendo lamentablemente inadecuado, lo que obligaba a los patrones a depender de una fuerza laboral que no tenía casi ninguno de los atributos necesarios para el progreso técnico y la innovación.

Se hicieron algunos esfuerzos por crear instituciones profesionales para capacitar a la fuerza de trabajo requerida por el modelo de crecimiento impulsado por las exportaciones. Se fundaron escuelas de ingeniería, así como instituciones especializadas en agricultura, agronomía y ganadería.[58] Sin embargo, en el nivel universitario, la situación distaba de ser la adecuada, pues ni el programa escolar ni la estructura de los cursos se habían modificado mucho desde los tiempos coloniales.[59]

---

[54] Ya desde 1883 cerca de 130 mil niños —casi la cuarta parte de los que estaban en edad escolar— asistían a la escuela primaria en Argentina. El gasto por alumno era aproximadamente el mismo que en el Reino Unido, y mayor que en Estados Unidos. Véase Mulhall y Mulhall (1885), p. 67.

[55] En 1914 Chile había logrado aumentar la matrícula escolar a 380 mil, lo que contribuyó a un aumento de la alfabetización, desde 1885 hasta 1910, de menos de 30 a más de 50% de la población. Véase Blakemore (1986), p. 527.

[56] Fischel (1991) contiene un buen estudio del sistema educativo costarricense y de su temprano compromiso con la educación primaria.

[57] El compromiso uruguayo con la educación se relaciona con el ascenso al poder de José Batlle y Ordóñez tras las elecciones de 1903. Véase Oddone (1986), p. 466.

[58] Véase Wilcox y Rines (1917), pp. 31-39.

[59] La inconformidad con el anticuado programa escolar y la rígida disciplina provocaron una

LA INVERSIÓN EXTRANJERA

Dadas las dificultades para movilizar recursos nacionales hacia la acumulación de capital, no es sorprendente que todos los gobiernos recurrieran a los extranjeros como fuente de financiamiento adicional. Por la época de la Independencia el único país con un excedente de capital exportable era Gran Bretaña, pero a finales del siglo XIX la lista incluía ya a Francia, Alemania y Estados Unidos. Aunque se podían obtener pequeños capitales de otros países desarrollados,[60] la inyección de capital extranjero en el largo plazo dependió decisivamente de los fondos de esas cuatro naciones.

La inversión extranjera podía ser en acciones o directa, y las condiciones que regían los dos flujos eran muy distintas. La inversión en acciones consistía principalmente en bonos que se vendían en las bolsas de valores de los países avanzados. Los primeros bonos se habían ofrecido en el decenio de 1820 en la bolsa de Londres, y los gobiernos gastaron el dinero obtenido tratando de llenar la brecha entre gastos e ingresos. El experimento, en general, fue fallido, pero poco a poco los gobiernos habían ido renegociando su deuda, por lo que a partir de 1850 pudieron volver a emitir bonos.[61] Éstos se ofrecieron con grandes descuentos, para que las ganancias reflejaran el riesgo; con demasiada frecuencia esto resultó justificado.[62] Por ejemplo, hacia 1880 la mayor parte de los 123 millones de libras adquiridos por los tenedores de bonos británicos no pagaban dividendos; hasta los primeros años del siglo XX fue raro el pago regular del servicio de la deuda por parte de los gobiernos latinoamericanos.[63]

Unos cuantos gobiernos —en especial los de Argentina, Brasil, Chile, México y Uruguay— lograron emitir regularmente bonos para su venta en el extranjero (al menos a partir de 1870), como medio de sufragar los gastos gubernamentales. Las emisiones de bonos de estos países fueron en general bien recibidas: en 1913 más de 90% del capital británico invertido en bonos de los gobiernos latinoamericanos había correspondido a estos cinco países (véase el cuadro IV.3), y los ingleses fueron, con mucho, los más importantes compradores. Sin embargo, incluso en estos países privilegiados era común sufragar una proporción del gasto excedente por medio de las finanzas internas,

protesta masiva durante 1918 en Córdoba (Argentina), que allanó el camino a la reforma de la educación superior en toda América Latina. Véase Hale (1986), pp. 424-425.

[60] Otros países desarrollados con inversiones en América Latina incluían a Bélgica, Italia y España.

[61] La historia del regreso de los países latinoamericanos al mercado internacional de capitales a partir de 1850 está bien narrada en Marichal (1989).

[62] En 1870, 10 años después de pagar su deuda de 1824, la provincia de Buenos Aires tuvo que aceptar un descuento de 12% sobre una emisión de 1 034 000 libras en el mercado londinense. Véase Rippy (1959), p. 30.

[63] Sin embargo, todavía en 1913, último año normal antes de la primera Guerra, Guatemala y Honduras se habían declarado en quiebra. Véase Rippy (1959), p. 72.

CUADRO IV.3. *Inversión directa y accionaria en América Latina, ca. 1914*

País	Deuda pública externa			Inversión extranjera directa		
	Millones de dólares	*Reino Unido (%)*	*Estados Unidos (%)*	*Millones de dólares*	*Reino Unido (%)*	*Estados Unidos (%)*
Argentina	784	50.8	2.4	3 217	46.7	1.2
Bolivia	15	0	20.0	44	38.6	4.5
Brasil	717	83.4	0.7	1 196	50.9	4.2
Chile	174	73.6	0.6	494	43.1	45.5
Colombia	23	69.6	21.7	54	57.4	38.9
Costa Rica	17	47.1	0	44	6.8	93.2
Cuba	85	58.8	41.2	386	44.0	56.0
Ecuador	1	100	0	40	72.5	22.5
El Salvador	4	100	0	15	40.0	46.7
Guatemala	7	100	0	92	47.8	39.1
Haití	1	0	100	10	0	100
Honduras	26	0	61.5	16	6.2	93.8
México	152	92.1	7.9	1 177	54.0	46.0
Nicaragua	6	50.0	0	6	33.0	67.0
Panamá	5	0	100	23	0	100
Paraguay	4	100	0	23	78.3	21.7
Perú	17	47.1	11.8	180	67.2	32.2
Puerto Rico	44					
República Dominicana	5	0	100	11	0	100
Uruguay	120	75.0	0	355	43.4	0
Venezuela	21	47.6	0	145	20.7	26.2
América Latina	2 229	67.8	13.8	7 569	47.4	18.4
Sector						
Agricultura				255	4.7	93.7
Minería				530	19.1	78.3
Petróleo				140	2.9	97.1
Ferrocarriles				2 342	71.2	13.0
Servicios públicos				914	59.7	13.9
Manufacturas				562	14.8	3.0
Comercio				485	0.4	7.0
Otros y no distribuidos por sector				2 341	50.0	5.2

FUENTES: ECLA (1965), pp. 16-17; para Puerto Rico, Clark *et al.* (1975), p. 586, con datos correspondientes a 1928.

por lo que los bonos del extranjero nunca fueron el único medio disponible para que un gobierno cubriera algún déficit.[64] No obstante, los bonos tenían sin duda atractivos para el gobierno que los emitía: las condiciones relacionadas con el nuevo financiamiento de las emisiones no eran muy rigurosas, y los gobiernos podían emplear los fondos simplemente para pagar su gasto corriente, evitando de esa manera la necesidad de aumentar los impopulares impuestos, aunque esto no contribuía demasiado a la acumulación de capitales.

En los países menos favorecidos los bonos gubernamentales se destinaron, en general, a refinanciar, y no a hacer nuevas inversiones. La frustración causada por los continuos incumplimientos de muchos países hizo que los tenedores de bonos presionaran para que los gobiernos asignaran ciertos impuestos (por lo general de las aduanas) para el servicio de la deuda.[65] En un caso extremo (Perú) los accionistas británicos establecieron la Peruvian Corporation, que condonó los bonos más importantes a cambio de varias empresas propiedad del Estado.[66] En Estados Unidos la preocupación de que las potencias europeas aprovechasen los continuos incumplimientos para intervenir en América Latina (desafiando la doctrina Monroe) produjo varios intentos de remplazar los bonos propiedad de europeos por préstamos de diversos inversionistas estadunidenses ("la diplomacia del dólar"). Donde Estados Unidos mismo intervino —Cuba, República Dominicana, Haití y Nicaragua—, una de las mayores prioridades siempre fue el control de los ingresos aduanales para asegurar el pronto pago de la deuda.[67] Estas medidas hicieron que el incumplimiento de los pagos fuese mucho menos habitual en los últimos años de la preguerra que 50 años antes, pero los gobiernos latinoamericanos no podían contar con financiamiento externo para cubrir más que una pequeña parte del total de sus erogaciones.

En algunos casos los bonos no eran emitidos por los gobiernos sino por compañías del sector privado, para apoyar las operaciones de empresas dedicadas a ferrocarriles, de servicios públicos, instituciones financieras y otras actividades productivas. Muchas de ellas se habían creado con inversión extranjera directa; el capital y la administración eran foráneos. Las primeras de esas empresas habían sido las asociaciones mineras británicas del

[64] Por ejemplo, en los cinco años previos a 1914 casi 70% de los pagos del servicio de la deuda pública de Brasil puede atribuirse a préstamos extranjeros. Véase Fritsch (1988), cuadros A.11 y A.14. El restante 30% representó el pago de la deuda interna.

[65] Esto ocurrió por ejemplo en República Dominicana ya antes de la ocupación estadunidense. Véase Hoetink (1986), p. 300.

[66] El contrato Grace, llamado así por el inmigrante fundador de la Grace Company, entró en vigor en 1890. Se canceló el total de la deuda externa a cambio de la transferencia a los propietarios de bonos (designados en lo sucesivo como la Peruvian Corporation of London) de los ferrocarriles de la nación durante 66 años, la libre navegación en el lago Titicaca, y hasta tres millones de toneladas de guano. Véase Klarén (1986), pp. 598-599.

[67] El control estadunidense sobre los impuestos al comercio exterior en estos países ha sido descrito por Langley (1983).

decenio de 1820, pero sólo unas cuantas habían sobrevivido, y no fue sino hasta la segunda mitad del siglo XIX cuando se recuperó la inversión extranjera directa (IED).

La IED fue atraída a aquellas zonas en que las barreras tecnológicas y el acceso al capital limitaban la entrada de empresas locales. Por consiguiente, el grueso de la inversión fluyó hacia los ferrocarriles, los servicios públicos, minería, bancos y empresas navieras (véase el cuadro IV.3), aunque las dos primeras actividades fueron con mucho las más importantes. Al estallar la primera Guerra Mundial también Estados Unidos tenía considerables intereses en ingenios azucareros del Caribe[68] y plantaciones de plátano en América Central,[69] y había capital británico invertido en plantas empacadoras de carne en Argentina y Uruguay.[70]

En estas áreas las empresas de propiedad extranjera eran importantes —en algunos casos predominantes— y es fácil documentar ciertos casos de competencia desleal o abuso del poder.[71] Pero en muchas otras —ante todo en la producción agrícola para el mercado interno— la IED desempeñó un papel menor en la mayoría de los países. Además, en el naciente sector manufacturero seguía teniendo escasa importancia. En la construcción se había organizado cierto número de empresas de propiedad extranjera especializadas en grandes proyectos del sector público —por ejemplo por Weetman Pearson en México—,[72] pero la mayor parte de la inversión en actividades como la construcción de viviendas corrió por cuenta de ciudadanos de los respectivos países.

Hacia el inicio de primera Guerra Mundial la IED tenía relativamente pocos controles. La ideología liberal que prevalecía en los círculos gubernamentales convenció a los políticos de que la inversión extranjera directa representaba una contribución indispensable a los esfuerzos de promover el desarrollo económico. Se consideraba que sobre todo la inversión extranjera en infraestructura social era decisiva para crear las condiciones de éxito para el modelo de crecimiento impulsado por las exportaciones. El incremento de la red ferroviaria a partir de 1870, aunque no totalmente controlado por compañías extranjeras, contribuyó sin duda de manera importante a la ex-

[68] Véase Moreno Fraginals (1986). El desarrollo de la industria azucarera como resultado de inversiones estadunidenses fue espectacular en Puerto Rico después de la expulsión de los españoles. Véase Ramos Mattei (1984).

[69] El crecimiento de la industria platanera bajo el control estadunidense fue particularmente rápido tras la formación, en 1899, de la United Fruit Company, a partir de cierto número de pequeñas compañías. Véase Kepner (1936), capítulo 2.

[70] Sobre las inversiones británicas en la industria argentina de la carne, véase Hanson (1938), capítulo 5. Para Uruguay, véase Finch (1981), capítulo 5.

[71] Un buen ejemplo es el fideicomiso de la carne creado por exportadores de los países del Río de la Plata para limitar la competencia mediante la asignación de cuotas. Véase Smith (1969), capítulo 3.

[72] Pearson finalmente resolvió el problema de ingeniería relacionado con llevar agua a la Ciudad de México —por canales— de la zona circundante. Véase Spender (1930).

pansión de las exportaciones.[73] Sin embargo, en términos relativos, expresados en millares de habitantes, la longitud de las vías férreas seguía siendo modesta. Sólo Argentina se acercó a los niveles de Australia, Canadá y Nueva Zelanda (véase el cuadro IV.4). La difusión de los servicios públicos también contribuyó mucho a la calidad de la vida urbana y elevó la productividad de muchas empresas ubicadas en las ciudades.[74]

La concentración de la IED en un número relativamente pequeño de sectores, que en su mayoría no ingresaron en el comercio internacional, creó ciertos problemas. Muchas de las compañías eran monopolios naturales (por ejemplo el aprovisionamiento de agua); otras disfrutaban de un cuasimonopolio (como los ferrocarriles). En algunos casos (seguros y compañías navieras), las empresas extranjeras formaban cárteles que fijaban precios, lo que no les granjeaba simpatías entre la población local.[75] Muchas de las compañías ferroviarias tendieron a reforzar el patrón de especialización de las exportaciones, en lugar de favorecer la diversificación, y en ciertos casos la discriminación de precios por parte de aquéllas empeoró aún más la situación.[76] En las naciones más pequeñas los recursos de que disponían las compañías extranjeras crearon una relación desigual con los gobiernos, y se firmaron muchos contratos que hoy, al verlos en retrospectiva, nos parecen excesivamente generosos para las empresas extranjeras.[77] Esto también ocurrió en algunos de los países más grandes, como Perú, cuya endeble posición fiscal le daba al gobierno poco margen de maniobra.[78]

Pese a estas dificultades la contribución de la IED al desarrollo económico fue positiva, aunque no tan espectacular como se ha dicho a veces. Lo que no está tan claro es su contribución al financiamiento global de la acumulación de capital. Las cifras de las acciones en manos de capital extranjero

[73] En el caso de Brasil esto lo demostró el trabajo de Summerhill (1998), en el que los ahorros en el flete ferroviario (es decir, los ahorros en el costo del transporte que hizo posible que los ferrocarriles fuesen comparados con otros sistemas de transporte) se calcularon en 10% del PIB en 1887.

[74] Sobre las compañías británicas de servicios públicos en América Latina, véase Greenhill (1977). Para un excelente ejemplo de una compañía canadiense de servicios públicos en Brasil, véase McDowall (1988).

[75] Véase Jones (1977b), pp. 58-63. Estas disposiciones para fijar precios fueron responsables en parte, sin duda, de la oleada de leyes hostiles que muchos países latinoamericanos adoptaron después de 1890, y que obligaban a las compañías de seguros extranjeras a pagar fianzas y hacer depósitos locales.

[76] El ejemplo más palpable lo ofrece la International Railways of Central America, subsidiaria de la United Fruit Company (UFCo) en Guatemala, que se valió de la discriminación de precios para desviar el comercio externo hacia Puerto Bardos —controlado por la UFCo— en la costa atlántica. Véase Bauer Paíz (1956).

[77] Esta relación desigual no se limitó a los países más pequeños. Las enormes concesiones de tierra y exenciones fiscales a compañías petroleras extranjeras en Venezuela que realizó Juan Vicente Gómez tras su ascenso al poder, en 1908, constituyen, sin duda, un ejemplo. Véase McBeth (1983), capítulo 1.

[78] La debilidad fiscal, que redujo la capacidad de servicio de la deuda, fue un factor importante del tristemente célebre contrato Grace. Véase la nota 66.

CUADRO IV.4. *Los ferrocarriles en América Latina*, ca. *1913*

País	Número de compañías	Longitud (en km)	Vías por 1 000 habitantes (en km)
Argentina	18	31 859	4.3
Bolivia	2	18 284	0.7
Brasil	15	24 737	1.0
Chile	10	8 069	2.4
Colombia	11	1 061	0.2
Costa Rica	1	878	2.5
Cuba	6	3 752	1.6
Ecuador	2	1 049	0.6
El Salvador	1	320	0.3
Guatemala	1	987	0.6
Haití		180	0.1
Honduras	6[a]	241	0.4
México	13	25 600[b]	1.8
Nicaragua	1	322	0.6
Panamá	4[a]	479	1.4
Paraguay	1	410	0.7
Perú	9[a]	2 970	0.7
Puerto Rico	3[c]	408[c]	0.4
República Dominicana	2	644	0.9
Uruguay	10	2 576	2.3
Venezuela	4	1 020	0.4
América Latina		83 246	1.4
Australia		31 327	6.9
Canadá		49 549	6.5
Nueva Zelanda		4 587	4.3

[a] Tomado de *South American Handbook 1924*.
[b] Tomado de Wilcox y Rines (1917).
[c] Tomado de Clark *et al.* (1975), p. 371.
FUENTES: El número de compañías se tomó de Wilcox y Rines (1917); la longitud de las vías se obtuvo de League of Nations (1927).

(véase el cuadro IV.3) parecen espectaculares; Gran Bretaña ocupa una posición hegemónica en América del Sur, y Estados Unidos desempeña un papel similar en muchos países situados al norte de Colombia. No obstante, parte del financiamiento se obtuvo mediante la reinversión de las utilidades y los capitales del lugar. Además, en ciertos casos —especialmente los de la minería del cobre en Chile y Perú— el control extranjero se dio mediante la compra de empresas existentes de propiedad local. Este proceso de desnacionalización refuta la afirmación de que se necesitó IED para financiar nuevas empresas.

Por consiguiente, es probable que la aportación de la inversión extranjera (incluyendo la emisión de bonos) al financiamiento de la acumulación de capital no fuera tan decisiva como a menudo se ha supuesto. Esta sospecha se confirma mediante un examen de las estadísticas comerciales de las naciones más grandes (Argentina, Brasil y México), que atrajeron el grueso de la inversión extranjera.[79] En los tres casos lo normal fue el excedente comercial —no el déficit— en los años previos a la primera Guerra Mundial. Este excedente se requería para financiar el flujo de intereses y dividendos del capital extranjero, lo que reducía la transferencia neta de recursos asociada con determinado ingreso bruto de inversiones extranjeras.

El hecho de que la contribución de la inversión extranjera al financiamiento de la acumulación de capital no haya sido tan importante como solía suponerse no significa que no desempeñara un papel positivo. Como vehículo para transferir tecnología, favorecer la innovación y promover nuevas técnicas administrativas la IED pudo tener mucha importancia. Pero no se le podía considerar una panacea para resolver todos los problemas del mercado de capital. La baja tasa de crecimiento a largo plazo de las exportaciones en la mayor parte de América Latina fue un reflejo parcial de la baja tasa de acumulación de capitales, y ésta reflejó a su vez la dificultad de movilizar el financiamiento interno. La inversión extranjera pudo ser un complemento útil, pero no logró resolver las debilidades institucionales fundamentales del mercado de capital de muchas repúblicas latinoamericanas.

EL CONTEXTO DE LA POLÍTICA ECONÓMICA

La expansión del sector exportador no sólo fue función de la oferta de insumos primarios; también se vio muy afectada por las variaciones de la capacidad de las exportaciones para obtener ganancias, la cual a su vez fue influida

[79] En Brasil, donde se han compilado estadísticas insólitamente completas de la balanza de pagos, hubo un excedente comercial (exportaciones menos importaciones) todos los años, salvo uno, en el periodo transcurrido entre 1889 y 1914. Este excedente se redujo por el pago de intereses de la deuda externa, pero la cuenta corriente siguió siendo superavitaria, menos en dos años. En 11 de esos años la amortización de la deuda externa pública superó los ingresos de nuevos capitales. Véase Fritsch (1988), cuadro A.11.

por la interacción de políticas fiscales, monetarias y cambiarias (así como por los precios internacionales). El contexto político tuvo asimismo gran importancia para determinar la tasa de crecimiento del sector no exportador (véase el capítulo v).

La política fiscal ejerció una influencia tanto directa como indirecta sobre la rentabilidad del sector exportador. La primera consistió en la incidencia de los derechos de exportación, los gravámenes a la importación y —en mucho menor grado— los impuestos a la propiedad. La segunda resultó, entre otras cosas, del efecto de los déficit presupuestales sobre el circulante y el tipo de cambio.

Aunque todos los países obtuvieron ciertos ingresos públicos de los derechos de exportación, pocos gobiernos contaban con esos impuestos para generar una gran proporción de sus ingresos. La competencia internacional impidió cargar a los consumidores la mayor parte de esos gravámenes, so pena de perder su participación en el mercado; de hecho algunos gobiernos se vieron obligados a reducir los impuestos a la exportación al caer los precios internacionales, y a menudo los exportadores pudieron oponerse a un aumento compensador cuando volvieron a subir los precios.[80] Algunas regiones de ciertos países (por ejemplo, el estado de São Paulo en Brasil) dependieron mucho de los impuestos a la exportación para generar el ingreso público, pero el impuesto en sí representaba sólo una pequeña proporción del valor de los bienes exportados.[81]

Las principales excepciones en las que los aranceles a la exportación carecían de importancia corresponden a los minerales. Con frecuentes curvas descendentes de demanda (y sin una demanda horizontal), e incapaces de reubicarse con facilidad, las empresas exportadoras de minerales representaron para los gobiernos una excelente oportunidad de aumentar el ingreso público a bajo costo. El gravamen a las exportaciones de oro, plata y cobre fue elemento importante de las finanzas públicas en México a comienzos del Porfiriato, aunque al llegar la Revolución ya había perdido importancia.[82] El ejemplo más espectacular de gravámenes a la exportación fue el de los nitratos chilenos, que aportaron casi 50% del ingreso público entre 1890 y 1914, y en el que el solo impuesto representó 10% del valor de las exportaciones durante el mismo lapso.[83]

Dado el virtual monopolio mundial de Chile, las compañías de nitrato lograron trasladar el impuesto a los consumidores con relativa facilidad, y el

[80] En Perú, por ejemplo, los impuestos a la exportación se habían ido suprimiendo durante el auge del guano y después, pese a la escasez de ingresos del gobierno, no se reinstalaron a consecuencia del poder político de los exportadores. Véase Thorp y Bertram (1978), p. 30.

[81] Antes de la primera Guerra Mundial el impuesto a las exportaciones de café representaba cerca de 70% del ingreso fiscal total del estado de São Paulo. Véase Holloway (1980), p. 46.

[82] Los impuestos a la exportación representaron 6% del total de ingresos en 1876-1877, pero esta cifra se redujo a 0.5% en 1910-1911. Véase Catão (1991), p. 132, cuadro IV, 3.7.

[83] Véase Sunkel y Cariola (1985), cuadros 20-22.

negocio siguió siendo uno de los más lucrativos de América Latina.[84] En realidad, resulta difícil encontrar evidencias sólidas de que las exportaciones dejaran de ser lucrativas debido a los derechos de exportación antes de la primera Guerra Mundial en cualquier parte de América Latina, y en cambio es muy fácil encontrar casos de exención de impuestos —a menudo a las compañías extranjeras— que probablemente eran innecesarios.[85]

Los gobiernos de toda la región dependían en gran medida de los gravámenes a la importación para generar ingresos públicos, y los aranceles cargados a ciertos productos —aun en la época del "libre comercio"— podían representar 100%. No obstante, los impuestos a la importación de bienes de interés para el sector exportador (maquinaria, equipo, etc.) solían ser muy bajos, y en muchas ocasiones los gobiernos ofrecían concesiones libres de impuestos a compañías extranjeras de acuerdo con contratos de términos fijos. Tal como ocurre con los derechos de exportación, es difícil encontrar casos importantes en los que el crecimiento del sector exportador fuese severamente limitado por altos aranceles, pero es fácil hallar aquellos en que las exenciones eran generosas.[86]

Los efectos indirectos de la política fiscal sobre el sector exportador se hicieron sentir principalmente por medio del déficit presupuestal. La tendencia hacia el déficit de las finanzas públicas fue un rasgo característico de muchos países latinoamericanos en los primeros decenios tras la Independencia, y siguió siendo un problema aun en la segunda parte del siglo xix, pese al aumento del comercio exterior. La reforma fiscal eliminó muchos impuestos heredados de los tiempos coloniales, y produjo una concentración en los gravámenes al comercio exterior; en la época de la primera Guerra Mundial ningún país recibía menos de 50% de sus ingresos públicos de derechos aduanales, y en muchos casos la participación era mayor a 70 por ciento.[87]

La importancia de los derechos aduanales entrañó diversos problemas. Primero, el ingreso público se movía linealmente con el comercio exterior, y en demasiados países —como hemos visto— la tasa de crecimiento del co-

---

[84] En 1913 la tasa de rendimiento sobre el capital de 11 compañías británicas de nitrato fue de más de 15%, y en un caso (la Liverpool Company), llegó a un asombroso 150%. Véase Rippy (1959), p. 73. El ingeniero británico John Thomas North, a quien se conocía como el "Rey del Nitrato", había fundado muchas de estas compañías antes de su muerte, en 1896. Véase Blakemore (1974).

[85] Por ejemplo, la Peruvian Corporation no estuvo sujeta a impuestos sobre sus exportaciones de guano, de acuerdo con las condiciones del contrato Grace. Véase la nota 66.

[86] Los contratos de plátano, firmados por las compañías fruteras en América Central y el Caribe, casi invariablemente establecían el ingreso libre de impuestos a todo tipo de importaciones, incluyendo los bienes de consumo que se vendían en tiendas de la compañía.

[87] La base gravable para los derechos aduanales (comercio exterior) solía variar en proporción inversa al tamaño del país. No obstante, incluso en Brasil, donde el comercio exterior era menos importante en términos relativos que en la mayoría de los países, en 1913 los derechos aduanales representaron 56% del ingreso total del gobierno federal. Véase Fritsch (1988), cuadro A.14.

mercio a largo plazo era modesta. En segundo lugar, el comercio era cíclico. El descenso del ingreso público asociado con la depresión comercial no fue fácil de equilibrar mediante un recorte de los gastos, y a menudo se produjeron déficit, mientras que en los años de auge era por demás fácil gastar el excedente.[88] En tercer lugar, los derechos aduanales solían ser específicos;[89] no se movían linealmente con los precios internos (antes de impuestos) para los bienes extranjeros, por lo cual el ingreso por aquéllos era inelástico. Esto se volvió grave cuando —como ocurría con frecuencia— los precios internos iban en aumento.[90]

Por todas estas razones el ingreso per cápita (véase la figura IV.1) seguía siendo patéticamente bajo en 1913. Las pocas excepciones eran aquellos países con una tasa respetable de crecimiento de las exportaciones a largo plazo (Argentina y Chile), o donde la base impositiva —el comercio exterior— era relativamente grande (Uruguay). Pero ni siquiera una sólida base impositiva (medida por las exportaciones per cápita) era una garantía. Tanto Cuba como Costa Rica padecieron las exenciones excesivas de los derechos al comercio exterior, y República Dominicana, Nicaragua y Panamá —con sus aduanas firmemente controladas por administradores estadunidenses decididos a maximizar el cobro de impuestos—[91] tenían un nivel de ingreso público per cápita superior al de muchos otros países más ricos.

Las expectativas acerca de la intervención del Estado y las dimensiones óptimas del sector público fueron distintas antes de la primera Guerra Mundial de lo que son hoy. Se esperaba que el sector privado emprendiera muchas actividades que hoy se dejan al sector público, y en un caso (Perú) se

[88] Cuando los precios del café experimentaron un fuerte ascenso entre 1909 y 1912 el ingreso del gobierno federal brasileño aumentó casi 40%, pero el gasto gubernamental creció con mayor rapidez, produciendo un aumento del déficit. Véase Fritsch (1988), cuadro A.12. En Perú el contrato Gibbs (1849-1861) y el contrato Dreyfus (1869-1878) le dieron al gobierno una participación tan grande de las ganancias que muchos impuestos se fueron reduciendo gradualmente, por lo que las fuentes de ingreso —aparte del guano— eran menores a mediados del decenio de 1870 que tres décadas antes. Véase Hunt (1985), cuadros 3 y 5.

[89] Los derechos específicos se cargan por volumen de comercio (por ejemplo, 10 pesos por metro de tela), mientras que los derechos *ad valorem* se cargan por el valor (por ejemplo, 10% del valor de las importaciones de telas). Se favorecieron los gravámenes específicos en una época en que era difícil, si no imposible, determinar si las importaciones habían sido correctamente valuadas por el importador. También se pretendía reducir la corrupción en las aduanas. Esto explica el uso, en las estadísticas comerciales del siglo XIX, de exportaciones e importaciones "declaradas" y "oficiales", cuyo "precio" a menudo no variaba durante muchos años.

[90] Entre 1890 y 1898, por ejemplo, el índice del costo de la vida en Brasil aumentó 200%. El valor de las importaciones en libras esterlinas (la base fiscal) casi no cambió, mientras que el ingreso por derechos de importación creció 120%. Por ello se hicieron ciertos intentos por elevar los derechos específicos de acuerdo con la inflación interna, pero los ingresos siguieron declinando considerablemente en términos reales.

[91] Una vez instalada la contraloría estadunidense en las aduanas, era difícil suprimirla. Por ejemplo, el control estadunidense de las aduanas nicaragüenses empezó en 1911 y no terminó hasta 40 años después.

contrató a empresas privadas para recaudar los impuestos.[92] Sin embargo, el Estado tenía ciertas funciones básicas —e inevitables— y los pagos del servicio de la deuda pública constituyeron un compromiso adicional que a menudo obligó a los gobiernos a declararse en quiebra, o a caer en mayor déficit. De hecho, el servicio de la deuda pública fue el punto más importante del gasto público en la mayoría de las repúblicas latinoamericanas antes de la primera Guerra Mundial.[93]

Los déficit se podían financiar interna o externamente. Sin embargo, los malos antecedentes en el servicio de la deuda externa demuestran que sólo de unos cuantos países casi siempre podía esperarse que financiaran un déficit por medio de la emisión de bonos. Todavía en 1913 los únicos países con un sólido crédito externo eran Argentina, Brasil, Chile y Uruguay —la posición de México había sido menoscabada por la Revolución—[94] y aun estos países tenían que depender de su deuda interna, al menos para pagar una parte de sus necesidades financieras.

Por consiguiente, la deuda interna era un rasgo usual de las finanzas públicas. En unos cuantos países, especialmente en Argentina, los mercados de capital estaban lo bastante maduros como para permitir la emisión de bonos internos sin consecuencias inflacionarias, pero con excesiva frecuencia la deuda interna incluía la emisión de papel moneda inconvertible, lo que producía una devaluación de la moneda. El milreis brasileño se fue devaluando continuamente con respecto a la libra esterlina a lo largo de la mayor parte del siglo XIX, y estuvo al borde del colapso tras una orgía de emisiones de bonos en el decenio de 1890.[95] Después de años de férrea disciplina fiscal de regímenes conservadores, la moneda chilena empezó a sucumbir ante los seductores encantos de las emisiones de papel moneda inconvertible a finales de los setenta, y hasta Argentina tuvo grandes dificultades, durante casi todo el siglo XIX, para impedir que sus emisiones de papel moneda causaran grandes depreciaciones.

En ocasiones el problema de financiar los déficit fue realmente grande. A fines del siglo XIX, durante la Guerra de los Mil Días, Colombia sufrió un dramático desplome de la moneda como resultado de emisiones de billetes

---

[92] Véase Thorp y Bertram (1978), p. 359, n. 59.

[93] Entre 1890 y 1913 el servicio de la deuda pública absorbió 24.7% del gasto gubernamental total en Brasil (caso bastante típico), y una proporción aún mayor del total de ingresos. Véase Fritsch (1988), cuadro A.14. Esto fue mucho más importante que la formación de capitales fijos, y en un año (1898) tuvo más peso que todos los gastos corrientes no destinados al pago de intereses.

[94] La Revolución empezó en 1910 y fue volviéndose cada vez más violenta, hasta que se logró restaurar cierta estabilidad con la presidencia de Venustiano Carranza, en 1917. Los años intermedios se caracterizaron por alteraciones sociales, políticas y financieras, incluyendo un periodo (1913-1916) de hiperinflación.

[95] Conocido como *o encilhamento*, éste fue el periodo posterior a la caída de la monarquía en que los *papelistas* en Brasil abandonaron toda cautela financiera. En dos años (1889-1891) el circulante creció 200 por ciento.

FIGURA IV.1. *Ingreso público per cápita*, ca. *1913 (en dólares)*

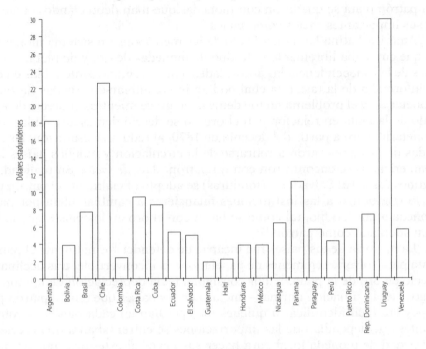

FUENTES: Wilcox (1917). Los datos de Puerto Rico fueron tomados de Clark *et al.* (1975).

(incluidas muchas falsificaciones) sin respaldo.[96] El peso guatemalteco se derrumbó a partir de 1895, cuando sucesivos dictadores sucumbieron a las tentaciones del papel moneda.[97] Lo mismo ocurrió en la Nicaragua de José Santos Zelaya, hasta que en 1909 intervino Estados Unidos.[98] República Dominicana, Haití y Paraguay sufrieron la caída de su moneda en varias ocasiones durante el siglo XIX, como resultado del financiamiento del déficit.

La devaluación de la moneda no se pudo evitar ni siquiera en los países que siguieron una política responsable de emisión de billetes. La razón fue la caída del precio en oro de la plata que comenzó en el decenio de 1870, des-

[96] La guerra civil comenzó en 1899 y terminó en 1902. Durante ese periodo liberales y conservadores emitieron papel moneda a tal ritmo que el valor de la moneda cayó de 30 centavos oro a 10 centavos en 1900, a 2 en 1901, y a 0.4 en 1902. Véanse Eder (1912), p. 75; Bergquist (1978), pp. 200-201.

[97] Aunque el proceso comenzó con el presidente José María Reyna Barrios (1895-1898), el verdadero culpable fue Manuel Estrada Cabrera (1898-1920), quien consideró que el papel inconvertible y la devaluación de la moneda eran indispensables para ganar la lealtad política de la poderosa clase cafetalera. Véase Young (1925).

[98] En el caso del presidente Zelaya (1893-1909), cuyo régimen tuvo que enfrentarse a numerosas rebeliones, el financiamiento del déficit a menudo fue consecuencia del aumento de los gastos militares. Véase Young (1925).

pués de que Estados Unidos y Alemania adoptaron el patrón oro, y los países del patrón plata se quedaron con monedas que iban depreciándose ante las de sus importantes socios comerciales.[99]

América Latina había heredado de las metrópolis un sistema monetario en que circulaba libremente todo tipo de monedas de oro y de plata.[100] Después de la Independencia las autoridades fijaban regularmente tablas en que se informaba de la tasa a la cual podían intercambiarse monedas (la razón monetaria), y el problema no fue demasiado grave mientras el precio de mercado de la plata en relación con el oro no se desvió demasiado de la razón monetaria. Pero a partir del decenio de 1870, al reducirse esa razón, las monedas de oro empezaron a retirarse de la circulación y muchos países latinoamericanos se encontraron con un patrón plata *de facto*. En realidad, en algunos casos (El Salvador y Honduras) se adoptó oficialmente el patrón plata, lo que obligó a las instituciones financieras a cambiar plata por papel moneda a un tipo fijo, tal como se hacía con el oro en los países que lo habían adoptado como patrón.[101]

La mayoría de los países fue incapaz de defender formalmente el patrón plata para volver a regímenes de papel moneda inconvertible, tras declinar el precio en oro de la plata.[102] Por consiguiente, la depreciación de la moneda llegó a ser la situación normal —incluso en los países que tenían patrón plata— y era fácil identificar a quienes más perdían en cada país. Los comerciantes que dependían de las importaciones se enfrentaban a una creciente necesidad de moneda local para hacer sus pagos al exterior... por no mencionar el aumento de la incertidumbre y los riesgos cambiarios inherentes a la compra de bienes a un tipo de cambio para venderlos varios meses después a otro. Los gobiernos —cuyos pagos por servicio de la deuda externa estaban denominados en oro— tenían que echar mano cada vez más de sus escasos ingresos públicos para cumplir con sus obligaciones con el exterior.

Los beneficiados por la depreciación de la moneda tendrían que haber sido los exportadores. Con ventas en oro y pagos en moneda local cabría esperar que el sector exportador hubiese tenido una ganancia inesperada mien-

---

[99] La caída del precio en oro de la plata empezó en 1873 y continuó hasta el principio del siglo xx, cuando el precio promedio de una onza de plata fina en Nueva York había bajado de 1.32 a 0.53 dólares.

[100] La mezcla de monedas se volvió todavía más confusa en ocasiones por la escasez de metálico, que obligó a los países a emplear monedas importadas en sus transacciones cotidianas. El sol peruano, por ejemplo, desempeñó un papel importante en la vida monetaria de Guatemala en la segunda parte del siglo xix, y penetró incluso en el sistema financiero de Honduras Británica (Belice), a comienzos del siglo xx. Véase Banco de Guatemala (1989), pp. 64-75.

[101] El Salvador había tratado de adoptar el patrón oro en 1892, pero sus reservas eran insuficientes. Por lo tanto las monedas de oro se acaparaban en cuanto entraban en circulación. El país se vio obligado a volver al patrón plata hasta que se declaró la inconvertibilidad, después del estallido de la primera Guerra Mundial. Véase Young (1925).

[102] Tal fue el caso, por ejemplo, en Bolivia y Guatemala, así como en México, hasta que este país adoptó el patrón oro en 1905.

tras los precios internos no aumentaran linealmente con la depreciación de la moneda. Al parecer eso fue lo que ocurrió —lo que indica un alto grado de ilusión monetaria— y muchos precios internos, incluyendo los salarios, permanecieron notablemente estables ante la depreciación de la moneda.[103] Muchos exportadores obtuvieron enormes ganancias con este sistema y los movimientos adversos en los términos netos de intercambio pudieron compensarse con modificaciones al tipo de cambio.

Pero hasta el sector exportador tenía sus reservas sobre la prudencia de la depreciación de la moneda. En primer lugar, el descenso del valor de la plata no era continuo; de hecho, una rápida caída a principios del decenio de 1890 fue seguida por varios años de revaluación a comienzos del siglo xx.[104] El reducido mercado de moneda extranjera produjo una enorme diferencia entre las tasas de compra y de venta, por la incertidumbre intrínseca de los movimientos monetarios, y muchos exportadores se vieron obligados a vender en épocas del año en que el tipo de cambio era bajo.[105] De hecho, la mayor parte de las ganancias cambiarias fue para unos cuantos comerciantes que tenían suficiente capital de trabajo para aguardar el momento más oportuno de comprar y vender. Por último, los costos relacionados con el papel moneda inconvertible fueron grandes en un mundo que ya iba acostumbrándose a la convertibilidad, y el aumento de la incertidumbre desalentó profundamente casi todo tipo de inversiones.

La difundida ilusión monetaria, aunque amortiguaba las presiones inflacionarias, ejerció otro efecto desestabilizador sobre las finanzas públicas. La base gravable para los impuestos no comerciales —a la que se aproximaba el valor de las ventas internas— no creció al mismo ritmo que la depreciación de la moneda, por lo cual esos impuestos eran bastante bajos y el ingreso sólo pudo sostenerse mediante una revisión periódica de las tasas impositivas. Las recaudaciones por los impuestos al alcohol, el tabaco, la sal y otros productos que estaban sometidos a monopolios gubernamentales solían rezagarse con respecto a la depreciación monetaria, creando presiones adicionales sobre el ingreso público.[106]

De este modo, en los últimos años del siglo xix surgió en toda América

---

[103] En realidad, la difusión de la ilusión monetaria no es sorprendente. Pocos países elaboraron índices del costo de la vida, y en sociedades en las que la mayoría de los adultos eran analfabetos es probable que ni siquiera la publicación de un índice hubiese tenido mayor repercusión. Los contratos laborales a menudo incluían el pago en especie y en efectivo. La inflación habría podido deducirse por la depreciación de la moneda, pero esta conexión era mucho mejor comprendida por la élite urbana que por las masas rurales.

[104] El precio promedio de la onza de plata fina pasó de 53 centavos de dólar en 1902 a 67 en 1906, antes de volver a reducirse a 53 centavos en 1908.

[105] Los exportadores guatemaltecos se enfrentaban con frecuencia a una diferencia enorme entre el tipo de cambio máximo y mínimo en un mismo año. En 1899 la diferencia fue de 3.00 a 8.50 pesos por dólar; en 1903 de 12.15 a 21.00. Esas cifras podían convertir una buena ganancia en ventas del café en una enorme pérdida.

[106] Estos impuestos a menudo eran específicos, y ésta fue otra razón más de que no se eleva-

Latina un gran deseo de estabilización de la moneda. Puesto que todas las grandes economías del mundo habían adoptado el patrón oro, la estabilización monetaria en la región implicaba el abandono de los regímenes de inconvertibilidad de la moneda y el patrón plata, para adoptar el patrón oro o un patrón de intercambio del oro en el que la moneda local dependiese de un patrón oro, como en el caso del dólar estadunidense o la libra esterlina.

Este cambio se intentó casi en todas las naciones antes de la primera Guerra Mundial, aunque no siempre con éxito. El patrón oro exigía una reserva suficiente de este metal para constituir una garantía de plena convertibilidad a los poseedores de papel moneda. A menudo esto rebasaba los recursos del Estado, y varios países descubrieron que las monedas de oro recién acuñadas eran acaparadas por el público o exportadas en lugar de entrar en circulación. Por esta razón, en el decenio de 1890 El Salvador se vio obligado a renunciar a su primer intento de abandonar el patrón plata, y no lo logró plenamente hasta después de la primera Guerra Mundial.[107]

Los países ABC —Argentina, Brasil y Chile— adoptaron una nueva solución al problema de pasar al patrón oro. Se estableció un fondo de conversión para garantizar la razón monetaria establecida de acuerdo con el patrón oro,[108] y se asignó una parte del ingreso público para pagar en oro, a fin de obtener los recursos necesarios. Por ello los impuestos se recaudaban parte en oro y parte en papel moneda, y los gastos se dividían de manera similar. El resultado fue, en realidad, un sistema de dos monedas, que a menudo resultó confuso y, a veces, difícil de aplicar. De hecho, ya antes de fines del siglo Chile regresó al régimen del papel moneda inconvertible.[109]

A principios del siglo xx unos cuantos países —Costa Rica, Ecuador, Perú y Uruguay— habían logrado efectuar la transición al patrón oro, y con ello disfrutaron un breve periodo de estabilidad monetaria, antes del desplome de la convertibilidad al inicio de la primera Guerra Mundial. Otros —Bolivia, Colombia, México y Venezuela— hicieron la transición tan tarde que una guerra o una revolución (en el caso de México) socavaron el sistema antes de que empezara a funcionar debidamente. Guatemala y Paraguay, que seguían reponiéndose de su excesiva expansión monetaria, no tuvieron más remedio que continuar con regímenes de papel moneda inconvertible.

Muchos de los países de la Cuenca del Caribe —cuyas economías dependían fuertemente de Estados Unidos— adoptaron un patrón de cambio oro basado en el dólar estadunidense. República Dominicana y Panamá legaliza-

ran en paralelo con la depreciación de la moneda. Sin embargo, los pagos de la deuda pública externa sí aumentaron proporcionalmente con la depreciación de la moneda.

[107] El Salvador por fin logró hacer la transición al patrón oro en 1919, cuando el precio en oro de la plata era alto.

[108] El fondo de conversión se estableció en Chile en 1895, en Argentina en 1899 y en Brasil en 1906. Williams (1920) y Ford (1962) contienen análisis ya clásicos del sistema financiero argentino antes y después de la adopción del patrón oro, respectivamente.

[109] El experimento chileno, iniciado en 1895, fracasó en 1898. Véase Hirschman (1963), pp. 171-172.

ron incluso el dólar estadunidense,[110] que ya circulaba libre y extensamente en Cuba, Haití, Honduras (en la costa septentrional) y Nicaragua al estallar la primera Guerra Mundial. El patrón de cambio del oro de estos países produjo una notable estabilidad monetaria, que logró sobrevivir al conflicto mundial y no requirió que los gobiernos mantuvieran costosas reservas de oro.

Por lo tanto, la moneda y la posición del tipo de cambio de las repúblicas latinoamericanas fueron muy diversos en la "edad de oro" del crecimiento impulsado por las exportaciones antes de la primera Guerra Mundial. Algunos países habían sufrido tan larga experiencia de depreciación de su moneda que la ilusión monetaria había empezado a desaparecer. Tal fue el caso de Brasil, Chile y Colombia, cuya historia de inflación se remonta al siglo xix.[111] Hasta Argentina —que en muchos otros aspectos era una economía modelo— había sufrido por el gran abuso del papel moneda en el siglo xix, y había tenido enormes dificultades para lograr la estabilidad monetaria y la plena convertibilidad. En otros países el deslizamiento de la moneda como resultado de la caída del valor de la plata ante el oro, junto con la ilusión monetaria, produjeron sin duda grandes ganancias inesperadas al sector exportador. El primer ejemplo es el de México durante el Porfiriato, pero muchos países pequeños también obtuvieron beneficios.

A comienzos del siglo xx habían empezado a modificarse las reglas del juego para el sector exportador. El patrón oro o dólar hizo que los términos de las pérdidas comerciales no pudieran compensarse mediante una depreciación de la moneda. Se requería mayor disciplina en el control de los costos, y las compañías extranjeras, con acceso a capitales a tasas más bajas de interés, aventajaron a veces a las empresas nacionales. Sin embargo, la estabilidad monetaria eliminó gran parte de la incertidumbre relacionada con las exportaciones y favoreció las inversiones a largo plazo. Sin duda no fue casual que el periodo de expansión más rápida de las exportaciones coincidiera con un decenio de relativa estabilidad monetaria, inmediatamente antes de la primera Guerra Mundial.

Dados los problemas que vimos en los mercados de tierra, de trabajo y de capital, la falta de infraestructura social y la incertidumbre causada por la inestabilidad monetaria (en particular antes de 1900), no es sorprendente que en muchos países fuese tan insatisfactoria la tasa de crecimiento a largo plazo de las exportaciones. Sin embargo, pudieron encontrarse soluciones a estos problemas, y los ejemplos de Argentina y Chile muestran que las exportaciones lograron aumentar rápidamente aunque no se hubiesen superado los problemas a los que se enfrentaba el sector exportador.

Todas las naciones latinoamericanas lograron mejorar, en cierta medida,

---

[110] República Dominicana adoptó el dólar en 1900. Panamá nunca ha tenido otra moneda que el dólar estadunidense, pues el balboa local no es más que una útil ficción con fines de soberanía nacional.

[111] La inflación chilena antes de la primera Guerra Mundial ha sido tema de numerosos estudios. Véase por ejemplo Fetter (1931).

las condiciones en que operaba el sector exportador, y el marco básico del crecimiento impulsado por las exportaciones estaba ya consolidado en 1914. Pero era muy importante saber aprovechar la coyuntura. La ventana de oportunidad que se abrió en el siglo XIX para las exportaciones de productos primarios latinoamericanos empezó a cerrarse al estallar la primera Guerra Mundial. Países como Bolivia o República Dominicana, que habían aguardado el comienzo del siglo XX antes que emprender una gran expansión de sus exportaciones, habrían de pagar un alto precio por haber desaprovechado las oportunidades ofrecidas por la expansión del comercio mundial en el siglo XIX.

V. EL CRECIMIENTO IMPULSADO POR LAS EXPORTACIONES Y LA ECONOMÍA NO EXPORTADORA

En el siglo anterior a la primera Guerra Mundial, América Latina siguió un modelo de crecimiento impulsado por las exportaciones.[1] Un buen modelo de este tipo implica un rápido aumento de las exportaciones y de las exportaciones per cápita, junto con incrementos en la productividad de la mano de obra en el sector exportador. Y sin embargo ésta sólo es la primera condición —aunque importantísima— para lograr un aumento considerable del ingreso real per cápita. La segunda condición es la transferencia de las ganancias de la productividad del sector exportador a la economía no exportadora. Por ello el sector exportador debe volverse el "motor del crecimiento", que estimule las inversiones fuera de sí mismo.

El sector exportador pudo aportar ese estímulo de muy diversas maneras. Por ejemplo, pensando en términos de los nexos regresivos, su crecimiento puede promover las inversiones en ferrocarriles, que a su vez generarían inversiones en aserraderos (para obtener madera), bienes de capital (como locomotoras), y talleres para reparación y mantenimiento de los vagones. En términos de nexos progresivos, el sector exportador también puede contribuir a un ritmo más rápido de las inversiones. Por ejemplo, criar ganado para la exportación no sólo produce inversiones en la producción de carne y de extracto de carne, sino también en la industria del cuero, del calzado y hasta la química.[2]

El crecimiento de algunos sectores de la economía no exportadora estuvo tan estrechamente relacionado con la suerte del sector exportador que podemos considerarlos como actividades complementarias. Ejemplos de ello son el comercio (al mayoreo y al menudeo), el transporte ferroviario, los servicios públicos, la construcción y la administración pública. Estos sectores de servicios dependían directamente del exportador (por ejemplo, del transporte en ferrocarril), de las importaciones y los gravámenes a las mismas, posibles gracias a las exportaciones (como comercio y administración pública, respectivamente), o de la urbanización asociada con el aumento de las exportaciones (por ejemplo, construcción y servicios públicos).

Sin embargo, había actividades que no necesariamente se beneficiaban por el crecimiento del sector exportador, pues su demanda podían satisfacerla las importaciones más que la producción interna. Algunos de estos sectores

---

[1] La principal excepción fue Paraguay con el dictador Francia (véase la página 56).

[2] Los jabones y las velas, subproductos de la ganadería, son tempranos ejemplos de artículos elaborados por la industria química en América Latina.

eran servicios (como la navegación de cabotaje) que podían ser remplazados por las importaciones. La industria naviera chilena, defendida por barreras proteccionistas hasta el decenio de 1850,[3] no se benefició de la expansión de las exportaciones en los 50 años previos a la primera Guerra Mundial; la protección se fue suprimiendo gradualmente, y las compañías navieras extranjeras aumentaron su participación en el tráfico de cabotaje. Casi lo mismo ocurrió en Brasil a partir de mediados del siglo xix.[4]

Pero los sectores más importantes que competían con la importación sí aportaron bienes; son el tema de este capítulo. En los albores del siglo xix la mayor parte de la mano de obra de los países latinoamericanos estaba empleada en la agricultura o en industrias domésticas que producían bienes para el mercado interno. Con un bajísimo nivel de exportaciones per cápita, esta mano de obra se enfrentaba a poca competencia de las importaciones, y el consumo nacional podía satisfacerse esencialmente con la producción interna. Al aumentar las exportaciones per cápita las importaciones empezaron a crecer, y los establecimientos que producían para el mercado interno se enfrentaron a una mayor competencia extranjera. La incapacidad de aumentar el volumen de capital por trabajador en el sector que competía con las importaciones orilló a gran parte de la mano de obra total a una productividad tan baja que, salvo circunstancias excepcionales, el crecimiento del sector exportador no logró un gran aumento del ingreso real per cápita.[5] De este modo, la respuesta al crecimiento de las exportaciones por parte del sector que competía con las importaciones fue vital para el éxito del modelo.

En términos de la mano de obra, el sector más importante que competía con las importaciones era la agricultura para uso interno (AUI). Esta rama de la agricultura, que empleaba a todos los trabajadores del sector no exportador, incluía a latifundistas, hacendados, rancheros, colonos y peones. Comprendía enormes haciendas y minúsculas parcelas, granjas ocupadas por sus propietarios y tierras rentadas, fincas eficientes e ineficientes. Todavía en 1913 la fuerza laboral de la AUI representaba el mayor componente de la población económicamente activa (PEA) en casi todas las repúblicas, y una mayoría en muchos países. Era un sector heterogéneo y generaba una producción que, en principio, siempre podía ser remplazada por las importaciones.

[3] La marina mercante chilena estuvo muy protegida de toda competencia entre 1835 y 1849, hasta que la "fiebre del oro" de California creó nuevas oportunidades para los exportadores chilenos e hizo que fueran suprimiéndose gradualmente las preferencias a los navíos nacionales. Véase Véliz (1961).

[4] La protección dada a los navíos brasileños en el tráfico de cabotaje se fue reduciendo desde 1882, y finalmente en 1873 se estableció la libre competencia. Véase Prado (1991), pp. 196-198.

[5] Estas circunstancias excepcionales surgen cuando se exporta casi toda la producción y casi todo el consumo es satisfecho por importaciones. En este caso las tasas de crecimiento de las exportaciones y del PIB son aproximadamente las mismas; sin embargo, ningún país latinoamericano se acercó nunca a un nivel tan alto de especialización de sus exportaciones. Véase el apéndice II.

El otro sector de importancia que competía con las importaciones era la industria nacional. Los establecimientos eran muy pequeños, sencilla la tecnología, y la mano de obra constituía el principal insumo, por lo que no resulta arriesgado considerarla parte del sector artesanal. No obstante, como su producción consistía en artículos que competían con las importaciones de manufactura, también podemos verlo como un sector manufacturero. Los establecimientos podían ser (y eran) rurales o urbanos, aunque desde comienzos del siglo xix la mayoría de esos trabajadores se empleaba en zonas urbanas. La esclavitud no era desconocida, pero era más común el trabajo asalariado. La mano de obra a menudo se organizaba en gremios, los cuales, al llegar la Independencia, disfrutaban de ciertos privilegios y de un alto nivel de protección.

Estos dos sectores que competían con las importaciones serán la base de este capítulo. A menudo se les pasa por alto en los estudios del crecimiento impulsado por las exportaciones, y sin embargo su desempeño podía ser decisivo. Sin una respuesta positiva de ambos sectores al estímulo causado por las exportaciones, no sería realista esperar que un rápido ritmo de crecimiento de las exportaciones diera por resultado un significativo aumento del ingreso real per cápita. Como veremos, la respuesta pudo ser positiva, pero también hubo casos de países despojados de las ganancias potenciales de ese modelo de desarrollo como resultado del mal desempeño de los sectores que competían con las importaciones.

LA AGRICULTURA PARA CONSUMO INTERNO

Muchas veces fue difícil la tarea de transferir los aumentos de la productividad del sector exportador a la AUI. Esta rama de la agricultura, que representaba todas sus actividades no exportadoras, había absorbido tradicionalmente la mayor parte de la mano de obra, por lo que era difícil imaginar una mejoría generalizada de los niveles de vida sin la transformación de la AUI. Aunque la proporción de mano de obra absorbida por ésta se redujo lentamente durante el siglo xix, como resultado tanto del crecimiento del sector exportador como de la urbanización, siguió teniendo enorme importancia durante todo el periodo previo a la primera Guerra Mundial.

No se conocen las dimensiones exactas de la AUI en el periodo anterior a 1914, pero para algunos países tenemos cifras sobre la proporción de la mano de obra en toda la agricultura —incluyendo la agricultura para la exportación (AEX)— y de la participación de la agricultura en el producto interno bruto, o PIB (véase el cuadro v.1). Puede apreciarse que la mano de obra agrícola representaba cerca de dos tercios o más del total de la PEA en todas partes, salvo en aquellas naciones (Argentina, Chile, Cuba y Uruguay) en las que el alto nivel de exportaciones per cápita había producido una considerable transformación estructural. Si hacemos un cálculo tentativo de la proporción de la mano de obra empleada en la AEX, es probable que a comienzos del siglo XX la AUI sumara más de 50% del total en muchas repúblicas.[6]

La elevada proporción de la mano de obra empleada en la agricultura en casi todos los países[7] fue un reflejo del bajo nivel de productividad. La prueba de esto es el hecho de que la agricultura representaba una proporción del PIB mucho menor que su participación total (véase el cuadro v.1). En el caso de Brasil y de México la participación agrícola del PIB hacia la época de la primera Guerra Mundial fue de 23 y 24%, respectivamente, mientras que la participación de la mano de obra en la agricultura era de más de 60% en ambos países. Si se considera que la productividad laboral en la AEX era muy superior a la de la AUI podemos concluir que en estas dos grandes naciones (y en otras con estructuras similares) la productividad del trabajo en la AUI no era de más de un quinto del promedio nacional al comienzo del siglo XX.[8]

Por consiguiente, dadas las dimensiones de la AUI, un modelo de crecimiento impulsado por las exportaciones que no modificara la productividad de ese sector estaba condenado a un fracaso casi inevitable. Por eso era importante considerar en qué circunstancias el crecimiento del sector exportador podría producir la transformación de la AUI, a menudo llamada, erróneamente, el sector de "subsistencia".[9]

En primer lugar, en unos cuantos países los artículos de exportación también eran los típicos de la dieta nacional; en estos casos (por ejemplo, trigo en Argentina, carne en Uruguay), era casi inevitable que los cambios tecnológicos producidos por el aumento de la productividad de la AEX hicieran lo mismo por la AUI. Mejores técnicas de cercas para el ganado y nuevos métodos de cría, por ejemplo, repercutirían en toda la producción del sector ganadero, cualquiera que fuese su uso final.

En segundo lugar, podía esperarse que la productividad del trabajo en la AUI resultara beneficiada por algunos de los cambios relacionados con el crecimiento del sector exportador. Lo más importante fue el descenso de los

[6] La PEA en la AUI es igual a la proporción del sector agrícola menos la proporción del sector exportador (E). Esta última —$L[E]/PEA$— puede expresarse como $(E/PIB) \cdot (PIB/PEA) \cdot (L[E]/E) = (E/PIB) \cdot (PPT/PPT[E])$, donde (E/PIB) es la razón exportaciones-PIB, PPT es la productividad promedio del trabajo, y $PPT[E]$ es la productividad promedio del trabajo en el sector exportador. Antes de 1914 en muchas repúblicas latinoamericanas la proporción de la fuerza de trabajo en el sector agrícola era de cerca de 70%, y la relación exportaciones-PIB de alrededor de 20%. Así, siempre que la productividad laboral en el sector exportador fuese mayor que el promedio nacional —es decir ($PPT/PPT[E] < 1$)— la parte de la AUI en la PEA sería superior a 50%.

[7] Las cifras más bajas se encuentran en Argentina, Chile y Uruguay, pero aun en estos tres casos la participación fue mayor que en Australia y Nueva Zelanda.

[8] En Brasil la agricultura representaba cerca de 25% del PIB, mientras que las exportaciones (y la AEX) descendían a cerca de 15%. De este modo, 10% del PIB era producido por el 50% de la fuerza de trabajo dedicada a la AUI. Esto implica una productividad laboral en la AUI de 20% del promedio nacional.

[9] Un sector de subsistencia consume lo que produce, por lo que no existe excedente para la venta. Esto rara vez ocurrió en las comunidades rurales latinoamericanas, aunque el excedente que iba al mercado era a veces una pequeña proporción del producto total.

CUADRO V.1. *La agricultura y la fuerza de trabajo agrícola*, ca. *1913*

País	Año	Fuerza de trabajo agrícola		Producción agrícola neta (a precios de 1970)		
		Número en miles	Porcentaje del total	Millones de dólares	Porcentaje del PIB	Por trabajador en dólares
Argentina[a]	1914	1 051	34.2	882	26.5	839
Brasil[b]	1920	6 377	66.7	835	22.9	131
Chile[c]	1913	455	37.7	198	15.5	435
Colombia[d]	1913	1 270	70.5	307	54.6	241
Cuba[e]	1919	462	48.9	s/d	s/d	s/d
México[f]	1910	3 581	63.7	824	24.0	230
Nicaragua[g]	1920	170	83.7	55	55.8	322
Uruguay[h]	1908	103	28.0	s/d	s/d	s/d
Venezuela[i]	1920	s/d	72.0	s/d	s/d	s/d
República Dominicana[e]	1920	138	67.6	s/d	s/d	s/d
Australia[e]	1911	481	24.8	s/d	s/d	s/d
Canadá[e]	1911	1 011	37.1	s/d	s/d	s/d
Nueva Zelanda[e]	1911	116	26.1	s/d	s/d	s/d

NOTA: Los datos en moneda local se convirtieron al tipo de cambio oficial.

[a] Datos de la fuerza de trabajo tomados de Díaz-Alejandro (1970), p. 428; datos de producción de CEPAL (1978).

[b] Datos de la fuerza de trabajo tomados de IBGE (1987); datos de la producción de CEPAL (1978).

[c] Datos de la fuerza de trabajo para 1907 tomados de Ballesteros y Davis (1963), ajustados a 1913, suponiendo que no hubo un cambio en la estructura de la PEA y en la proporción de ésta en la población; datos de la producción de CEPAL (1978) para 1940, ajustados a 1913, utilizando el índice de Ballesteros y Davis (1963).

[d] Datos de la fuerza de trabajo tomados de Berry (1983), p. 25, para 1918, ajustados a 1913, suponiendo una tasa de crecimiento igual a la tasa de crecimiento de la población entre 1913 y 1918. Datos de la producción tomados de CEPAL (1978) para 1929, ajustados a 1913 utilizando el índice del PIB que se encuentra en Maddison (1991), y suponiendo que no hubo cambio en la razón agricultura-PIB entre 1913 y 1929.

[e] Datos de la fuerza de trabajo tomados de Mitchell (1983).

[f] Datos de la fuerza de trabajo tomados de Mitchell (1993); datos de la producción tomados de CEPAL (1978) para 1920, ajustados a 1910 utilizando los datos de Solís (1983).

[g] Datos de la fuerza de trabajo tomados de Cantarero (1949), p. 61; datos de la producción tomados de Bulmer-Thomas (1987).

[h] Datos de la fuerza de trabajo tomados de Finch (1981), p. 76.

[i] Datos de la fuerza de trabajo tomados de Karlsson (1975), p. 34.

costos de transporte a consecuencia de la construcción de ferrocarriles y de otras mejoras en el transporte. La circulación de los voluminosos productos de la AUI —como los cereales básicos— se había visto restringida por los altos costos unitarios de transporte en los días de la mula y la carreta de bueyes, por lo que muchas veces para el cultivador el mercado real estaba limitado a un área de pocos kilómetros a la redonda. Los grandes agricultores también podían esperar beneficiarse del crecimiento de las instituciones financieras vinculadas con el sector exportador, mientras que la mayor productividad del sector exportador, una división más refinada del trabajo y el crecimiento demográfico ampliaban el mercado para la AUI.

Sin embargo, en ciertas circunstancias la relación entre el crecimiento de la AEX y la AUI podía ser negativa, con consecuencias adversas para la productividad en esta última. Donde se llevó al extremo la especialización en las exportaciones produciendo el agotamiento de los campos, las mejores tierras fueron monopolizadas por la AEX, reduciendo la AUI y haciendo que los cultivadores se dedicaran a otras cosas o se trasladaran a tierras menos productivas. De manera similar, el aumento de la rentabilidad de la tierra asociado con el crecimiento de la AEX pudo hacer que la producción de la AUI no fuese lucrativa y llevar al aumento de las importaciones de productos alimenticios.

Tales casos no sólo fueron posibles teóricamente. En algunos países centroamericanos y del Caribe, en vísperas de la primera Guerra Mundial, hasta 40% de las importaciones correspondió a alimentos (véase el cuadro v.2). En Puerto Rico el aumento de los principales cultivos comerciales durante el siglo XIX (café, tabaco, azúcar) hizo que el área dedicada a la AUI se redujera de 71.1% en 1830 a 31.6% en 1899.[10] La especialización en los productos de exportación había reducido la AUI; en algunos casos se llegó a su decadencia absoluta y a la retirada de muchos campesinos en pequeño a estrategias defensivas, basadas en bajísimos niveles de productividad laboral.

Vale la pena analizar estos casos especiales aunque en general la AUI mantuvo el ritmo del aumento de la demanda. La participación de las importaciones correspondiente a productos alimenticios en la mayor parte de Sudamérica poco antes de la primera Guerra Mundial no fue excesiva, y las importaciones de alimentos per cápita (salvo en Cuba y en Puerto Rico) fueron muy modestas (véase el cuadro v.2). Además, la cuenta de importaciones de alimentos tendió a concentrarse en un puñado de productos esenciales. En Colombia trigo, arroz, azúcar, manteca de cerdo y maíz representaron 66.7% de los alimentos importados hacia 1870; esta proporción se elevó a 91.3% en 1905.[11] En realidad, el trigo representó casi la mitad de la cuenta de importaciones de alimentos durante la mayor parte de este periodo en Colombia, y también fue un elemento importante en Brasil y Perú.

[10] Véase Dietz (1986), cuadro 1.3, p. 20.
[11] Véase Ocampo (1984), cuadro 3.11, p. 158.

Aunque en muchos casos habría sido físicamente posible remplazar alimentos importados por producción nacional, esto no siempre tenía sentido económico. El costo de oportunidad —en materia de tierra, mano de obra y capital empleados— debía ser más bajo que el costo de importar. Para la mayoría de las naciones latinoamericanas en el siglo xix escaseaban la mano de obra y el capital; en general, la tierra abundaba, pero no siempre se disponía de terrenos apropiados para el cultivo de alimentos de importación (como el trigo). Por ello el patrón de importaciones de alimentos —excluyendo las islas azucareras— no fue mayor causa de preocupación y, por implicación, la AUI se expandió, en general, al ritmo de la demanda de alimentos.

Una tasa de producción satisfactoria no garantizaba, empero, que la productividad laboral fuese en aumento. Que lo hiciese dependía de la forma en que la técnica de producción respondiera al crecimiento de la producción. Si un aumento de x por ciento de la producción se lograba mediante un aumento de x por ciento de todos los insumos, es evidente que la productividad no se vería afectada. En cambio, si los insumos de trabajo se incrementaban con menor rapidez que la producción, se elevaría el promedio de productividad del trabajo.

Como en general la fuerza de trabajo durante el siglo xix era escasa, hubiera sido natural que el progreso tecnológico de la AUI le sirviese para ahorrar mano de obra; es decir; los insumos ajenos al trabajo debieran haber crecido con mayor rapidez que los de trabajo. Aun con un aumento proporcional en todos los factores de insumo hubiese sido factible el de la productividad laboral si la producción aumentaba con mayor rapidez, tal vez a consecuencia del efecto de demostración asociado con el crecimiento del sector exportador, o como resultado de economías de escala en la producción de la AUI.

Durante todo el siglo xix se registraron tales aumentos de productividad laboral de la AUI pero se concentraron en general en el Cono Sur.[12]

Es imposible medir con precisión la productividad laboral de la AUI; sin embargo, si utilizamos cifras sobre la producción neta por trabajador para medir la productividad laboral en la agricultura (con tendencia hacia arriba por la inclusión de la AEX), podemos observar (véase el cuadro v.1) una diferencia considerable entre los niveles de productividad de Argentina y los del resto de América Latina. De hecho, la producción agrícola neta por trabajador en Argentina era más de seis veces superior a la de Brasil, y casi cuatro veces mayor que la de México.

Aunque no constituyen una guía muy confiable de la productividad de la mano de obra, las estadísticas de productividad de la tierra (producción por hectárea) nos revelan un cuadro similar del dinamismo de la AUI en el Cono Sur y rendimientos sin cambio en el resto de América Latina. Además, como los datos de productividad de la tierra se refieren a cultivos individuales, nos ofrecen un cuadro más detallado de la AUI del que podríamos obtener con ci-

[12] Se conoce como Cono Sur a Argentina, Chile y Uruguay.

CUADRO V.2. *Importaciones de alimentos per cápita y como parte del total de importaciones*, ca. *1913 (precios corrientes en dólares)*

		Importaciones de alimentos		
País	Año	Miles de dólares	Porcentaje del total de importaciones	Importaciones de alimentos per cápita (en dólares)
Argentina	1913	60 452	12.4	7.7
Brasil	1913	45 004	13.9	1.9
Chile	1913	11 183	9.3	3.2
Colombia	1913	4 928	17.9	0.9
Costa Rica	1913	2 093[a]	23.8	5.5
Cuba	1913	36 279	25.9	15.0
Ecuador	1913	1 028	11.6	0.7
Guatemala	1913	962	9.6	0.8
Honduras	1911-1912	492	15.1	0.9
México	1911-1912	9 358	10.3	0.6
Nicaragua	1913	890	15.4	1.6
Panamá	1913	3 414[a]	30.1	9.4
Paraguay	1913	1 991[a]	25.3	3.1
Perú	1913	3 648	12.6	0.9
Puerto Rico	1914	14 818	40.7	12.9
Uruguay	1907	6 525	17.4	5.7
Venezuela	1909-1910	2 218	19.8	0.9

[a] Incluye bebidas.

FUENTES: Pan-American Union (1952), con excepción de Honduras, Koebel (s/f); para Puerto Rico, Clark *et al.* (1975); para Uruguay, Koebel (1911); para Venezuela, Dalton (1916).

fras agregadas de productividad del trabajo. En Chile el rendimiento de todas las cosechas principales se duplicó en los 40 años previos a la primera Guerra Mundial, y el de maíz se quintuplicó.[13] De hecho la productividad de la tierra (rendimiento por hectárea) para la mayoría de los componentes importantes de la AUI fue superior en Chile que en Estados Unidos. En contraste, el rendimiento mexicano de muchos cultivos para consumo interno (como el maíz) se

[13] Véase Sunkel (1982), cuadro 43, p. 158.

contó entre los más bajos de toda América Latina, muy por debajo de los registrados en Australia, Canadá, Nueva Zelanda y Estados Unidos.[14]

Por consiguiente, queda claro que algunas naciones lograron transferir su aumento de productividad del sector exportador a la AUI. En Argentina y Uruguay la transferencia se realizó casi sin esfuerzo, porque muy a menudo los productos eran los mismos (por ejemplo, la carne). El caso chileno es más impresionante: pese al éxito de sus exportaciones de trigo, la captación de divisas se derivó principalmente de los minerales, pese a lo cual la productividad de las granjas chilenas pudo beneficiarse de la producción mineral, gracias a la concentración de trabajadores en torno a las minas de nitrato en el norte árido de Chile, donde no podían cultivarse alimentos, lo cual constituyó un poderoso estímulo al aumento de los rendimientos, el cambio tecnológico y la productividad laboral en el fértil valle central.[15]

Por muchas razones otras repúblicas latinoamericanas no lograron transferir los aumentos de productividad del sector exportador a la AUI. La causa más importante fue el largo retraso en el desarrollo de mejores sistemas de transporte, con lo que el costo de los fletes por unidad era tan alto que pocos campesinos pudieron aprovechar los beneficios del acceso a un mercado más vasto. En Brasil hay pruebas irrefutables de que tan pronto como se consolidó la red ferroviaria la AUI mostró un desempeño mucho más dinámico, pero el ferrocarril tardó mucho, por lo que las cifras de la productividad brasileña que aparecen en el cuadro v.1 son desalentadoras.[16]

La época del ferrocarril también necesitó largo tiempo para llegar a México. Sólo durante del Porfiriato la estabilidad política garantizada hizo que los inversionistas extranjeros mostraran entusiasmo por la construcción de vías férreas. Aun así, la red ferroviaria favoreció abrumadoramente el transporte de productos de exportación, y durante el Porfiriato el crecimiento de la AUI ni siquiera se mantuvo al ritmo del demográfico.[17] El hecho de que esto no produjera una verdadera explosión de las importaciones de alimentos se debió tal vez a la caída de los salarios reales agrícolas durante gran parte del periodo.[18]

[14] El rendimiento del maíz en México poco antes de la primera Guerra Mundial era de 8.5 quintales por hectárea, en comparación con 16.3 en Estados Unidos, 17.7 en Australia, 31.2 en Nueva Zelanda y 35.2 en Canadá. Véase League of Nations (1925), cuadro 51.

[15] Estos nexos regresivos de las minas de nitrato del norte de Chile con la agricultura del valle central se analizan con gran detalle en Sunkel y Cariola (1985). En estas circunstancias tal vez resulte desconcertante que la parte de la fuerza de trabajo chilena dedicada a la agricultura fuese tan superior a la contribución de la agricultura al PIB (véase el cuadro v.1). El problema puede reflejar la confiabilidad del censo de 1907, del que se tomaron los datos sobre la fuerza de trabajo, y que ha movido a algunos a argüir que el método de enumeración "acaso resultara en una sobrestimación (en relación con censos posteriores) de la población activa dedicada a la agricultura en la época del censo". Véase Ballesteros y Davis (1963), p. 159.

[16] Véase Leff (1982), pp. 146-149.

[17] Véase Coatsworth (1981), capítulo 4.

[18] Véase Rosenzweig (1989), cuadro 16, p. 250.

La caída de los salarios reales agrícolas en México durante el Porfiriato parece haber tenido eco en muchos otros países. En una época de evidente escasez de mano de obra esta reducción puede parecer adversa; la manipulación artificial del mercado de trabajo por parte de las autoridades y los terratenientes (véanse las páginas 108-115), junto con una continua aceleración del crecimiento demográfico, redujo la competencia en el mercado de trabajo. Sólo en Argentina y Uruguay pueden encontrarse muchas pruebas de salarios reales crecientes en la agricultura no exportadora en el medio siglo previo a la primera Guerra Mundial.

Ante salarios reales reducidos o estancados, los agricultores tenían pocos incentivos para realizar importaciones de maquinaria a fin de sustituir mano de obra. Ese progreso técnico, ahorrador de mano de obra y capaz de producir un enorme aumento de la productividad laboral, no se encontró en la AUI fuera de Argentina y Uruguay y aun ahí no fue generalizado. Además, el costo de la maquinaria —cargado de gravámenes y altos costos de transporte interno— a menudo era considerable, y ni siquiera los grandes agricultores podían obtener siempre crédito. De este modo, la AUI siguió tecnológicamente atrasada en gran parte de América Latina, lo que tendía a reducir los niveles de productividad.

La falta de educación formal y los altos niveles de analfabetismo en las zonas rurales también fueron barreras al aumento de la productividad laboral en la AUI. Las altas tasas de analfabetismo no habían impedido que la productividad aumentara en el sector exportador, pero esto se debió, ante todo, al aumento de capital por trabajador. A falta de maquinaria todavía podía elevarse la productividad (por ejemplo, mediante la aplicación de mejores métodos agrícolas), pero el analfabetismo generalizado constituyó una barrera formidable a la propagación de la información y el conocimiento.

Nada podría demostrar mejor el deplorable estado de la AUI en la mayor parte de América Latina que la industria ganadera. Con abundancia de tierras, buenos pastos naturales y mucha agua, la mayor parte de las repúblicas latinoamericanas tuvieron una ventaja comparativa potencial en la ganadería bovina, y en muchos casos también en la cría de ovejas. Y sin embargo, fuera de los principales países exportadores de carne, la calidad de los rebaños en general se consideraba mala, y los cueros tenían numerosas imperfecciones. Sólo tres países (Argentina, Paraguay y Uruguay) pudieron jactarse en 1914 de tener el doble de vacas que de habitantes, y la mayoría tenía menos de una cabeza de ganado per cápita.[19] Sin embargo, las mejoras logradas en esta industria (en la cría, por ejemplo) no eran particularmente intensivas en capital, y la peor barrera de todas fue ignorar la disponibilidad de mejor tecnología.

Sería tentador decir que el pobre desempeño de la productividad de la

---

[19] Por ejemplo, Nicaragua, con sus vastos pastizales que se extienden desde la cordillera hasta la costa atlántica, sólo tenía 252 mil cabezas en 1908, cuando la población era superior a 500 mil habitantes.

AUI en la mayor parte de América Latina tuvo que ver de alguna manera con el sistema de tenencia de la tierra, con la concentración de propiedades en pocas manos, o con ambas cosas. En México la ya desigual distribución de las tierras se agudizó durante el Porfiriato; en vísperas de la Revolución de 1910 más de la mitad de la tierra era controlada por menos de 1% de la población, y 97% de los mexicanos carecían de tierras.[20]

De hecho, ninguna de estas teorías encuentra apoyo empírico. En Argentina la proporción de tierras ocupadas por sus propietarios se redujo bruscamente a partir del decenio de 1880, cuando aumentó la aparcería; en 1914 casi 40% de las tierras estaban rentadas, y la cifra se elevaba a más de 50% en las importantísimas provincias de Buenos Aires y Santa Fe.[21] La gente de la época lamentaba la reducción de la ocupación por los propietarios y de la colonización tradicional en Argentina, pero eso no parece haber tenido repercusión negativa sobre la tasa de crecimiento de la AUI ni sobre la de la productividad de la mano de obra agrícola. En cambio, Costa Rica —donde la gran mayoría de las tierras estaba ocupada por sus propietarios—[22] no logró considerables aumentos de productividad laboral en la AUI durante el periodo anterior a la primera Guerra Mundial.

El latifundio, el villano de tantos textos sobre América Latina posteriores a 1950, no parece haber sido peor que otras propiedades agrícolas en su contribución a un mejor desempeño de la AUI. Los estudios microeconómicos de estas grandes propiedades indican que en el siglo XIX no dejaron de responder a las nuevas oportunidades, y que sus administradores o propietarios a menudo estaban mejor situados para absorber el flujo de nueva información con respecto a mercados, precios y técnicas de producción.[23] De hecho, la mayor producción de las grandes haciendas ayuda a explicar por qué el abasto de la AUI no se quedó muy atrás de la demanda. Sin embargo, era frecuente el acaparamiento de mano de obra, la producción siguió siendo intensiva en trabajo y, por lo tanto, el crecimiento de la productividad laboral se retrasó.

El excedente de mano de obra que llegó a producirse en el siglo XX hizo que todas las propuestas de mejorar la productividad laboral de la AUI por medio del progreso técnico, ahorrador de mano de obra, tuviera altos costos sociales. Aunque los que se quedan en el sector pueden gozar niveles de vida más altos, la mano de obra desplazada puede no tener otra fuente de empleo. Sin embargo, durante gran parte del siglo XIX este dilema no se manifestó agudamente. La escasez de mano de obra hacía que los trabajadores desplazados de la AUI por técnicas que elevaban la productividad encontraran empleo en otra parte. Argentinos y extranjeros por igual pudieron lamentar la

---

[20] Véase Singer (1969), p. 49.

[21] Vease Taylor (1948), p. 191.

[22] El debate sobre el grado de concentración de la tierra en Costa Rica en el siglo XIX sigue en pie, pero todos concuerdan en que la proporción de la mano de obra agrícola que poseía su propia tierra fue sumamente alta. Véase Gudmundson (1986), capítulos 1-2.

[23] Véase por ejemplo el estudio de la hacienda mexicana, en Miller (1990).

desaparición del pintoresco gaucho, pero fue indiscutible que el país logró una ganancia económica al cercar las pampas.[24]

En Estados Unidos la respuesta a la escasez de fuerza de trabajo había consistido en una enorme inversión en tecnología agrícola que ahorraba mano de obra, hasta el punto de que muchas de las innovaciones de maquinaria agrícola durante todo el siglo XIX se originaron en ese país, que logró así no sólo aumentar su productividad y sus salarios reales en el sector no exportador, sino también desarrollar su experiencia técnica y una industria de bienes de capital.[25] En gran parte de América Latina las respuestas a la escasez de mano de obra en el siglo XIX —igual, de hecho, que en el periodo colonial— fueron la manipulación artificial del mercado de trabajo, la coerción de la mano de obra y las restricciones al acceso a las tierras. La razón de las diferentes respuestas en las dos regiones del continente no se puede analizar aquí (puede relacionarse, en parte, con los diferentes sistemas políticos posteriores a la Independencia), pero sí podemos concluir que la mayor parte de América Latina —particularmente las repúblicas situadas al norte del Cono Sur— pagó a la larga un alto precio por negarse a reconocer las escaseces relativas.

LA MANUFACTURA Y SUS ORÍGENES

La expansión del sector exportador promovió la urbanización, contribuyó al desarrollo de una clase obrera y una clase media asalariadas, y amplió el mercado para los productos manufacturados. Como en el caso de la AUI, este aumento de la demanda se pudo satisfacer con una mayor producción nacional o con importaciones. En la medida en que lo satisfizo la primera, creó oportunidades de transferir las ganancias por productividad del sector exportador a la economía no exportadora, contribuyendo así al surgimiento de las manufacturas modernas.

En los primeros decenios del siglo XIX el ingreso real per cápita fue bajo en toda América Latina, y la demanda de bienes manufacturados fue proporcionalmente modesta. No obstante, el reducido nivel de las exportaciones per cápita (véanse las páginas 53-58) hizo imposible satisfacer una gran parte de esta modesta demanda por medio de las importaciones. El auge importador que se produjo tras la abolición de las restricciones coloniales al comercio exterior no se pudo sostener, y los países de la región volvieron a un

---

[24] El gaucho, cuyo fin fue elocuentemente descrito en el poema *Martín Fierro*, de José Hernández, perdió importancia económica con la introducción del alambre de púas en las pampas argentinas, porque su función básica hasta ese momento había sido reunir al ganado disperso por un enorme territorio.

[25] Ya en el decenio de 1840 Estados Unidos no sólo producía maquinaria agrícola sino que también la exportaba. Domingo Faustino Sarmiento, después presidente de Argentina, quedó muy impresionado por la aplicación de maquinaria a la producción agrícola durante su visita a Estados Unidos, en 1847. Véase Rockland (1970).

estado de cosas más "normal", en el que una alta proporción de la escasa demanda de productos manufacturados era satisfecha por la producción local.

Esta producción local consistía casi enteramente en artículos artesanales, no en manufacturas modernas. El sector artesanal en las zonas urbanas y rurales producía toda una variedad de sencillos bienes manufacturados que podían utilizarse para satisfacer las necesidades básicas de la población. A la demanda de alimentos procesados (pan, galletas, harina, etc.) respondía la industria casera; la industria textil producía telas sencillas y prendas de vestir en establecimientos llamados obrajes.[26] Los subproductos de la industria ganadera se empleaban en el sector artesanal para una vasta gama de sencillos bienes de consumo, como zapatos, velas, jabón y aperos de montar, y en pequeños hornos se podían hacer los productos más sencillos que requirieran metales, como estribos, cuchillería y herramientas.[27] A la demanda de productos más complicados y de calidad superior respondían, en general, las importaciones; pero su consumo estaba limitado a una parte pequeña de la población.

Las principales excepciones al predominio de la industria doméstica en la manufactura se encontraban en el sector exportador. Las materias primas que necesitaban cierto grado de procesamiento solían trabajarse en establecimientos de gran escala, que merecían el nombre de "fábricas". Los ingenios de las principales naciones exportadoras de azúcar (por ejemplo, Brasil y Cuba) eran de este tipo, aunque el procesamiento de la caña en países que no tenían exportaciones azucareras era demasiado burdo para poder considerarlo una manufactura moderna.[28] Las plantas procesadoras de carne (saladeros) de la cuenca del Río de la Plata, que producían tasajo para la exportación, tenían todas las características de la producción fabril, y el beneficio de algunos minerales (por ejemplo, el cobre en Chile) también había llegado a la etapa en que ya era inapropiado considerado una "manufactura".

Sin embargo, el hecho de que virtualmente todos estos establecimientos fabriles modernos cayeran dentro del sector exportador significa que el aumento de la demanda interna de artículos manufacturados, junto con la expansión de las exportaciones, se dejó sentir sobre todo en el sector artesanal. En ciertas partes de Europa había ocurrido un proceso similar, que condujo a la protoindustrialización,[29] donde las unidades en pequeña escala y de baja productividad del sector manufacturero se trasformaron en modernos esta-

[26] Véanse las páginas 61-62.

[27] Estos primeros ejemplos de producción industrial han sido bien descritos por Lewis (1986).

[28] Con diversos nombres (por ejemplo "trapiches" en Costa Rica), estas unidades para procesar la caña de azúcar eran movidas en general con caballos o mulas, con poca maquinaria. Lo habitual era que el azúcar se vendiese a las casas y el jugo de caña a las fábricas de ron. Véase, por ejemplo, Samper (1990), p. 63.

[29] La obra clásica sobre la protoindustrialización europea es la de Mendels (1972). En cuanto a la industrialización en Estados Unidos después de la Independencia, véase Engerman y Sokoloff (2000).

blecimientos manufactureros que empleaban una refinada división del trabajo y tuvieron una productividad laboral superior mediante el uso, ante todo, de maquinaria moderna. No es de sorprender que entre los especialistas haya surgido un notable interés sobre si puede observarse un proceso semejante en América Latina.

La respuesta tiene que ser negativa.[30] En ningún país pudo relacionarse directamente el origen de las fábricas modernas que existían a fines del siglo xix con las industrias caseras que había a comienzos del siglo. Por el contrario, las fábricas modernas con frecuencia fueron competidoras directas y contribuyeron significativamente a la pérdida de importancia del sector artesanal a partir de 1870. En vísperas de la primera Guerra Mundial, la industria casera sobrevivía y controlaba un sector en ciertos mercados especializados (por ejemplo, rebozos mexicanos y huipiles guatemaltecos),[31] pero al parecer resultó incapaz de transformarse en una industria moderna de alta productividad.

Por consiguiente, no es posible remontar los orígenes de la industria moderna de América Latina a un proceso de protoindustrialización. Y sin embargo, el sector artesanal funcionó durante muchos decenios después de la independencia, pese a la competencia que representaba el aumento de las importaciones. Aunque la participación del consumo interno de manufacturas satisfecho por las importaciones casi con seguridad aumentó en los 50 años posteriores a la independencia, ello no es incongruente con un modesto desarrollo del sector artesanal. La protección "natural" que representaban los altos costos de transporte no se redujo hasta la llegada definitiva de la era del ferrocarril en el último cuarto del siglo xix, y los gravámenes (véanse las páginas 164-169) siempre constituyeron una barrera adicional a las importaciones.

La supervivencia de las artesanías significó que subsistiera un sector de baja productividad que daba empleo a una proporción considerable de la fuerza de trabajo. Todavía en el año 1900 el empleo era más importante en la industria casera que en las industrias modernas en casi todos los países, con excepción del Cono Sur. De hecho, todavía a mediados del decenio de 1920, 80% del empleo manufacturero en Colombia era en las industrias domésticas.[32] Por consiguiente, a falta de protoindustrialización en América Latina, la transferencia de las ganancias de productividad del sector exportador a las ramas nacionales de las manufacturas sólo pudo lograrse por medio de inversión en fábricas modernas.

[30] Se han efectuado numerosas investigaciones sobre la protoindustrialización en América Latina. Véanse por ejemplo Berry (1987), sobre Colombia, y Libby (1991) sobre Minas Gerais, en Brasil. Batou (1990, 1991) brinda excelentes comparaciones de los primeros esfuerzos en pro de la industrialización en América Latina y el Medio Oriente, con numerosos estudios de casos.

[31] Estas prendas femeninas eran (y son) difíciles de producir en instalaciones fabriles, porque requieren bordados muy elaborados.

[32] Véase Berry (1983), cuadro 2.1, p. 10.

La incapacidad del sector artesanal para transformarse en actividades de alta productividad puede atribuirse a buen número de causas. Primero, la falta de financiamiento para trabajar y los costos fijos del capital constituyeron un importante problema. La ausencia de barreras de ingreso en el sector mantuvo bajos los márgenes de utilidad, por lo que fue difícil el autofinanciamiento de la expansión, y las pocas instituciones financieras que por entonces existían mostraron poco interés en hacer préstamos a las microempresas que integraban el sector artesanal. En segundo lugar, los empresarios del sector definitivamente no formaban parte de la élite social o política, y carecían de poder de negociación para influir en su beneficio sobre la política pública; en tercer lugar, la mano de obra familiar constituyó un elemento importante de los insumos de trabajo, y esa dependencia del trabajo familiar impuso claros límites a las dimensiones de cada establecimiento.

La imposibilidad de la industria casera para transformarse hizo que el crecimiento de la capacidad manufacturera tuviera que recaer desproporcionadamente sobre las nuevas fábricas modernas, para evitar que fuera en aumento la parte del consumo satisfecha por las importaciones. Sin embargo, también la industria moderna tuvo que superar buen número de obstáculos antes de poder iniciar la producción en unidades de gran escala.

El primer problema fue el abasto de energía. La Revolución Industrial en Europa y América del Norte había dependido del carbón y el agua. Sólo unos pocos países de América Latina (Brasil, Chile, Colombia y México) tenían yacimientos de carbón, pero en su mayor parte eran de baja calidad, y el carbón importado era caro. En toda la región abundaba el agua, pero a menudo no se podía confiar en la energía de la misma en su estado natural, porque era excesiva en la temporada de lluvias e insuficiente en la de secas. El problema del abasto de energía se hizo menos grave tras la creación de servicios públicos de generación de electricidad a partir de 1880 (frecuentemente vinculados con la introducción de tranvías en las zonas urbanas). De hecho, la construcción de plantas hidroeléctricas a comienzos del siglo xx en algunos países aportó una fuente de energía no sólo confiable, sino también barata.[33]

En segundo lugar, las manufacturas modernas necesitaban mercado. Las minúsculas ciudades de la época de la Independencia y una mano de obra rural que sólo recibía una pequeña porción de sus ganancias en efectivo no constituían la combinación ideal para emprender la manufactura en gran escala. Sin embargo, gradualmente la expansión de las exportaciones fue ensanchando el mercado, porque las exportaciones de productos primarios se asociaron con un proceso de urbanización y el aumento de los ingresos reales urbanos. Al llegar 1900 Argentina —la mejor exportadora de productos primarios— estaba ya muy urbanizada, y Buenos Aires era una de las grandes ciudades del mundo; los países exportadores con menos éxito

---

[33] En 1910 Brasil produjo 374 millones de kilovatios/hora de electricidad, de los cuales 315 millones procedían de plantas hidroeléctricas. Véase Bairoch y Toutain (1991), p. 106.

(como Bolivia) tuvieron en general una tasa mucho más modesta de urbanización.[34]

En tercer lugar, las manufacturas modernas requerían transportes, no sólo para vender su producto sino también para abastecerse de sus insumos de bienes intermedios y de capital. Los obstáculos a que se enfrentaba la industria moderna antes de la época del ferrocarril eran formidables, y aun después los fletes fueron durante un tiempo lo bastante caros como para crear monopolios regionales[35] y favorecer las importaciones en ciertas zonas costeras, lejos de los principales centros de producción casera. No obstante, la difusión de los ferrocarriles logró derribar en buena medida las barreras a las que se enfrentaban los fabricantes en gran escala.

En cuarto lugar, el sistema de fábricas necesitaba financiamiento. Aunque las instituciones financieras no habían atendido las necesidades de la industria casera, en ocasiones estaban dispuestas a prestarles a los modernos establecimientos manufactureros. No obstante, las reglas bancarias no favorecían los préstamos a largo plazo que requería la industria, y muchos bancos siguieron apoyando las exportaciones de materias primas, con cuya expansión estaban ligadas a menudo sus propias fortunas. Sin duda no es casual que los inmigrantes tengan un papel desproporcionado en la historia temprana de la industria moderna de América Latina: los inmigrantes —ante el creciente precio de la tierra y por proceder de países en que ya se había iniciado la Revolución Industrial— estaban más dispuestos a arriesgar su capital en nuevas empresas manufactureras que sus competidores locales.[36] De hecho, la comunidad italiana inmigrante en muchos países de la región se distinguió por su disposición a crear bancos destinados básicamente a servir a la industria.[37]

Por último, la industria moderna precisaba un abasto confiable de materias primas, que no siempre tenían que ser de origen nacional porque —como lo había demostrado Gran Bretaña en el caso de los textiles— la ventaja comparativa podía basarse en el uso de materias primas importadas. Sin embargo, en el caso de las importaciones, se necesitaba un flujo creciente de divisas para pagar las adquisiciones, de modo que la expansión de las exportaciones fue casi requisito del crecimiento inicial de las manufacturas modernas.[38]

[34] Bolivia, en 1990, aún no era un país tan urbanizador como Argentina en 1900. La dispersión de una parte tan grande de la población en comunidades pequeñas de las áreas rurales tenía que ejercer una importante repercusión sobre la tasa de industrialización.

[35] En México, por ejemplo, ni siquiera la era del ferrocarril puso fin a muchos de estos monopolios regionales. Véase Haber (1989), pp. 84-86.

[36] Abundan los buenos estudios sobre la relación entre la inmigración y el sector manufacturero. Véanse por ejemplo Dean (1969) sobre São Paulo, Brasil, y Lewis (1990) sobre Argentina.

[37] El Banco Italiano de Perú, fundado en 1889, dio apoyo financiero a muchas empresas manufactureras. Véase Thorp y Bertram (1978), p. 32.

[38] Este punto, un tanto obvio, suele pasarse por alto en los textos de la escuela de la dependencia sobre las primeras manufacturas en América Latina. Véanse las páginas 215-218.

Superar todos estos obstáculos no garantizaba que las manufacturas modernas fuesen rentables. No obstante, para las empresas que vendían en el mercado local siempre existía la posibilidad de influir sobre los precios mediante la manipulación de instrumentos políticos (por ejemplo, los impuestos a la importación). En realidad, la política podía hacer lucrativa la producción antes de que se superaran los obstáculos señalados, siempre que los consumidores estuvieran dispuestos a pagar precios muy superiores a los de los mercados mundiales. Todo esto se analiza en las páginas 165-175.

Nuestra descripción de las barreras que tuvo que superar la manufactura moderna durante el siglo XIX nos ofrece una visión de la coyuntura y el lugar de la producción fabril en América Latina. Hasta 1870 los mercados aún eran muy pequeños, el abasto de energía inseguro, y los costos de transporte excesivamente elevados, y sólo permitieron la construcción de unas cuantas fábricas a gran escala para satisfacer al mercado interno. La mayor parte de las que se crearon procesaban materias primas para la exportación, por lo cual las pequeñas dimensiones del mercado nacional no fueron obstáculo. Estas fábricas (ingenios en Brasil y Cuba; fundiciones de cobre y molinos de harina en Chile; beneficio de la plata en México, saladeros en Argentina), procesaban todas una materia prima local demasiado voluminosa o perecedera para exportarla sin ese procesamiento. Aunque sin duda la parte manufacturera de la operación habría podido hacerse con mayor eficiencia en el extranjero, los países industrializados carecían de la materia prima, y era demasiado costosa para que pudiesen importarla sin procesar. Por ello el valor agregado por la manufactura debía incorporarse en el país de origen, lo que muy a menudo les dio a los países latinoamericanos su primer contacto con la moderna producción fabril.

Los primeros ejemplos de fábricas modernas que atendieron al mercado local fueron en general las fábricas de tejidos. Su aparición —pese a tan formidables obstáculos— no se debió tanto a la disposición de materias primas (algodón o lana) como a la existencia de un mercado grande y protegido, y a economías de escala en su producción. Todos tenían que vestirse y las importaciones de textiles durante el siglo XIX redundaron en gravámenes relativamente altos, que dieron cierto nivel de protección a la producción local; así logró sostenerse la industria nacional durante muchos decenios, y compensar las numerosas deficiencias de la producción fabril. La industria textil moderna de México también recibió apoyo oficial desde el decenio de 1830, y pese a la quiebra del Banco de Avío, el aumento del número de husos y telares fue continuo durante el turbulento medio siglo que desembocó en el Porfiriato. [39]

Pero la producción fabril destinada al mercado interno no quedó firmemente establecida hasta el último cuarto del siglo XIX. Aun entonces se limitó

---

[39] Con respecto al aumento de la productividad en la industria textil mexicana, véase Razo y Haber (1998). En cuanto a una comparación entre la industria textil mexicana y la brasileña, véase Haber (1997).

CUADRO V.3. *Indicadores de producción manufacturera, ca. 1913*
(precios de 1970)

País	Año	Valor agregado			
		Millones de dólares	Porcentaje del PIB	Por trabajador empleado (dólares)	Por habitante (dólares)
Argentina[a]	1913	619	16.6	977	84
Brasil[b]	1920	440	12.1	744	16
Chile[c]	1913	184	14.5	1 061	53
Colombia[d]	1925	58	6.7	142	8
México[e]	1910	371	12.3	713	24

[a] Datos de la producción tomados de CEPAL (1978); datos de la fuerza de trabajo tomados de Díaz-Alejandro (1970), p. 428.

[b] Datos de la producción tomados de CEPAL (1978); datos de la fuerza de trabajo tomados de IBGE (1987) incluyen a los trabajadores de la minería y la construcción; estas cifras se ajustaron suponiendo que el empleo en las manufacturas sumaba 75% del total.

[c] Datos de la producción tomados de CEPAL (1978) para 1940, ajustados a 1913 utilizando el índice de Ballesteros y Davis (1963). Datos de la fuerza de trabajo para 1907 tomados de Ballesteros y Davis (1963); incluyen a los trabajadores de la construcción; estas cifras se ajustaron suponiendo que el empleo manufacturero sumaba 80% del total, y que la fuerza de trabajo creció al mismo ritmo que la población entre 1907 y 1913.

[d] Datos de la producción tomados de CEPAL (1978); datos de la fuerza de trabajo tomados de Berry (1993), p. 10, utilizando la cifra más baja de empleo.

[e] Datos de la producción tomados de CEPAL (1978) para 1920, ajustados a 1910, utilizando datos de Solís (1983). Datos de la fuerza de trabajo tomados de Mitchell (1993); incluye a los trabajadores de la construcción; estas cifras se ajustaron suponiendo que el empleo en la manufactura sumaba 80% del total.

a un pequeño número de naciones donde las dimensiones del mercado (Brasil y México), el rápido crecimiento de las exportaciones (Perú), el ingreso per cápita (Chile y Uruguay) o las tres cosas (Argentina), bastaron para superar los otros obstáculos a que había tenido que enfrentarse la manufactura moderna. Algunas de las repúblicas más grandes, donde la expansión de exportaciones había sido especialmente insatisfactoria (por ejemplo, Colombia y Venezuela), sólo habían hecho modestos inicios de producción fabril hacia 1914,[40] y en casi todas las pequeñas ni siquiera el desempeño satisfactorio de las exportaciones logró compensar las deficiencias del tamaño del mercado.[41]

[40] Ciertos testimonios indican que Colombia comenzó su "despegue" económico después de 1905; véase McGreevey (1985). Pero fue demasiado tarde para ejercer gran influencia sobre los principales indicadores macroeconómicos antes de 1914 y, de todos modos, la producción fabril seguiría careciendo de importancia hasta mucho después de la primera Guerra Mundial. Véase Berry (1983), cuadro 2.1, p. 10.

[41] La mayor parte de las repúblicas centroamericanas gozaron de un rápido crecimiento de

El rápido crecimiento de la red ferroviaria a partir de 1870, la difusión de los servicios públicos de electricidad desde 1880 y el continuo aumento del poder adquisitivo de las exportaciones contribuyeron a superar las barreras a que se enfrentaba la producción fabril. Pero la ubicación de las fábricas dependía de su proximidad a los mercados. La industria textil brasileña emigró del Nordeste (donde había tenido fácil acceso al algodón) al Sur cuando el aumento de las exportaciones de café produjo enormes concentraciones urbanas en Rio de Janeiro y São Paulo.[42] La ciudad de Buenos Aires, con 20% de la población de Argentina en 1913, siempre fue el centro básico de la manufactura moderna; y los atractivos de Montevideo y de Lima fueron casi irresistibles para los potenciales empresarios de Uruguay y de Perú, respectivamente. Sólo México, donde Puebla y Monterrey eran importantes ciudades industriales a comienzos del siglo xx,[43] resistió esta tendencia a concentrar la industria en la urbe más grande,[44] aunque incluso allí la parte del león de la producción fabril se concentró en la capital.

La ubicación pudo estar dada primordialmente por la proximidad a los mercados, pero el nivel de producción fue influido, ante todo, por el ingreso real per cápita. Argentina, con una población mucho menor que la de Brasil o México, tenía el más alto nivel de valor agregado en las manufacturas en vísperas de la primera Guerra Mundial, aunque su producción neta por habitante estaba todavía muy por debajo de las cifras comparables de otros países de reciente colonización. Luego, en cuestión de producción manufacturera neta, iban Brasil y México, pero el valor agregado per cápita era muy pequeño. En realidad, todavía en 1920 el producto neto de las manufacturas brasileñas per cápita era de sólo 16 dólares (precios de 1970), en comparación con la cifra argentina de preguerra de 84 dólares (véase el cuadro v.3).

La baja cifra brasileña puede sorprender a quienes estén habituados a la idea de que en Brasil la Revolución Industrial iba bastante adelantada en 1900. En realidad, la producción manufacturera brasileña había crecido con rapidez a partir de 1870, la productividad de su trabajo no estaba muy por debajo del nivel de su vecina Argentina (véase el cuadro v.3) y 75% del consumo local era satisfecho desde 1919 por su producción interna.[45] No obstante, el extremadamente bajo ingreso real per cápita en Brasil puso un tope al nivel de industrialización dedicada al mercado interno. A comienzos del decenio de 1920 sólo 3% de la fuerza de trabajo estaba empleada en fábricas

sus exportaciones entre 1870 y 1890, sin ninguna evidencia de inversión importante en manufacturas modernas.

[42] La migración de la industria textil del nordeste al sur está bien descrita en Stein (1957).

[43] Puebla, dominada por la industria textil, se encontraba en relativa decadencia, mientras que Monterrey iba aumentando rápidamente en importancia como resultado de la instalación de nuevas y dinámicas industrias en la ciudad.

[44] Sin embargo, en el periodo de la posguerra Colombia invirtió la corriente hacia la concentración de la industria en la capital, al surgir Medellín como importante centro manufacturero.

[45] Véase Fishlow (1972), p. 323. La medición de esta estadística aparentemente sencilla está en realidad llena de problemas, como lo señala Fishlow.

modernas,[46] y gran parte de la mano de obra agrícola (casi 70%) era demasiado pobre para comprar más que los artículos básicos de alimentación y vestido.

Los modestos avances logrados por las manufacturas latinoamericanas se reflejaron en la estructura de la producción industrial. La posición predominante que ocupaba el proceso de alimentos y bebidas (véase el cuadro v.4) reflejó la ley de Engel,[47] aunque en Argentina y Uruguay esta cifra aumentó debido a la inclusión de exportaciones de alimentos procesados. El segundo factor en importancia era el de los textiles y la ropa, en el que Brasil llegó a la marca de un millón de husos en 1910, seguido de cerca por México.[48] En cambio, la industria textil argentina siguió siendo sumamente subdesarrollada hasta el decenio de 1930, víctima del compromiso ideológico de la élite argentina en favor de una interpretación tradicional de la ley de la ventaja comparativa.[49]

La rápida difusión de la urbanización en los tres decenios previos a la primera Guerra Mundial ofreció grandes oportunidades a las empresas que vendían materiales no metálicos a la industria de la construcción (caso en el cual los costos del transporte internacional resultaban prohibitivamente elevados, lo que inhibía las importaciones). Para el año de 1914 se habían establecido industrias cementeras en Brasil, Chile, México, Perú, Uruguay y Venezuela, pero en Argentina —pese a los evidentes atractivos del mercado— los primeros esfuerzos resultaron vanos.[50] La industria metalúrgica estaba aún muy atrasada: sólo México había construido, en 1910, una integrada y moderna industria del hierro y del acero. Sin embargo, dado el carácter no rentable de esa empresa, acaso se justifique el retraso para establecer la industria en el resto de América Latina.[51]

El procesamiento de alimentos, los textiles y la ropa sumaron, así, cerca de 75% de las manufacturas en la mayor parte de América Latina antes de la primera Guerra Mundial; una estructura sencilla que en general reflejaba el nivel de ingreso real per cápita y los patrones de consumo de la región. Como consecuencia del aumento en esas ramas de la industria, los patrones de im-

[46] Tomado de los cuadros 7.6 y 3.1 de IBGE (1987).

[47] Engel, estadígrafo alemán del siglo XIX, estableció una relación inversa entre el nivel del ingreso familiar y la proporción del mismo que se gastaba en alimentos. Esto implicaba que la demanda de alimentos era inelástica para el ingreso, de modo que la participación de la producción alimentaria en la producción total industrial descendería, si los demás factores no variaban, conforme aumentara el ingreso promedio.

[48] La cifra para México fue de 726 000 en 1910. Véase Clark (1911), parte cuarta, p. 118.

[49] La ley de la ventaja comparativa sostenía que un país debía exportar aquellos productos en que tenía el diferencial más alto de costos relativos. En el caso de Argentina se trataba, indudablemente, de las exportaciones agroindustriales.

[50] Sobre los orígenes de la industria cementera en América Latina, véase Kock-Petersen (1946).

[51] Fundidora Monterrey fue tan poco lucrativa que nunca declaró dividendos antes de la primera Guerra Mundial. Véase Haber (1989), capítulo 7.

CUADRO v.4. *La estructura de la producción manufacturera (en porcentajes)*

País	Año	Alimentos y bebidas	Textiles	Ropa	Subtotal	Metales
Argentina[a]	1914	53.3	1.7	7.9	62.9	6.3
Brasil[b]	1920	40.7	25.2	8.2	74.1	3.3
Chile[c]	1914	53.8	6.0	14.4	74.2	3.6
Colombia[d]	1925-1929	67.0	5.0		72.0	1.5
Costa Rica[e]	1929	65.1	4.0		69.1	3.3
México[f]	1930	37.7	23.4	6.1	66.9	7.8
Perú[g]	1918	74.8	7.5		82.3	s/d
Uruguay[h]	1930	51.9	3.8	7.5	63.2	4.5
Venezuela[i]	1913	33.1	4.3	14.1	51.5	0

[a] Tomado de ECLA (1959).
[b] Tomado de IBGE (1987).
[c] Tomado de Palma (1979).
[d] Tomado de Ocampo (1991), p. 227.
[e] Basado en datos sobre el número de establecimientos que registra la Dirección General de Estadística y Censos (1930), p. 65.
[f] Véase Dirección General de Estadística (1933), pp. 63-67.
[g] Basado en el número de establecimientos; véase Thorp y Bertram (1978).
[h] Tomado de Finch (1981), p. 165.
[i] Basado en datos sobre empleo; véase Karlsson (1975), cuadro Ai.

portación empezaron a modificarse, y la participación de los bienes de consumo perecederos se redujo rápidamente en los países en que habían comenzado a echar raíces las manufacturas modernas. Al llegar 1913 en los países más grandes las importaciones estaban dominadas por bienes de capital e intermedios; los bienes de consumo se habían reducido a cerca de una tercera parte.[52] Sólo donde aún no se había establecido la industria moderna esa participación de los bienes de consumo era de más de 50 por ciento.

Pese al reciente interés por los primeros esfuerzos de industrialización en América Latina, resulta casi inevitable la conclusión de que los resultados, antes de la primera Guerra Mundial, fueron modestos. La mayoría de las repúblicas —incluso algunas de las más grandes— no habían hecho inversiones considerables en las manufacturas modernas. Argentina, el país más desarrollado, tenía una estructura industrial relativamente atrasada para su nivel de ingresos y su riqueza. De hecho, la productividad de la mano de obra industrial era menor que en Chile (véase el cuadro v.3), pese al supe-

[52] Desde 1900-1904 la participación de bienes de consumo en las importaciones fue de menos de 40% en Argentina. Véase Díaz-Alejandro (1970), p. 15.

rior ingreso per cápita de Argentina. En México la industria había avanzado con rapidez, pero a todas luces era muy poco lucrativa, y sólo representaba 12% del PIB en vísperas de la Revolución. La industrialización peruana daba señales de estancamiento desde antes de 1914.[53] Las manufacturas brasileñas mostraban altas tasas de crecimiento, pero la pequeña proporción de la fuerza de trabajo empleada en fábricas modernas dificultaba a la industria servir de vehículo de la transferencia de aumentos de la productividad del sector exportador a la economía no exportadora, y el ingreso real per cápita seguía siendo sumamente bajo. En el siguiente apartado veremos hasta qué punto el marco político fue la causa de este desalentador resultado.

LA INDUSTRIA Y LOS PRECIOS RELATIVOS

Aunque el nivel del ingreso real per cápita y las dimensiones de la población sean los determinantes de mayor importancia del nivel de producción manufacturera por habitante,[54] la tasa de crecimiento de las manufacturas en cualquier periodo también se ve afectada por los incentivos que se ofrezcan. En América Latina, antes de la primera Guerra Mundial, uno de los incentivos más importantes fue el precio de la producción interna en relación con la competencia de las importaciones.

Este precio relativo incluía cinco variables principales. Primera, el precio de cada artículo manufacturado estaba influido por la tasa de crecimiento del ingreso real y por el ritmo al que iban modificándose los precios nacionales. Segunda, el precio en divisas de las importaciones y su ritmo del tipo de cambio. Tercera, el ritmo al que se iban reduciendo los costos de transporte internacional porque, si no había otros cambios, se abarataban las importaciones. Cuarta, el tipo de cambio nominal, expresado como número de unidades de moneda nacional necesarias para comprar una unidad de moneda extranjera. La quinta variable fue la estructura proteccionista encarnada en la tasa arancelaria nominal.

Algunas de estas variables (por ejemplo, los costos del transporte internacional) estaban fuera del control de los políticos latinoamericanos. En cambio, los gravámenes eran cuestión de política nacional. Durante todo el primer siglo posterior a la independencia la función de los impuestos fue, básicamente, el aumento de los ingresos. Representaron la principal fuente de ingresos gubernamentales para todos los países, y casi la única en algunas repúblicas.[55] Esta situación era totalmente distinta de la existente en Esta-

[53] Thorp y Bertram (1978) sostienen que el dinamismo industrial del decenio de 1890 —basado en empresas locales— se había convertido en un desempeño nada impresionante en la década previa a la primera Guerra Mundial.

[54] Esta relación básica se establece en Chenery (1960), y se le han hecho numerosos refinamientos. Véase, por ejemplo, Syrquin (1988).

[55] Véanse las páginas 133-136.

dos Unidos o en Alemania, donde los gravámenes abundaban pero habían sido adoptados específicamente para proteger a los productores nacionales.[56] Sin embargo, aunque un impuesto proteccionista puede ser tan alto que no produzca ingreso alguno, todo gravamen a las importaciones dará cierta protección. Por ello, decir que los aranceles latinoamericanos tendían básicamente a aumentar los ingresos no excluye una segunda función proteccionista. De hecho, ese elemento proteccionista se había vuelto muy importante en ciertos países latinoamericanos al llegar el año de 1914.

La estructura arancelaria había sido heredada por la América Latina independiente de sus antiguos amos coloniales, y en los primeros decenios tras la Independencia no se observaron grandes cambios.[57] La excepción más importante correspondió a Brasil, donde el gobierno imperial se vio obligado a cumplir con el tratado de 1810 celebrado entre Portugal y Gran Bretaña, que daba a esta última un trato arancelario preferencial en el mercado brasileño.[58] Este tratado, causa de mucho (y justificable) resentimiento brasileño, expiró al cabo de 25 años y fue remplazado por la ley aduanera de 1844, que elevó considerablemente los gravámenes, y suprimió el trato preferencial a Gran Bretaña. Por entonces el nivel promedio de impuestos a la importación en América Latina variaba de 25 a 30%, y relativamente pocos artículos podían entrar sin pagar impuestos.

La renuencia de los países latinoamericanos independientes a modificar esos gravámenes no se debió sólo a que sus ingresos dependían de ellos. Las artesanías seguían siendo muy importantes y los gremios artesanales aún ejercían cierta influencia. Para el sector artesanal los aranceles tuvieron una función proteccionista, y los artesanos lucharon por retenerlos. Aunque habría podido esperarse que los partidarios del "libre mercado" presionaran en favor de la reducción de las tarifas, su entusiasmo se moderó al enterarse de que habría que aumentar de alguna manera el ingreso gubernamental, y una obvia alternativa a esos derechos —un impuesto a la tierra— era anatema para los poderosos latifundistas.[59]

Durante el tercer cuarto del siglo XIX en muchos países surgió una ten-

---

[56] La función proteccionista de los gravámenes se había reconocido en Estados Unidos desde la publicación, en 1791, de la célebre obra de Alexander Hamilton sobre las manufacturas. El proteccionismo de preguerra llegó a su máximo con el arancel McKinley de 1890, el cual elevó el nivel general de los derechos de 38 a 49.5%. En realidad, el proteccionismo estadunidense fue tan fuerte que un historiador de la economía pudo escribir: "La nota clave de nuestra política comercial ha sido, desde el principio, la restricción del mercado interno para el fabricante nacional con exclusión de la competencia extranjera". Véase Bogart (1908), p. 396.

[57] En Colombia, por ejemplo, las tasas aduaneras en el periodo anterior a 1820 se encontraban en el rango de 30 a 40%. Véase McGreevey (1971), p. 34. El arancel promedio se ha calculado en 27.9% para la primera parte del decenio de 1840. Véase Ocampo y Montenegro (1984), p. 264.

[58] Véanse las páginas 51-52.

[59] Por consiguiente, el "libre" comercio en América Latina, a diferencia del caso de Gran Bretaña, nunca implicó derechos cero. En realidad, se hubiera descrito con más precisión la política comercial decimonónica como un comercio "justo".

dencia hacia la liberación aduanera. La ley brasileña de 1853 y la ordenanza chilena de 1864 redujeron los gravámenes para una diversidad de bienes de consumo, y en Colombia el impuesto promedio a las importaciones se redujo a 20% en el decenio de 1860.[60] Estos cambios no se debieron tanto a una pérdida de influencia de la clase artesanal (que nunca fue grande) como a la creciente conciencia de que una reducción tarifaria podría aumentar los ingresos si la elasticidad de los precios de importación era mayor que 1.[61] Además, al ampliarse el total de las exportaciones, el volumen de las importaciones (la base gravable) empezó a crecer marcadamente en algunas repúblicas, lo que permitió reducir la tasa media de protección (la tasa impositiva).[62]

Durante el tercer cuarto del siglo XIX fue cuando América Latina llegó a estar más cerca del libre comercio; y sin embargo, el nivel de proteccionismo estuvo muy lejos de ser nulo. A finales del decenio de 1860 el impuesto promedio a los textiles era de casi 50% en Brasil,[63] y en Colombia el arancel a las "domésticas" (textiles locales) llegó a ser de 88% en 1859.[64] En 1877 Argentina impuso una tarifa francamente proteccionista sobre el trigo y la harina, y en unos cuantos años el país pasó de ser un importador neto (principalmente de productos chilenos) a un importante exportador.[65] Hasta en Perú, donde los ingresos del guano constituían una fuente principal del total gubernamental, el arancel promedio durante la década de 1860 fue de cerca de 20 por ciento.[66]

El último cuarto de siglo, cuando los precios de las importaciones en general se iban reduciendo, presenció un aumento del proteccionismo en las principales repúblicas latinoamericanas; esto se logró dejando intactos ciertos derechos específicos, y elevando así las tasas implícitas del arancel promedio (por ejemplo, México y Uruguay), aumentando la variación de las tasas arancelarias[67] (por ejemplo, Chile y Argentina), o ambas cosas (Brasil). Vemos así que el sistema aduanero siguió siendo la principal fuente de ingresos del gobierno, pero se combinó con un elemento protector en aque-

[60] Véase Ocampo y Montenegro (1984), pp. 265-266. Otras fuentes implican una cifra aún menor. Véase, por ejemplo, McGreevey (1971), p. 170.

[61] La elasticidad de precios de la demanda es la razón del cambio porcentual de la demanda-cambio porcentual del precio. Por ello, si la elasticidad es mayor que 1, se puede aumentar el total de ingresos reduciendo el precio.

[62] Este efecto fue más marcado durante aquellos periodos en que los términos netos de intercambio comercial (TNIC) iban mejorando. Un aumento de los TNIC, sin que hubiera cambios de otros factores, implicaría un aumento del poder adquisitivo de las exportaciones y de la capacidad de importar.

[63] Véase Versiani (1979), p. 19.

[64] Véase McGreevey (1971), p. 80.

[65] Véase Rock (1987), p. 150.

[66] Véase Thorp y Bertram (1978), p. 30. También Hunt (1985), cuadro 13, que muestra el descenso de las tasas *ad valorem* de buen número de productos, antes del decenio de 1860.

[67] Una variación elevada, que no afectara el promedio, implicaría sin embargo un aumento de la protección, porque las tasas más altas se aplicaban casi siempre a productos para los cuales existía cierta posibilidad de producción local.

llas repúblicas en que el nivel del ingreso per cápita o el tamaño de la población hicieron posible la introducción de manufacturas modernas. Hacia 1913 la proporción de los derechos cobrados en relación con el valor de las importaciones en América Latina era al menos tan grande como en Australia (16.5%), Canadá (17.1%) o Estados Unidos (17.7%); y en algunos países, como Brasil (39.7%), Uruguay (34.4%) o Venezuela (45.8%), era considerablemente superior.[68]

En el caso de México, somos afortunados porque contamos con un minucioso estudio de la protección arancelaria que abarca desde 1892 hasta 1909 (véase Márquez, 1998). El estudio muestra una reducción en los impuestos *ad valorem* reforzada por los altibajos en los tipos de cambio. Sin embargo, en cierto grado esto se compensó con un aumento en las barreras no arancelarias. La reforma monetaria de 1905 dio la oportunidad de establecer una política explícita de protección mediante la reforma tarifaria.

Por varias razones, estas cifras sólo nos dan una medida aproximada de las tasas proteccionistas, en primer lugar porque los países latinoamericanos utilizaban para las importaciones valores oficiales que no necesariamente reflejaban sus valores reales. Esos valores oficiales, introducidos para evitar la evasión de impuestos por parte de los importadores, se revisaban con poca frecuencia, por lo cual las cifras publicadas para las importaciones no siempre tomaban en cuenta los aumentos o descensos de los precios de importación. Por ello, si el valor oficial estaba por encima del valor verdadero, la auténtica tasa proteccionista sería superior (y viceversa).[69]

En segundo lugar, no todas las importaciones tenían que pagar derechos. Si había una alta proporción que ingresaba libre de impuestos, la tasa proteccionista para los bienes sujetos a derechos aumentaría mucho. En Estados Unidos era tan alta la proporción de las importaciones libres que la tasa implícita de proteccionismo brincaba de 17.7 a 40.1% cuando los derechos recabados se expresaban como porcentaje de las importaciones gravables.[70] En contraste, en América Latina el aumento fue mucho más modesto (por ejemplo, de 20.8 a 25.8% en Argentina, de 25.4 a 33% en Perú, y de 32.2 a 38.1% en Paraguay).

En tercer lugar, lo que les importa a los productores nacionales no es la tasa nominal de producción sino la tasa efectiva de protección (TEP). Mientras que las tasas nominales sólo se remiten a la tarifa sobre las importaciones competitivas, la TEP también toma en cuenta los gravámenes a los insumos para calcular el aumento porcentual de valor agregado como resultado de la estructura de protección. Si hay altos impuestos a las importaciones

---

[68] Para Argentina, Australia, Canadá y Estados Unidos véase Díaz-Alejandro (1970), p. 285; para Brasil, Leff (1982), p. 175; para Uruguay, Finch (1981), p. 168; para Venezuela, Karlsson (1975), p. 64.

[69] Se ha calculado el diferencial para Argentina para los años de 1910 a 1940; véase Díaz-Alejandro (1970), p. 282.

[70] Vease Díaz-Alejandro (1970), p. 286.

competitivas y bajos a las materias primas, los insumos intermedios y la maquinaria, la tasa proteccionista efectiva superará a la tasa nominal.

Es imposible tomar en cuenta todos estos otros factores que influyen sobre la tasa proteccionista. No obstante, pueden hacerse ciertas observaciones. En general, los precios en libras y dólares de los bienes de importación se habían reducido en el último cuarto del siglo XIX, pero aumentaron en el decenio anterior a 1913. Es probable que el efecto neto para aquellos países que durante un tiempo no habían revisado sus valores oficiales consistiera en que la protección "oficial" quedara ligeramente por debajo de la tasa proteccionista "real", mientras que donde se habían revisado los valores oficiales al comienzo del siglo (como en Argentina) ocurrió lo contrario.[71]

Los países latinoamericanos dejaron libres de derechos ciertas importaciones, pero la proporción nunca fue superior a 20% —mucho más baja que en Estados Unidos— porque la función básica del arancel seguía siendo la recaudación de ingresos. Los artículos más importantes de la lista liberada eran los que gozaban de libre ingreso por contratos especiales con compañías extranjeras. Por ejemplo, después de la ley Mitre en Argentina, en 1907, todas las compañías ferroviarias (no sólo las de propiedad extranjera) quedaron libres de importar la mayor parte del material que necesitaban sin pago de derechos, concesión que, según lo cree todo el mundo, contribuyó considerablemente a la rápida expansión posterior de la red ferroviaria.[72]

La creciente experiencia de los políticos, junto con el ingreso y las funciones proteccionistas de los gravámenes, produjeron TEP más altas para algunos bienes de consumo. Ya desde 1864 las tarifas medias chilenas se habían reducido, pero descendieron mucho menos en los bienes de consumo que en los bienes intermedios o de capital, por lo que la TEP para algunas manufacturas aumentó.[73] El trato dado en Brasil a los textiles, la ropa y los zapatos ofrece claro testimonio de un deseo de combinar altos aranceles a las importaciones competitivas con bajos aranceles a los insumos, por lo que se calcula que la TEP para muchos productos de consumo no duraderos superó en 100%.[74] En Argentina las materias primas para las industrias mueblera, metalúrgica y de materiales de construcción se vieron sujetas a impuestos mucho menores que las importaciones competitivas de los mismos sectores.[75]

Los precios relativos, por el contrario, no sólo dependían del gravamen

[71] En 1913 el gravamen promedio a las importaciones, calculado sobre la base de valores oficiales de importación, fue de 20.8%, cifra que se reduce a 17.7% cuando se utiliza el valor de mercado de las importaciones. Véase Díaz-Alejandro (1970), pp. 280-286.

[72] Sobre las inversiones británicas en los ferrocarriles de Argentina, véase Lewis (1983); sobre las inversiones francesas, Regalsky (1989).

[73] Véase Palma (1979), capítulo 2.

[74] Sin embargo, hay que señalar que Brasil impuso altos gravámenes a ciertas materias primas, por lo que las industrias con gran dependencia de esos insumos pueden haber tenido tasas efectivas inferiores a las tasas proteccionistas nominales. Véase Leff (1982), p. 176.

[75] Véase Díaz-Alejandro (1970), p. 290.

sino también de las otras variables que hemos analizado más arriba. El descenso de los precios de las importaciones y la reducción del costo de los fletes internacionales durante la segunda mitad del siglo XIX se compensaron, hasta cierto punto, por la depreciación del tipo de cambio. La tasa de depreciación había sido especialmente aguda a partir de 1873 en aquellos países que usaban el patrón plata, pero los que tenían un patrón de papel inconvertible (por ejemplo, Chile desde 1878) también experimentaron una devaluación del tipo de cambio nominal. Aunque sería erróneo afirmar que el cambio del valor nominal de la moneda representó la búsqueda consciente de un tipo de cambio estable y real, no hay mayores evidencias de que los países que fueron libres de variar la paridad sufrieran una grave erosión en su capacidad competitiva internacional.

Las únicas naciones que no estuvieron en libertad de alterar el tipo de cambio fueron las que adoptaron el patrón oro. En esas circunstancias el descenso de precio de las importaciones o de los fletes internacionales pudo haber tenido graves consecuencias para la rentabilidad de la producción nacional que competía con las importaciones. Sin embargo, los primeros países latinoamericanos que adoptaron el patrón oro lo hicieron a finales del decenio de 1890, cuando los precios de las importaciones estaban a punto de aumentar.

Desde luego, los precios nacionales todavía podían subir más rápido que los extranjeros, y en ese caso los países que habían adoptado el patrón oro serían incapaces de emplear la devaluación del tipo de cambio como mecanismo para restaurar su competitividad internacional. Esto parece haber representado problemas para unas cuantas repúblicas en los años previos a 1914 (por ejemplo, Perú),[76] aunque pudo compensarse mediante nuevos aumentos a los impuestos de importación (como en Brasil).[77]

En general, la verdadera tasa proteccionista a la industria latinoamericana no estuvo muy por debajo de la de muchas otras partes del mundo. Sin embargo, las desventajas a las que se enfrentaban las manufacturas de la región eran tan grandes que la protección casi seguramente fue menor a la requerida para lograr un desempeño industrial congruente con el nivel del ingreso real per cápita y las dimensiones de la población. En realidad, el análisis de regresión demuestra que en algunos casos importantes la producción manufacturera neta per cápita en América Latina (véase el cuadro v.3) estuvo por debajo del nivel predecible por las comparaciones internacionales.[78]

La mayor decepción fue Argentina, el país más rico de Latinoamérica,

---

[76] Véase Thorp y Bertram (1978), p. 125.

[77] Véase Versiani (1979), pp. 18-23. Sobre la relación entre los precios del café y los aranceles a la industria en Brasil, véase Abreu y Bevilaqua (2000).

[78] Con datos sobre 13 países (que no incluyen a ninguna de las repúblicas latinoamericanas) contenidos en Maizels (1963), para los cuales pueden encontrarse cifras comparables, se obtuvo la siguiente ecuación para 1913 (utilizando precios de 1955):

$$\ln_{PMN}[pc] = -2.57964 + 1.497379 \ln_{PIB}[pc] + 0.135668 \ln_{POB} \quad R^2 = .72,$$

$$(0.290418) \qquad\qquad (0.16763)$$

que tenía un nivel de manufactura per cápita que se comparaba desfavorablemente con muchos países europeos con menor ingreso real per cápita y menos población.[79] El contraste sería aún más notable si se dedujera la contribución de la manufactura de productos primarios procesados de exportación (por ejemplo, carne de res y de cordero, harina). Aunque Argentina fuese el más industrializado de los países latinoamericanos su sector industrial seguía siendo más pequeño del que habría podido esperarse con base en comparaciones internacionales.[80]

La principal debilidad de la industrialización argentina correspondió a los sectores textil y de confección. Mientras los alimentos procesados, bebidas, productos de tabaco, materiales de construcción, productos químicos y hasta metales estaban bastante avanzados (y bien protegidos), los sectores textil y de confección se encontraban sumamente subdesarrollados, muy por debajo de los niveles de Brasil y de México. En realidad, la mayor parte de la brecha industrial que había entre Argentina y otros países comparables habría desaparecido si aquélla hubiese desarrollado su industria textil tanto como Brasil antes de 1914.[81]

Por lo tanto, la debilidad de la industria argentina era muy específica, y no se debía a alguna conspiración de los terratenientes. Pero es innegable que la industria y los industriales fueron incapaces de alcanzar el nivel de los agroexportadores. Se adoptaron medidas políticas para promover la industria, pero no siempre fueron congruentes. Por ejemplo, se aplicaron impuestos diferenciales a las importaciones en los sectores textil y de confección para elevar la TEP por encima de la tasa nominal de protección, pero la diferencia fue mucho menor que en Brasil o en México y, por lo tanto, la TEP no

donde ln$PMN[pc]$ es el logaritmo de la producción manufacturera neta per cápita, ln$PIB[pc]$ el logaritmo del PIB real per cápita, lnPOB es el logaritmo de población, y las cifras entre paréntesis son los errores estándar de los coeficientes. Luego se utilizó esta ecuación para predecir la producción manufacturera neta para los países que aparecen en el cuadro v.3. Después de hacer ajustes para la diferencia entre el dólar de 1955 y los precios de 1970 (suponiendo que hubiesen aumentado 50%), y para la diferencia entre los tipos de cambio oficial y la paridad del poder adquisitivo (véase Maizels [1963], cuadro F.2. p. 546), la relación entre el valor real y el predicho de la producción manufacturera neta de los cinco países fue la siguiente: Argentina (0.55), Brasil (1.15), Chile (1.29), Colombia (0.68) y México (1.03). Esto confirma la idea de que en particular Argentina, dado su nivel de ingreso per cápita y el tamaño de su población, se encontraba relativamente subindustrializada.

[79] A precios de dólar de 1955 (utilizando el tipo de cambio de paridad con el poder adquisitivo), la producción manufacturera neta per cápita en Argentina en 1913 fue de 70 dólares. Suecia, con menor población y menor ingreso per cápita, registró 145; los Países Bajos y Noruega, con similar PIB per cápita y menor población, mostraron cifras de 105 y 120 dólares, respectivamente. Véase Maizels (1970), cuadros B.2 y B.4.

[80] Sin duda resulta pertinente saber que Argentina no realizó su primer censo industrial hasta 1908 —20 años después del primer censo agrícola nacional— y que no efectuaría otro hasta 1937. Véase Travis (1990).

[81] Si Argentina hubiese alcanzado el mismo valor agregado en textiles que Brasil (véanse los cuadros v.3 y v.4), la producción manufacturera neta per cápita habría aumentado casi 15 por ciento.

fue tan alta. El impuesto a las telas importadas estaba por encima de 20% de acuerdo con la ley arancelaria de 1906; sin duda éste no fue un incentivo suficiente para los productores nacionales, que gozaban de tasas superiores a 50% para muchas clases de alimentos y bebidas.[82]

Aunque la tasa proteccionista de América Latina fuese suficiente para estimular cierta producción manufacturera nacional en los países más grandes, no necesariamente implica que la política arancelaria era la óptima. Los impuestos latinoamericanos a la importación fueron deficientes en diversos aspectos que afectaron de manera adversa el crecimiento, la distribución y la asignación de recursos. El uso de valores "oficiales" para las importaciones hizo difícil medir la "auténtica" tasa proteccionista, de modo que —a falta de frecuentes revisiones— los cambios de la misma fueron casi arbitrarios y difíciles de prever. El carácter "pasivo" del proteccionismo tal vez desalentó la inversión industrial en los países en los que el Estado no estaba en condiciones de servir de estímulo efectivo. Al volverse anticuados los valores oficiales, la clasificación de las nuevas importaciones se fue haciendo cada vez más difícil, clara invitación a importadores y funcionarios corruptos, por igual, a asignar los artículos a las categorías que tuviesen menores aranceles.

El uso de valores oficiales también hizo que los aranceles latinoamericanos fuesen, en realidad, específicos, aun cuando se los describiese como *ad valorem*. Si un artículo de mala calidad causaba la misma tasa de derechos que uno de alta calidad en la misma categoría de importaciones, se favorecían las importaciones "suntuarias" de alto precio frente a su equivalente de bajo precio y producido en masa. En Colombia este sistema se llevó a los extremos: los derechos se calcularon por el peso de los productos, lo que constituyó un poderoso incentivo para importar artículos suntuarios. Por otra parte, ciertos aranceles específicos favorecieron la producción local de bienes de baja calidad para el consumo masivo, desalentando en cambio la producción nacional de artículos suntuarios. Con el lento desarrollo de los salarios reales en la mayoría de los países antes de 1913, y la concentración del ingreso en los deciles superiores, el sistema de gravámenes específicos favoreció tal vez un desarrollo innecesariamente rápido de las importaciones.

Los impuestos latinoamericanos a la importación tuvieron un elemento proteccionista en las repúblicas más grandes a partir de 1914, pero los gravámenes cuya razón básica era el ingreso gubernamental no pueden brindar la misma protección que una tarifa con fines específicamente proteccionistas. Por ello la tasa proteccionista de Estados Unidos puede parecer la misma que en Argentina, pero en la práctica la protección estadunidense fue muy superior, porque los derechos se concentraban en aquellos productos que se decidió requerían protección de la competencia extranjera. Además, una tasa de 20% en Estados Unidos era cualitativamente distinta de una similar en América Latina, porque las desventajas de la producción nacional,

---

[82] Véase Díaz-Alejandro (1970), p. 291. También véase Cortés Conde (2000).

que el arancel supuestamente debía combatir, eran mucho mayores en el subcontinente.

El papel de los impuestos aduaneros para aumentar los ingresos gubernamentales se debió a la falta de otras fuentes políticamente aceptables. En las raras ocasiones en que se encontraron opciones, se les pudo emplear para fortalecer su papel proteccionista, a expensas de esos ingresos. Al parecer eso ocurrió en Chile después del inesperado aumento de sus ganancias en los impuestos a la exportación de nitrato a partir de 1880. Por otra parte, no había ninguna garantía de que las tarifas fueran a emplearse con ese fin; ya hemos visto el ejemplo de Perú desde 1850, donde los ingresos obtenidos con el guano permitieron una liberalización aduanera y un descenso de la tasa proteccionista.[83]

El cambio de la política arancelaria en el último cuarto del siglo XIX, en favor de una mayor protección, no se debió al surgimiento de poderosas asociaciones industriales. En su enorme mayoría los nuevos industriales eran inmigrantes, comerciantes o mineros; en los países más importantes crearon asociaciones para defender sus intereses, pero su influencia no pudo compararse con la de los terratenientes y los agroexportadores.[84] Sin embargo, ya hemos visto que, para estos últimos, el ingreso producido por los gravámenes a la importación fue una manera relativamente indolora de financiar al gobierno central y pagar el servicio de la deuda exterior. Como esos impuestos afectaban sobre todo el precio de los bienes de consumo nacionales e importados, su costo recayó principalmente en los consumidores urbanos, grupo social sin fuerza organizada y con poco poder político.

Podemos notar aquí, una vez más, una diferencia intrigante entre Argentina y el resto de América Latina. Argentina no sólo era por excelencia un país de inmigrantes, sino que esta inmigración se había concentrado en las zonas urbanas. En Buenos Aires italianos, españoles e ingleses veían las importaciones más que nada como una forma de satisfacer sus requerimientos de consumo, y puede suponerse que se mostraban renuentes a pagar altos precios como resultado de los aranceles, pues ellos conocían el "auténtico" costo de los mismos artículos en el extranjero. La concentración de inmigrantes en las ciudades argentinas, bien informados acerca de los mercados extranjeros, acaso fuera una razón de que los textiles y la industria de la confección estuviesen tan subdesarrollados en 1914.

Los cinco países de América Latina que habían avanzado en términos de industrialización antes de la primera Guerra Mundial (Argentina, Brasil, Chile, México y Perú) habían logrado un alto nivel de sustitución de importaciones en bienes de consumo. En estos cinco países la participación del consumo visible satisfecha por la producción nacional oscilaba entre 50 y 80%. En algunos artículos la producción interna había eliminado, virtual-

---

[83] Véase la página 135, n. 88.

[84] Sobre las primeras asociaciones industriales en América Latina, véase Lewis (1986), pp. 310-319.

mente, las importaciones. Y sin embargo, cuando examinamos las exportaciones no tradicionales de bienes de consumo (excluyendo artículos como la carne y el azúcar), vemos que tienen una importancia insignificante.

La falta de exportaciones manufacturadas antes de 1914 resulta tanto más sorprendente cuando tomamos en cuenta el enorme aumento del comercio de tales bienes durante la primera Guerra Mundial (véase el capítulo VI). Una vez suprimida la competencia de las importaciones europeas y estadunidenses los industriales latinoamericanos pudieron exportar a los países vecinos con éxito considerable. Por lo tanto, la incapacidad de competir con las exportaciones de otros países en tiempos de paz se debió sin duda a precios muy altos, calidad muy baja, o a ambas cosas.

Ya hemos visto que el sistema arancelario de América Latina favoreció la producción de artículos de baja calidad para el consumo masivo. Esos bienes, aceptables para los consumidores de bajos ingresos de América Latina, tal vez no pudieran venderse en los mercados más exigentes de América del Norte y de Europa. Pero el problema de los altos precios fue casi seguramente mucho más grave que el de la calidad. Aunque los impuestos aduaneros pudieron contrarrestar algunas de las ventajas de que disfrutaban los fabricantes extranjeros en cuestión de materias primas, energía y fletes, la pérdida de la protección arancelaria en los mercados extranjeros dejó a los industriales latinoamericanos sin otra ventaja que los bajos salarios reales que, sin embargo, en lo general no bastó para compensar las diferencias de productividad.[85]

Las exportaciones más importantes de productos manufacturados no tradicionales de América Latina antes de 1914 fueron la harina y los sombreros panamá, que empleaban una materia prima en la cual los exportadores latinoamericanos tenían una ventaja ante los países desarrollados; además, los sombreros se basaban en mano de obra familiar (de mujeres y niños), a costos que compensaban con creces todo diferencial realista de productividad. Sin embargo, así como Argentina había desarrollado su industria harinera mediante un arancel protector a las importaciones de Chile, otros países desarrollados harían lo mismo, dificultando cada vez más las exportaciones de harina.

Las exportaciones de productos manufacturados también se enfrentaron a otros obstáculos. Una razón de que los costos unitarios de producción fueran tan altos en América Latina fue la incapacidad de explotar economías de escala y los bajos niveles de utilización de su capacidad.[86]

Desde luego, estos conocidos problemas de la industrialización en América Latina se debían en parte al bajo nivel de la demanda efectiva, pero tam-

---

[85] Haber (1989) nos brinda una notable descripción de los problemas a los que se enfrentaron los exportadores mexicanos de artículos manufacturados como resultado de los elevados precios.

[86] Por ejemplo, en 1905 la industria siderúrgica mexicana trabajaba a 4% de su capacidad. Ésta es una cifra extrema, pero nunca rebasó 40% durante el Porfiriato. Véase Haber (1989), p. 33.

bién fueron causados por barreras internas al·comercio. Los gobiernos provinciales de Brasil, México y Colombia seguían aplicando impuestos al comercio interestatal, lo que tendió a fomentar monopolios regionales que, a su vez, reducían las posibilidades de utilización de la capacidad plena y la explotación de economías de escala.

El hecho de que los productores latinoamericanos de bienes de consumo no lograran exportar en condiciones normales hace que nos preguntemos si en algún sentido los aranceles no eran demasiado altos. Sin duda se necesitaba una protección arancelaria en América Latina —como en su momento en Australia, Alemania y Estados Unidos— a fin de estimular la inversión industrial. Con la competencia interna, y aprendiendo sobre la marcha, los costos unitarios deberían haberse reducido, para que la industria pudiese ingresar en los mercados de exportación. Este clásico argumento de la industria infantil había funcionado en el caso de la harina argentina a partir de 1877, pero no había tenido mucho éxito en otras partes.

Aunque podría sostenerse que las tasas arancelarias de Brasil, Uruguay y Venezuela fueron excesivas, ciertamente no lo fueron en las demás repúblicas. El problema de la competitividad internacional se debió en mucho mayor grado a la incapacidad de la competencia nacional para reducir los precios por debajo del nivel permitido por la protección arancelaria. Las barreras al ingreso eran sumamente altas, y el mercado —limitado por impuestos internos, altos costos de transporte y una distribución desigual del ingreso— era pequeño. Era muy fácil que unas cuantas empresas dominaran los mercados locales en las repúblicas más grandes —por no mencionar siquiera a las pequeñas—, por lo que los costos unitarios y los precios se mantuvieron por encima del nivel que debería haber prevalecido en un medio más competitivo.

DIFERENCIAS REGIONALES EN VÍSPERAS DE LA PRIMERA GUERRA MUNDIAL

Hacia 1914 América Latina había estado siguiendo un modelo de crecimiento impulsado por las exportaciones basado en el libre comercio (irrestricto) durante casi un siglo. Todos los países se habían integrado más a los mercados mundiales de bienes, capital y aun de trabajo (por la migración internacional), pero las variaciones regionales eran mayores que a comienzos del siglo XIX. Estas diferencias que surgieron durante el crecimiento impulsado por las exportaciones tuvieron dos causas: los países podían diferir en su ritmo de expansión de las exportaciones per cápita a largo plazo, y pudo haber diferencias en el ritmo de transferencia de los aumentos de productividad del sector exportador a la economía no exportadora. El resultado fue un vasto diferencial en los niveles de vida; por ejemplo, el ingreso per cápita era casi cinco veces mayor en Argentina que en Brasil (véase la figura V.1).

Ya analizamos las diferencias regionales derivadas del aumento de las

Figura v.1. *PIB per cápita en dólares de 1970*, ca. *1913*

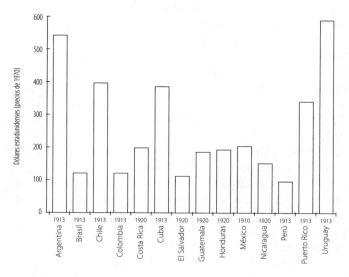

Fuente: Véase el apéndice iii.

exportaciones (véase el capítulo iii). Hacia 1914 los países que mejor desempeño habían tenido en sus exportaciones per cápita se encontraban en el Cono Sur (Argentina, Chile y Uruguay) y en el Caribe (Cuba y Puerto Rico). En otras partes el desempeño había sido desigual; algunos países (como Perú) habían registrado ciclos de exportación tan marcados que la tasa de crecimiento a largo plazo se redujo, y otros (por ejemplo México) aplicaban demasiado tarde medidas tendientes a mejorar su desalentador desempeño.

En este mismo capítulo hemos analizado ya las diferencias regionales en la transferencia de los aumentos de productividad logrados en el sector exportador a la economía no exportadora. Desde luego, donde esos aumentos eran insignificantes quedaba muy poco que transferir a la economía no exportadora. El estímulo del sector exportador era demasiado débil para promover aumentos de productividad de la AUI y las manufacturas, y el incremento de la productividad de otros sectores (como el comercio) fue inseparable del destino del propio sector exportador. Por otra parte, un buen desempeño de las exportaciones no necesariamente garantizaba un rápido crecimiento de la economía no exportadora; los estímulos podían limitarse a elevar las importaciones, dejando intacto el nivel de productividad en muchas ramas del sector no exportador.

Por consiguiente, debemos distinguir tres grupos de países. El primero comprende a los que tuvieron altas tasas de crecimiento de las exportaciones (altos niveles de exportaciones per cápita o ambos), y un aumento de la productividad del sector no exportador; el segundo a los que tuvieron una alta tasa de crecimiento de las exportaciones, pero poco aumento de la productividad en el sector no exportador, y el tercero a aquellos en los cuales el crecimiento de las exportaciones fue modesto y el nivel de productividad del sector no exportador siguió siendo bajo.

Los únicos países que pueden situarse con certeza en el primer grupo son Argentina y Chile. No sólo tuvieron rápidas tasas de crecimiento de las exportaciones a largo plazo (véase el capítulo III), sino que también lograron, hasta cierto punto, transferir los aumentos de la productividad del sector exportador a otras ramas de la economía. Si bien el desarrollo industrial argentino y la diversificación de las exportaciones chilenas dejaron mucho que desear, la mejoría de los niveles de vida era notable, y fue señalada a menudo por los extranjeros. Podría incluirse a Uruguay en este grupo; pese al modesto crecimiento de sus exportaciones, la economía no exportadora se desempeñó bien, y se ha calculado que su PIB real per cápita (véase la figura V.1) era tan alto como en Argentina. Por consiguiente, los tres países del Cono Sur representan el éxito latinoamericano antes de la primera Guerra Mundial.

Aunque el desempeño a largo plazo de estas tres repúblicas pueda compararse favorablemente con el resto de Latinoamérica, su éxito fue sólo relativo. De acuerdo con los niveles internacionales su desempeño no fue tan sobresaliente. Las exportaciones per cápita en 1913, aun en Argentina, estaban por debajo de los niveles registrados en Australia, Canadá, Nueva Zelanda, Suecia y Noruega, y la diferencia era aún mayor en la producción manufacturera neta per cápita. Aunque Argentina ocupaba el décimo lugar mundial en ingreso real per cápita en 1913 (véase Maddison 2001, pp. 185 y 195), esto se debió más bien al pobre nivel de vida de muchos países del hemisferio boreal, causados por un enorme sector campesino con muy bajos niveles de productividad. Francia, por ejemplo, en 1913 tenía un ingreso real per cápita apenas inferior al de Argentina (pese a ser un país mucho más industrializado), porque una altísima proporción de su mano de obra aún se ocupaba en actividades campesinas de baja productividad. Cuando se le compara con otros países de "reciente colonización" —donde el campesinado tampoco era importante—, el nivel argentino de ingreso real per cápita resulta menos impresionante. En realidad, la cifra argentina estaba muy por debajo del nivel registrado en Australia, Canadá y Nueva Zelanda en 1913.[87]

El segundo grupo de países incluye a Cuba y Puerto Rico. El crecimiento de las exportaciones per cápita, aunque muy rápido, no produjo una transformación de la economía no exportadora. En 1913 el ingreso real per cápita en Cuba era sólo 70% del de Argentina, pese a que Cuba tenía la tasa de exportaciones per cápita más alta de América Latina. Aunque su PIB real per cápita fuese similar al de Chile (véase la figura V.1), Cuba no había desarrolla-

---

[87] Maddison (2001) utiliza la paridad poder de compra-tipos de cambio a precios de 1990 y calcula el PIB per cápita en Argentina en 3 797 dólares estadunidenses. Las cifras comparables para Australia, Canadá y Nueva Zelanda son, respectivamente, 5 715, 4 447 y 5 152 dólares de Estados Unidos.

do un sector manufacturero moderno, la AUI había perdido importancia, y su economía seguía dependiendo sin remedio del azúcar.[88] Puerto Rico tenía un nivel relativamente bajo de ingreso real per cápita, pese a que sus exportaciones por habitante se contaban entre las más altas de América Latina. Al igual que en Cuba, en Puerto Rico no había surgido una industria moderna, y la agricultura no exportadora había sido erosionada por la expansión del café y el azúcar.

Los países de este segundo grupo eran economías pequeñas, por lo que resultaría tentador sostener que el débil estímulo del rápido crecimiento del sector exportador fue consecuencia de las dimensiones de su economía. También Uruguay era económicamente pequeño, y sin embargo había logrado transferir algunos de los aumentos de la productividad del sector exportador a la economía no exportadora. Por consiguiente, no es posible atribuir por completo la decepcionante actuación de este segundo grupo a las dimensiones de su economía. La poderosa presencia extranjera en el sector exportador de ambos países fue un factor muy importante, que hizo que una gran parte del aumento de la productividad fuese transferido al extranjero. El carácter semicolonial de Cuba y de Puerto Rico a partir de 1898 —sin olvidar su condición colonial anterior— inhibió la adopción de una política fiscal, monetaria y de tipo de cambio que condujera al desarrollo de la economía no exportadora.[89]

El tercer grupo incluye a todos los demás países. La tasa de crecimiento de las exportaciones per cápita a largo plazo había sido muy desalentadora, y el nivel de exportaciones per cápita en 1913 fue muy bajo. Como era de esperar, el ingreso real por habitante era reducido (véase la figura v.1). Sin embargo, algunos de esos países habían mejorado considerablemente su desempeño en los últimos decenios antes de la primera Guerra Mundial. México (durante el Porfiriato) y Perú (después de la Guerra del Pacífico) registraron tasas de crecimiento de las exportaciones per cápita que elevaron la productividad y estimularon la inversión y el crecimiento en el sector manufacturero. Por lo tanto, la falta de crecimiento impulsado por las exportaciones en estos dos países fue, ante todo, un reflejo de su incapacidad de mostrar un consistente desempeño de sus exportaciones en los primeros 60 años de vida independiente. Esta incapacidad se debió, en parte, a la lotería de bienes (por ejemplo, el auge y la decadencia del guano en Perú), y en parte a los disturbios sociales y políticos relacionados con la formación del Estado-nación (como en México).

Aunque excluyamos de este tercer grupo a México y Perú, sigue siendo el más numeroso. Catorce repúblicas (13, si no incluimos el caso especial de Panamá) no lograron obtener una tasa satisfactoria de crecimiento de las

---

[88] La participación de las exportaciones de azúcar en el PIB en 1913 fue de casi 40%, lo que hizo que la economía fuese sumamente vulnerable a la política azucarera mundial y a las fluctuaciones del precio del producto. Véase Alienes (1950).

[89] Las restricciones, en el caso de Puerto Rico, están bien descritas en Carroll (1975), pp. 385-394.

exportaciones per cápita a largo plazo, ni mostraron gran dinamismo en las décadas previas a la primera Guerra Mundial. Este grupo incluye países de mediano tamaño (Colombia y Venezuela) y pequeños (El Salvador); exportadores de minerales (Bolivia) y exportadores agrícolas (Guatemala); semicolonias (República Dominicana) y repúblicas celosamente independientes (Paraguay). También incluye a Brasil, donde —pese al aumento de las manufacturas modernas— tanto las exportaciones como el PIB real per cápita fueron bajos en 1913.

El hecho de que los países con bajas exportaciones per cápita tuvieran en general bajos ingresos per cápita nos invita a hacer una comparación estadística. La relación entre las exportaciones y el ingreso real per cápita casi un siglo después de la Independencia aparece en la figura v.2. Se muestra también la línea de mejor adaptación, utilizando un sencillo análisis de regresión (el error estándar de los coeficientes está entre paréntesis). Los puntos por encima de la línea corresponden a los países (como Uruguay) cuyo PIB real per cápita es superior al que se hubiera podido predecir por el desempeño de las exportaciones. Los puntos por debajo de la misma se refieren a los países (por ejemplo, Cuba) con un ingreso per cápita por debajo de lo predicho.

Los resultados del análisis de regresión simple indican que las variaciones de las exportaciones per cápita "explican" 82% de la variación del PIB real por habitante. Pese a todas las conocidas deficiencias de los datos (véanse los apéndices I y III), sería difícil negar que el desempeño de las exportaciones fue un factor importante del nivel de vida de América Latina antes de la primera Guerra Mundial. Los países pudieron tener un "subdesempeño" (como Cuba), o un "hiperdesempeño" (por ejemplo, Uruguay) por los muchos factores no tomados en consideración por el análisis de regresión simple, pero es clara la correlación significativa entre las dos variables.

El hecho de que el modelo impulsado por las exportaciones diese resultados tan modestos en muchas repúblicas latinoamericanas ha llevado a algunos estudiosos a dudar de la sabiduría del modelo mismo. Pero es difícil no llegar a la conclusión de que cualquier modelo adoptado por los 13 países del tercer grupo habría mostrado una pobre tasa de rendimiento. La inestabilidad política, la incompetencia administrativa, los malos sistemas de transporte, la falta de capital, la escasez de mano de obra y la pequeña dimensión de los mercados internos hubieran asfixiado cualquier alternativa concebible al crecimiento impulsado por las exportaciones en el siglo XIX.

Otras naciones se habían enfrentado a los mismos problemas, pero el crecimiento sostenido del sector exportador los había resuelto en parte. En realidad, el avance en la solución de estos problemas en el tercer grupo de países tendió a relacionarse con la evolución del sector exportador. Los sistemas ferroviario y bancario, aunque rudimentarios, fueron consecuencia del desarrollo del sector exportador, y sólo el crecimiento de las exportaciones pudo pagar las importaciones por las que se cobraban derechos, base del ingreso gubernamental.

FIGURA V.2. *PIB real y exportaciones per cápita,* ca. *1913.*

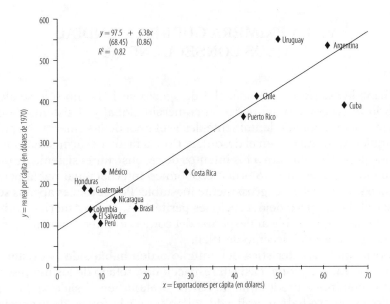

FUENTE: Véanse los cuadros A.I.1, A.I.2 y A.III.2.

Por consiguiente, el problema básico en los países que "fracasaron" fue el lento ritmo de crecimiento de las exportaciones per cápita. Dado que el mercado mundial de productos primarios estaba sujeto a menos restricciones antes de la primera Guerra Mundial —en particular después de 1850— que en ningún otro momento de la historia, hay que achacarle el fracaso al lado de la oferta (véase el capítulo IV). Sin embargo, el precio del fracaso fue alto: los habitantes de las repúblicas del tercer grupo no sólo se vieron condenados a bajos niveles de ingreso real per cápita, sino que empezó a cerrarse la ventana de oportunidad que habían ofrecido los productos primarios. Ya antes de 1914 la protección a la agricultura había levantado su monstruosa cabeza en la Europa continental, y en Gran Bretaña una sección influyente del Partido Conservador, encabezada por Joseph Chamberlain, había enarbolado la bandera del imperio. En Estados Unidos la competencia interna estaba cediendo ante la formación de *trusts* y cárteles, con una disminución del poder negociador de los productores (incluyendo a los exportadores latinoamericanos) que vendían materias primas. Hacia el decenio de 1920 el clima para el desarrollo guiado por las exportaciones era menos favorable, y habían empezado a aumentar las probabilidades adversas en la lotería de bienes.

VI. LA PRIMERA GUERRA MUNDIAL
Y SUS CONSECUENCIAS

Al estallar la guerra en Europa, el 2 de agosto de 1914, no sólo se alteró el equilibrio internacional del poder; el comercio global y el sistema de pagos, que habían evolucionado lentamente desde el final de las Guerras Napoleónicas, también se sumieron en el desorden. Con la firma del armisticio, en 1919, hubo que poner buena cara a los intentos de reconstruir el sistema de preguerra. Sin embargo, el antiguo orden económico internacional había perecido, y el nuevo se mostraba peligrosamente inestable. Por entonces apenas se notó esta inestabilidad, pero dejó a regiones periféricas, como América Latina, en un estado muy vulnerable al desplome del comercio internacional y a la fuga de capitales a fines del decenio de 1920.

La principal característica del antiguo orden había sido la existencia de un comercio internacional casi sin restricciones, reflejo de los intereses de la potencia económica predominante (Gran Bretaña) en el siglo XIX; las pocas limitaciones que se habían aplicado solían tomar la forma de aranceles, los cuales tenían para todos los interesados la ventaja de ser transparentes. Capital y mano de obra eran libres de atravesar las fronteras internacionales, y los pasaportes eran la excepción, no la regla. El patrón oro, adoptado inicialmente por Gran Bretaña, se había difundido a todos los principales países industriales a finales del siglo, y representaba un mecanismo bien establecido para los ajustes de la balanza de pagos. El equilibrio interno (pleno empleo e inflación cero) se había considerado menos importante que el equilibrio externo, por lo cual el ajuste a los choques adversos se había logrado, habitualmente, mediante la deflación y el subempleo.

Los países latinoamericanos se habían adaptado con relativa facilidad a este esquema por la exportación de productos primarios, afluencia de capitales y —particularmente en Argentina, Brasil y Uruguay— migración internacional. El ajuste de la balanza de pagos nunca fue fácil, y la afluencia de capitales solía ser procíclica y se producía en el momento preciso en que más se les necesitaba, pero estos trastornos, con raras excepciones (por ejemplo, la crisis de Baring), tuvieron relativamente poco efecto sobre la dinámica del crecimiento económico mundial. El ajuste interno fue amortiguado por la existencia de un gran sector agrícola no exportador, con baja productividad, al que muchos trabajadores podían retirarse en caso de que se redujera la demanda de mano de obra.

LA CAÍDA DEL ANTIGUO ORDEN

En la cúspide del sistema económico internacional de preguerra estaba Gran Bretaña. Aunque a finales del siglo XIX su posición central en la exportación de productos manufacturados y su predominio en materia de ciencia y tecnología se vieron amenazados, Gran Bretaña seguía siendo el motor financiero del mundo, fuente de capitales para la periferia y gran importadora de productos primarios. La preeminencia financiera británica dictaba las reglas del sistema internacional, y su armada estaba dispuesta a frustrar cualquier intento de restringir la libertad de comercio y los desplazamientos de capital.

Las primeras víctimas de la Gran Guerra fueron el patrón oro y el desplazamiento de capitales. La convertibilidad de la moneda fue suspendida por los países beligerantes, se cancelaron nuevas emisiones de capital y se anularon préstamos a fin de consolidar el balance de las instituciones financieras de Europa. Ciertas repúblicas latinoamericanas, como Argentina y Brasil, que dependían en grado notable del mercado europeo para el financiamiento de su balanza de pagos, se vieron particularmente afectadas cuando los bancos de propiedad europea exigieron el pago de los préstamos, provocando una crisis financiera interna. Por ejemplo, los nuevos préstamos públicos a largo plazo hechos a Brasil, que habían llegado a 19.1 millones de dólares en 1913, se redujeron a 4.2 millones en 1914, y a cero en 1915, y en el último trimestre de 1914 la afluencia monetaria se redujo al nivel registrado en el tercer trimestre de 1910.[1]

Las hostilidades en Europa también pusieron fin a la afluencia de inversión extranjera directa (IED) que llegaba del Viejo Mundo. Estados Unidos, neutral en la Gran Guerra hasta 1917, aumentó en forma notable su IED en América Latina, particularmente en la extracción de materias primas estratégicas, pero no estuvo en condiciones de incrementar su cartera de préstamos hasta los años veinte. Sin embargo, bancos estadunidenses, a los que por ley hasta 1914 se les había prohibido invertir en subsidiarias extranjeras, empezaron a establecer sucursales en América Latina. En 1919 el National City Bank, primer banco multinacional, tenía 42 sucursales en nueve repúblicas latinoamericanas.[2]

Los trastornos del mercado de capitales se reflejaron en perturbaciones de los mercados de bienes, pero aquí la repercusión a corto plazo fue distinta del efecto a largo plazo. La escasez de barcos al comienzo de la guerra, aunada a la falta de crédito comercial, alteró los abastos normales, pero la demanda cayó con mayor rapidez aún, causando una baja de los precios en muchos mercados. El descenso de los ingresos por exportación a corto pla-

---

[1] Véase Fritsch (1988), cuadros A.11 y A.16.

[2] Véase Stallings (1987), p. 66. Para un excelente estudio sobre las inversiones extranjeras en Latinoamérica durante el siglo XX, véase Twomey (2000). En relación con la inversión extranjera directa de Estados Unidos, véase O'Brien (1996).

zo, junto con la reducción de nuevas llegadas de capital, mermaron la demanda de importaciones (cuya oferta, en todo caso, se vio modificada por la escasez de navíos). La caída de las importaciones fue tan aguda que se calculó que toda América Latina tenía en 1915 un excedente de su cuenta corriente[3] pero este rápido ajuste a corto plazo del desequilibrio externo produjo una gran reducción del ingreso real del gobierno, que dependía de los derechos a la importación. Por ejemplo, en Chile los ingresos gubernamentales se redujeron casi dos terceras partes entre 1911 y 1915.[4]

El efecto a corto plazo de la disrupción del mercado de bienes pronto fue rebasado por el paso de los principales países industriales a una economía de guerra. Aumentó vertiginosamente la demanda de materias primas estratégicas (como cobre y petróleo), y las potencias aliadas proporcionaron barcos de carga. La exportación de petróleo venezolano se inició cuando compañías extranjeras encabezaron la prospección de yacimientos.[5] El precio de los materiales estratégicos aumentó verticalmente, y los países que los estaban exportando en gran proporción (por ejemplo, México con su petróleo, Perú con su cobre, Bolivia con su estaño y Chile con sus nitratos) experimentaron incluso una mejora de los términos netos de intercambio comercial (TNIC) pese al alza de los precios de importación. Sin embargo, aunque se multiplicó la capacidad de importar, en muchos casos el volumen de las importaciones se mantuvo restringido. La consecuente alza de los precios de importación, junto con los excedentes comerciales[6] y los déficit presupuestales, provocaron inflación interna; su efecto sobre los salarios reales urbanos fue uno de los factores que contribuyeron a los trastornos políticos de cierto número de países latinoamericanos durante la primera Guerra Mundial e inmediatamente después.[7]

Los países que exportaban materias primas no estratégicas (por ejemplo, café) no se vieron tan favorecidos. Subieron los precios pero se deterioraron las condiciones comerciales, y el transporte marítimo siguió siendo una seria limitación al volumen de las exportaciones. Brasil, que dependía en gran medida de la exportación de café, no pudo sostener su primer plan de valorización del café, y sus TNIC se redujeron 50% entre 1914 y 1918, aun cuando el volumen de las exportaciones no se modificó.[8] Los pequeños países de Amé-

---

[3] Véase Stallings (1987), p. 174.

[4] Véase Sunkel (1982), cuadro 6, p. 125. De igual manera, véase Palma (2000b).

[5] El marco legal para la extracción de minerales en Venezuela había sido revisado por Juan Vicente Gómez al inicio de su larga dictadura (1908-1935), y las compañías extranjeras se apresuraron a explotar las nuevas oportunidades. Véase McBeth (1983), capítulo 2.

[6] Un excedente comercial, si creaba reservas internacionales, debería conducir normalmente a un aumento del activo circulante (dinero de origen externo), lo que provocaría presiones inflacionarias. Esta monetización de los movimientos de la reserva se analiza con mayor detalle en la nota 58, p. 201.

[7] Para un excelente relato de estos trastornos sociales en Argentina, Brasil, Chile y Perú, véase Albert (1988), capítulo 6.

[8] Véase Albert (1988), pp. 56-57.

rica Central y el Caribe resultaron protegidos hasta cierto punto por su cercanía con Estados Unidos, aunque las exportaciones de plátano sufrieron considerablemente por la escasez de navíos hasta el fin de la guerra.[9]

El estallido de las hostilidades en Europa no provocó la total desaparición de los mercados tradicionales. Gran Bretaña siguió dependiendo en buena medida de alimentos importados (carne, azúcar), y se hicieron grandes esfuerzos por mantener el abasto de las exportaciones latinoamericanas. Pero los aliados hicieron casi los mismos esfuerzos por impedir que Alemania tuviera acceso a las materias primas latinoamericanas. Aunque los principales países de la región (con excepción de Brasil) permanecieron neutrales durante toda la guerra, el comercio con Alemania se volvió cada vez más difícil; Estados Unidos y Gran Bretaña hicieron una lista negra de las empresas latinoamericanas que, según creían, se encontraban bajo control de ciudadanos alemanes. El resultado fue un gran descenso de la participación de las exportaciones e importaciones latinoamericanas con Alemania.[10]

El principal beneficiario de esta reducción fue Estados Unidos (véase el cuadro VI.1). Durante la guerra este país, que ya era el principal proveedor de México, América Central y el Caribe, se convirtió en el mercado más importante para casi todos los países latinoamericanos, y su participación en las importaciones llegó a 25% en América del Sur y a casi 80% en la Cuenca del Caribe (incluyendo a México). La fortuita y oportuna inauguración del Canal de Panamá al comienzo de la guerra, cuando el comercio trasatlántico estaba volviéndose peligroso y difícil, permitió que las exportaciones de Estados Unidos penetraran en algunos mercados sudamericanos, a los que antes había abastecido Europa, en general, y Alemania, en particular. La red de sucursales bancarias estadunidenses que siguió a este comercio, junto con un dinámico esfuerzo diplomático en favor de las empresas estadunidenses,[11] garantizó que al llegar la paz Estados Unidos conservara una posición hegemónica entre las repúblicas septentrionales y sólida en las demás.

El eclipse de Alemania como socio comercial no sólo contribuyó a que Estados Unidos cobrara mayor importancia, sino que también amortiguó la pérdida de relevancia de Gran Bretaña. El predominio británico sólo se conservó en el comercio con Argentina, pero éste aún era, con mucho, el mayor mercado de América Latina, y Argentina siguió siendo la más importante exportadora de la región; sin embargo, las exportaciones argentinas a Gran Bretaña superaban considerablemente a sus importaciones de la misma fuente, y este excedente comercial casi fue compensado con un déficit comercial con Estados Unidos. Esta triangulación del comercio exterior —que en el caso de Brasil se produjo al revés— sólo podía funcionar en un sistema mundial de monedas convertibles y pagos multilaterales, por lo que el co-

---

[9] Véase Kames (1978), capítulo 4.

[10] Para un estudio de caso acerca de cómo Alemania fue eliminada de Centroamérica por los Estados Unidos, véase Schoonover (1998), capítulo 9.

[11] Véase Tulchin (1971), capítulo 1.

CUADRO VI.1. *Comercio exterior entre América Latina y los Estados Unidos, ca. 1913, 1918 y 1929*
(en porcentajes de totales)

País	Exportaciones a Estados Unidos			Importaciones de Estados Unidos		
	ca. 1913	1918	1929	ca. 1913	1918	1929
América Latina	29.7	45.4	34.0	24.5	41.8	38.6
México, América Central y Panamá	67.2	83.5	57.4	53.5	78.1	65.7
Cuba, República Dominicana y Haití	73.9	66.1	68.9	55.2	76.8	59.6
Sudamérica	16.7	34.9	25.1	16.9	25.9	31.4
Argentina	4.7	29.3	8.3	14.7	21.6	23.2
Brasil	32.2	34.0	45.5	15.7	22.7	26.7
Chile	21.3	56.8	33.1	16.7	41.5	30.8
Perú	33.2	35.1	28.8	28.8	46.8	41.4
Uruguay	4.0	25.9	10.7	12.7	13.2	30.2
Venezuela	28.3	60.0	26.5	32.8	46.7	57.5

FUENTES: Pan-American Union (1952); Wilkie (1974); datos sobre cada país para *ca.* 1913 tomados de los cuadros III.6 y III.7.

mercio exterior de las mayores repúblicas latinoamericanas se volvió vulnerable, durante el decenio de 1920, a toda desviación de la ortodoxia del patrón oro.[12]

La restauración del patrón oro fue una prioridad después del Tratado de Versalles,[13] pero se necesitaron algunos años para lograrla y —en el caso de Gran Bretaña— requirió un gran esfuerzo, por haber adoptado una paridad sobrevaluada para la libra esterlina.[14] El lento desarrollo de la economía británica durante los años veinte[15] fue un golpe para aquellos países latinoamericanos que tradicionalmente habían considerado a Gran Bretaña el mercado para sus exportaciones, y el surgimiento de Estados Unidos como potencia económica dominante no fue gran consuelo para quienes vendían productos que competían con los granjeros estadunidenses.[16] Entre 1913 y 1929 el comercio estadunidense con América Latina aumentó mucho más rápidamente que el británico, pero las exportaciones de Estados Unidos a la región superaron, por un considerable margen, a las importaciones de bienes latinoamericanos.[17] De este modo América Latina, que había incurrido en un considerable excedente comercial con Estados Unidos antes y durante la guerra, se encontró en la posición contraria a finales de los veinte. En 1929 las exportaciones a Estados Unidos representaron 34% del total y los proveedores estadunidenses absorbieron casi 40% de las importaciones (véase el cuadro VI.1).

El excedente en favor de Estados Unidos en su comercio de bienes y servicios con América Latina reflejó su nuevo papel como exportador de capitales. Después de la guerra Nueva York remplazó a Londres como principal centro financiero internacional, y las repúblicas latinoamericanas se fijaron cada vez más en Estados Unidos para la emisión de bonos, préstamos del sector público e inversión extranjera directa. Apoyado al principio por los esfuerzos del gobierno estadunidense en favor de la diplomacia del dólar,[18] la afluencia de capitales pronto cobró impulso propio; la inversión extranjera

[12] La triangulación del comercio externo ha sido analizada en muchos artículos. Véase, por ejemplo, Fodor y O'Connell (1973).

[13] El Tratado de Versalles, firmado en 1919, impuso enormes reparaciones de guerra a Alemania. Posteriores conferencias internacionales se ocuparon del restablecimiento de un sistema multilateral de pagos de acuerdo con el patrón oro.

[14] La decisión de Gran Bretaña, en 1925, de volver al patrón oro con la paridad de preguerra de 4.86 dólares por libra esterlina, se reconoce hoy en general como un grave error. Véase Kindleberger (1987), pp. 28-32.

[15] Véase Broadberry (1986), capítulo 2.

[16] La consolidación de Estados Unidos como potencia económica global de primer nivel no redujo de manera alguna su tendencia proteccionista. Los exportadores de productos de las zonas templadas de América Latina (carne de res, por ejemplo) vieron un especial riesgo por las nuevas restricciones impuestas durante los veinte.

[17] Entre 1913 y 1929 las exportaciones de América Latina a Estados Unidos aumentaron 110.6% y las de Estados Unidos a América Latina crecieron 161.2%. Las cifras británicas fueron 45.5 y 34.5%, respectivamente. Véase Cardoso y Brignoli (1979b), capítulo 5.

[18] La diplomacia del dólar, aunada a la debilidad financiera europea, había aumentado consi-

(directa e indirecta) invadió a América Latina (véase el cuadro VI.2), y la proporción accionaria controlada por inversionistas estadunidenses creció sin cesar, a expensas de los países europeos. Gran Bretaña y Francia siguieron invirtiendo en ciertos lugares de América Latina, pero sus nuevas inversiones fueron modestas y proporcionales a la débil posición de la balanza de pagos de ambos países.[19]

La nueva posición de los Estados Unidos durante los veinte como gran fuente de capital extranjero tuvo sus pros y sus contras para América Latina. La aparición de nuevos y dinámicos mercados de capital en el continente tuvo sin duda gran importancia en vista de que el excedente de capitales de los tradicionales mercados europeos iba contrayéndose, pero los nuevos préstamos tuvieron su precio. En las repúblicas más pequeñas iban inextricablemente unidos a los objetivos de la política exterior estadunidense, y muchos países se vieron obligados a someterse al control estadunidense de las aduanas o hasta de los ferrocarriles nacionales para garantizar el pronto pago de su deuda.[20] En algunas de las repúblicas más grandes los nuevos préstamos alcanzaron proporciones tan epidémicas que se les llegó a conocer como "la danza de los millones".[21] Casi no se hicieron esfuerzos para asegurar que los fondos se invirtieran productivamente en proyectos que pudiesen garantizar su pago en divisas extranjeras,[22] y en ciertos casos la corrupción alcanzó proporciones faraónicas. Las aduanas podían ser intervenidas por funcionarios estadunidenses en busca de rectitud fiscal, pero éstos ejercían poco o ningún control sobre sus compatriotas banqueros que emitían bonos para cubrir los crecientes déficit del sector público.

El cambiante equilibrio internacional del poder y las modificaciones del mercado internacional de capitales no fueron los únicos problemas a los que tuvo que enfrentarse América Latina durante los veinte. Aún mas graves fueron los cambios en los mercados de bienes, el alza de los precios y la inestabilidad de los ingresos. Las condiciones cambiantes que imperaron durante la guerra y después de ella produjeron saltos en las curvas de demanda, que podían desorganizar por completo los precios de los bienes. Un ejemplo fue

derablemente la penetración financiera de los Estados Unidos en muchos lugares de América Latina a mediados de los veinte. Véase Tulchin (1971), capítulo 5.

[19] Tanto Francia como Gran Bretaña se habían visto obligadas a desinvertir para contribuir a los gastos de guerra, y habría de pasar cierto tiempo antes de que pudiesen reanudar sus afluencias normales de capital. Las inversiones externas de Alemania prácticamente desaparecieron por la necesidad de pagar las reparaciones. Véase Kindleberger (1987), capítulo 2.

[20] Para una excelente relación de muchas de estas intervenciones estadunidenses véase Munro (1964).

[21] Esta célebre frase fue acuñada, según se dijo, por dos colombianos, Laureano Gómez y Alfonso López Pumarejo, quienes criticaron acremente la bonanza de los préstamos. Véase Banco de la República (1990), p. 219.

[22] Aunque durante los veinte sólo 4.7% del valor total de los préstamos estadunidenses a América Latina fueron declarados como de "propósitos desconocidos", no menos de 50.3% fueron para "refinanciamiento" y 12.1% para "fines generales". Véase Stallings (1987), cuadro 10, p. 131.

CUADRO VI.2. *Inversiones estadunidenses en América Latina, 1914 y 1929*

Región y sector	Directas		Cartera accionaria		Total	
	1914	1929	1914	1929	1914	1929
América Latina (en millones de dólares)	1 275.8	3 645.8	365.6	1 723.9	1 641.4	5 369.7
Por región (en porcentajes)						
México, América Central y Panamá	53.0	26.3	73.8	17.5	57.7	23.5
Cuba, República Dominicana y Haití	21.5	26.5	15.0	7.4	20.0	20.4
América del Sur	25.5	47.2	11.2	75.1	22.3	56.1
Por sector (en porcentajes)						
Agricultura	18.7	24.1				
Minería y fundición	43.3	22.0				
Petróleo	10.2	20.1				
Ferrocarriles	13.8	6.3				
Servicios públicos	7.7	15.8				
Manufacturas	2.9	6.3				
Comercio	2.6	3.3				
Otros	0.8	2.2				

FUENTE: ECLA (1965).

la recesión mundial de los años 1920-1921. Los precios de muchos productos (especialmente del azúcar) se desplomaron cuando se pusieron en circulación las reservas creadas con propósitos estratégicos.[23] La abolición del control de precios de la época de la guerra, aplicado por funcionarios con un poder draconiano en los principales países, produjo un alza inicial de precios, una dinámica respuesta de la oferta, y el subsiguiente derrumbe de precios en muchos mercados.[24]

[23] Los inventarios mundiales de café —11.77 millones de costales a finales de 1917— se habían reducido a 5.33 millones a fines de 1922. Véase Fritsch (1988), cuadro A.6.
[24] Los precios estadunidenses al mayoreo (1913 = 100), habían llegado a 188 en 1918. Brincaron a 221 en 1920, antes de caer a 143 en 1921, y a 130 en 1922. Véase League of Nations (1928), cuadro 102. Un patrón similar se observó en Francia y Gran Bretaña, mientras que en Alemania los precios siguieron subiendo después de 1920, al desatarse la hiperinflación.

La depresión mundial de 1920-1921 fue corta, pero el problema de la sobreoferta habría de durar mucho más. Aunque el crecimiento de la demanda a largo plazo de productos de exportación primarios en el centro fuese reduciéndose —como resultado del cambio demográfico,[25] la ley de Engel[26] y la creación de sustitutos sintéticos—,[27] la tasa de crecimiento a largo plazo de la oferta iba acelerándose, a consecuencia del progreso tecnológico, nuevas inversiones en infraestructura social (incluidos los transportes) y la protección a la agricultura en muchos lugares de Europa.

Estas fluctuaciones de la demanda y la oferta produjeron cambios en el equilibrio de los precios a largo plazo que debería como señales de cambio en la asignación de recursos en América Latina. Los TNIC de muchos países se deterioraron entre 1913 y 1929. Pero diversos factores distorsionaron la información transmitida por los precios, y la incertidumbre creada por la guerra y sus secuelas hizo difícil que empresarios privados y los funcionarios del sector público de América Latina pudieran sacar las conclusiones apropiadas. Como resultado, la región no sólo no adecuó su sector externo a las nuevas condiciones internacionales de los veinte, sino que aumentó marcadamente su dependencia de la exportación de productos primarios.

El primer problema fue la inestabilidad a corto plazo del precio de los bienes, que ocultó las tendencias a largo plazo. Ya antes de la guerra éste había sido un problema para los exportadores latinoamericanos de productos primarios, pero se hizo mucho más grave durante los veinte. En Chile la inestabilidad de los precios de exportación fue el doble que antes de 1914, y la del valor de las exportaciones casi se quintuplicó.[28] Aun en Argentina, con sus exportaciones mucho más diversificadas, la inestabilidad del sector fue mayor durante los veinte que en cualquier otro momento de la historia del país.[29]

El segundo problema fue que la demanda "estratégica" de minerales continuó muchos años después de la guerra. La necesidad de controlar el abasto de petróleo, cobre, estaño, etc., hizo que el gobierno de Estados Unidos alentara a empresas estadunidenses a hacer grandes inversiones en América Latina. Mientras las potencias europeas hacían lo mismo en sus colonias y do-

---

[25] Durante el decenio de 1920 la tasa bruta de nacimientos (nacidos vivos por millar de habitantes) se había reducido a 20 en los principales países del centro; la tasa de mortalidad había descendido a 12-17. Esto implicó una reducción considerable de la tasa natural de aumento demográfico en comparación con el periodo de preguerra.

[26] La ley de Engel —como vimos— señalaba una relación inversa entre el ingreso familiar y la proporción del mismo dedicada al gasto en alimentos. Aunque su efecto sobre las exportaciones de productos primarios se pudo pasar por alto a corto plazo, a largo plazo tenía que ser considerable si continuaban aumentando los ingresos reales.

[27] La industria mundial de los productos químicos dio pasos gigantescos durante los veinte; nuevos descubrimientos hicieron posible sustituir materiales naturales como algodón caucho, tintes vegetales, madera y nitratos.

[28] Véase Palma (2000a), cuadro 3.1, p. 47

[29] Véase O'Connell (2000), nota 3. Véase también Cortés Conde (2000).

minios, cobró realidad el peligro de una sobreoferta mundial de ciertos minerales. Además, cuando se produjo la afluencia de esas inversiones, durante la segunda parte de los años veinte, en muchos casos la demanda estratégica ya se había reducido y los inventarios empezaron a aumentar. Cuando se elevaron las tasas mundiales de interés, como secuela del auge de la bolsa de valores en 1928, creció mucho el costo de mantener inventarios, lo que inhibió nuevas compras.

El tercer problema fue la manipulación de los precios en muchos mercados claves. El programa de valorización del café brasileño, que resurgió durante los veinte, redujo la oferta al mercado mundial elevando los precios. Sin embargo, otros exportadores de café (por ejemplo, Colombia) respondieron a los precios mundiales más altos ampliando sus plantaciones. Esta producción incrementada llegó pocos años después al mercado de café que ya estaba saturado en 1926. Brasil intentó repetir el experimento con el caucho, pero su participación en el mercado mundial era demasiado pequeña para tener un efecto significativo sobre los precios.

El último problema fue la debilidad del sector no exportador en tantos países latinoamericanos. La idea de que la exportación de productos primarios iría perdiendo recursos gradualmente en respuesta al decreciente equilibrio de los precios a largo plazo suponía no sólo que la tendencia de éstos sería observable, sino también que los recursos encontrarían otro uso. En aquellas naciones en las que la industrialización había tenido un comienzo prometedor (véanse las páginas 155-165) esa idea tenía fundamento; sin embargo, hacia los años veinte la mayoría de las repúblicas latinoamericanas no habían dado más que un pequeño paso hacia la industrialización, por lo que era probable que sólo una gran caída del equilibrio de los precios a largo plazo —como la que habría de ocurrir durante la depresión de 1929— produciría el requerido cambio de los recursos. Las pequeñas bajas del equilibrio de precios a largo plazo —aunque fueran observables— siempre podían compensarse con una depreciación del tipo de cambio, las reducciones del impuesto a la exportación o condiciones de crédito más favorables. De hecho, como veremos en el capítulo VII, algunas de las naciones más pequeñas estuvieron dispuestas a recurrir a tales políticas incluso durante los treinta, en lugar de promover un cambio general de los recursos del sector exportador.

LAS ESTRATEGIAS COMERCIALES

Las exportaciones de productos primarios, después de 1913, se enfrentaron a intensas dificultades, antes incluso del desplome de los precios a finales de los veinte. Además de los trastornos relacionados con la primera Guerra Mundial, los exportadores latinoamericanos sufrieron una marcada caída de los precios durante la depresión de 1920-1921, cuando la economía mundial se ajustó a las condiciones de tiempos de paz. Precios y volúmenes se recuperaron en los años siguientes, pero a lo largo de todo el periodo que va de 1913 a 1929 sólo unos cuantos países experimentaron un aumento de sus TNIC.[30]

El principal problema fue el lento crecimiento del comercio mundial. En los 16 años posteriores a 1913 el aumento del valor en dólares de las exportaciones mundiales apenas superó 3% anual.[31] La modesta naturaleza de este aumento se subraya por el hecho de que mucho de eso consistió en un aumento de precios. En realidad, el incremento del volumen del comercio mundial fue de poco más de 1% anual.[32] Este estímulo era insuficiente, en condiciones normales, para los países que seguían practicando el crecimiento impulsado por las exportaciones. Además, el comercio mundial de muchos bienes iba creciendo más lentamente que la producción mundial. Esta discrepancia —señal inequívoca de sustitución de importaciones en la agricultura de buen número de países— reflejó el aumento del proteccionismo agrícola en Europa y en América del Norte, afectando adversamente las exportaciones mundiales de centeno, cebada, linaza, algodón y lana.

El lento crecimiento del mercado mundial agregado no significa que la demanda mundial de todos los artículos aumentase con lentitud; sin embargo, de los 21 productos que por entonces dominaban las exportaciones latinoamericanas (véase el cuadro VI.3), sólo tres (petróleo, cacao y caucho) registraron tasas anuales de crecimiento en términos de volumen mundial por encima de 5%, entre 1913 y 1928, y en 15 casos estuvo por debajo de 3%. A decir verdad, para seis artículos de importancia en América Latina (plata, oro, cebada, centeno, algodón y lana) la producción mundial o las exportaciones en términos de volumen no se incrementaron más de 1% anual.

Ante tan difíciles condiciones del comercio mundial, las repúblicas latinoamericanas tuvieron que elegir entre cierto número de estrategias comerciales. La primera opción fue depender de la lotería de bienes. Si el principal artículo de exportación del país era de los que se enfrentaban a una demanda mundial en rápido aumento, el valor de las exportaciones crecería con celeridad, siempre que su participación en el mercado no se redujera. Pero America Latina sufrió una severa pérdida de su participación en el mercado

[30] El efecto de la depresión de 1920-1921 sobre los TNIC de los productores primarios se analiza con detalle en Cuddington y Urzúa (1989), y Powell (1991). Aunque los términos de comercio se ajusten al crecimiento del volumen de las exportaciones para determinar su verdadero poder adquisitivo, sólo cinco países latinoamericanos (Colombia, Honduras, México, Perú y Venezuela) experimentaron un crecimiento rápido (más de 5% anual). Véase Thorp (1986), cuadro 5, p. 68.

[31] Las fuentes informativas difieren sobre el valor del dólar en el comercio mundial en 1913. Estas diferencias dan un rango de valores para el crecimiento anual de 1913 a 1929 entre 3.1 y 3.7%.

[32] El valor total de las exportaciones de los países industrializados a precios de 1913 se ha estimado en 11 101 millones de dólares en 1913 y 13 916 millones en 1929: una tasa de crecimiento anual promedio de 1.4%. Véase Maizels (1970), cuadro A.2. Se ha calculado una tasa de desarrollo similar para el volumen de las exportaciones mundiales de productos primarios durante el mismo periodo. Véase Maizels (1970), cuadro 4.1, p. 80.

CUADRO VI.3. *Participación en el mercado mundial de bienes, por región, 1913 y 1928 (en porcentajes)*

Producto	Tasa mundial de crecimiento[a]	América Latina		Europa[b]		Estados Unidos y Canadá		Asia		África		Oceanía	
		1913	1928	1913	1928	1913	1928	1913	1928	1913	1928	1913	1928
Minerales[c]													
Petróleo	8.5	7.2	15.9	22.1	9.1	64.5	67.4	6.0	6.8	0	0.1	0	0
Cobre	3.7	9.3	21.3	18.6	9.2	60.6	58.0	6.5	4.1	0.8	6.8	4.3	0.7
Estaño	1.8	19.9	23.0	4.2	2.0	0	0	65.3	66.9	4.8	6.4	5.8	1.6
Plata	1.0	38.2	54.0	7.3	4.6	43.6	31.0	2.4	5.7	0.5	0.8	8.0	3.9
Oro	-1.6	16.5	6.2	6.1	0.8	20.6	21.9	5.9	6.5	40.5	61.2	10.4	3.4
Plomo	2.6	4.8	13.5	46.8	22.7	36.6	48.1	2.0	5.1	0	1.6	9.7	9.0
Nitratos	1.9	97.4	81.2	2.6	18.8	0	0	0	0	0	0	0	0
Otros[d]													
Trigo	1.5	14.7	25.6	48.4	4.4	20.3	59.0	8.6	1.4	1.1	2.1	6.8	7.5
Harina de trigo	2.6	5.7	5.4	28.4	17.2	51.6	56.1	4.9	7.5	1.1	0.7	6.2	12.0
Centeno	-2.1	0.4	12.2	98.5	44.4	0.9	43.1	0.3	0.2	0	0.1	0	0
Cebada	-2.8	0.8	7.2	83.4	21.4	4.7	48.1	7.0	7.5	4.1	15.2	0	0.6
Maíz	1.9	42.8	70.8	36.8	7.6	16.0	7.3	2.3	4.4	2.1	9.9	0	0.1
Plátanos	4.4	49.2	65.5	12.1	7.0	0	0	0.5	4.2	0	0.4	0.3	0.2
Azúcar	3.7	29.2	40.0	30.6	14.0	0.6	1.0	23.7	30.1	3.6	3.2	7.3	8.4
Cacao	5.1	41.5	23.0	10.1	2.6	0	0	2.3	0.9	31.3	61.4	0.3	0.5
Café	1.2	82.0	83.7	10.5	2.1	1.6	0.3	4.0	9.1	1.0	3.7	0.2	0.2
Linaza	1.0	42.4	86.8	22.7	1.8	11.3	3.2	23.0	7.5	0.6	0.6	0	0
Algodón	0.1	1.2	3.0	10.2	4.0	61.4	57.4	16.9	22.4	10.1	11.6	0	0.1
Caucho	13.5	33.8	2.5	39.3	13.9	0	1.0	12.9	78.5	12.2	0.8	0	0.1
Ganado	1.0	30.4	19.1	36.6	57.7	13.8	3.2	13.1	6.1	5.3	7.4	0.6	0.3
Lana	0	20.3	18.0	33.1	22.6	0.1	0.4	4.7	7.2	7.4	13.5	34.1	38.1
Carne de res	3.7	64.0	72.8	12.4	9.4	0.2	2.9	2.0	1.3	0.2	1.8	15.3	11.8

[a] Tasa de crecimiento del volumen anual entre 1913 y 1928.
[b] Incluye a la Unión Soviética.
[c] Las estadísticas se refieren a la producción mundial.
[d] Las estadísticas se refieren a las exportaciones mundiales.
FUENTE: League of Nations, *Statistical Yearbook* e *International Yearbook of Agricultural Statistics.*

de cacao y caucho, dos de los tres artículos que por entonces gozaron de un rápido desarrollo (véase el cuadro VI.3). Las exportaciones brasileñas y bolivianas de caucho crudo se desplomaron ante las de las plantaciones del Lejano Oriente; Brasil, Ecuador, Venezuela, República Dominicana y Haití perdieron mercado ante numerosas colonias del África europea, donde se habían promovido vigorosamente las exportaciones de cacao. Sólo en el caso del petróleo la lotería de bienes favoreció a Iberoamérica: la principal beneficiaria fue Venezuela, cuyo petróleo había empezado a exportarse durante la primera Guerra Mundial, aunque Colombia, Ecuador, Perú y Argentina obtuvieron también modestas ganancias.[33]

La segunda opción era aumentar la participación en el mercado de los productos cuya demanda mundial iba creciendo discretamente. Durante muchas décadas los gobiernos latinoamericanos se habían estado preparando para promover las exportaciones de sus productos primarios, por lo que esta estrategia no era imposible. Los precios nacionales y las tasas de rendimiento del capital de los bienes que se vendían en los mercados mundiales podían alterarse mediante ciertas modificaciones del tipo de cambio, los impuestos a la exportación, los gravámenes a la importación, etc., por lo que un deterioro de los términos comerciales externos (intercambio neto) no implicaría necesariamente una pérdida en términos comerciales internos (rurales-urbanos) o en la rentabilidad de las exportaciones.[34]

En el periodo que estamos considerando, entre los muchos productos de particular importancia para América Latina podemos identificar 61 casos en los que los artículos de exportación cambiaron su participación del total mundial en más de 0.5% entre el principio (1913) y el fin (1928) del periodo. En 41 de estos casos (más de dos tercios) aumentó la participación en el mercado (véase el cuadro VI.4). Si excluimos el cacao, la participación en el mercado se incrementó en casi tres cuartas partes. Por consiguiente, esta estrategia comercial representó una opción popular.

De hecho, sólo en cuatro países (Brasil, Ecuador, Haití y Paraguay) la participación en el mercado no se elevó ni siquiera en un caso.

La estrategia de la participación en el mercado afectó a todo tipo de productos primarios. Pese al aumento del proteccionismo agrícola en el hemisferio boreal, Argentina logró incrementar su presencia en ocho casos (véase el cuadro VI.4). El mercado británico de la carne siguió abierto a las importaciones, y fue lo bastante dinámico como para compensar las restricciones impuestas al comercio de la carne en otros mercados. La protección europea no

---

[33] La producción y exportación de petróleo mexicano, en cambio, se redujo durante los veinte, con costos unitarios de producción muy superiores a los de Venezuela.

[34] Los términos internos de comercio, frecuentemente medidos por el precio nacional de los productos agrícolas en relación con el de los artículos manufacturados, sólo son una guía aproximada de la asignación intersectorial de recursos. La tasa de rendimientos del capital en diferentes sectores es una medida más precisa, pero no se cuenta con evidencias sistemáticas para América Latina en este periodo.

se extendió al maíz, y Argentina elevó su participación de las exportaciones mundiales de cerca de 40% antes de la primera Guerra Mundial a 70% en 1928. Aún más notables fueron las ganancias registradas por ese país en trigo, centeno, cebada, y linaza, protegidos en buen número de países del hemisferio boreal. En el caso de la linaza, Argentina había duplicado su participación y cubría más de 80% de las exportaciones mundiales a finales de los veinte.

Esa táctica también afectó los minerales. Su carácter estratégico había producido en toda América Latina una busca febril de nuevos yacimientos de petróleo, cobre, plomo y estaño por parte de compañías extranjeras y nacionales. Venezuela abrió brecha en materia de petróleo; las inversiones británicas y estadunidenses fueron fomentadas por los generosos contratos autorizados por el gobierno dictatorial de Juan Vicente Gómez; en 1928 Venezuela había captado casi 10% del mercado mundial, pese a que las exportaciones de petróleo habían sido nulas en 1913. También Colombia y Perú, con el estímulo de la inversión estadunidense, conquistaron una participación en el mercado de las exportaciones petroleras, mientras Ecuador y Argentina daban un primer paso en esta dirección. En este último país, sin embargo, el nacionalismo era lo bastante poderoso como para que el Estado controlara parcialmente la industria petrolera desde 1923.

El crecimiento de la participación en el mercado del petróleo venezolano se logró, en parte, a expensas de México, donde las exportaciones petroleras habían aumentado enormemente en el decenio previo a la primera Guerra Mundial. La industria, con base en Tampico, padeció mucho menos que otros sectores las convulsiones de la Revolución de 1910; producción y exportaciones continuaron creciendo. La Constitución de 1917 hizo surgir el espectro de la nacionalización,[35] pero el gobierno de Carranza abandonó su táctica habitual para garantizar a las compañías petroleras estadunidenses que sus inversiones estaban seguras. Los Tratados de Bucareli, de 1923, pretendieron zanjar todas las disputas importantes con Estados Unidos, y allanar el camino a una renovada inversión extranjera en minería.[36] Hasta cierto punto lo logró, pues México aumentó considerablemente su participación en el mercado de plata y plomo, pero las exportaciones de petróleo, que llegaron a su punto culminante en 1921, irían después en continua declinación. Las seductoras palabras del gobierno mexicano fueron incapaces de igualar las excepcionales condiciones de que gozaron los inversionistas extranjeros en la industria petrolera venezolana.[37]

El proteccionismo también puso en peligro los productos tropicales, por la preferencia que las potencias imperiales dieron a sus colonias. Ya vimos

---

[35] La Constitución mexicana de 1917 otorgó los derechos del subsuelo a la nación, por lo cual la producción de petróleo requería una concesión del gobierno, y toda la tierra propiedad de las compañías petroleras hubo que cedérsela en arrendamiento. Véase Knight (1986b), p. 470.

[36] Sobre los Tratados de Bucareli, véase Smith (1972).

[37] Las generosas concesiones petroleras del gobierno de Gómez en Venezuela están bien descritas en McBeth (1983).

que el aumento de la producción de cacao en África y de caucho en Asia causó en ambos casos una grave caída de la participación latinoamericana (véase el cuadro VI.3). Y sin embargo, hubo dos casos de productos tropicales, relacionados con inversiones estadunidenses, en que la participación latinoamericana del mercado aumentó enormemente.

El primero fue el de los plátanos. La novedad de este fruto tropical, relativamente recién llegado a las mesas de Europa y América del Norte, permitió que crecieran con celeridad las exportaciones mundiales. Además, casi todos los principales exportadores latinoamericanos lograron incrementar su participación en el mercado, con lo que se multiplicaron las ganancias del sector. Las exportaciones estuvieron dominadas por un pequeño número de compañías fruteras extranjeras, cuya decisión de concentrar la producción en América Central y Colombia se basó en los bajos costos promedio de producción y en un trato fiscal sumamente favorable. El caso más dinámico fue el de Honduras, país que casi no había logrado aumentar sus exportaciones durante el siglo XIX. El valor de las mismas, basado casi exclusivamente en los plátanos, creció con más rapidez que las exportaciones de cualquier otro país latinoamericano en los 16 años que siguieron a 1913.[38]

El segundo caso fue el del azúcar. Pese a los riesgos vinculados con la preferencia imperial y la omnipresente amenaza de protección para los cultivadores de remolacha azucarera en los países templados, muchos exportadores latinoamericanos aumentaron su participación en el mercado. El incremento se concentró sobre todo en Cuba y Puerto Rico, cuya participación combinada en el total de las exportaciones mundiales de azúcar (incluida la de remolacha) se elevó a más de una tercera parte a fines de los veinte. Las inversiones hechas en estas islas del Caribe, sobre todo por compañías estadunidenses, elevaron la producción a niveles nunca antes vistos, lo que obligó a Cuba a experimentar con controles cuantitativos desde mediados de los veinte; sin embargo, toda alza de los precios simplemente hacía que crecieran las exportaciones de los productores rivales.[39] Aunque Cuba tenía un arancel preferencial en el importantísimo mercado estadunidense, algunos de sus rivales —sobre todo Puerto Rico y Hawai— no tenían gravamen alguno, y las exportaciones cubanas a Europa se veían cada vez más amenazadas por la recuperación de la industria de la remolacha azucarera europea a finales de los veinte. Los precios llegaron a su nivel máximo en enero de 1927, pero antes de 1930 se inició su largo descenso.

El problema de limitar el volumen con objeto de regular los precios fue mucho más fácil en el mercado del café, en el que en 1913 Brasil controlaba 60% de las exportaciones mundiales. Cuando durante los veinte se renovó la revaluación del café brasileño, se produjo un alza de los precios mundiales

---

[38] Las exportaciones aumentaron de 3.2 millones de dólares en 1913 a 24.6 millones en 1929: una tasa anual de crecimiento de 13.6%. Véase Pan-American Union (1952).

[39] Éste fue el mismo problema al que se enfrentó Brasil cuando puso en vigor su revaluación (unilateral) del café.

del café. Sin embargo, las restricciones brasileñas a las exportaciones de café no fueron seguidas por otras naciones de América Latina, cuya participación en el mercado aumentó a expensas de Brasil. Colombia y los países centro-americanos, en particular, cosecharon los beneficios del precio implantado por Brasil, y su participación combinada en las exportaciones mundiales se duplicó hasta llegar a 20% en los 15 años previos a 1928. No toda su ganancia fue en desmedro de los brasileños (que seguían controlando 55% de las exportaciones mundiales a finales de los veinte); también Venezuela salió perdiendo, pues su alto tipo de cambio atentó contra la rentabilidad de las exportaciones de café, y dio un temprano ejemplo del tristemente célebre "mal holandés".[40]

Vemos entonces que la estrategia de aumentar la participación latino-americana en el mercado fue generalizada, aceptada y lucrativa. Permitió a la mayoría de los países latinoamericanos[41] que las ganancias por sus exportaciones crecieran con más rapidez que el valor mundial de las mismas, en el periodo que estamos considerando (1913-1929), y reforzó el modelo impulsado por las exportaciones adoptado en el siglo XIX. Toda pérdida en los términos externos de comercio podía ser compensada manipulando los términos internos en favor del sector rural, y muchos países en el decenio de 1920 tuvieron la ilusión de que la primera Guerra Mundial no había sido más que un revés temporal en la larga marcha del crecimiento impulsado por las exportaciones.

Pero esa estrategia no carecía de problemas. Aunque no era previsible que se intuyera la profunda depresión de finales de los veinte, todos deberían haber advertido el riesgo del proteccionismo agrícola en los países del hemisferio boreal y la preferencia imperial de que gozaban sus colonias. La estrategia de la participación en el mercado hizo que muchas repúblicas latinoamericanas fuesen extremadamente vulnerables a los cambios en las condiciones del mercado mundial, vulnerabilidad que aumentaba por el riesgo de una depresión. En 1928 Argentina, Bolivia, Brasil, Chile, Cuba, Honduras y México controlaban más de 20% de las exportaciones mundiales al menos de un producto,[42] y Argentina era el principal proveedor del mercado mundial en casi todas sus exportaciones.

El auge de las ventas al extranjero también se relacionó con una conside-

---

[40] La expresión "mal holandés" fue acuñada para describir el efecto de los descubrimientos de gas natural, en la década de 1960, sobre la balanza de pagos de Holanda. El aumento de las exportaciones de energía produjo una revaluación del tipo de cambio real que minó las exportaciones tradicionales (manufacturadas), mientras dejaba equilibrada la balanza de pagos. En retrospectiva, se ha vuelto claro que muchos países han sufrido alguna forma del mal holandés, aunque en el caso venezolano las actividades tradicionales de exportación socavadas por el fuerte tipo de cambio fueron más agrícolas que industriales. Para el caso de Chile, véase Palma (2000b).

[41] De los 21 países (incluyendo a Puerto Rico con las 20 repúblicas), 14 (66%) superaron la tasa mundial de crecimiento de las exportaciones. Los siete "fracasos" fueron Bolivia, Brasil, Ecuador, Haití, Nicaragua, Panamá y Uruguay, todos ellos países pequeños, a excepción de Brasil.

[42] Los productos y países fueron los siguientes: Argentina (carne, linaza, maíz, trigo), Bolivia (estaño), Brasil (café), Chile (nitratos), Cuba (azúcar), Honduras (plátanos) y México (plata).

CUADRO VI.4. *Cambios en la participación en el mercado mundial de bienes, por países, 1913-1928*

País	Aumento de la participación[a]	Reducción de la participación[b]
Argentina	Trigo, centeno, cebada, maíz, linaza, carne, petróleo, algodón	Ganado, lana
Bolivia	Estaño, plata	Caucho
Brasil		Café, caucho, cacao
Chile	Cobre, lana	Nitrato
Colombia	Petróleo, plátano, café	
Costa Rica	Cacao, café	Plátano
Cuba	Azúcar	Cacao
Ecuador		Cacao
El Salvador	Café	
Guatemala	Café, plátano	
Haití		Cacao
Honduras	Plátano	
México	Plata, plomo, plátano, café, algodón	Petróleo, ganado
Nicaragua	Plátano, café	
Panamá	Plátano, cacao	
Paraguay		
Perú	Cobre, plata, petróleo, azúcar, algodón	
Puerto Rico	Azúcar	Café
República Dominicana	Azúcar	Cacao
Uruguay	Linaza, trigo	Ganado, lana
Venezuela	Petróleo	Oro, cacao, café
TOTALES	41%	20%

[a] Se omiten los aumentos pequeños (menos de 0.5%).
[b] Se omiten las pequeñas reducciones (menos de 0.5%).
FUENTE: League of Nations, *Statistical Yearbook* e *International Yearbook of Agricultural Statistics*.

rable pérdida del control nacional sobre el sector exportador de muchos países. Donde el valor de las exportaciones creció más de 5% anual entre 1913 y 1929 (Colombia, República Dominicana, Honduras, Paraguay, Perú, Puerto Rico y Venezuela), fue particularmente notable la penetración extranjera en el sector. Estas inversiones se hicieron ante todo en productos cuya demanda mundial iba creciendo con rapidez (petróleo, cobre, plátanos, azúcar). Gracias al crecimiento de la participación de estos productos en el mercado, los enclaves de propiedad extranjera adquirieron en ocasiones una posición predominante. Las generosísimas condiciones contractuales concedidas a los inversionistas extranjeros provocaron escasos rendimientos fiscales y grandes salidas de utilidades, lo que redujo el "valor de retorno"[43] asociado con el crecimiento de las exportaciones en muchos países, disminuyendo el estímulo para el sector no exportador relacionado con el modelo impulsado por las exportaciones.

No abundan los estudios detallados del valor de retorno, pero disponemos de una investigación meticulosamente documentada de la Cerro de Pasco Copper Corporation, de Perú. Esta gigantesca compañía de productos minerales, adquirida mediante compra a capitalistas peruanos en el primer decenio del siglo XX, obtuvo de sus operaciones en Perú aproximadamente 20 millones de dólares anuales durante los veinte.[44] Los pagos realizados en el país a obreros, proveedores y gobierno (en impuestos) fueron en promedio de 10 millones de dólares, por lo que el valor de retorno fue 50% de las ganancias registradas. El resto correspondió a importaciones y remesas de utilidades. Este caso distó mucho de ser atípico; en realidad, en la industria petrolera venezolana el valor de retorno fue una proporción muy inferior del total de exportaciones.[45]

La estrategia de participación del mercado también experimentó el riesgo de sufrir represalias. Con excepción del café, cuyas ganancias y pérdidas en América Latina casi se compensaron, la intensificación de las exportaciones de tantos países hizo que la región en su conjunto fuese ganando una participación del mercado de otros continentes en toda una variedad de productos primarios (véase el cuadro VI.3). En el frágil ambiente geopolítico que siguió a 1913, y ante la cada vez mayor amenaza de proteccionismo, resultaba muy poco realista no suponer que otras regiones tomaran represalias, fuese por discriminación a las importaciones latinoamericanas o por apoyo a sus propias industrias de productos primarios.[46]

[43] El "valor de retorno" de las exportaciones se refiere a la proporción de los ingresos declarados por exportaciones que se quedan en el país por pagos y salarios, impuestos y costos de material local. Por tanto, teóricamente (y prácticamente) es posible que el valor declarado y el de retorno de las exportaciones se movieran en direcciones opuestas a plazo corto o medio. El concepto de valor de retorno fue aplicado por primera vez por Reynolds (1965) en su obra sobre la industria chilena del cobre.

[44] Véase Thorp y Bertram (1978), p. 87.

[45] Véase McBeth (1983), pp. 117-118.

[46] Algunas de las más grandes pérdidas de participación en el mercado (por ejemplo, cebada,

La estrategia de la participación en el mercado no siempre tuvo éxito. De hecho, unas cuantas repúblicas latinoamericanas ni siquiera lograron aumentar las ganancias por exportación al ritmo del crecimiento del comercio mundial en los 16 años anteriores a 1929: otra confirmación de los riesgos inherentes al modelo guiado por las exportaciones en el nuevo orden económico internacional surgido a partir de la primera Guerra Mundial. La inestable naturaleza del precio de los bienes, el riesgo de enfermedades y la competencia de los productos sintéticos podían perjudicar las ganancias por exportación incluso en los países en que la política estaba determinada primordialmente por las necesidades del sector exportador.

La inestabilidad de los precios de exportación fue la principal razón de la mediocre utilidad de las exportaciones de Bolivia, así como del nada espectacular desempeño comercial de Cuba. En ambas naciones el *volumen* de las exportaciones creció con rapidez: Bolivia obtuvo su participación del mercado con su producto de exportación fundamental, el estaño, y Cuba lo logró con el azúcar. Sin embargo, a finales de los veinte, los precios apenas eran superiores al nivel registrado en vísperas de la primera Guerra Mundial,[47] y el *valor* de las exportaciones había aumentado muy poco. Aunque las ganancias de las exportaciones cubanas crecieron a un ritmo cercano al promedio mundial, a finales de los veinte su posición era muy vulnerable, pues se veían en peligro por la protección europea a la remolacha azucarera, la preferencia imperial, y las importaciones de Puerto Rico y Hawai a los Estados Unidos continentales. Por otra parte, Bolivia había visto caer sus exportaciones bajo un oligopolio dominado por Simón Patiño, magnate del estaño, quien había invertido sagazmente en fundidoras del Reino Unido;[48] de este modo, capital boliviano obtuvo ganancias en el procesamiento así como en la producción del estaño, aunque el beneficio para la economía boliviana empezó a reducirse conforme Patiño llevaba una mayor parte de sus intereses comerciales a Europa durante la década de 1920.[49]

También las enfermedades tuvieron su parte para anular el esfuerzo por apoyar el crecimiento impulsado por las exportaciones. La industria platanera costarricense fue afectada por la llegada de plagas vegetales de Panamá

centeno y trigo) fueron registradas por la Unión Soviética (agregada al resto de Europa en el cuadro vi.3). Esto en sí mismo no propiciaría represalias, porque esa nación estaba retirándose deliberadamente del comercio internacional. Sin embargo, también el resto de Europa estaba perdiendo su participación en muchos de estos productos (la principal excepción era la cebada), por lo cual la represalia era una posibilidad muy real.

[47] El azúcar no refinado costaba en promedio 3.5 centavos de dólar por libra en 1913. El precio promedio en 1929 era de 3.77. Véase League of Nations (1930), cuadro 204.

[48] La industria boliviana del estaño había caído bajo el dominio de tres capitalistas locales en el decenio de 1920. En 1916 Simón Patiño, el más importante de ellos, adquirió la fundidora de estaño más grande de Gran Bretaña. Véase Klein (1982), p. 165. También véase Contreras (2000).

[49] A finales de los veinte en realidad Patiño se había convertido en un capitalista extranjero, pues invirtió gran parte de las ganancias de sus operaciones mineras bolivianas en nuevas actividades en Europa.

durante los veinte, y su participación en el mercado mundial se desplomó, pasando de 15.6% en 1913 a 6% en 1928. Para las compañías fruteras la "solución" más fácil contra el avance de la enfermedad era crear nuevas plantaciones en tierras vírgenes, aun si esto significaba llevarse la producción a otro país. Por fortuna para Costa Rica, el aumento de las ganancias del café fue lo bastante rápido para compensar la caída en los plátanos, y el ingreso total por sus exportaciones creció por encima del promedio mundial. Ecuador no tuvo tanta suerte: la difusión de la plaga del cacao lo obligó a ser un exportador menor,[50] y no crecieron con la celeridad necesaria las ventas al extranjero de otros productos (café, oro, petróleo) como para compensar la reducción de los ingresos de divisas.

El país más afectado por la competencia de los productos sintéticos fue Chile. La industria del nitrato, en la que había participado en gran medida capital británico,[51] había disfrutado de altos precios durante la primera Guerra Mundial y sus exportaciones representaban cerca de 70% del total. El desplome de la demanda al terminar la guerra contribuyó a que los inversionistas británicos vendiesen sus intereses a otros capitalistas (principalmente chilenos), con quienes la industria inició una recuperación durante los años veinte.[52] Sin embargo, el progreso tecnológico de la industria química alemana hizo posible la producción de nitratos sintéticos a precios competitivos, y la industria chilena terminó por extinguirse en la depresión que ocurrió entre ambas guerras. El espectacular desarrollo de la industria del cobre a partir de 1913 compensó parcialmente a Chile por la pérdida de dinamismo de sus exportaciones de nitrato, pero el aumento de las ganancias por exportación de los 15 años posteriores a 1913 siguió estando por debajo del promedio mundial.

Brasil y Uruguay, donde el crecimiento guiado por las exportaciones también estuvo muy por debajo del promedio mundial, lograron mejorar sus TNIC entre 1913 y 1928. Las mediocres ganancias por exportación se debieron sin duda al virtual estancamiento del volumen de bienes vendidos al extranjero. Por lo tanto, estos dos países constituyen una excepción parcial a esa política de crecimiento puesta en práctica por América Latina hasta los treinta.

El estancamiento de las exportaciones brasileñas se debió tanto a la declinación del caucho, expulsado de la competencia por las plantaciones del Lejano Oriente, como a la revaluación del café. Sin embargo, los diversos

---

[50] La cosecha de cacao fue víctima de dos plagas, la más grave de las cuales fue la escoba de bruja. Véase Linke (1962), p. 135. Como resultado, la participación de las exportaciones mundiales de cacao de Ecuador se redujo de 16.4% en 1913 a 4.2% en 1928.

[51] Aunque John Thomas North, el "Rey del Nitrato", había fallecido en 1896, los intereses británicos en esa industria seguían siendo poderosos; en vísperas de la primera Guerra Mundial se formaron nuevas compañías. Véase Rippy (1959), pp. 57-65.

[52] El volumen de las exportaciones, que se redujo marcadamente al terminar la primera Guerra Mundial, en 1928 se había recuperado hasta sus niveles de la época del conflicto. Véase Sunkel (1982), cuadro 8, p. 127.

esfuerzos del gobierno de São Paulo por limitar el volumen de las exportaciones de café[53] que llegaba al mercado mundial tuvo un pronunciado efecto sobre los precios del producto, de modo que los ingresos reales en ese renglón aumentaron constantemente. De este modo, el estado de São Paulo —donde se ubicaba gran parte de la industria brasileña— vivió un incremento de la demanda efectiva del sector exportador, y la política alentó a los inversionistas a alejarse del café en pro de la economía no exportadora. Esta poderosa combinación explica en gran parte la industrialización brasileña durante el periodo.[54]

Pese a los altos precios de las exportaciones uruguayas (sobre todo carne y sus derivados, cueros y lana), el volumen de las mismas casi no se modificó en los 15 años posteriores a 1913. Parte de la explicación se encuentra en los problemas de la navegación durante la guerra; el volumen de las exportaciones aumentó brevemente a mediados de los veinte, pero la cartelización de la industria de la carne fue un importante obstáculo al aumento de la producción. Los frigoríficos, dominados por capital extranjero, habían unido fuerzas con sus equivalentes argentinos para crear un centro de la carne que asignaba el espacio de carga en la ruta a Londres (el mercado principal).[55] Este centro apoyó a las compañías procesadoras en las negociaciones de precios con los ganaderos, para quienes "los veinte fueron una década de desilusión y resentimiento en las operaciones de la industria frigorífica de propiedad extranjera".[56]

En el caso uruguayo otro elemento por considerar fue la ideología del batllismo. José Batlle y Ordóñez, presidente de Uruguay dos veces a comienzos del siglo xx y figura pública de gran importancia hasta su muerte, en 1929, era representante de la clase media urbana y no tuvo miedo de fijar impuestos al campo para financiar servicios urbanos del Estado benefactor.

Aunque no hay pruebas de que la política batllista perjudicara las exportaciones agropecuarias, la tasa impositiva fue bastante mayor que en otros países que buscaban el crecimiento impulsado por las exportaciones, y sin duda la ideología batllista favoreció las actividades urbanas no exportadoras. Esto, junto con las operaciones del centro de la carne, tal vez permita comprender cómo el Uruguay de Batlle —pese a sus muy pequeñas dimensiones— fuera una de las primeras naciones latinoamericanas que se desviaron del tradicional crecimiento impulsado por las exportaciones.[57]

[53] Durante los veinte la responsabilidad por la revaluación del café se dividió entre el estado de São Paulo y el gobierno federal de Rio de Janeiro. Esta doble responsabilidad reflejó las diferentes funciones del café: fuente de ingresos clave para los plantadores estatales, e influencia importante sobre el tipo de cambio, así como sobre la política fiscal y monetaria federal. Véase Fritsch (1988).

[54] Véanse las pp. 222-224 para un análisis más detallado de la industrialización brasileña durante los veinte.

[55] Véase Hanson (1938), pp. 62-67.

[56] Véase Finch (1981), p. 140.

[57] Sobre la ideología del batllismo y la creación de un Estado benefactor en Uruguay, véase Oddone (1986).

Tipo de cambio, reformas financiera y fiscal

El modelo impulsado por las exportaciones, con su insistencia en el aumento del valor de éstas, se vio sometido a fuertes ciclos que reflejaban las vicisitudes del sector exportador. Los sistemas fiscal y financiero, lejos de operar de manera contracíclica, reforzaron los ciclos emanados de aquél, y contribuyeron a la inestabilidad del tipo de cambio, los precios y los ingresos nominales.

El sistema fiscal era característicamente procíclico. El valor de las importaciones solía moverse junto con el de las exportaciones. Dado que una proporción tan alta de los ingresos del gobierno se derivaba de los derechos aduanales, el ingreso y el gasto gubernamentales tendieron a correr paralelos al comercio exterior. Al mismo tiempo, todo aumento (o descenso) del valor del comercio exterior estaba ligado a un aumento (o reducción) de la producción neta de sectores como el del comercio y el del transporte, que dependían del desplazamiento de exportaciones e importaciones. Por ello, también la economía real solía avanzar procíclicamente con el cambio del valor nominal de las exportaciones.

Asimismo, los cambios del valor de las exportaciones estaban correlacionados con los cambios del circulante. Al aumentar (o reducirse) las exportaciones, entraban (o salían) divisas del país. Y como el dinero de "origen externo" solía ser una proporción tan alta del total de circulante en los países que seguían el modelo impulsado por las exportaciones, no podía ser fácilmente compensado por una reducción (o aumento) del dinero de "origen interno" mediante déficit presupuestales o creación de crédito nacional.[58]

La naturaleza procíclica de la política monetaria fue particularmente marcada en los países latinoamericanos que habían adoptado el patrón oro, pues éste había sido planeado para producir un ajuste automático a los problemas de la balanza de pagos. Los países industrializados que tuviesen un déficit de su balanza de pagos como resultado de una excesiva creación de crédito, padecerían salida de oro y reducción del circulante y los precios, con lo que lograrían aumentar sus exportaciones y disminuir sus importaciones a fin de lograr un nuevo equilibrio de su balanza de pagos. Pese a todas las críticas que después se le hicieron, el patrón oro de la preguerra funcionó aceptablemente bien para los países industrializados,[59] y pareció natural que también lo adoptaran las repúblicas latinoamericanas.

[58] Dado que el circulante representa los pasivos (monetarios) del sistema bancario consolidado, también se lo puede expresar como la suma de los haberes internos y externos netos de los bancos. De este modo, un cambio del circulante se puede expresar como una modificación de los haberes extranjeros netos (dinero de origen externo), o de los haberes nacionales netos (dinero de origen interno). Hoy este útil análisis se incluye en muchos libros de texto sobre el sistema monetario de los países en desarrollo; fue empleado explícitamente por vez primera por Robert Triffin durante los cuarenta. Véase Thorp (1994).

[59] Se han escrito muchas buenas obras sobre la operación del patrón oro en los países industrializados. Véase, por ejemplo, McCloskey y Zecker (1981), pp. 184-208.

Por desgracia, este argumento se basaba en dos conceptos erróneos. Primero, por lo general los problemas de la balanza de pagos en América Latina se debían a la inestabilidad de los mercados mundiales de productos primarios, y no a un desorden financiero interno. Una salida de oro, por ejemplo, no produciría necesariamente un aumento de las exportaciones por su repercusión en los precios, por lo que la corrección de la balanza de pagos tenía que hacerse casi siempre reduciendo las importaciones, con efectos nocivos sobre el nivel de la actividad económica real. En segundo lugar, el patrón oro no fue planeado para los países en los que el valor de las exportaciones se viera sometido a enormes fluctuaciones de acuerdo con el nivel de los precios mundiales. El ingreso de oro, por ejemplo, después de un alza (temporal) de los precios elevaría las importaciones a un nivel que no podría sostenerse cuando se redujeran los precios de la exportación.

Tal vez por estas razones las repúblicas latinoamericanas se acercaron con cautela al patrón oro antes de la primera Guerra Mundial. Las naciones que lo adoptaron organizaron también oficinas de cambio de moneda que solían suspender la convertibilidad en los periodos de salida del oro para reducir el efecto deflacionario de los déficit de la balanza de pagos, y pasar parte de la carga del ajuste al tipo de cambio.[60] Estos países estaban dispuestos a seguir la ortodoxia del patrón oro en los buenos tiempos, cuando recibían ingreso en oro, pero se mostraban mucho más renuentes a restablecer el equilibrio de la balanza de pagos en tiempos difíciles, dependiendo exclusivamente de la salida de oro. Además, la presión internacional no fue un grave obstáculo a esta interpretación un tanto asimétrica de las reglas del juego del patrón oro.

La suspensión del patrón oro, en 1914, inició un periodo de gran inestabilidad para los países que seguían el modelo impulsado por las exportaciones. El volumen de las importaciones se redujo cuando el espacio de carga se reasignó de acuerdo con las necesidades bélicas de Europa, lo que puso por las nubes el precio de los artículos importados. El ingreso de los gobiernos se redujo, casi en toda la región, en proporción al volumen de las importaciones, lo que provocó una grave crisis fiscal y frecuentes déficit del presupuesto. Éstos, al no haber préstamos extranjeros, tenían que financiarse internamente, lo que a menudo generó alzas de precios por encima de la inflación debida al aumento del costo de las importaciones.[61] En México estas presiones inflacionarias llegaron a proporciones extremas cuando el conflicto revolucionario, de 1913 a 1916, produjo una inundación de papel moneda sin respaldo de oro ni de plata.[62]

[60] Véase Triffin (1944), pp. 94-96.
[61] Por ejemplo, en Brasil los precios al menudeo aumentaron 158% entre 1913 y 1918: un aumento anual de 20.9%. Esto rebasaba con mucho lo que podría justificarse por referencia al valor en dólares de las importaciones.
[62] Las presiones inflacionarias en México fueron tan intensas que el tipo de cambio se desplomó, pasando de 2.01 pesos por dólar en enero de 1913 a 217.4 en diciembre de 1916. Véase Cárdenas y Manns (1989), p. 68.

Una causa adicional de inestabilidad fueron las fluctuaciones monetarias. Una vez suspendido el patrón oro, sólo las monedas dependientes del dólar estadunidense (como la de Cuba) podían evitar la inestabilidad monetaria; en el resto de la región las monedas se depreciaron primero contra el dólar, según los problemas del sector exportador, y luego subieron o bajaron de acuerdo con su capacidad de incrementar los ingresos por sus exportaciones. Las naciones que tenían exportaciones estratégicas (por ejemplo Chile y Perú) experimentaron al final de la guerra una revaluación de su moneda, mientras que las que producían exportaciones no esenciales (como Brasil y Costa Rica) sufrían una nueva depreciación (véase el cuadro VI.5).

La combinación de inflación importada, déficit presupuestal financiado internamente y (en algunos casos) devaluación de la moneda produjo un alza del nivel de precios interno. Aunque este fenómeno también ocurrió en Europa y en América del Norte, creó mayores tensiones sociales en América Latina. Los trabajadores, aun los de la clase media urbana, pudieron defender menos el valor de sus salarios reales, y los llamados al sacrificio de tiempos de guerra tuvieron menos fuerza. A menudo la inquietud social fue sofocada con violencia, sobre todo en Argentina durante la Semana Trágica;[63] al terminar la guerra predominaba en la región un clima de inestabilidad política.

La esperanza de que con el fin de las hostilidades en Europa desaparecieran los principales problemas económicos se disipó con la grave depresión de 1920-1921. Aunque afortunadamente breve, esta depresión de origen comercial fue un duro recordatorio de la naturaleza procíclica del modelo impulsado por las exportaciones. Una vez más el desplome de los precios de los productos primarios en los mercados mundiales produjo sangría de divisas, disminución del circulante, reducción de las importaciones y declinación de los ingresos gubernamentales.[64] Lo más dramático fue la depreciación de la moneda en casi todas las repúblicas que no tenían una vinculación fija con el dólar estadunidense (véase el cuadro VI.5). Por ejemplo, entre 1918 y 1923 Brasil y Ecuador vieron reducirse el valor nominal de su moneda a la mitad.

La extrema inestabilidad de las exportaciones a partir de 1913 hizo que los gobiernos latinoamericanos vieran con mejores ojos las reformas financiera y fiscal capaces de eliminar algunos de los peores excesos del modelo impulsado por las exportaciones. Se consideró que uno de los mayores problemas era la inestabilidad monetaria, y el retorno a tipos de cambio fijos (o su adopción) se convirtió en símbolo de la nueva ortodoxia. Dado el hincapié de la recién formada Sociedad de Naciones en el patrón oro,[65] las repúblicas

---

[63] La violencia con que se aplastó la inquietud laboral en Argentina en enero de 1919, seguida de manifestaciones masivas, ha sido descrita en Rack (1986).

[64] Uno de los ejemplos más extremos de este círculo vicioso se encontró en Cuba como resultado de la apertura de la república al comercio exterior. Véase Wallich (1950).

[65] La Sociedad de Naciones, establecida al terminar la guerra, había llamado a una conferencia, ya en 1920, para analizar diversos problemas de las finanzas internacionales, entre los cuales se consideraba fundamental un retorno al patrón oro. Véase Kindleberger (1987), pp. 46-48.

CUADRO VI.5. *Tipos de cambio por dólar*

País	Unidad monetaria	1913	1918	1923	1928
Argentina	Peso papel	2.38	2.27	2.86	2.38
Bolivia	Boliviano	2.57	2.44	3.23	2.86
Brasil	Milreis	3.09	4.00	10.00	8.30
Chile	Peso papel	4.50	3.45	8.33	8.33
Colombia	Peso	1.00	0.94	1.05	1.02
Costa Rica	Colón	2.15	4.55	4.55	4.00
Cuba	Peso	1.00	1.00	1.00	1.00
Ecuador	Sucre	2.05	2.56	4.76	5.00
El Salvador	Colón	2.43[a]	2.43[a]	2.04	2.00
Guatemala	Peso	20.00	35.00	60.00	1.00[b]
Haití	Gourde	5.00	5.00	5.00	5.00
Honduras	Peso	2.50	2.00	2.00	2.00[c]
México	Peso	2.00[d]	2.00	2.04	2.08
Nicaragua	Córdoba	1.00	1.00	1.00	1.00
Panamá	Balboa	1.00	1.00	1.00	1.00
Paraguay	Peso	1.43[e]	1.00	1.27	1.04
Perú	Libra	0.21	0.19	0.24	0.25
República Dominicana	Peso	1.00	1.00	1.00	1.00
Uruguay	Peso	0.96	0.83	1.27	0.97
Venezuela	Bolívar	5.27	4.55	5.26	5.26

[a] Peso de plata.
[b] Quetzal (equivalente a 60 viejos pesos).
[c] Lempira.
[d] El dato es para 1911-1912.
[e] El dato es para 1910.
FUENTES: Mills (s/f), Young (1925) y Pan-American Union (1952) para 1913; Wilkie (1974) para 1918, 1923 y 1928.

latinoamericanas se vieron presionadas para ingresar al sistema y seguir las reglas del juego.

Pero no todas deseaban la estabilidad monetaria. Era bien sabido que los exportadores y los deudores internos se beneficiaban con la depreciación de la moneda, y esto se había señalado muchas veces para explicar el que algunas de las repúblicas (por ejemplo Chile[66] y Guatemala[67]) no hubiesen adoptado el patrón oro antes de la guerra. Sin embargo, la inestabilidad monetaria podía producir tanto revaluación como depreciación, y la incertidumbre relacionada con la fluctuación monetaria a partir de 1913 redujo la resistencia de muchos a la adopción de tipos de cambio fijos. Además, la clase media urbana —clase social en ascenso en América Latina— favorecía inequívocamente la estabilización de la moneda;[68] como durante los años veinte los gobiernos empezaron a tomar en consideración los intereses de esta clase, empezó a haber consenso en favor de una administración ortodoxa del tipo de cambio.[69]

Para algunos de los países más pequeños de la Cuenca del Caribe la preferencia de Estados Unidos por los tipos de cambio fijos fue el factor principal que condujo a la adopción de la estabilidad cambiaria. Estados Unidos había salido de la guerra con su posición económica y financiera mundial muy fortalecida. Su influencia en América Central y el Caribe, considerable ya antes de la guerra, ahora era indisputada. Sin embargo, incluso en México y en Sudamérica había buenas razones para tomar nota de la preferencia estadunidense por los tipos de cambio fijos. Estados Unidos iba convirtiéndose rápidamente en el principal abastecedor de capital para todas las repúblicas latinoamericanas, tanto en acciones como en inversiones directas, y se pensaba que la adopción de reformas conducentes a la estabilidad cambiaria serían una manera bastante indolora de abrir las puertas al ingreso de capital estadunidense. Como existía una creciente demanda de capital extranjero, y el que provenía de las fuentes tradicionales —sobre todo Gran Bretaña, Francia y Alemania— estaba limitado por las dificultades económicas de la posguerra, ningún país latinoamericano podía permitirse ser indiferente por entero a la preferencia estadunidense de una reforma financiera y fiscal.

En unas cuantas naciones (véase el cuadro VI.5) la estabilidad monetaria había sobrevivido a los años de guerra y continuó durante los veinte. No obs-

[66] En los 40 años anteriores a la primera Guerra Mundial se habían hecho muchos intentos por restaurar la estabilidad monetaria en Chile, pero todos habían fracasado. En una obra de gran difusión, Fetter (1931) atribuyó este fracaso a la influencia de los terratenientes sobre la política gubernamental. Hoy se reconoce que hubo muchas otras presiones que condujeron a la depreciación de la moneda. Véase Hirschman (1963).

[67] La supervivencia de Estrada Cabrera como dictador de Guatemala, de 1898 a 1920, sin duda se vio ayudada por las inesperadas ganancias que la poderosa oligarquía cafetalera obtuvo gracias a la depreciación de la moneda.

[68] Este grupo social, cuyo ingreso se derivaba de los salarios, fue el primero en sufrir cuando la depreciación monetaria elevó el costo de las importaciones en moneda nacional. Sin una indización ni sindicatos poderosos no había la certeza de que las remuneraciones crecieran al nivel de los precios.

[69] Durante y después de la primera Guerra Mundial subieron al poder algunos gobiernos de los que podía decirse que representaban esta nueva fuerza social. Buenos ejemplos son los radicales de Argentina, en la época de Hipólito Irigoyen (1916-1930) y los liberales de Chile, de Arturo Alessandri (1920-1925).

tante, sin excepción todos estos países eran semicolonias de Estados Unidos[70] (Cuba, República Dominicana, Haití, Nicaragua y Panamá), donde el dólar circulaba sin restricciones y la política monetaria era totalmente pasiva. En el resto de la región los tipos de cambio estables sólo se adoptaron después de la guerra y, las más de las veces, de la depresión de 1920-1921. En unos pocos países (sobre todo Argentina, Bolivia, Brasil, Ecuador y Perú) la estabilidad monetaria se aplazó hasta 1927-1928, pero a principios de 1929 toda América Latina había estabilizado su tipo de cambio en relación con el dólar estadunidense.[71]

La estabilización de los tipos de cambio se vinculó en general con la adopción del patrón de cambio oro. Éste era mucho menos exigente que el patrón oro para los países periféricos, porque ya no era necesario garantizar con oro el cambio de la moneda local, sino que un país podía cambiar su moneda por una moneda extranjera, como el dólar, el cual a su vez era perfectamente convertible en oro.[72] Aun así, el patrón de cambio oro no carecía de problemas. Países como Honduras y México, en los que las monedas de plata eran el medio de cambio preferido por razones históricas, padecieron con la depreciación de la plata durante los veinte, cuando empezó a subir el precio en oro de la plata. Esto hizo que se retiraran de la circulación los billetes con respaldo en oro, lo cual sólo se podía compensar aumentando la acuñación de monedas de oro y reduciendo las de plata.[73]

El patrón oro de la preguerra en América Latina había fracasado con frecuencia cuando la oficina cambiaria suspendía la corriente del metal precioso. Con el objetivo de minimizar este riesgo en el nuevo ambiente de posguerra, la estabilidad del tipo de cambio fue apuntalada mediante reformas financieras, la creación de nuevas instituciones bancarias, supervisión financiera y regulaciones bancarias. El ejemplo más notable de esta modificación fue la creación de bancos centrales en los países andinos,[74] muchos de los cuales, hasta 1914, habían sido los menos ortodoxos en la administración del tipo de cambio.

La creación de estos bancos centrales fue precedida en general por una visita de E. W. Kemmerer, académico estadunidense especialista en economía monetaria. Las misiones Kemmerer eran independientes de los departamentos de Estado y del Tesoro estadunidenses, pero ambos veían con buenos ojos

[70] A la relación directa entre estos países y Estados Unidos se dedican muchas monografías detalladas sobre las condiciones económicas y las políticas financieras. Véase, por ejemplo, Cumberland (1928).

[71] En algunos casos la moneda no estuvo explícitamente relacionada con el dólar estadunidense. Por ejemplo, el peso paraguayo dependía de la moneda argentina; el peso boliviano de la libra esterlina. Sin embargo, la operación del patrón oro estableció un nexo indirecto con el dólar estadunidense para todas estas monedas.

[72] El patrón de cambio oro se describe en Kindleberger (1987), pp. 46-49.

[73] Este proceso en Honduras se encuentra bien descrito en Young (1925). Para México véase Cárdenas (2000).

[74] Los países andinos afectados fueron Bolivia, Chile, Colombia, Ecuador y Perú.

las reformas financiera y fiscal propuestas invariablemente por Kemmerer y su equipo. De hecho, a menudo se consideró que una visita de Kemmerer era requisito esencial para todo futuro préstamo estadunidense —así fuera del sector privado— y en ocasiones aquél luchó denodadamente para conseguir préstamos del sector privado a los países que adoptaran su "paquete" de reformas.[75]

El éxito de las misiones Kemmerer se debió en gran parte a que sus recomendaciones coincidían con los cambios que, de todas maneras, probablemente iban a ocurrir. Los países a los que no llegaron esas visitas (como Brasil) llevaron a cabo reformas similares. En toda América Latina desapareció la banca libre;[76] a un banco (el Banco Central, si lo había) se le concedió el monopolio de la emisión de billetes, y se redujo la capacidad del gobierno para financiar un déficit presupuestal por medio de la imprenta.

La reforma financiera de los veinte fue sumamente ortodoxa. Su principal propósito era aportar un marco institucional que cimentara la estabilidad del tipo de cambio y el patrón de cambio oro. En la práctica, no permitió que los gobiernos aplicaran políticas monetarias contracíclicas, y las técnicas para anular el efecto de un brote de ingresos de divisas al circulante y al nivel interno de precios fueron muy rudimentarias. Aunque Gran Bretaña y Estados Unidos gozaron de casi un decenio de estabilidad de precios después de la depresión de 1920-1921, muchos países latinoamericanos padecieron graves fluctuaciones de precios, aun después de estabilizar su moneda.[77]

La adopción de un tipo de cambio deseado tuvo repercusiones no sólo en el sistema financiero, sino también en la política fiscal. Los déficit presupuestales, financiados con métodos inflacionarios, podían atentar contra la estabilidad monetaria, por lo cual hubo mucha presión en favor de aumentar el ingreso. Sin embargo, el hecho de que éste dependiera directamente del ciclo comercial hizo necesario ampliar la base tributaria a fin de darle más estabilidad al ingreso del gobierno. Por ello tuvo que hacerse una reforma fiscal para complementar la reforma financiera y monetaria.

Todos estos argumentos mostraron la necesidad de nuevos impuestos que no estuviesen directamente relacionados con las exportaciones y las importaciones. Los candidatos obvios eran la renta, la propiedad y las ventas, pero casi en ningún país se hicieron progresos en este sentido. A fines de los veinte la participación de los impuestos al comercio seguía siendo muy alta

[75] Drake (1989) ofrece una excelente descripción de las misiones de Kemmerer a Sudamérica, y los esfuerzos de éste por cimentar las reformas propuestas mediante ingresos de capital extranjero.

[76] "Banca libre" es el nombre dado al proceso por el cual los bancos comerciales son "libres" de emitir su propia moneda, sujetos a la prudencia de los requisitos bancarios normales. Ha desaparecido virtualmente en todo el mundo, sustituida por el monopolio de la emisión de billetes de un solo banco, aunque aún sobrevive una versión en Escocia.

[77] Aunque los precios al mayoreo estadunidenses y argentinos, por ejemplo, eran virtualmente los mismos en 1927 que en 1922, la desviación estándar en Argentina durante este periodo fue muy superior: los precios subían o bajaban hasta 10% en un mismo año.

(véase el cuadro VI.6) en la región. Sólo en unos pocos casos los impuestos sobre la renta generaban más de 5% del ingreso gubernamental. Uruguay y Venezuela obtuvieron grandes beneficios de los impuestos directos; el primero gracias a una tasa fiscal progresiva (sobre todo a los bienes inmuebles), relacionada con el batllismo, y la segunda porque captó una pequeña parte de la gran rentabilidad asociada con las exportaciones de petróleo. Aun así, el esfuerzo fiscal medido por el ingreso per cápita (véase el cuadro VI.6) siguió siendo modesto; en muchos países la recaudación global era de 10 dólares per cápita o menos. Sólo Argentina, Chile y Uruguay lograron llegar a más de 25 dólares per cápita de ingreso público. Sin embargo, en 1915 Argentina, tras un acalorado debate legislativo, rechazó la introducción del impuesto sobre la renta, e inició en cambio impuestos a la exportación.[78] En muchas otras repúblicas la recaudación del impuesto sobre la renta se vio menguada por las numerosas exenciones autorizadas.

Un obstáculo adicional en el camino hacia la reforma fiscal fueron los pagos por el servicio de la deuda externa. En el tenso ambiente internacional que reinó antes, durante y después de la guerra el incumplimiento de los pagos de la deuda —sobre todo con las potencias europeas— podía servir de excusa para una intervención europea en el continente americano. Este potencial desafío a la doctrina Monroe había convencido a sucesivos gobiernos de Estados Unidos, desde principios de siglo, de que deberían emplear su influencia para garantizar el pago del servicio de la deuda. La manera más segura de lograrlo era insistir en que las repúblicas latinoamericanas comprometieran sus ingresos del comercio exterior para ese fin. De este modo, para protegerse contra cualquier reincidencia en las aduanas de muchos países latinoamericanos se instalaron funcionarios estadunidenses. De hecho, a mediados de los veinte, en 10 de las 20 repúblicas "participaban o habían participado [funcionarios de Estados Unidos] en carácter de supervisores".[79]

La insistencia en los pagos del servicio de la deuda hizo más difícil que los gobiernos redujeran su dependencia de los impuestos al comercio porque, a diferencia de muchos otros, se los podía pagar en oro.[80] Aunque la inflación de la época de guerra había disminuido mucho la participación de los derechos de importación en el ingreso global, ésta se recuperó con rapidez durante los veinte. Al terminar el decenio la contribución de los impuestos comerciales al ingreso total del gobierno no era muy inferior a la de 1913, por lo que el ingreso seguía siendo vulnerable a las fluctuaciones del valor de las exportaciones. Puede verse, así, que la reforma fiscal fue muy tímida, y

---

[78] Véase Albert (1988), p. 145.

[79] Véase Tulchin (1971), p. 80.

[80] Las obligaciones de la deuda externa fueron denominadas en monedas relacionadas con el oro, por lo cual hubo una comprensible preferencia de los ministros de finanzas por los ingresos por impuestos que también pudieran cobrarse en oro. Los impuestos al comercio fueron el candidato más obvio.

que siguió resultando muy difícil a los gobiernos aplicar una política fiscal contracíclica.

Una razón de la timidez de la reforma fiscal fue que los gobiernos latinoamericanos iban cobrando conciencia de que podían recurrir a préstamos extranjeros para financiar déficit presupuestales de manera no inflacionaria. El nuevo papel de Estados Unidos como país con excedente de capitales produjo una considerable transferencia de recursos a América Latina en forma de préstamos a gobiernos nacionales, estatales y municipales. Otros países exportadores de capital fueron incapaces de competir con la inundación de préstamos estadunidenses a América Latina, y en 1929 Estados Unidos era el inversionista extranjero más importante de todas las repúblicas latinoamericanas, con excepción de Argentina, Brasil, Paraguay y Uruguay.

A veces este flujo de riqueza, la tristemente célebre "danza de los millones", rebasó la capacidad de absorción del país que lo recibía, y abundaron los casos de soborno y corrupción. En 1927 Perú recibió capital accionario equivalente a más de 50% de sus ingresos totales por exportación.[81] Entre 1926 y 1928 tan sólo Estados Unidos exportó más de mil millones de dólares (netos) a América Latina, sobre todo en forma de préstamos gubernamentales.[82] Era fuerte la tentación de depender de los préstamos extranjeros para evitar las penosas reformas fiscales. Esto ocurrió incluso en aquellos países que, como Colombia, usaron esos créditos para invertir en activos productivos (por ejemplo, infraestructura social).[83]

La combinación de una administración del tipo de cambio ortodoxa, una reforma financiera conservadora y una política fiscal tímida, no constituyó una respuesta apropiada a la creciente inestabilidad de los mercados mundiales de productos primarios. Si bien favoreció el ingreso de capital extranjero —en particular estadunidense— dejó a la región peligrosamente vulnerable a choques externos. Esto se había demostrado con toda claridad en 1920-1921, Y la experiencia se repetiría, con resultados aún más desastrosos, a partir de 1929. Además, en una época de deterioro de las condiciones externas del comercio, en la mayoría de los países la reforma financiera y fiscal fue demasiado tímida para producir una transferencia considerable de los recursos del sector exportador de la economía al sector no exportador. Los países pequeños se encontraron al inicio de la depresión de los treinta con un sector no exportador demasiado débil para actuar como "motor de crecimiento", mientras que el sector no exportador de los países mayores seguía en desventaja por falta de financiamiento, mala infraestructura y un ambiente político que favorecía las exportaciones de productos primarios.

---

[81] Véase Thorp (2000), p. 82.

[82] Véase Stallings (1987), cuadro 1.A.

[83] El contraste en el uso de los recursos entre Colombia y Perú es uno de los temas importantes en Thorp (1991), capítulos 1-2.

Choques externos, precios relativos y el sector manufacturero

Al estallar la guerra en Europa ya se habían establecido manufacturas modernas en Argentina, Brasil, Chile, México, Perú y Uruguay, y era visible un modesto comienzo en Colombia y Venezuela. Muchos factores contribuyeron al surgimiento de la industria nacional dirigida al mercado interno. Del lado de la demanda, la creación de concentraciones urbanas como subproducto del crecimiento impulsado por las exportaciones produjo mercados en expansión basados en el trabajo asalariado de una creciente clase media. Al aumentar el mercado se redujeron los costos unitarios de producción, por lo que las empresas locales pudieron competir mejor con las importaciones en toda una variedad de artículos. Las repúblicas pequeñas, en las cuales la concentración urbana era modesta, se encontraron en desventaja, y la producción fabril moderna (sin tomar en cuenta los establecimientos dedicados a procesar materias primas para la exportación) fue sumamente limitada antes de la guerra. La excepción fue Uruguay, donde el alto nivel de exportaciones per cápita y la política económica en favor de la vida urbana habían producido una sociedad urbanizada, con un mercado lo bastante grande como para justificar la producción de muchos artículos manufacturados.[84]

El crecimiento de la infraestructura social también tuvo importancia en la promoción de la manufactura moderna. Al mejorar las redes de transporte interno los productos de las fábricas modernas pudieron empezar a competir más fácilmente con la producción artesanal que tradicionalmente había satisfecho las necesidades de la población rural. El pésimo sistema de transportes de Colombia fue un gran obstáculo para el surgimiento de una manufactura moderna antes de la guerra, mientras que la industria mexicana se había beneficiado en buena medida por la extensión de la red ferroviaria durante el Porfiriato. También la multiplicación de los servicios públicos y las instituciones financieras desempeñó un papel importante en el desarrollo de fábricas modernas.

El tercer elemento decisivo del surgimiento de la industria fueron los precios relativos. Con una producción destinada básicamente al mercado interno, la rentabilidad era sensible a todo cambio del precio interno de las importaciones competitivas. Cuando éstas se abarataban —debido por ejemplo a reducción de los gravámenes, revaluación cambiaria o descenso del precio mundial— la producción nacional sufría las consecuencias y la industria perdía recursos. Y, a la inversa, cuando aumentaba el precio interno real de las importaciones se estimulaba la producción nacional, y la industria atraía recursos de otras ramas de la economía.

[84] A finales de los veinte Guatemala y Uruguay tenían aproximadamente la misma población (1.7 millones de habitantes). Sin embargo, Montevideo, capital de Uruguay, albergaba a cerca de 500 mil habitantes con un ingreso promedio relativamente alto, mientras que la ciudad de Guatemala era un modesto centro urbano, con sólo 120 mil personas.

CUADRO VI.6. *El ingreso público ca. 1929*

| | Cantidad | | | Estructura (en porcentajes) | | | |
	Total (millones de dólares)	Per cápita (en dólares)	Derechos a la importación	Derechos a la exportación	Impuestos directos[a]	Impuesto sobre la renta
País						
Argentina	308.3	27.5	45.7	2.4	3.6	0
Bolivia	17.8	5.9	32.3	13.7	9.0	s/d
Brasil[b]	282.1	7.2	43.9	0	4.0	3.1
Chile	148.1	34.0	30.0	24.3	17.7	12.6
Colombia	73.2	9.2	54.0	0.5	4.9	3.6
Costa Rica	8.9	18.0	56.8	7.9	2.8	0
Cuba	79.3	22.1	50.3	4.5	5.7	5.5
Ecuador	12.1	6.1	32.9	6.4	6.6	1.8
El Salvador	13.5	7.8	50.7	11.9	5.2	0
Guatemala	15.4	7.2	47.4	13.6	1.3	0
Haití	8.5	3.4	59.5	23.1	1.9	1.2
Honduras	6.9	9.8	58.6	1.3	0	0
México	146.0	9.7	37.7	3.5	6.7	6.7
Nicaragua	6.6	10.1	58.6	1.2	0	0
Panamá	6.5	13.0	48.8	1.6	4.7	0
Paraguay	5.8	6.9	49.3	10.0	6.9	0
Perú	56.2	9.1	27.7	6.5	10.3	6.0
República Dominicana	15.4	15.0	32.5	s/d	s/d	s/d
Uruguay	61.3	34.1	40.8	19.2	1.2
Venezuela	44.5	14.4	51.1	0	20.1	0

[a] Incluye el impuesto sobre la renta.
[b] Gobierno federal.

FUENTES: Council of Foreign Bondholders (1931); League of Nations (1938).

La primera Guerra Mundial alteró el medio "normal" en el que hasta 1914 había surgido la manufactura moderna. El primer gran cambio fue la reducción de las importaciones debido a problemas como la falta de buques de carga, entre otros. La industria local, sin las importaciones que competían con ella, ya no tuvo que preocuparse tanto por los precios relativos. De hecho, los gravámenes a las importaciones fueron remplazados por cuotas, y los precios internos pudieron aumentar libremente hasta que se normalizara el mercado. Sin embargo, las restricciones a la importación se aplicaban a todos los productos y a menudo las empresas negaron el acceso a las importaciones de bienes de capital para aumentar su capacidad. Por ello muchas veces hubo que hacer frente a la demanda con un uso más intensivo de la capacidad instalada, lo que no siempre fue posible.

También la demanda se vio afectada por la guerra. En casi toda América Latina el efecto inmediato de la guerra fue un descenso de los valores de exportación. Esta caída, agravada por efectos multiplicadores, produjo una reducción de la demanda interna de bienes manufacturados. Es tentador suponer que esto ocasionó la declinación de la producción manufacturera, pero no siempre fue así. Debemos distinguir tres ramas de la manufactura moderna. La primera procesaba productos primarios para la exportación (por ejemplo los frigoríficos en Argentina y Uruguay), y sin duda era afectada por cualquier descenso de los valores de exportación. La segunda producía artículos no intercambiables (como pan o ladrillos), o bienes que ya habían remplazado a las importaciones en el mercado interno y que por lo tanto en realidad no eran intercambiables (cerillos, productos de tabaco). Dado que la producción no competía con las importaciones, una reducción de la demanda interna implicaba automáticamente un descenso de la producción. La tercera producía bienes intercambiables que competían con las importaciones (textiles, zapatos). Siempre que las importaciones cayeran con más rapidez que la demanda, podía esperarse que la producción de esta rama aumentara. Por ello no era fácil predecir la dirección del cambio de la producción manufacturera sin otro dato que el descenso de los valores de exportación. Además, las restricciones a la importación no se aplicaban a los bienes procedentes de otros países latinoamericanos, por lo cual la producción podía ampliarse gracias a las exportaciones a países vecinos.

A medida que se generalizaba la guerra en Europa iba en aumento la demanda de materiales estratégicos. Los precios subían sin cesar, y un buen número de países latinoamericanos experimentó una mejoría espectacular de sus ingresos por exportación y sus TNIC. Aunado a las continuas restricciones a las importaciones competitivas, esto constituyó un poderoso estímulo para aquellos países que tenían capacidad industrial suficiente para ampliar su producción sin necesidad de grandes inversiones. Pero en las repúblicas pequeñas, sin capacidad manufacturera considerable, la producción nacional no logró aumentar, y el estímulo simplemente provocó un alza de los precios.

Esta situación se complicó aún más por la proximidad de Estados Unidos.

La restricción a las importaciones la resintieron más gravemente los países que recibían la mayor parte de sus insumos de Europa. Las pequeñas naciones de América Central y el Caribe fueron las menos afectadas por las restricciones a la importación, porque ahí Estados Unidos ya antes de la guerra era el principal proveedor, y pudieron remplazar sin excesiva dificultad las importaciones europeas. Por ello esas naciones seguían teniendo la posibilidad de comprar bienes de capital en el extranjero, pero perdieron el estímulo a la producción industrial que representó la reducción de las importaciones competitivas. Aunque aumentaron las exportaciones de Estados Unidos a todos los países de América Latina, esto no compensó la pérdida de las importaciones europeas en aquellos países que, como Argentina, no solían ser compradores importantes para Estados Unidos. Por consiguiente, el estímulo de las restricciones de la importación para la manufactura nacional fue mucho más importante en el sur del continente.

Nos concentraremos ahora en el desempeño del sector manufacturero en América Latina durante la guerra, tema que ha provocado mucho interés y enconados debates.[85] Lo primero que debemos señalar es que casi nadie ignora que los países que al inicio de la guerra tenían muy poca capacidad manufacturera hicieron escasos progresos. Estas pequeñas repúblicas de América Central y el Caribe, junto con Bolivia, Ecuador y Paraguay, siguieron aplicando el tradicional modelo impulsado por las exportaciones, en el cual los altibajos de la economía variaban de acuerdo con el desempeño de sus ventas al extranjero. En Colombia y Venezuela hubo cierto aumento de la producción, con base en las inversiones de la preguerra en textiles, zapatos, cemento y alimentos procesados, pero el avance manufacturero siguió siendo modesto.[86] En México las vicisitudes de la industria estuvieron signados, esencialmente, por los efectos de los conflictos revolucionarios, más que por la guerra europea. La producción textil —con mucho el sector más importante— se redujo 38% entre 1913 y 1918, y en 1921 la producción manufacturera seguía estando 9% abajo de su nivel de 1910.[87] La reducción de la demanda debida a la Revolución, al desplome de los salarios reales en el episodio hiperinflacionario de 1913 a 1916, y al daño causado a la infraestructura social del país (particularmente a los ferrocarriles), minimizó cualquier estímulo positivo que hubiesen podido aportar las restricciones a la importación.[88]

Los países que se enfrentaron a una combinación de aumento de las ex-

[85] Este debate se desató cuando la escuela de la dependencia afirmó que la industria latinoamericana podía salir beneficiada con las alteraciones externas a la economía, porque las empresas manufactureras se verían sujetas a una competencia internacional reducida. Véase Frank (1969).

[86] Para Colombia, véase Ocampo y Montenegro (1984), primera parte; para Venezuela, véase Karlsson (1975), capítulo 2.

[87] Véase Haber (1989), capítulo 8.

[88] Las sombrías condiciones sociales y económicas de estos años han sido bien descritas por Knight (1986b), pp. 406-420.

portaciones y restricción a las importaciones se encontraron en excelente situación para mejorar el desempeño de sus manufacturas. En ese caso la guerra representó un estímulo positivo, no sólo a las empresas que competían con las importaciones sino también a los establecimientos directamente relacionados con las exportaciones y los que vendían artículos no intercambiables en el mercado interno. Chile y Perú se encontraron en esa posición, aunque ambos países se enfrentaron a una breve reducción de sus exportaciones al comienzo de la guerra. Las estadísticas de producción industrial no son muy dignas de confianza, pero todos los indicadores señalan que la producción de Chile aumentó con rapidez a partir de 1914, y que se establecieron ahí muchas empresas nuevas pese a los problemas para importar bienes de capital.[89] Los datos sobre Perú son aún más deficientes, pero el sector que competía con las importaciones (especialmente el de textiles y zapatos) se expandió, y ciertas evidencias sugieren que incluso durante los años de guerra se fundaron nuevas fábricas, ya que el número de éstas se duplicó entre 1905 y 1918, y es difícil creer que esta expansión se produjera antes de 1914.[90]

Argentina y Uruguay muestran un panorama menos alentador. Aunque ambos países sufrieron un serio descenso de sus importaciones como resultado de las restricciones a la navegación, una parte considerable del valor agregado de las manufacturas (entre 10 y 20%) se relacionaba directamente con el desempeño de las exportaciones.[91] Como el volumen de las mismas se redujo durante la guerra y se deterioraron los términos de comercio, la demanda de artículos manufacturados padeció efectos adversos. Algunas ramas del sector que competía con las importaciones (por ejemplo, los textiles) se ampliaron rápidamente, pero otras (por ejemplo, los metales en el caso de Argentina) no tuvieron capacidad suficiente para responder al estímulo de las restricciones a la importación, por lo que su producción de hecho se redujo.[92] Se establecieron algunas empresas nuevas (sobre todo en Uruguay),[93] pero el desempeño industrial general fue mediocre. El índice manufacturero argentino permite pensar que el nivel de producción de 1913 no se superó hasta 1919.[94]

La guerra tuvo ciertos efectos benéficos sobre la industria de estos dos países; ambos lograron incrementar su exportación de artículos manufacturados a países vecinos; por ejemplo, Argentina mandaba harina a Brasil y Uruguay vendía sombreros a Argentina. La industria química de este último país recibió un impulso con la producción, por vez primera, de sulfato de

[89] Véanse Kirsch (1977), pp. 45-48; Palma (1979).
[90] Vease Thorp y Bertram (1978), capítulo 6.
[91] Para Argentina, Díaz-Alejandro (1970) sigue siendo una fuente clásica sobre este periodo; para Uruguay, véase Finch (1981).
[92] Véase Albert (1988), capítulo 3.
[93] Véase Finch (1981), p. 164.
[94] Todavía en 1917 la producción neta manufacturera (a precios de 1970) seguía estando 16.9% por debajo del nivel de 1913. Véase CEPAL (1978), cuadro 12. Puede encontrarse un estudio más detallado en CEPAL (1959).

aluminio, y en 1916 empezaron a ensamblar automóviles.[95] Empero, el efecto negativo de la baja de la demanda fue grave para muchas industrias, y los esfuerzos de Argentina por equilibrar el presupuesto en una época de descenso del ingreso real causaron una profunda recesión en la industria de los materiales de construcción, que había llegado a depender de los contratos de obras públicas. Por último, las restricciones a la importación en Argentina parecen haber sido más severas para los bienes intermedios y de capital (que no podían ser fácilmente remplazados por la industria nacional) que para los de consumo (que podían sustituirse), porque la participación de los bienes de consumo en el total de las importaciones aumentó de menos de 40% antes de la guerra a casi 50% entre 1915 y 1919.[96]

La experiencia brasileña muestra un marcado contraste con la de Argentina y Uruguay. Aunque el volumen de las exportaciones se redujo y los términos de comercio se deterioraron, la demanda interna no descendió en el mismo grado, porque Brasil decidió "acomodar" el déficit presupuestal adoptando una política fiscal y monetaria laxa. La inflación resultante aceleró el ritmo de depreciación de la moneda, reduciendo los salarios reales, pero también elevó la demanda nominal y alentó a las empresas a incrementar su producción en detrimento de las importaciones. Además, la producción industrial brasileña estaba mucho menos vinculada directamente a las exportaciones (dominadas por el café), por lo que el sector que competía con las importaciones fue proporcionalmente más importante que en Argentina o en Uruguay.

No es sorprendente, entonces, descubrir que todas las estadísticas disponibles indiquen una expansión industrial durante la guerra, después de una aguda caída inicial en 1914.[97] El número de obreros en la industria casi se duplicó entre 1912 y 1920, y se crearon muchas empresas nuevas, pese a las restricciones a la importación de bienes de capital.[98] De hecho, en contraste con Argentina, en ese lapso la participación de los bienes de consumo en el total de importaciones se redujo[99] cuando Estados Unidos ingresó al mercado de capitales antes abastecido por Europa. La producción de hierro en lingotes subió muchísimo y Brasil hasta empezó a encontrar mercados de exportación en el resto de América Latina; la industria química recibió un fuerte impulso cuando se comenzó a producir sosa cáustica en 1918.

La política fiscal y monetaria contracíclica de Brasil durante la guerra fue sumamente heterodoxa, y fue remplazada en el decenio de 1920 por las técnicas más tradicionales de la administración económica. El hecho de que

[95] Véase Wythe (1945), p. 83.

[96] Véase Albert (1988), pp. 72-75.

[97] Véase Albert (1988), pp. 183-198. Para la industria textil del algodón, véase Haber (1997).

[98] El número de establecimientos industriales aumentó entre 1912 y 1920, pasando de 9 475 a 13 336. Véase IBGE (1987), cuadros 7.2 y 7.6.

[99] La participación de los bienes de consumo en las importaciones fue de 30.1% en 1913 y 34% en 1914. En 1918 se había reducido a 23.1%. Véase Albert (1988), cuadro 5.3, p. 189.

tuvieran éxito durante la época del conflicto tuvo mucho que ver con las restricciones a las importaciones y con la presencia de capacidad excedente en muchas ramas de la industria a consecuencia de las inversiones de la preguerra. La heterodoxa política fiscal y monetaria aplicada en otros países (como Guatemala) desató más bien la inflación desenfrenada y no la expansión industrial. Por lo tanto el caso brasileño no puede hacerse extensivo a todas las naciones, aunque bien podía haber tenido éxito en Argentina y Uruguay.

Así como los años de guerra determinaron una reducción de las importaciones, así también el retorno a las condiciones de paz hizo que gran cantidad de artículos ingresara a los principales mercados latinoamericanos. Este aumento de las importaciones competitivas no fue un simple regreso a la situación de preguerra; también se debió a que el precio relativo de las importaciones había caído bruscamente debido a la erosión de las tasas arancelarias. La inflación interna de América Latina había socavado la protección dada por los gravámenes específicos de la región, hasta el punto de que en 1919 los derechos cobrados sólo representaron 7.5% de las importaciones en Argentina, 9.6% en Perú y 11.2% en Uruguay.[100] Las empresas nacionales no podían competir con las importaciones baratas. En muchos países la producción de la industria textil se redujo, y la situación del sector que competía con las importaciones sólo se salvó gracias a la depresión mundial de 1920-1921, que obligó a los países latinoamericanos a proteger la balanza de pagos mediante una devaluación del tipo de cambio. La aguda caída de los precios también mejoró la protección arancelaria, porque los mismos gravámenes específicos se cobraban ahora sobre las importaciones, cuyo precio en divisas se había reducido.[101]

Los ingresos de las exportaciones latinoamericanas se recuperaron poco después de 1921; el crecimiento se debió, no sólo a la recuperación de la demanda mundial, sino también al aumento de la participación en el mercado (véanse las páginas 190-203). La demanda de artículos manufacturados fue estimulada por los mecanismos habituales del crecimiento impulsado por las exportaciones, y la industria nacional era libre de importar bienes de capital para aumentar su producción. Colombia y Venezuela, donde el crecimiento de las exportaciones fue rápido, lograron hacer progresos considerables hacia la primera etapa de industrialización, con textiles, zapatos, sombreros, muebles y productos de papel a la vanguardia. Argentina tuvo un poderoso crecimiento industrial en casi todo el decenio de 1920, y la participación de los bienes de consumo en el total de las importaciones se redujo a su nivel de preguerra, a medida que los artículos de consumo duraderos y no duraderos (en particular los textiles) crecían rápidamente a expensas de las importacio-

---

[100] Véase Finch (1981), cuadro 6.8, p. 168.

[101] Entre 1919 y 1922 la protección arancelaria en Argentina, Perú y Uruguay aumentó más de 50% en los dos primeros países, y más de 40% en Uruguay. Véase Finch (1981), cuadro 6.8, p. 168.

nes con las que competían. También florecieron las industrias intermedias, como la de refinación de petróleo, la química y la metalúrgica, entre otras; sólo los materiales de construcción permanecieron por debajo de los niveles de preguerra.

La intensa actividad minera en Chile, donde el cobre estaba sustituyendo a los nitratos como principal producto de exportación, contribuyó al surgimiento de una pequeña industria de bienes de capital. A finales de los veinte la participación de la producción local en la demanda de productos intermedios, de capital y duraderos había llegado a 30% —de 16.6% en 1914— y más de 80% de la demanda de productos no duraderos se cubría localmente.[102] Este impresionante desempeño permite a sugerir que la industria ya se había convertido en el principal sector de Chile antes de la Gran Depresión,[103] y que su actuación ya no dependía de las vicisitudes del sector exportador. Sin embargo, tales afirmaciones no pueden justificarse plenamente;[104] los términos del comercio externo siguieron siendo un factor de enorme importancia para la industria chilena, y el pequeño sector de bienes de capital se mostró incapaz de adaptarse al creciente perfeccionamiento del diseño de productos que requerían las compañías mineras, muchas de las cuales eran de propiedad estadunidense e importaban sus capitales para satisfacer sus necesidades.[105]

Aunque durante los veinte hubo algunos éxitos industriales, también hubo muchas decepciones. En general las repúblicas pequeñas —aun las más prósperas— fueron incapaces de dar siquiera los primeros pasos hacia la industrialización.

Durante la segunda mitad de la década se impusieron gravámenes aduanales en Cuba, Haití y República Dominicana, pero el principal beneficiario de esta medida resultó ser la agricultura no exportadora, que pudo extenderse con rapidez a expensas de las importaciones de alimentos.[106] A partir de 1925 la reducción de los ingresos mexicanos por exportación, junto con una grave contracción monetaria, contribuyeron al estancamiento de la producción industrial, y la de textiles fue en descenso desde 1926.[107] El espectacular aumento de las exportaciones peruanas fue mucho más modesto si se expresa en términos de valor de retorno,[108] y el estímulo a la producción nacional

[102] Véase Palma (1979).

[103] Esto lo afirma categóricamente Palma (2000), pp. 49-53.

[104] El análisis de regresión, que pone a prueba la relación lineal de 1914 a 1929 entre la producción manufacturera neta y los ingresos constantes de los precios de exportación, indica una correlación débil. Véase Palma (2000a), p. 50. Sin embargo, no es seguro que las exportaciones a precios constantes sean la variable explicativa correcta, en vista del enorme efecto que los términos de comercio tuvieron en Chile sobre el poder adquisitivo y la demanda industrial efectiva.

[105] Véase Ortega (1990), pp. 22-23.

[106] Véase Wythe (1945), pp. 324-343.

[107] Véase Haber (1989), capítulo 9.

[108] Por ejemplo, la International Petroleum Company (IPC) en Perú tuvo un total de ventas (principalmente exportaciones) de 305.6 millones de dólares entre 1916 y 1929. Y sin embargo

decreció aún más cuando los gravámenes a la importación no lograron regresar a su nivel de preguerra.[109]

Una vez más, Brasil es el enigma cuyo desempeño industrial durante el decenio de 1920 despertó más atención.[110] Después de la depresión de 1920-1921 la revaluación del café acabó por estabilizar los ingresos de las exportaciones, y la política de imponer restricciones a la exportación (de café) hizo que muchos recursos se desviaran hacia otras actividades. El proteccionismo arancelario siguió siendo elevado en Brasil, aunque nunca volvió a los niveles de la preguerra,[111] y a las empresas extranjeras les resultó lo bastante atractivo el mercado interno cautivo (como ocurrió en Argentina, Chile y México), como para establecer filiales para la fabricación de productos como automóviles, máquinas de coser, papel y neumáticos.[112] No obstante, una lectura superficial de las estadísticas industriales brasileñas puede dar la impresión de que el desempeño industrial fue poco dinámico, sobre todo por la caída de la industria textil del algodón a partir de 1922.

Poca duda cabe de que la producción industrial no aumentó con mucha rapidez en Brasil tras la depresión de 1920-1921. La política ortodoxa aplicada a mediados del decenio, en preparación para la readopción del patrón oro, provocó una contracción monetaria y, hasta cierto punto, contrarrestó el favorable estímulo de los términos de comercio.[113] No obstante, sería erróneo concluir que la industria no fue dinámica. La producción aumentó velozmente de 1921 a 1923 y, de nuevo, de 1926 a 1928; si excluimos los textiles de algodón, en los que causó estragos una feroz competencia internacional, la producción industrial aumentó 55% entre 1920 y 1929, a una tasa anual de 5%. Durante los veinte se establecieron muchas industrias nuevas, incluyendo cierto número de empresas que producían bienes de capital, mientras la industria del hierro y el acero lograba ciertos avances. Y tal vez lo más importante sea que la importación de equipo industrial creció notablemente en los veinte, creando una gran capacidad industrial y modernizando la planta existente. En realidad, las importaciones de maquinaria industrial llegaron a su máximo en 1929, el último año antes de la Gran Depresión.[114]

A fines de la década de 1920 en toda América Latina el sector industrial seguía siendo el socio minoritario en el modelo impulsado por las exporta-

sólo 43.9 millones de dólares representaron el valor de retorno (gastos en moneda local). Véase Thorp y Bertram (1978), cuadro 5.8, p. 104.

[109] Como resultado de la deflación de precios (véase la nota 101) el alza de la protección de aranceles implícitos a finales de la guerra no fue suficiente para compensar la erosión de la protección causada por la inflación de la época de la guerra. En 1928 el arancel promedio (los ingresos de la importación como porcentaje del valor de las importaciones) todavía era de sólo 20.4%, menos del 25.4% calculado para 1910. Véase Finch (1981), cuadro 6.8, p. 168.

[110] Existe una excelente descripción del debate en Versiani (2000).

[111] Véase Leff (1828), cuadro 8.8, p. 175.

[112] Véase Phelps (1936).

[113] Véase Fritsch (1988), capítulo 6.

[114] Véase Versiani (2000), cuadro 7.4, p. 148.

CUADRO VI.7. *Producción manufacturera neta* ca. *1928 (en dólares de 1970)*

País	Año	Total[a] (en millones de dólares)	Per cápita (en dólares)	Participación en el PIB (en porcentajes)
Argentina	1928	1 279	112	19.5
Brasil	1928	660	20	12.5
Chile	1929	280	65	12.6
Colombia	1928	65	9	5.7
Costa Rica	1928	10	20	9.0
Honduras	1928	10	11	4.9
México	1928	469	29	11.8
Nicaragua	1928	7	10	5.0
Perú	1933	107	18	7.7
Uruguay	1930	160	93	15.6
Venezuela	1928	64	21	10.7

[a] Los valores locales de la moneda se convirtieron a dólares al tipo de cambio oficial de 1970. Véase el cuadro A.III.1.

FUENTES: La fuente básica es CEPAL (1978), que se ha utilizado para Argentina, Brasil, Colombia, Honduras y México. Sin embargo, el punto de partida de CEPAL (1978) es posterior a 1930 para muchos países. Se ha elaborado un índice para los años anteriores con base en otras fuentes (cuando se dispuso de ellas), y ajustado al primer año que aparece en CEPAL (1978): para Chile, Ballesteros y Davis (1963); para Costa Rica y Nicaragua, Bulmer-Tomas (1987) con los datos ajustados a partir de la paridad del poder adquisitivo al tipo de cambio oficial; para Perú, Boloña (1981), cuadros 6.1 y 5.3; para Uruguay, Millot, Silva y Silva (1973), y para Venezuela, Rangel (1970).

ciones. La producción industrial dependía en gran medida del mercado interno; el breve aumento de las exportaciones durante la guerra se había revertido cuando volvió a haber productos importados baratos de Europa y de América del Norte, y la demanda interna seguía directamente relacionada con los vaivenes del sector exportador. Además, la madurez industrial mostraba una clara correlación con tasas previas de crecimiento de las exportaciones y con el nivel de exportaciones per cápita. La república más rica, Argentina, seguía siendo la excepción en lo tocante al progreso industrial; a finales del decenio los bienes manufacturados representaban casi 20% del producto interno bruto (PIB), y la producción manufacturera per cápita era de 112 dólares a precios de 1970 (véase el cuadro VI.7). En segundo lugar estaban Chile y Uruguay, con una participación de las manufacturas en el PIB entre 12 y 16% y una producción de bienes manufacturados per cápita de 65 y 93 dólares, respectivamente. La tercera fila incluía a Brasil, México y Perú, donde la producción neta de bienes manufacturados por habitante estaba por debajo de 30 dólares. En el resto de la zona, incluidas Colombia y Venezuela, el sector manufacturero moderno seguía siendo pequeño.[115]

Argentina, pese al alto nivel de producción industrial neto per cápita, puede compararse desfavorablemente con sus vecinos en términos de la participación en la demanda total cubierta por los bienes manufacturados nacionales, que era inferior a la encontrada en Brasil, Chile y hasta Uruguay.[116] Esto no significó que Argentina estuviese menos industrializada que estos países —aunque muchos han cometido el error de suponer que así fue— pero sí que la industria argentina no había tenido particular éxito al tratar de satisfacer la enorme demanda de artículos manufacturados derivada del rápido crecimiento de sus exportaciones. La industria textil, los bienes de capital y los productos de consumo duradero estaban menos avanzados de lo que habría cabido esperar en un país tan rico. Aunque había una gran demanda de bienes industriales, una protección arancelaria modesta, una infraestructura social pensada para las agroexportaciones, una poderosa élite rural y nexos directos con Gran Bretaña —cuyas exportaciones habrían sido las primeras en sufrir por el aumento de la producción de industrias argentinas que compitieran con ellas— despojaron a los industriales argentinos de algunos de los beneficios potenciales que habría podido acarrearles un crecimiento impulsado por las exportaciones.[117] Además, la industria padecía falta de competitividad (como en el resto de América Latina), y los costos unitarios de producción eran excesivos para generar exportaciones industriales en condiciones normales. Un puñado de empresas dominaba las ventas en casi todos los mercados, con pocos incentivos para mejorar la técnica de producción o para innovar en el diseño de productos y los métodos administrativos. Por ello el crecimiento del factor de productividad total siguió siendo modesto, y los incrementos de producción se lograron, esencialmente, con el aumento de todos los factores de insumo. Éste no era el mejor camino para lograr el descenso de los costos unitarios de producción necesario si se quería que la industria llegara a ser competitiva en el terreno internacional.

[115] Thorp (1998), apéndice III, ha calculado la tasa de crecimiento en la manufactura de muchos países de 1913 a 1929.

[116] La participación de la demanda industrial total satisfecha por la producción nacional es causa de mucha confusión. Además de problemas de medición —véase Fishlow (1972)— es imposible identificar una relación superior con un nivel de industrialización más alto. Cabe recordar que en 1840 Paraguay —que difícilmente se habría podido considerar una sociedad industrializada— casi seguramente tenía una proporción altísima, en vista del bajo nivel de las importaciones manufactureras.

[117] Hay una enorme bibliografía sobre los factores que causaron la evidente incapacidad de la industria argentina para ponerse al nivel del desarrollo y la prosperidad del país antes de 1930. Para un excelente estudio de los problemas, véase Korol y Sábato (1990). Véase también Cortés Conde (1997).

VII. POLÍTICA, DESEMPEÑO Y CAMBIO ESTRUCTURAL EN LOS AÑOS TREINTA

La DÉCADA posterior a la primera Guerra Mundial produjo en las principales economías latinoamericanas el paso de ciertos recursos hacia el cambio estructural, la industrialización y la diversificación de la economía no exportadora. Además, en muchos países se modificaron los sistemas financieros y monetarios —en algunos casos debido a las misiones encabezadas por E. W. Kemmerer— cuando los gobiernos retornaron a la ortodoxia cambiaria y al patrón oro en los años de la posguerra.[1] Empero, sin excepción, el desempeño económico siguió dependiendo en gran medida de la suerte del sector exportador. A finales de los veinte (véase el cuadro VII.1) las exportaciones seguían representando una alta proporción del producto interno bruto (PIB), y la apertura de la economía —medida por la razón del total de las exportaciones e importaciones al PIB— variaba de cerca de 40% en Brasil a más de 100% en Costa Rica y Venezuela.[2]

El cambio estructural de los veinte no produjo una diversificación dentro del sector exportador. Por el contrario, la composición de las exportaciones a fines del decenio era muy similar a la previa a la primera Guerra Mundial, con un alto grado de concentración. Los tres principales productos de exportación sumaban al menos 50% de los ingresos de divisas en todas las repúblicas, y un único producto representaba más de 50% de las exportaciones en 10 países (Bolivia, Brasil, Colombia, Cuba, República Dominicana, El Salvador, Honduras, Guatemala, Nicaragua y Venezuela).[3]

Virtualmente todos los ingresos de la exportación procedían de productos primarios, y casi 70% del comercio exterior se efectuaba solamente con cuatro países (Estados Unidos, Gran Bretaña, Francia y Alemania).[4]

[1] La reforma financiera y la ortodoxia cambiaria durante los veinte se analizan en las páginas 201-216.

[2] Hay datos (de diversa calidad) sobre el PIB en los treinta, para la mayor parte de las repúblicas latinoamericanas. Véase Thorp (1998), apéndice IX. Sin embargo, no todos los países pudieron ser estudiados porque se necesitaban datos comparables sobre las exportaciones y las importaciones reales, así que sólo 13 países fueron incluidos en el cuadro VII.1. A los precios de 1929 las tasas comerciales son bajas, en promedio, y considerablemente bajas en el caso de México. Véase Maddison (1985), cuadro 6.

[3] En cinco de estos 10 casos (Brasil, Colombia, El Salvador, Guatemala y Nicaragua), el producto fue el café; en dos casos (Cuba y República Dominicana), el azúcar, y en el resto plátanos (Honduras), estaño (Bolivia) y petróleo (Venezuela).

[4] La participación combinada de estas cuatro potencias industriales en el comercio latinoamericano se había mantenido relativamente estable a lo largo de varias décadas, aunque Estados Unidos hubiese aumentado su participación en el mercado a expensas de las demás.

CUADRO VII.1. *El sector externo en América Latina: razón comercial en 1928 y 1938 (precios de 1970, en porcentajes)*

	Exportaciones / PIB		(Exportaciones + importaciones) / PIB	
País	1928	1938	1928	1938
Argentina	29.8	15.7	59.7	35.7
Brasil	17.0	21.2	38.8	33.3
Chile	35.1[a]	32.7	57.2[a]	44.9
Colombia	24.8	24.1	62.8	43.5
Costa Rica	56.5	47.3	109.6	80.7
El Salvador	48.7	45.9	81.0	62.4
Guatemala	22.7	17.5	51.2	29.5
Honduras	52.1	22.1	69.8	39.5
México	31.4	13.9	47.7	25.5
Nicaragua	25.1	23.9	54.9	42.3
Perú	33.6[a]	28.3	53.2[a]	42.6
Uruguay	18.0[b]	18.2	38.0[b]	37.1
Venezuela	37.7	29.0	120.4	55.7

[a] Los datos son para 1929.
[b] Los datos son para 1930.
FUENTES: Rangel (1970); Millot, Silva y Silva (1973); CEPAL (1976, 1978); Finch (1981); Palma (2000a); Bulmer-Thomas (1987); Maddison (1991). Cuando fue necesario, los datos se convirtieron a la base de precios de 1970 y se utilizaron en todos los casos los tipos de cambio oficiales.

Vemos así que en vísperas de la Gran Depresión las economías latino-americanas continuaron con un modelo de desarrollo que las dejaba muy expuestas a las condiciones adversas que surgieran en los mercados mundiales para los productos primarios. Hasta Argentina, que era con mucho la economía latinoamericana más avanzada a finales de los veinte, con un PIB per cápita del doble del promedio regional, y cuatro veces superior al de Brasil,[5] había sido incapaz de romper el nexo por el cual una baja de los ingresos por exportación reduciría las importaciones y el ingreso gubernamental, produciendo recortes de gastos y disminución de la demanda interna.

[5] A tipos de cambio de paridad del poder adquisitivo (precios de 1970), el ingreso real per cápita en Argentina, en 1929, fue de 748 dólares, y en Brasil de 179. Véase CEPAL (1978). Observamos entonces que la diferencia proporcional entre los dos países a finales de los veinte era mayor que la que había entre Corea del Sur y Estados Unidos a finales del siglo XX.

La depresión de 1929

El comienzo de la Gran Depresión suele relacionarse con el *crack* de la Bolsa de Valores de Wall Street en octubre de 1929, mas a América Latina ya habían llegado algunas señales de advertencia. Los precios de los bienes, en muchos casos, subieron antes de 1929, cuando la oferta (restaurada tras la interrupción de la guerra) tendió a superar la demanda. El precio del café brasileño llegó a su punto máximo en marzo de 1929;[6] el del azúcar cubano en marzo de 1928 y el del trigo argentino en mayo de 1927. El auge de las bolsas de valores antes del *crack* de Wall Street produjo una excesiva demanda de crédito y un alza de las tasas de interés mundiales, lo que elevó el costo de los inventarios y redujo la demanda de muchos de los productos primarios exportados por América Latina.

El alza de las tasas de interés —el descuento al papel comercial en Nueva York aumentó 50% en los 18 meses anteriores a la quiebra de la bolsa de valores— ejerció una presión adicional sobre América Latina a través del mercado de capitales. La fuga de capitales —atraídos por superiores tasas de interés fuera de la región— se intensificó, mientras los ingresos de capital se reducían conforme los inversionistas extranjeros aprovechaban los rendimientos más atractivos que se ofrecían en Londres, París y Nueva York.[7]

El *crack* de octubre de la Bolsa de Valores desencadenó una serie de acontecimientos en los principales mercados a los que abastecía América Latina. La caída del valor de los activos financieros redujo la demanda del consumidor por medio del llamado efecto de riqueza. Los incumplimientos del pago de préstamos produjeron demanda de nuevos créditos y contracción monetaria, y todo el sistema financiero se vio bajo una severa presión. Las tasas de interés empezaron a bajar en el cuarto trimestre de 1929, pero los importadores se mostraron incapaces o renuentes a reorganizar sus inventarios de productos primarios ante las restricciones del crédito y la baja de la demanda.

La consiguiente caída de los precios de los productos primarios fue verdaderamente dramática, y afectó a todos los países latinoamericanos. Entre 1928 y 1932 (véase el cuadro VII.2) el valor unitario de las exportaciones se redujo más de 50% en 10 de los países de los cuales tenemos datos; los únicos que sólo sufrieron un modesto descenso de los valores unitarios fueron (como Honduras y Venezuela) en los que los precios de los productos prima-

---

[6] Sin embargo, hasta un producto aparentemente homogéneo como el café se vio sometido a la segmentación del mercado. Por ello los precios de algunas variedades latinoamericanas subieron a partir del primer trimestre de 1927.

[7] Por ejemplo, en 1926 la tasa de descuento del Banco Central de Chile fue casi el doble que la del Banco de la Reserva Federal de Estados Unidos. En la primera mitad de 1929 fue virtualmente el mismo. Véase League of Nations (1931), p. 252.

CUADRO VII.2. *Cambios de precio y cantidad de las exportaciones, términos netos de intercambio comercial (TNIC) y poder adquisitivo de las exportaciones, 1932 (1928 = 100)*

País	Precios de exportación	Volumen de exportaciones	TNIC	Poder adquisitivo de las exportaciones
Argentina	37	88	68	60
Bolivia	79[a]	48[a]	s/d	s/d
Brasil	43	86	65	56
Chile	47	31	57	17
Colombia	48	102	63	65
Costa Rica	54	81	78	65
Ecuador	51	83	74	60
El Salvador	30	75	52	38
Guatemala	37	101	54	55
Haití	49[b]	104[b]	s/d	s/d
Honduras	91	101	130	133
México	49	58	64	37
Nicaragua	50	78	71	59
Perú	39	76	62	43
República Dominicana	55[b]	106[b]	81[b]	87[b]
Venezuela	81	100	101	100
América Latina	36	78	56	43

[a] 1929 = 100.
[b] 1930 = 100.
FUENTES: CEPAL (1976); Bulmer-Thomas (1987); Ground (1988).

rios eran administrados por compañías extranjeras y no representaban un reflejo fiel de las fuerzas del mercado.

También cayeron los precios de las importaciones a medida que el descenso en la demanda mundial y la baja de los costos producían una doble presión sobre el valor unitario de los bienes vendidos a América Latina. Sin embargo, los precios de importación no cayeron tan rápida ni profundamente como los de exportación, y los TNIC (véase el cuadro VII.2) se redujeron en forma notable para todos los países latinoamericanos, excepto dos, entre 1928 y 1932. Las excepciones son Venezuela; donde el valor unitario de las exportaciones de petróleo "sólo" cayó 18.5% (aproximadamente junto con la caída de los precios de importación), y Honduras, donde las compañías fruteras fijaron el "precio" de exportación de los plátanos para cubrir tan sólo sus costos en moneda local, y entre aquellos años se redujo en nueve por ciento.[8]

Todas las repúblicas se enfrentaron a una caída del precio de las exportaciones de sus productos primarios, pero el volumen de sus ventas de exportación tuvo diferencias muy marcadas. Las más afectadas fueron aquellas naciones —incluidos Bolivia, Chile y México— que sufrieron una severa baja tanto del precio como del volumen de las exportaciones (véase el cuadro VII.2). Es significativo que las exportaciones de los tres países estuvieran dominadas por los minerales, ya que las empresas de los países importadores reaccionaron a la depresión reduciendo sus inventarios, en lugar de hacer nuevos pedidos.[9] No es de sorprender que estos países experimentaran la mayor pérdida del poder adquisitivo de sus exportaciones (PAE; los TNIC se ajustaron a los cambios en el volumen de las exportaciones). En Chile (véase el cuadro VII.2) la caída de 83% del PAE fue la mayor registrada en América Latina en tan breve periodo, y una de las más graves del mundo.[10]

Cuba, aunque no aparece en el cuadro VII.2 debido a la falta de datos comparables, también tendría que incluirse en este primer grupo.[11] Las exportaciones, dominadas por el azúcar, cayeron rápidamente a partir de 1929, cuando la isla sufrió las consecuencias de haberse especializado en ese artículo y de depender tanto de Estados Unidos. Un comité encabezado por Thomas Chadbourne, abogado de Nueva York, con intereses en el azúcar cubano, dividió el mercado estadunidense en 1930 de un modo que implicaba una marcada reducción de las exportaciones de azúcar cubano,[12] y al año siguiente se firmó un acuerdo internacional del azúcar entre los prin-

[8] Hasta 1947 se aplicaron precios administrados a la exportación de plátanos en relación con la balanza de pagos. Las compañías fruteras calculaban sus costos internos en moneda local y fijaban un precio en dólares a las exportaciones que —al tipo de cambio oficial— les permitiría cumplir con sus obligaciones internas.

[9] El descenso de la producción petrolera de México hizo que el cobre, el plomo y el cinc —productos todos con considerables inventarios en los países importadores— se encontraran entre las principales exportaciones mexicanas a fines de los veinte.

[10] La dependencia chilena de los nitratos y el cobre resultó una combinación desastrosa: los nitratos empezaban a enfrentarse a sustitutos sintéticos más baratos fabricados por la industria química mundial; las exportaciones de cobre competían con la producción interna de Estados Unidos, donde el cabildeo proteccionista era poderoso.

[11] Sin embargo, se pueden elaborar tasas comerciales a precios actuales. Véanse Alienes (1950) y Pan-American Union (1952). Muestran una tasa de exportación en 1929 de 47.7%, una de las más altas de la región.

[12] El comité, aunque insistía en que "nada de lo que sugerimos aquí ha intentado violar las leyes inmutables de la oferta y la demanda", limitó las exportaciones cubanas, en 1931, al nivel de 1928: el más bajo de cualquier año entre 1922 y 1930. Véase Swerling (1949), pp. 42-43.

cipales productores y los consumidores, que imponía nuevos límites a las exportaciones cubanas.[13]

Un segundo grupo de países, más numeroso, experimentó una modesta pérdida (menos de 25%) del volumen de sus exportaciones. Este grupo —Argentina, Brasil, Ecuador, Perú y toda América Central— producía una diversidad de productos alimenticios y materias primas para la agricultura cuya demanda no se podía satisfacer con facilidad a partir de los inventarios existentes.[14] Por ejemplo, el Reino Unido, en agosto de 1929, tenía en ciertos puertos inventarios de trigo argentino equivalentes a sólo 2% de sus importaciones anuales.[15] De manera similar, la caída del precio bastó en algunos casos para sostener la demanda del consumo, pese al descenso del ingreso real de los países importadores. Por ejemplo, el volumen de importaciones mundiales de café en 1932 seguía siendo el mismo que en 1929.

Un tercer grupo de países experimentó un pequeño descenso (menos de 10%) del volumen de sus exportaciones entre 1928 y 1932. Colombia, aprovechando la confusión causada por el desplome del plan de revaluación del café brasileño,[16] logró un ligero aumento del volumen de sus exportaciones de café. Venezuela vio reducidas sus exportaciones petroleras después de 1929, pero esto simplemente compensó el enorme aumento habido entre 1928 y 1929. Las exportaciones de la República Dominicana, dominadas por el azúcar, aumentaron sin cesar durante los peores años de la depresión, cuando los exportadores de azúcar aprovecharon las limitaciones a Cuba impuestas primero por el Comité Chadbourne y después por el Acuerdo Internacional del Azúcar de 1931, que no fue firmado por la República Dominicana (ni por Brasil).[17]

La combinación del descenso de los precios de exportación en todos los países, y de los volúmenes de exportación de la mayoría de ellos, produjo una marcada pérdida del PAE en los peores años de la depresión (véase el cuadro VII.2). Sólo se libraron Venezuela, protegida por el petróleo, y Honduras, ayudada por una decisión de las compañías fruteras de concentrar la producción global en sus plantaciones hondureñas de bajos costos. En el resto de la región el efecto de la depresión sobre el PAE fue severo; afectó a productores de minerales (como México), de alimentos de zonas templadas (como Argentina) y a exportadores de alimentos tropicales (como El Salvador).

Aunque los precios de exportación y de importación iban cayendo después de 1929, hubo un "precio" que no cambió: la tasa fija de interés nomi-

[13] Los problemas de la isla se complicaron más aún en 1934 por la Ley Jones-Costigan, la cual establecía una cuota reducida para las importaciones de azúcar cubano por Estados Unidos.

[14] Las principales exportaciones de Perú eran minerales, pero la más importante era el petróleo, en el que el capital accionario no era tan importante, y cuyo precio sufrió menos que otros minerales durante la depresión.

[15] Véase League of Nations (1933), p. 577.

[16] La *defesa* del café brasileño se desplomó en 1929. Véase Fritsch (1988), pp. 152-153.

[17] Véase Swerling (1949), pp. 40-50.

nal de la deuda externa pública y privada. Al descender los otros, aumentó la tasa real de interés de esta deuda (sobre todo en bonos gubernamentales), intensificando la carga fiscal y de la balanza de pagos de los gobiernos que ansiaban mantener su prestigio en el mercado internacional de capitales por el pronto pago del servicio de su deuda.

El aumento de la carga real de la deuda hizo que una parte creciente del total de exportaciones (que iba menguando) tuviese que asignarse a pagos del servicio de la deuda. Por ejemplo, Argentina dedicó 91.2 millones de pesos a pagos del servicio de la deuda externa en 1929, contra un total de exportaciones de 2168 millones de pesos. Para 1932 las exportaciones se habían reducido a 1288 millones de pesos, mientras los pagos del servicio de la deuda externa seguían en 93.6 millones de pesos, lo que implicaba una virtual duplicación de la carga real de la deuda.[18]

La combinación de pagos constantes del servicio de la deuda y menguantes ingresos por exportación ejerció una gran presión sobre las importaciones. Al reducirse el volumen y el valor de las mismas los gobiernos tuvieron que enfrentarse a un nuevo problema, consecuencia de que su ingreso fiscal dependiera en exceso de los impuestos al comercio exterior. La principal fuente de ingresos para el gobierno, los gravámenes a las importaciones, no pudo sostenerse tras el desplome de éstas. Por ejemplo, Brasil, en 1928, recaudó 42.4% de los ingresos federales totales de los impuestos a las importaciones; en 1930 esa cifra de importación se había reducido un tercio, y el ingreso gubernamental una cuarta parte.[19] Los países que también habían dependido en gran medida de los impuestos a la exportación (por ejemplo, Chile) experimentaron un recorte muy severo en los ingresos del gobierno.[20]

El aumento de la carga real del servicio de la deuda afectó la posición fiscal de forma muy parecida a la de la balanza de pagos. La combinación de menores ingresos del gobierno y de pagos del servicio de la deuda, fijados en términos nominales, ejerció una intensa presión sobre los gastos gubernamentales. Se hicieron esfuerzos por llevar una contabilidad ingeniosa (por ejemplo, durante un tiempo a los funcionarios hondureños se les pagó con timbres postales), pero esto no pudo ocultar la crisis subyacente. La mayor parte de las repúblicas latinoamericanas presenciaron cambios de gobierno durante los peores años de la depresión; esta vez, el péndulo favoreció a los partidos o las personalidades que no habían estado en funciones en la época del *crack* de Wall Street.[21] Las excepciones más importantes fueron Venezue-

[18] La verdadera carga de la deuda también aumentó marcadamente como proporción del gasto público. Véase Alhadeff (1986), p. 101.

[19] Véase IBGE (1987), cuadros 12.1 y 12.2.

[20] En Chile, en algunos años de la década de 1920, los derechos a la exportación fueron aún más importantes que los gravámenes a la importación. Dado que el impuesto marginal a la exportación era superior al promedio, el rendimiento cayó con desproporcionada rapidez al desplomarse los precios de exportación.

[21] Muchos gobiernos cayeron ya en 1930. Por ejemplo, un golpe militar llevó a Getúlio Var-

la, donde el autocrático gobierno de Juan Vicente Gómez, en el poder desde 1908, sobrevivió hasta la muerte del dictador, en 1935,[22] y México, donde el recién formado Partido Nacional Revolucionario (después Partido Revolucionario Institucional, o PRI) presidió un país agotado por la tormenta revolucionaria y la guerra civil. [23]

En un medio internacional menos sujeto a crisis un gobierno latinoamericano habría tenido la esperanza de salir de sus dificultades mediante la ayuda de préstamos internacionales. Sin embargo, la afluencia de nuevos préstamos a América Latina —que ya se había reducido desde antes del *crack* de Wall Street— se había interrumpido en 1931, año en el cual el pago de capital accionario estadunidense superó por primera vez desde 1920 las inversiones desde ese país, y el ingreso neto siguió siendo negativo (con la excepción menor de 1938) hasta 1954.[24] Incluso Argentina, que a todas luces tenía la tasa de crédito más alta de América Latina, fue incapaz de obtener nuevos préstamos importantes durante los primeros años de la depresión.

Ningún país latinoamericano escapó de la Gran Depresión, pero su repercusión fue mucho peor en unos que en otros. La combinación más desastrosa fue un alto grado de apertura, una gran caída de los precios de exportación y una declinación continua del volumen de las exportaciones. Por lo tanto, no es sorprendente que las naciones afectadas más gravemente fuesen Chile y Cuba, donde más se sintió el choque externo. De hecho, las estimaciones del ingreso nacional cubano durante el periodo entre ambas guerras mundiales muestran una caída de un tercio del ingreso nacional real per cápita entre 1928 y 1932,[25] y en Chile hubo una reducción del PIB real, entre 1929 y 1932, calculada en 35.7 por ciento.[26]

En circunstancias excepcionales se pudo mitigar la repercusión del choque externo, pero no evitarla. Así, la República Dominicana —dependiente

---

gas al poder en Brasil, y el presidente Hipólito Irigoyen fue derrocado en Argentina. En Chile la inestabilidad política se volvió tan aguda que hasta hubo una república socialista, establecida en 1932 por un oficial del ejército, aunque sólo duró 12 días. Véanse los capítulos pertinentes en Bethell (1991).

[22] En 1928 se intentó un golpe contra Gómez, pero el dictador no volvería a enfrentarse a grandes desafíos a su autoridad en los años de la depresión, pese a la caída de los precios del petróleo y de la producción. Véase Ewell (1991), pp. 728-729.

[23] México, que vivió una prolongada revolución en el decenio de 1910, no tuvo respiro durante los veinte. El ejército se rebeló dos veces, el levantamiento cristero provocó un prolongado derramamiento de sangre, y el ex presidente y presidente electo Álvaro Obregón fue asesinado en julio de 1928. Sin embargo, a finales del decenio se habían sentado las bases del Estado moderno, y el gobierno institucional había empezado a remplazar al gobierno personalista. Con la elección de Lázaro Cárdenas como presidente (1934-1940) la Revolución mexicana llegó a la mayoría de edad. Véase A. Knight (1990), pp. 4-7.

[24] Véase Stallings (1987), apéndice 1.

[25] Véase Brundenius (1984), cuadro A.2.1. La fuente primaria es Alienes (1950).

[26] Véase Palma (1984), cuadro 3.5, donde la estimación del PIB se deriva de ECLA (1951). Los cálculos del PIB a largo plazo, lo mismo que la depresión sectorial, también se pueden encontrar en Díaz (1998).

de sus exportaciones de azúcar— logró beneficiarse por no haber firmado los acuerdos del azúcar posteriores a 1929. Venezuela aprovechó su posición de productor de petróleo con los costos unitarios más bajos de América. Los países cuyas exportaciones estaban dominadas por compañías extranjeras (por ejemplo, Perú) vieron que parte de la carga se transfería al exterior por una reducción mundial de las remesas de utilidades y un aumento del valor de retorno como proporción del total de las exportaciones. Sin embargo, en términos generales, el choque externo fue severo, y no podía aplazarse mucho la introducción de medidas de estabilización para restaurar el equilibrio externo e interno.

La estabilización a corto plazo

Los choques externos relacionados con la depresión crearon dos desequilibrios a los que los políticos de cada país debieron enfrentarse como cuestiones prioritarias. El primero fue el desequilibrio externo, creado por el desplome de las ganancias por exportación y la pérdida de afluencias de capital; el segundo fue el desequilibrio interno, causado por la reducción de ingresos del gobierno, que provocó déficit presupuestales que ya no podían financiarse desde el exterior.

En el decenio de 1920 las repúblicas latinoamericanas, o bien habían adoptado por vez primera el patrón de cambio oro (como Bolivia), o habían regresado a él (por ejemplo, Argentina).[27] De acuerdo con el patrón de cambio oro, se suponía que el ajuste al desequilibrio externo sería automático; en realidad, éste era uno de sus principales atractivos. Al descender las exportaciones saldrían del país oro y divisas extranjeras, lo que reduciría el activo circulante, el crédito y la demanda de importaciones; al mismo tiempo, la contracción monetaria haría bajar el nivel de los precios, haciendo que las exportaciones fuesen más competitivas y las importaciones más costosas. De este modo, las importaciones decrecerían tanto por la reducción del gasto como por el cambio en la dirección de éste, y el proceso continuaría hasta que se hubiese restaurado el equilibrio externo.

Sin embargo, la caída del valor de las exportaciones fue tan marcada a partir de 1929 que puede dudarse que el equilibrio externo se restaurase automáticamente. Además, la pérdida de afluencias de capital y la determinación inicial de pagar el servicio de la deuda externa hicieron que la reducción de las importaciones tuviese que ser muy marcada, para eliminar el déficit de la balanza de pagos. Argentina vio cómo el valor de sus exportaciones se reducía de 1 537 millones de dólares en 1929 a 561 millones en 1932, y esto distó mucho de ser el caso extremo. Con importaciones valuadas, en 1929,

---

[27] Argentina acaso hubiera retornado a la ortodoxia del tipo de cambio durante los veinte, pero —como Brasil— seguía careciendo de un banco central. Además, los pagos en oro (efectuados por medio de una caja de conversión) no se reanudaron sino hasta agosto de 1927.

en 1 388 millones de dólares, el país tuvo que recortar 70% sus compras en el extranjero para mantener en 1932 los pagos del servicio de la deuda en las mismas condiciones que en 1929.[28]

Los países que trataron de atenerse a las reglas del patrón de cambio oro vieron reducirse rápidamente sus activos de oro y divisas extranjeras. Colombia se esforzó hasta cuatro días después de que Gran Bretaña suspendiese el patrón oro (el 21 de septiembre de 1931), y para entonces sus reservas internacionales se habían reducido 65%.[29] En cambio, la mayoría de los países abandonaron formalmente el sistema (por ejemplo, Argentina, en diciembre de 1929),[30] o limitaron sus salidas de oro y de divisas extranjeras mediante toda una variedad de restricciones bancarias y de otra índole (un ejemplo es Costa Rica).[31] Esto no evitó la necesidad de aplicar una política de estabilización para reducir las importaciones y restablecer el desequilibrio externo, pero sí señaló que el proceso ya no sería automático.

Tres países (Argentina, México y Uruguay) suspendieron el patrón oro antes de la decisión británica de dejar de vender libremente oro y divisas, aunque Perú —único caso en América Latina— introdujo dos veces una nueva paridad con el oro.[32] Sin embargo, la mayoría de los países de una forma u otra adoptó algún tipo de control de cambio y creó un sistema de racionamiento de las importaciones. Los únicos que no impusieron control cambiario fueron las pequeñas repúblicas de la cuenca del Caribe, que empleaban como medio de pago el dólar estadunidense, fuese oficialmente (Panamá y República Dominicana), o de manera no oficial (Cuba y Honduras).[33]

El deseo de apegarse a las reglas internacionales del juego hizo que al principio se utilizara en forma moderada la devaluación —depreciación de

[28] Las importaciones cayeron 74%, de 1 388 millones de dólares en 1929 a 364 millones en 1932. Véase CEPAL (1976), p. 27.

[29] El recién creado banco central de Colombia, el Banco de la República, reaccionó con extrema ortodoxia a las primeras señales de depresión. Por ello, las tasas de descuento aumentaron por encima de su nivel predepresión, a un promedio de entre 8 y 9%, en un momento en que los precios estaban cayendo. Véase Ocampo (2000), p. 112. Por tanto, la tasa de descuento real aumentó a más de 20%, aunque esto no sólo ocurrió en Colombia. Véase Ground (1988), p. 182, nota 16.

[30] De este modo, Argentina retornó al sistema de moneda inconvertible que ya había operado antes de agosto de 1927. Sin embargo, al principio esto no implicó una devaluación. Véase O'Connell (2000), p. 179.

[31] En Costa Rica la caja de conversión fijó el tipo de cambio, y una junta de control (establecida en enero de 1932) limitó la cantidad de las solicitudes. Así, la demanda de divisas extranjeras fue racionada por precios y cantidades administradas. Véase Bulmer-Thomas (1987), p. 54.

[32] Una nueva paridad del oro era el único modo de devaluar dentro de las reglas ortodoxas de las finanzas internacionales antes del desplome del patrón oro. También Perú aprovechó la ocasión de un cambio de la paridad del oro en 1930 para remplazar la relación entre la libra esterlina y el sol (la unidad monetaria tradicional del país) a 10 soles por libra en billete.

[33] Cuba introdujo el control de cambios en junio de 1934, pero lo suprimió un mes después porque resultó ineficaz. Honduras lo creó en marzo de 1934, pero prácticamente fue inútil por el difundido uso del dólar en las zonas plataneras. Véase Bratter (1939).

la moneda—. Nadie esperaba que la depresión fuese tan grave como resultó: la última depresión mundial (1920-1921) había pasado con rapidez, sin perturbar en forma permanente el sistema financiero internacional. Además, muchas repúblicas latinoamericanas habían revisado sus sistemas financieros durante los veinte, creando bancos centrales y esforzándose por imponer una disciplina monetaria. Al principio se creyó que la depresión de 1929 sería la primera gran prueba para esas instituciones, y fue natural su renuencia a reconocer el fracaso depreciando la moneda.

A fines de 1930 sólo cinco países (Argentina, Brasil, Paraguay, Perú y Uruguay) habían devaluado su moneda más de 5% frente al dólar estadunidense desde finales del año anterior. Sin embargo, Perú había cambiado su paridad oro. El peso paraguayo, oficialmente vinculado al peso argentino en oro, también se depreció contra el dólar como consecuencia involuntaria de su política cambiaria. La suspensión del patrón oro por parte de los británicos, y la posterior devaluación de la libra esterlina, hicieron que las monedas latinoamericanas que tenían un nexo con la libra —Argentina, Bolivia, Paraguay (a través del peso argentino) y Uruguay— se depreciaran notablemente frente al dólar a partir de septiembre de 1931, hasta que la suspensión del patrón oro por parte de Estados Unidos, en abril de 1933, produjo una revaluación igualmente súbita.[34]

La decisión británica y estadunidense de abandonar el patrón oro obligó por fin a todas las repúblicas latinoamericanas a enfrentarse al problema del manejo del tipo de cambio. Durante los treinta seis países pequeños (Cuba, República Dominicana, Guatemala, Haití, Honduras y Panamá) vincularon su moneda con el dólar. Otros tres (Costa Rica, El Salvador y Nicaragua) trataron de hacer lo mismo pero, finalmente, se vieron obligados a devaluar.[35] Incluso en Sudamérica, en los países más grandes se hicieron muchos intentos por atar la moneda a la libra esterlina o el dólar. Paraguay persistió con su política de adherirse al peso argentino (aunque con poco éxito); Argentina (con cierta fortuna) y Bolivia (fallidamente) trataron de amarrarse a la libra esterlina a partir de enero de 1934 y enero de 1935, respectivamente. Brasil (diciembre de 1937), Chile (septiembre de 1936), Colombia (marzo de 1935),

[34] La depreciación de Estados Unidos frente al oro fue rápida. Para el cuarto trimestre de 1933 el valor del dólar había caído a 60% de su paridad con el oro en 1929. Que esto se convirtiera en una devaluación ante otras monedas dependería de su movimiento en relación con su antigua paridad frente al oro. Así quedó listo el escenario para una serie de devaluaciones competitivas entre las potencias industriales, que contribuyó a la inestabilidad del sistema financiero internacional antes de la segunda Guerra Mundial. Véase Kindleberger (1987), capítulos 9-11, y Temin (2000).

[35] Las devaluaciones en Costa Rica y El Salvador fueron relativamente modestas y no desataron una espiral inflacionaria. Sin embargo, en Nicaragua Anastasio Somoza ("elegido" presidente en 1936) encontró que la depreciación de la moneda era una manera muy conveniente de socavar la oposición política de los intereses agroexportadores. Véase Bulmer-Thomas (1990b), p. 335.

Ecuador (mayo de 1932) y México (julio de 1933) trataron de atar su moneda al dólar estadunidense.[36]

Hubo pocos casos de monedas verdaderamente flotantes. El bolívar venezolano fue puesto a flotar, y pronto se revaluó 50% ante el dólar, entre finales de 1932 y finales de 1937.[37] Varios de los países sudamericanos (Argentina, Bolivia, Brasil, Chile, Ecuador y Uruguay) adoptaron un sistema de doble tipo de cambio después de la suspensión del patrón oro por parte de Estados Unidos, permitiendo la flotación libre del tipo no oficial. Este tipo libre se utilizó en muy diversas transacciones, que incluían exportaciones de capital, remesas de utilidades, exportaciones no tradicionales e importaciones no esenciales. Esta experiencia —que en muchos casos fue fuente de beneficios cambiarios para el sector público—[38] habría de ser inapreciable para el manejo del tipo de cambio después de la segunda Guerra Mundial.

Ante la resistencia a adoptar un régimen cambiario de flotación auténtica, la mayoría de las repúblicas se vio obligada a depender de otras técnicas para buscar el equilibrio externo. La más frecuente fue el control de cambios y un sistema de racionamiento no basado en el precio para las importaciones. Esta técnica no se limitó a los países más grandes, pues varios de los pequeños (Bolivia, Costa Rica, Ecuador, Honduras, Nicaragua, Paraguay y Uruguay) la adoptaron enérgicamente. En la mayoría de las naciones se elevaron las tasas aduanales en un momento en que iba reduciéndose el precio CIF de las importaciones, hecho que aumentó de manera marcada el costo real de las importaciones, lo que determinó que los gastos se hicieran en sustitutos de producción nacional. Y cuando no subieron formalmente las tasas, el costo real de las importaciones tendió a ascender por el generalizado empleo de gravámenes específicos.[39]

En unos pocos casos se logró el equilibrio externo sin control cambiario

[36] En México la estabilización de la moneda se complicó por las políticas monetarias expansionistas adoptadas en 1932 por Alberto Pani, secretario de Hacienda, que en diciembre de 1931 había remplazado al ortodoxo Luis Montes de Oca. Fue necesario abandonar el primer intento de estabilización. El segundo tuvo mucho más éxito, y el valor del peso frente al dólar no se modificó desde noviembre de 1933 hasta marzo de 1938. Véase Cárdenas (2000), pp. 201-204.

[37] Con la mayor producción petrolera aumentaron los ingresos de divisas y el valor de retorno de las exportaciones petroleras. Mientras tanto, las compañías petroleras redujeron sus gastos de inversión (intensivos en importaciones), y Venezuela no tuvo que hacer pagos de servicio de la deuda. Dadas las circunstancias, no es de sorprender la reevaluación del bolívar. Véase McBeth (1983), capítulo 4.

[38] Los sistemas de tipo de cambio múltiple pueden producir pérdidas o ganancias, como lo descubrirían los gobiernos latinoamericanos en el periodo de posguerra. Sin embargo, durante los treinta tenían el propósito de que casi todas las importaciones fuesen más caras, por lo que las ganancias cambiarias fueron la regla, y no la excepción.

[39] En promedio, en 1932 los precios de importación fueron casi un tercio más bajos que en 1929. Así, un metro de paño importado que costaba un dólar en 1929, y que se gravaba con un arancel específico de 20 centavos, habría podido costar sólo 70 centavos tres años después. Con un arancel específico no modificado, la tasa arancelaria implícita habría subido de 20 a 28.6%, un aumento de más de 40 por ciento.

ni racionamiento de las importaciones por razones distintas al precio mediante un mecanismo similar al patrón oro: los déficit de la cuenta corriente se financiaron con una derrama de reservas internacionales, que redujo tanto el activo circulante que la demanda nominal disminuyó en concordancia con la requerida reducción de las importaciones nominales. Los casos más claros de este ajuste automático al equilibrio externo pueden encontrarse en Cuba, República Dominicana, Haití y Panamá. México también experimentó una marcada baja de su activo circulante nominal en los primeros años de la depresión, como resultado de su peculiar sistema monetario, en el cual monedas de plata y de oro constituían la mayor parte del dinero en circulación.[40]

A finales de 1932 el equilibrio externo se había restaurado en casi todas las repúblicas con un nivel mucho menor de exportaciones e importaciones nominales, y ligeramente inferior de pagos nominales del servicio de la deuda. El superávit de la balanza comercial de América Latina, de 570 millones de dólares en 1929, había aumentado a 609 millones en 1932 pese a una caída de dos tercios de las exportaciones nominales, de 4 683 a 1 663 millones de dólares.[41] Los ocho países que habían registrado un déficit de su balanza comercial en 1929 se redujeron a seis en 1930, a cinco en 1931 y a cuatro en 1932. Estos cuatro (Cuba, República Dominicana, Haití y Panamá) fueron, sin embargo, las excepciones que confirmaron la regla: eran todas economías en las que el dólar circulaba libremente, sin control cambiario, por lo cual el déficit comercial y la salida de divisas fueron el mecanismo a través del cual la demanda nominal se había puesto en armonía con el PAE.

El logro del equilibrio externo, aunque difícil, también fue inevitable. La mayor parte de las repúblicas latinoamericanas estaban imposibilitadas de pagar las importaciones en su propia moneda, por lo cual en cuanto se agotaron las reservas internacionales el abasto de divisas fijó un límite a las importaciones. El equilibrio interno fue distinto, porque un gobierno siempre podía emitir su propia moneda para financiar un déficit presupuestal. Sólo en países como Panamá, donde el dólar circulaba libremente y no existía un banco central, se podía tener la certeza de que el logro del equilibrio externo también implicaba un equilibrio interno.[42]

En la mayoría de las naciones la suspensión del patrón oro y la adopción del control de cambios introdujeron una cuña entre el ajuste externo y el interno. Donde persistieron los déficit presupuestales y se les financió interna-

---

[40] Véase Cárdenas (2000), pp. 197-198.

[41] América Latina había tenido tradicionalmente un excedente comercial, es decir, las exportaciones de mercancías superaban a las importaciones; véase Horn y Bice (1949), p. 103. No obstante, las dimensiones del excedente variaron de manera considerable, cayendo a finales de los veinte y aumentando durante los treinta.

[42] Aunque la moneda local panameña era (y es) el balboa, esto era (y es) una ficción legal, porque el dólar estadunidense es, en realidad, la unidad de cuenta. Por ello el gobierno panameño no pudo administrar un déficit presupuestal sin tener acceso a préstamos exteriores, prácticamente imposibles durante los treinta.

mente, el activo circulante nominal no concordaba con la reducción de las importaciones nominales. Esto, a su vez, hacía que aumentara la proporción del crédito interno a las importaciones, creando un excesivo activo circulante, lo que a su vez estimularía el gasto interno en términos nominales. Que el aumento del gasto nominal se reflejara o no en los aumentos de precio o de cantidad sería decisivo para determinar la rapidez con que un país podría escapar de la depresión.

La idea de un excedente monetario encuentra apoyo empírico en muchos países. Mientras que Estados Unidos experimentó una caída de casi 40% en los depósitos comerciales bancarios nominales en el periodo 1929-1933 (véase el cuadro VII.3), algunas repúblicas latinoamericanas (por ejemplo, Bolivia, Brasil, Ecuador y Uruguay) vieron aumentar el valor nominal de los mismos, y otras (por ejemplo, Argentina, Chile y Colombia) sólo experimentaron una modesta caída. En términos reales (es decir, ajustados al cambio en el nivel de precios), esto es aún más notable: los precios se redujeron entre 1929 y 1933 en todas las repúblicas latinoamericanas (excepto Chile) en las que se dispone de datos.[43]

El activo circulante nominal se mostró relativamente boyante por varias razones. En primer lugar, la decisión de imponer un control cambiario en muchos países limitó la salida de oro y de divisas, restringiendo por ello la reducción del abasto monetario de origen externo. Uruguay, uno de los primeros países en imponer control de cambios, sólo sufrió una modesta caída de sus reservas internacionales. México, que no tenía tales controles, padeció una pérdida de circulante de oro y plata que constituía una alta proporción de su activo circulante.

En segundo lugar, pese a los enormes esfuerzos por aumentar los ingresos y recortar los gastos, persistieron los déficit presupuestales. Brasil logró aumentar la proporción de sus impuestos directos en el ingreso en 24% entre 1929 y 1932, pese a la contracción del PIB real, pero la abrumadora importancia de los impuestos al comercio exterior provocó una pérdida fiscal en el ingreso paralela al desplome de las importaciones y las exportaciones.[44] Además, la decisión inicial de pagar el servicio la deuda pública (interna y externa), y las dificultades asociadas con los severos recortes a los salarios nominales de los empleados públicos, hicieron casi imposible reducir los gastos lo suficiente como para eliminar los déficit presupuestales. A falta de nuevos préstamos del exterior, hubo que financiarlos por medio del sistema bancario, lo que tuvo un efecto expansivo sobre el activo circulante.

[43] Los precios chilenos (de mayoreo y de menudeo) cayeron en 1930 y 1931. Sin embargo, la ulterior depreciación de la moneda se reflejó en los aumentos de precios tras un breve plazo, consecuencia, tal vez, de las expectativas inflacionarias establecidas en Chile como resultado de la larga experiencia de devaluación cambiaria. Véase Hirschman (1963), capítulo 3.

[44] Los problemas fiscales brasileños se complicaron en 1932 por la insurrección en el estado de São Paulo, lo que obligó al gobierno federal a incrementar mucho sus gastos. Véase Schneider (1991), pp. 118-125.

CUADRO VII.3. *Medio circulante: los depósitos del banco comercial en cuenta corriente y a plazo, 1930-1936 (precios actuales; 1929 = 100)*

País	1930	1931	1932	1933	1934	1935	1936
Argentina	101	90	90	89	88	86	94
Bolivia	84	78	133	144	322	520	547
Brasil	97	101	115	109	125	131	141
Chile	84	68	82	96	110	124	143
Colombia	87	78	90	94	102	110	120
Ecuador	98	59	92	145	187	187	215
El Salvador[a]	74	68	64	57	42	44	37
México[b]	111	67	74	107	108	136	143
Paraguay	100[c]	76	64	72	125	191	170
Perú	69	63	62	78	100	116	137
Uruguay	114	115	126	114	116	124	139
Venezuela	49	68	69	76	85	106	89
Estados Unidos	101	92	71	63	72	81	92

[a] Incluye los depósitos en dólares.
[b] Los datos se compilaron sobre diferentes bases para 1932 y 1935, por lo cual la serie no es congruente.
[c] 1930 = 100.
FUENTE: League of Nations, *Statistical Yearbook*.

En tercer lugar, la declinación del crédito privado interno no fue tan aguda como habría podido esperarse en vista de los nexos directos entre el sistema bancario y el sector exportador. El pequeño número de bancos —México, por ejemplo, sólo tenía 11— y su gran notoriedad pública fueron un poderoso incentivo para evitar las quiebras bancarias. La relación directa entre banqueros y exportadores (que a veces eran las mismas personas) permitió que la reprogramación de la deuda fuese más flexible de lo que habría sido posible en un medio más competitivo. Además, durante los veinte los bancos solían trabajar con reservas de efectivo muy superiores al mínimo legal, lo que les dejó cierto margen disponible para los difíciles tiempos que vendrían después de 1929. Los bancos extranjeros, incapaces de sacar sus utilidades tras la implantación del control de cambios, tuvieron recursos adicionales para sostenerse durante los años de la depresión.[45]

[45] Un buen ejemplo nos lo ofrece el Bank of London and South America, de propiedad británica, el cual mantuvo elevadas tasas de efectivo en casi todas sus sucursales para evitar una pérdida de confianza. Véase Joslin (1963), p. 250.

De este modo, la política monetaria, en lo más hondo de la depresión, fue relativamente laxa en muchas repúblicas, por lo que el equilibrio interno —en contraste con el externo— aún no se había restaurado a finales de 1932. Los esfuerzos por aumentar los impuestos, incluyendo los gravámenes aduanales, habían resultado insuficientes, y todo indicaba que, de haber nuevos aumentos, serían contraproducentes. Los recortes a los salarios del sector público se dificultaron más por las turbulentas circunstancias políticas de comienzos de los treinta, por lo cual las políticas para reducir el déficit presupuestal se fueron concentrando cada vez más en los pagos del servicio de la deuda.

El incumplimiento de esos pagos no era cosa nueva en la historia económica latinoamericana; de hecho, las aduanas de algunas repúblicas pequeñas (como Nicaragua) seguían intervenidas por funcionarios estadunidenses nombrados para recabar los impuestos al comercio exterior, evitando así que se repitieran pasados incumplimientos. Al principio, todos los países de la región hicieron enormes esfuerzos por seguir pagando el servicio de la deuda, con la esperanza de que con ello conservarían su acceso a los mercados internacionales de capital. Esto creó un curioso dilema: el principal acreedor en materia de bonos internacionales seguía siendo Gran Bretaña, donde las reglas de la bolsa de valores hacían imposible que los países deudores ofrecieran nuevas emisiones de bonos; mientras tanto, la afluencia anual de nuevos capitales a América Latina dependía cada vez más de los Estados Unidos, donde las penalidades por incumplimiento no eran tan claras. Cuando se hizo evidente que América Latina no podía esperar, en general, financiamiento adicional de Gran Bretaña, la tentación de incumplir se volvió casi irresistible.

México, aún atrapado en la secuela de su Revolución, había suspendido los pagos del servicio de la deuda desde 1928. Sin embargo, la suspensión generalizada de la región comenzó en 1931 y fue acelerándose en los años siguientes. El incumplimiento fue unilateral, pero ningún país desconoció sus deudas externas, y no todos los casos se trataron igual. Por ejemplo, Brasil, en 1934, estableció siete grados de sus bonos; el trato varió desde el pleno servicio hasta el total incumplimiento de pagos de intereses y capital.[46] Vemos así que el efecto sobre el gasto gubernamental varió considerablemente, incluso entre los países morosos, aunque los recursos dedicados al servicio de la deuda tendieron a reducirse por doquier a medida que transcurría la década.

No todos los países dejaron de pagar su deuda externa, y los incumplimientos de la deuda externa no necesariamente abarcaron también el de la interna (ni a la inversa). La Venezuela de Gómez completó el pago de su deuda externa —iniciado 15 años antes— en 1930.[47] Honduras no pagó su deuda

[46] Véase Eichengreen y Portes (1988), pp. 25-31.

[47] Una parte pequeña de la deuda externa se quedó en libros porque las autoridades nunca encontraron a los propietarios. Por la misma razón, no pudieron hacerse pagos de intereses.

interna, pero sí la externa en su totalidad[48] (al igual que República Dominicana y Haití). De los países mayores (aparte de Venezuela), sólo Argentina pagó por entero sus deudas externa e interna, por razones que aún se discuten. Su relación especial con Gran Bretaña, los nexos comerciales directos y la perspectiva de obtener préstamos continuos fueron algunos de los factores que convencieron a los políticos argentinos de que debían pagar su deuda, cuya mayor parte era con Gran Bretaña. Además, la ortodoxia financiera de los gobiernos conservadores argentinos de los treinta contribuyó mucho a que se realizaran esos pagos.[49]

El incumplimiento del pago de la deuda redujo la presión sobre el déficit presupuestal en la mayoría de los países y (en el caso de la deuda externa) liberó divisas que pudieron gastarse con otros fines. Pero también alivió la presión sobre la política fiscal, porque evitó la necesidad de aumentar los impuestos o reducir los gastos. Por lo tanto, los déficit presupuestales continuaron siendo habituales, y el equilibrio interno siguió siendo un objetivo remoto para la mayoría de las repúblicas. La tensión entre el equilibrio externo y el desequilibrio interno produjo una grave inestabilidad financiera y económica en algunas de las repúblicas (como ocurrió, por ejemplo, en el caso de Bolivia),[50] pero también contribuyó a imponer a la recuperación económica un ritmo más rápido del que hubo en aquellos países en los cuales una política fiscal y monetaria severa dejó al sector no exportador con una demanda insuficiente e incapaz de responder al nuevo vector de los precios relativos.

LA RECUPERACIÓN TRAS LA DEPRESIÓN

Las políticas adoptadas para estabilizar las diversas economías, como respuesta a la depresión, pretendieron restaurar a corto plazo el equilibrio interno y externo. Sin embargo, inevitablemente también tuvieron repercusiones a largo plazo en aquellos países en que afectaron de manera permanente los precios relativos.

La caída de los precios de las exportaciones después de 1929, el deterioro de los TNIC y el aumento de los gravámenes nominales favorecieron al sector no exportador (tanto en productos de sustitución como importables)[51] más

[48] La ortodoxia hondureña en materia de deuda externa se debió a que las obligaciones del país durante el siglo XIX, incluyendo unos préstamos fraudulentos hechos a la compañía ferroviaria del Estado en el decenio de 1860, sólo llegaron a resolverse en 1926. Las condiciones de la solución fueron generosas, con una cancelación de pagos de intereses atrasados y una reducción del capital. Véase León Gómez (1978), pp. 177-181.

[49] Hay una enorme bibliografía sobre las razones de la ortodoxia argentina durante los treinta. Véanse, por ejemplo, Rock (1991) y Abreu (2000).

[50] Los desequilibrios fiscales bolivianos se intensificaron en 1932 ante la necesidad de aumentar el gasto militar al estallar la guerra con Paraguay. Los gastos de la defensa se octuplicaron en 1932 y 1933, y el ingreso sólo cubrió 25% del total.

[51] Los importables son artículos de producción local que compiten con las importaciones;

que al exportador en materia de precios relativos. Donde hubo una auténtica devaluación (es decir, una depreciación nominal más rápida que la diferencia entre los precios internos y los externos), tanto los artículos exportables como los importables experimentaron una ventaja en materia de precios en relación con los de sustitución. De este modo, el precio del sector que competía con las importaciones mejoró en todos los casos en relación con los artículos exportables y de sustitución, mientras que este último sector aumentaba sus precios en relación con los del sector exportador a menos que hubiera una verdadera devaluación (caso en el cual el resultado sería indeterminado).

Que estos cambios a corto plazo de los precios relativos pudiesen persistir dependería en buena medida del movimiento de los precios de exportación e importación. Para América Latina en conjunto los precios de exportación cayeron continuamente hasta 1934. En ese punto comenzó un nuevo ciclo, que produjo una marcada recuperación de los precios en 1936 y 1937, seguida por dos años de descenso. Sin embargo, los precios de importación siguieron bajos, por lo que los TNIC mejoraron de 1933 a 1937, y todavía en 1939 estaban 36% por encima del nivel de 1933, y al mismo nivel que en 1930. Vemos así que para la región en su conjunto una mejoría permanente del precio relativo del sector que competía con las importaciones no dependía tanto de los movimientos de los TNIC como de los aumentos de las tasas aduanales y de la devaluación real.

El sector que competía con las importaciones comprendía todas aquellas actividades capaces de sustituir las importaciones. Se le ha definido, convencionalmente, como industrialización por sustitución de importaciones (ISI), dada la importancia de los bienes manufacturados en la cuenta de importaciones. Sin embargo, durante los años veinte muchos países importaban cantidades considerables de productos agrícolas que, en principio, habrían podido producirse en el país. Por ello también es necesario considerar la agricultura de sustitución de importaciones (ASI) como parte del sector.[52]

El cambio de los precios relativos favoreció la movilización de los recursos, y actuó como mecanismo de recuperación después de la depresión. Pero ésta sólo fue una parte de la historia. Un descenso de la actividad del sector exportador, por ejemplo, y un aumento de la producción del sector que competía con las importaciones, no necesariamente acarrearía una recuperación del PIB real, aunque sí provocaría un cambio estructural. La recuperación sólo se garantizaba si el sector que competía con las importaciones se expandía

los de sustitución son aquellos bienes y servicios que ni se exportan ni se enfrentan a la competencia de las importaciones. Sobre los movimientos de precios relativos durante los treinta, véase Ground (1988).

[52] En teoría también es necesario considerar el servicio por sustitución de importaciones (SSI). Durante los treinta, sin embargo, el comercio internacional de servicios se restringió, por lo que en la práctica se le puede pasar por alto.

sin que mermara el exportador o si el primero crecía con tal rapidez que podía compensar el descenso de las exportaciones. La primera posibilidad muestra la importancia del desempeño del sector exportador durante los treinta, tema sumamente descuidado; la segunda requiere tomar en consideración el crecimiento de la demanda nominal.

Ya hemos demostrado que los programas de estabilización tuvieron gran éxito para restablecer el equilibrio externo en casi toda América Latina en 1932, pero que muchos países no lo tuvieron tanto al tratar de eliminar sus déficit presupuestales. La persistencia de éstos en algunas repúblicas aun después de los pagos de servicio de la deuda se redujo mediante moratorias, lo que representó un estímulo a la demanda nominal que en ciertas circunstancias podía esperarse que tuviera efectos reales (keynesianos).

Estas condiciones incluían la existencia de capacidad de ahorro y una respuesta elástica de los precios en el sector que competía con las importaciones, junto con un sistema financiero capaz de financiar el capital de trabajo a bajas tasas de interés real. Donde no existían estas condiciones (por ejemplo en Bolivia), la consecuencia de los déficit fiscales y el aumento de la demanda nominal fue, sencillamente, la inflación y un desplome del tipo de cambio nominal.[53] Donde sí las hubo (como en Brasil), una política fiscal y monetaria laxa pudo contribuir a la recuperación. Así vemos que para algunos países las medidas de estabilización incompletas en busca del equilibrio interno a partir de 1929 no tuvieron consecuencias desfavorables. En cambio, algunas naciones "bien pactadas" (como Argentina) se enfrentaron a la paradoja de que una política fiscal y monetaria ortodoxa en pro de un presupuesto equilibrado puede haber reducido la tasa de crecimiento económico durante los treinta.

Con sólo dos excepciones menores (Honduras y Nicaragua),[54] la recuperación tras la depresión, en términos del PIB real, comenzó a partir de 1931-1932. Durante el resto de la década todos los países sobre los que se tienen datos[55] lograron un crecimiento positivo y superaron su récord previo a la depresión en el PIB real, con las mismas dos excepciones. La rapidez de la recuperación varió considerablemente, empero, al igual que los mecanismos de la misma. En particular, casi ningún país confió exclusivamente en la ISI para su recuperación, y algunos sencillamente dependieron del retorno de condiciones más favorables en los mercados de exportación.

[53] Los precios al menudeo aumentaron 300% en Bolivia entre 1931 y 1937. La poderosa industria minera exigió una depreciación de la moneda para compensar el alza de los costos locales, por lo que pronto se instauró un círculo vicioso. Véase Whitehead (1991), pp. 520-521.

[54] Honduras, cuyo destino económico estaba íntimamente ligado con el de la industria platanera, fue azotada por la difusión de una plaga en las plantaciones plataneras a partir de 1931. También Nicaragua sufrió por su débil sector exportador, y además tuvo que enfrentarse a los problemas económicos causados por el retiro definitivo de los *marines* estadunidenses en enero de 1933.

[55] De 14 repúblicas existen ciertas estimaciones del aumento del PIB durante los treinta. Véase el cuadro VII.6.

De acuerdo con Chenery,[56] podemos analizar la recuperación latinoamericana durante los treinta por medio de una ecuación que mide el crecimiento y que descompone el cambio en el PIB real en sus principales componentes: sustitución de importaciones, promoción de exportaciones y crecimiento de la demanda interna final.[57] Es posible así identificar cierto número de mecanismos de recuperación que corresponden aproximadamente a las entradas que aparecen en la ecuación que da cuenta del crecimiento. Esto se presenta en el cuadro VII.4, en el que las 14 repúblicas de cuyo PIB existen datos están agrupadas en tres categorías de recuperación: rápida, mediana y lenta.

El grupo de rápida recuperación comprende las ocho repúblicas en las cuales el PIB real aumentó más de 50% entre el año de la depresión (1931 o 1932) y 1939. Dos países (Brasil y México) pueden considerarse grandes; cuatro (Chile, Cuba, Perú y Venezuela) medianos, y dos (Costa Rica y Guatemala), pequeños. Por ello no existe ninguna relación entre el tamaño y la rapidez de la recuperación. La ISI es un importante mecanismo de recuperación en la mayor parte del grupo, pero no en Cuba, Guatemala ni Venezuela. De hecho, la recuperación cubana se debió principalmente a los mejores precios del azúcar, que contribuyeron a duplicar el valor de las exportaciones entre 1932 y 1939; la recuperación venezolana se debió sobre todo al aumento de la producción petrolera, y la guatemalteca dependió en gran medida de la ASI.

El grupo de recuperación mediana abarca a todas aquellas naciones en las cuales el producto interno bruto (PIB) real aumentó más de 20% entre el año de la depresión y 1939. Sólo tres de ellas (Argentina, Colombia y El Salvador) pueden ubicarse con certidumbre en este grupo, aunque algunas otras (Bolivia, Ecuador, República Dominicana y Haití), sobre las cuales no existen datos nacionales para este periodo, registraron un aumento considerable del volumen de sus exportaciones a partir de 1932 y probablemente experimentaron un aumento del PIB que las colocaría en esta segunda categoría. La ISI fue importante como mecanismo de recuperación en Argentina y Colombia, pero el aumento de sus exportaciones no fue significativo.

El último grupo incluye a los países cuyo desempeño no fue tan bueno. Sólo tres (Honduras, Nicaragua y Uruguay) aparecen en el cuadro VII.4, pero el desastroso desempeño de las exportaciones de Paraguay y Panamá (de cuyas cuentas nacionales no existen datos) indican que también se les debería incluir. Las cinco eran economías pequeñas, con escasa posibilidad (con la excepción de Uruguay) de compensar un débil desempeño en sus exportaciones mediante un aumento de actividades que compitieran con las importaciones. Uruguay experimentó un alza de su producción industrial y la ISI fue impor-

---

[56] Véanse Chenery (1960) y Syrquin (1988), en los que se analizan numerosos refinamientos de la metodología original.

[57] La ecuación de las fuentes de crecimiento suele aplicarse a un sector particular (por ejemplo, la industria), con el cambio de producción descompuesto en la contribución de la sustitución de importaciones, la promoción de exportaciones, el consumo intermedio y la demanda interna final. En general, no se dispone de los datos de esta ecuación para los treinta.

CUADRO VII.4. *Análisis cualitativo de las fuentes de crecimiento durante la década de 1930*

País	Industrialización por sustitución de importaciones	Agricultura de sustitución de importaciones	Crecimiento de las exportaciones
Países de recuperación rápida			
Brasil	*		◊
Chile	*		◊
Costa Rica	*	•	
Cuba		•	◊
Guatemala		•	
México	*	•	
Perú	*		◊
Venezuela			◊
Países de recuperación mediana			
Argentina	*	•	
Colombia	*		
El Salvador		•	◊
Países de recuperación lenta			
Honduras		•	
Nicaragua		•	
Uruguay	*		

NOTA: Se supone que en los países de rápida recuperación el PIB real aumentó, desde el año de la depresión hasta 1939, más de 50%; en los de mediana recuperación, más de 20% y menos de 50%, y en los de lenta recuperación menos de 20%. Se supone que * = razón de la producción manufacturera neta al PIB aumentó significativamente; • = razón de la agricultura para consumo interno al PIB aumentó significativamente; ◊ = razón de las exportaciones al PIB aumentó significativamente, en términos nominales o reales.

FUENTES: Rangel (1970); Millot, Silva y Silva (1973); CEPAL (1976, 1978); Finch (1981); Palma (2000a); Bulmer-Thomas (1987); Maddison (1991). En los casos necesarios los datos se convirtieron a la base de precios de 1970, y en todos se han empleado los tipos de cambio oficiales.

tante, pero esto no bastó para compensar el estancamiento de la vital industria ganadera. En Panamá, donde la exportación de servicios es tan importante, la reducción del volumen del comercio mundial produjo una baja del número de naves que utilizaron el canal durante los treinta; esto ejerció un impacto lesivo sobre el desempeño económico general.[58] Paraguay, aunque salió victorioso de la Guerra del Chaco contra Bolivia (1932-1935), sufrió pérdidas terribles, y el valor nominal de sus exportaciones siguió cayendo hasta 1940.

Si nos limitamos al periodo 1932-1939, cuando más poderosa fue la recuperación en América Latina, 12 países[59] brindan datos suficientes para producir una versión limitada de una ecuación que da cuenta del crecimiento, en el que el cambio del PIB real se descompone en la proporción debida al crecimiento de la demanda interna final (sin ningún cambio en los coeficientes de importación), la correspondiente al cambio de los coeficientes de importación y la resultante de la recuperación de las exportaciones (véase el cuadro VII.5). En todos los casos la contribución más importante, con mucho, es la recuperación de la demanda interna final, seguida por la promoción de las exportaciones; la contribución debida a los cambios de los coeficientes de importación suele ser negativa ya que los coeficientes de importación tendieron a subir, más que a bajar, a partir de 1932.

Si tomamos como punto de partida cualquier año de la década de 1920, en lugar de 1932, el cuadro cambiará considerablemente (véase el cuadro VII.5), porque los coeficientes de importación en 1939 fueron invariablemente menores que un decenio antes. No obstante, la promoción de las exportaciones siguió siendo en general una fuente positiva de desarrollo, y la contribución de la demanda interna final (suponiendo que no hubiera cambio en el coeficiente de importaciones) fue más importante que la sustitución de importaciones en todos los países grandes, con excepción de Argentina. Estos resultados no significan que la sustitución de importaciones industriales no fuese importante, porque si se aplica la ecuación de las fuentes del crecimiento sólo al sector manufacturero pueden dar un resultado distinto. Sin embargo, tomando un periodo más largo (1929-1950), la contribución de la sustitución de las importaciones al desarrollo industrial en los países más grandes (Argentina, Brasil, Chile, Colombia y México) se ha calculado en un promedio ponderado de 39%, lo que implica que el crecimiento de la demanda interna final (se puede pasar por alto la contribución de las exportaciones industriales) también fue importante para el sector manufacturero.[60]

La recuperación de la demanda interna final fue reflejo de la política fis-

---

[58] Con fines económicos, la Zona del Canal de Panamá fue tratada como territorio estadunidense hasta 1979. El gobierno de Panamá recibía una anualidad de Estados Unidos, pero ésta sólo cubría una pequeña parte del gasto total. Estados Unidos firmó en 1936 un nuevo tratado, que le dio a Panamá ciertas ventajas comerciales en sus tratos con la Zona del Canal, aunque en la práctica se les pasó por alto. Véase Majar (1990), p. 657.

[59] Los 12 países son los que aparecen en el cuadro VII.1, excepto Uruguay.

[60] Véase Grunwald y Musgrove (1970), cuadro A.4, pp. 16-17.

Cuadro VII.5. *Análisis cuantitativo de las fuentes de crecimiento, 1932-1939 y 1929-1939 (en porcentajes)*

País	1932-1939			1929-1939		
	(1)	*(2)*	*(3)*	*(1)*	*(2)*	*(3)*
Argentina	+102	+6	–8	+51	+84	–36
Brasil	+74	–11	+37	+39	+31	+31
Chile	+71	–24	+53	+67[a]	+28[a]	+5[a]
Colombia	+117	–35	+18	+61	+24	+15
Costa Rica	+96	–21	+25	+36	+64	0
El Salvador	+39	–4	+65	+31[b]	+11[b]	+58[b]
Guatemala	+92	+2	+6	+64	+30	+6
Honduras	c	c	c	+55[b]	+17[b]	+28[b]
México	+108	+1	–9	+ 113	+61	–74
Nicaragua	+98	–1	+3	+64[d]	+47[d]	–11[d]
Perú	+85	–2	+17	+68	+30	+2
Venezuela	+80	–1	+21	+19	+67	+14

(1) Contribución porcentual de la demanda interna final al aumento del PIB real suponiendo que no hubo ningún cambio en el coeficiente de importación.

(2) Contribución porcentual del cambio en el coeficiente de importación al aumento del PIB real.

(3) Contribución porcentual de la promoción de exportaciones al aumento del PIB real.

[a] Los datos son para 1925-1939.

[b] Los datos son para 1920-1939.

[c] No se puede aplicar la ecuación de las fuentes del crecimiento porque la demanda interna final se redujo entre 1932 y 1939.

[d] Los datos son para 1926-1939.

FUENTES: Cálculos del autor utilizando datos tomados de Rangel (1970); Millot, Silva y Silva (1973); CEPAL (1976, 1978); Finch (1981); Palma (2000a); Bulmer-Thomas (1987); Maddison (1991). Los datos se han convertido, cuando fue necesario, a una base de precios de 1970, y en todos se utilizaron los tipos de cambio oficiales. Véase Hofman (2000), cuadro B.2.

cal y monetaria laxa a la que ya hemos hecho referencia. Fueron comunes los déficit presupuestales, los cuales —a falta de préstamos del exterior— solían ser financiados a través del sistema bancario, lo que generaba como resultado un efecto expansivo del circulante. Las instituciones financieras, fortalecidas por la creación de bancos centrales en varios países (como Argentina[61] y El Salvador), o reforzadas por las reformas monetarias de la

[61] El Banco Central de Argentina fue creado en 1935, con Raúl Prebisch como gerente general. Sin embargo, Prebisch siguió siendo totalmente ortodoxo en su pensamiento económico durante los treinta. Véase Love (1994).

década de los veinte, lograron compensar las pérdidas por los préstamos otorgados al sector exportador con esta nueva y lucrativa fuente de financiamiento. Dados los extremos a los que había caído la utilización de la capacidad, el aumento del activo circulante sólo fue moderadamente inflacionario, y tuvo efectos reales que también incidieron sobre los precios.[62]

La demanda interna final no sólo consiste en el gasto gubernamental, sino también en la inversión y el consumo privados. La inversión pública, muy recortada entre 1929 y 1932, se vio estimulada por programas de construcción de caminos en virtualmente todas las repúblicas, cuando los gobiernos aprovecharon una forma de gasto en inversión con un bajo contenido de importaciones.[63] El desarrollo de la red caminera fue verdaderamente impresionante en algunas naciones[64] y contribuyó de manera indirecta al desarrollo tanto de las manufacturas como de la agricultura para el mercado interno. Incluso la inversión privada, pese a su alto contenido de importaciones, logró recuperarse a partir de 1932, cuando empezaron a flexibilizarse las limitaciones de la balanza de pagos.[65]

Los aumentos del consumo privado —elemento de la mayor importancia en la demanda interna final— fueron condición necesaria para el desarrollo industrial de los treinta. Fue promovido a la vez por la recuperación del sector exportador, y por la política fiscal y monetaria laxa. Al recuperarse la demanda interna, las empresas nacionales encontraron una excelente oportunidad de satisfacer un mercado en el que había aumentado el precio relativo de las importaciones. Pocas instituciones financieras —incluidas las nuevas, establecidas durante los treinta— se interesaban primordialmente por dar crédito al consumo, con lo que la demanda de costosos productos duraderos (por ejemplo, automóviles) siguió siendo modesta; sin embargo, el consumo de productos no duraderos, como bebidas y textiles, experimentó un desarrollo considerable.

Hay quienes han supuesto que el crecimiento de la demanda de consumo durante los treinta pudo haberse visto estimulado por cambios en la dis-

[62] Los precios empezaron a subir a partir de 1931-1932, pero la tasa de aumento solía ser modesta. En 1939, por ejemplo, utilizando como base 1929 (100), los precios al mayoreo en Argentina estaban en 112; en Brasil, en 101; en México, en 122, y en Perú, en 116. Ya se han mencionado las principales excepciones (Bolivia y Chile). Véanse las notas 43 y 53.

[63] Durante los treinta la prioridad fueron caminos sencillos (a menudo sin asfaltar) que podían servir para el transporte con el creciente número de vehículos. Por lo tanto, la construcción caminera era intensiva en mano de obra y sólo requería modestos gastos en herramienta y equipo. El ejemplo extremo fue la Guatemala de Jorge Ubico, donde la Ley Vialidad proporcionó al Estado una mano de obra casi gratuita. Véase Grieb (1979), capítulo 9.

[64] En Argentina la red caminera se extendió con particular rapidez. Los incentivos para el gobierno eran muy grandes porque —además de su bajo contenido de importaciones— el programa de construcción de caminos representó para el agro una alternativa a los ferrocarriles (en su mayor parte de propiedad extranjera).

[65] Las importaciones brasileñas de maquinaria industrial (a precios constantes de 1913), por ejemplo, en 1938 estaban de nuevo en su nivel máximo previo a la depresión. Véase IBGE (1987), p. 345.

tribución funcional del ingreso.[66] No existen datos que confirmen o refuten esta hipótesis, pero es evidente que en ciertos sectores se produjeron modificaciones importantes en el rendimiento de la mano de obra en relación con el capital. Por ejemplo, en el sector exportador el efecto de la depresión se dejó sentir, ante todo, en los propietarios de capital, ya que las tasas reales de rendimiento cayeron más que los salarios reales. A partir de 1932 la mejora del sector contribuyó a recuperar los márgenes de ganancia, pero no es probable que la tasa de rendimientos del capital volviera a su nivel previo a 1929. Por ello en el sector exportador es realista hablar de un cambio de la distribución funcional del ingreso en favor de la mano de obra.

En contraste, es más probable que en el sector que competía con las importaciones ocurriera lo contrario. Su crecimiento basado en tipos de cambio devaluados y tasas aduanales nominales más altas creó un cambio de precios relativo cuyos principales beneficiarios habrían sido los propietarios de capital. Al mismo tiempo, los salarios nominales tardaron en responder al discreto aumento de los precios en los países que habían devaluado su moneda, y bien pudo ocurrir otro cambio en favor de las utilidades. En el sector de la sustitución es probable que tanto la depresión como la ulterior recuperación casi no modificaran la distribución funcional, por lo que el cambio agregado de la distribución funcional del ingreso no pudo ser muy grande.[67] Por ello es improbable que el crecimiento de la demanda del consumidor durante los treinta pueda atribuirse a grandes cambios en la distribución del ingreso.

EL ENTORNO INTERNACIONAL Y EL SECTOR EXPORTADOR

La recuperación del sector exportador, tanto en volumen como en precio, contribuyó a partir de 1932 al aumento de la capacidad importadora y al restablecimiento de tasas positivas de crecimiento económico; y sin embargo, esa recuperación no fue una simple vuelta al sistema de comercio mundial anterior a 1929. Antes bien, el entorno económico internacional del decenio de 1930 experimentó una serie de modificaciones que tendrían consecuencias importantes para el destino de algunas repúblicas latinoamericanas.

El principal cambio del sistema comercial mundial fue el aumento del proteccionismo. El conocido gravamen Smoot-Hawley de 1930[68] erigió las

---

[66] La distribución funcional se refiere a la división del ingreso en salarios, dividendos y utilidades. No debe confundirse con la distribución de dimensiones del ingreso, que se refiere a la parte del ingreso recibida por determinado decil o quintil de la población.

[67] El cambio agregado es un promedio ponderado del cambio en los tres sectores: exportables, importables y no sustituibles. Donde el sector que competía con las importaciones no era importante o estaba limitado a la agricultura (intensiva en mano de obra), la distribución del ingreso en la década de 1930 pudo haber mejorado, y la principal carga de ajuste hubiese recaído en las ganancias del sector exportador.

[68] La propuesta del gravamen Smoot-Hawley se convirtió en ley en junio de 1930. Sin embar-

barreras a las que se enfrentaron los exportadores latinoamericanos en el mercado estadunidense, y un impuesto específico a las importaciones de cobre en Estados Unidos, en 1932,[69] asestó un golpe particularmente severo a Chile. Cuando Gran Bretaña se refugió en un sistema de preferencia imperial en la conferencia de Ottawa de 1932 puso a América Latina frente a gravámenes discriminatorios en su segundo mercado en importancia. En Alemania, con el ascenso de Adolfo Hitler al poder, se creó el aski-marco, moneda inconvertible con que se pagaba a los exportadores, pero que sólo podía emplearse para comprar productos alemanes. Ciertos bienes (especialmente el azúcar) fueron objeto de un acuerdo internacional que fijó cuotas a la exportación para los principales productores (como Cuba). El estaño boliviano quedó regulado por el Acuerdo Internacional del Estaño.[70]

Pese a refugiarse en el proteccionismo, el comercio mundial en dólares creció continuamente desde 1932... al menos hasta que una nueva depresión en Estados Unidos, en 1938, redujo tanto sus importaciones como el comercio mundial. Las importaciones de los principales países industrializados dieron un giro entre 1932 y 1934 (sólo en Francia la recuperación se atrasó hasta después de 1935). En el decisivo mercado estadunidense mejoraron 137% entre 1932 y 1937, estimuladas en parte por los esfuerzos del secretario de Estado Cordell Hull por reducir el impacto de la regulación Smoot-Hawley por medio de tratados comerciales bilaterales, que incluían reducciones arancelarias recíprocas.[71]

A primera vista, el desempeño de las exportaciones latinoamericanas en conjunto a partir de 1932 parece mediocre. En los siete años previos al estallido de la segunda Guerra Mundial casi no se modificaron en términos de valor, en tanto que el volumen aumentaba un modesto 19.6%.

Sin embargo esto es muy engañoso, porque las cifras están sumamente influidas por Argentina, con mucho el exportador más importante de América Latina, casi con 30% del total de la región. Si se excluye a Argentina, el volumen de las exportaciones aumentó en 36% entre 1932 y 1939. Si también se excluye a México, el volumen de exportaciones de las 18 repúblicas restantes creció 53% durante el mismo periodo: una tasa anual de 6.3 por ciento.

Es fácil explicar el mediocre desempeño de México, pues de hecho las

go, en mayo de 1929 —antes del *crack* de la Bolsa de Valores— había sido aprobado por la Cámara de Representantes, cuando se estaban aplicando aumentos arancelarios en numerosos países a finales del decenio de 1920. Huelga decir que la ley Smoot-Hawley dio a muchos gobiernos la "justificación" que necesitaban para elevar sus gravámenes durante los treinta. Estos cambios arancelarios en represalia exacerbaron la depresión comercial de la década.

[69] Véase Maddison (1985), p. 28.
[70] Véase Hillman (1988), pp. 83-110.
[71] Cordell Hull lamentaba los aumentos arancelarios en represalia de los treinta, e intentó infructuosamente revertir la tendencia en la Conferencia de Economía Mundial en 1933. Más éxito tuvo con los tratados comerciales bilaterales que se firmaron entre Estados Unidos y muchos países latinoamericanos en la segunda mitad de la década.

exportaciones aumentaron con rapidez entre 1932 y 1937 sólo para desplomarse después de la nacionalización del petróleo, en 1938.[72] Los precios más altos del oro y de la plata, tras el abandono del patrón oro, no pudieron compensar el embargo comercial impuesto como represalia por la expropiación de las compañías petroleras extranjeras, y las exportaciones mexicanas se redujeron 58% entre 1937 y 1939.

Las exportaciones de Argentina han sido tema de numerosos análisis. En términos de volumen, la reducción continua a partir de 1932 no se revertiría hasta 1952. Sin embargo, esa corriente fue oscurecida por los favorables precios y TNIC de que disfrutó Argentina durante gran parte de los treinta. Por ejemplo, entre 1933 y 1937, los TNIC mejoraron 71% a consecuencia de una serie de malas cosechas en América del Norte, lo que aumentó los precios de los cereales y la carne.

Sin embargo, el hecho de que Argentina dependiera del mercado británico fue un gran obstáculo a la expansión de sus exportaciones. Es verdad que el tratado Roca-Runciman de 1933[73] le dio una cuota en el mercado británico para exportar sus principales productos primarios, pero lo más que podía esperar de este acuerdo era conservar su participación en el mercado de importaciones. Los granjeros británicos tenían ahora un incentivo de precios, por los aranceles discriminatorios, para aumentar la producción a expensas de las importaciones. De este modo, ni siquiera conservar su participación en las importaciones pudo impedir que Argentina experimentara un pequeño descenso de sus ventas a Gran Bretaña.

Las exportaciones argentinas también padecieron por las fluctuaciones del tipo de cambio real. Las exportaciones tradicionales en muchas repúblicas latinoamericanas se beneficiaron por una devaluación real a largo plazo, pero los exportadores argentinos se enfrentaron a un tipo de cambio real que tendió a revaluarse en el decenio de 1930. Por ejemplo, mientras los precios británicos al mayoreo se redujeron 20% en los 10 años posteriores a 1929, y los precios al mayoreo argentinos aumentaron 12%, la devaluación nominal del peso ante la libra esterlina, necesaria para que las exportaciones argentinas a Gran Bretaña siguieron siendo competitivas, fue al menos de 32%, mu-

---

[72] La nacionalización del petróleo surgió de una disputa entre las compañías de propiedad extranjera y sus obreros mexicanos. Fue muy aclamada, pero también generó graves problemas a la administración de Cárdenas cuando las compañías organizaron un boicot internacional. Véase A. Knight (1990), pp. 42-47.

[73] El pacto Roca-Runciman (conocido oficialmente como el Tratado de Londres) fue respuesta lógica a la adopción de la preferencia imperial por parte de Gran Bretaña, pues autorizaba el continuado acceso de Argentina al mercado británico de carne y cereales. Sin embargo, el protocolo del tratado comercial obligaba a Argentina a reducir sus gravámenes a muchos productos británicos, y permitía a las compañías del Reino Unido pagar sus remesas de utilidades restándolas del pago de las exportaciones argentinas a ese país. De este modo Gran Bretaña obtuvo la máxima ventaja de su posición negociadora, pero el costo a largo plazo fue sumamente alto, como resultado de la humillación de Argentina. Véase Rock (1991), pp. 21-24. Se llegó a un acuerdo similar con Uruguay.

cho más que la verdadera devaluación del tipo de cambio oficial en toda la década. Las marcadas fluctuaciones de un año a otro hicieron poco por reforzar la confianza en el sector exportador. En cambio, en ese mismo periodo los exportadores brasileños tuvieron una devaluación real de 49% basada en el tipo de cambio oficial, y una real de 80% en la tasa del mercado libre.[74]

En el resto de América Latina el desempeño de las exportaciones después de 1932 fue sorprendentemente sólido (véase el cuadro VII.6). De los 17 países de los que tenemos datos sobre el volumen de las exportaciones, sólo Honduras —además de Argentina y México— experimentó un descenso entre 1932 y 1939. Además, si se toma como base el año de 1929, la mitad de los países que presentaron datos tuvieron aumento del volumen de exportaciones, pese a las circunstancias excepcionalmente difíciles que prevalecieron durante los treinta.

Tres factores explican ese desempeño relativamente bueno de las exportaciones. El primero fue el compromiso de las autoridades con la supervivencia del sector exportador tradicional —el motor de crecimiento del modelo impulsado por las exportaciones— a través de toda una red de medidas políticas, desde la devaluación del tipo de cambio real hasta la moratoria de la deuda. El segundo fue el movimiento de los TNIC a partir de 1932. El tercero fue la lotería de bienes, que creó cierto número de ganadores en la gama de exportaciones latinoamericanas durante la década de 1930.

A comienzos de los treinta casi ningún país de América Latina podía darse el lujo de pasar por alto al sector exportador tradicional; esto era especialmente cierto en los más pequeños, donde ese sector siguió siendo la principal fuente de empleo, de acumulación de capital y de influencia política. Hasta en las naciones más grandes la declinación del sector exportador ponía en riesgo al no exportador por los nexos directos e indirectos que había entre ambos. Es revelador que, con una sola excepción, los 13 países que tienen datos del PIB real y de sus exportaciones para los treinta registraran un aumento de las exportaciones y del PIB reales al mismo tiempo. La excepción fue Argentina, donde —como vimos— el volumen de las exportaciones no se recuperó.

Sin embargo, este país fue la excepción que confirmó la regla. Era con mucho la nación más rica de América Latina a comienzos de los treinta (su único rival en materia de ingreso per cápita era Uruguay); contaba con la estructura económica más diversificada y con la base industrial más sólida. El sector no exportador era lo bastante importante como para convertirse en el nuevo motor del crecimiento durante los treinta, por lo cual el PIB y las exportaciones reales se movieron en direcciones opuestas. Al mismo tiempo, debe recordarse que sus TNIC mejoraron considerablemente, lo que dio im-

---

[74] Cálculos del autor con base en ajustes del tipo de cambio nominal para la diferencia entre los precios al mayoreo brasileños y extranjeros (británicos y estadunidense).

Cuadro VII.6. *Tasas de crecimiento anual promedio, 1932-1939*
(en porcentajes)

País	PIB	Volumen de exportaciones	Volumen de importaciones	TNIC
Argentina	+44	−1.4	+4.6	+2.1
Bolivia		+2.4		
Brasil	+4.8	+10.2	+9.4	−5.6
Chile	+6.5	+6.5	+18.4	+18.6
Colombia	+4.8	+3.8	+16.1	+1.6
Costa Rica	+6.4	+3.4	+14.0	−5.4
Cuba	+7.2			
Ecuador	+4.4	+9.7	0	
El Salvador	+4.7	+6.7	+4.2	+1.9
Guatemala	+10.9	+3.4	+11.2	+2.0
Haití		+4.9		
Honduras	−1.2	−9.4	+0.8	−0.3
México	+6.2	−3.1	+7.8	+5.7
Nicaragua	+3.7	+0.1	+5.6	+5.5
Perú	+4.9[a]	+5.4	+5.0	+7.2
República Dominicana		+3.0	+4.4	+15.2
Uruguay	+0.1[a]	+3.5	+3.0	+1.4
Venezuela	+5.9[a]	+6.2	+10.4	−3.4

Nota: Muchos de estos datos se hallan adecuadamente resumidos en Thorp (1998), apéndice estadístico. Véase también Hofman (2000), cuadro 3.2.

[a] Los datos son para 1930-1939.

Fuentes: Rangel (1970); Millot, Silva y Silva (1973); cepal (1976, 1978); Brundenius (1984); Finch (1981); Palma (2000a); Bulmer-Thomas (1987); Maddison (1991). Los datos se convirtieron, cuando fue necesario, a la base de precios de 1970, y en todos los casos se emplearon los tipos de cambio oficiales. Véase la nota 25.

pulso a la demanda interna final y el consumo privado a partir de 1932. De modo que ni siquiera Argentina pudo librarse por completo de su heredada dependencia del sector exportador.

Las medidas adoptadas para sostener y promover el sector exportador en América Latina fueron variadas, complejas y a menudo heterodoxas. Sólo seis de las 20 repúblicas (Cuba, República Dominicana, Guatemala, Haití, Honduras y Panamá) evitaron todas las formas de manejo del tipo de cambio y prefirieron seguir dependiendo, como desde antes de 1929, del dólar estadunidense. En otros lugares la devaluación nominal fue frecuente, y comunes los tipos de cambio múltiples. Como lo ha demostrado el ejemplo de Argentina, la devaluación nominal no necesariamente significó una depreciación real, pero en general los aumentos de los precios internos fueron modestos, y sólo Bolivia cayó en un círculo vicioso de gran inflación interna y devaluación del tipo de cambio, víctima de las caóticas condiciones financieras creadas por la Guerra del Chaco y sus secuelas.

La reducción del crédito para el sector exportador a partir del año de 1929, proveniente de fuentes tanto internas como externas, amenazó a muchas empresas con el embargo bancario. En proporción abrumadora los gobiernos intervinieron con moratorias de la deuda para impedir la erosión de su base exportadora.[75] En algunos casos se crearon nuevas instituciones financieras, con apoyo o participación gubernamental, para canalizar recursos frescos al sector exportador. Se fortalecieron u organizaron por vez primera grupos de presión que representaban los intereses de los exportadores, y a menudo se redujeron los derechos a la exportación.[76]

La mejoría de los TNIC a partir de 1932 dio nuevo impulso al sector exportador. De 15 países para los que se dispone de información (véase el cuadro VII.6), sólo cuatro registraron un deterioro en el periodo 1932-1939. Dos de ellos (Costa Rica y Honduras) eran importantes exportadores de plátano, y padecieron el descenso de los precios de los plátanos aplicados por las gigantescas compañías fruteras en sus operaciones globales. Dado que estos precios eran en gran medida artificiales, en la práctica el deterioro de los TNIC no fue grave. Lo mismo puede decirse de Venezuela, pues los precios mundiales del petróleo siguieron siendo bajos, lo que provocó el descenso de los TNIC. Sin embargo, este país empezó a obtener un mayor valor de retorno de las compañías petroleras extranjeras tras la caída de Gómez, gracias a la revisión de las concesiones y al aumento del ingreso por concepto de impuestos, por lo cual el PAE fue aumentando sin cesar.[77]

El único otro país que sufrió una caída de sus TNIC fue Brasil; el desplome de los precios del café después de 1929 lo afectó gravemente. Un nuevo plan de apoyo al café, financiado en parte por un impuesto a las exportaciones de este producto y por créditos del gobierno,[78] aportó los fondos para

[75] La moratoria de la deuda impedía a los bancos embargar a sus clientes y vender los bienes dados en garantía para resarcirse de las deudas impagadas. La resistencia de los bancos a esas prácticas tan poco ortodoxas se redujo cuando supieron que el precio de las propiedades iba cayendo, y que descendería más rápidamente todavía si los bancos tenían que deshacerse de propiedades para las que no había mercado a fin de conservar su liquidez.

[76] Además, Argentina creó una serie de consejos mercantiles oficiales, que ofrecían a los agricultores precios internos superiores a los mundiales. Las pérdidas implícitas de los consejos se cubrieron con las ganancias de la administración del sistema de tipo de cambio múltiple. Véase Gravil (1970).

[77] Véase McBeth (1983), capítulo 5.

[78] El impacto macroeconómico de este plan de financiamiento ha sido tema de muchos debates. Véanse por ejemplo Furtado (1963) y Peláez (1972). Fishlow (1972) contiene una buena

destruir una parte de la cosecha. Esto redujo la oferta al mercado mundial y permitió que Brasil vendiera a precios en dólares más altos de lo que de otra manera hubiera sido posible. Al mismo tiempo, la devaluación elevó el precio en moneda local de las exportaciones de café, por lo que la baja de los ingresos del café fue mucho menos severa de lo que parecería implicar el deterioro de los TNIC. Sin embargo, la manipulación de los instrumentos disponibles no pudo ocultar que el sector cafetalero se hallaba en una profunda crisis. Mientras subía el precio del algodón en relación con el del café durante los treinta se reasignaron recursos y se elevaron la producción y las exportaciones de algodón de Brasil. De 1932 a 1939 la superficie de cultivo de algodón casi se cuadruplicó, y la producción casi se sextuplicó; las exportaciones crecieron con tal rapidez que el volumen de las mismas subió más rápidamente que en cualquiera otra nación latinoamericana (véase el cuadro VII.6). Tal vez los ingresos en dólares por las exportaciones siguieron siendo menores, pero fue impresionante el aumento en términos de volumen y de moneda nacional.[79]

La lotería de bienes creó ganadores y perdedores en América Latina. La principal perdedora fue Argentina, pues sus tradicionales exportaciones se vieron lesionadas por su dependencia del mercado británico. Las exportaciones de tabaco cubano, incluidos los puros, también salieron perdiendo, pues padecieron las medidas proteccionistas adoptadas en el mercado estadunidense.[80] Los principales beneficiados fueron los exportadores de oro y plata, porque los precios subieron notablemente durante los treinta. Esta inesperada ganancia, producto de la lotería, benefició a Colombia y Nicaragua en el caso del oro, y a México en el de la plata. Bolivia se benefició de los aumentos del precio del estaño logrados por el Comité Internacional del Estaño a partir de 1931, y se produjo un nuevo impulso por el rearmamento a finales de los treinta.[81] También Chile, tras haber sufrido una severísima caída de sus precios de exportación en los peores años de la depresión, vio aumentar sus TNIC en un promedio de 18.6% anual entre 1932 y 1939, cuando el rearmamento se reflejó en los precios del cobre. República Dominicana explotó su posición al margen del Acuerdo Internacional del Azúcar y obtuvo precios más altos y mayor volumen de sus ventas de azúcar.

La recuperación del sector exportador tradicional fue la principal razón

relación del debate, y se inclina en general por la interpretación que da Furtado al plan, al que califica de expansionista.

[79] Peláez (1972), capítulo 3, ofrece una excelente descripción del alza de la producción algodonera en el estado de São Paulo durante los treinta, y llama la atención sobre las inversiones predepresión en la investigación sobre algodón, financiadas por el gobierno estatal.

[80] Atraída por la oportunidad de evitar los derechos de importación, en 1932 la American Tobacco Company transfirió sus operaciones de Cuba a Nueva Jersey. Véase Stubbs (1985), capítulo 4.

[81] Las perturbaciones asociadas con el fin de la Guerra del Chaco contra Paraguay impidieron que Bolivia cumpliera con su cuota, establecida por acuerdo del comité internacional. Véase Hillman (1988), pp. 101-103.

del aumento de volumen de las ventas a partir de 1932. La diversificación de exportaciones (con excepción del algodón en Brasil) tuvo limitada importancia, pues sólo se hicieron algunos esfuerzos esporádicos, como el del algodón en El Salvador y Nicaragua, y el del cacao en Costa Rica (en plantaciones plataneras abandonadas).[82] Pero el ascenso de la Alemania nazi y su agresiva política comercial basada en el aski-marco hicieron que la integración geográfica del comercio exterior cambiara de manera notable. En 1938, último año no afectado por la guerra, Alemania recibía 10.3% de las exportaciones latinoamericanas, y aportaba 17.1% de las importaciones, en comparación con 7.7% y 10.9%, respectivamente, en 1930.[83] La principal perjudicada por el aumento de la parte alemana fue Gran Bretaña, aunque también Estados Unidos perdió terreno en el mercado de las exportaciones latinoamericanas (de 33.4% en 1930 a 31.5% en 1938).[84]

El aumento de importancia del mercado alemán debió mucho a la política comercial del Tercer Reich. El estímulo para inducir a los países a aceptar el inconvertible aski-marco fue la oferta de precios más altos por sus exportaciones tradicionales. Por ejemplo, Brasil, Colombia y Costa Rica, que estaban buscando nuevos mercados para el café, vieron aumentar súbitamente la importancia del mercado alemán, cuya pérdida causaría graves problemas tras el estallido de la guerra. Uruguay, con problemas para entrar al mercado británico, incrementó sus exportaciones a Alemania a 23.5% del total en 1938. En contraste, los tratados comerciales recíprocos promovidos por Cordell Hull no lograron elevar la participación estadunidense en el mercado, aunque sí contribuyeron a aumentar el valor absoluto del comercio.[85]

Al final de la década el sector exportador no había recuperado toda su importancia inicial, pero había contribuido con una parte nada insignificante a la recuperación del PIB real a partir de 1932. Si comparamos 1928 con 1938 (véase el cuadro VII.1), la mayoría de los países experimentaron un descenso en la participación de las exportaciones reales en el PIB real. Sólo en

---

[82] A comienzos de la década de 1930 la United Fruit Company (UFCo) había empezado a trasladar su producción de plátano en Costa Rica del litoral atlántico al pacífico. Como el contrato entre la UFCo y el gobierno prohibía el libre desplazamiento a los muchos trabajadores negros de las plantaciones de la zona atlántica, el desempleo se convirtió en grave problema en la región de Puerto Limón. El gobierno consideró que las plantaciones de cacao en tierras ociosas de la Ufco resolvía el dilema que había contribuido a crear. Véase Harpelle (1993).

[83] La participación alemana resulta aún más notable si se recuerda que en 1920, inmediatamente después de la primera Guerra Mundial, Alemania sólo representaba 1.8% de las exportaciones latinoamericanas y 3.4% de las importaciones.

[84] Véase Horn y Bice (1949), capítulo 5.

[85] El aumento del valor del comercio con Estados Unidos fue interrumpido por la depresión estadunidense a partir de 1937. Las importaciones de ese país cayeron repentinamente en 1938, y todos los principales países latinoamericanos, excepto Venezuela, se vieron muy afectados. Esta depresión de Estados Unidos no fue tan profunda como la anterior y tuvo efectos más limitados sobre el resto del mundo, por lo que el impacto general sobre América Latina no fue excesivamente severo.

México, Honduras y Argentina —los casos especiales ya analizados— hubo una caída importante, y Brasil incluso experimentó un aumento.

La recuperación del volumen de exportaciones en la mayoría de las repúblicas latinoamericanas ayuda a explicar el súbito aumento de volumen de las importaciones a partir de 1932 (véase el cuadro VII.6). Pero esto no nos revela toda la historia, pues las importaciones se recuperaron en todos los casos presentados, incluyendo los tres en que cayó el volumen de las exportaciones. Otras razones fueron los cambios de los TNIC y las reducciones del factor de pagos debidas a incumplimiento de deuda, control de cambios y menores remesas de utilidades. Así, incluso en Argentina —donde la deuda externa fue pagada puntualmente y se redujo el volumen de las exportaciones— los movimientos favorables de los TNIC y la reducción de salidas de utilidades hicieron posible un aumento anual de 4.6% del volumen de las exportaciones entre 1932 y 1939.

El aumento del volumen de las importaciones a partir de 1932, en todos los casos, es tan notable que vale la pena examinar la correlación entre los cambios ocurridos en las importaciones y el PIB reales. Para las 12 repúblicas de las que se dispone de datos[86] hay una relación marcada y positiva con un coeficiente de correlación de mínimos cuadrados de 0.75, que es significativo en el nivel de 1%. Si se toma en cuenta la opinión prevaleciente, en el sentido de que la década de 1930 fue un periodo de recuperación económica basada en la ISI y la minimización de las importaciones, este resultado es un saludable recordatorio de la abrumadora importancia del sector externo y el comercio exterior, aun después de la depresión de 1929.

Vale la pena profundizar en este punto, porque la idea común está firmemente establecida. La sustitución de importaciones en la industria sin duda fue importante, como veremos en el apartado siguiente, y en el decenio transcurrido entre 1928 y 1938 efectivamente se redujo la relación de las importaciones reales con el PIB. Sin embargo, la minimización de las importaciones alcanzó su mayor gravedad en los peores años de la depresión (1930-1932), lo que ejerció una notable restricción de importaciones de bienes de consumo. A partir de 1932 el crecimiento industrial logró satisfacer gran parte de la demanda de los artículos de consumo cubierta antes por las importaciones, pero al mismo tiempo, y casi sin excepción, las importaciones reales crecieron con mayor rapidez que el PIB real, en todos los casos, ya que la propensión marginal a importar siguió siendo muy grande. La composición de las importaciones se apartó de los bienes de consumo —en particular de los no duraderos— pero el desempeño económico siguió siendo muy sensible al crecimiento de las importaciones y dependiente de él. Sin una recuperación de las exportaciones, o al menos sin una mejoría de los TNIC durante los treinta, habría sido mucho más difícil que América Latina llevara adelante con éxito la ISI.

[86] Véase la nota 59. El periodo elegido fue de 1932 a 1939.

La recuperación de la economía no exportadora

La recuperación del sector exportador —en términos de volumen, de precios o, en muchos casos, de ambos— contribuyó al crecimiento de las economías latinoamericanas en la década de 1930. El resurgimiento del sector exportador, junto con la política monetaria y fiscal laxa, determinó una expansión de la demanda interna nominal final. Como en casi toda la región los aumentos de precios se mantuvieron en niveles modestos, esto correspondió a un aumento de la demanda interna final real, que en algunos casos permitió la rápida expansión del sector no exportador. Los principales beneficiados fueron las manufacturas, aunque también aumentó la agricultura de uso interno (AUI), y ciertas actividades no sustituibles, como la construcción y el transporte, tuvieron un crecimiento considerable.

Argentina fue el único país en el cual la recuperación del PIB real no se relacionó con la recuperación del sector exportador. Por el contrario, el valor nominal y real de las exportaciones continuó reduciéndose durante varios años después que el PIB real tocó fondo en 1932. Sin embargo, a finales de los años veinte Argentina contaba con la estructura industrial más grande y avanzada (excepto en el caso de los textiles) que cualquier país latinoamericano, y esta madurez industrial permitió que las manufacturas guiaran la economía argentina para salir de la recesión, como respuesta a un súbito cambio del precio relativo de los productos nacionales e importados, causado por la depresión.

El cambio de los precios relativos —que afectó a todos los productos importables, no sólo a los manufacturados— se debió a tres razones: primera, el difundido uso de gravámenes específicos en América Latina hizo que las tasas arancelarias empezaran a aumentar, mientras caía el precio de las importaciones. Esos gravámenes —grave desventaja en época de alza de precios— constituyeron una protección cada vez mayor en tiempos de descenso de los mismos, aun sin intervención del Estado. Sin embargo, la mayoría de las repúblicas respondió a la depresión elevando sus aranceles e incrementando así la protección nominal.[87] A menudo esos aumentos fueron planeados básicamente para elevar los ingresos del gobierno, pero —como de costumbre— también sirvieron de barrera protectora contra las importaciones. Por ejemplo, en Venezuela la tasa aduanal promedio subió de 25% a finales de los veinte a más de 40% a finales de los treinta.[88]

La segunda razón del cambio de los precios relativos fue la devaluación del tipo de cambio. A comienzo de los treinta, cuando los precios iban bajan-

---

[87] Esto lo niega Ground (1988), p. 193, quien afirma que "los aranceles no se aplicaron para facilitar el ajuste a la Gran Depresión". Sin embargo, se puede refutar esta conclusión utilizando las cifras de los gravámenes que pueden verse en su propio cuadro 7, y aún más si se emplean otros cálculos. Véase por ejemplo Díaz-Alejandro (1970), p. 282.

[88] Véase Karlsson (1975), p. 220.

do casi por doquier, una devaluación nominal del tipo de cambio representaba una garantía razonable de una devaluación real. A mediados de la década, con modestos aumentos de precios en algunos países, la devaluación real sólo quedaba asegurada si la nominal superaba la diferencia entre los cambios de precios internos y los externos. Muchos países, en particular los más grandes, reunieron estas condiciones, y la política del tipo de cambio se volvió poderoso instrumento para modificar sus precios relativos en favor de los artículos nacionales que competían con las importaciones. En las repúblicas que habían empleado tipos de cambio múltiples (la mayor parte de América del Sur) surgió una nueva oportunidad para aumentar el costo en moneda nacional de aquellas importaciones de bienes de consumo que las empresas locales estaban mejor capacitadas para producir.

El control de cambios fue la tercera razón de la modificación de los precios relativos. El racionamiento de divisas extranjeras para importaciones no esenciales hizo subir efectivamente su costo en moneda local, aun sin una devaluación. De este modo, algunas de las naciones que habían atado su tipo de cambio al dólar estadunidense siguieron teniendo una devaluación *de facto* como resultado del control cambiario. La excepción más notable fue Venezuela, donde el bolívar tuvo una fuerte revaluación frente al dólar, lo que anuló gran parte de la ventaja que brindaba el aumento de las tasas arancelarias.

El cambio de precios relativos, combinado en muchos casos con el control cambiario, brindó una excelente oportunidad a los fabricantes en aquellos países en que la industria ya había echado raíces. Aun mejor situadas se encontraron las naciones en las que el sector manufacturero ya había desarrollado capacidad de ahorro antes de 1929, donde la producción pudo responder de inmediato a la recuperación de la demanda interna y a la modificación de los precios relativos, sin tener que hacer costosas inversiones que dependían de bienes de capital importados.

Ciertos países latinoamericanos cumplían estas condiciones. Ya hemos mencionado a Argentina. Brasil, aunque mucho más pobre que aquélla, había estado desarrollando continuamente su base industrial, y aprovechó las circunstancias favorables de los veinte para ampliar su capacidad manufacturera. México había presenciado una oleada de inversiones industriales durante el Porfiriato y, después de los trastornos revolucionarios, había empezado a invertir nuevamente en pequeña escala. Entre los países de mediano tamaño, Chile había logrado construir una base industrial relativamente avanzada ya antes de la primera Guerra Mundial, y Perú había disfrutado un auge de la inversión industrial durante el decenio de 1890, que después sólo se sostendría durante periodos de precios relativos favorables. Colombia, retrasado su progreso industrial por la incapacidad de crear un sólido mercado interno durante el siglo XIX, finalmente había empezado a construir una importante base industrial en la década de 1920. Entre las repúblicas pequeñas, sólo de Uruguay puede decirse que contaba con manufacturas modernas, gracias a las empresas atraídas por la concentración de la población y los altos ingresos en Montevideo.

Estas siete naciones eran las mejor ubicadas para aprovechar las condiciones excepcionales a las que se enfrentó el sector manufacturero después que empezó a recuperarse la demanda interna. De hecho, en unos pocos casos la tasa anual de crecimiento de la producción manufacturera neta rebasó 10% (véase el cuadro VII.7). Aunque al principio se utilizó la capacidad excedente para satisfacer el aumento de la demanda, a mediados del decenio había comenzado a agotarse. En México las gigantescas plantas siderúrgicas de Monterrey —que no habían dado ganancias durante la mayor parte del siglo— finalmente empezaron a producir jugosos dividendos, cuando en 1936 su utilización llegó a 80% de la capacidad.[89] En adelante sólo se podría satisfacer la demanda mediante nuevas inversiones, que incluían la compra de bienes de capital importados. De este modo, la industrialización empezó a modificar la estructura de las importaciones, con una participación decreciente de los bienes de consumo, y una en aumento para los bienes intermedios y de capital.

Argentina siguió siendo la república más industrializada, tanto por su participación de las manufacturas en el PIB como en la producción manufacturera neta per cápita (véase el cuadro VII.7). Sin embargo, el sector manufacturero brasileño logró considerables progresos durante los treinta. Pese a la baja de los precios mundiales del café, el ingreso en moneda local derivado del mismo se redujo mucho más modestamente gracias al programa de apoyo al café, y las exportaciones de algodón constituyeron una nueva y dinámica fuente de ingresos. Al mismo tiempo, la combinación de depreciación real, aumentos arancelarios y control de cambios dio a los consumidores un poderoso incentivo para pasar de los artículos importados a los productos locales. Este estímulo también funcionó en otros países, pero las limitaciones de capacidad a menudo impidieron que las empresas respondieran más positivamente. No obstante, en Brasil la capacidad manufacturera había aumentado en forma considerable, debido al elevado nivel del equipo importado durante los veinte. Por ello las empresas brasileñas se encontraron dispuestas a satisfacer la demanda, no sólo en las industrias tradicionales, como las de textiles, zapatos y sombreros, sino también en nuevas ramas que producían bienes de consumo duraderos e intermedios.

Hasta la industria brasileña de bienes de capital avanzó durante los treinta. Sin embargo, su participación en el valor agregado seguía siendo sólo de 4.9% en 1939.[90] Por consiguiente, la industrialización del país siguió dependiendo en buena medida de bienes de capital importados, por lo que a finales de los treinta empezaron a reaparecer las limitaciones de capacidad en varias ramas, tal como ocurrió en otros grandes países latinoamericanos;

[89] Véase Haber (1989), p. 177.
[90] Véase Fishlow (1972), cuadro 7; también véase Leff (1968).

Cuadro vii.7. *Indicadores del sector industrial durante la década de 1930*

País	A	B	C	D
Argentina	7.3	22.7	122	12.7
Brasil	7.6	14.5	24	20.2
Chile	7.7	18.0[a]	79	25.1
Colombia	11.8	9.1	17	32.1
México	11.9	16.0	39	20.1
Perú	6.4[b]	10.0[c]	29	s/d
Uruguay	5.3[d]	15.9	84	7.0

Clave:
A Tasa anual de crecimiento de la producción neta de las manufacturas, 1932-1939.
B Razón de las manufacturas con el PIB, 1939 (precios de 1970, porcentajes).
C Producción manufacturera neta per cápita (en dólares de 1970, convertidos al tipo de cambio oficial), *ca.* 1939.
D Número de trabajadores por establecimiento, *ca.* 1939.
[a] El dato es para 1940.
[b] El dato es para 1933-1938.
[c] El dato es para 1938.
[d] El dato es para 1930-1939.
Fuentes: Cálculos del autor utilizando datos de Wythe (1945); Rangel (1970); Millot, Silva y Silva (1973); cepal (1976, 1978); Boloña (1981); Finch (1981); Palma (2000a); Maddison (1991). Cuando fue necesario los datos se convirtieron a una base de precios de 1970, y en todos los cálculos se emplearon los tipos de cambio oficiales. Para datos acerca de la paridad de poder adquisitivo/tipo de cambio, véase Thorp (1998), apéndice estadístico, que también contiene cálculos para Cuba y Venezuela que obtuvieron de Pérez López (1977) y Baptista (1997), respectivamente.

esto favoreció la operación intensiva en mano de obra y la sustitución de capital por mano de obra siempre que fue posible. El aumento del empleo en las manufacturas brasileñas fue rápido, sobre todo en São Paulo, donde la tasa anual de crecimiento fue de más de 10% a partir de 1932. De hecho, los insumos de mano de obra "explican" la mayor parte del crecimiento de la industria brasileña durante los treinta, por lo que los aumentos de productividad fueron modestos. De ese modo, la eficiencia de esta industrialización y la capacidad de las empresas para competir en el mercado internacional son bastante cuestionables.

La industrialización de los treinta causó un cambio importante en la composición de la producción industrial en los principales países. Aunque el procesamiento de alimentos y los textiles siguieron siendo las principales ramas de las manufacturas, varios nuevos sectores empezaron a adquirir importancia por vez primera. Incluían productos duraderos de consumo, productos químicos (entre ellos farmacéuticos), metales y papel. También el mercado de bienes industriales se diversificó. Aunque la mayoría de las empresas seguían vendiendo bienes de consumo (duraderos y no duraderos) a consumidores familiares, las relaciones interindustriales se hicieron más complejas; buen número de establecimientos aportaba insumos que antes se tenían que comprar en el extranjero.

Estos cambios fueron significativos, pero no hay que exagerarlos. Por ejemplo, a finales de los treinta, la participación de la industria en el PIB seguía siendo modesta (véase el cuadro VII.7). Sólo en Argentina superó el 20%, y aun ahí la agricultura seguía teniendo más importancia. Pese a su tardío entusiasmo industrial, el sector manufacturero de Colombia representaba menos de 10% del PIB real en 1939. Brasil y México habían hecho importantes progresos hacia la industrialización, pero la producción manufacturera neta per cápita de ambos países estaba todavía muy por debajo de los niveles de Argentina, Chile y Uruguay.

En el decenio de 1930 el sector industrial se enfrentó a otros problemas. Atraído por un mercado interno sumamente protegido, no tenía incentivos para superar sus muchas deficiencias y empezar a competir en los mercados de exportación. A finales de esa década el sector seguía siendo de pequeña escala. El número promedio de empleados por establecimiento iba de 7.0 en Uruguay a 32.1 en Colombia (véase el cuadro VII.7). También era baja la productividad de la mano de obra; el valor añadido por trabajador —incluso en Argentina— era una cuarta parte del nivel estadunidense, y en la mayoría de las repúblicas más de la mitad de la mano de obra estaba empleada en productos alimenticios y textiles.

Los problemas de la baja productividad del sector industrial pueden atribuirse a escasez de energía eléctrica, falta de mano de obra calificada, acceso limitado al crédito y uso de maquinaria anticuada. A fines de los treinta los gobiernos de varias naciones habían reconocido la necesidad de una intervención indirecta del Estado en favor del sector industrial, y habían creado organismos gubernamentales para promover la formación de nuevas actividades manufactureras con economías de escala y maquinaria moderna. Un ejemplo notable fue la Corporación de Fomento de la Producción (Corfo) en Chile; corporaciones similares se crearon en Argentina, Brasil, México, Bolivia, Perú, Colombia y Venezuela.[91] Muchas de esas corporaciones surgieron demasiado tarde para tener gran repercusión sobre el desarrollo industrial en el decenio de 1930 —la chilena se constituyó en 1939—, pero su influencia se hizo sentir en la década siguiente.

En algunos casos la intervención estatal no fue indirecta sino directa. La nacionalización de la industria petrolera en México, en 1938, hizo que las refinerías de petróleo fuesen de propiedad pública.[92] La propiedad nacional en el socio-democrático Uruguay se hizo extensiva a las empacadoras de car-

---

[91] Véase Hughlett (1946), pp. 7-13.

[92] La nacionalización del petróleo mexicano no fue la primera. En Bolivia la Standard Oil había sido expropiada en 1937, tras un estallido populista después de la Guerra del Chaco. Véase Whitehead (1991), p. 522.

ne y la fabricación de cemento. Sin embargo, en general la industria siguió estando controlada por intereses nacionales privados. Y los inmigrantes recién llegados de Italia, España y Alemania desempeñaban en ella un papel fundamental. Sólo en Argentina, Brasil y México fueron importantes las subsidiarias de compañías extranjeras, y aun en esos países su aportación a la industrial total siguió siendo modesta.[93]

El cambio de los precios relativos de bienes nacionales y extranjeros favoreció tanto a la ASI como a la ISI. Antes de 1929 el modelo guiado por las exportaciones había llevado la especialización al punto en que era necesario importar muchos alimentos y materias primas para satisfacer la demanda interna. El cambio de los precios relativos ofreció una oportunidad de revertir esta situación, y favoreció la producción de la AUI.

La expansión de la agricultura para el mercado interno fue especialmente impresionante en la Cuenca del Caribe. Esas pequeñas repúblicas, carentes de una base industrial de consideración, encontraron en la ASI una manera fácil de compensar su falta de oportunidades en la ISI. A finales de los veinte la especialización de las exportaciones y la existencia de muchos enclaves de propiedad extranjera habían creado una enorme demanda de productos alimenticios importados para el proletariado rural y la creciente población de los centros urbanos. Al haber excedente de tierras y de mano de obra, y con los incentivos que aportaba el cambio de los precios relativos, hasta cierto punto fue fácil ampliar la producción nacional a expensas de las importaciones.[94]

Aunque la ASI tuviera la mayor importancia en las pequeñas repúblicas de América Central y del Caribe, también afectó a Sudamérica. Para muchos productos agrícolas básicos se puede advertir un patrón claro de desplome brusco de las importaciones en la depresión, paralelo al del poder adquisitivo, y luego no recuperan su punto máximo de depresión al ampliarse la producción nacional de alimentos y de materias primas. Las principales excepciones (por ejemplo, algodón, cáñamo) eran materias primas requeridas por la rápida expansión del sector industrial, por lo que las importaciones siguieron siendo notables.

El cambio de los precios relativos de bienes nacionales y extranjeros constituye una explicación importante de la expansión de la AUI y la industria. Pero los bienes y servicios no sustituibles también avanzaron de la mano con el crecimiento de la economía real y con la recuperación de la demanda final interna. El desvío de recursos hacia el sector industrial y el aumento de la urbanización —relacionado con aquél— elevaron la demanda de energía, por ejemplo, y estimularon las nuevas inversiones en generación de electrici-

[93] Sin embargo, se consideró que la inversión extranjera en manufacturas en el decenio de 1930 era lo bastante importante como para escribir una buena monografía al respecto. Véase Phelps (1936).

[94] Sobre las cinco repúblicas centroamericanas, donde las posibilidades de ISI eran muy limitadas, véase Bulmer-Thomas (1987), pp. 79-82.

dad (incluyendo presas hidroeléctricas) y de exploración y refinación petrolera. La brecha entre la oferta y la demanda siguió siendo un problema durante gran parte de los treinta, pero la existencia de demanda excesiva fue un poderoso incentivo para el desarrollo de servicios públicos y de la industria de la construcción.

La industria de la construcción también se benefició de las nuevas inversiones en el sistema de transporte. En el decenio de 1930 ya había terminado el auge ferrocarrilero latinoamericano, pero la región apenas había empezado a desarrollar el sistema carretero necesario para hacer frente a la demanda de camiones, autobuses y automóviles. La construcción de carreteras —financiada en gran parte por el Estado— tuvo el gran mérito de utilizar mano de obra y materias primas locales, en lugar de depender en gran medida de importaciones complementarias. El sistema carretero se extendió por toda América Latina durante los treinta con un aumento particularmente impresionante en Argentina, y esta expansión ofreció una oportunidad de absorber mano de obra desempleada en muchas zonas rurales.

La expansión del sistema carretero exigió un aumento de los gastos gubernamentales, lo que representó mayor presión sobre los limitados recursos fiscales del Estado. Algunos gobiernos autoritarios, especialmente el de Jorge Ubico en Guatemala, se basaron en la coerción para obtener los insumos de mano de obra requeridos en la expansión del sistema carretero. Sin embargo, una vez construida, la red de caminos permitió a regiones aisladas vender su excedente agrícola y contribuir al crecimiento de la AUI. Esto se ha demostrado con toda claridad en el caso de Brasil.[95]

El sistema de transporte aéreo también creció rápidamente durante esa década, aunque empezó a partir de un nivel tan bajo que a finales de los treinta su capacidad de transportar pasajeros y carga seguía siendo limitada. No obstante, en los países en que la geografía hacía imposibles los viajes en tren y difíciles en carretera, la creación de un sistema de transporte aéreo fue un paso importante hacia la modernización y la integración nacional. En Honduras, por ejemplo, donde el presidente Tiburcio Carías Andino concedió un monopolio a un empresario neozelandés como recompensa por haber convertido aviones de uso convencional en bombarderos durante la guerra civil de 1932, los recién creados Transportes Aéreos Centroamericanos (TACA) desempeñaron un papel importante, vinculando las aisladas provincias del este del país con la capital. Las aerolíneas colombianas volaron más de un millón de millas en 1939.[96]

Aunque la depresión en Europa y América del Norte generó grandes trastornos en el sistema financiero de los países desarrollados, donde fueron comunes los retiros precipitados de fondos y las quiebras bancarias, América Latina vio pasar los peores años de la depresión sólo con modestos daños

[95] Véase Leff (1982a), p. 181.
[96] Véase Collier (1986), p. 255.

a su sistema financiero. Además, durante la década de los treinta se crearon nuevos bancos centrales, se expandieron las compañías de seguros y creció la banca secundaria (incluidas las corporaciones de desarrollo, de propiedad estatal).

La estabilidad del sistema financiero fue tanto más notable en vista de la estrecha relación entre muchos bancos y el sector exportador. Al desplomarse el valor de los ingresos por exportaciones a partir de 1929, muchos exportadores no pudieron cumplir con sus compromisos financieros, y la situación empeoró aún más para los bancos cuando diversos gobiernos declararon una moratoria a los embargos.

Varios factores ayudaron a mitigar la situación y contribuyeron a la supervivencia del sistema bancario. Las radicales reformas financieras de los veinte, promovidas en muchos casos por el profesor Kemmerer, habían permitido crear un sistema financiero mucho más fuerte, con reglas claramente definidas, en la época de la depresión. La novedad del sistema hizo que en muchos países la proporción reserva-efectivo estuviera muy por encima de los límites legales, por lo que fue más fácil absorber la inevitable reducción de los depósitos.

Una segunda explicación la da el control de cambios. Los nexos directos de los bancos latinoamericanos con instituciones financieras del extranjero habían hecho que se dependiera en gran medida de fondos del exterior. La existencia del control cambiario salvó a muchos bancos de tener que hacer a sus acreedores extranjeros pagos de intereses o capital que habrían hecho caer a las instituciones en bancarrota.

Tal vez la razón más importante de la supervivencia del sistema bancario fue su papel de financiar los déficit presupuestales durante los treinta. Contribuyeron en gran medida a la emisión de bonos internos de los gobiernos, y fueron recompensados con una continua corriente de pago de intereses. Ese financiamiento puede haber contribuido al alza de los precios en América Latina a principios de la década de 1930, pero la inflación no pasó de ser modesta, y para los bancos los intereses representaban una útil fuente de ingresos. Además, cuando el sector exportador empezó a recuperarse, la banca pudo reiniciar una relación más normal con muchos de sus clientes tradicionales, y algunos empezaron a aprovechar las nuevas oportunidades que se abrían fuera del sector exportador.

La recuperación del PIB real durante los treinta fue rápida (véase el cuadro VII.6). Al llegar 1932 Colombia, donde la depresión había sido relativamente benigna, ya había sobrepasado su máximo PIB real previo a la depresión. Brasil le siguió en 1933, México en 1934, y Argentina, El Salvador y Guatemala en 1935. Chile y Cuba, donde la depresión había sido particularmente grave, tuvieron que aguardar hasta 1937 antes de que el PIB real alcanzara su mejor nivel anterior a la depresión, y la infortunada Honduras —que dependía en grado abrumador de la exportación de plátanos— tuvo que esperar hasta 1945. Con una población que crecía en la región cerca de 2% anual a fines del decenio de 1930, la mayoría de las naciones habían recuperado los niveles de PIB real per cápita anteriores a la depresión; las excepciones más importantes fueron Honduras y Nicaragua.

LA TRANSICIÓN HACIA EL DESARROLLO INTERNO

La depresión mundial que comenzó a finales de los veinte fue transmitida a América Latina a través del sector externo. Casi en todos los casos la recuperación de la depresión también se relacionó con la recuperación del sector externo. El aumento de las exportaciones, aunado al incumplimiento del pago de la deuda, con una reducción de las remesas de utilidades y mejoría de los TNIC, permitió un crecimiento considerable del volumen de importaciones, con el cual se relacionó directamente el crecimiento del PIB real durante los treinta. La política fiscal y monetaria laxa, el cambio de los precios relativos en favor de la producción nacional que competía con las importaciones, y la disponibilidad de importaciones complementarias gracias a la reducción de limitaciones a la balanza de pagos, se combinaron para producir un considerable cambio estructural en el decenio de 1930 que favoreció en particular al sector manufacturero de los países más grandes y a la AUI en los más pequeños.

El comportamiento y la política de las economías latinoamericanas durante los treinta no deben verse, por tanto, como un momento decisivo, como tan a menudo se ha dicho.[97] Si bien es cierto que el sector industrial fue particularmente dinámico, y que en casi todos los países creció con mayor rapidez que el PIB real, eso también ocurrió en los veinte. Sólo en Argentina, donde el sector manufacturero encabezó la recuperación tras la depresión, a principios de los treinta, pudo decirse que, al principio del decenio, la economía había alcanzado un nivel de desempeño lo bastante avanzado como para no verse seriamente afectado por la reducción del volumen de exportaciones. En el resto de la zona no hay evidencias de que los países más grandes, con una sólida base industrial, tuvieran mejor rendimiento que las repúblicas pequeñas, casi sin manufacturas modernas. En ambos casos el rendimiento dependió, en gran medida, de la recuperación de la capacidad importadora, y ni siquiera en Argentina el desempeño fue insensible a la gran mejoría de los TNIC a partir de 1933.

A pesar de todo, al terminar el decenio podía decirse que el crecimiento industrial había producido un cambio cualitativo, además de cuantitativo, en la estructura de la economía de las naciones más grandes. Durante los decenios de 1940 y 1950 (véase el capítulo VIII) estos cambios maduraron hasta el punto en que la industria y el PIB real de muchos países pudieron

---

[97] Esta afirmación la hacen con igual vigor los estructuralistas de la escuela cepalista, que favorecen el desarrollo dirigido hacia adentro, y los neoconservadores de la tradición del *laissez-faire*, que se oponen a esa tendencia.

avanzar en dirección opuesta a la exportación de productos primarios, por lo que el modelo de crecimiento impulsado por las exportaciones no daba cuenta exacta ya de su comportamiento. Por ello puede considerarse que los cambios ocurridos durante los treinta sentaron las bases para una transición hacia el modelo puro de sustitución de importaciones, que alcanzó su forma más extrema durante los decenios de 1950 y 1960. Esto pudo decirse, sin duda, de Brasil, Chile y México, que junto con Argentina eran, a finales de los treinta, los únicos países que habían llevado la industrialización y el cambio estructural hasta el punto en que la demanda interna ya no estaba determinada principalmente por el sector exportador.

El cambio más importante de la década de 1930 incluyó el paso de políticas económicas autorreguladoras a instrumentos políticos que tenían que ser manipulados por las autoridades. A finales de los veinte la lealtad al patrón oro había dejado a la mayoría de las repúblicas latinoamericanas sin una política independiente del tipo de cambio. La operación del patrón oro también hizo que la política monetaria fuese en gran parte pasiva, y que las entradas y salidas de oro determinasen los movimientos del activo circulante para producir ajustes automáticos al equilibrio externo e interno. Hasta la política fiscal había perdido gran parte de su importancia. En las repúblicas más pequeñas la diplomacia del dólar y un cúmulo de condiciones habían ocasionado en muchos casos que el control de los impuestos al comercio exterior —principal fuente de ingresos del gobierno— estuviese en manos extranjeras, y en los países más grandes la "danza de los millones" había hecho mucho más fácil financiar el gasto pidiendo préstamos al exterior que por medio de una reforma fiscal.

El derrumbe del patrón oro obligó a todas las repúblicas a enfrentarse al tema de la política cambiaria. Unas cuantas (las más pequeñas) prefirieron aferrarse al dólar estadunidense, con lo que abandonaron el tipo de cambio como instrumento activo. Casi todos los países, incluyendo a algunos de los más pequeños, optaron por administrar el tipo de cambio. En algunas economías muy abiertas el tipo de cambio ejerció un efecto inmediato y poderoso sobre los precios de muchos artículos, por lo que fue el principal determinante de los precios relativos y de la asignación de recursos. Una política cambiaria independiente también estimula la integración de grupos de presión para cabildear ante las autoridades y lograr modificaciones del tipo de cambio que favorezcan sus intereses. No es sorprendente que durante los treinta muchas naciones latinoamericanas optaran por el sistema de tipo de cambio múltiple como modo de resolver estas presiones encontradas. Ésa fue una de las razones de que en 1945, después de la Conferencia de Bretton Woods, el recién formado Fondo Monetario Internacional (FMI) descubriera que 13 de los 14 países del mundo que tenían sistemas de cambio múltiple se encontraban en América Latina.[98]

---

[98] Véase De Vries (1986), p. 21.

La restricción de la balanza de pagos durante los treinta, aunada al control cambiario, hizo que los movimientos de las reservas internacionales —el dinero de origen externo— dejaran de ser factor determinante del activo circulante. La base monetaria se movía más por los déficit presupuestales del gobierno y por la política de descuento del banco central, y el multiplicador monetario fue afectado por los cambios de las tasas de reserva. De este modo, las modificaciones del activo circulante se debieron más al dinero de origen interno, lo que implicó la adopción de una política monetaria más dinámica en casi todas las repúblicas. Las excepciones principales fueron los países que, como Cuba y Panamá, carecían de un banco central, y por lo tanto fueron incapaces de influir sobre el activo circulante mediante cambios de la base monetaria.

La recuperación del sector exportador y de la capacidad importadora no implicó necesariamente un aumento del valor del comercio exterior. Eso afectó seriamente el ingreso gubernamental por impuestos al comercio, y la reducción no fue compensada por entero por el menor gasto en el servicio de la deuda pública externa como resultado del incumplimiento. La crisis provocó una reforma y una política fiscales más activas en América Latina. La primera opción fue el aumento de los gravámenes a la importación, pero también pudo detectarse durante los treinta una tendencia modesta a elevar los impuestos directos —a la renta y a la propiedad—, así como a la creación de una variedad de impuestos indirectos al consumo interno. Al término de la década la correlación entre el valor del comercio exterior y el ingreso gubernamental se había reducido, en detrimento de un nexo decisivo de la operación del modelo de crecimiento impulsado por las exportaciones.

La adopción de políticas cambiarias, monetarias y fiscales más dinámicas estuvo tan difundida que resulta difícil sostener la tesis de que las repúblicas latinoamericanas se pueden dividir en países más grandes, que adoptaron políticas "activas", y países más pequeños, que adoptaron políticas "pasivas". Aunque en realidad todas las naciones mayores siguieron una política más activa, también lo hicieron muchos de los países más pequeños, incluyendo a Bolivia, Costa Rica, Ecuador, El Salvador, Nicaragua y Uruguay.[99] Los ejemplos más obvios de países pasivos (Cuba, Haití, Honduras y Panamá) eran semicolonias de Estados Unidos durante los treinta, pero no todas las semicolonias (por ejemplo, Nicaragua) podían llamarse pasivas.

Estos cambios del manejo de instrumentos clave de la política económica no equivalieron a una revolución intelectual. Por el contrario, la teoría del desarrollo dirigido hacia adentro aún era incipiente, el sector exportador seguía predominando, y sus partidarios todavía tenían influencia política. No obstante, las opciones impuestas a las autoridades durante los treinta en materia de política cambiaria, monetaria y fiscal, constituyen en efecto un importante hito en el camino a la revolución intelectual que suele asociarse con la Comi-

---

[99] Véase Díaz-Alejandro (2000), pp. 19-31.

sión Económica para la América Latina (CEPAL) de la ONU, y al desarrollo explícito de su modelo de sustitución de importaciones a finales de los cuarenta (véase el capítulo VIII). Durante la década de 1930 el manejo político demostró la sensibilidad de la asignación de recursos a los precios relativos, y la respuesta del sector manufacturero en las repúblicas más grandes fue un saludable recordatorio de lo eficaz que podía ser la política económica.

La administración de la política económica durante los treinta tuvo, en realidad, gran éxito, y puede compararse favorablemente con la situación de la posguerra. La experiencia de que carecían las autoridades fue compensada de muy diversas maneras. En primer lugar, los funcionarios encargados de la política fiscal y monetaria (por ejemplo, Raúl Prebisch en el Banco Central de Argentina) solían ser tecnócratas hábiles, que aprovechaban la ignorancia pública de la ciencia económica para tomar decisiones en un medio relativamente apolítico. En segundo lugar, es evidente que en los treinta faltaron la previsión y la información perfectas —las dos condiciones requeridas para la conclusión de expectativas racionales sobre la impotencia de la política gubernamental—, por lo que había mucho menos peligro de que el impulso deseado hacia un cambio de la política económica fuese sofocado por la omnisciencia del sector privado. En tercer lugar, el azote de la política económica en el periodo de posguerra —la aceleración de la inflación— era un problema mucho menor en los treinta. La ilusión monetaria (basada en parte en la ausencia de estadísticas de precios), la caída de los precios en la economía mundial y la capacidad excedente de la economía nacional hicieron menos probable que la política económica expansionista cayera en un círculo vicioso de déficit presupuestal e inflación.

La política fiscal y monetaria laxa durante los treinta fue base del desarrollo de la demanda interna final. Como se observa en el cuadro VII.5, esto tuvo enorme importancia para sacar de la depresión a las naciones latinoamericanas y dar el estímulo necesario para el crecimiento de bienes y servicios importables y no sustituibles. Junto con este crecimiento hubo un aumento de la urbanización, por lo que podría decirse que a finales de los treinta buen número de países eran básicamente urbanos, y todos experimentaron una gran reducción de la parte de la población clasificada como rural.

Aunque en general el desempeño económico fue satisfactorio durante los treinta —al menos a partir de 1932—, hubo buen número de desviaciones del patrón regional. Algunas naciones —las de "lenta recuperación" del cuadro VII.4— se caracterizaron por el estancamiento o hasta por el retroceso de su actividad económica. El problema básico fue el sector exportador, que permaneció deprimido durante la mayor parte de la década de los treinta, por razones que estaban fuera del alcance de las autoridades. En Honduras las exportaciones de plátano se desplomaron desde 1931 debido a las plagas, y el valor real de las exportaciones no recuperó su récord de 1931 hasta 1965. Con exportaciones deprimidas la mejor esperanza de recuperación estaba en el sector que competía con las importaciones (ASI e ISI), pero la pequeña dimensión del mercado hizo difícil compensar la reducción del sector exportador.

Con las importantes excepciones de Argentina y Colombia, los países de "recuperación mediana" basaron su recuperación de la depresión principalmente en el sector exportador. Por lo tanto, el crecimiento económico de los treinta no implicó un importante cambio estructural, y la composición de las exportaciones se modificó poco. En Bolivia la recuperación dependió de manera decisiva de la formación del Comité Internacional del Estaño en 1931, que elevó los precios para los exportadores y, por lo tanto, generó mayores ingresos para el gobierno gracias a los impuestos a la exportación.

El sector exportador de Colombia se expandió, pero su crecimiento fue superado por el espectacular aumento del sector manufacturero, y en particular por el impresionante incremento de la producción textil. En Argentina el sector exportador se estancó en términos reales, por lo cual la recuperación dependió fundamentalmente del no exportador, cuyo desempeño general, fuese en industria, transportes, construcción o finanzas, en general fue satisfactorio, por lo que es difícil concluir que la decadencia a largo plazo de la economía argentina data del decenio de 1930.[100]

Los países de "rápida recuperación" incluyen algunos en los que el impacto de la depresión fue relativamente menor (por ejemplo, Brasil), y otros donde fue grave (como Chile y Cuba). Por lo tanto, el rápido crecimiento del segundo grupo de países consistió principalmente en una "recuperación" de la producción real, perdida en los peores años de la depresión, aunque Chile también disfrutó de un grado considerable de nueva ISI. En cambio, en Brasil incluyó básicamente aumentos del producto real. Aunque la recuperación de las exportaciones fue importante en este país, la estructura de la economía empezó a modificarse en favor de la industria. Sin embargo, la nación siguió siendo desesperadamente pobre, con un PIB real per cápita, en 1939, de sólo la cuarta parte del de Argentina, y del 60% del promedio latinoamericano. México también pasó por un considerable cambio estructural: la reforma agraria del presidente Lázaro Cárdenas (1934-1940) favoreció la agricultura no exportadora,[101] el Estado se convirtió en la principal fuente de inversiones y muchas empresas de los sectores industrial y de la construcción empezaron a depender de los contratos del sector público.[102]

En América Latina los treinta acaso no representaron una ruptura deci-

[100] La bibliografía sobre los orígenes de la prolongada decadencia económica de Argentina es sumamente vasta. Véase, por ejemplo, Korol y Sábato (1990).

[101] La reforma agraria había estado en la agenda desde la Constitución de 1917, pero apenas entró en vigor en la época del presidente Cárdenas. Se distribuyeron cerca de 18 millones de hectáreas a 800 mil campesinos, lo que produjo un enorme aumento en la importancia del ejido. Véase A. Knight (1990), p. 20.

[102] Los gobiernos mexicanos de los treinta también se mostraron activos en la creación de instituciones financieras para aprovechar nuevas fuentes de ahorro y canalizar recursos hacia nuevas actividades. El ejemplo más conocido es Nacional Financiera, fundada en 1934. Véase Brothers y Solís (1966), pp. 12-20.

siva con el pasado, pero tampoco fue una oportunidad perdida. Ante un medio externo generalmente hostil muchas repúblicas lograron reconstruir su sector exportador. Donde fue factible, y con pocas excepciones, aumentaron la producción de importables, así como el abasto de bienes y servicios no sustituibles. Estos cambios constituyeron la base de un crecimiento significativo del comercio intrarregional a comienzos de los cuarenta, cuando se les bloqueó el acceso a las importaciones del resto del mundo (véase el capítulo VIII). Los cambios de política económica de los treinta también fueron casi siempre racionales. Una retirada general del sector exportador y la construcción de una economía semicerrada habrían implicado un enorme aumento de la ineficiencia; un compromiso servil con el modelo guiado por las exportaciones habría comprometido a la región a una asignación de recursos que ya no era congruente con la ventaja comparativa dinámica a largo plazo. Asimismo, estos cambios tuvieron tanto alcance que podemos decir que el decenio de 1930 señaló la transición del desarrollo guiado por las exportaciones al desarrollo dirigido hacia adentro, aun cuando al final de la década la mayoría de los países no habían concluido ese proceso.

VIII. LA GUERRA Y EL NUEVO ORDEN ECONÓMICO INTERNACIONAL

LA SEGUNDA Guerra Mundial, que comenzó en Europa en septiembre de 1939, fue el tercer gran choque externo que golpeó a América Latina en 25 años.[1] Pese a sus muchas similitudes con el impacto de la primera Guerra, y algunas con la depresión de 1929, las repercusiones de la segunda Guerra Mundial sobre América Latina fueron cuantitativa y cualitativamente distintas de las perturbaciones anteriores.

En primer lugar, la guerra fue mucho más devastadora para la región en términos de la desorganización de sus mercados tradicionales. En 1940 las potencias del Eje[2] controlaban gran parte del litoral europeo, desde el norte de Noruega hasta el Mediterráneo, y el consiguiente bloqueo británico privó a las repúblicas latinoamericanas, pese a su inicial neutralidad en la guerra,[3] de todo acceso a los mercados europeos continentales. Además, el mercado británico —tan importante para Argentina y Uruguay— empezó a contraerse cuando el Reino Unido se aisló en una economía de guerra, en la que sólo se permitían las importaciones más esenciales.

En segundo lugar, la guerra estalló después de casi un decenio de creciente desilusión con el tradicional modelo latinoamericano impulsado por las exportaciones. Durante los años treinta el comercio mundial se había recuperado, pero era cada vez más "administrado", a menudo en forma bilateral y muy distorsionado por gravámenes más altos y por numerosas barreras no arancelarias. Las grandes potencias a menudo habían actuado en forma irresponsable (como ejemplo véase la ley Smoot-Hawley)[4] o egoísta (el caso del pacto Roca-Runciman).[5] El resultado fue un creciente nacionalismo en buen número de repúblicas latinoamericanas y un compromiso mayor —aunque

[1] Los otros fueron la primera Guerra Mundial (véase el capítulo VI), y la depresión de 1929 (véase el capítulo VII). Además, América Latina había sido adversamente afectada por la breve recesión del comercio mundial de 1920-1921, cuando se desplomaron los precios de los bienes, y la depresión (principalmente de Estados Unidos) entre 1937 y 1939, cuando se redujeron los volúmenes del comercio mundial.

[2] En 1940 las potencias del Eje eran Alemania e Italia. Se les unió Japón en diciembre de 1941, después de atacar a la marina estadunidense en Pearl Harbor, Hawai.

[3] Todos los países latinoamericanos eran neutrales hasta que Japón atacó a Estados Unidos en diciembre de 1941. En ese momento todas las repúblicas situadas al norte del ecuador, o bien declararon la guerra a las potencias del Eje, o rompieron relaciones diplomáticas. La historia fue distinta en los países situados al sur del ecuador: Argentina y Chile siguieron siendo neutrales casi hasta el fin de la guerra. Véase Humphreys (1982).

[4] Véase el capítulo VII, nota 68.

[5] Véase el capítulo VII, nota 73.

mal expresado— con el desarrollo interno y la industrialización como modelo alternativo al tradicional crecimiento guiado por las exportaciones.

Estos cambios en el ambiente intelectual y político habían comenzado a manifestarse durante los treinta. El surgimiento del nacionalismo se reflejó en la expropiación de intereses petroleros extranjeros en Bolivia (1937)[6] y en México (1938), y en el compromiso con la industria mediante la creación de instituciones nuevas (como la Corporación de Fomento de la Producción [Corfo] en Chile) para promover la inversión en manufacturas. Pero los años de guerra aceleraron el proceso. La intervención estatal en apoyo de la industria, sobre todo en las repúblicas más grandes, se volvió directa, con importantes inversiones en bienes básicos, así como en la infraestructura necesaria para mantener un sistema industrial más complejo.

Este cambio, apoyado por Estados Unidos ya desde antes de su entrada a la guerra en diciembre de 1941, se hizo más marcado cuando la gran mayoría de las naciones intervinieron en el conflicto bélico contra las potencias del Eje.[7] La asignación de recursos, distorsionada por la insuficiencia de barcos y la falta de importaciones, así como por controles de precios y barreras no arancelarias, estuvo cada vez más determinada por el esfuerzo de guerra aliado, por una parte, y por la inclinación de los gobiernos hacia la industrialización, por la otra. La aparición de nuevas fábricas fue espectacular en algunas naciones, pero la eficiencia del sector manufacturero siguió siendo dudosa. Sin poder hacer economías de escala, debido a las pequeñas dimensiones del mercado y a la falta de financiamiento a la inversión de largo plazo, protegida de la competencia extranjera por la escasez de importaciones en la época de la guerra y por las altas barreras arancelarias y no arancelarias en tiempo de paz, la nueva industria fue una frágil base para construir un modelo alternativo de desarrollo guiado por las exportaciones en el periodo de la posguerra.

COMERCIO E INDUSTRIA DURANTE LA SEGUNDA GUERRA MUNDIAL

La recuperación del comercio exterior de América Latina durante los treinta fue acompañada por un cambio de su distribución geográfica, que aumentó la importancia de los mercados alemán, italiano y japonés a expensas de

[6] El nacionalismo boliviano después de la Guerra del Chaco tuvo semejanzas con el nacionalsocialismo en Europa. Las simpatías del presidente Germán Busch hacia el Eje fueron causa de profunda preocupación para Estados Unidos y Gran Bretaña. Su inexplicado suicidio en agosto de 1939 allanó el camino al ingreso de Bolivia a la comunidad panamericana, justo cuando comenzaba la guerra. Véase Dunkerley (1984), pp. 28-29.

[7] No siempre se necesitó una declaración formal de guerra para participar en el esfuerzo bélico. México, resueltas sus diferencias con Estados Unidos debido a la nacionalización del petróleo aún antes de Pearl Harbor, abrió sus puertos y aeropuertos a las fuerzas estadunidenses en enero de 1942. En mayo, después de que submarinos alemanes hundieron buques-tanque mexicanos, México declaró la guerra a las potencias del Eje. Véase Humphreys (1981), pp. 118-119.

Gran Bretaña y, en menor grado, de Estados Unidos (véase el cuadro VIII.1). En 1938 Europa compraba casi 55% de las exportaciones totales, y proveía cerca de 45% de las importaciones, situación que sin duda puso a América Latina en un estado muy vulnerable a la ruptura de hostilidades en Europa, y también a la imposición del bloqueo británico.

Gran Bretaña hizo lo que pudo por comprar todo lo posible en América Latina en 1940, en un desesperado esfuerzo por abastecerse y a la vez por evitar que productos esenciales cayeran en manos de sus enemigos.[8] Pero el alarmante estado de la economía británica hizo imposible que compensara a América Latina por la pérdida del mercado continental. Inevitablemente, la única economía lo bastante grande para absorber los bienes antes destinados a Europa era la de Estados Unidos.

El gobierno de Roosevelt —más sensible que sus predecesores a las necesidades de América Latina— se mostró consciente de la importancia de evitar el derrumbe económico de la región. Como durante los treinta ciertos grupos políticos apoyaban ruidosamente el fascismo —y hasta el nacionalsocialismo—, no estaba garantizada la solidaridad latinoamericana con Estados Unidos en caso de una guerra. Al mismo tiempo, Estados Unidos tenía que asegurarse el abasto de materias primas y de productos estratégicos en caso de que quedasen interrumpidas sus fuentes tradicionales fuera de América Latina.

El resultado fue el sistema de cooperación económica interamericano, cuyas bases se sentaron en una conferencia panamericana celebrada en Panamá en septiembre de 1939, sólo tres semanas antes de que estallara la guerra en Europa.[9] Se creó un comité interamericano de asesoría financiera y económica, el cual estableció en 1940 la Comisión Interamericana de Desarrollo (CIAD) con oficinas en las 21 naciones (incluyendo a Estados Unidos). Las tareas de la CIAD consistirían en estimular el comercio de productos no competitivos entre América Latina y Estados Unidos; promover el comercio intralatinoamericano, y favorecer la industrialización. Poco después Nelson Rockefeller fue nombrado jefe de la Oficina de Coordinación de Relaciones Comerciales y Culturales entre las repúblicas americanas.[10]

---

[8] Estos esfuerzos, concentrados en productos tales como el azúcar de República Dominicana, el petróleo de Venezuela y el estaño de Bolivia, sostuvieron el valor del comercio británico con América Latina durante los primeros meses de la guerra. De hecho, en medio de las hostilidades con Alemania se envió una misión comercial oficial a Sudamérica en octubre de 1940. Cuando retornó la misión, empero, las prioridades comerciales británicas se habían desviado hacia el Commonwealth y sus colonias. Véase Humphreys (1981), pp. 52-53. Véase también Miller (1993), capítulo 9.

[9] La conferencia de Panamá, aunque allanó el camino a la cooperación de guerra, reflejó el mejoramiento de las relaciones Estados Unidos-América Latina como secuela de la Política del Buen Vecino del presidente Roosevelt. La nueva política estadunidense había sido calurosamente apoyada en la Séptima Conferencia Panamericana de 1933, en Montevideo. Véase Mecham (1961), pp. 116-121.

[10] Véase Connell-Smith (1966), p. 119.

CUADRO VIII.1. *Participación comercial latinoamericana, 1938-1948*
(en porcentajes)

País	1938	1941	1945	1948
Exportaciones				
Estados Unidos	31.5	54.0	49.2	38.2
Reino Unido	15.9	13.1	11.8	13.3
Francia	4.0	0.1	....	2.9
Alemania	10.3	0.3	....	2.1
Japón	1.3	2.7	....	0.9
América Latina	6.1	s/d	16.6	9.3
Todos los demás	30.9	s/d	22.4	33.3
Importaciones				
Estados Unidos	35.8	62.4	58.5	52.0
Reino Unido	12.2	7.8	3.6	8.1
Francia	3.5	0.1	....	1.9
Alemania	17.1	0.5	....	0.7
Japón	2.7	2.6	....	0.1
América Latina	9.2	s/d	25.6	10.9
Todos los demás	19.5	s/d	12.3	26.3

NOTA: s/d: = sin datos; .... = insignificante.
FUENTES: Horn y Bice (1949), cuadro 7, p. 112; Pan-American Union (1952).

La mayor prioridad de Estados Unidos consistía en asegurarse el acceso a materiales estratégicos. Por lo tanto, en 1940 el gobierno de Roosevelt estableció la Metals Reserve Company y la Rubber Reserve Company, para acumular productos esenciales. Aunque se podían comprar en cualquier parte, América Latina fue la principal beneficiada porque era la única región exportadora importante de materias primas que no había sido directamente afectada por las hostilidades. Después de que los japoneses ocuparon muchas partes de Asia, Estados Unidos comenzó a buscar frenéticamente otras fuentes de aprovisionamiento, y las naciones latinoamericanas realizaron un gran esfuerzo conjunto por proveer artículos tales como abacá, cáñamo, quina y caucho.[11] La inversión extranjera directa de Estados Unidos en América

[11] Estos productos tropicales "exóticos" adquirieron importancia especial en tiempos de guerra. Tanto el cáñamo como el abacá se utilizaban para fabricar cuerdas, la quina era un ingrediente esencial en la lucha contra la malaria, y el caucho era necesario para el calzado y los neumáticos.

Latina —gran parte de ella en materiales estratégicos— se elevó durante la guerra a niveles que no se habían visto desde finales de los veinte, y los préstamos oficiales estadunidenses hechos a través del Export-Import Bank y el *Lend-Lease*[12] —aunque no limitados a la extracción de materiales estratégicos— cobraron cada vez mayor importancia.[13]

La cooperación interamericana no se limitó a los productos estratégicos. Como reconocimiento al papel decisivo de las exportaciones de una docena de países, Estados Unidos promovió la Convención Interamericana del Café (CIAC), que estableció cuotas, precios favorables y un mercado garantizado.[14] La CIAC, establecida en 1941, fue un salvavidas para las repúblicas más pequeñas, y dio un gran impulso a las más grandes, muchas de las cuales habían dependido en gran medida del mercado alemán durante los treinta. Sin embargo, la generosidad estadunidense no se hizo extensiva a los productos de zona templada del Cono Sur, que siguieron atados sobre todo al mercado británico.

Las crecientes compras estadunidenses hicieron que aumentara enormemente la importancia del mercado de Estados Unidos para las exportaciones latinoamericanas, pero no pudieron compensar por entero la pérdida de Japón y Europa continental, así como la reducción del mercado británico (véase el cuadro VIII.1). Por lo tanto, la atención se centró en el comercio intralatinoamericano como manera de sostener el volumen de las exportaciones. Este comercio, un simple 6.1% de las exportaciones de la región en 1938, nunca, desde la Independencia, había tenido gran importancia. Sólo Paraguay, sin salida al mar, que exportaba maderas, yerba mate y extracto de quebracho a sus vecinos, dependía mucho de los mercados latinoamericanos. Además, numerosos países tenían mejor transporte con Europa y con Estados Unidos que entre sí.[15]

Todo esto cambió como resultado de la guerra y del sistema interamericano de cooperación económica. Ya en 1940 el ministro argentino de Hacienda, Federico Pinedo, presentó un plan que establecía una unión aduane-

[12] El Export-Import Bank se había establecido de acuerdo con el programa del *New Deal* de Roosevelt en 1934, pero casi no influyó sobre las relaciones comerciales interamericanas hasta que empezó la guerra. La ley *Lend-Lease* promulgada por Estados Unidos en marzo de 1941 estaba destinada básicamente a ayudar a Gran Bretaña. Sin embargo, al terminar la guerra, casi todas las repúblicas latinoamericanas (Argentina fue la excepción principal) habían recibido alguna ayuda de Lend-Lease. [*Lend-Lease* (literalmente "préstamos y arrendamiento") fue el mecanismo que utilizó Estados Unidos al inicio de la segunda Guerra Mundial para abastecer a Gran Bretaña y otros países aliados sin romper, en sentido estricto, su posición neutral. E.]

[13] Los préstamos del gobierno estadunidense a América Latina, virtualmente inexistentes hasta 1938, fueron en promedio de 15 millones de dólares en los primeros años de la guerra, hasta llegar a un máximo de 178 millones en 1943. Véase Stallings (1987), cuadro 1.A.

[14] Véase Wickizer (1943), pp. 233-239.

[15] El sistema de transporte entre muchos países era tan inadecuado que por fin se dio gran prioridad a la carretera Panamericana, propuesta por vez primera en la Séptima Conferencia Panamericana de 1933. Al término de la guerra era posible llegar por carretera desde Estados Unidos hasta el canal de Panamá. Véase James (1945), pp. 609-618.

ra para las repúblicas del Sur,[16] y una conferencia celebrada en Montevideo, con los cinco países del río de la Plata, estuvo a punto de adoptar esa propuesta en enero de 1941.[17] Sin embargo, a la postre, el comercio intralatinoamericano fue promovido mediante una multitud de acuerdos bilaterales que hacían concesiones tarifarias y no tarifarias entre países vecinos. El resultado fue un aumento de la participación de las exportaciones que iban a otras naciones latinoamericanas, que llegó a 16.6% en 1945 (véase el cuadro VIII.1). Este mismo valor del comercio intrarregional representó no menos de 25.6% de las importaciones totales (cifra que aún no ha sido superada), porque las compras totales del extranjero —afectadas por la escasez de tiempo de guerra y las dificultades de la navegación— fueron mucho menores que el total de las exportaciones.

El sistema de cooperación interamericana —tanto entre las repúblicas latinoamericanas como con Estados Unidos— fue el principal factor que impidió un desplome de las exportaciones a partir de 1939. Sin embargo, el volumen de las exportaciones sólo en 1945 llegaría a superar su nivel de 1939, y al término de la guerra buen número de las naciones más importantes (entre ellas Argentina y Brasil) aún no habían llegado al nivel de exportaciones reales de la preguerra (véase el cuadro VIII.2). La cooperación interamericana no pudo compensar plenamente a Argentina y Uruguay por la contracción del mercado británico, y no era de esperar que la CIAC compensara por entero la pérdida de ventas de café de Brasil. Sólo unos cuantos países lograron un aumento considerable del volumen de exportación en los años de guerra; Bolivia se benefició de la decisión de Estados Unidos de comprar todo el excedente de estaño no destinado a las fundiciones de Gran Bretaña[18] —decisión posible gracias a las inversiones de preguerra en una fundidora de estaño en Texas—, y Venezuela sacó gran ventaja de la decisión británica y estadunidense de obtener todo su petróleo de fuentes dignas de confianza.[19]

El valor de las exportaciones, en contraste con su volumen, creció con rapidez en toda América Latina (véase el cuadro VIII.2), como resultado de los más altos precios del dólar, reflejo ante todo de la inflación de esta moneda en la época de la guerra. Sin embargo, los precios de importación y el costo de la vida también aumentaron notablemente. Por ello, la mayoría de las repúblicas experimentaron poco o ningún estímulo al consumo real por el des-

---

[16] El Plan Pinedo suele asociarse con la Concordancia, el esquema del gobierno argentino, para promover la industria durante los primeros años de la guerra. El plan, que fue rechazado por el Congreso, se anticipaba a la creación de una unión aduanera entre Argentina y sus vecinos con objeto de dar salida a las exportaciones manufactureras que se suponía se lograrían gracias a la promoción de la industria. Véase Rock Cramer (1998), pp. 519-550.

[17] Los cinco países fueron Argentina, Bolivia, Brasil, Paraguay y Uruguay. Véase Chalmers (1944), pp. 212-214.

[18] Véase Hillman (1990), pp. 304-309.

[19] Véase Knape (1987), pp. 279-290.

CUADRO VIII.2. *Tasas anuales de crecimiento medio por sector, 1939-1945*
(en porcentajes)

País	Valor de las exportaciones[a]	Volumen de las exportaciones[b]	PIB[c]	Agricultura[d]	Industria[e]
Argentina	8.0	−2.9	2.1	0.2	3.6
Bolivia	15.7	+6.0			
Brasil	13.6	−2.0	2.4	0	5.3
Chile	7.1	+3.4	4.0[f]	0[f]	9.3[f]
Colombia	10.4	+3.4	2.6	2.2	5.1
Costa Rica	5.6	−2.2	−0.1	0	−3.5
Cuba	17.1	+2.0[g]	1.8	s/d	4.3
Ecuador	20.1	+2.5	4.2	2.7	5.2
El Salvador	9.8	−1.1	2.2	1.4	3.9
Guatemala	8.5	+3.7	0.9	−6.3	4.4
Haití	15.2	+1.5			
Honduras	3.5	+2.1	3.5	2.4	4.7
México	9.4	+1.3	6.2	2.3	9.4
Nicaragua	6.2	−4.9	3.9	−2.6	7.9
Panamá	4.7	−9.3			
Paraguay	21.6	+8.0	0.4	−1.7	1.0
Perú	6.6	−1.8	4.8[f]	s/d	4.8
República Dominicana	15.4	−1.4			
Uruguay	11.7	+1.8	1.7	−1.0	3.5
Venezuela	13.6	+8.9	5.3	0	9.2
América Latina	10.5	+0.5	3.4	0.8	5.7

[a] Basado en valores del dólar en precios corrientes.
[b] Basado en precios constantes (1963).
[c] Basado en precios de 1970.
[d] Producción agrícola neta (precios de 1970).
[e] Producción manufacturera neta (precios de 1970).
[f] Los datos son para 1940-1945.
[g] Basado exclusivamente en el volumen de exportaciones de azúcar.
FUENTES: Pérez-López (1974); CEPAL (1976, 1978); Boloña (1981); Brundenius (1984); Bulmer-Thomas (1987).

arrollo del sector exportador. En Argentina el gasto familiar real en bienes manufacturados, en 1946, seguía por debajo de su nivel de 1937.[20]

En una época anterior el estancamiento del sector exportador y del consumo real habrían representado pocas perspectivas de crecimiento industrial incluso en las repúblicas más grandes. Sin embargo, los años de guerra eran otra cosa, y varias naciones pudieron incrementar rápidamente la producción industrial, pese al lento desarrollo —y hasta contracción— del ingreso real disponible de las familias. Tres factores explican esta aparente paradoja.

Ante todo, como en la primera Guerra Mundial, la rápida contracción del volumen de las importaciones a partir de 1939 permitió a los fabricantes nacionales ampliar su producción, aun con un nivel idéntico de consumo real. La recuperación de las importaciones industriales en la segunda parte de los treinta constituyó un amortiguador que podría aprovecharse para la sustitución de importaciones en los años de guerra aun en las repúblicas que durante muchos años habían estado siguiendo una industrialización de sustitución de importaciones (ISI). Aunque en tales condiciones el aumento de la capacidad manufacturera fue difícil, dada la escasez de importaciones de equipo y maquinaria, el proceso de ISI se benefició de la ayuda técnica aportada por personal estadunidense a las repúblicas latinoamericanas a través de la red de CIAD.[21] Además, el creciente mejoramiento de la industria en Argentina, Brasil, Chile y México había hecho surgir una pequeña industria de bienes de capital que logró satisfacer parte de la demanda de inversión en manufacturas.[22]

En segundo lugar, y en completo contraste con el decenio de 1930, el aumento del comercio intralatinoamericano permitió a los fabricantes vender su producción en países vecinos; las exportaciones de textiles brasileños crecieron enormemente,[23] y Argentina exportó casi 20% de su producción industrial en 1943. De hecho, las exportaciones manufactureras latinoamericanas penetraron incluso en mercados ajenos a la región. Sudáfrica, apartada de sus tradicionales proveedores británicos, compró cantidades considerables de bienes manufacturados latinoamericanos durante la guerra, y empresas industriales mexicano-estadunidenses produjeron una influencia de bienes manufacturados no tradicionales que se vendían al norte del río Bravo.[24]

El tercer factor de crecimiento industrial en los países más grandes fue el surgimiento de empresas que no dependían de la demanda del consumi-

---

[20] Véase CEPAL (1959), vol. 1, p. 252.

[21] Véanse Hughlett (1946), p. 10; Thorp (1994).

[22] Sin embargo, esto no debe exagerarse. Hasta Brasil, cuya producción de bienes de capital había tenido un principio prometedor, tuvo dificultades para sostener el crecimiento del sector, porque los bienes de capital siguieron siendo intensivos en importaciones. Todavía en 1949 ese sector sólo representaba 5.2% del valor industrial agregado. Véanse Fishlow (1972), cuadro 9, p. 344; Gupta (1989).

[23] Las exportaciones de textiles de Brasil tuvieron tanto éxito que en cierto momento representaron 20% de la cuenta total de exportaciones. Véase Baer (1983), p. 47.

[24] Véase Wythe (1945), p. 296.

dor. Estas fábricas, que producían sobre todo artículos intermedios pero también algunos bienes de capital, buscaron como mercado los sectores productivos y al Estado, en lugar de los consumidores individuales. Un ejemplo espectacular fue la siderúrgica integrada de Volta Redonda, en Brasil,[25] financiada en parte por Estados Unidos, que vendía su producción más que nada a compañías constructoras y empresas manufactureras, y que remplazó bienes que antes se importaban. Otros ejemplos fueron fábricas de cemento, plantas de productos químicos básicos, refinerías de petróleo, plásticos, rayón y maquinaria. Esas industrias —restringidas en general a Argentina, Brasil, Chile y México— representaron una nueva etapa (secundaria) de ISI, que transformó la estructura de la fabricación, reduciendo la importancia relativa de los bienes de consumo en general, y de los no duraderos en particular.[26] Para 1946 menos de la mitad de la producción industrial de Argentina estaba destinada al consumo de los hogares —frente a casi 75% en 1937— y cerca de un tercio consistía en bienes intermedios, que se vendían a los sectores productivos.[27]

La modificación de la estructura industrial y la aparición de nuevas industrias estuvieron vinculadas con el surgimiento de un Estado más intervencionista en América Latina. Ni siquiera los gobiernos profundamente conservadores pudieron evitar un aumento de las responsabilidades estatales durante los años de guerra, porque el libre mercado no podía resolver los problemas planteados por la inflación del dólar, la escasez de importaciones y los excedentes agrícolas sin vender. El mecanismo de los precios, por sí mismo, no bastaba para despejar los mercados; el control de precios era endémico, y el racionamiento gubernamental era esencial para la asignación de divisas, permisos de importación y muchos artículos imprescindibles. El esfuerzo bélico y el sistema de cooperación interamericana hicieron demandas adicionales al Estado, por la necesidad de mejorar la infraestructura y las obras públicas. La carretera Panamericana, que pretendía llegar desde Alaska hasta Tierra del Fuego, se había pactado en 1933, en la Conferencia Panamericana de Montevideo, pero sólo se lograron verdaderos progresos como resultado de consideraciones estratégicas de tiempos de guerra y de cantidades generosas de fondos de Estados Unidos.

La expropiación de propiedades de ciudadanos de países del Eje fue un factor más en la difusión de la intervención estatal. El capital alemán, sobre

---

[25] Antes de la guerra el régimen de Getúlio Vargas había estado a punto de firmar un acuerdo con Krupps, el fabricante alemán de armas, para que diese asesoría en la construcción de una siderúrgica. En cuanto estallaron las hostilidades se acordó hacer un préstamo estadunidense para evitar la necesidad de la participación alemana. La siderúrgica, iniciada en 1941, se concluyó en 1944. Véase Baer (1969).

[26] Los sectores industriales de más rápido crecimiento en Brasil durante los años de la guerra (minerales no metálicos, metales y productos de caucho) producían bienes intermedios. Véase Baer (1983), cuadro 10, p. 47.

[27] Véase CEPAL (1959), vol. 1, p. 252.

todo, se había extendido durante los treinta desde su base tradicional en la agricultura y la banca hacia los transportes y los seguros. Muchas de las compañías aéreas aparecidas antes de la guerra eran de propiedad alemana, y representaban un blanco evidente, hasta el punto de que algunas ya habían sido confiscadas antes de que la república anfitriona declarara la guerra a Alemania. No todas las propiedades así adquiridas quedaron en manos del Estado, pero incluso su venta a propietarios privados llevó al gobierno a un terreno relativamente desconocido.[28]

En unos cuantos casos la intervención del Estado llegó aún más lejos. Después del golpe militar de 1943 el gobierno argentino —que pronto quedaría dominado por el coronel Juan Perón— finalmente se olvidó de su tradicional hostilidad a la intervención estatal en la actividad económica, e invirtió directamente en activos productivos.[29] La intervención directa del Estado en Brasil no se limitó a las siderúrgicas de Volta Redonda sino que también abarcó minería, productos químicos y maquinaria pesada.[30] Por doquier el Estado iba participando más en generación de electricidad, construcción y transportes, en un esfuerzo por aportar la infraestructura que no sólo facilitaría la nueva asignación de recursos exigida por la época de guerra, sino también eliminaría algunos de los obstáculos a los que se enfrentaba el sector industrial.

En vista del estímulo dado por la intervención estatal, no es sorprendente que diversos sectores no sustituibles crecieran con rapidez durante los años de guerra. La construcción se incrementó a un ritmo anual de 6.6% para toda la región entre 1939 y 1945, con una tasa superior a 7% en Chile, Colombia, Ecuador, Honduras, México y Venezuela. También los transportes, los servicios públicos y la administración crecieron con rapidez en la mayoría de las repúblicas.

La expansión de los sectores no sustituibles aportó un estímulo directo a las manufacturas y contribuye a explicar el saludable crecimiento de la industria en la mayoría de los países (véase el cuadro VIII.2). Chile, México y Venezuela fueron los que tuvieron mejor desempeño, pero todas las naciones de las que hay información, con excepción de algunas de las pequeñas (donde la demanda interna siguió dependiendo casi por completo del ingreso real disponible de las familias), registraron tasas de crecimiento muy superiores al incremento demográfico. En cambio, la agricultura tuvo un desempeño pobre (véase el cuadro VIII.2). Su componente exportador se deprimió por el problema de volúmenes mayores en condiciones de guerra, y la agricultura de uso interno se vio limitada por el lento desarrollo del consumo

[28] Inevitablemente la transferencia de propiedades del Eje fue, para los dirigentes más corruptos de la región, una oportunidad de enriquecimiento. Por ejemplo, Anastasio Somoza se apropió de bienes alemanes en Nicaragua a precios ridículos. Véase Diederich (1982), p. 22.

[29] Sin embargo, la mayor parte de esta intervención directa ocurrió después de 1946. Véase Lewis (1990), capítulo 9.

[30] Véase Trebat (1983), capítulo 3.

real —las ventas internas dependían en gran medida del consumo familiar— y por las pocas oportunidades que quedaban de remplazar las importaciones después de una década de agricultura de sustitución de importaciones (ASI).

Sólo unos cuantos países lograron aumentar su producción agrícola. El más importante fue México, donde empezó a dar frutos el extenso programa de reforma agraria emprendido por Lázaro Cárdenas durante la segunda parte de los treinta; con apoyo de la inversión estatal en caminos y obras de riego, de la inversión privada en transportes y de un mayor rendimiento del maíz, logrado gracias a la investigación y el desarrollo,[31] la producción agrícola se mantuvo al ritmo del crecimiento de la población.[32] Ecuador —pese al problema de la plaga de "escoba de bruja" en la industria del cacao— y Colombia también lograron una modesta expansión de su sector agrícola, y además ambos países contaron con la ventaja de un creciente volumen de exportaciones, que sostuvo los ingresos reales disponibles y la demanda de productos agrícolas.[33]

Por doquier (con sólo una excepción de menor importancia)[34] el crecimiento industrial superó al agrícola, de modo que el desempeño agregado de la economía dependió ante todo del peso de estos dos sectores. En las pequeñas repúblicas centroamericanas y en Cuba la posición dominante de la agricultura redujo la tasa de crecimiento del producto interno bruto (PIB) pese a ciertos progresos de las manufacturas; en Argentina, Brasil y Chile el crecimiento industrial mantuvo una modesta expansión del PIB, pese al estancamiento de la agricultura. El crecimiento del PIB fue muy impresionante en México, donde su proximidad con Estados Unidos acarreó grandes beneficios durante los años de guerra, y en Venezuela, donde el gobierno de Isaías Medina Angarita aprovechó su fuerte posición negociadora durante la guerra para lograr una más justa división de los ingresos por el petróleo con las compañías de propiedad extranjera.[35]

La guerra señaló una nueva transición: el alejamiento del tradicional crecimiento hacia afuera, guiado por las exportaciones, y la adopción de un modelo de crecimiento hacia adentro, basado en la ISI. Esta transición, que ni siquiera en las repúblicas más grandes habría de completarse sino hasta los años cincuenta, fue debilitando constantemente el nexo entre el sector externo y el desempeño económico agregado, conforme el cambio estructural aumentaba la importancia de los sectores no exportadores y desviaba la

[31] Véase Hewitt de Alcántara (1976), capítulo 3.

[32] La población mexicana aumentó a un ritmo de 2.3% entre 1939 y 1945, exactamente igual que la tasa de crecimiento del producto agrícola neto.

[33] Ecuador, como parte de la cooperación interamericana de la época de la guerra, tuvo una enorme expansión de sus exportaciones de arroz a Estados Unidos, lo que contribuyó directamente al crecimiento agrícola y al aumento del ingreso real, gran parte del cual se gastaba entonces en alimentos. Véase Linke (1962), pp. 137-138.

[34] La excepción es Costa Rica, donde el PIB real se redujo en los años de guerra, con un impacto más negativo sobre la industria que sobre la agricultura.

[35] Véase Knape (1987), pp. 284-289. .

composición de la producción industrial hacia los bienes intermedios y de capital.

En los años de guerra, pese al desfavorable medio externo, surgieron muchos establecimientos manufactureros. Refugiados de Europa llevaron sus habilidades y su capital a Argentina, Brasil, Chile y Uruguay, y numerosos españoles sumamente calificados llegaron a México huyendo de la España de Franco. Sin embargo, en general estas nuevas empresas se levantaron sobre cimientos frágiles. Debido a la escasez de capital y de financiamiento, las nuevas empresas solían ser más pequeñas aún que sus predecesoras. En Argentina casi 30% de las empresas que existían al fin de la guerra se habían establecido entre 1941 y 1946; pero en conjunto sólo representaban 11.4% del valor de la producción.[36] La incapacidad de explotar economías de escala casi no importaba en los años en que la competencia internacional había sido anulada por la escasez de importaciones, pero era una base muy apropiada para lanzar un programa de industrialización en tiempos de paz. Demasiadas de las nuevas empresas —incluyendo el gran número de las que se establecieron durante los treinta— sólo prosperaron gracias a las condiciones artificiales posibles por la alta protección, las restricciones a la importación y los subsidios estatales indirectos.

EXCEDENTES COMERCIALES, POLÍTICA FISCAL E INFLACIÓN

A medida que el mundo entraba en una economía de guerra, la deflación de los precios que hubo en los treinta fue remplazada por inflación. En los principales países industrializados los enormes aumentos del gasto gubernamental, aunados a una reducción de la oferta de bienes de consumo, crearon poder adquisitivo excedente, y ni siquiera una legislación draconiana de control de precios pudo evitar que éstos subieran. Al término de las hostilidades, en 1945, aumentó la oferta de bienes de consumo y se logró controlar los déficit fiscales. En los principales países desarrollados la inflación se redujo marcadamente, aunque resultaría imposible eliminarla por completo.[37]

Por lo tanto, los años de guerra representaron una aberración, en términos de precios, para los países desarrollados. Sin embargo, en numerosas naciones latinoamericanas importantes la inflación de los años de guerra resultaría un cáncer imposible de extirpar, pese a repetidos intentos, durante la posguerra. Así, para estas repúblicas —que incluían a Argentina, Brasil, Chile, Colombia y Uruguay— la inflación de los años de guerra, lejos de ser una aberración, fue el principio de una corriente perdurable, que manten-

---

[36] Véase Lewis (1990), p. 40.

[37] Aunque con la paz se redujeron las presiones inflacionarias, la abolición del control de precios dio a las empresas una oportunidad de elevarlos. Los principales países desarrollados no recuperaron la estabilidad de precios sino hasta 1947-1948. Véase Scammell (1980), cuadro 5.8, p. 70.

dría las alzas anuales muy por encima del promedio de sus principales socios comerciales.

América Latina no era ajena a la inflación antes de los cuarenta, pero los anteriores episodios inflacionarios solían ser específicos de algunos países y estar vinculados con desórdenes políticos y monetarios. La enorme alza de los precios en Colombia al comienzo del siglo, y en México durante la Revolución, se debió a la inundación de papel moneda en medio de una guerra civil. Al retornar tiempos más normales se controló el activo circulante y se estabilizaron los precios. De manera similar, los aumentos del costo de la vida en Brasil a comienzos del decenio de 1890, durante el *encilhamento*, en Guatemala con el gobierno de Manuel Estrada Cabrera (1898-1920), y en Nicaragua en el primer decenio del siglo XX, se relacionaron con la excesiva emisión de papel moneda inconvertible.[38]

La década de los treinta también había presenciado una gran alza del costo de la vida en algunas repúblicas latinoamericanas, en contraste con lo que estaba ocurriendo en los principales países industrializados. Sin embargo, una vez más la explicación de casi todos estos episodios inflacionarios es sencilla. La Guerra del Chaco entre Bolivia y Paraguay provocó enormes aumentos del gasto gubernamental, financiados mediante la emisión de billetes; en Brasil y Colombia la más modesta alza de precios estuvo claramente relacionada con la depreciación de la moneda, los aumentos arancelarios y una laxa política monetaria. Donde se fijaron tipos de cambio (por ejemplo, en Guatemala), o incluso se revaluaron (como en Venezuela), lo normal fue la deflación de los precios. Sólo en Chile, donde el índice del costo de la vida había aumentado constantemente desde el decenio de 1870 y los precios casi se habían duplicado en los treinta, la inflación fue endémica; sin embargo, incluso ahí el nivel de los precios se reducía ocasionalmente.[39]

Los años de guerra acaso no produjeran un gran aumento de los volúmenes de exportación de América Latina, pero sí hicieron subir los precios de las exportaciones. Aunque el poder monopsónico de Estados Unidos limitó esta alza, los precios de las exportaciones aumentaron a un ritmo anual de 9.8% para toda la región (véase el cuadro VIII.3). Las tasas de aumento más altas se registraron en República Dominicana (cuyo azúcar seguía siendo comprado por los ingleses) y Ecuador, y las más bajas en Honduras (donde los precios del plátano siguieron siendo "administrados" por las compañías fruteras). En las repúblicas que exportaban productos que podían ser de consumo local (por ejemplo, Argentina) el alza de los precios de exportación ejerció un impacto directo e inmediato sobre el costo de la vida.

La inflación de los principales socios comerciales (en primer lugar Estados Unidos), aunada a la escasez de navíos, elevó el precio en dólares de las importaciones. Para la región en conjunto dichos precios subieron con menos

---

[38] Sobre esos episodios inflacionarios véanse las pp. 136-139.
[39] Sobre los movimientos de los precios durante los treinta, véanse las pp. 237-244.

rapidez que los de las exportaciones, pero hubo grandes diferencias en los precios pagados por distintos países. Los que antes habían dependido de Estados Unidos para sus importaciones, y donde los costos de transporte eran bajos (como México) sufrieron las menores alzas; las repúblicas más lejanas y antes abastecidas por Europa (por ejemplo, Argentina) padecieron las mayores.

En las anormales condiciones de la guerra el alza del precio en dólares de las importaciones resultó mala guía para la inflación en América Latina, lo que se debió a la reducción de la oferta de importaciones como resultado del esfuerzo bélico en los países industrializados y a la escasez internacional de barcos, por lo cual la demanda de importaciones superó, con mucho, la oferta disponible, ofreciendo así innumerables oportunidades de una ganancia inesperada para quienes tuvieron la suerte de obtener permisos de importación. El volumen de importaciones entregado a América Latina se redujo en un tercio entre 1939 y 1942.

De nuevo, las repúblicas tradicionalmente abastecidas desde Europa fueron las que más padecieron; Argentina sufrió una caída de dos tercios del volumen de sus importaciones entre 1939 y 1943. En cambio, México supo aprovechar su posición geográfica y su mejor relación con Estados Unidos para aumentar con rapidez sus importaciones (véase el cuadro VIII.3).

La súbita alza de los precios en dólares de exportaciones e importaciones fue más que suficiente para provocar aumentos del costo de la vida en América Latina. Sin embargo, la principal explicación de la inflación en los años de guerra es, en realidad, monetaria. El alza del valor de las exportaciones no correspondió al de las importaciones (pese al aumento de su precio), porque se redujo el *volumen* de las segundas (véase el cuadro VIII.3). América Latina en su conjunto, igual que cada una de las 20 repúblicas, tuvo un excedente comercial que superó la salida por pagos de factores (por ejemplo, remisión de utilidades) y la importación de servicios (como fletes). El influjo neto de oro y divisas extranjeras fue aumentado por el capital de Estados Unidos para financiar las inversiones directas, el gasto militar y la infraestructura social.

El resultado fue una abundancia de divisas, en marcado contraste con la escasez sufrida durante los treinta. Las reservas internacionales, conservadas en parte en Estados Unidos, aumentaron a un ritmo frenético. Algunas naciones lograron aumentar el valor en dólares de sus reservas a un ritmo anual superior a 50% entre 1939 y 1945 (véase el cuadro VIII.3). Todos los países (excepto Panamá) tuvieron una tasa de crecimiento anual superior a 20%. De hecho, el aumento de los activos extranjeros tan sólo en Argentina fue mayor que el conjunto de las reservas latinoamericanas a fines de 1939, aunque para los países que aún comerciaban con Gran Bretaña (incluyendo a Argentina) parte del aumento consistió en saldos en libras esterlinas bloqueados en Londres.[40]

[40] Tras el inicio de la guerra la libra esterlina se volvió inconvertible. Por ello los países como Argentina, que tenían un excedente comercial con Gran Bretaña, se vieron obligados a acumular en Londres balances en libras esterlinas que no era fácil gastar. Véase Fodor (1986), pp. 154-170.

CUADRO VIII.3. *Dinero, precios y reservas internacionales: tasas de crecimiento promedio anuales, 1939-1945 (en porcentaje)*

País	Precios de exportación[a]	Volumen de importación[b]	Circulante[c]	Precios Menudeo	Precios Mayoreo	Reservas de divisas[d]
Argentina	11.1	−16.0	17.7	5.0	12.3	22.8
Bolivia	9.3	+2.1	26.9	20.5		37.7
Brasil	15.9	+0.3	23.2	10.7	17.1[e]	
Chile	3.5	−3.7	20.9	14.9	19.3[f]	22.0
Colombia	6.8	−2.1	21.6	8.1		39.5
Costa Rica	7.0	−2.5	19.6	9.8	11.4	30.9
Cuba	s/d	s/d	28.8	12.8		49.0
Ecuador	17.1	+2.7	27.0	17.7		50.5
El Salvador	10.6	+2.0	23.4	15.3		27.6
Guatemala	5.0	−3.1	21.3	10.0		33.3
Haití	13.3	s/d	s/d	9.7		s/d
Honduras	1.3	0	20.9	20.4		51.8
México	7.9	+13.8	25.5	13.4		30.6
Nicaragua	11.4	0	28.0[g]	27.3		34.6
Panamá	14.5	+0.8	49.0	8.4		17.3
Paraguay	12.2	s/d	25.8	11.9		69.2
Perú	8.5	+0.6	24.2	10.5	12.9	24.2
República Dominicana	16.7	−5.2	29.1	16.0	19.1	52.2
Uruguay	9.6	−2.4	18.1	4.8		23.1
Venezuela	4.3	+2.4	16.4	4.7	6.3	26.0
América Latina	9.8	−0.7	19.6	12.6[h]	14.1[h]	29.6

[a] Basado en el valor unitario de las exportaciones.
[b] Basado en la cantidad de importaciones.
[c] Dinero y depósitos.
[d] Reservas de oro y de divisas (equivalentes al dólar) en el Banco Central.
[e] Sólo São Paulo.
[f] Salarios industriales.
[g] El dato es para 1940-1945.
[h] No ponderado.
FUENTES: CEPAL (1976); Fondo Monetario Internacional, *Yearbook of International Financial Statistics* (varias ediciones entre 1946 y 1951).

A medida que los exportadores cambiaban sus utilidades en divisas a través del sistema bancario, el circulante comenzó a aumentar. Este crecimiento del "dinero de origen externo" hizo subir aún más el nivel del activo circulante, y la demanda nominal ascendió mucho más que la oferta disponible de bienes (restringida, a su vez, por la merma en la cantidad de importaciones). Por ello la inflación de la época de la guerra fue inevitable.[41] En diversos países el problema fue exacerbado por una política fiscal que añadió un componente interno a las presiones inflacionarias, haciendo subir los precios a niveles peligrosamente altos.

El problema fiscal que dio por resultado grandes déficit en buen número de países surgió por muy diversas razones. Del lado del ingreso, la caída del volumen de importaciones produjo una baja de los derechos aduanales. Aunque la importancia de los ingresos aduanales producidos por las importaciones se había ido reduciendo desde los años veinte, en 1939 todavía sumaba cerca de 25% del ingreso gubernamental en las repúblicas más grandes, y más de 50% en las más pequeñas. En muchos casos durante la guerra se elevaron los gravámenes a la importación, pero el descenso de la base fiscal (la cantidad de importaciones) a menudo fue tan pronunciado (véase el cuadro VIII.3) que al término de la guerra los derechos aduanales se habían reducido a cerca de 10% del ingreso total de las tres repúblicas más grandes (Argentina, Brasil, México), con grandes mermas en el resto de la región. Por lo tanto, los gobiernos se vieron obligados a recurrir a otros medios para aumentar sus ingresos.

Los impuestos más apropiados para las condiciones de guerra eran los directos, que tenían dos ventajas: no necesariamente provocaban alzas de precios y reducían el ingreso disponible y el poder adquisitivo, haciendo así que la demanda nominal estuviese en mayor armonía con la oferta disponible. Sin embargo, los impuestos directos seguían siendo casi una novedad en América Latina, y hasta las repúblicas que los habían implantado antes de la guerra sólo obtuvieron rendimientos modestos, porque la base fiscal (el número de personas y de empresas que habían de pagarlos) era muy pequeña. Sólo Venezuela, con su impuesto a las compañías petroleras, obtuvo una gran parte de su ingreso estatal de los impuestos directos, aunque el difundido uso del impuesto sobre la renta en Colombia se había elevado a casi 20% del ingreso gubernamental al comienzo de la guerra.[42]

Muchos países hicieron un gran esfuerzo por aumentar sus ingresos por medio de impuestos directos, y los resultados fueron significativos. El gobierno de Vargas en Brasil aumentó su recaudación de 8.5% del total de ingresos en 1939 a 26.5% en 1945.[43] Sin embargo, inevitablemente, las modes-

[41] Hay un buen análisis de los problemas de inflación en el periodo de la guerra en Harris (1944), capítulos 6-7.

[42] Sobre los problemas fiscales durante la guerra, véase Wallich (1944).

[43] Brasil fue uno de los primeros países latinoamericanos que se vieron obligados a dejar de

tas dimensiones de la base fiscal de los impuestos directos obligó al gobierno a recurrir a otras formas de gravámenes para incrementar sus ingresos. Una fuente muy usual y casi invisible fue la ganancia por la operación de sistemas de tipo de cambio múltiple; al comprar divisas de los exportadores al tipo más bajo (oficial) y venderlas a los importadores al tipo más alto (libre), los gobiernos pudieron obtener una buena utilidad. Sin embargo, tales manipulaciones tuvieron consecuencias inflacionarias, porque elevaron el costo en moneda nacional de los artículos importados. Lo mismo ocurrió con la elevación de los impuestos indirectos que todos los gobiernos aplicaban a los bienes de consumo y otros. De este modo, el ingreso del gobierno —al menos en términos nominales— aumentó durante los años de guerra, pese a la caída de las importaciones, pero el aumento de los impuestos indirectos, sobre todo a los bienes de consumo, dio un nuevo ímpetu a la espiral inflacionaria. En realidad, en condiciones de guerra, cabía suponer que las empresas pasarían a sus consumidores todo aumento en impuestos indirectos, mediante el alza de los precios.

La posición fiscal aún hubiera sido manejable si se hubiesen controlado cuidadosamente los gastos gubernamentales. De hecho, las repúblicas más conservadoras (como El Salvador y Nicaragua) siguieron manteniendo cortas las riendas del gasto público y evitaron grandes déficit presupuestales, y Venezuela empezó a obtener una rica cosecha de las compañías extranjeras gracias a su política petrolera más dinámica. Sin embargo, en general y por muy diversas razones, los gobiernos decidieron ampliar sus actividades en los años de la guerra, aunque eso implicaba un nuevo aumento de la demanda nominal y una adición a las presiones inflacionarias.

Una razón para el aumento del gasto público, adoptada más explícitamente en Colombia, fue con fines contracíclicos. Los primeros meses de la guerra produjeron verdaderas dificultades a algunas ramas del sector exportador, y cundió el desempleo. Las obras públicas, a menudo destinadas a las zonas rurales, se consideraron una respuesta política apropiada en concordancia con la nueva ortodoxia keynesiana que iba ganando aceptación por todo el mundo. Sin embargo, al recuperarse el sector exportador y caer la oferta de importaciones, el poder adquisitivo adicional que implicaba la expansión de los gastos del gobierno resultó totalmente inapropiado.

Una razón más legítima para aumentar los gastos fue la necesidad de invertir en infraestructura social para elevar la oferta interna. Con la caída

depender de los derechos de importación. A comienzos de los cuarenta las proporciones comerciales se redujeron marcadamente, y la participación de los bienes de consumo en el total de importaciones cayó a menos de 20%. Al mismo tiempo, el gobierno de Vargas, por entonces comprometido con la industrialización, no sintió ningún deseo de limitar la actividad industrial imponiendo elevados gravámenes a las importaciones intermedias y de bienes de capital. De este modo o *Estado novo* —nombre empleado por Vargas a partir de 1937 para describir su régimen autoritario— tuvo que usar a fondo la reforma fiscal. Véase Villela y Suzigan (1977), pp. 220-225.

de las importaciones se hizo importantísimo lograr ese crecimiento, pero muchas veces los productores nacionales eran incapaces de incrementar su producción por deficiencias de transporte, energía e instalaciones portuarias. En cambio, las manufacturas, por una parte, y el comercio intrarregional, por la otra, fueron particularmente mal atendidos por la infraestructura social heredada desde los treinta. Sin inversión pública —aunque implicaba la necesidad gubernamental de pedir préstamos— habría sido muy difícil incrementar la oferta interna.

Muchas repúblicas aprovecharon los años de la guerra y la lucha contra las potencias del Eje para intensificar su gasto militar. Aunque la ayuda militar estadunidense fue generosa y cubrió parte del aumento, no podía esperarse que satisficiera todas las necesidades. Algunas naciones tenían razones más prosaicas para elevar su gasto militar. Ecuador y Perú llegaron a las armas por una disputa fronteriza aún no resuelta en la selva amazónica.[44] Y muchos de los dictadores de la Cuenca del Caribe (como Anastasio Somoza, de Nicaragua) utilizaron la guerra como pantalla para fortalecer sus mecanismos de represión interna.[45] En Argentina Perón no tardó en recompensar a las fuerzas armadas, cuya intervención a partir de 1943 le había permitido ascender al poder.[46]

Los patrones del gasto gubernamental también fueron sensibles a las modificaciones políticas de los años de la guerra. La alianza entre Estados Unidos y la Unión Soviética había dado prominencia a los partidos comunistas y los sindicatos en muchas repúblicas latinoamericanas. La recompensa por una conducta "responsable" de estas instituciones a menudo adoptó la forma de una legislación laboral progresista, y mejoró los programas de seguridad social. Aunque no enteramente nueva —Uruguay había adoptado su primer programa de pensiones del sector público en 1896—,[47] la legislación de la época del conflicto implicó un considerable aumento de los gastos sociales, cuya beneficiaria fue en general una minoría relativamente privilegiada en las zonas urbanas. Un programa de seguridad social bien planeado debía aumentar al principio el ingreso gubernamental más que su gasto

---

[44] La guerra estalló en 1941, y fue un gran bochorno para el movimiento panamericano. Bajo fuerte presión de Estados Unidos, en enero de 1942 se aceptó un tratado de paz que incluía considerables ganancias territoriales para Perú, pero fue denunciado en 1960 por Ecuador y el asunto aún no se resuelve. Véase Humphreys (1981), pp. 125-126.

[45] William Krehm, en la década de 1940, hizo una excelente descripción de cómo muchos dictadores de la Cuenca del Caribe trataron de utilizar el esfuerzo bélico para favorecer su propia posición. Véase Krehm (1984).

[46] El ascenso de Perón al poder estuvo directamente vinculado a su control del movimiento sindical organizado. Sin embargo, también el ejército salió beneficiado del golpe de 1943. Véase Potash (1980), capítulo 3.

[47] Se trataba de un fondo de pensiones para maestros. El sistema de pensiones se amplió considerablemente durante los gobiernos de José Batlle y Ordóñez (1903-1907, 1911, 1915), aunque antes de los treinta se habían puesto en práctica un seguro contra accidentes y pagos por desempleo. Véase Mesa-Lago (1977), pp. 71-75.

(como ocurrió en Chile durante los cuarenta), pero el abuso de esos sistemas fue muy difundido, por lo que desde el comienzo representaron una sangría de los recursos del gobierno.[48]

La consecuencia de que los gastos de los gobiernos aumentaran con mayor rapidez que sus ingresos fueron los déficit presupuestales de la época de la guerra. En unos cuantos casos excepcionales estos déficit no fueron inflacionarios; Argentina, con su mercado de capitales internos bien desarrollado, logró financiar buena parte del déficit mediante la emisión de bonos al sector privado no bancario, y después de 1942 Colombia llegó al mismo resultado a partir de una legislación que obligaba a las compañías a invertir sus utilidades remanentes en bonos gubernamentales.[49] Sin embargo, la mayor parte de las repúblicas dependieron de préstamos del sistema bancario, lo que ocasionó una monetización del déficit. Los créditos del banco central al gobierno aumentaron más de 20% al año, entre 1939 y 1945, en Brasil, Ecuador, México, Paraguay y Perú. Los gobiernos que tuvieron la suerte de obtener préstamos extranjeros para cubrir sus déficit presupuestales también tuvieron que enfrentarse a presiones inflacionarias, porque no fue posible gastar todos los créditos en importaciones.

La combinación del enorme aumento de las reservas internacionales y los crecientes déficit presupuestales dio por resultado una explosión monetaria (véase el cuadro VIII.3). Aun las repúblicas que adoptaron políticas fiscales conservadoras (El Salvador, Guatemala y Venezuela) sufrieron, porque tendían a ser las economías más abiertas y, por tanto, las que más probabilidades tenían de acumular dinero de origen externo. Aunque la mayor parte del aumento del activo circulante procedió de dinero externo (sobre todo en las pequeñas naciones de la Cuenca del Caribe), en unos cuantos países (especialmente Brasil, Chile y Perú) fue principalmente de origen interno. Esto ocurrió también en Costa Rica, donde el gobierno reformista de Rafael Ángel Calderón Guardia incurrió en un enorme déficit presupuestal en apoyo de sus ambiciosos programas sociales.[50]

El rápido aumento del circulante durante los años de la guerra hizo subir el índice del costo de la vida en todas las repúblicas latinoamericanas. En la mayoría de ellas los incrementos fueron muy superiores a la tasa de inflación en Estados Unidos, y también superaron por amplio margen el alza de los precios de importación. Sin embargo, el índice del costo de la vida no siempre constituyó el mejor indicador de las presiones inflacionarias; esto fue, en parte, un reflejo de su tendencia urbana (en algunos casos se limitó a la ciudad capital), y su limitada cobertura (no abarcaba a todos los tipos de familias). Aún mayor importancia tuvieron los muchos intentos de las autoridades por controlar los precios.

[48] El decenio de los cuarenta fue uno de los más activos del siglo xx en lo que a la implantación de nuevos programas de seguridad social se refiere. Véase Mesa-Lago (1991), cuadros 1-2.

[49] Véase Triffin (1944), pp. 105-107.

[50] Véase Rosenberg (1983), capítulo 3.

Estos esfuerzos, que en muchos casos contaron con asistencia técnica de la Oficina de Administración de Precios de Estados Unidos, no pudieron eliminar la inflación, pero sí contribuyeron a contenerla. Por ello el crecimiento anual promedio de los precios al menudeo (véase el cuadro VIII.3) estuvo en general muy por debajo del del circulante, diferencia que no podría explicarse por el aumento del producto real. Un indicador más preciso de la inflación son los precios al mayoreo, que no estuvieron sujetos al mismo grado de control de precios. En las repúblicas que publicaron estadísticas de los cambios de ambos precios, los de mayoreo rebasaron invariablemente el índice del costo de la vida (véase el cuadro VIII.3).

El control de precios no fue la única medida adoptada para reducir la tasa de inflación, pero sí la más eficiente. Las medidas que adoptó Colombia para neutralizar el ingreso de divisas y financiar el déficit presupuestal de manera no inflacionaria, que ya hemos mencionado, fueron consideradas demasiado radicales en otros lugares. Unos cuantos países, en particular los que tenían tipos de cambio múltiples (como Uruguay), estuvieron dispuestos a revaluar su moneda contra el dólar,[51] en un esfuerzo por reducir el costo interno de las importaciones, pero los exportadores se opusieron enérgicamente a esa revaluación que también disgustó a los industriales. Asimismo, fue mal vista por los ministros de Hacienda, para quienes entrañaba una reducción de los ingresos nominales por impuestos. Es significativo que ni una sola nación latinoamericana estuviese dispuesta a revaluar su tipo de cambio oficial, pese a la acumulación de reservas de divisas. De manera similar, ninguna quiso aumentar drásticamente la tasa de descuento de su banco central para tratar de contener el aumento del activo monetario de los bancos comerciales. La política monetaria no sólo fue pasiva, sino también sumamente acomodaticia.

El exceso de poder adquisitivo implicado por el rápido crecimiento monetario afectó los activos, así como los bienes y servicios. Aunque los índices de las bolsas de valores —donde las había— se fueron a las nubes, la pequeña dimensión del mercado y la gran diferencia entre los precios de compra y de venta les restaron atractivos para muchos inversionistas.[52] De mucho mayor interés fue el mercado de propiedad urbana: en muchas ciudades los precios de los terrenos se multiplicaron por diez o más durante los años de la guerra.[53]

[51] El tipo libre en Uruguay pasó de 2.775 pesos por dólar en 1939 a 1.9 en 1945: una revaluación de 31.5%. Sin embargo, el tipo oficial permaneció, sin cambio, en 1.899.

[52] La gama de productos financieros ofrecidos era limitada. Por ejemplo, el índice accionario industrial en Chile, Perú y Venezuela se basaba apenas en 10 u 11 fondos. Véase League of Nations (1945), cuadro 103.

[53] Brasil, donde la urbanización avanzaba con rapidez, resultó particularmente afectado por el aumento de valor de los terrenos. La población tanto de Rio de Janeiro como de São Paulo rebasaba los dos millones al término de los cuarenta, aunque la ciudad más grande de América Latina seguía siendo Buenos Aires. Sobre el crecimiento de las ciudades latinoamericanas en general, véase Gilbert (1982).

Ya antes de la guerra se había iniciado la rápida urbanización en las principales repúblicas latinoamericanas.[54] La aceleración de la tasa de crecimiento demográfico,[55] aunada a los problemas del sector agrícola, había empezado a convertir la escasez de mano de obra rural del siglo xix en un excedente a finales del siglo xx. La política de desarrollo hacia adentro de los treinta, que fomentaba las actividades ubicadas en las ciudades, promovía la migración rural-urbana, y el crecimiento de las manufacturas, los servicios y la administración pública durante los cuarenta fue otro estímulo importante. Los dueños de terrenos y propiedades en el centro y la periferia de las ciudades recibieron una ganancia inesperada por la "explosión" del precio de los bienes raíces; no pocas fortunas de la posguerra se originaron con este fenómeno.

La otra cara de esta moneda inflacionaria fue la creciente desigualdad en la distribución del ingreso. Aunque los propietarios de capital (incluida la tierra) se beneficiaron sin duda por la rápida revaluación del precio de los activos, sólo un pequeño número de asalariados pudo proteger sus ganancias reales contra los estragos de la inflación. Estos grupos privilegiados incluyeron en buen número de países a las fuerzas armadas, ya que los gobiernos dependían de su buena voluntad para sobrevivir, y hasta a algunos obreros fabriles donde la competencia de las importaciones había perdido importancia en la determinación de precios por parte de las empresas. Pero en general la mayoría de los grupos de trabajadores vieron mermados sus ingresos y salarios reales por el aumento del índice del costo de la vida, lo que provocó inquietud social en los últimos meses de la guerra.[56]

El dilema de la posguerra

Como el hemisferio occidental se había adaptado a las condiciones de guerra, y Estados Unidos había dado prioridad a las necesidades económicas de sus vecinos del Sur, para muchas naciones latinoamericanas la llegada de la paz no siempre fue beneficiosa. Una vez que volvieron a entrar al mercado bienes asiáticos, Estados Unidos redujo sus compras de algunos productos primarios de América Latina, y desaparecieron los complejos mecanismos para canalizar bienes, asistencia técnica y capital de Estados Unidos elabo-

[54] El grado preciso de la urbanización en América Latina en su conjunto, antes de 1950, está sujeto a un considerable margen de error, debido a las diversas definiciones utilizadas en cada censo nacional. Sin embargo, se ha calculado que la población rural se redujo de 67% del total en 1940 a 63% en 1950. Para entonces sólo Argentina, Chile y Uruguay se clasificaban como países predominantemente urbanos. Véase Wilkie (1990), cuadro 644, p. 137.

[55] La tasa media anual de crecimiento demográfico de la región se aceleró, y pasó de 1.9% en los treinta a 2.5% en los cuarenta. Unos pocos países (como Costa Rica, México y Venezuela), llegaron o hasta rebasaron 3% anual. Véase Sánchez Albornoz (1977), p. 203.

[56] Los movimientos sociales y políticos hacia el fin de la guerra se analizan en Bethell y Roxborough (1988); véase también Bethell y Roxborough (1992).

rados bajo los auspicios de la cooperación económica interamericana. En la conferencia interamericana celebrada en 1945 en Chapultepec, México, Estados Unidos reafirmó su confianza en el libre comercio, ante un escéptico público latinoamericano, y llegaron a su fin todos los acuerdos comerciales de tiempos de guerra, como el del café.[57] La principal prioridad para Estados Unidos era la reconstrucción de Europa. Después de que en 1947 se inició la Guerra Fría este objetivo se volvió aún más importante; el capital oficial estadunidense empezó a fluir a Europa occidental, y para América Latina quedó claro que el apoyo financiero de Estados Unidos tenía que llegar ahora de fuentes privadas.[58]

Por lo tanto, la región vio contraerse su participación en el mercado de importaciones de Estados Unidos, al mismo tiempo que este país recibía una participación menor de las exportaciones latinoamericanas (véase el cuadro VIII.1). Esta reducción, similar a la ocurrida después de la primera Guerra Mundial, fue predecible e inevitable. Sin embargo, el retorno de las condiciones de paz también había cancelado muchas de las ganancias que los exportadores latinoamericanos habían obtenido en otros países del continente. Las exportaciones latinoamericanas a otras repúblicas de la región se redujeron con rapidez después de la guerra (véase el cuadro VIII.1), cuando las importaciones manufacturadas de Europa y de Estados Unidos desplazaron a los productos latinoamericanos.

Era inevitable cierta contracción del comercio intralatinoamericano, pero empeoró por la política cambiaria. Después de los años de la guerra, durante los cuales la tasa de inflación en Latinoamérica estuvieron muy por encima de las de Europa y América del Norte, las monedas fueron seriamente sobrevaluadas. Los costos locales habían aumentado con rapidez, incluyendo los salarios en el sector manufacturero, pero los tipos de cambio nominales permanecieron virtualmente intactos. Esta política, defendible durante la guerra, cuando la devaluación habría sido ineficaz, se mantuvo después de 1945, por lo cual los tipos de cambio oficiales de 1948 no habían experimentado casi ningún cambio. En tales circunstancias, con las tasas de inflación latinoamericanas todavía por encima de los niveles de sus principales socios comerciales, los exportadores de artículos manufacturados no podían competir en precio, y la competencia de precios resultaba esencial para compensar una calidad inferior.

La reducción de la proporción de exportaciones que iba a Estados Unidos y América Latina fue igual al aumento de la parte europea. Pero al principio la reconstrucción económica de Europa estuvo plagada de problemas que limitaron el número de bienes que podían comprarse en América Latina. Alemania seguía devastada, Francia luchaba por superar los daños causados

---

[57] La conferencia de Chapultepec fue una decepción para muchos países latinoamericanos que habían esperado que su cooperación con Estados Unidos durante la guerra sería recompensada con un nuevo orden económico en asuntos interamericanos. Véase Thorp (1992).

[58] Véase Rabe (1988), capítulo 2.

por la guerra a su planta industrial, y Gran Bretaña se vio obligada a abandonar precipitadamente el mal concebido plan de 1947 de convertibilidad de la libra esterlina.[59] Sólo cuando en 1948 se lanzó el Plan Marshall, que condujo a una enorme transferencia de recursos financieros de Estados Unidos, se volvió irreversible la recuperación de Europa, y aun entonces la Guerra Fría limitó el proceso a Europa occidental.[60]

En estas circunstancias, no es sorprendente que el volumen de las exportaciones latinoamericanas sólo creciera a un ritmo modesto durante los primeros años de la posguerra. De 1945 a 1948 (véase el cuadro VIII.4), sólo Brasil y Venezuela, entre las grandes repúblicas, lograron un crecimiento superior a 5% anual, y a los países exportadores de minerales (Bolivia, Chile, México y Perú) les fue especialmente mal. Uruguay no aprovechó la reapertura del mercado europeo para sus productos tradicionales, y ni siquiera Argentina —para la cual la pérdida del mercado europeo durante la guerra había sido muy grave— logró avanzar mucho.

Si el aumento de los volúmenes de exportación fue problemático, el alza de los precios fue algo totalmente distinto. Los precios de los bienes, contenidos de modo artificial durante la guerra, se fueron a las nubes cuando las condiciones del comercio volvieron a la normalidad. En un buen número de países (véase el cuadro VIII.4) los precios de exportación se duplicaron en los tres primeros años de la posguerra, y en casi todas las repúblicas se produjo un aumento de más de 50%. También los precios de importación iban al alza, pero en general no con tanta rapidez como los de exportación, por lo que la mayoría de los países gozó de una mejoría de los términos netos de intercambio comercial (TNIC).

Esta mejoría en los TNIC era evidentemente excepcional, ya que se basaba en el ajuste de tiempos de guerra a tiempos de paz. Habría sido natural esperar un modesto deterioro después de que volviera a la normalidad la oferta de productos primarios de otras regiones. El estallido de la Guerra de Corea produjo, sin embargo, otro periodo de condiciones anormales.[61]

Volvieron a subir los precios de exportación a medida que se acumulaban inventarios, en previsión de la escasez de época de guerra, y los TNIC de todos los países latinoamericanos, con excepción de Argentina, llegaron a una cifra récord a principios de los cincuenta. Los exportadores de minerales, ante un rápido aumento de la demanda de sus productos al inicio de las

[59] La convertibilidad de la libra esterlina fue impuesta a Gran Bretaña por Estados Unidos, impaciente por restaurar condiciones más normales en las finanzas internacionales, pero resultó prematura y hubo que dar marcha atrás. Véase Horsefield (1969), pp, 186-187.

[60] Inicialmente la Unión Soviética debía ser beneficiaria de la ayuda del Plan Marshall, pero el rápido deterioro de las relaciones con Estados Unidos, en 1947, modificó por completo la situación. Sobre el Plan Marshall, véase Scammell (1980), pp. 30-34.

[61] La Guerra de Corea (1950-1954), enfrentamiento indirecto entre Estados Unidos y la Unión Soviética a través de las dos mitades de aquel país, planteó la perspectiva muy real de una tercera Guerra Mundial. Una de las respuestas inmediatas fue la acumulación de artículos estratégicos por parte de los países desarrollados.

CUADRO VIII.4. *Indicadores del comercio exterior, 1945-1948 (1945 = 100)*

País	Volumen de exportaciones[a]	Valor de las exportaciones[b]	Volumen de importaciones[c]	TNIC	Poder adquisitivo de las exportaciones
Argentina	103	213	400	160	164
Bolivia	87	122	118	94	80
Brasil	121	179	165	96	116
Chile	100	160	139	119	118
Colombia	101	197	136	132	134
Costa Rica	167	397	110[d]	166	282
Cuba	s/d	177	s/d	s/d	s/d
Ecuador	98	196	162	159	157
El Salvador	118	214	158	88	107
Guatemala	100	170	191	109	108
Haití	101	175	s/d	s/d	s/d
Honduras	146	196	176	84	127
México	79	143	90	112	90
Nicaragua	217	380	148	129	267
Panamá	175	254	95	99	176
Paraguay	48	126	s/d	s/d	s/d
Perú	82	153	121	111	94
República Dominicana	104	188	145	118	120
Uruguay	70	147	130	115	88
Venezuela	155	313	314	157	235
América Latina	110	199	175	117	128

[a] Basado en el valor de las exportaciones a precios constantes (1963).
[b] Basado en el valor en dólares de las exportaciones.
[c] Basado en la cantidad de importaciones.
[d] Afectado por la guerra civil de 1948.
FUENTE: CEPAL (1976).

hostilidades, fueron los que más se beneficiaron en la primera etapa de la guerra, y los exportadores de café gozaron de un continuo aumento de sus precios y de sus TNIC, que llegaron a su máximo en 1954.

La rápida alza de los precios de exportación y de los TNIC fue una compensación parcial del pobre volumen de exportación. Como resultado, la posición de la reserva internacional —que fuera tan fuerte durante los años de guerra— siguió siendo boyante durante un tiempo. Aunque brevemente, todos los países latinoamericanos disfrutaron un periodo de abundancia de divisas, durante el cual la balanza de pagos no restringió el crecimiento. Además, la acumulación de divisas les planteó, a partir de 1945, un dilema importante: cómo gastar los balances acumulados antes de que su valor real fuese socavado por la inflación. Ésta habría de ser una decisión fundamental de la posguerra.

Una opción era emplear las divisas para resolver el problema de la deuda pública externa. Los países que no habían cumplido con el pago de sus bonos extranjeros durante los treinta —la mayoría— nunca habían desconocido la deuda. Continuaban las discusiones con los comités de dueños de bonos en Estados Unidos y Gran Bretaña, aunque la limitación a las divisas durante los treinta había impedido llegar a una solución permanente. Con la acumulación de reservas de divisas fue posible negociar en serio. Al mismo tiempo, la inflación mundial del decenio de los cuarenta y el alza de precio de los bienes iban reduciendo rápidamente la carga real de la deuda.

El incentivo para negociar con los tenedores de bonos no fue el temor a las represalias gubernamentales. Por el contrario, durante los treinta los gobiernos extranjeros no se habían mostrado demasiado enérgicos en favor de los accionistas, y durante la segunda Guerra Mundial el gobierno de Estados Unidos había transferido capital oficial a las repúblicas latinoamericanas sin tomar en cuenta el estado de la deuda pública externa. En cambio, a partir de 1945 la perspectiva de que se reanudara la afluencia normal de capital internacional actuó a la vez como estímulo y como castigo para aquellos gobiernos que no habían llegado a un acuerdo con sus acreedores extranjeros. Chile, en particular, se apresuró a negociar un arreglo cuando fue claro que éste era requisito indispensable para recibir un préstamo del recién creado Banco Internacional para la Reconstrucción y el Desarrollo (el Banco Mundial).[62]

La decisión de llegar a un acuerdo no significó el pago completo. En algunos de los arreglos no se capitalizaron los intereses no pagados, y en ciertos casos especiales también hubo quitas de capital. En general, las repúblicas morosas aceptaron reanudar su servicio de la deuda, en principio, pero a tasas nominales de interés muy bajas y con plazos de muchos años. Los acuerdos no representaron una gran carga para ninguna de las repúblicas, y

---

[62] En septiembre de 1946 el Banco Mundial negó a Chile un préstamo de 40 millones de dólares. Tras el anuncio de un acuerdo con los acreedores de Chile, en marzo de 1948 el Banco Mundial efectuó un préstamo de 16 millones de dólares. Véase Jorgensen y Sachs (1989).

en todo caso la inflación mundial redujo continuamente la carga real de los pagos del servicio de la deuda.

No por primera vez, Argentina fue la excepción. Con un sacrificio considerable había pagado íntegramente su deuda externa durante los treinta, aunque no había sido recompensada con importantes afluencias de nuevo capital. La oleada nacionalista, que había conducido al golpe militar en 1943 y llevado a Perón a la primera de sus victorias electorales en 1946, convenció a los políticos argentinos de que debían convertir toda la deuda externa en bonos internos, por lo que las obligaciones exteriores de preguerra de los gobiernos central, provinciales y municipales se habían pagado por entero en 1949. Esto exigió que Argentina empleara una parte considerable de sus divisas acumuladas, reduciendo así sus opciones en comparación con otras repúblicas.[63]

Argentina también gastó una gran proporción de sus reservas internacionales en la nacionalización de empresas de propiedad extranjera. La compra más espectacular había sido la de los ferrocarriles, gran parte de los cuales había estado en manos británicas y (en menor grado) francesas, desde su construcción antes de la primera Guerra Mundial. En 1948 Argentina erogó la considerable suma de 150 millones de libras (600 millones de dólares), para adquirir las compañías ferroviarias británicas, cifra que hoy suele considerarse excesiva. Sin embargo, hay que recordar que el país financió la compra con su balance de libras acumuladas —y aun inconvertibles— en Londres. Así, por entonces, ambas partes pensaron que habían hecho un gran negocio.[64]

La nacionalización de las propiedades extranjeras no se limitó a Argentina. Las repúblicas más grandes, y hasta algunas de las más pequeñas, adquirieron numerosas instalaciones, compañías de transportes e instituciones financieras, así como algunas operaciones mineras. México utilizó sus divisas acumuladas para llegar a un acuerdo con las compañías extranjeras sobre los términos de indemnización por la expropiación petrolera de 1938. En muchas partes de América Latina la combinación de abundantes reservas internacionales y el creciente nacionalismo fue la receta ideal del cambio de equilibrio entre el sector privado y el público, y los capitalistas extranjeros no fueron los únicos afectados.[65]

[63] Véase Jorgensen y Sachs (1989).

[64] Hubo ciertos rumores de que Perón estaba convencido de que Gran Bretaña pronto negaría sus pasivos en libras esterlinas, dejando así a Argentina con un activo sin valor. Esta nación tampoco podía esperar favores de Estados Unidos, profundamente hostil a la administración de Perón en sus primeros años. Véase MacDonald (1990), pp. 137-143.

[65] La nacionalización también podía incluir a los capitalistas internos. Por ello creó Perón el Instituto Argentino para la Promoción y el Intercambio (IAPI), con virtual monopolio sobre el comercio exterior, que desplazó a muchas empresas locales. El IAPI permitió al gobierno peronista insertar una cuña entre los precios externos y los internos para los bienes agropecuarios exportables, y canalizar las ganancias hacia el programa de industrialización. Véase Torre (1991), pp. 80-81.

El pago de la deuda y las nacionalizaciones explican en gran parte la desaparición de las reservas de divisas a partir de 1945, pero la principal razón fue el aumento de las importaciones. Durante la guerra todas las repúblicas latinoamericanas habían visto frustrados sus esfuerzos por obtener artículos de importación, y persistía un alto grado de demanda no satisfecha. Las familias deseaban tener acceso a bienes de consumo que no habían estado disponibles, o para los cuales se habían empleado sustitutos imperfectos. Las empresas deseaban bienes de capital para aumentar su capacidad y mejorar su calidad, y el paso de la agricultura a la industria iba generando una gran demanda de materias primas importadas.

Al principio los gobiernos esperaban que sus reservas de divisas bastaran para satisfacer la aplazada demanda de toda clase de productos importados, pero el crecimiento inmediato de la posguerra resultó ser excesivo. En los tres años que siguieron al fin de las hostilidades el volumen de las importaciones latinoamericanas aumentó en un enorme 75% (véase el cuadro VIII.4), y el valor en un insostenible 170%. Argentina, donde las importaciones se habían reducido notablemente en los años de la guerra, aumentó el volumen de sus importaciones en 300%.[66] Entre las repúblicas más grandes, sólo México, el menos afectado por la escasez de bienes importados antes de 1945, y donde desde 1947 se presentaron serios problemas de la balanza de pagos, vio un descenso en sus importaciones.

Para gran consternación de los políticos, la tasa de crecimiento de las importaciones no daba señales de reducirse, y hubo que tomar decisiones difíciles. Si continuaban aumentando pronto se agotarían las divisas, a menos que pudiesen volver a crearse reservas con la expansión de exportaciones e influjos de capital extranjero. Por otra parte, si se rechazaba esta opción como imposible o indeseable, la alternativa sería restringir el aumento de las importaciones. Esta decisión básica puso a todas las repúblicas ante un importante dilema de posguerra.

La restricción de las importaciones no era nueva en América Latina. Se le había adoptado ocasionalmente desde 1929 en diversos países cuando las circunstancias lo exigían, lo que contribuyó a un difundido cambio estructural y al crecimiento de la industria. Pero como la habían aplicado los gobiernos que consideraban que el desarrollo dirigido hacia adentro no era la mejor opción, carecía de apoyo teórico e intelectual. El libro más importante en favor del proteccionismo industrial, obra del economista rumano Mihail Manoilescu, se había traducido al español y al portugués, pero las ideas del autor y sus simpatías fascistas habían perdido prestigio al terminar la guerra.[67]

Los primeros años de la posguerra produjeron un gran cambio en el de-

[66] Argentina había sufrido las consecuencias del desagrado estadunidense por su neutralidad durante la guerra, política que condujo a un parcial boicot económico en febrero de 1942 y a una reducción particularmente importante del abasto de muchas importaciones. Véase Escudé (1990), pp. 63-68.

[67] Véase Lave (1994).

bate político en buena parte de América Latina, que alentó a muchos gobiernos (pero no a todos) a adoptar el desarrollo hacia adentro y la restricción de las importaciones como la mejor política. Los factores que promovieron este cambio fueron internos y externos, intelectuales y políticos, y en numerosos países su efecto combinado restó fuerza a la posición teórica del crecimiento guiado por las exportaciones basadas en productos primarios.

Un factor que había cambiado marcadamente desde los veinte era el nacionalismo. La experiencia de los años treinta, el desplome del comercio internacional y del sistema de pagos, y la disposición de los países desarrollados a explotar su mayor poderío económico, político y hasta militar en sus relaciones con los Estados latinoamericanos, se habían combinado para producir cierto cinismo respecto a los modelos de desarrollo que exigían una puerta abierta a los bienes y el capital extranjeros. Pronto se frustraron las esperanzas de que la cooperación con Estados Unidos en tiempos de guerra podría producir una nueva y más justa división del trabajo en la posguerra, y las tensas relaciones de la época del conflicto entre Estados Unidos y Argentina habían desencadenado una oleada de nacionalismo que favoreció los modelos de desarrollo que reducían la dependencia de potencias extranjeras.[68]

Un segundo factor fue el pesimismo relacionado con las exportaciones. Los problemas a los que se enfrentaba Europa al término de la guerra fueron interpretados en gran parte de América Latina como prueba de que tendrían que transcurrir muchos años antes de que el Viejo Mundo volviese a ser un consumidor importante de productos primarios importados. Al principio, la incapacidad de aumentar con rapidez los ingresos reales europeos no sólo limitó el crecimiento de la demanda, sino que también hizo más difícil desmantelar el nicho proteccionista en que se había refugiado la agricultura europea. La Guerra Fría trajo consigo la muy real amenaza del estallido de una tercera Guerra Mundial, que habría causado una nueva alteración del frágil comercio internacional y su sistema de pagos.

El pesimismo sobre las exportaciones también se reflejó en la labor de la CEPAL,[69] creada en 1948, que Raúl Prebisch encabezó desde 1950.[70] La CEPAL, primera organización regional más interesada en los problemas latinoamericanos que en los panamericanos, se vinculó desde sus primeros documentos

[68] Esto ayuda a explicar el atractivo de la industrialización en Argentina, vista por Perón como manera de recompensar a sus partidarios urbanos y reducir, al mismo tiempo, su dependencia de las potencias extranjeras.

[69] Al principio, la Comisión Económica para América Latina (CEPAL) de la ONU se preocupó exclusivamente por problemas de las repúblicas latinoamericanas. Después de la descolonización de la Cuenca del Caribe, buen número de ex colonias británicas ingresaron a la organización, por lo que durante los setenta la CEPAL se convirtió en Comisión Económica para América Latina y el Caribe. Dado que la sigla en español, CEPAL, no se modificó, es la que se emplea en este libro.

[70] El primer director de la CEPAL fue el mexicano Gustavo Martínez Cabañas (1949-1950), aunque el puesto se le ofreció primero a Prebisch, pero éste se trasladó a Santiago, en 1948, para escribir la introducción al primer Censo Económico de América Latina de la CEPAL. Véase ECLA (1949). Prebisch fue el secretario ejecutivo de 1950 a 1963. Véase ECLAC (1988), p. 15.

con la idea de que los TNIC latinoamericanos se verían sometidos a una prolongada decadencia, que la respuesta política apropiada sería el desarrollo hacia adentro, y que éste, a su vez, exigía mayores barreras a las importaciones con objeto de promover la industrialización. Aunque la base teórica y empírica del modelo cepalista resultó ser frágil,[71] contribuyó a que varios países se alejaran del desarrollo guiado por las exportaciones para volcarse hacia la restricción de las importaciones.

Pero el argumento más convincente en favor de las barreras a la importación fue la escasez de divisas. A finales de 1948 Argentina había agotado casi todas sus reservas de oro y gran parte de sus divisas acumuladas. Ya en 1947 Brasil se vio obligado a adoptar un sistema de permisos de importación con objeto de racionar el uso de divisas.[72] En México la situación de la balanza de pagos se agravó tanto que el tipo de cambio fue devaluado drásticamente en 1948 y de nuevo en 1949, perdiendo en poco más de un año casi la mitad de su valor frente al dólar.[73]

Se combinó así una variedad de factores para hacer más atractivo un modelo de crecimiento basado en el desarrollo interno. Mas la respuesta de América Latina distó mucho de ser homogénea. Unas cuantas repúblicas —Argentina, Brasil, Chile y Uruguay— adoptaron en forma congruente y entusiasta el nuevo modelo, pero muchas otras —incluyendo a Colombia y México— intentaron combinar el modelo interno con una política que también promoviera las exportaciones. Las naciones pequeñas, junto con Venezuela, rica por su petróleo, no resultaron afectadas por el pesimismo respecto a las exportaciones, y al principio no vieron ninguna razón para apartarse del tradicional crecimiento guiado por las exportaciones de productos primarios. Por último, Bolivia, Paraguay y Perú, que se enfrentaron a los primeros años de la posguerra con mal planeadas políticas que desalentaban las exportaciones, sin hacer mucho por los sectores que competían con ellas, acabaron por adoptar una política exterior basada en la diversificación de las exportaciones. Lo mismo hizo Puerto Rico, donde la Operación Bootstrap ofreció enormes incentivos para que empresas industriales estadunidenses establecieran subsidiarias cuya producción era después reimportada, libre de impuestos, al territorio continental de Estados Unidos.[74]

El nuevo modelo dirigido hacia adentro implicaba fijar restricciones a las importaciones, lo cual se logró por medio de permisos de importación, gravámenes más altos y un complejo sistema cambiario que reservaba el tipo más bajo a los insumos esenciales, y el más alto a los bienes suntuarios. En las repúblicas que adoptaron el desarrollo hacia adentro la diferencia entre

[71] La bibliografía sobre este tema es enorme. Véanse, por ejemplo, Spraos (1983); Diakosavvas y Scandizzo (1991) y Powell (1991).

[72] Véase Kahil (1973), pp. 250-258.

[73] Véase Gold (1988), pp. 1128-1130.

[74] La Operación Bootstrap transformó la estructura productiva de Puerto Rico, y la industria remplazó a la agricultura como sector más importante. Véase Dietz (1986), capítulo 4.

el tipo de cambio más alto y el más bajo era grande, y se volvió todavía mayor. En Argentina, esa diferencia, de 34% en 1945, había llegado a 452% en 1951, y para entonces existían nada menos que siete tipos de cambio.[75] Un modelo similar se aplicó en Bolivia, Brasil, Chile, Paraguay y Uruguay. En contraste, Colombia y México —deseosos de proteger su sector exportador— habían devaluado y unificado considerablemente sus tipos de cambio a comienzos de los cincuenta.[76]

Las restricciones a la importación adoptadas en consonancia con el modelo de desarrollo hacia adentro fueron sumamente eficaces. Pese a la mejoría de los TNIC y al impacto de la Guerra de Corea sobre el precio de los bienes, el volumen de las importaciones ya había llegado al máximo en 1947 en México, 1948 en Argentina, 1949 en Chile y 1951 en Brasil y Uruguay. Además, las restricciones tuvieron el deseado efecto de modificar la estructura de las importaciones en favor de los bienes de producción. La proporción de las importaciones correspondientes a los bienes de consumo cayó en forma notable en los países que habían adoptado el nuevo modelo, y a comienzos del decenio de 1960 se redujo a menos de 10% en Argentina y Brasil.[77]

El modelo que miraba hacia el exterior sobrevivió, pero quedó limitado a las repúblicas de menor importancia. Las restricciones a la importación fueron mucho menos severas en este grupo de países; los tipos de cambio múltiples no fueron tan comunes, y hubo una estabilidad cambiaria generalizada. Al principio el volumen de las importaciones ascendió constantemente, en concordancia con la mejora de los TNIC y del poder adquisitivo de las exportaciones (PAE). Sin embargo, cuando los TNIC empezaron a decaer después de la Guerra de Corea, comenzó a desaparecer la oposición al modelo que miraba hacia adentro; a mediados de los sesenta todas las repúblicas latinoamericanas —aun las que promovían las exportaciones— incluían en su arsenal una formidable batería de instrumentos para restringir las importaciones y alentar a los sectores que competían con la importación (véase el capítulo IX).

EL NUEVO ORDEN ECONÓMICO INTERNACIONAL

Desde una etapa temprana de la guerra las principales potencias aliadas —en particular Gran Bretaña y Estados Unidos— habían empezado a hacer planes para el periodo de posguerra. Todos deseaban evitar los errores y el desprecio por los demás de la época entre ambas contiendas. Se reconocía la muy difundida necesidad de una supervisión internacional de las correcciones de la balanza de pagos; de mecanismos que promovieran la estabilidad cambiaria; de nuevos instrumentos que facilitaran las afluencias internacio-

---

[75] Sobre la política económica peronista, véase Gerchunoff (1989).
[76] Sobre la política cambiaria mexicana, véase Solís (1983), pp. 118-122. Para Colombia véase Ocampo (1987), pp. 252-262.
[77] Véase Grunwald y Musgrove (1970), p. 20.

nales de capital, y de una organización global que vigilara la eliminación de las barreras al comercio internacional. También, al menos durante la guerra, se admitía la necesidad de promover un mercado ordenado de bienes primarios y de evitar las peligrosas fluctuaciones de los precios.

El primer avance legítimo hacia el establecimiento de un nuevo orden económico internacional llegó con la conferencia de Bretton Woods, de julio de 1944.[78] Estados Unidos, como principal nación acreedora del mundo, y con una economía enormemente robustecida por los aumentos de producción de la época de la guerra, se encontró en una posición inmejorable para imponer sus términos en la conferencia. Aunque cerca de la mitad de los países participantes eran latinoamericanos, era mínima su capacidad de influir sobre el resultado final. Incluso Gran Bretaña, agobiada por las deudas y los daños sufridos en la guerra, fue incapaz de obtener apoyo para las ideas radicales propuestas por John Maynard Keynes.[79]

Por consiguiente, Bretton Woods reflejó las preferencias y prioridades de Estados Unidos, incluyendo la creación de dos nuevas organizaciones internacionales que funcionarían bajo los auspicios de las Naciones Unidas: el Fondo Monetario Internacional (FMI) y el Banco Internacional para la Reconstrucción y el Desarrollo (BIRD o Banco Mundial). En contraste con las organizaciones de la Sociedad de Naciones, muchas de las cuales habían tenido su sede en la neutral Suiza, estas nuevas organizaciones (conocidas después como los "gemelos celestiales") se instalarían en la ciudad de Washington, D. C., como reflejo del nuevo equilibrio del poder mundial. Estados Unidos consideró de poca importancia las cuestiones comerciales —incluidos los acuerdos y el control de precios— y las pospuso para una reunión posterior.[80]

El aplazamiento de los temas comerciales no preocupó demasiado a los participantes latinoamericanos en Bretton Woods, quienes en general eran entusiastas partidarios de las nuevas organizaciones. De hecho, todas las repúblicas se unieron a los "gemelos celestiales", casi como miembros fundadores (con excepción de Haití y de Argentina, que ingresaron en 1953 y 1956, respectivamente).[81] Al principio el FMI encontró gran apoyo en América Latina porque los préstamos del Fondo, hasta por cierta cantidad, serían automáticos, y porque en Bretton Woods no se precisaron las condiciones para

[78] Véase Van Dormael (1978), capítulo 16.

[79] Véase Harrod (1951), capítulos 13-14. Como representante de una nación deudora con una débil posición de su balanza de pagos, Keynes favoreció la creación de una moneda de reserva internacional, Bancor, que podía emitirse por decreto y que habría aminorado los problemas de liquidez de los países deficitarios.

[80] Sin embargo, Keynes era sensible a los problemas de los exportadores de productos primarios, y en Bretton Woods propuso un plan para la estabilización de los precios de los mismos.

[81] Dado que la participación en Bretton Woods estaba limitada a los países independientes que apoyaban el esfuerzo de guerra aliado, sólo 45 delegaciones asistieron a esta decisiva conferencia. Diecinueve de ellas procedían de América Latina. Argentina no participó, y hubo que esperar, para su ingreso, al derrocamiento de Perón. El acuerdo de Haití con Bretton Woods se aplazó por razones "técnicas". Véase Horsefield (1969), p. 117.

los préstamos adicionales. El derecho a obtener préstamos ofrecía la posibilidad de evitar dolorosos programas de ajuste cada vez que la balanza de pagos sufriera una sacudida externa, y también evitaba la necesidad de mantener grandes reservas de divisas extranjeras que produjeran tasas de interés real negativas.[82]

Aunque los economistas de la región expresaron ciertas reservas ante el compromiso del FMI con los tipos de cambio fijos, las repúblicas latinoamericanas mostraron un desbordante entusiasmo por el Banco Mundial. En el ambiente de posguerra, en el que el financiamiento por bonos se había desplomado y la inversión extranjera directa de Europa quedaba vedada por la reconstrucción del Viejo Mundo, la creación de una auténtica organización multilateral, comprometida con los préstamos para nuevos proyectos, pareció dar a América Latina una solución a la dependencia exclusiva del capital estadunidense. De hecho, algunos de los primeros préstamos del Banco Mundial, en 1948-1949, fueron para repúblicas latinoamericanas (Chile y Colombia), y el banco inició una serie de investigaciones de alto nivel en muchas naciones, a fin de identificar las áreas prioritarias de la inversión pública.[83]

Sin embargo, los resultados no estuvieron a la altura de las expectativas. Tanto el FMI como el Banco Mundial, con poder de voto determinado por la propiedad accionaria,[84] dieron mucha más prioridad a Europa que a América Latina, por lo que en la práctica el contrapeso a la dependencia del capital estadunidense fue mínimo. Además, desde el principio de la Guerra Fría fue evidente que América Latina no contaría con prioridad en las afluencias de capital oficial estadunidense, y que la región tendría que buscar capital privado de ese país para satisfacer sus necesidades de desarrollo y de balanza de pagos. Por lo tanto, inevitablemente la atención latinoamericana empezó a desviarse hacia cuestiones de comercio internacional, que se habían aplazado en Bretton Woods.

El primer paso para la creación de una Organización Internacional de Comercio (OIC), tercer pilar del planeado nuevo orden económico internacional, se dio en 1947, al firmarse en Suiza el Acuerdo General sobre Aranceles y Comercio (GATT) como preludio de una conferencia más amplia en la que se analizarían todas las cuestiones relacionadas con la política comercial. Esta conferencia decisiva se celebró en La Habana entre noviembre de 1947 y

[82] Mientras los precios del dólar subían continuamente a partir de 1939, y con una ganancia nominal nula de las reservas internacionales, la tasa real de interés tenía que ser negativa. Aun cuando la inflación del dólar retornó a niveles más modestos a finales de los cuarenta, la pérdida de poder adquisitivo real para las reservas en divisas extranjeras no fue insignificante.

[83] Uno de los más conocidos es el informe sobre Colombia, compilado por Lauchlin Currie (véase World Bank [1950]), que contribuyó a la larga vinculación del autor con muchos gobiernos colombianos. Véase Sandilands (1990).

[84] Los votos eran proporcionales a las cuotas, y las cuotas originales dieron a las 19 repúblicas latinoamericanas (con excepción de Argentina) 7.9% del total, en comparación con 31.25% de Estados Unidos y 14.8% del Reino Unido. Véase Horsefield (1969), p. 96.

marzo de 1948; las repúblicas latinoamericanas tuvieron una posición notoria. En realidad, Chile y Brasil unieron fuerzas con Australia e India para pedir concesiones especiales en materia de comercio internacional e inversión para los países en desarrollo, grupo cuyos intereses especiales se estaban reconociendo por vez primera.[85]

La Carta de La Habana, firmada por 53 de los 56 países presentes, resolvió en parte las preocupaciones latinoamericanas por el comercio internacional en general, y por el de productos primarios en particular.[86] Sin embargo, Estados Unidos nunca la ratificó, Gran Bretaña aplazó su decisión hasta que Estados Unidos se decidiera, y la idea de una OIC no tardó en caer en el olvido. Al mundo sólo le quedó el GATT, que al principio despertó tan poco interés que sólo 23 países —tres de los cuales (Brasil, Chile y Cuba) eran latinoamericanos— se tomaron la molestia de ratificar el tratado. A principios de los cincuenta otras pocas naciones de América Latina (Nicaragua, República Dominicana, Haití, Perú y Uruguay) entraron al GATT, pero la mayoría de las repúblicas, incluyendo algunas de las que habían ingresado, consideraron que la organización era improcedente e incapaz de resolver los problemas comerciales de mayor interés para América Latina.

La supuesta improcedencia del GATT se debía a su incapacidad de abordar la cuestión del comercio de productos primarios. La agricultura quedó excluida de sus términos de referencia, de modo que no se encontró en posición de atacar las numerosas barreras arancelarias y no arancelarias a las que se enfrentaban los exportadores de materias primas. En cambio, el comercio de manufacturas fue considerado cuestión urgente del GATT, con drásticos cortes a las barreras comerciales que estaba aplicando la mayoría de los Estados miembro.[87]

El hecho de que el GATT no incluyera los problemas de comercio internacional de productos primarios sirvió para reafirmar la resolución de las repúblicas latinoamericanas comprometidas con el desarrollo hacia adentro. Tras más de un siglo de crecimiento guiado por las exportaciones, las naciones más importantes habían perdido la confianza en la capacidad del mercado internacional para dar el estímulo necesario al crecimiento y el desarrollo. Y sin embargo, precisamente cuando gran parte de América Latina estaba volviéndose hacia adentro, el mundo estaba a punto de entrar en una notable espiral ascendente de 25 años (1948-1973), que restableció el comer-

---

[85] Junto con el concepto de los países en vías de desarrollo como bloque separado se produjo el reconocimiento de la economía del desarrollo como una subdisciplina separada. Véase Arndt (1985), pp. 151-159, y los relatos personales de muchos de los iniciadores de la economía de desarrollo en Meier (1984, 1987).

[86] Véase Scammell (1980), p. 45.

[87] La exclusión de la agricultura en los estatutos del GATT se debió a buen número de factores. El más importante fue el ambiente de seguridad que prevalecía por entonces, lo que hizo que los países desarrollados, en particular, se mostraran renuentes a sacrificar su acceso a proveedores de alimentos en aras del libre comercio. Véase Winters (1990), páginas 1288-1303.

cio internacional como motor del crecimiento para la mayoría de los países desarrollados y para muchos en desarrollo.

Varios factores contribuyeron al dinamismo del comercio internacional en el periodo de posguerra. A fines de los cuarenta la ayuda del Plan Marshall había paliado los problemas de la balanza de pagos en Europa, contribuido a elevar la tasa de acumulación de capitales y acelerado el proceso de reconstrucción. La reforma monetaria en Alemania y la devaluación en Francia y Gran Bretaña eliminaron los desequilibrios cambiarios, y allanaron el camino a una renovada exportación europea que pagaría las enormes compras de artículos manufacturados a Estados Unidos. En Asia la oferta de bienes y el poder adquisitivo volvieron gradualmente a la normalidad y Japón, con sus gastos de defensa limitados ahora por la constitución, inyectó recursos a la inversión productiva a un ritmo sin precedentes.[88]

El GATT, al que sus estatutos impedían abordar el problema del comercio de bienes y servicios primarios, concentró su energía en reducir las barreras a las que se enfrentaban los bienes manufacturados. En una serie de "rondas" se fueron eliminando progresivamente las barreras arancelarias y no arancelarias a los artículos manufacturados de especial importancia para los miembros del GATT. Mientras América Latina se encerraba en un exilio autoimpuesto,[89] las negociaciones del GATT reflejaban los intereses de los países desarrollados que dominaban la organización, y las barreras al comercio de artículos manufacturados de interés especial para los países en vías de desarrollo fueron reduciéndose lentamente (por ejemplo, en alimentos procesados), y en otros casos aumentaron (textiles).

El GATT llegó a representar la no discriminación, el multilateralismo y el tratamiento de nación más favorecida. Sin embargo, se permitió una excepción en el caso de las zonas de libre comercio o uniones aduaneras. Los países de Europa occidental, decididos a crear condiciones que hicieran imposible otra guerra, explotaron esta oportunidad para promover la integración regional por medio de la Comunidad Económica Europea (CEE) y la zona europea de libre comercio.[90] La Unión Soviética, aunque no era miembro del GATT, promovió su propia versión de la integración regional por medio del Consejo de Asistencia Económica Mutua y, como resultado, el comercio entre los países de Europa del Este aumentó rápidamente.

La reducción de las barreras comerciales produjo un aumento sin prece-

[88] Sobre la reconstrucción de posguerra en los países desarrollados, véase Scammell (1980), capítulo 5.

[89] Muchas repúblicas latinoamericanas (por ejemplo, Costa Rica, México y Venezuela) se negaron a ingresar al GATT hasta la década de 1980 o aun después.

[90] La Comunidad Económica Europea (CEE), que se convirtió en la Comunidad Europea (CE) en los ochenta y en la Unión Europea (UE) en los noventa, se estableció con seis miembros (Bélgica, Francia, Alemania [occidental], Italia, Luxemburgo y Holanda), por el Tratado de Roma de 1957. Gran Bretaña, que al principio consideró que sus compromisos imperiales eran incongruentes con la participación en la CEE, creó en 1960 el Acuerdo de Libre Comercio Europeo (ALCE) con Austria, Dinamarca, Noruega, Suecia y Suiza.

dentes de las exportaciones e importaciones mundiales. El valor del comercio internacional creció a un ritmo anual de 9.7% entre 1948 y 1973, y el incremento de volumen fue apenas menor; no obstante, el comercio se concentraba cada vez más entre el puñado de países desarrollados que se habían especializado en exportaciones manufactureras. Mientras que todavía en 1955 el comercio de productos manufacturados entre países desarrollados había representado una tercera parte del comercio mundial, a finales de los años sesenta había llegado a ser casi la mitad. Además, los países desarrollados también superaron a los países en desarrollo en el valor de las exportaciones de productos primarios, por lo que su contribución total al comercio mundial había llegado a más de 80% en 1969.[91]

Por consiguiente, el nuevo orden de comercio internacional benefició básicamente a los países desarrollados. Sólo participando en el espectacular crecimiento de las exportaciones manufactureras, como empezaron a hacerla a finales de los cincuenta algunos países del sudeste asiático,[92] los países en vías de desarrollo pudieron tener al menos la esperanza de obtener ventajas importantes de la expansión del comercio mundial. Pero el comercio de productos primarios no se había estancado. Las exportaciones de los mismos, aunque eran sin duda el socio minoritario en la expansión del comercio internacional, lograron crecer, entre 1950 y 1970, al ritmo de 6% anual. Esto era impresionante de acuerdo con las cifras históricas, y por lo menos garantizó a los países en desarrollo que conservaron su participación en el mercado algunas ventajas de la expansión del comercio mundial.

En realidad, buen número de países en desarrollo logró modestos beneficios de la expansión de las exportaciones de productos primarios, pero las grandes repúblicas latinoamericanas decidieron seguir otro camino. Como resultado, la participación latinoamericana en las exportaciones mundiales fue reduciéndose continuamente (véase el cuadro VIII.5). América Latina, con 6.5% de la población del mundo, tenía 13.5% de las exportaciones mundiales en 1946, pero esta cifra se había reducido a menos de 10% en 1955, y a 7% en 1960. De hecho, la participación de la región en las exportaciones mundiales había caído por debajo de su participación en la población, acaso por vez primera desde la Independencia. Como la participación latinoamericana en las importaciones mundiales iba en un declive similar, la región estaba cada vez más divorciada del sistema comercial internacional.

La reducción de la participación latinoamericana en el comercio mundial no se debió exclusivamente a su política dirigida hacia adentro, y en todo caso no todas las repúblicas eludieron el crecimiento guiado por las exportaciones (véase el capítulo IX). Una parte del problema fue la dedica-

---

[91] Véase Scammell (1980), cuadro 8.5, p. 128.

[92] Esos países eran Hong Kong, Singapur, Corea del Sur y Taiwán, conocidos colectivamente como "los cuatro dragones". En los noventa los cuatro se habían convertido en ocho, con la inclusión de Indonesia, Malasia, Filipinas y Tailandia, o nueve, si también se toma en cuenta el caso especial de la República Popular de China.

ción de las exportaciones latinoamericanas a productos primarios, en una época en que el comercio de los mismos crecía con menor rapidez que el mundial.

Después de la Guerra de Corea, cuando habían llegado a su cúspide los términos del comercio de la región, los precios de los productos primarios cayeron en relación con los de los bienes manufacturados. Esta reducción de los TNIC apoyó a quienes aceptaban la hipótesis, vigorosamente sostenida por la CEPAL, de una declinación prolongada y a largo plazo de los TNIC de los exportadores de productos primarios, y ésta fue de hecho causa de dificultades hasta el auge de los precios durante los setenta.[93]

Un problema adicional al que se enfrentaron los exportadores latinoamericanos de productos primarios fue la protección a la agricultura en los países desarrollados y la discriminación de las potencias europeas en favor de sus ex colonias. Nada de esto era nuevo, pero la Política Agrícola Común de la CEE[94] asestó otro golpe a los exportadores de productos de las zonas templadas de América Latina, y el manto de protección que envolvió a los granjeros estadunidenses y japoneses constituyó una nueva causa de irritación.[95] La preferencia imperial europea fue desapareciendo gradualmente, pero en su lugar la CEE adoptó un plan que daba otras preferencias arancelarias y de otros tipos a las exportaciones de ciertos países en desarrollo que competían con América Latina. La Convención de Lomé, como finalmente se le llamó, excluyó a todas las repúblicas latinoamericanas, hasta que se permitió a Haití y República Dominicana ingresar en ella en 1989.[96]

[93] La hipótesis de una prolongada decadencia en la razón precios de los productos primarios-bienes manufacturados —que sigue causando controversias— debe distinguirse de la decadencia a la que se enfrentaron casi todos los países exportadores de productos primarios durante dos décadas, a partir del comienzo de los cincuenta. Esto no fue sorprendente en vista de los altos precios que tuvieron los productos primarios como resultado de la Guerra de Corea, pero la subsecuente caída de los TNIC impuso inevitables presiones a la balanza de pagos. CEPAL utilizó esto en muchas publicaciones como prueba evidente de la validez de su hipótesis. Véase por ejemplo ECLA (1970), pp. 3-31.

[94] La Política Agrícola Común (PAC) fue establecida por el Tratado de Roma de 1957. Por entonces la CEE era una importadora neta de alimentos, por lo que el primer impacto de los altos precios de apoyo de la PAC a los agricultores de los países firmantes fue la ASI y el alejamiento del comercio. Sin embargo, la PAC fue tan eficaz que la CEE rápidamente se convirtió de importadora neta a exportadora neta de alimentos, con grandes repercusiones en el mercado mundial de muchos productos (como azúcar, carne, trigo) de importancia para América Latina. Sobre la PAC véase Pinder (1991), capítulo 5.

[95] Los granjeros estadunidenses habían recibido un gran aumento de la protección de acuerdo con el *New Deal* de Roosevelt, y la estructura de los pagos de compensación sobrevivió hasta el periodo de la posguerra. Los cultivadores japoneses de arroz estaban tan protegidos que el precio local solía superar al mundial por un factor de cuatro o cinco. Véase World Bank (1986), capítulo 6.

[96] La Convención de Lomé se estableció poco después de que Gran Bretaña (junto con Dinamarca y la República de Irlanda) ingresó en la CEE, en 1973. Emanó de la Convención de Yaoundé, que había permitido a Francia mantener sus nexos con sus colonias por medio de la CEE, en una red de acuerdos preferenciales. Con tantos países caribeños vinculados con Europa por la

CUADRO VIII.5. *Participación de América Latina en las exportaciones mundiales y regionales, 1946-1975 (en porcentajes)*

	Participación total en las exportaciones mundiales			Participación en las exportaciones totales de América Latina, por país				
Año	Total de América Latina	Principales países[a]	Todos los demás	Argentina	Brasil	Cuba	México	Venezuela
1946	13.5	8.9	4.6	25.5	21.2	11.6	6.9	11.1
1948	12.1	7.3	4.8	24.5	18.2	11.2	5.7	17.2
1950	10.7	6.7	4.0	18.4	21.2	10.4	8.3	14.5
1955	8.9	4.9	4.0	11.8	18.0	7.7	9.9	23.0
1960	7.0	3.5	3.5	12.8	15.0	7.2	9.0	27.2
1965	6.2	3.2	3.0	13.9	14.9	6.4	10.4	22.8
1970	5.1	2.8	2.3	12.0	18.5	7.1	9.5	17.7
1975	4.4	2.2	2.2	8.2	24.0	8.1	8.0	24.3

[a] Incluye a Argentina, Brasil, Chile, Colombia, México y Uruguay.
FUENTES: Tomado del Fondo Monetario Internacional, *Yearbook of International Financial Statistics*; CEPAL (1976).

Aunque los obstáculos globales al comercio de productos primarios eran importantes, no bastan para explicar el pobre desempeño de las exportaciones latinoamericanas. La tasa de crecimiento de las exportaciones de la región no sólo cayó muy por debajo de la del comercio mundial, sino también por debajo de la de todos los países en vías de desarrollo, e incluso de la de todos los países en vías de desarrollo del hemisferio occidental.[97] Aunque el comercio mundial de muchos productos primarios (como el algodón) seguía siendo relativamente libre, América Latina siguió dependiendo de un puñado de artículos con los cuales resultó imposible mantener —ya no digamos aumentar— su participación en el mercado.

A finales de los treinta (véase el cuadro VIII.6) sólo unos 20 artículos representaban 80% de las exportaciones latinoamericanas, y esta cifra era casi idéntica cerca de 30 años después. De hecho, la concentración de bienes fue aún mayor de lo que implican estas cifras, porque los diez más importantes correspondían casi a 70% de las exportaciones, y cinco de ellos a cerca de 50%. Así, ante la falta de diversificación, el crecimiento de las exportaciones latinoamericanas quedó determinado por el comportamiento de un puñado de productos.

Algunos de ellos (por ejemplo, azúcar y maíz) se enfrentaron a problemas insuperables en los mercados mundiales debido al proteccionismo y la discriminación, pero otros (petróleo, algodón) gozaron de una elasticidad del ingreso favorable y casi no se vieron afectados por las barreras comerciales. Empero, si analizamos la participación del mercado latinoamericana en el mercado mundial desde finales del decenio de 1930 para los 10 productos principales, veremos que sólo dos (algodón y cobre) registraron un aumento en los 30 años posteriores a 1934-1938, y que se contrajo para café, petróleo, azúcar, trigo, carne, lana, maíz y cueros.

En algunos casos la pérdida de participación fue enorme. Así, pese a los ingresos por petróleo de Venezuela durante los cincuenta, la participación latinoamericana en las exportaciones mundiales de petróleo se redujo de 53% a 29% en menos de 30 años, a medida que la producción del Medio Oriente, más barata, iba cobrando impulso. La dinámica política hacia el interior, sobre todo en el Cono Sur, redujo aún más la participación de la región en materia de trigo, carne y lana, hasta niveles que no podrían explicarse sólo por la discriminación comercial. De hecho, la Argentina de Perón se sintió obligada a aplicar leyes que prohibían el consumo nacional de carne de res ciertos días de la semana, en un desesperado —aunque vano— intento

---

Convención de Lomé, la CEE acabó por aceptar la solicitud de ingreso de República Dominicana y Haití, dejando sólo a Cuba y a Puerto Rico sin un nexo formal. Véase Pinder (1991), pp. 177-181.

[97] Esto fue posible porque ciertos países del Caribe (por ejemplo, Trinidad y Tobago) fueron clasificados como parte del grupo de países en desarrollo del hemisferio occidental, sin que formaran parte de América Latina.

CUADRO VIII.6. *Participación y lugar del total de las exportaciones
de América Latina (en porcentajes)*[a]

Producto	1934-1938	Lugar	1946-1951	Lugar	1963-1964	Lugar
Café	12.8	2	17.4	1	15.0	2
Petróleo	18.2	1	17.3	2	26.4	1
Azúcar	6.1	4	10.2	3	8.6	3
Algodón	4.5	8	4.7	4	4.3	6
Cobre	4.7	7	3.4	8	4.9	4
Trigo y harina	5.1	6	4.2	6	1.7	
Carne y reses	5.7	5	4.4	5	4.4	5
Lana	4.3	9	3.7	7	2.0	9
Maíz	6.3	3	2.0		2.0	10
Pescado y harina de pescado	0		0.1		2.4	8
Cueros	3.5	10	3.2	9	0.5	
Mineral de hierro	0		0.1		2.8	7
Productos forestales	1.0		2.3	10	1.0	
Subtotal	72.2		73.0		76.0	
20 productos[b]	80.4		79.3		81.8	

[a] Sólo se asignó lugar a los 10 productos más importantes de cada periodo.
[b] Los productos enumerados más cacao, plátano, plomo, cinc, estaño, aceite/semillas oleaginosas y nitratos.
FUENTE: Obtenido de Grunwald y Musgrove (1970), cuadro A.6, p. 21.

por desalentar que la producción se destinara al mercado interno, antes que al mundial.[98]

Algunos países incrementaron su participación en el mercado, pero eran sobre todo naciones pequeñas, cuyas exportaciones tenían poco efecto en el total de la región. Lo mismo puede decirse de la diversificación de exportaciones, que tuvo éxito principalmente en América Central, en República Dominicana, Ecuador y Perú. En muchos casos la ganancia para un país latinoamericano fue pérdida para otros. La mayor participación en el mercado

[98] Esto fue acompañado por incentivos fiscales y de otros tipos a exportadores. Véase Gerchunoff (1989), pp. 71-78.

mundial del café de América Central, Ecuador, República Dominicana y México, compensó parcialmente la enorme pérdida de Brasil, aunque también salieron ganando los exportadores africanos. El aumento en el caso del azúcar durante la década de los sesenta fue a menudo simple reflejo de la reasignación de la cuota de importaciones estadunidenses a Cuba después del triunfo de Fidel Castro.[99]

El prolongado auge del comercio mundial no podía durar para siempre, y la tasa de crecimiento de su volumen se redujo considerablemente tras la primera crisis petrolera, en 1973. No obstante, casi todos los años a partir de 1945 el comercio mundial aumentó con mayor rapidez que el PIB mundial, ofreciendo una oportunidad a los países cuya estructura exportadora se había adaptado al nuevo patrón de demanda.

Las ramas más dinámicas del comercio mundial fueron las de artículos manufacturados, y los países latinoamericanos tardaron en despertar a la nueva realidad. Incluso donde el desempeño de las exportaciones en la posguerra fue satisfactorio se especializaron en productos primarios.

Hacia la década de 1950 Puerto Rico, gracias a su singular relación con Estados Unidos, había convertido la exportación de manufacturas en un nuevo motor del crecimiento. Sin embargo, el acceso libre de impuestos al mercado estadunidense y la afluencia casi ilimitada de capital estadunidense hicieron que la mayoría de los políticos no pensara siquiera en el modelo puertorriqueño. Durante los sesenta, cuando México empezó a tener bastante éxito con sus exportaciones de bienes manufacturados a Estados Unidos, a partir de las maquiladoras[100] de su frontera norte, numerosos políticos del resto de América Latina empezaron a tomar más en serio la promoción de las exportaciones. El éxito de las economías del sudeste asiático al combinar crecimiento y equidad mediante sus exportaciones de manufacturas fue una invitación más a cambiar la política.[101] Pero tuvo que producirse la crisis de la deuda de los ochenta para convencer finalmente a todas las repúblicas de la región de que había que hacer un gran esfuerzo a fin de que sus exportaciones no dependieran de un puñado de productos primarios (véase el capítulo xi).

América Latina perdió así las oportunidades creadas por el prolongado auge del comercio internacional durante la posguerra. El limitado éxito de unas cuantas repúblicas pequeñas, que lograron promover las exportaciones

[99] La reasignación de la cuota del azúcar cubano al resto de América Latina en 1960 fue una de las primeras medidas de represalia adoptadas por Estados Unidos tras el deterioro de las relaciones entre los dos países después de la Revolución cubana. Como tantos países latinoamericanos salieron beneficiados, Estados Unidos lo consideró como un útil recurso para asegurarse los votos necesarios en la Organización de Estados Americanos (OEA), a fin de expulsar a Cuba en 1962. Véase Domínguez (1989), pp. 23-26.

[100] Sobre el temprano crecimiento de la industria, véase Sklair (1989), capítulo 3.

[101] La medida más común de la desigualdad del ingreso, el coeficiente de Gini, era considerablemente más baja en los cuatro dragones asiáticos que en América Latina durante los cincuenta, y la disparidad aumentó en los años siguientes. Véase Fields (1980), capítulo 5.

de productos primarios, no pudo ocultar el hecho de que la región en su conjunto había perdido su participación en el mercado. Así como América Latina había promovido la especialización de exportaciones durante los veinte, en un momento en que habría sido más prudente desviar sus recursos hacia el sector no exportador, también la región se retiró del mercado mundial a partir de 1945, en una época en que la promoción de exportaciones ofrecía enormes oportunidades. En ambos casos el "mercado" resultó una guía engañosa para la asignación de recursos; los políticos llenaban el vacío e intervenían para desviar los precios relativos en la dirección deseada.[102] El argumento en favor del desarrollo hacia adentro había sido creíble en el ambiente incierto de fines de los cuarenta, pero pareció mucho menos verosímil una década después, y fue casi indefendible durante los sesenta. América Latina pagó muy caro por no haberse adaptado más rápido.

[102] A finales de los cuarenta la compleja estructura de los tipos de cambio múltiples, aranceles, cuotas y permisos en muchos países —por no mencionar los comités estatales de comercio de Argentina— provocó frecuentes cambios de los instrumentos de política interna, más importantes para los exportadores que los cambios de precios del mercado mundial. La repercusión de un pequeño cambio en el precio mundial podía superarse fácilmente, por ejemplo, con la decisión de asignar un tipo de cambio diferente a ese producto.

IX. EL DESARROLLO HACIA DENTRO EN EL PERIODO DE LA POSGUERRA

A PRINCIPIOS de la década de 1950, y aún más al término de la Guerra de Corea, las repúblicas latinoamericanas se enfrentaron a una clara alternativa: optar explícitamente por un modelo de desarrollo hacia adentro, que redujera su vulnerabilidad a los choques externos, o seguir adelante con el crecimiento guiado por las exportaciones, sobre la base de alguna combinación de intensificación y diversificación de las mismas.[1]

Esta decisión no se tomó en el vacío. Cada opción favorecía a diferentes grupos de la sociedad, por lo que la mayoría de los argumentos económicos tenían un cariz político. Al mismo tiempo, diversas instituciones internacionales y regionales presionaban para influir sobre la decisión. Aunque el Fondo Monetario Internacional (FMI) favorecía la política hacia el exterior como solución a las dificultades de la balanza de pagos, la Comisión Económica para América Latina (CEPAL), dinámicamente dirigida por Raúl Prebisch, defendía la política hacia el interior. Con el deterioro de los términos netos de intercambio comercial (TNIC) después de la Guerra de Corea (parte vital del argumento de la CEPAL en favor del desarrollo hacia adentro), el péndulo intelectual empezó a desplazarse hacia la industrialización por sustitución de importaciones (ISI). Y sin embargo, muchos gobiernos aún se resistían a abandonar por completo el desarrollo guiado por las exportaciones, como reconocimiento al papel clave en términos económicos, sociales y políticos que aún desempeñaba el sector exportador.

La solución no era sencilla para los países que habían construido una considerable base industrial (Argentina, Brasil, Chile, Colombia, México y Uruguay). La serie de choques —algunos, los menos, favorables— a que había estado expuesto el sector exportador desde finales de los veinte había provocado una enérgica reacción contra el crecimiento guiado por las exportaciones y un considerable apoyo a las políticas que favorecieran explícitamente la industrialización. La CEPAL había parecido ofrecer la justificación teórica de dichas políticas, y la ISI ya había demostrado su capacidad de generar un rápido aumento de la producción y el empleo en el sector manufacturero. En realidad, la etapa "fácil" de la ISI ya se había completado en esas repúblicas, pues la supresión de las importaciones había reducido a niveles modestos la participación de los bienes de consumo en el total de las importaciones.[2]

---

[1] "Intensificación de exportaciones" se refiere al hincapié en las exportaciones tradicionales, elevando su parte del PIB y —en algunos casos— del total de exportaciones. La "diversificación de exportaciones" se refiere a la promoción de exportaciones no tradicionales.

[2] Para 1948-1949 la participación de los bienes de consumo en las importaciones totales era

Los demás países se enfrentaron a un dilema mayor. Unos cuantos (Bolivia, Paraguay, Perú) habían coqueteado con la política hacia el interior en los primeros años tras la segunda Guerra Mundial, pero los resultados habían sido desastrosos: un desplome de las reservas de divisas, "cuellos de botella" del lado de la oferta y presiones inflacionarias. Perú adoptó con entusiasmo el crecimiento guiado por las exportaciones, después de un golpe militar en 1948, pero el regreso a la ortodoxia en Bolivia y Paraguay resultaría cuestión larga y dolorosa. En otras partes la falta de una base industrial de consideración pareció un obstáculo decisivo a la política de desarrollo hacia adentro, y al principio se conservó el modelo guiado por las exportaciones con diversos grados de convicción en los diferentes países. Tanto Venezuela (ganadora en la lotería de bienes), como Cuba (perdedora), dependieron de la intensificación de sus exportaciones (petróleo y azúcar, respectivamente) para sostener el ritmo de crecimiento de su captación de divisas, mientras que casi todas las demás repúblicas consideraban la diversificación de sus exportaciones.

La tasa de crecimiento del producto interno bruto (PIB) y hasta del PIB per cápita no dejó de ser impresionante para muchos miembros de ambos grupos, pero durante la década de 1960 cundió la insatisfacción. El grupo que miraba hacia adentro se vio afectado por crisis de la balanza de pagos, presiones inflacionarias y conflictos laborales. El que veía hacia afuera también sufrió problemas de balanza de pagos y vulnerabilidad a condiciones externas adversas. Por consiguiente, ambos grupos consideraron que la integración regional era una solución parcial a sus dificultades. Al que miraba hacia adentro le ofrecía una oportunidad de promover las exportaciones sin soportar todo el choque de la competencia internacional; al que veía hacia afuera le daba una posibilidad de industrialización por medio de la ISI regional.

Ambos grupos tenían algo en común: una distribución desigual del ingreso y la riqueza. Heredada del periodo anterior, la distribución del ingreso no mejoró demasiado, y en algunos casos hasta se deterioró. Nuevas fuentes de datos, tanto sobre el ingreso como sobre la concentración de la riqueza, revelaron lo que muchos siempre habían creído: que la desigualdad era más marcada en América Latina que en otras partes del mundo. La incapacidad de los deciles inferiores para servir de mercado efectivo a muchos bienes y servicios fue vista por algunos como un obstáculo a todo nuevo desarrollo y crecimiento, pero la mayoría de los intentos por mejorar la distribución del ingreso y la riqueza resultaron vanos. Sólo Cuba, después de adoptar una política socialista revolucionaria a partir de 1958, experimentó una gran modificación de la participación de los más pobres en el ingreso, aunque el precio que tuvo que pagar no fue bajo: el estancamiento del consumo real per cápita y un enfrentamiento con Estados Unidos.

de 13% en Argentina, 16% en Brasil, 12% en Chile, 20% en Colombia y 17% en México. Véase Grunwald y Musgrove (1970), p. 20.

EL MODELO HACIA DENTRO

Las dos décadas posteriores a 1929 habían obligado a los gobiernos latinoamericanos a adoptar toda una serie de medidas en defensa de su balanza de pagos, que había brindado nuevas oportunidades de desarrollo industrial. En la mayoría de los países en que se había establecido la manufactura moderna antes de la Gran Depresión se aprovecharon las oportunidades, y el desarrollo industrial avanzó a un ritmo rápido. A comienzos de los cincuenta la industria en estas repúblicas, las LA6 (Argentina, Brasil, Chile, Colombia, México y Uruguay), se había vuelto el sector de vanguardia o estaba a punto de hacerlo, y la demanda ya no estaba abrumadoramente determinada por los altibajos del sector exportador. Esta relativa autonomía pareció haber creado las condiciones necesarias para una política de industrialización explícita basada en el mercado interno.

El modelo hacia dentro fue adoptado por casi todas las naciones en las que ya se habían completado las primeras etapas de la industrialización. Sin embargo Perú, socavado su dinamismo industrial por políticas erróneas durante casi toda la primera mitad del siglo XX, optó por un crecimiento guiado por las exportaciones a partir de 1948, pese a tener una modesta capacidad industrial. También Venezuela había presenciado el surgimiento de algunas manufacturas modernas, basadas en el mercado interno, con una demanda sostenida por el crecimiento de los ingresos derivados del petróleo; pero la industria seguiría siendo el socio minoritario en el modelo de posguerra, cuando sucesivos gobiernos aprovecharon las oportunidades —aparentemente ilimitadas— creadas por una economía mundial basada en el bajo precio del petróleo. Por ello el modelo integral hacia adentro se limitó, al principio, a las LA6, lo que constituye el tema de este apartado.

El modelo hacia adentro se basó en las manufacturas. No se descuidaron otras actividades vinculadas al mercado interno, como la construcción, los transportes y las finanzas, pero se vio que la base de la pirámide se asentaba firmemente sobre los establecimientos industriales que habían surgido en un mercado protegido de las importaciones. Sin embargo, la protección ofrecida a la industria había sido *ad hoc*, a menudo incoherente y tendiente a la defensa de la balanza de pagos más que a las necesidades de aquélla. Además de los gravámenes aduanales, consistía en tipos de cambio múltiples, cuotas y permisos de importación y, ocasionalmente, prohibición absoluta. Por ello la primera tarea de los políticos fue dar mayor racionalidad a la protección ofrecida a la industria.

El paso hacia una protección explícita a la industria no estuvo libre de influencias externas. Como miembros del FMI (Argentina había ingresado, finalmente, en 1956), se ejerció presión sobre los países que miraban hacia adentro para que eliminaran las cuotas y los tipos de cambio múltiples. Algunos se resistieron. México perseveró con su sistema de cuotas a la importación —introducido en 1947— hasta los ochenta. Brasil no sólo sostuvo su sistema de cambio múltiple durante los cincuenta, sino que añadió incluso una subasta semanal del tipo de cambio para determinar el costo de muchas importaciones.[3] Sin embargo, en general, la presión internacional tuvo éxito y el proteccionismo llegó a depender en mayor medida de instrumentos más ortodoxos.

El más importante de ellos fue el gravamen aduanal. En una época en que sucesivas rondas de negociación bajo los auspicios del Acuerdo General sobre Aranceles y Comercio (GATT) iban reduciendo rápidamente los aranceles aplicados por los países desarrollados, muchas repúblicas latinoamericanas —no sólo las que miraban hacia adentro— avanzaban en la dirección opuesta. Además, algunas utilizaron depósitos previos para las importaciones, lo que tuvo un marcado efecto proteccionista, porque aumentaron el precio en moneda local al cual podían revenderse después los artículos importados.

El cuadro IX.1 muestra claramente a qué altura habían llegado esos impuestos en los LA6 a comienzos de los sesenta. El nivel de estas tasas arancelarias nominales refleja en parte la gradual desaparición de los tipos de cambio múltiples y las cuotas. Por ejemplo, México y Uruguay parecían tener aranceles más bajos que muchas otras repúblicas porque la mayoría de las importaciones seguían sujetas a cuotas. Además, el hecho de que los tipos de cambio por lo general no avanzaran paralelos a la diferencia entre la tasa de inflación mundial y la interna hizo que los gravámenes se usasen para "compensar" a los industriales por la sobrevaluación de la moneda. No obstante, desde cualquier punto de vista las tasas nominales de los aranceles eran extremadamente altas, por encima de las que América Latina había aplicado en periodos anteriores, y mucho más altas que cualquier tasa jamás adoptada en los países desarrollados. De hecho, como lo muestra el cuadro IX.1, la protección nominal en la Comunidad Económica Europea (CEE) fue mucho más baja para todo tipo de bienes.

Las altas tasas nominales introdujeron una cuña entre los precios mundiales y los nacionales, imponiendo una pesada carga a los consumidores. Pero para los productores los elevados gravámenes nominales no eran más que la mitad del problema. La medida decisiva para ellos era el cambio de valor agregado por unidad de producción creado por el sistema proteccionista, tomando en cuenta no sólo el gravamen nominal sobre las importaciones competidoras, sino también el impacto de los aranceles y de otras formas de protección sobre el costo de los insumos. Esta medida, conocida como tasa efectiva de protección (TEP),[4] fue un indicador más apropiado de los incentivos que se ofrecían a la industria. Por lo general, la TEP fue aún más alta que

---

[3] Véase Bergsman (1970), pp. 30-32, en cuyo cuadro 3.1 se puede advertir claramente el enorme recargo sobre el tipo de cambio oficial que tenían que pagar los importadores de bienes de consumo.

[4] La TEP se define como el cambio proporcional de valor agregado (por unidad de produc-

CUADRO IX.1. *Protección nominal en América Latina,*
ca. *1960 (en porcentajes)*

País	Bienes de consumo no duraderos	Bienes de consumo duraderos	Bienes semimanu-facturados	Materias primas industriales	Bienes de capital	Promedio general
Argentina	176	266	95	55	98	131
Brasil	260	328	80	106	84	168
Chile	328	90	98	111	45	138
Colombia	247	108	28	57	18	112
México	114	147	28	38	14	61
Uruguay	23	24	23	14	27	21
CEE	17	19	7	1	13	13

NOTA: Se ha calculado la protección nominal como la media aritmética simple de la inciden-cia aproximada (en términos *ad valorem*) de derechos y gravámenes. En el caso de Uruguay se calculó como media aritmética simple de la incidencia teórica (excluyendo los recargos y los depósitos previos) sobre el valor CIF de las importaciones.
FUENTES: Macario (1964), cuadro 5, p. 75; para Uruguay, Macario (1964), cuadro 3, p. 70.

la protección nominal para muchas clases de bienes, y particularmente ele-vada para los bienes de consumo. En realidad, una TEP de 100% —que no era nada insólito— implicaba que el valor agregado por unidad de producción, según el sistema de protección, era el doble de lo que habría sido con el libre comercio.[5]

Ante tan altas tasas de protección (nominal y efectiva) habría cabido su-poner que el sector privado interno respondería con el suficiente dinamismo para que fuese innecesario recurrir al capital extranjero; sin embargo, ese sector, al que se le debía la mayor parte del aumento de la capacidad manu-facturera anterior a 1950, padeció dos graves limitaciones en el periodo de la posguerra: no tuvo acceso al financiamiento adicional necesario para apoyar inversiones en gran escala en nuevas industrias, y carecía de la tecnología requerida para organizar empresas industriales avanzadas.

Estos dos problemas no habían sido paralizantes mientras la industria se

ción) debido al proteccionismo, en comparación con la situación en el libre comercio (véase Carden [1971], capítulo 3).
[5] Es difícil medir con precisión la TEP porque debe tomar en cuenta la protección dada no sólo por los aranceles, sino también por las cuotas, permisos y tipos de cambio múltiples. Por ello las estimaciones varían considerablemente aun para un mismo país. Sin embargo, todos los cálculos convienen en que la TEP para las manufacturas durante los cincuenta y sesenta fue muy alta. Véase Cardoso y Helwege (1992), pp. 94-96, en el que el cuadro 4.9 presenta una TEP prome-dio para las manufacturas en Uruguay, por ejemplo, de 384 por ciento.

preocupó por producir bienes de consumo no duradero con el estímulo de la sustitución de importaciones. Esta etapa "fácil" de la ISI no había exigido grandes inversiones de capital en las fábricas, y la tecnología necesaria estaba encarnada en los bienes de capital importados. En cambio, el giro de la estructura industrial hacia los bienes de consumo duraderos y los bienes intermedios y de capital aumentó el tamaño mínimo de la inversión, y exigió un acceso a la tecnología que no siempre se podía obtener en el mercado abierto.

De este modo, las repúblicas que miraban hacia adentro se vieron obligadas —en algunos casos de mal grado— a revisar su legislación sobre la inversión extranjera directa, y a crear las condiciones que parecían apropiadas para atraer grandes empresas multinacionales (EMN). Hasta Argentina había modificado sus opiniones sobre la inversión extranjera antes de la caída de Juan Perón, en 1955, aunque el nuevo marco legislativo no sería adoptado hasta 1959.[6] México, aunque reservó muchos sectores (por ejemplo, petróleo, banca, seguros y transportes) al capital nacional, alentó a las EMN a invertir en las manufacturas, tarea que se complicó al principio por los rencores heredados de la nacionalización del petróleo en 1938. Brasil, donde se adoptó con la mayor convicción el programa de industrialización, se mostró tan impaciente por atraer las EMN que hasta aprobó una legislación que en realidad favorecía en algunos aspectos a los inversionistas extranjeros por encima de los nacionales.[7]

Las EMN, dominadas al principio por empresas estadunidenses, fueron invitadas a América Latina por su tecnología, su habilidad mercadotécnica y gerencial, y su acceso a financiamiento. Sin embargo, lo que atrajo a las EMN fue el mercado cautivo al que ya habían estado exportando. El alto muro arancelario podía impedir la entrada de las importaciones, pero una vez del otro lado del mismo los inversionistas extranjeros se encontraban, a su vez, protegidos de la competencia foránea. A menudo la cosecha más rica se encontraba en la producción de bienes de consumo, no en las industrias de bienes intermedios y de capital que los gobiernos esperaban que se establecieran. Por consiguiente, la propiedad extranjera no se limitó a las nuevas ramas de la industria, y mucha inversión foránea simplemente incluyó la compra de empresas nacionales ya establecidas.[8] De este modo surgieron al-

[6] A los capitales extranjeros se les dieron los mismos derechos que a los capitales nacionales en diciembre de 1959. Véase Petrecolla (1989), p. 110. Véase también Katz y Kosakoff (2000), pp. 289-291.

[7] De acuerdo con el draconiano sistema de control de cambios que operaba en Brasil, las empresas nacionales a menudo tenían dificultades para conseguir las divisas necesarias para la importación de bienes de capital. Sin embargo, en 1955, la autoridad monetaria (SUMOC), emitió la Instrucción 113, que permitía a las empresas extranjeras importar equipo sin transacciones en divisas. Se ha calculado que las importaciones así favorecidas podrían haber costado 45% más de no existir esa reglamentación. Véase Bergsman (1970), pp. 73-75.

[8] La participación extranjera en la producción manufacturera fue considerable incluso en las industrias establecidas ya hacía tiempo. A fines del decenio de 1960 varió de 15 a 42% en el sector alimentario de los principales países, y de 14 a 62% en textiles. Un sector favorito fue el del

gunos conflictos entre las metas del gobierno y las de las EMN. A finales de los sesenta estos conflictos, aunados al uso que las EMN daban a los precios de transferencia para minimizar las cargas fiscales,[9] estaban produciendo cierta tensión. Además, la relación no mejoró con las instrucciones gubernamentales a las empresas extranjeras, en particular de la industria automotriz, de aumentar la proporción de sus insumos obtenida de fuentes internas.[10]

A falta de suficientes inversiones del sector privado interno, se organizaron numerosas empresas propiedad del Estado (EPE) para apoyar el programa de industrialización. Aunque las principales inversiones públicas se hicieron en infraestructura social —energía, transportes y comunicaciones—, algunas ramas de la industria también se consideraron apropiadas para la inversión pública, ya que el sector privado interno no podía o no quería aportar el financiamiento y los productos eran demasiado importantes para dejarlos bajo el control de empresas extranjeras. En 1953 Brasil creó Petrobras para controlar la industria petrolera y complementar las inversiones públicas ya existentes en el sector de las manufacturas.[11] Al llegar los sesenta la rentabilidad de la industria automotriz brasileña —dominada por EMN— dependía básicamente del precio de los insumos provistos por las EPE (acero, electricidad) y de la política petrolera del gobierno brasileño. También la industria siderúrgica fue meta favorita para las EPE en todas las repúblicas que miraban hacia adentro.

Con tanta insistencia de las LA6 en el sector manufacturero no es sorprendente que se ampliara con rapidez. Como sector punta su tasa de crecimiento superó la del PIB, con lo que aumentó la participación de las manufacturas en el producto neto total. A finales de los sesenta los países que miraban hacia dentro habían visto crecer la participación de las manufacturas en el PIB en un nivel similar al de los países desarrollados. Además, la estructura de la producción industrial se había alejado del procesamiento de alimentos y textiles para dedicarse a las industrias metalúrgicas y de productos químicos. Los países más grandes de América Latina —Argentina, Brasil y México— se habían ganado el calificativo de "semindustrializados", y Chile y Colombia,

tabaco, que tuvo una participación de más de 90% en Argentina, Brasil, Chile y México. Véase Jenkins (1984), p. 34, cuadro 2.4.

[9] Dado que las subsidiarias de las EMN se compran y venden entre sí, a menudo escogen para las transacciones un precio —fuera del mercado— que minimiza sus cargas fiscales globales. En los países con altas tasas impositivas marginales estos "precios de transferencia" podrían utilizarse para elevar el costo de los insumos importados y reducir el valor de las exportaciones. Véase Vaitsos (1974). Sobre las transferencias intracompañías en general, véase Grosse (1989), capítulo 10.

[10] Cuando en el decenio de 1920 se ensamblaron en Brasil los primeros automóviles, el único insumo nacional utilizado era el yute para rellenar los asientos. Véase Downes (1992), p. 570. Para 1970, después de la legislación de los cincuenta para elevar el contenido local, los insumos importados representaban sólo 4% del valor del producto. Véase Jenkins (1987), capítulo 4 y cuadro 5.2, p. 72.

[11] Sobre los orígenes de Petrobras, véase Philip (1982), capítulo 11.

con mercados internos mucho más pequeños, no iban muy a la zaga. Sólo Uruguay, después de un brote de crecimiento industrial en el decenio posterior a la guerra, encontró que era incapaz de sostener el dinamismo del sector manufacturero sobre la base de su minúsculo mercado interno.

Alto fue el precio que hubo que pagar por este éxito industrial. Protegido contra la competencia internacional, gran parte del sector industrial era al mismo tiempo de alto costo e ineficiente en todos los sentidos. Los altos costos por unidad no sólo se debieron a la necesidad de pagar por los insumos importables más caro que el precio mundial, sino también porque el mercado interno solía ser demasiado pequeño para mantener empresas del tamaño óptimo.[12]

La ineficiencia se derivó de las distorsiones del factor precio, de la falta de competencia en el mercado interno y de la tendencia a una estructura oligopólica, con elevadas barreras de ingreso. Los líderes del mercado —incluyendo las EMN— podían fijar los precios por encima del costo marginal y el resto de la industria los seguía. Los márgenes de utilidad solían ser anormalmente altos en lo sectores industriales protegidos, cosa inevitable.[13]

El alto costo de la producción industrial dificultó el ingreso de los bienes manufacturados al comercio internacional. El problema se complicó por la sobrevaluación cambiaria y por el pesimismo respecto a las exportaciones que marcó la política durante los cincuenta. Además, muchas subsidiarias de EMN entraron a América Latina con contratos que prohibían las exportaciones a terceros países (donde hubieran competido con la producción de las subsidiarias de las mismas EMN). A mediados de los sesenta la proporción de la producción manufacturera exportada y la contribución de las manufacturas al total de las exportaciones seguían siendo pequeñas. Sólo México, donde la sobrevaluación de la moneda se había eliminado mediante devaluaciones llevadas a cabo en 1948, 1949 y 1954, logró hacer avances considerables en sus exportaciones industriales. Pero hasta en México —pese a la proximidad del mercado estadunidense y al desarrollo industrial en la frontera—[14] la contribución de la industria a la obtención de divisas siguió siendo pequeña.

La incapacidad de la industria para penetrar en los mercados mundiales hizo que las ganancias por exportación dependieran de los productos prima-

[12] Los productos manufacturados en general se ven sometidos a economías de escala, de modo que los costos unitarios de producción caen conforme aumenta el tamaño de la planta. Carnoy (1972) demostró, para una variedad de artículos industriales, los costos excesivos asociados con los programas de producción limitados al mercado nacional.

[13] La tasa de retorno (calculada como proporción de las utilidades netas sobre el capital y las reservas) en 10 importantes EMN de Brasil varió de 9.3 a 26.5% entre 1967 y 1973. Véase Evans (1979), cuadro 4.4. La cifra es alta de acuerdo con las normas internacionales.

[14] La medición del impacto de la industria fronteriza en México antes del decenio de 1990 se complica por el hecho de que las estadísticas de la balanza de pagos excluyen a las maquiladoras de la cuenta comercial, aunque sus exportaciones netas sí se incluyen. Para 1970 estas exportaciones netas se valuaron en 81 millones de dólares, en comparación con 1 348 millones para la exportación de bienes.

rios, aunque por lo menos México logró complementarlos con crecientes ingresos debidos al turismo.[15] Pero para los países que miraban hacia adentro las exportaciones de productos primarios se vieron negativamente afectadas por una veintena de factores. Además del deterioro de los TNIC después de la Guerra de Corea, el sector de las exportaciones tradicionales sufrió por la tendencia antiexportadora implícita en la nueva estructura de protección a la industria.[16] Obligados por los altos gravámenes a comprar insumos más caros que en el mercado mundial, los exportadores de productos primarios tenían que vender su producción en los mercados mundiales a precios internacionales. En la Argentina de Perón la junta mercantil del Estado llegó a pagar a los agricultores por debajo de los precios mundiales,[17] y en el resto de los LA6 la sobrevaluación de la moneda tendió a desalentar el crecimiento de las exportaciones de productos primarios.[18] La diversificación de las exportaciones fue limitada, y los ingresos por ventas al exterior siguieron estando dominados por una veintena de productos tradicionales. En Uruguay la tendencia en contra de las exportaciones fue tan fuerte que el volumen de las mismas se redujo notablemente durante los cincuenta, y a comienzos de los setenta el valor de las exportaciones seguía siendo menor que 20 años antes.[19]

La falta de dinamismo de los ingresos por exportación podría no haber tenido importancia si el modelo que mira hacia adentro hubiese logrado eliminar la necesidad de las importaciones; pero no fue así. Aunque una parte de la nueva producción industrial pretendía remplazar los bienes importados, la industria en sí misma era intensiva en importaciones. Aunque se pudieran eliminar los artículos de consumo, seguía siendo necesario importar bienes intermedios y de capital. Se requerían divisas para el pago de permi-

[15] El crecimiento de la industria turística mexicana, que recibió principalmente visitantes de Estados Unidos, fue impresionante. En 1970 se registraron más de dos millones de turistas: casi la mitad del total para América Latina. Aunque los propios mexicanos tuviesen una gran propensión a viajar al extranjero, la contribución neta del turismo a la balanza de pagos siguió siendo importante: 260 millones de dólares en 1960 y 416 millones en 1970. Véase ECLAC (1989), cuadro 258, p. 466.

[16] El sesgo antiexportador se define como la diferencia proporcional entre el valor agregado por unidad de producción en el mercado nacional protegido y en el mercado mundial. Por lo tanto, es casi seguro que será superior a la TEP para el mismo producto. Una estimación del sesgo antiexportador en Brasil durante los sesenta se encuentra en Bergsman (1970), cuadro 3.9, p. 52.

[17] Sobre la junta de mercadeo estatal (IPAI), véase el capítulo VIII, nota 65. Véase también Furtado (1976), pp. 186-187.

[18] El término "sobrevaluación de la moneda" se emplea en dos formas distintas. La primera se refiere a un tipo de cambio que no es congruente con el equilibrio de la balanza de pagos, por lo que las autoridades se ven obligadas a emplear otras medidas para restringir la importación. La segunda se refiere a la modificación (revaluación) del tipo de cambio tras la introducción de un sistema de protección destinado a reducir las importaciones. Con excepción de México, donde las devaluaciones posteriores a la guerra eliminaron el primer tipo de sobrevaluación durante gran parte de los cincuenta, los LA6 experimentaron una sobrevaluación de su moneda en ambos sentidos durante las décadas de 1950 y 1960.

[19] Como consecuencia, la participación uruguaya en las exportaciones mundiales cayó de 0.45% en 1946 a 0.08% en 1970 y 0.047% en 1975: 10 veces menos en 30 años.

sos, regalías y transferencia de tecnología, por no mencionar siquiera las remesas de utilidades. Y muchos de los bienes y servicios relacionados y no sustituibles, como los transportes y las telecomunicaciones, eran asimismo intensivos en importaciones. La necesidad de suprimir importaciones para proteger la balanza de pagos produjo grandes distorsiones, y casi cualquier plan de sustitución de aquéllas —por ineficiente que fuera— obtenía apoyo oficial. Brasil aplicó una activa Ley de los Similares para favorecer la producción nacional de bienes que compitieran con los importados, casi sin tomar en cuenta cuestiones de eficiencia.[20] En realidad, las divisas netas ahorradas con algunos de estos planes estuvieron muchas veces cerca de cero, porque esos mismos planes eran intensivos en importaciones.[21]

La falta de dinamismo de las exportaciones, aunada a la necesidad de importaciones crecientes, causó una serie casi interminable de problemas de la balanza de pagos en los países que miraban hacia dentro. Los programas de estabilización tendientes a eliminar los desequilibrios de la balanza de pagos solían ser costosos, porque sólo era posible rebajar las importaciones si se reducían las compras de bienes intermedios y de capital, con efectos negativos sobre la producción y la capacidad. Además, la severa limitación a la balanza de pagos hizo que el crecimiento excedente del activo circulante no pudiese derramarse sobre las importaciones de bienes de consumo, por lo que la expansión monetaria —por ejemplo por medio de déficit presupuestales— se asociaba con una demanda excesiva de bienes nacionales y altas tasas de inflación. Dado que en los LA6 la disciplina monetaria solía ser débil y que la oferta interna —sobre todo de productos agropecuarios— era relativamente inelástica, la mayoría de los países que miraban hacia dentro padecieron una aguda inestabilidad cambiaria y presiones inflacionarias (véase el cuadro IX.2).

La combinación de presiones sobre la balanza de pagos, déficit presupuestales y "cuellos de botella" del lado de la oferta provocó un airado debate acerca de las causas de la inflación entre estructuralistas y monetaristas. La interpretación monetarista hizo hincapié en una política fiscal irresponsable, que había dado lugar a grandes déficit presupuestales, expansión del activo circulante e inflación interna. Según los que seguían el modelo monetarista, los "cuellos de botella" del lado de la oferta se debían a los controles de precios (por ejemplo, de los productos agrícolas) y las distorsiones de los mismos (por ejemplo, tipos de cambio sobrevaluados) y por lo tanto eran

---

[20] La Ley de los Similares permitió a los fabricantes brasileños solicitar que se prohibiese la importación de cualquier tipo de producto que creyeran posible producir localmente. Sólo en 1967 se adoptó formalmente el precio de la producción nacional como una de las normas necesarias para llegar a la decisión del gobierno. Véase Bergsman (1970), pp. 34-35.

[21] Los ahorros brutos de divisas podían medirse por el valor CIF de las importaciones remplazadas. Sin embargo, los ahorros netos tenían que tomar en cuenta los componentes y la maquinaria importados, permisos, regalías, remesas de utilidades, etc. Aunque el ahorro neto solía ser positivo, también podía ser pequeño.

CUADRO IX.2. *Tipos de cambio e inflación, 1950-1970*

País	Tipo de cambio[a] (1960 = 100)			Tasa de inflación anual promedio[a] (en porcentajes)			
	1950	1960	1970	1950-1955	1955-1960	1960-1965	1965-1970
LA6							
Argentina	17	100	482	17	38	27	20
Brasil	10	100	2 439	18	28	62	48
Chile	3	100	1 109	47	24	29	29
Colombia	28	100	269	4	10	14	11
México	69	100	100	10	6	2	3
Uruguay	17	100	2 273	13	25	35	44
LA14							
Bolivia	1	100	100	108[b]	6[c]	5	6
Costa Rica	100	100	118	2	2	1	2
Cuba	100	100	100	0	1[d]	s/d	s/d
Ecuador	100	100	166	2	0	0	5
El Salvador	100	100	100	4	0	0	1
Guatemala	100	100	100	3	-1	0	1
Haití	100	100	100	1	1	4	3
Honduras	100	100	100	5	1	4	2
Nicaragua	100	100	100	11	-2	2	3
Panamá	100	100	100	0	0	1	1
Paraguay	4	100	100	47	11	5	3
Perú	56	100	144	6	8	10	9
República Dominicana	100	100	100	0	0	3	2
Venezuela	100	100	138	1	2	0	1

[a] Tipo de cambio nominal (por dólar estadunidense).
[b] El dato es para 1950-1956.
[c] El dato es para 1957-1960.
[d] El dato es para 1955-1958.

FUENTES: Thorp (1971); Wilkie (1974 y 1990); World Bank (1983), vol. I; Fondo Monetario Internacional (1987). Para los datos de la inflación de todos los decenios desde 1940, véase Thorp (1998), apéndice v.

consecuencia, y no causa, de la inflación. Los economistas estructuralistas no negaban que la creación de un exceso de dinero estuviese relacionada con la inflación, pero sostenían que el circulante era en gran parte pasivo, y que la causa profunda de la inflación se encontraba en los cuellos de botella fiscales, agrícolas y de la balanza de pagos.[22]

El "cuello de botella" fiscal fue atribuido por los estructuralistas al carácter inelástico del ingreso fiscal y a la constante presión por aumentar los gastos gubernamentales en apoyo de programas ISI. Cuando se pasó de un gravamen destinado a aumentar los ingresos a otro de propósito proteccionista, el ingreso por derechos aduanales como proporción del gasto se fue reduciendo constantemente, y hubo que introducir nuevas fuentes impositivas. Pero la naturaleza "inelástica" de los ingresos fiscales fue ante todo reflejo de un sistema fiscal que dependía demasiado de impuestos indirectos que recaían desproporcionadamente sobre los más pobres. El rendimiento de los impuestos directos fue decepcionante, y las altas tasas de inflación alentaron a los contribuyentes a aplazar sus pagos lo más posible. Hasta el célebre impuesto a la inflación, que reflejó la erosión de los balances monetarios como resultado del alza de los precios, fue perdiendo utilidad cuando el público aprendió a economizar en su balance monetario, como defensa contra la inflación.[23]

Al principio pareció que los estructuralistas estaban más cerca de la verdad en el caso del cuello de botella en la oferta de alimentos, que atribuyeron al anticuado sistema de tenencia de la tierra de América Latina, con su división en minifundios y latifundios. No obstante, el mal desempeño de la oferta alimentaria en un país como Argentina, que hasta los treinta había disfrutado de uno de los sectores agrícolas más dinámicos del mundo, sólo podía achacarse al control de precios y al deterioro de los términos de intercambio internos y externos a los que se enfrentaban los agricultores. México registró tasas impresionantes de crecimiento de la producción agrícola hasta mediados de los sesenta, que los estructuralistas atribuyeron a la reforma agraria de los treinta, pero los campesinos mexicanos nunca tuvieron que enfrentarse a las distorsiones de precios que hubo en Argentina, Chile y Uruguay, y el tipo de cambio competitivo durante gran parte de los cincuenta hizo que las exportaciones agrícolas fuesen rentables.[24]

Los problemas de la balanza de pagos y la inflación obligaron a los países que miraban hacia adentro a entrar en acuerdos constantes con el FMI.

[22] Es enorme la bibliografía sobre el debate entre estructuralistas y monetaristas. Véanse Thorp (1971); Wachter (1976), y Sheahan (1987), capítulo 5.

[23] La tasa de inflación, si no hay un crecimiento del PIB real, es una especie de tributo. Véase Cardoso y Helwege (1992), pp. 150-154.

[24] Sobre el "cuello de botella" de la oferta alimentaria, véase Edel (1969). Véase también Cardoso (1981), quien demuestra teóricamente cómo un cuello de botella de la oferta alimentaria puede propagar la inflación. Parkin (1991), capítulo 5, ha utilizado este modelo como base de un estudio empírico de la inflación brasileña.

Estos programas fueron en general un fracaso, que el FMI, comprometido con el enfoque monetarista, atribuyó a la renuencia de los gobiernos a adoptar medidas políticas impopulares, y que muchos de sus críticos atribuyeron al enfoque monetarista del FMI.[25] De hecho, el problema yacía en el conflicto entre las preferencias por el modelo de desarrollo hacia fuera del FMI, y el modelo de desarrollo hacia dentro adoptado por los LA6. Todos los programas del FMI tendían a dar mayor importancia a las medidas políticas que resolvieran el desequilibrio de la balanza de pagos mediante una expansión de las exportaciones. Sin embargo, los gobiernos de los LA6 siguieron comprometidos con una política destinada a eliminar el problema mediante la supresión de las importaciones. No es sorprendente que el compromiso con las políticas inspiradas por el FMI fuese de dientes para afuera, y la caída a corto plazo de los salarios reales, la producción y el empleo, asociada con esas medidas políticas, a menudo anuló todo aumento de las exportaciones relacionado con la devaluación.[26]

El modelo dirigido hacia dentro, particularmente el de los cincuenta, es considerado hoy como una aberración, y condenado por igual por dirigentes latinoamericanos y por organizaciones internacionales. Las distorsiones inseparables del modelo se han vuelto legendarias, y se han pasado por alto sus logros. Algunas de las distorsiones fueron inevitables: un modelo que mira hacia dentro destinado a fomentar la industrialización tiene que poner distancia entre los precios nacionales y los internacionales. Pero muchas de las distorsiones fueron mucho mayores de lo inevitable.

El daño causado a la agricultura y a las exportaciones en Argentina y Uruguay no puede explicarse exclusivamente por el programa de industrialización. México, aunque ofrecía enormes incentivos a la industria, pudo registrar satisfactorios rendimientos agrícolas, de exportaciones y hasta de precios durante gran parte de este periodo, gracias a un uso juicioso de la inversión pública (en obras de riego, por ejemplo), y evitando (al menos hasta los sesenta) una sobrevaluación de su moneda.[27]

No obstante, aunque los excesos a menudo fueron innecesarios, el modelo —hasta en una forma menos distorsionada— es indefendible. En los países semindustrializados no tuvo sentido la supresión de las importaciones; hubo que expandir las exportaciones para pagar las importaciones adicionales necesarias para mantener al aparato productivo tecnológicamente actualizado y eficiente. La naturaleza semicerrada de las economías acentuó las presiones inflacionarias a las que habían estado sometidas las repúblicas que miraban hacia adentro desde el principio de la segunda Guerra Mundial. Además, el modelo fue adoptado en forma explícita precisamente en el mo-

---

[25] Los programas de financiamiento a América Latina se analizan en Remmer (1986), pp. 1-24.

[26] Un buen ejemplo de un programa fallido del FMI es el de Argentina a partir de 1958. Véase Díaz-Alejandro (1965), páginas 145-153.

[27] Para un buen estudio del caso a favor y en contra de la ISI, obtenido de recientes desarrollos sobre comercio y teoría del crecimiento, véase FitzGerald (2000).

mento en que la economía mundial y el comercio internacional entraban en su periodo de expansión más largo y rápido. La ocasión no pudo ser peor.

LOS PAÍSES QUE MIRABAN HACIA FUERA

Aunque no se opusieran a la industrialización, las restantes repúblicas de América Latina (LA14) no consideraban que a finales de los cuarenta fuese viable un modelo basado exclusivamente en un desarrollo hacia dentro. El cambio estructural había sido modesto desde los veinte, y estas 14 repúblicas aún mostraban los rasgos clásicos de las economías cuyo desarrollo estaba guiado por las exportaciones y donde la producción, el ingreso, el empleo y el ingreso público estaban muy correlacionados con los altibajos de un puñado de productos primarios de exportación.

En estas naciones el sector industrial era especialmente débil. Incapaz de aprovechar las oportunidades que brindaron las restricciones a las importaciones en dos guerras mundiales y durante los treinta, el sector manufacturero a finales de los cuarenta era demasiado frágil para servir de trampolín a un nuevo modelo dirigido hacia dentro. La infraestructura social siguió concentrándose básicamente en las necesidades del sector exportador, y el abasto de energía era inadecuado para lograr una expansión importante de las actividades secundarias. Aunque la aceleración del ritmo de crecimiento demográfico, aunada a la migración rural-urbana, había convertido en excedente la anterior escasez de mano de obra, seguía escaseando el trabajo calificado necesario para las manufacturas modernas.

Además, la élite económica de muchas de estas repúblicas seguía teniendo poder político. Aunque estuviera dispuesta a añadir a su cartera accionaria inversiones en actividades secundarias y terciarias, no estaba preparada para tolerar una política abiertamente hostil al sector de exportaciones primarias, que seguía siendo su base tradicional. Los principales ejemplos de esta visión pragmática de las oportunidades de la posguerra los ofrecieron la familia Trujillo en la República Dominicana y la dinastía Somoza en Nicaragua, que distribuyó inversiones en una vasta gama de actividades cuyo núcleo era el sector exportador.[28]

Este compromiso con el crecimiento guiado por las exportaciones fue reforzado por la experiencia de tres países (Bolivia, Paraguay y Perú), donde la élite económica sí perdió poder político después de la guerra, y donde se adoptaron fugazmente políticas dirigidas hacia dentro, con resultados desastrosos. La política y la economía de Bolivia habían estado tan íntimamente ligadas con el estaño durante más de medio siglo, que la pérdida de influencia de la "rosca" —nombre dado a las tres empresas que controlaban la industria del estaño en Bolivia— señalaba necesariamente el advenimiento

---

[28] Sobre los intereses de Somoza en Nicaragua, véase Booth (1982), capítulos 4-5; sobre los intereses de Trujillo en República Dominicana, véase Moya Pons (1990a).

de una política hostil al sector exportador.[29] El experimento boliviano de desarrollo hacia dentro contribuyó en buena medida, a partir de 1946, al caos económico que dio lugar a la revolución de 1952. La decisión posrevolucionaria de nacionalizar la industria del estaño, haciendo caso omiso de las consideraciones económicas de su administración, atentó durante casi una década contra los ingresos de las exportaciones del país y con el crecimiento económico.[30] La dura experiencia de la hiperinflación, en 1956, logró finalmente que la nueva élite política reconociera que se necesitaba mayor racionalidad en la toma de decisiones económicas, incluyendo los incentivos para el sector exportador.[31]

Los disturbios políticos de Paraguay en la década anterior a la toma del poder por el general Alfredo Stroessner, en 1954, fueron tan agudos como en Bolivia. Paraguay padeció también mucho por el cambio de rumbo de la Argentina de Perón —país al que Paraguay se había adherido informalmente durante la primera mitad del siglo xx—. Sus ingresos por exportación cayeron, la política cambiaria sufrió un severo golpe y el incoherente conjunto de decisiones políticas que miran hacia adentro adoptado llevó a Paraguay muy cerca de la hiperinflación.[32] El régimen de Stroessner sentó las bases de un regreso al desarrollo guiado por las exportaciones, aunque la tradicional inclinación de Paraguay hacia el contrabando —descaradamente promovido por la camarilla militar cercana a Stroessner— impidió utilizar las cifras oficiales del comercio como guía de su actuación.[33]

Más sorprendente resulta el fracaso del breve coqueteo de Perú después de la guerra con una política dirigida hacia dentro. En contraste con Bolivia y Paraguay, este país tenía al menos un sector industrial diversificado, y reunía muchas de las condiciones necesarias para el tipo de programa de industrialización propuesto por la CEPAL; sin embargo, los esfuerzos del gobierno del presidente José Luis Bustamante, a partir de 1945, por desviar recursos del sector exportador hacia el mercado interno, resultaron desastrosos. La cuenta corriente de la balanza de pagos se deterioró con rapidez, se agotaron las reservas de divisas y las tasas anuales de inflación se fueron a las nubes. El golpe militar de 1948, encabezado por el general Manuel Odría,

---

[29] Véase Whitehead (1991), pp. 535-539.

[30] Las tres gigantescas compañías mineras que formaron la "rosca" fueron nacionalizadas después de la revolución y se creó, como organización cúpula, una empresa del Estado, la Corporación Minera de Bolivia (Comibol). Durante muchos años las consideraciones políticas fueron vitales en las decisiones de la Comibol, y la ineficiencia económica de la compañía se volvió casi legendaria. Véase Klein (1992), pp. 233-245.

[31] El episodio hiperinflacionario de 1956 tuvo notables semejanzas con los catastróficos acontecimientos de 1985, cuando la inflación llegó a una tasa anualizada de 60000%. La inflación de 1956 terminó con un programa de estabilización planeado con ayuda de un economista estadunidense, George Jackson Eder. Véase Eder (1968).

[32] Véanse Lewis (1991), p. 251; Roett y Sacks (1991), p. 63.

[33] La participación directa de los militares en tiempos de Stroessner en el contrabando era un secreto a voces. Véase Nickson (1989).

representó el inicio de dos décadas de agresivo desarrollo basado en las exportaciones. En 1968 otra intervención militar sirvió de catalizadora a un giro no menos dramático de la política, esta vez en favor de un desarrollo dirigido hacia dentro.[34]

Mientras Bolivia (lentamente), Paraguay y Perú retornaban a la ortodoxia, los LA14 formaron un bloque, cuyas exportaciones muestran un comportamiento en marcado contraste con el del resto de América Latina. A medida que los seis países que miraban hacia adentro, los LA6, veían cómo su parte del mercado mundial se reducía de 8.9% en 1946 a 3.5% en 1960, los LA14 sólo experimentaban una modesta reducción, que podría atribuirse casi por entero a su especialización en productos primarios, en una época en que el comercio de los mismos iba creciendo con menor rapidez que el mercado mundial. Para 1960 los LA14 sumaban la misma participación en el comercio mundial que los LA6, y su parte del total latinoamericano había aumentado de un tercio a la mitad.[35] Cinco repúblicas (Costa Rica, Ecuador, El Salvador, Nicaragua y Venezuela) se las arreglaron incluso para aumentar su participación en el comercio mundial en los 15 años que siguieron a la guerra.

En algunos casos el desarrollo basado en las exportaciones simplemente significó una intensificación de las mismas; es decir, los ingresos del sector siguieron dependiendo casi por completo de los ya bien establecidos y tradicionales productos primarios. El petróleo siguió produciendo virtualmente todos los ingresos por exportación de Venezuela, antes y después de la consolidación de la democracia, a finales de los cincuenta.[36] Aunque la producción petrolera del Medio Oriente se beneficiaba por su menor costo unitario, la cercanía de Venezuela a Estados Unidos y su generoso trato a las compañías petroleras multinacionales (hasta la nacionalización, a mediados de los setenta) fueron la base del rápido desarrollo de las exportaciones durante los cincuenta.[37] Bolivia no pudo dejar de depender del estaño hasta los setenta (cuando se empezó a exportar gas natural en grandes cantidades), por lo que la recuperación de sus exportaciones en el decenio de 1960 requirió una completa modernización de la Corporación Minera de Bolivia (Comibol, colosal empresa propiedad del Estado, a cuyo cargo estaban todas las exportaciones de minerales de las minas nacionalizadas).[38] Cuba, antes y después de la revolución que llevó a Castro al poder en 1959, dependió casi exclusivamente del azúcar para obtener ingresos por expor-

[34] Estos giros y cambios del modelo económico peruano están bien analizados en Thorp y Bertram (1978), capítulos 10-13.

[35] Véase el cuadro VIII.5.

[36] El efímero experimento de Venezuela con la democracia después de la segunda Guerra Mundial terminó en una intervención militar. La democracia se instauró finalmente después de las elecciones de diciembre de 1958. Véase Ewell (1991).

[37] Véase Randall (1987), capítulo 3.

[38] La Comibol recibió ayuda técnica y financiera de fuentes oficiales estadunidenses y de Alemania occidental a partir de 1960. Esto logró mejorar en parte su eficiencia, pero las pérdidas siguieron siendo frecuentes. Véase Dunkerley (1984), p. 105.

tación.[39] Como la contribución de las exportaciones al PIB no se redujo, la clave del rendimiento económico cubano siguió siendo el volumen y el precio de las exportaciones de azúcar.[40]

A pesar de todo, en la mayoría de los casos la política que miraba hacia fuera fue acompañada por una diversificación de las exportaciones; en general, esto significó la promoción de nuevos productos primarios o el intenso desarrollo de exportaciones menores. Perú encabezó este movimiento con la explotación de depósitos de plomo, cinc, cobre y hierro por parte de empresas extranjeras y con el rápido desarrollo de sus productos pesqueros. La harina de pescado, utilizada en la cría de aves de corral y de cerdo en los países desarrollados, resultó particularmente dinámica.[41] Al llegar 1970 casi un tercio de los ingresos por exportación de Perú procedía de productos pesqueros, en comparación con menos de 1% en 1945. Ecuador se benefició de la explotación de tierras vírgenes apropiadas para el cultivo del plátano que llevaron a cabo las gigantescas compañías fruteras. En 1960 las ganancias por exportación de plátano dominaban la captación de divisas, y Ecuador controlaba más de la cuarta parte de las exportaciones mundiales.[42] Paraguay empezó a explotar su enorme potencial agrícola, exportando algodón y cultivando frijol de soya y otras oleaginosas para producir aceites vegetales de exportación.[43]

En América Central las ganancias por las exportaciones y el desempeño económico habían dependido durante decenios del café y el plátano. Con el control de la malaria y el desarrollo de la infraestructura social, a partir de 1945 se fueron abriendo las fértiles llanuras del litoral pacífico para establecer plantaciones de algodón, a las que pocos años después se unirían nuevos ranchos ganaderos y mejoras de los pies de cría. La industria azucarera, que había hecho continuos progresos durante los cincuenta, recibió un enorme impulso de la decisión de Estados Unidos de reasignar la cuota del azúcar cubano al resto de América Latina,[44] y a mediados de los sesenta las ganancias combinadas de algodón, azúcar y carne empezaban a rivalizar con las de café y plátano.[45] A finales de los sesenta los agroexportadores de Guate-

---

[39] El Banco Mundial dedicó uno de sus primeros estudios de caso a Cuba; la investigación destacaba la dependencia económica de la isla del azúcar. Véase Truslow (1951).

[40] Pese a las recomendaciones de la misión del Banco Mundial en el sentido de que Cuba debía depender menos del azúcar, en vísperas de la Revolución este producto aún representaba 30% del ingreso nacional: la misma proposición que en 1913. Véase Brundenius (1984), cuadro A2.2.

[41] El surgimiento de la industria de la harina de pescado en Perú es el tema de una excelente monografía. Véase Roemer (1970).

[42] El auge platanero ecuatoriano ha sido descrito por May y Plazo (1958), pp. 169-175. Plazo fue presidente de Ecuador de 1948 a 1952, cuando comenzó ese auge.

[43] Véase Roett y Sacks (1991), capítulo 4.

[44] La cuota del azúcar cubano fue recortada en julio de 1960. Irónicamente, se había aumentado (a 3.12 millones de toneladas) en diciembre de 1959. Véase Domínguez (1989), pp. 23-25.

[45] Véase Bulmer-Thomas (1987), pp. 185-190.

mala comenzaron a experimentar con el cardamomo, y en una década ya habían captado 80% de las exportaciones mundiales.[46]

Aunque la diversificación de las exportaciones correspondió principalmente a los productos primarios, hubo algunos casos en actividades secundarias y hasta terciarias. Haití, ante problemas casi insuperables para aumentar la oferta de los productos agrícolas, recurrió durante los sesenta a las manufacturas ligeras, en un esfuerzo, no muy logrado, por sostener los ingresos por exportación.[47] Panamá, ya antes del tratado Torrijos-Carter de 1977, vio aumentar su ingreso paralelamente a las operaciones del canal.[48] El establecimiento de una zona de libre comercio en Puerto Colón creó una gran fuente de ingresos por actividades de almacenaje; el abanderamiento de barcos aumentó sin cesar, y los ingresos de la banca, las finanzas y los seguros convirtieron a Panamá en uno de los centros financieros portuarios más importantes del mundo, así como lugar cada vez más atractivo para los narcotraficantes del continente, deseosos de "lavar" dinero. Para 1970 sólo un tercio de las ganancias de la exportación procedía de bienes, y el resto de servicios.[49]

El desarrollo guiado por las exportaciones en el periodo de la posguerra no careció de ventajas, y ayudó a las repúblicas más pequeñas a evitar algunos de los excesos de los países que miraban hacia adentro. El aumento de las exportaciones, aunado a modestas influencias de capital, fue la base de tipos de cambio estables. La devaluación nominal de la moneda fue rara en ese grupo de países, y durante los sesenta 10 de los LA14 mantuvieron sin variaciones el tipo de cambio ante el dólar, en marcado contraste con el caso de los LA6 (véase el cuadro IX.2). Dado que los países que miraban hacia fuera estaban relativamente abiertos,[50] la estabilidad del tipo de cambio entrañó la de los precios. En realidad, una vez superados durante los cincuenta los episodios de alta inflación en Bolivia y Paraguay, ninguno de los países —con la posible excepción de Perú— tuvo problemas de inflación graves (véase el

[46] El cardamomo, una especia, suele agregarse al café en los países del Medio Oriente. Sobre su cultivo en Guatemala véase Guerra Borges (1981), pp. 256-258.

[47] La crisis de las exportaciones primarias de Haití, que en parte puede atribuirse a la degradación de los suelos, se analiza en Lundahl (1992), capítulo 5. La única exportación manufacturada con que Haití tuvo verdadero éxito fueron las pelotas de beisbol.

[48] El tratado Torrijos-Carter restauró la soberanía panameña sobre la Zona del Canal, y aumentó considerablemente el ingreso por la renta de las operaciones del canal. Sin embargo, el valor directo añadido del canal ya había crecido, pasando de 44.1 millones de dólares en 1950 a 152 millones en 1970. Véase Weeks y Zimbalist (1991), p. 51.

[49] Paradójicamente, esta participación se reduce después de la entrada en vigor de los tratados Torrijos-Carter, si —como se hace en algunas estimaciones— las exportaciones de la Zona de Libre Comercio de Colón se tratan como exportaciones de bienes panameños. Sobre la trasformación de la balanza de pagos panameña a partir de 1979 (cuando los tratados fueron ratificados por Estados Unidos), véase Fondo Monetario Internacional (1986b), pp. 507-508.

[50] La razón (no ponderada) de exportaciones más importaciones-PIB para los LA6 fue de 25.3% en 1960. Para las demás repúblicas (excluyendo a Cuba) el promedio no ponderado fue de 43%. Véase World Bank (1980), cuadro 3, p. 387.

cuadro IX.2). Vemos así que los tipos de cambio fijos no significaron necesariamente sobrevaluación, y casi todas las repúblicas pudieron mantener sin dificultad una paridad que hiciera rentables las exportaciones.[51]

La estabilidad de los precios no significó que la política monetaria y fiscal siempre fuese ortodoxa. Algunas naciones —por ejemplo, El Salvador y Guatemala— siguieron una política interna sumamente conservadora, pero muchas otras se permitieron la misma política fiscal y monetaria laxa que tantos problemas causaba en los países que miraban hacia dentro.[52] El sistema de ingresos públicos solía ser anticuado, era común la evasión de impuestos y no se habían desarrollado los mercados internos de capital. No es sorprendente que los déficit presupuestales fuesen muy comunes, y que a menudo fueran financiados imprimiendo billetes. Pero las consecuencias de esa actitud fueron totalmente distintas en los países que miraban hacia fuera. El exceso de activo circulante se reflejó en dificultades de la balanza de pagos por el aumento de importaciones —no compensado por el de las exportaciones—, y no en alzas de los precios internos.[53]

De hecho, los problemas de balanza de pagos fueron muy comunes en este grupo, y por lo tanto resultaron inevitables los programas de estabilización, en general bajo los auspicios del FMI.[54] La estabilización —planeada sobre todo para resolver un desequilibrio externo— fue mucho más fácil, empero, en los países que miraban hacia fuera. En primer lugar, el carácter relativamente abierto de las economías hizo que los bienes de consumo aún representaran una proporción considerable del total de las importaciones, que podía reducirse sin lesionar demasiado la capacidad productiva de la economía.[55] En segundo lugar, las medidas ortodoxas del FMI para mejorar la balanza de pagos cayeron en terreno más fértil, porque las 14 repúblicas ya estaban comprometidas con alguna forma de crecimiento guiado por las exportaciones. Así, vemos que casi todos los ejemplos "triunfales" de la polí-

[51] En vista de la reputación de América Latina en lo relativo a la depreciación de la moneda, cabe destacar el carácter excepcional de la estabilidad monetaria de algunas de las repúblicas. Panamá nunca ha alterado su tipo de cambio. El tipo haitiano se fijó desde antes de la primera Guerra Mundial hasta 1991. La República Dominicana, Honduras y Guatemala tenían 80, 70 y 60 años de estabilidad monetaria, respectivamente, antes de la crisis de la deuda de los ochenta.

[52] Costa Rica, donde ya en 1940 se había creado un Estado benefactor sobre lineamientos socialdemócratas, tuvo frecuentes problemas de déficit presupuestales, y se vio obligada a buscar el apoyo del FMI en 1961.

[53] Después del asesinato de Trujillo, en 1961, la política monetaria en la República Dominicana se volvió más laxa y aumentó el déficit fiscal. No obstante, los precios sólo subieron modestamente y el tipo de cambio siguió fijo; el crecimiento monetario se reflejó básicamente en mayores importaciones.

[54] Para un detallado análisis de muchos de tales programas, véase Remmer (1986), pp. 1-24.

[55] Todavía en 1970 la participación de los bienes de consumo en el total de importaciones fue de 20.2% para los LA14 (con exclusión de Cuba), en comparación con 7.8% para los LA6. Véase ECLAC (1989), pp. 522 y 526.

tica de estabilización del FMI durante los cincuenta y los sesenta se encontraron entre los LA14.[56]

A pesar de todo, los muchos problemas relacionados con ese modelo de crecimiento habían producido una creciente insatisfacción en varios de los LA14. Un problema puesto de relieve por CEPAL —y piedra fundamental de su política— fue el deterioro de los TNIC. Aunque no cabía esperar que perduraran los altos precios registrados durante la Guerra de Corea, la ulterior caída de los TNIC causó problemas de balanza de pagos en muchos países.[57] Se redujo sin cesar el número de productos que podían comercializarse libremente cuando los países desarrollados introdujeron cuotas para numerosos bienes (por ejemplo, la carne), y cuando se establecieron acuerdos internacionales sobre ciertos artículos (azúcar, cacao, café, estaño) a fin de contrarrestar la inestabilidad de los precios mundiales.[58] El petróleo —aun antes de que se formara el cártel de la Organización de Países Exportadores de Petróleo (OPEP)[59] no quedó exento, pues en 1959 Estados Unidos creó cuotas para proteger a sus productores internos, medida que afectó a Venezuela.[60] La falta de preocupación ambiental en la producción de bienes primarios empezó a imponer limitaciones a la oferta. Las pesquerías de Perú se habían agotado al llegar los setenta,[61] y la incapacidad de Haití para diversificar sus exportaciones agrícolas tuvo que ver con la erosión de los suelos.[62] En muchos países la destrucción de los bosques tropicales para dejar lugar a ranchos ganaderos alteró las condiciones climáticas, y hasta empezó a verse afectado el nivel del agua de las esclusas del canal de Panamá (procedente de ríos alimentados por la lluvia).[63]

Asimismo, en muchas repúblicas el crecimiento guiado por las exportaciones experimentó un aumento de la penetración extranjera, que no siempre fue bien recibida. En toda la región —salvo en Bolivia— las compañías extranjeras dominaban las exportaciones de minerales y estaban firmemente establecidas en muchas ramas dinámicas de agroexportación, como las de

[56] El programa de estabilización boliviano de 1956, el costarricense de 1961 y el dominicano de 1964 fueron ejemplos de programas inspirados por el FMI que eliminaban los principales desequilibrios internos y externos. Incluso el programa de estabilización peruano de 1959, lanzado cuando la república aún estaba comprometida con una versión del crecimiento basado en las exportaciones, logró un equilibrio externo, aunque no le faltaron críticas. Véase Thorp (1967).

[57] Los TNIC para el conjunto de la región, que habían llegado a su cima en 1954, se redujeron en casi 30% en los ocho años siguientes. Véase CEPAL (1976), p. 25.

[58] Los acuerdos internacionales al respecto se analizan en Rowe (1965), pp. 155-183. Véase también Macbean y Nguyen (1987).

[59] La OPEP se creó en 1961, y Venezuela desempeñaba el papel principal. Véase Randall (1987), p. 35. Ecuador ingresó durante los setenta, pero ningún otro país latinoamericano productor de petróleo ha entrado a la organización.

[60] Véase Grunwald y Musgrove (1979), p. 249.

[61] Véase Roemer (1970), pp. 87-88.

[62] La erosión de los suelos y otras razones de la decadencia económica de Haití se analizan con gran detalle en Lundahl (1979).

[63] Véase Wadsworth (1982), pp. 167-171.

plátano y azúcar. Incluso donde no controlaban la producción (como en el caso del algodón) eran con frecuencia intereses extranjeros los que efectuaban la fabricación, la distribución y la comercialización, y ocupaban una posición privilegiada en el abasto de insumos en todas las etapas de transformación de materias primas.[64] Los intereses nacionales solían dominar en las ramas de actividad con menores tasas de rendimiento, lo que limitaba las oportunidades de acumulación de capitales dentro y fuera del sector exportador.

La insatisfacción con el crecimiento impulsado por las exportaciones se debió ante todo a la extrema dificultad de sostener a largo plazo el rápido aumento de las mismas. Entre 1960 y 1970 sólo Bolivia —revertida ahora su antigua hostilidad hacia el sector exportador— logró aumentar su parte de las exportaciones mundiales.[65] Entre 1950 y 1970 sólo Nicaragua y Perú pudieron hacer lo mismo. Aun si nos planteamos un objetivo modesto, los resultados siguen siendo decepcionantes: en las dos décadas posteriores a 1950 sólo Costa Rica, Nicaragua y Perú pudieron incrementar sus exportaciones por lo menos al ritmo de crecimiento del comercio mundial de productos primarios.[66] Una y otra vez el aumento de las exportaciones tropezó con alguno de los enormes problemas a los que se enfrentaban casi todos los productores tropicales. Durante los cincuenta las exportaciones de azúcar de Cuba fueron minadas por los términos y las condiciones del Acuerdo Internacional del Azúcar.[67] El espectacular desarrollo platanero de Ecuador durante los cincuenta (que se revirtió durante los sesenta) simplemente desplazó las exportaciones de América Central.[68] Las inversiones mineras de Perú empezaron a dar rendimientos decrecientes.[69] Venezuela comenzó a padecer la competencia del petróleo del Medio Oriente, de bajo costo.[70] Bolivia siguió siendo el productor de estaño de mayor costo entre los principales exportadores; la Comibol sólo logró evitar pérdidas cuando los precios mundiales subían.[71]

Sólo en unos cuantos casos pudo atribuirse el mal desempeño a una po-

---

[64] Una excelente descripción de la penetración extranjera de este periodo en las industrias del algodón y de la carne en América Central puede encontrarse en Williams (1986).

[65] Sin embargo, este aumento de la participación boliviana distó mucho de compensar la reducción que sufrió entre 1946 y 1960.

[66] El comercio mundial de productos primarios (en dólares actuales) aumentó a un ritmo anual de 6%, entre 1950 y 1970. Véase Scammell (1980), p. 127.

[67] Véase Thomas (1971), p. 1142. En los seis años posteriores a 1952 la participación cubana en la producción mundial de azúcar se redujo de 19.4 a 12.6%, y su cuota en el mercado "libre" permaneció virtualmente idéntica.

[68] La participación latinoamericana en las exportaciones mundiales de plátano (cerca de 70%) casi no se modificó durante los cincuenta y los sesenta, aunque las participaciones de los diversos países cambiaran notablemente. Véase Grunwald y Musgrove (1970), cuadro 13.3, p. 372.

[69] Véase Dore (1988), pp. 155-159.

[70] Véase Grunwald y Musgrove (1970), cuadro 8.5, pp. 275-277.

[71] Véase Latin America Bureau (1987).

lítica antiexportadora deliberada. Después del asesinato de Trujillo, en 1961, la República Dominicana pasó por un interludio durante el cual intentó librarse de la dependencia del azúcar, pero esta corriente después se revertiría.[72] La Cuba revolucionaria empezó a reducir sus exportaciones de azúcar en un esfuerzo por diversificar la economía, pero pronto se vio obligada a volver a depender de él, cuando la Unión Soviética remplazó a Estados Unidos como su principal mercado.[73] La moneda de Perú casi seguramente estaba sobrevaluada durante la primera parte de los sesenta.[74] Sin embargo, en general la política fue favorable a las exportaciones, en marcado contraste con la situación de los países que miraban hacia adentro.

Por consiguiente, uno tras otro y con diversos grados de entusiasmo, los países que miraban hacia fuera empezaron a reafirmar su política hacia el sector industrial. La experiencia de los que seguían el modelo opuesto fue cuidadosamente analizada en los países vecinos, y la CEPAL, en la cúspide de su influencia a finales de los cincuenta, era escuchada con respeto. Sin abandonar al sector exportador, los LA14 vieron cómo se podría injertar la promoción industrial en el crecimiento guiado por las exportaciones. En general, el instrumento clave fue una ley de promoción industrial que diera privilegios especiales a los nuevos establecimientos manufactureros para alentar la inversión industrial. Se permitió a las empresas importar maquinaria y partes con gravámenes bajos o nulos, y se dieron "vacaciones fiscales" a las ganancias del comercio.[75] Se establecieron bancos de desarrollo para canalizar créditos baratos al sector manufacturero,[76] pero se cuidó que se siguieran atendiendo plenamente los requisitos financieros del sector exportador.[77]

El resultado fue la proliferación de industrias ineficientes, de alto costo, que sin embargo resultaron sumamente lucrativas. Concentradas sobre todo en los bienes de consumo, las nuevas industrias fueron protegidas de las importaciones por aranceles generalmente más bajos que los de los países que miraban hacia dentro, pero aún lo bastante altos para generar grandes distorsiones. En las repúblicas (como Venezuela) en las que el valor de retorno de las exportaciones iba haciendo aumentar la demanda interna de artículos

---

[72] La dependencia en el azúcar estuvo directamente relacionada con las dimensiones de la cuota fijada para el producto por Estados Unidos. Véase Moya Pons (1990b), pp. 530-532.

[73] La participación soviética en las exportaciones del azúcar cubano (2% en 1959) había llegado a representar 49% en 1961 y 80% en 1978. Véase Brundenius (1984), cuadro 3.9, p. 76.

[74] El programa de estabilización de 1959 no redujo la inflación a niveles internacionales, y el verdadero tipo de cambio se fue revaluando continuamente hasta la devaluación de 1967.

[75] Sobre el cambio de la política económica de las cinco repúblicas centroamericanas, véase Bulmer-Thomas (1987), capítulo 9.

[76] Muchos de estos bancos de desarrollo se establecieron con ayuda de instituciones multilaterales, incluyendo al Banco Interamericano de Desarrollo (creado en 1961).

[77] En América Central la agricultura (incluyendo la ganadería) tuvo aproximadamente la misma participación en el total de préstamos de los bancos comerciales en 1970 que en 1961, pese al rápido crecimiento de la industria. Véase Bulmer-Thomas (1987), cuadro 9.3, p. 186.

manufacturados, mientras que los altos aranceles contenían la importación de bienes de consumo, el ritmo de crecimiento de la producción industrial fue particularmente rápido. En realidad, ésta creció en Venezuela, durante los cincuenta, a un ritmo anual de 13 por ciento.

Por tanto, la ISI finalmente llegó a ser importante en las repúblicas más pequeñas, aunque éstas se resistieron a la adopción en gran escala del modelo que miraba hacia dentro. Sin embargo, la nueva industria fue todavía más intensiva en importaciones que en las naciones más grandes, por lo que los ahorros netos en divisas fueron modestos. La pequeñez del mercado redujo la oportunidad de explotar economías de escala en muchos sectores, aumentando los costos unitarios muy por encima de los precios mundiales, aun sin tomar en cuenta las distorsiones adicionales causadas por los aranceles.

La integración regional

A finales de los cincuenta todas las repúblicas latinoamericanas habían entrado en la primera etapa de industrialización, y algunas ya hasta se habían vuelto semindustrializadas. Sin embargo, la industria en general fue ineficiente y de alto costo, pese a la abundancia de mano de obra barata no calificada. Las series de producción eran pequeñas, el tamaño de las plantas era subóptimo y los costos unitarios en las nuevas industrias dinámicas —aun en las empresas más grandes— eran altos para los niveles internacionales. Como resultado, los bienes manufacturados no entraron en la lista de exportaciones, y la obtención de divisas siguió dependiendo de un puñado de productos primarios. El comercio intrarregional que se había desarrollado en los años de la guerra —y que había incluido bienes manufacturados— casi había desaparecido, y la producción industrial se limitaba mayoritariamente al mercado interno. La estrechez de este mercado, exacerbada por la concentración de ingresos en los deciles superiores (véanse las páginas 345-360), permitió que pocas empresas pudieran satisfacer la demanda de muchos productos, por lo que la estructura de la mayoría de las industrias se aproximó a las condiciones requeridas para un oligopolio.[78]

Los países más grandes habían ampliado la producción industrial más allá de los bienes de consumo no duraderos, estableciendo fábricas de bienes de consumo duraderos e intermedios (incluso básicos).[79] Sin embargo, aun en los

---

[78] La combinación de pequeñas tandas de producción y estructuras oligopólicas dio a América Latina lo peor de ambas cosas. La primera elevó los costos unitarios; las últimas excluyeron los mercados competitivos. Debido a la fragmentación del mercado, las proporciones de concentración (es decir, la proporción del total de ventas que sumaban las tres o cuatro empresas principales) solían ser inferiores en la industria latinoamericana que en los países avanzados. Véase por ejemplo Jenkins (1984), cuadro 4.2, p. 83, sobre la industria farmacéutica.

[79] "Bienes básicos" son los productos utilizados por todo el sector industrial como insumos intermedios (por ejemplo, acero, productos químicos, combustibles procesados).

países grandes la industria fue intensiva en importaciones, por lo que el rápido desarrollo económico se asoció con frecuencia a dificultades de la balanza de pagos. Las industrias de bienes de capital —restringidas por las dimensiones del mercado— se desarrollaron con lentitud, y una proporción creciente de la cuenta de importaciones consistió en maquinaria y equipo. Además, dado que una gran parte de la tecnología estaba incorporada en bienes de capital, la región siguió teniendo una fuerte dependencia de una tecnología importada del extranjero y diseñada para el mercado de los países industrializados.

En otros países en desarrollo los programas de industrialización tropezaron con problemas similares. Sin embargo, aunque unas cuantas naciones del sudeste de Asia —en especial Hong Kong, Singapur, Corea del Sur y Taiwán— escogieron ese momento (a finales de los cincuenta) para reformar su política en favor de la promoción de exportaciones manufacturadas al resto del mundo, América Latina seguía convencida de que los obstáculos que se interponían a sus exportaciones industriales eran abrumadores. Todavía en 1967 un documento de la CEPAL declaraba que "los países en vías de desarrollo no tienen los recursos ni la capacidad técnica necesarios para competir con otros, aun en la zona en desarrollo, y mucho menos en las regiones industrializadas. Y en la medida en que logren hacerlo, la experiencia está demostrando que encontrarán una oposición muy enérgica".[80]

Este pesimismo relativo a las exportaciones seguiría siendo, durante muchos años, rasgo característico del pensamiento de la CEPAL, y en realidad encontró eco en otras organizaciones de todo el mundo. Se insistió en la necesidad de una asimetría en la política comercial internacional; Raúl Prebisch dejó la CEPAL en 1963, para encabezar la nueva Conferencia sobre Comercio y Desarrollo de la ONU (UNCTAD), en su larga —y en gran parte fallida— búsqueda de acceso privilegiado a los mercados de los países desarrollados para las exportaciones manufactureras de las naciones en vías de desarrollo.[81]

Según la CEPAL, cuya influencia ya era considerable en toda América Latina, la solución era la integración regional (IR). Inspirada en el Tratado de Roma, que había dado lugar a la creación de la Comunidad Económica Europea (CEE) en 1958, la CEPAL consideró que la abolición de las barreras nacionales arancelarias y no arancelarias en América Latina sería el instrumento para ampliar el mercado interno y permitir la explotación de economías de escala, así como la reducción de los costos unitarios, mientras mantenía una protección contra las importaciones de terceros países. Según la visión de la CEPAL, la IR daría un nuevo impulso a la industrialización de toda América Latina, y representaría para los países más grandes la oportunidad de construir una

---

[80] ECLA (1970), p. 140.

[81] La UNCTAD, creada en 1964, logró establecer en 1971 el Sistema Generalizado de Preferencias (SGP), de acuerdo con el cual los países en vías de desarrollo recibían concesiones arancelarias unilaterales sobre una vasta gama de productos manufacturados y agroindustriales. Las concesiones, sin embargo, estaban tan severamente reguladas, con condiciones y excepciones, que el beneficio neto del SGP fue muy modesto. Sobre el SGP, véase Weston (1982).

industria de bienes de capital y avanzada tecnológicamente autónoma. La expansión de las exportaciones intrarregionales permitiría crecer a las importaciones intrarregionales, reduciendo así las limitaciones que la balanza de pagos imprimía al desarrollo. También se pensaba que el comercio intrarregional estaría sujeto a mucha menor inestabilidad que el extrarregional, por lo cual los choques externos tendrían menos importancia.[82]

La visión de la CEPAL no habría bastado, por sí sola, para impulsar a América Latina hacia la IR durante los sesenta si no hubiese encontrado apoyo exterior. En realidad, la ISI había creado grupos influyentes, algunos de cuyos miembros tenían algo que perder con un comercio más libre dentro de América Latina, y el nacionalismo aún era una poderosa fuerza política que veía con malos ojos una asociación demasiado íntima con los países vecinos. Empero, una versión limitada de la IR —en una escala distinta de la planeada por la CEPAL— encontró el apoyo de cierto número de países.

El primer grupo fue precisamente el de esos países del Cono Sur (Argentina, Chile y Uruguay junto con Brasil) que más habían sufrido por la caída del comercio intrarregional desde la segunda Guerra Mundial. Todavía en la primera mitad de los cincuenta este grupo de países había llevado a cabo entre ellos un modesto comercio intrarregional, tanto de productos primarios como secundarios, mediante el uso discriminatorio de todos los instrumentos comerciales que tuvieron a su disposición. Estos mecanismos para la promoción del comercio iban en contra del trato de la nación más favorecida (NMF) preferido por los organismos internacionales (incluyendo el GATT), según el cual un privilegio comercial dado a un socio debe hacerse extensivo a todos. La eliminación de estas prácticas obligó a que las importaciones intrarregionales compitieran en igualdad de condiciones con las extrarregionales, lo que representó un rudo golpe para el valor de las primeras. Por lo tanto, este grupo de países veía la IR como medio de restablecer el comercio intrarregional a sus niveles anteriores.[83]

El segundo grupo de países lo integraban las repúblicas centroamericanas, donde apenas se había iniciado la industria moderna. Aunque el crecimiento impulsado por las exportaciones seguía siendo el modelo dominante durante todos los cincuenta, el deterioro de los TNIC después de la Guerra de Corea y el difundido reconocimiento de que el mercado nacional era demasiado pequeño para mantener sin mayores distorsiones más que a un puñado de industrias sencillas, convencieron a la élite de hacer la prueba con una versión de IR, siempre que ello no socavara las exportaciones tradicionales y no tradicionales de productos primarios. De este modo, la IR seguiría siendo el socio minoritario en un modelo que le daría privilegios a la industria sin eliminar las ventajas de que disfrutaba la agricultura de exportación.[84]

---

[82] Los documentos clave de la CEPAL sobre el comercio intrarregional son ECLA (1956 y 1959).
[83] Véase Dell (1966), pp. 25-29.
[84] Véase Bulmer-Thomas (1987), pp. 185-190.

Un compromiso con la IR, por visionario que fuera, no pudo ocultar el enorme problema al que se enfrentaba la integración en el contexto de América Latina. Nadie tomó muy en serio las referencias a un mercado común latinoamericano, que implicaría libre desplazamiento de mano de obra y capital, pero no se podía evitar la elección entre una unión aduanera (con un arancel externo común, o AEC) y una zona de libre comercio (que dejaba libre a cada país para imponer sus propios gravámenes a terceros países). Además, los aranceles previos a la unión, aunque altos en todos los países de Latinoamérica, variaban considerablemente de uno a otro (véase, por ejemplo, el cuadro IX.1), por lo cual abolirlos en el comercio intrarregional seguiría implicando diferentes ajustes nacionales. Aún más inquietante, y apenas reconocida por entonces, era la completa falta de armonización en materia de políticas cambiaria, fiscal y monetaria.

El segundo problema era la escala de las barreras no arancelarias al comercio intrarregional. Aunque se iban suprimiendo gradualmente las restricciones cuantitativas a las importaciones (salvo en México), el transporte de bienes entre los países latinoamericanos seguía plagado de inconvenientes. Los fletes a los tradicionales mercados de Europa y de América del Norte eran mucho más baratos, y las rutas navieras más abundantes. Las restricciones a los transportes nacionales significarían largos retrasos de los productos en la frontera, al ser descargados y recargados, y el comercio intrarregional no podría librarse de la maraña de papeleo burocrático planeado para combatir las importaciones en general.

El tercer problema eran las ventajas que se esperaban de la IR en materia de bienestar social. El enfoque tradicional a este problema había supuesto que los beneficios de aquél podrían identificarse con el exceso de creación de comercio (CC), más que con un cambio de rumbo del mismo (CRC), y que la CC representaba la sustitución de la producción nacional de alto costo por importaciones más baratas de un socio, y el CRC el remplazo de importaciones baratas de un tercer país por importaciones más caras de un socio.[85] Aunque la identificación de los beneficios netos de bienestar con los de la CC que rebasase el CRC resultó tener una base esencialmente hipotética,[86] causó inquietud la probabilidad de que en el contexto latinoamericano el CRC rebasara a la CC. La razón era no tanto porque los industriales nacionales se opusieran al cierre de fábricas de alto costo (aunque también eso podía esperarse); más bien tenía que ver con el hecho de que la IR fuese vista como vehículo para continuar con la sustitución de importaciones —en un contexto regional, ya no nacional—, y que los productores regionales estuviesen dispuestos a remplazar las importaciones del resto del mundo como resultado de la abolición de los aranceles al comercio intrarregional.[87]

[85] Véase El-Agraa (1997), pp. 35-44.

[86] Uno de los supuestos era el pleno empleo, por lo que los recursos que quedaran ociosos por la creación de comercio (CC) podrían dedicarse a otras actividades. Si el resultado de la CC era un aumento del desempleo, en cambio, las ventajas para el bienestar serían inciertas.

[87] Esto pudo verse con la mayor claridad en América Central, donde la virtual inexistencia de

Aunque se pudiera suponer que el bienestar neto mejoraría aunque el CRC fuera superior a la CC, la distribución de beneficios netos entre los países miembros sería nueva causa de preocupación, y por una razón muy sencilla. El provecho de la IR en este modelo latinoamericano tendía a aumentar para países que lograran remplazar las importaciones extrarregionales por producción nacional y exportaciones intrarregionales. Los países que simplemente remplazaran las importaciones baratas llegadas del resto del mundo por importaciones de alto costo de un país socio se encontrarían peor. De este modo, las ganancias en términos de bienestar tenderían a asociarse con la captación de las nuevas industrias y la administración de los excedentes comerciales intrarregionales, mientras que las pérdidas de bienestar se relacionarían con los déficit de comercio intrarregional. Por lo tanto, para tener éxito, un plan de IR debía encontrar alguna manera de compensar a los perjudicados o de distribuir las nuevas industrias entre todos los miembros, desafiando las fuerzas del mercado.[88]

Un último problema, relacionado con la distribución de los beneficios, tenía que ver con el sistema de pagos intrarregionales. Aunque las exportaciones y las importaciones intrarregionales deben ser idénticas, en realidad eso no ocurría en ninguno de los países. Los que tuvieran un déficit en el comercio intrarregional necesitarían canalizar sus finanzas a los países con excedente, para contrarrestar el excedente de importaciones frente a exportaciones. Si se pagaba en moneda dura, el ajuste de los balances intrarregionales exacerbaría las limitaciones de la balanza de pagos para los países deficitarios, aunque el alivio de esta presión era una de las razones originales que se habían planteado para promover la IR.

Los tecnócratas de la CEPAL y los políticos de los diversos países eran conscientes de muchos de estos problemas cuando planearon programas de integración en la década de 1960, aunque las soluciones propuestas distaron mucho de ser adecuadas. El primer plan que se adoptó formalmente fue la Asociación Latinoamericana de Libre Comercio (ALALC), establecida por el Tratado de Montevideo en febrero de 1960, y a la que finalmente se incorporaron las diez repúblicas de Sudamérica, junto con México.[89] La propia ALALC se fijó el objetivo de suprimir todos los aranceles puestos al comercio intrarregional para 1971, por medio de negociaciones periódicas. Se planearon negociaciones anuales de acuerdo con programas nacionales, en los que los países reducirían los gravámenes de diversos productos procedentes de otros miembros, y que se detallarían en discusiones bilaterales y negociaciones trie-

una industrialización previa hizo que las nuevas empresas manufactureras que producían bienes de consumo estuviesen casi condenadas a sustituir las importaciones del resto del mundo, como resultado del nuevo sistema arancelario. Véase Bulmer-Thomas (1988), pp. 75-100.

[88] Cline (1978), pp. 59-115, hace un excelente análisis de esta cuestión.

[89] Existen muchas buenas descripciones de la ALALC. Véase, por ejemplo, Bulmer-Thomas (1997). Vaitsos (1978) contiene un estudio comparativo de planes de integración regional, incluyendo a la ALALC, en los países en desarrollo.

nales sobre programas comunes, en los que se enumeraban los artículos para los que se iría estableciendo el libre comercio.[90]

El progreso inicial de acuerdo con los programas nacionales fue impresionante, y en los dos primeros años (1961-1962) se negociaron 7 593 concesiones tarifarias. Sin embargo, la facilidad con que se efectuaron estos acuerdos fue engañosa, porque la mayoría de las "negociaciones" arancelarias eran sobre bienes que no entraban en el comercio intrarregional o reducciones de aranceles que estaban en niveles redundantes. En los años siguientes las negociaciones tarifarias de acuerdo con los programas nacionales resultaron mucho más difíciles, y a finales de los sesenta se habían suspendido por completo. Mientras tanto, las negociaciones del programa común nunca pasaron de la primera ronda de 1964, y para entonces ya se había acordado, "en principio", el libre comercio de un número pequeño de productos primarios; la fecha de su entrada en vigor se fue aplazando progresivamente.[91]

De este modo, la ALALC nunca alcanzó su objetivo de abolir los aranceles intrarregionales, y su éxito en el manejo de los otros problemas a los que se enfrentaba la IR en el contexto latinoamericano fue aún más problemático. A partir de 1965 se ideó un sistema de pagos con una cámara de compensación multilateral que condujo a la compensación automática de un tercio del comercio intrarregional en 1970, y dos tercios en 1980[92] —nada insignificante—, pero se hizo poco por promover los intereses de los países menos desarrollados (Bolivia, Ecuador y Paraguay),[93] y no se creó un banco regional de desarrollo que pudiese canalizar recursos hacia los miembros más débiles. Se llegó a un acuerdo sobre un régimen de complementariedad industrial, que permitía a un subconjunto de países imponer reducciones de gravámenes en una industria en particular, pero esta posibilidad —utilizada con gran frecuencia durante los setenta— benefició principalmente a las EMN que tuvieran subsidiarias en diferentes partes de América Latina.[94]

Frustrados por la falta de progreso de la ALALC, en 1969 los países andinos firmaron el Pacto Andino (PA), cuyos objetivos eran más ambiciosos.[95] Se quería crear una unión aduanera, con una TEC y una legislación que asegura-

[90] Véase Finch (1988), pp. 243-248.

[91] Los productos eran plátano, cacao, café y algodón, todos ellos exportaciones tradicionales primarias de América Latina, y precisamente lo opuesto al tipo de productos manufacturados que los creadores de ALALC habían esperado promover.

[92] Véase IDB (1984a), cuadro 1.1, p. 56.

[93] La única concesión importante fue que los países menos desarrollados podrían avanzar hacia la liberalización del comercio a un ritmo más lento. Sin embargo, esto no hizo nada por asegurar una parte "justa" en la nueva industria que sería creada por la integración regional. Sobre las concesiones formales ofrecidas, cualquiera que fuese su relevancia, véase IDB (1984a), p. 70.

[94] La lista de productos afectados por acuerdos complementarios aparece en IDB (1984a), p. 156, nota 8. Incluye productos en los que las EMN eran (y siguen siendo) particularmente activas.

[95] Los miembros originales del Pacto Andino fueron Bolivia, Chile, Colombia, Ecuador y Perú. Venezuela ingresó en 1973, y Chile se retiró en 1976.

ra que los beneficios de la IR fuesen para los factores internos de producción, y no para las EMN.[96] Se formó una corporación de desarrollo andino para canalizar financiamiento interno a la infraestructura regional, se dio igual consideración a las necesidades de los miembros menos desarrollados (Bolivia y Ecuador),[97] y se consideró explícitamente a la IR como medio de promover un programa de industrialización.[98] Y sin embargo, el PA tropezó en el primer obstáculo: en principio, se aceptó una tarifa externa común (TEC) mínima, pero nunca se aplicó, y Chile se retiró en 1976, cuando su política neoliberal en materia de reducción arancelaria e inversión extranjera (véase el capítulo X) resultó incongruente con su participación en el PA.[99]

Al igual que el PA, también el Mercado Común Centroamericano (MCCA) —creado a fines de los sesenta— se propuso crear una unión aduanera con TEC.[100] Sin embargo, en contraste con la ALALC o con el PA, el MCCA no tuvo que enfrentarse a grupos de presión ya establecidos en las manufacturas modernas que se mostraran hostiles a las concesiones tarifarias intrarregionales. El bajo nivel de industrialización previo a 1960 hizo relativamente fácil liberar el comercio intrarregional, y en 1965 las TEC estaban funcionando. Se puso en práctica un sistema de pagos que condujo a la compensación automática de más de 80% del comercio intrarregional para 1970, y un Banco Centroamericano para la Integración Económica (BCAIE) canalizó fondos para infraestructura regional a todos los países; los miembros más débiles (Honduras y Nicaragua) recibieron una parte desproporcionadamente grande de los préstamos; sin embargo, el BCAIE fue el único mecanismo efectivo para compensar a los miembros más débiles, porque otros instrumentos similares fueron abandonados o aplazados.[101] El resultado fue un plan de IR

[96] El instrumento más radical en la nueva política fue la Decisión 24, que fijaba una tasa máxima de remisión de utilidades y establecía un año final para la propiedad mayoritaria de compañías extranjeras. Previsiblemente, la Decisión 24 provocó muchas fricciones, y su carácter radical se fue suavizando sin cesar. Véase El-Agraa y Hojman (1988), pp. 262-263.

[97] La lista de concesiones a Bolivia y Ecuador, que incluía trato especial dentro de la Corporación de Desarrollo Andino, aparece en IDB (1984a), pp. 74-75. Sin embargo, difícil sería refutar la evaluación del BID de que "el Régimen Especial para los PMN [países menos desarrollados] andinos ha tenido muy poco efecto y no ha estado a la altura de las expectativas iniciales".

[98] Esto se lograría mediante el programa sectorial de desarrollo industrial (PSDI), cuyo objeto era "racionalizar la industrialización ubicando las fábricas de tal modo que se asegure la óptima utilización en el contexto de un desarrollo uniforme". Véase El-Agraa y Hojman (1988), p. 264. En la práctica, el PSDI hizo poco por evitar la proliferación de plantas subóptimas.

[99] A menudo se ha atribuido erróneamente el retiro de Chile a las diferencias políticas entre la dictadura derechista del general Augusto Pinochet Ugarte y los gobiernos de inclinaciones izquierdistas que había en otras repúblicas andinas. Sin duda estas diferencias no contribuyeron al buen funcionamiento del PA, pero eran secundarias ante el deseo chileno de aplicar un programa económico neoliberal, que sería incongruente con su pertenencia al PA.

[100] Para un resumen de la integración regional de Centroamérica desde sus orígenes hasta su reanudación en el decenio de 1990, véase Bulmer-Thomas (1998).

[101] El instrumento más controvertido fue el Plan de Integración Industrial, que concedía la liberación de gravámenes a una sola empresa en una industria en la que se suponía que eran importantes las economías de escala. Sólo a dos compañías se les concedieron tales privilegios,

que sin duda logró generar beneficios netos, pero en el cual la distribución de los beneficios entre sus miembros era desigual. Honduras, en particular, incurrió en déficit comerciales intrarregionales cada vez mayores; el CRC superó con mucho a la CC y el déficit tuvo que resolverse dos veces al año en moneda dura, obtenida de las exportaciones extrarregionales.[102] Después de la guerra entre El Salvador y Honduras en 1969, que paralizó el comercio entre los dos países hasta el año de 1980, Honduras se retiró del MCCA.[103]

Con la parcial excepción del MCCA, los esfuerzos latinoamericanos por crear un marco institucional que promoviera la IR no tuvieron mucho éxito. Fue particularmente modesto el crecimiento del comercio intrarregional en la ALALC atribuible a medidas oficiales; todavía a fines de los setenta menos de la mitad del comercio intrarregional era de bienes cubiertos por concesiones de la ALALC, y el comercio de los mismos no había crecido con tanta rapidez como el de los productos sin esas concesiones.[104] El comercio intrarregional como proporción del comercio total en el MCCA llegó a su cúspide en 1970, y luego se redujo constantemente.[105] Tras una década de PA el comercio intrarregional seguía siendo menos de 5% del total.[106]

A pesar de todo, sería erróneo descartar el experimento latinoamericano de IR. Pese a las fallas institucionales, el comercio intrarregional no sólo aumentó rápidamente en términos absolutos en los dos decenios posteriores a 1960, sino que, para la región en su conjunto, creció incluso en términos relativos (es decir, como proporción del total de exportaciones) hasta finales de los setenta. Como se ve en el cuadro IX.3, la participación de las exportaciones intrarregionales en el total de exportaciones había llegado a dos dígitos en 1965, y se acercó a 18% una década después. Además, a comienzos de los sesenta, aunque el comercio intrarregional había estado dominado por los productos primarios, éstos fueron perdiendo importancia, y en 1975 el comercio de productos manufacturados representaba casi la mitad de las exportaciones intrarregionales (véase el cuadro IX.3), en marcado contraste

que en realidad equivalían a un monopolio regional, antes de que el plan cayera en desuso debido a la oposición del sector privado (y del gobierno norteamericano). Véase Ramsett (1969).

[102] El problema hondureño, que fue el principal factor en su decisión de abandonar el MCCA, mostró las dificultades a las que se enfrentaban los planes de integración en América Latina. A Honduras, como miembro más débil del MCCA, se le estaba pidiendo en realidad que remplazara las importaciones del resto del mundo con importaciones de mayor costo (antes de impuestos) de la región. Sin embargo, sus exportaciones al MCCA fueron básicamente productos alimenticios, que siguieron vendiéndose a los precios mundiales. Así, los términos comerciales para Honduras se deterioraron; precisamente lo opuesto de lo que se esperaba que ocurriera con un plan de integración.

[103] La guerra entre los dos países se debió a las tensiones generadas por la migración de salvadoreños a Honduras. Véase Bulmer-Thomas (1990a).

[104] Véase IDB (1990), pp. 10 y 11.

[105] En su momento culminante, las exportaciones intrarregionales representaron 26% del total de las mismas. Sin embargo, la ulterior caída fue sólo relativa, y el valor absoluto del comercio siguió creciendo hasta 1981.

[106] Véase El-Agraa y Hojman (1988), cuadro 11.1 (a), p. 261.

con las exportaciones extrarregionales, entre las cuales casi no tenía importancia.[107]

El comercio intrarregional de bienes industriales fue particularmente rápido en maquinaria y equipo, confirmando así el argumento de la CEPAL de que la IR podría emplearse como base para construir una industria regional de bienes de capital, y aumentó su participación en el total de 4 a 15% en 10 años a partir de 1965 (véase el cuadro IX.3). En realidad, durante los sesenta las exportaciones de manufacturas avanzadas dependían mucho del mercado regional: 70% de las exportaciones de maquinaria y equipo de transporte y de diversos bienes manufacturados iban a otras repúblicas latinoamericanas. Estas proporciones se redujeron después, durante los setenta, cuando las empresas de los países más grandes empezaron a exportar artículos equivalentes al resto del mundo. Podría decirse así, con cierta justificación, que el mercado regional fue el trampolín para las exportaciones extrarregionales de bienes de tecnología avanzada.[108]

En vista de la parálisis institucional visible a fines de los sesenta, el crecimiento del comercio intrarregional llegó a depender del sector privado, y no del público. De hecho, las organizaciones regionales del sector privado —casi inexistentes en 1960— cobraron cada vez mayor importancia, y durante los setenta el crecimiento de su comercio se debió casi exclusivamente a sus esfuerzos. Se aprovechó al máximo la oportunidad ofrecida por los regímenes de complementariedad industrial, y el comercio de servicios regionales —incluyendo asesoría, financiamiento, seguros y construcción— también ganó importancia.[109] En un tardío esfuerzo por igualar la contribución del sector privado los gobiernos de la región crearon el Sistema Económico Latinoamericano (SELA), cuya lista de miembros se amplió para incluir al Caribe de habla inglesa en 1975.[110] Cuando en 1980 expiró el Tratado de Montevideo la ALALC fue remplazada por la Asociación de Integración Latinoamericana (AILA), que dio mayor importancia a la complementariedad industrial y a las iniciativas del sector privado.[111]

[107] Éstas seguían siendo, en 1975, 16% de las exportaciones extrarregionales. Véase Thoumi (1989), cuadro 5, p. 13.

[108] En 1965 las exportaciones de maquinaria y equipo de transporte al mercado regional tuvieron doble importancia que las efectuadas al mercado mundial. Los dos mercados tuvieron casi la misma relevancia durante los setenta pero en los ochenta el mercado mundial se volvió mucho más importante. La mayoría de estas exportaciones procedían de EMN que operaban en Brasil y México. Véase Blomstrom (1990).

[109] Esta importante área de comercio ha sido casi totalmente descuidada. Para una digna excepción, véase IDB (1984a), pp. 156-169.

[110] El SELA, con base en Caracas, también incluía a todas aquellas repúblicas latinoamericanas (Cuba, República Dominicana, Haití y Panamá) que no eran miembros de ningún plan de integración, así como a cuatro países miembro (Barbados, Guyana, Jamaica y Trinidad y Tobago) del área caribeña de libre comercio (después Comunidad Caribeña o Caricom) así como a Surinam.

[111] Es dudoso que la AILA pudiese haber triunfado donde fracasó la ALALC. Sin embargo, la AILA y el comercio intrarregional de hecho se desplomaron como resultado de la crisis de la deuda que comenzó en 1982.

CUADRO IX.3. *Exportaciones intrarregionales por grupo de productos*
como porcentaje de las exportaciones totales por grupo de productos,
1965, 1970 y 1975

Exportaciones	1965	1970	1975
Alimentos básicos y materias primas			
1. Alimentos y animales vivos	8.8	8.0	10.0
	(27.1)	(22.2)	(17.1)
2. Bebidas y tabaco	7.6	12.2	8.5
	(0.3)	(0.5)	(0.4)
3. Materias primas no comestibles	9.4	9.9	8.2
	(12.2)	(10.3)	(6.2)
4. Combustibles y combustibles minerales	13.9	14.0	16.7
	(31.5)	(22.9)	(29.3)
5. Aceites y grasas animales y vegetales	13.3	14.6	16.6
	(1.8)	(1.7)	(1.2)
Subtotal	(72.9)	(57.6)	(54.2)
Productos manufacturados			
Elementos y compuestos químicos	36.1	48.2	53.9
	(5.6)	(7.4)	(8.2)
Productos manufacturados			
clasificados por su material	15.6	18.0	27.1
	(13.3)	(19.6)	(16.3)
Equipo de maquinaria y transporte	70.2	51.0	52.6
	(4.1)	(9.2)	(15.4)
Artículos manufacturados misceláneos	70.0	55.2	38.5
	(3.7)	(5.5)	(5.3)
Subtotal	(26.7)	(41.7)	(45.2)
Otros productos	27.5	38.9	16.4
	(0.4)	(0.7)	(0.6)
Total	12.6	14.0	17.9
	(100)	(100)	(100)

NOTAS: Las cifras entre paréntesis se refieren a la composición de exportaciones intrarregionales, en porcentajes. Se basan en datos sobre comercio aportados por miembros del Banco Interamericano de Desarrollo; por lo tanto, las estadísticas excluyen a Cuba e incluyen a Barbados, Guyana, Jamaica y Trinidad y Tobago.
FUENTE: Thoumi (1989), cuadro 4, p. 10, y cuadro 5, p. 12.

La importancia del sector privado en las exportaciones intrarregionales se reflejó en el patrón geográfico del comercio. Las afluencias más importantes que hubo fueron entre bloques de países contiguos. Así, en la ALALC, Argentina, Bolivia, Brasil, Paraguay y Uruguay formaron un bloque que dominó el comercio dentro de la asociación, y que tuvo tanta importancia para las tres repúblicas pequeñas (Bolivia, Paraguay y Uruguay) que representó casi 40% de sus exportaciones totales a fines de los setenta.[112] En el PA el comercio total estuvo dominado por las afluencias entre Colombia y Venezuela,[113] y al comercio entre El Salvador y Guatemala correspondió más de la mitad del total del MCCA.[114] El comercio intrarregional quedó sumamente concentrado, y en muchas ocasiones no hubo comercio entre ciertos pares de países.[115] El ensanchamiento del mercado previsto por la CEPAL fue, como vemos, bastante modesto, y el proceso fue impulsado esencialmente por grupos del sector privado, que explotaron su conocimiento de los mercados vecinos para establecer salidas adicionales a su producción sin alterar demasiado el tamaño de su instalación y su forma de producir.[116]

Es comprensible la renuencia del sector privado a basar sus decisiones en materia de inversión en un mercado latinoamericano. En repetidas ocasiones había quedado de manifiesto el fracaso de las iniciativas del sector público al tratar de establecer un marco adecuado para eliminar las barreras arancelarias y no arancelarias al comercio intrarregional, y la concentración geográfica del comercio lo hacía muy vulnerable a los choques externos. De hecho, el comercio intrarregional resultó aún más inestable que el extrarregional. En casi todas las repúblicas sometidas a programas de IR el coeficiente de inestabilidad de las exportaciones intrarregionales fue alto, superior al de las extrarregionales.[117]

El comercio intrarregional también era procíclico. Solía avanzar al ritmo del extrarregional, pero los movimientos se exageraban en ambas direcciones. Así, aunque el valor total del comercio fuera creciendo durante los sesenta y los setenta, el valor del comercio intrarregional iba aumentando

[112] En los tres casos las exportaciones intrarregionales iban, en proporción abrumadora, a Argentina y Brasil. Véase Thoumi (1989), cuadro 14, p. 33.

[113] Sin embargo, a fines del decenio de 1970 este comercio consistía, básicamente, en exportaciones colombianas a Venezuela, por lo que fue vulnerable a las restricciones a la importación impuestas por este país.

[114] A finales de los setenta El Salvador estaba vendiendo 60% de sus exportaciones intrarregionales a Guatemala; la cifra inversa era de cerca de 50%.

[115] Por ejemplo, México casi no le vendió a Bolivia, Paraguay o Uruguay, pese a que los cuatro países eran miembros de la ALALC. De manera similar, los nexos comerciales entre el MCCA y la ALALC fueron modestos.

[116] El aumento de contactos entre empresas produjo una explosión de asociaciones empresariales regionales y subregionales, que aumentaron de tres en 1960 a 14 en 1971 y a 41 en 1983. Véase IDB (1984a), p. 159.

[117] Véase Thoumi (1989), cuadro 25, p. 80. La única excepción es Honduras, donde el coeficiente de inestabilidad entre 1960 y 1982 fue aún más alto para las exportaciones extrarregionales.

con más rapidez todavía. Por otra parte, cuando a partir de 1981 se redujo el valor del total de importaciones, el comercio intrarregional sufrió una caída que sólo pudo revertirse cuando el total de importaciones empezó a crecer de nuevo, a finales de la década. El carácter procíclico del comercio intrarregional representó una decepción para quienes habían esperado que la IR aumentara la autonomía de la región ante los choques externos. Pero no puede sorprendernos. La composición de las exportaciones intrarregionales y las extrarregionales era distinta, y por lo general no era posible pasar productos de un mercado a otro y a corto plazo.[118]

CRECIMIENTO, DISTRIBUCIÓN DEL INGRESO Y POBREZA

Antes de la segunda Guerra Mundial escaseaba la información estadística sobre las repúblicas latinoamericanas. Algunos países (por ejemplo, Bolivia y Paraguay) ni siquiera podían dar información adecuada sobre el tamaño de su población, y no había datos contables en el nivel nacional. Pero en los cincuenta la situación había mejorado.[119] Aunque seguía habiendo muchas deficiencias, todos los países generaban ya estadísticas con regularidad, y la participación de organismos internacionales garantizó una posibilidad razonable de comparación entre los diversos países. La CEPAL, sobre todo, se mostró infatigable, recabando y preparando información, no sólo sobre el periodo de posguerra sino, en algunos casos, también sobre décadas anteriores. Por ello fue posible comparar el crecimiento y desarrollo de todas las repúblicas en un marco congruente, y en muchos casos se dispuso por primera vez de medidas de distribución del ingreso y de la pobreza.

La medida de desarrollo más comúnmente utilizada es el PIB a precios constantes. La tasa de crecimiento de la región había aumentado en las tres décadas posteriores a 1940 —actuación satisfactoria— y durante los sesenta tenía un promedio de 5.4% anual (véase el cuadro IX.4). Sólo en Uruguay, Venezuela y República Dominicana la tasa de desarrollo cayó en los tres decenios, pero en los dos últimos casos seguía siendo alta durante los sesenta. La tasa de crecimiento latinoamericano podía compararse favorablemente con la de otros países en vías de desarrollo —era aún más alta que la del este de Asia durante los cincuenta— y era más rápida que la de los países desarrollados.

Sin embargo, el crecimiento demográfico fue acelerándose durante casi

[118] Incluso en aquellas ocasiones en las que resultaba posible, como en el caso de la maquinaria y el equipo de transporte (véase la nota 108), las exportaciones intrarregionales fueron vulnerables a las restricciones a la importación que solían imponerse después de algún choque externo.

[119] La situación mejoró enormemente cuando durante la década de los años cuarenta se llevó a cabo un esfuerzo concertado por lograr la cobertura congruente, en toda la región, de indicadores sociales y económicos clave, con los auspicios de la cooperación interamericana. El *annus mirabilis* fue el de 1950, cuando casi todas las repúblicas latinoamericanas efectuaron un censo de población y muchas realizaron también uno agrícola. Véase Travis (1990).

todo el periodo. Las repúblicas de América Latina, igual que otros países en desarrollo, se encontraron en medio de una explosión demográfica, como resultado de un pequeño aumento de la tasa de natalidad y un gran descenso de la de mortalidad.[120] Entre 1900 y 1930 la población aumentó más de 2.5% al año sólo en Argentina, Honduras y Cuba, pero en los cincuenta la población iba creciendo a este ritmo en 13 naciones. Además, el rápido incremento demográfico anterior a 1930 implicó una alta tasa de inmigración internacional —que había llevado trabajadores calificados y, en algunos casos, capital— mientras que en los cincuenta casi había cesado la inmigración internacional a América Latina, por lo cual el incremento poblacional era de jóvenes que dependían de sus padres.[121]

Cuando las cifras del PIB se ajustan al crecimiento demográfico para obtener el PIB per cápita (véase el cuadro IX.4), la posición sigue siendo satisfactoria en términos generales. Sólo Haití sufrió un descenso de los niveles de vida entre 1950 y 1957; la mayoría de las repúblicas vieron aumentar su PIB per cápita en cada decenio. Para la región en su conjunto el desempeño se comparaba razonablemente bien con el de otros países en desarrollo, y no estaba muy a la zaga del de los países desarrollados, donde el crecimiento demográfico era mucho más modesto. A finales de los sesenta el nivel del PIB per cápita en América Latina la ubicó claramente —con excepción de Haití— en el grupo de países descrito por el Banco Mundial como de "mediano ingreso", y los seis primeros países de la lista fueron clasificados como "de ingreso medio alto".[122]

El nivel de PIB per cápita se calcula sobre los precios de un año determinado. Las distorsiones relacionadas con la ISI imprimen un sesgo ascendente al componente manufacturero del PIB, porque el valor del producto neto supera con mucho su valor a precios mundiales. No obstante, el uso de tipos de cambio oficiales para convertir las monedas nacionales en dólares da a las cifras un sesgo descendente, porque en general el poder adquisitivo de los tipos de cambio fue más bajo.[123] Estas dos tendencias no necesariamente se cancelan entre sí, pero no hay ninguna razón para rechazar las cifras de PIB y de PIB per cápita como absurdas o —peor aún— engañosas. Además, el desempeño fue satisfactorio tanto en el grupo de países que siguieron el desarrollo hacia

[120] A comienzos de los treinta la tasa bruta de mortalidad (TBM) había sido superior a 20% en todas las repúblicas excepto Argentina, Cuba, Panamá y Uruguay. Véase Wilkie (1990), cuadro 710. A comienzos de los sesenta estaba por debajo de 20 en todas ellas, excepto Bolivia y Haití. Durante los sesenta la población de América Latina (276 millones en 1970) iba creciendo a 2.8% anual, en comparación con 1.9% durante los treinta y 2.5% durante los cuarenta.

[121] No sólo había cesado la inmigración masiva a América Latina, sino que se iba acelerando la emigración a Estados Unidos. Durante los setenta la población hispana de Estados Unidos, aunque dominada por inmigrantes de origen mexicano, procedía de una vasta gama de países.

[122] Véase World Bank (1984), cuadro 1, que utiliza datos para comienzos de los ochenta y también incluye en este grupo a Brasil.

[123] En 1970, por ejemplo, el tipo de cambio oficial para México era de 12.5 pesos por dólar, mientras que la tasa de paridad del poder adquisitivo (véase CEPAL [1978], p. 8) era de 8.88. Véase también Thorp (1998), apéndice, cuadro II.1, p. 317.

CUADRO IX.4. *Producto interno bruto: tasas de crecimiento y per cápita,*
1950-1970

País	Tasas de crecimiento (en porcentaje)		Per cápita (en dólares de 1970)			
	1950-1960	1961-1970	1950	1960	1970	Lugar
Argentina	2.8	4.4	753	812	1 055	1
Bolivia	0.4	5.0	189	151	201	19
Brasil	6.9	5.4	187	268	364	12
Chile	4.0	4.3	561	631	829	3
Colombia	4.6	5.2	224	261	313	14
Costa Rica	7.1	6.0	318	394	515	8
Cuba	2.4[a]	4.4[b]	450[c]	534[d]	638[e]	7
Ecuador	4.9	5.2	184	221	256	17
El Salvador	4.4	5.8	218	237	294	15
Guatemala	3.8	5.5	271	288	361	13
Haití	1.9	0.8	95	99	84	20
Honduras	3.1	5.3	190	231	259	16
México	5.6	7.1	362	467	656	6
Nicaragua	5.2	6.9	249	311	436	10
Panamá	4.9	8.1	358	443	708	5
Paraguay	2.7	4.6	203	212	243	18
Perú	4.9	5.5	278	364	446	9
República Dominicana	5.8	5.1	252	324	403	11
Uruguay	1.7	1.6	770	820	828	4
Venezuela	8.0	6.3	485	723	942	2
América Latina	5.3	5.4	306	396	513	

[a] Dato para 1950-1958. Véase Brundenius (1984).
[b] Véase Brundenius y Zimbalist (1989).
[c] Obtenido de Maddison (1991) y Pérez-López (1991).
[d] 1962. Obtenido de Brundenius y Zimbalist (1989), cuadro 5.8, p. 63, y adaptado a la estimación del PIB per cápita para 1970.
[e] Véase Pérez-López (1991).
FUENTES: Wilkie (1974); World Bank (1980), IDB (1990). Para datos del PIB en la paridad poder adquisitivo / tipos de cambio, véase Thorp (1998), apéndice IX.

fuera como en el que continuó con su orientación hacia dentro; este último grupo habría de experimentar las mayores mejoras en los dos decenios posteriores a 1950.[124]

La recopilación de información se amplió para incluir los indicadores sociales, muchos de los cuales también narraron una historia alentadora. La esperanza de vida en la región iba en ascenso, y la mortalidad de recién nacidos y de niños iba disminuyendo. La inscripción en las escuelas primarias y secundarias aumentaba con rapidez, tanto en términos absolutos como en relación con la población en edad escolar, y el analfabetismo iba en retroceso. Todos los indicadores de salud apuntaban en la dirección correcta. América Latina estaba transformándose en una sociedad cada vez más urbana: a finales de los años sesenta casi 60% de la población de la región fue clasificada como urbana (es decir, que vivía en poblados o ciudades de más de 1 000-3 000 habitantes), en comparación con menos de 40% en 1940. En las repúblicas más pequeñas la población rural seguía siendo mayoritaria, pero por doquier iba en relativo retroceso.[125]

La rápida urbanización de América Latina fue un reflejo del crecimiento demográfico, de la migración rural-urbana y de la insistencia de muchos países en las actividades basadas en las ciudades. Las urbes principales crecieron a un ritmo asombrosamente rápido, y fueron expandiéndose la mancha urbana, la contaminación industrial y las viviendas precarias; México, D. F., Buenos Aires y São Paulo se encontraban entre las ciudades más grandes del mundo.[126] En realidad, los atractivos de la ciudad principal de cada república a menudo eran tan grandes que la migración de otros poblados y ciudades a veces era aún mayor que la de las zonas rurales.[127]

En tales circunstancias no era sorprendente encontrar grandes problemas en el funcionamiento del mercado de trabajo, sobre todo en las zonas urbanas. Un rápido crecimiento demográfico en una década siempre aumenta la oferta de mano de obra en las siguientes,[128] y la migración rural-urbana incrementa directamente la oferta de mano de obra de las ciudades. Además, tanto en las zonas rurales como en las urbanas las tasas de participación femenina —la proporción de la población femenina adulta deseosa de trabajar—

---

[124] Durante los cincuenta la tasa de crecimiento medio anual (no ponderado) del PIB real para los dos grupos era la misma (4.3%). En los sesenta la tasa para los LA6 fue 4.7%, mientras que para los LA14 fue 5.1%.

[125] Véase Wilkie (1990), cuadro 644, p. 137

[126] Para 1970 cuatro ciudades latinoamericanas (México, São Paulo, Buenos Aires y Rio de Janeiro) tenían más de siete millones de habitantes (aproximadamente los mismos que Nueva York o Londres). Véase Wilkie (1990), cuadro 634, p. 129.

[127] Pueden encontrarse buenos estudios de caso sobre la migración en América Latina en Peek y Standing (1982).

[128] De este modo, la tasa de crecimiento de la población económicamente activa (PEA) se aceleró, pasando de 2.1% en los cincuenta a 2.5% en los sesenta y 3.2% en los setenta. Esto fue aún más rápido que la tasa de crecimiento de la población, por el aumento de la participación femenina en la PEA. Véase Deas (1991), cuadro 14.1, p. 219.

CUADRO IX.5. *El subempleo como porcentaje de la población económicamente activa, 1950, 1970 y 1980*

País	1950	1970	1980
Argentina	22.8	22.3	28.2
	(7.6)	(6.7)	(6.8)
Bolivia	68.7	73.1	74.1
	(53.7)	(53.5)	(50.9)
Brasil	48.3	48.3	35.4
	(37.6)	(33.4)	(18.9)
Chile	31.0	26.0	29.1
	(8.9)	(9.3)	(7.4)
Colombia	48.3	40.0	41.0
	(33.0)	(22.3)	(18.7)
Costa Rica	32.7	31.5	25.1
	(20.4)	(18.6)	(9.8)
Ecuador	50.7	64.9	62.0
	(39.0)	(41.2)	(33.4)
El Salvador	48.7	44.6	49.0
	(35.0)	(28.0)	(30.1)
Guatemala	62.7	59.0	56.7
	(48.7)	(43.0)	(37.8)
México	56.9	43.1	40.4
	(44.0)	(24.9)	(18.4)
Panamá	58.8	47.5	36.8
	(47.0)	(31.7)	(22.0)
Perú	56.3	58.4	51.6
	(39.4)	(37.7)	(31.8)
Uruguay	19.3	23.7	27.0
	(4.8)	(6.9)	(8.0)
Venezuela	38.9	42.3	31.1
	(22.5)	(19.9)	(12.6)
América Latina	46.1	43.8	38.3
(14 países)	(32.5)	(26.9)	(18.9)

NOTA: Las cifras entre paréntesis se refieren al subempleo en la agricultura como porcentaje de la fuerza de trabajo agrícola.

FUENTE: Wells (1987), cuadro 2.1, pp. 96-97, basado en estimaciones de PREALC.

iba en aumento.[129] Cierto, podía esperarse que el crecimiento del PIB real elevara la demanda de trabajadores, pero cabía suponer que el paso a actividades de base urbana, de mayor productividad y mayor relación capital-producto, moderara la absorción de mano de obra.[130]

Pese a estos problemas, no hay pruebas contundentes de desempleo o subempleo crecientes en América Latina durante este periodo. De hecho, en una serie de estudios históricos el Programa Regional del Empleo para América Latina y el Caribe (PREALC), división de la Organización Internacional del Trabajo (OIT), encontró evidencias de una reducción del subempleo en los tres años posteriores a 1950 en la mayoría de los países examinados (véase el cuadro IX.5). En todos los casos se elevó la proporción de la población no agricultora clasificada como subempleada, pero esto quedó compensado, con creces en general, por la reducción del subempleo entre los trabajadores agrícolas. De este modo la migración rural-urbana iba mitigando el impacto general del subempleo y, al mismo tiempo, poniéndolo más de manifiesto, porque iba volviéndose, cada vez más, un problema urbano y no rural.

El creciente subempleo en las zonas urbanas constituyó un recordatorio de que crecimiento y desarrollo no son lo mismo. No menos perturbadora fue la acumulación de datos sobre la distribución del ingreso y la riqueza. En los 100 años anteriores a 1930 la mayoría de las repúblicas había visto que el crecimiento guiado por las exportaciones había reforzado su legado colonial de patrón de distribución desigual. Había evidencias parciales de que el quintil más alto recibía una parte del ingreso mayor que su equivalente en el extranjero, y que en el quintil inferior ocurría lo contrario.

Estudios más completos efectuados después de la segunda Guerra Mundial confirmaron este panorama. Aún más inquietante fue la tendencia de la distribución del ingreso. Otras regiones del mundo habían visto una modesta mejoría de la parte del ingreso recibida por el quintil inferior, pero muchas repúblicas latinoamericanas presenciaron una nueva baja (véase el cuadro IX.6). De este modo, hacia 1970 el promedio para América Latina era apenas 3.4%, en comparación con 4.9% para todos los países en vías de desarrollo y 6.2% para los desarrollados. El coeficiente de Gini (véase el cuadro IX.6), muy utilizado para medir la desigualdad de la distribución del ingreso,[131] indica

---

[129] El aumento de la mano de obra femenina, como consecuencia, fue muy rápido y llegó a 4.7% anual durante los setenta. Véase Deas (1991), cuadro 14.1, p. 219.

[130] La agricultura suele tener la tasa sectorial capital-producto más baja. Por ello el paso de las actividades agrícolas a las no agrícolas (equivalente a un paso del sector rural al urbano), implicó una reducción de la absorción de mano de obra para determinado nivel de inversiones. Por consiguiente, el nivel de inversiones tuvo que aumentar considerablemente para evitar un incremento del desempleo.

[131] El coeficiente de Gini adopta un valor de 0 en el caso de igualdad completa (por ejemplo, cuando todos reciben el mismo ingreso) y de 1 en el caso de desigualdad completa (por ejemplo, cuando todo el ingreso va a una sola persona). De manera normal, el coeficiente de Gini en Europa occidental está en el rango de 0.3 a 0.4, y se informó de un rango similar en Corea del Sur y Taiwán. Sobre la medición de la desigualdad del ingreso, véase Cowell (1977), pp. 121-129.

que el grado de concentración del ingreso en América Latina era sumamente alto — mucho más que en los países desarrollados en una etapa comparable de su desarrollo—, y que la concentración del ingreso iba empeorando precisamente en aquellos países (como Brasil y México) que habían tenido un comportamiento más dinámico.[132] En toda América Latina el quintil superior recibía cerca de 60% del ingreso (véase el cuadro IX.6), porcentaje empecinado en no bajar y muy superior al de los países desarrollados (cerca de 45%).

La desigual distribución del ingreso y los altos coeficientes de Gini reflejaban la distribución subyacente de los activos: tierras, capital financiero y físico y capital humano. La distribución de la tierra era más desigual todavía que la del ingreso; la tradicional división de las propiedades agrícolas latinoamericanas en minifundios y latifundios produjo una extraordinaria concentración de tierras en muy pocas manos.[133] Sólo Costa Rica, con su orgullosa tradición de ocupación de la tierra por sus dueños, mostraba predominio de las propiedades de tamaño familiar, y aun ahí la distribución de las mismas se había ido concentrado cada vez más desde la Independencia.[134]

También la riqueza urbana estaba muy mal distribuida. Con acciones que rara vez se negociaban en los mercados financieros, la propiedad de las nuevas actividades estaba notablemente concentrada en un número bastante pequeño de familias que coincidían en los consejos de administración.[135] El principal desafío a la hegemonía de este grupo no provino tanto de una clase media con propiedades cuanto de las EMN, que habían adquirido una posición de fuerza en muchos de los sectores más dinámicos a finales de los sesenta.[136] Y sin embargo, esto no contribuyó demasiado a reducir la concentración del ingreso y la riqueza entre los factores internos de producción.

El perfil salarial también indicaba una brecha de los sueldos, entre los niveles más altos y los más bajos, muy superior a la encontrada en los países

[132] El coeficiente de Gini en Brasil saltó de 0.5 a 0.6 entre 1960 y 1970. Véase Cardoso y Helwege (1992), cuadro 9.10, p. 241.

[133] El grado de concentración de la tierra se manifestó durante los cincuenta con la publicación de numerosos censos agrícolas. En Ecuador, en 1954, las propiedades de más de 100 hectáreas (2.2% del total) controlaban 64.4% de la tierra, mientras que las numerosas parcelas subfamiliares (73.1%) sólo representaban 7.2% del área cultivada. Véase Zuvekas y Luzuriaga (1983), cuadro 4.1, p. 54.

[134] Todavía en 1973 sólo se rentaba 5% de las propiedades agrícolas de Costa Rica. Sin embargo, las de más de 500 hectáreas (1% del total) ocupaban casi 40% del área de cultivos. Véase Dirección General de Estadística y Censos (1974), cuadro 29.

[135] El grado de control familiar es sumamente difícil de cuantificar; a falta de estados financieros publicados y contabilidad de las compañías, pero se han llevado a cabo algunos estudios. Véase Strachan (1976) para el caso de Nicaragua.

[136] A finales de los sesenta la penetración de EMN en las manufacturas era especialmente marcada; empresas extranjeras eran responsables al menos de 30% de la producción casi en toda la región, y de más de 40% en Brasil, Colombia y Perú. Véase Jenkins (1984), cuadro 2.2, p. 32 y cuadro 2.4, p. 34.

CUADRO IX.6. *Distribución del ingreso y la pobreza, ca. 1960 y ca. 1970*

País	Participación del ingreso (en porcentajes)				Índice de Gini[a]	Índice de pobreza[b]
	20% más pobre		20% más rico		ca. 1970	ca. 1970
	ca. 1960	ca. 1970	ca. 1960	ca. 1970		
Argentina	6.9	4.4	52.0	50.3	.425	8
Bolivia		4.0		59.0		
Brasil	3.8	3.2	58.6	66.6	.574	49
Chile		4.4		51.4	.503	17
Colombia	2.1	3.5	62.6	58.5	.520	45
Costa Rica	5.7	3.0	59.0	54.8	.466	24
Cuba	2.1	7.8	60.0	35.0	.25	
Ecuador		2.9		69.5	.625	
El Salvador	5.5		61.4		.539	
Guatemala		5.0		60.0		
Honduras		2.3		67.8	.612	65
México	3.5	3.4	61.0	57.7	.567	34
Nicaragua		3.1		65.0		
Panamá		2.5		60.6	.558	39
Paraguay		4.0				
Perú	2.5	1.9		61.0	.591	50
República Dominicana					.493	
Uruguay		4.0			.449	
Venezuela	3.0	3.0	59.0	54.0	.531	25
América Latina	3.7	3.4				39

[a] Para una explicación del coeficiente de Gini véase la nota 131.
[b] Definido como proporción de la población que vive debajo de la línea de pobreza.
FUENTES: World Bank (1980, 1983, 1990); Brundenius (1984); Sheahan (1987); Wilkie (1990); Cardoso y Helwege (1992).

desarrollados,[137] en gran parte reflejo de la desigual distribución del capital humano —ante todo la educación— que dejó con poca o ninguna instrucción a una alta proporción de la mano de obra. Así, pese al aumento de la matrícula escolar, en 1970 en 14 repúblicas más de 40% de la mano de obra había asistido menos de tres años a la escuela.[138] Inevitablemente, en tales circunstancias la tasa privada de retorno de la educación era alta, por lo cual los miembros de la mano de obra con educación secundaria o vocacional lograban obtener por sus servicios un pago alto en relación con la masa de trabajadores no calificados ni escolarizados.[139]

Una consecuencia de la desigual distribución de los activos (incluyendo el capital humano) en América Latina fue un proceso de desarrollo que concentró los beneficios del crecimiento en los deciles superiores.

No fue tanto que los pobres estuviesen volviéndose más pobres —aunque a veces así era—, pues aun el decil inferior tuvo en general algún aumento de su ingreso real.[140] El problema se relaciona mucho más con la desigual distribución de los beneficios del crecimiento. Además, aunque hubo una modesta alza de los niveles de vida en los deciles inferiores, el rápido incremento demográfico aumentó el número absoluto de quienes vivían en la pobreza, así como el de quienes se clasificaban como extremadamente pobres (en la miseria). De este modo, el relativo descenso de la pobreza seguía siendo congruente con la clasificación de una gran proporción de la población total como pobre (véase el cuadro IX.6).

A finales de los cuarenta el bajo nivel de urbanización hacía casi inevitable que la mayoría de los pobres se encontraran en las zonas rurales. Los ingresos rurales promedio estaban por debajo de los de las zonas urbanas, y muchos trabajadores agrícolas estaban desempleados debido a la naturaleza estacional de las labores del campo. El caso extremo fue Cuba, donde la industria del azúcar requería cortadores de caña sólo tres meses al año, y trataba de privar a sus trabajadores de acceso a la tierra en los nueve meses restantes con el propósito de contar con ellos durante la zafra.[141] En el resto de la región el poder monopsónico del terrateniente local reducía muchas

---

[137] Sobre los salarios diferenciales en América Latina, en las diversas ocupaciones e industrias, véase Salazar-Carrillo (1982). Véase también Elías (1992), capítulo 6.

[138] Véase ECLAC (1989), cuadro 31, p. 57.

[139] En México, a mediados de los sesenta, a los altos ejecutivos se les pagaba casi 10 veces más que a los obreros no calificados en la industria, y a los ejecutivos de mediano nivel unas cuatro veces más. Véase Salazar-Carrillo (1982), p. 166.

[140] Resulta ilustrativo el caso de Brasil, donde la desigualdad del ingreso aumentó marcadamente durante los sesenta. El 40% inferior aún experimentó un modesto aumento de ingreso per cápita, aunque su parte del total de ingresos se redujo con rapidez. Véase Cardoso y Helwege (1992), p. 240.

[141] El problema del subempleo en la industria cubana del azúcar se exacerbó en los años anteriores a la Revolución por la decisión de las compañías azucareras de acortar la duración de la zafra, en un intento por reducir costos y seguir siendo internacionalmente competitivas. Véase Thomas (1971), capítulo 94.

veces la demanda de mano de obra por debajo de la que habría en un mercado competitivo, y en muchos países la influencia política de la clase terrateniente bastó para impedir que a las zonas rurales llegaran la legislación de
los salarios mínimos y los sindicatos.[142]

La migración rural-urbana representó para una parte de la mano de obra
rural una válvula de escape que también mejoró la situación de quienes se
quedaron en el campo. Por doquier la proporción de la mano de obra agrícola se redujo —a veces rápidamente—, y en Argentina, Chile y Uruguay la población rural llegó a descender incluso en términos absolutos a partir de
1960.[143] El subempleo y la pobreza se volvieron un problema urbano, además de rural, hasta tal punto que a finales de los setenta la rápida urbanización significaba que los pobres estaban distribuidos por igual entre las zonas
urbanas y las rurales, aunque una proporción menor de la población urbana
fuese considerada pobre.[144]

La pobreza y el subempleo en las zonas urbanas reflejaron el rápido crecimiento de mano de obra y la creación relativamente lenta de empleos en el
sector moderno o formal. El resultado fue una verdadera explosión del sector informal urbano; la productividad y los salarios de los trabajadores de
tiempo completo solían ser bajos, y el subempleo —visible o invisible— iba
cundiendo.[145] Algunos economistas achacaron el lento crecimiento de la
creación de empleos en el sector moderno a factores de precios distorsiona-
dos, que reducían artificialmente el costo del capital y fomentaban técnicas
industriales intensivas en capital.[146] Otros culparon de todo al papeleo y a las
barreras legales a la contratación.[147] En ambas acusaciones había parte de
verdad, aunque el lento crecimiento de los empleos industriales del sector
moderno fuera compensado en parte por la expansión de la burocracia gubernamental. En toda la región la generación de empleos fue más rápida en
los sectores de servicios, mientras que el sector informal representaba una
creciente proporción del empleo urbano.[148]

[142] La poderosa clase terrateniente de El Salvador se opuso a la introducción de los salarios
mínimos rurales hasta 1965; sin embargo, los sindicatos rurales siguieron estando prohibidos.
Véase White (1973), pp. 106, 120.

[143] La población urbana de América Latina aumentó más de 50 millones de personas entre
1960 y 1970, mientras que la población rural sólo se elevó 10 millones. Véase IDB (991), cuadro
A.2, p. 262.

[144] En 1970 la incidencia de la pobreza (es decir, la proporción del total de la población clasificada como pobre) era de 54% en las zonas rurales y 29% en las urbanas. Un decenio después
las cifras eran 51 y 21%, respectivamente. Véase Deas (1991), cuadro 14.3, p. 224.

[145] Así, aunque el subempleo total iba reduciéndose como resultado de su descenso en la agricultura (véase el cuadro IX.5), el subempleo en las actividades no agrícolas (principalmente urbanas)
aumentó de 13.6% de la PEA en 1950 a 16.9% en 1970 y 19.4% en 1980. Véase Wells (1987), p. 97.

[146] El lema de esta escuela era "Corregir los precios del factor", y fue recogido con entusiasmo por el Banco Mundial a partir de 1970. Véase World Bank (1987), segunda parte.

[147] La presentación más enérgica de esta posición fue la de De Soto (1987), con base en una
plétora de datos sobre Perú.

[148] Se ha calculado que el empleo en el sector informal urbano como proporción de la mano

El crecimiento del subempleo urbano, aunado a la desigual distribución de los beneficios del crecimiento, constituyó un desafío para los gobiernos que se mostraron sensibles a las necesidades de sus electores y una amenaza para quienes gobernaban en nombre de una pequeña élite. Al mismo tiempo, en toda América Latina se ejercía presión sobre aquéllos para que emprendiesen una reforma social, por razones tanto económicas como políticas.

El argumento económico en favor de la reforma fue planteado con toda claridad por la CEPAL, que sostenía que la desigual distribución del ingreso reducía el mercado efectivo de bienes industriales y restringía el alcance de la ISI.[149] Una redistribución del ingreso, afirmaba la CEPAL, podría ofrecer un mercado más vasto a muchos bienes que estaban siendo importados o producidos a altos costos unitarios, lo que podría inyectar un nuevo dinamismo al proceso de industrialización. Durante los sesenta se empezó a estudiar minuciosamente el éxito de los países de industrialización reciente (PIR) del este de Asia, y se vio que no era simple coincidencia que Corea del Sur y Taiwán hubiesen comenzado su proceso de industrialización después de una amplia reforma agraria —aunque durante la ocupación japonesa— y que hubiera aumentado la proporción de familias capaces de adquirir bienes de consumo.[150]

La presión política en favor de la reforma procedió de una reacción a la Revolución cubana. El triunfo del movimiento revolucionario de Fidel Castro, que ascendió al poder el 1° de enero de 1959, se atribuyó en general a las terribles condiciones sociales y económicas a que se habían enfrentado muchos cubanos, pese al hecho de que Cuba había tenido una de las economías más prósperas de América Latina.[151] La Alianza para el Progreso se inauguró en 1961, con grandes fanfarrias de retórica reformista por cuenta de los gobernantes de las repúblicas americanas,[152] y la afluencia de capital oficial-ayudado por la creación del Banco Interamericano de Desarrollo (BID) se condicionó a la adopción de la reforma social y económica.[153]

de obra empleada varió a comienzos de los ochenta entre 10.9% (Costa Rica) y 44% (Bolivia). Esto fue antes de la crisis de la deuda, que tuvo el efecto de aumentar considerablemente la importancia relativa del sector informal. Véase Thomas (1992), cuadro 4.2, p. 68.

[149] Véase, por ejemplo, el artículo de Raúl Prebisch en ECLA (1970), pp. 257-278.

[150] Para un estudio de la distribución del ingreso en Taiwán, véase Fei, Ranis y Kuo (1979).

[151] El PIB real per cápita de Cuba en 1950 era el quinto de América Latina, como lo muestra claramente el cuadro IX.4.

[152] La Alianza para el Progreso (Alpro) fue, en esencia, una respuesta estadunidense a la amenaza de la Revolución cubana para el hemisferio. Su objetivo de enormes transferencias de capital oficial y privado a América Latina nunca se alcanzó, aunque la afluencia de capital creció considerablemente en comparación con los cincuenta. La Alpro había fracasado, en efecto, a fines de los sesenta, pues su insistencia en relacionar la afluencia de capital con la reforma desagradó tanto a las élites latinoamericanas como al gobierno de Nixon en los Estados Unidos.

[153] El BID hizo préstamos a todas las repúblicas latinoamericanas (excepto a Cuba). Después de la descolonización del Caribe la pertenencia al organismo aumentó e incluyó a algunos otros países. El BID, desde el principio, mostró entusiasmo por la integración regional, y creó el Insti-

Vemos así que por muy diversas razones la reforma era ya un tema vigente a comienzos de los sesenta y, en algunos casos, mucho antes. Tanto los fines como los medios de la reforma serían tema de interminables controversias, y se llevaron a cabo muchos experimentos, con diversos grados de éxito. Los que mejor resultaron a corto plazo fueron, a menudo, los que menos éxito tuvieron a largo plazo, como ya lo había demostrado la experiencia argentina: el espectacular aumento de los salarios reales urbanos del primer gobierno de Perón produjo una enconada lucha por la participación distributiva en los decenios siguientes, generando inestabilidad macroeconómica y exacerbando los problemas inflacionarios.[154] Lo mismo puede decirse del gran aumento de los salarios reales en los dos primeros años del gobierno socialista de Salvador Allende en Chile (1970-1973).[155]

Un método más indirecto de abordar la distribución del ingreso fue por medio de la política fiscal. En toda la región el sistema fiscal descansaba pesadamente en impuestos indirectos, que suelen ser regresivos, por lo que podía esperarse que un paso hacia los impuestos directos —en particular impuestos progresivos sobre la renta— mejorara la distribución del ingreso después de impuestos.[156] Al mismo tiempo, cabía suponer que el gasto gubernamental dirigido a los deciles de ingresos inferiores mejorara la distribución social del ingreso (es decir, la distribución del ingreso ajustada al impacto de los gastos del gobierno).

Con la excepción parcial de Colombia y Costa Rica, los resultados fueron decepcionantes en ambos aspectos.[157] Se aplicaron nuevos impuestos sobre la renta, pero cundió la evasión y sólo una pequeña proporción de la población adulta llegó a pagar siquiera una parte de esos gravámenes.[158] Del lado de los gastos, el decil inferior se benefició con los realizados en escuelas pri-

tuto para la Integración Económica de América Latina (Intal) a fin de promover el comercio intrarregional.

[154] La participación salarial pasó de 36.8% del PIB en 1943-1944 a 43.7% en 1950-1952. El aumento resulta aún más marcado cuando se toma en cuenta la contribución a la seguridad social. Véase Díaz-Alejandro (1970), cuadro 2.20, p. 122.

[155] En 1970 y 1971 los salarios reales aumentaron 8.5 y 22.3%, respectivamente. En los dos años siguientes descendieron 11.3 y 38.6% cuando la inflación se aceleró más que los aumentos nominales de salarios. Véase Larraín y Selowsky (1991), cuadro 7.11, p. 200.

[156] Un impuesto regresivo es en el que la carga cae más pesadamente sobre los pobres que sobre los ricos. Un ejemplo es un impuesto a las ventas de alimentos, porque éstos constituyen una proporción mucho más alta del ingreso de los pobres que del de los ricos. En contraste, es probable que el impuesto sobre la renta sea progresivo, siempre que la tasa marginal sea más alta que la media, ya que los ricos contribuyen con una parte proporcionalmente mayor de su ingreso que los pobres. Para un estudio de cómo trató tales problemas el sistema fiscal colombiano, véase McLure et al. (1990).

[157] El mejor desempeño de estas dos repúblicas estuvo relacionado casi seguramente con sus sistemas democráticos, que hicieron a los gobiernos más sensibles a las necesidades de los electores.

[158] El caso más extremo sin duda es el de Nicaragua donde, durante los sesenta, sólo 0.2% de la población (1 de cada 500) pagaba impuesto sobre la renta. Véase Watkin (1967), p. 405.

marias y clínicas de salud, pero los deciles intermedios y superiores fueron los principales beneficiarios de los efectuados en escuelas secundarias y universidades. El decil inferior no obtuvo ventaja alguna del subsidio a los servicios públicos, porque en general no tenía acceso a la electricidad ni al agua suministradas por empresas propiedad del Estado.[159] Incluso en aquellos casos en que la política fiscal desempeñó un papel positivo no fue suficiente, en lo general, para contrarrestar el efecto negativo sobre la distribución de impuestos indirectos regresivos, que siguió siendo la mayor fuente de ingresos para el gobierno.[160]

El gasto en educación se consideró un medio importante de mejorar a largo plazo la distribución del ingreso, y todos los países experimentaron una alentadora alza de la proporción de la población escolar que asistía a las escuelas primarias. No obstante, la tasa privada de retorno de la inversión en educación secundaria y terciaria solía ser mayor que la de la educación primaria, y los mayores porcentajes de aumento de la matrícula se encontraron en estos sectores. De este modo, la enorme expansión del gasto en educación fue de cierta ayuda para los deciles inferiores, pero contribuyó más a mejorar la vida de los intermedios. En Costa Rica, que durante largo tiempo se había enorgullecido de su compromiso con la educación, el coeficiente de Gini se redujo durante los sesenta, lo que implicó un giro hacia una mayor igualdad, pese al descenso de la parte del ingreso recibida por el decil más bajo.[161]

Quienes favorecían la reforma agraria (es decir, una redistribución de los activos físicos) dieron una respuesta más radical a la cuestión del reparto. América Latina no desconocía las reformas agrarias, puesto que la función social de la tierra había sido reconocida desde 1917 por la Constitución mexicana. Los tempranos intentos de reforma agraria —de México en los treinta,[162] de Bolivia después de la revolución de 1952,[163] y de Guatemala durante los últimos dos años del gobierno de Jacobo Arbenz (1951-1954)—,[164] se habían llevado a cabo, empero, principalmente por razones políticas. El nuevo argumento en favor de la reforma agraria se debía a la existencia de

---

[159] Se ha demostrado que en Colombia, donde la reforma generalmente se tomó en serio, el subsidio per cápita para educación y salud era más alto en el quintil superior, porque este grupo era el que más se beneficiaba del apoyo estatal a las universidades. Véase Selowsky (1979), cuadro 1.6, p. 22.

[160] Véase IDB (1984a), cuadro 29, p. 436.

[161] Véase Fields (1980), pp. 185-194.

[162] Sobre los cambios en la agricultura mexicana después de la reforma agraria, véase Sanderson (1981).

[163] La Ley de Reforma Agraria de 1953 condujo, con el tiempo, a la redistribución de cerca de una cuarta parte de las tierras cultivables de Bolivia. Véase Heath, Erasmus y Buechler (1969).

[164] La reforma agraria guatemalteca, aplicada por el presidente Arbenz durante la fase más radical de la revolución en ese país, fue anulada en 1954, en cuanto triunfó la contrarrevolución. Sobre la reforma agraria, véase Gleijeses (1991), capítulo 8.

una relación inversa entre el tamaño de los campos y su rendimiento por hectárea. Incontables estudios demostraron que las propiedades pequeñas, que utilizaban más mano de obra por unidad de tierra, tenían mejores rendimientos que las grandes, que utilizaban más capital por unidad de tierra.[165] Así se afirmó, con base en esta "ley de rendimientos inversos", que la redistribución de las grandes propiedades en pequeñas parcelas generaría mayor producción y mayor empleo.[166]

La reforma agraria se intentó con frecuencia durante los sesenta pero para la mayoría de los gobiernos fue, básicamente, un ejercicio cosmético, destinado a cumplir con la Alianza para el Progreso. La renuencia a hacer algo más radical no sólo se debió a la influencia política de los terratenientes, sino también al temor de que la redistribución socavara los ingresos de la exportación, pues las exportaciones agropecuarias procedían, en cantidad desproporcionada, de las grandes propiedades.[167] En realidad, estos temores demostraron estar justificados en aquellas repúblicas (por ejemplo, Chile y Perú) en las que desde el decenio de 1960 se había intentado una considerable reforma agraria.[168] Además, México estaba tan preocupado por evitar todo impacto negativo de la reforma agraria sobre sus exportaciones agrícolas, que los gastos públicos (por ejemplo, el riego) y el crédito se concentraron en los grandes terratenientes, cuya participación del ingreso agrícola aumentó proporcionalmente.[169] Resulta irónico que el temor a la reforma agraria bastara a menudo para convencer a los latifundistas a adoptar mejores técnicas, incluyendo las nuevas variedades de semillas relacionadas con la Revolución Verde, con lo que la ley del rendimiento inverso perdía fuerza.[170] A finales de los setenta el argumento económico en pro de la reforma agraria había perdido mucho poder, aunque el argumento político seguía teniendo fuerza en varias de las repúblicas más pequeñas (como Guatemala), en las que el poder monopsónico de la clase terrateniente era un obstáculo para la modernización social y económica.[171]

La expropiación, con indemnización o sin ella, de otros activos representó una vía alternativa, si bien más radical, al cambio de distribución del ingreso. Aunque las nacionalizaciones no han sido raras en América Latina, han afectado sobre todo a compañías extranjeras. Los ejemplos más importantes fueron Chile en el régimen de Allende (1970-1973) y la Cuba de Cas-

[165] En Barraclough (1973) se encuentran pruebas de esta ley inversa de los rendimientos.

[166] La versión más acabada de este argumento puede encontrarse en Berry y Cline (1979).

[167] Esto se consideró tan importante en Honduras que se adoptaron numerosas iniciativas públicas para garantizar la continuación de la producción destinada a la exportación aun del sector reformado. Véase Brockett (1988), capítulo 6.

[168] Véase Thiesenhusen (1989), capítulos 5 y 7.

[169] Véase De Janvry (1990), pp. 123-13l.

[170] Véase Grindle (1986), capítulo 4.

[171] Con una mayoría de la mano de obra en las zonas rurales y con una de las concentraciones más altas de la tenencia de la tierra, no era fácil cambiar a la sociedad guatemalteca sin alguna clase de reforma agraria.

tro, aunque buen número de compañías privadas fueron nacionalizadas por Perón, y el gobierno revolucionario de Bolivia expropió la industria del estaño a sus propietarios (principalmente) bolivianos. Al atacar la riqueza de la cual derivaba su ingreso el decil superior, la nacionalización, en cada uno de estos casos, ejerció un impacto inmediato sobre la distribución del ingreso. Por ejemplo, en Cuba la participación del decil superior se redujo de casi 40% a 23% después de las nacionalizaciones generales de principios de los sesenta.[172]

La nacionalización puede haber sido eficaz, pero iba asociada con vastos trastornos políticos y era demasiado radical para la mayoría de los gobiernos latinoamericanos. Aunque después de 1959 Cuba se transformó muy pronto en el país latinoamericano con la distribución del ingreso más equitativa, su modelo no tenía mucho atractivo. Las estadísticas sobre el ingreso per cápita en Cuba han resultado muy discutibles, pero se acepta que su desempeño durante los sesenta no fue muy impresionante.[173] Los gastos en salud y educación se transformaron, pero la falta de bienes de consumo impidió que se pudieran satisfacer debidamente muchas necesidades básicas.[174] Tal vez Cuba haya demostrado que la redistribución del ingreso era factible en el contexto latinoamericano, pero el precio que tuvo que pagar fue considerado demasiado alto por los gobiernos del resto de la región.

La consecuencia fue que, excepto en Cuba, la distribución del ingreso siguió siendo desigual. El crecimiento benefició a los deciles medianos y altos más que al quintil inferior, pese a cierto número de intentos de reforma. La ineficiencia de la reforma tuvo muchas causas. Entre ellas se pueden mencionar la falta de democracia en muchos países latinoamericanos antes de los ochenta, gobiernos que no respondían a las necesidades de los grupos más pobres, y la limitada repercusión de los instrumentos de que disponían hasta los gobiernos más progresistas. Proscritas la reforma agraria radical y la nacionalización, las estrategias redistributivas a corto plazo se basaron en la política fiscal y monetaria, que no fue capaz de lograr mucho.[175]

La inflación empeoró el problema en las repúblicas que miraban hacia dentro. Las modestas ganancias logradas por los deciles inferiores durante los años del auge a menudo fueron anuladas por los programas de estabilización, adoptados periódicamente para combatir la inflación. Solía creerse que el éxito de una devaluación destinada a restaurar el equilibrio externo de-

---

[172] Se redujo aún más en los setenta. Véase Brundenius (1984), cuadro 5.6 y figura 5.1, p. 116.

[173] Hasta el producto social global (PSG), medida utilizada por las propias autoridades cubanas, mostró poco aumento entre 1962 y 1966. Véase Pérez López (1991), cuadro 1, p. 11.

[174] Brundenius realizó una estimación del gasto per cápita en necesidades básicas (alimentos y bebidas, ropa, alojamiento, educación y salud) en Cuba, que en el año 1970 no mostró casi ninguna mejora sobre los niveles prerrevolucionarios. Sólo en el decenio siguiente mejoró en forma notable su desempeño. Véase Brundenius (1984), cuadro A2.28, p. 178.

[175] La política salarial pudo ser muy eficaz a corto plazo (véase nota 154), pero lo fue menos a largo plazo.

pendía de una caída de los salarios reales, con consecuencias particularmente graves para los trabajadores de bajos ingresos, incapaces de defenderse por medio de sindicatos poderosos.[176]

La ineficiencia de la reforma también se debió al paso hacia actividades basadas en las ciudades. Si bien los ingresos medios rurales eran invariablemente más bajos que los urbanos, habían estado, en general, mejor distribuidos, al menos en la parte inferior de la escala.[177] Aunque la causa última de la desigualdad rural era la desigual distribución de la tierra, en la economía urbana el problema se debió al rápido crecimiento de la oferta de mano de obra, dominada por obreros no calificados. En última instancia, cabía esperar que la transición demográfica —con un descenso de la tasa de natalidad— y el aumento de las oportunidades educativas mejoraran la situación. Y sin embargo, estos efectos tardarían muchos años en influir sobre los acontecimientos; mientras tanto, el traslado de la actividad hacia las zonas urbanas ponía en movimiento fuerzas que los programas de reforma eran relativamente incapaces de revertir. De este modo, el rápido crecimiento de las economías latinoamericanas durante los dos decenios posteriores a 1950 sólo produjo modestas ganancias para los deciles inferiores en casi todas las repúblicas.

[176] El efecto de la devaluación sobre los salarios reales es sumamente explícito en un estudio de Argentina, obra de Díaz-Alejandro (1965).

[177] Brasil, donde el quintil inferior en la agricultura recibió una participación en el ingreso agrícola del doble que el quintil inferior del sector no agrícola, mientras que la posición del quintil superior fue exactamente la contraria. Véase ECLA (1971), cuadro 9, p. 114.

X. NUEVAS ESTRATEGIAS COMERCIALES
Y CRECIMIENTO BASADO EN LA DEUDA

A COMIENZOS de los años sesenta, se creía en general que la integración regional restauraría el dinamismo del modelo de desarrollo dirigido hacia dentro en las repúblicas más grandes, y proporcionaría una plataforma para la industrialización en las más pequeñas. Y sin embargo, al terminar la década esa concepción había cambiado. La integración regional —al menos en Sudamérica— no había producido los beneficios esperados, y el modelo dirigido hacia dentro parecía sometido a la ley de rendimientos decrecientes. El prestigio de la CEPAL, empeñada tanto en el desarrollo hacia dentro como en la integración regional, iba en descenso, pese a los grande esfuerzos de la organización regional por revisar su enfoque de la industrialización,[1] y la élite política latinoamericana empezaba a prestar mayor atención a otras ideas sobre comercio y desarrollo.[2]

El talón de Aquiles del desarrollo hacia dentro seguían siendo las limitaciones de la balanza de pagos. A partir de 1929 los persistentes problemas de la balanza de pagos habían convencido a más y más países de que debían abandonar el crecimiento guiado por las exportaciones, basado en productos primarios, en favor de un modelo nuevo que, según se esperaba, redujera su vulnerabilidad a los choques externos. No obstante, con este modelo nuevo continuaron las dificultades de la balanza de pagos porque la política adoptada para favorecer la industria lesionó al sector exportador, modificando la composición de las importaciones, en dirección de los bienes complementarios, cuya demanda aumentó rápidamente, paralela al crecimiento industrial.

Por consiguiente, con el nuevo modelo la vulnerabilidad a los choques externos siguió siendo aguda, como lo demostraron claramente los acontecimientos a partir de 1970. El desplome del sistema de Bretton Woods en 1971, después de que el gobierno estadunidense mostró su incapacidad de mantener la convertibilidad de dólares a oro a un precio fijo, y la adopción por parte de los grandes países industriales de monedas flotantes, dificultaron a las repúblicas latinoamericanas sostener unos tipos de cambio reales y estables basados en el comercio.[3] Después de la guerra árabe-israelí, en 1973, la Organización de Países Exportadores de Petróleo (OPEP) logró imponer seve-

---

[1] Véase por ejemplo ECLA (1973), donde se reconoce la necesidad de promover las exportaciones, tanto extra como intrarregionales, de productos manufacturados.

[2] La aparición de otras ideas acerca de comercio y desarrollo durante los sesenta, que subrayaba la promoción de las exportaciones y las fuerzas de mercado, es analizada por Love (1994).

[3] Sobre el desplome del sistema de Bretton Woods, véase Scammell (1980), capítulo 12.

ras cuotas de exportación a sus miembros, y los precios del petróleo se cuadruplicaron. Para las repúblicas de América Latina, que por entonces eran importadoras netas de petróleo —todas, excepto Bolivia, Colombia, Ecuador y Venezuela—[4] la primera crisis del petróleo fue un amargo recordatorio de las limitaciones que la balanza de pagos podía imponer al desarrollo económico. La misma lección fue confirmada con mayor fuerza aún por la segunda crisis, después de 1978.[5]

El modelo de desarrollo hacia dentro tenía sus raíces en el pesimismo sobre las exportaciones. Como resultado, habían disminuido los incentivos ofrecidos al sector exportador —al menos en las repúblicas más grandes— y casi todos los países habían visto reducirse su participación en el comercio mundial. Sin embargo, a comienzos de los setenta, la economía mundial y la política comercial internacional habían experimentado ciertos cambios que obligaron a América Latina a ver con nuevos ojos las barreras puestas a la exportación.

En primer lugar, la persistente alza de los salarios reales en los países desarrollados y los enormes diferenciales entre los salarios en ellos y en los países en vías de desarrollo, animó a cierto número de empresas multinacionales (EMN) a establecer una nueva división internacional del trabajo, en la que algunas de las tareas más sencillas, más intensivas en mano de obra, pudieran efectuarse fuera de los países desarrollados. Esta fuente de insumos, en la que sólo el capital era móvil, contribuyó al rápido aumento del comercio internacional de bienes manufacturados, y ofreció oportunidades para los países en desarrollo que pudieron y quisieron satisfacer los requerimientos de las EMN.

En segundo lugar, el éxito de algunos países del sudeste de Asia (en especial Hong Kong, Singapur, Corea del Sur y Taiwán), donde el crecimiento guiado por las exportaciones se había establecido con base en las manufacturas, estaba resultando espectacular. La experiencia asiática, desdeñada al principio como un "caso especial", con poca aplicación a América Latina, llegaría a constituir con el tiempo un gran desafío a los pesimistas de la exportación. Aunque de la experiencia de los países de industrialización reciente (PIR) de Asia pudieron sacarse muchas lecciones (a menudo contradictorias), su actuación empezó a ser estudiada detalladamente en América Latina cuando empezaron a acelerarse sus tasas de crecimiento de exportaciones y producto interno bruto (PIB). También causó gran impresión su flexibilidad ante los choques externos, como las dos crisis del petróleo.[6]

---

[4] México y Perú, aunque exportadores de petróleo crudo, fueron importadores netos hasta 1977 y 1978, respectivamente. Véase IDB (1982), cuadros 66-67.

[5] La primera crisis del petróleo, en 1973, elevó el precio medio del barril de tres a 12 dólares; la segunda, en 1979, de 12 a 30. Así, los importadores de petróleo tuvieron que absorber un precio 10 veces más alto en menos de una década.

[6] Véase Sachs (1985), pp. 523-573. Los PIR asiáticos habían transformado sus economías mediante el crecimiento de sus exportaciones manufacturadas, y durante los setenta el PIB per cápita creció más de 5% anual. Véase Ranis y Orrock (1985), cuadro 4.3, p. 55.

En tercer lugar, la labor de la Conferencia de las Naciones Unidas sobre Comercio y Desarrollo (UNCTAD), y de otras organizaciones internacionales que se esforzaban por obtener privilegios especiales para el comercio de los países menos desarrollados (PMD), hizo surgir la perspectiva de un trato privilegiado para las exportaciones de los PMD. A comienzos de los setenta la mayoría de los países desarrollados adoptó el Sistema Generalizado de Preferencias (SGP). Su promesa de acceso libre de pago de derechos a los mercados de los países desarrollados para exportaciones no tradicionales de los PMD resultó ser mucho menos generosa de lo que al principio se había esperado, pero representó una modesta ventana de oportunidad que se abriría más en ulteriores rondas de negociaciones.[7] Mientras tanto, Estados Unidos —que no adoptó el SGP hasta 1976— había modificado su código aduanal en 1962 para permitir la importación de bienes, sometidos sólo al pago de derechos por el valor agregado, siempre que los insumos fuesen de origen estadunidense.[8] Aunque las enmiendas intentaban, claramente, beneficiar a las EMN norteamericanas, brindaron oportunidades a toda república latinoamericana que lograra atraer inversiones para operaciones de maquila y ensamble.

Por último, el pesimismo acerca de las exportaciones fue aún más socavado por el auge de los precios durante los setenta. El desplome del sistema de Bretton Woods, en 1971, puso fin al sistema de tipos de cambio fijos que había fundamentado la disciplina monetaria en los principales países industrializados. Libre de la obligación de mantener la paridad cambiaria, la política monetaria de los países desarrollados se relajó, y aumentó enormemente la liquidez mundial, favorecida por los enormes déficit presupuestales de Estados Unidos, indispensables para financiar la Guerra de Vietnam. Como resultado, los artículos de primera necesidad (no sólo el petróleo) alcanzaron precios nunca vistos, y los términos netos de intercambio comercial (TNIC) para muchos países latinoamericanos (incluyendo a algunos importadores de petróleo) mejoraron en forma considerable durante los setenta.[9]

Estos cambios del medio internacional no dejaron de ser reconocidos en América Latina. Provocaron tres respuestas diferentes: promoción de las exportaciones, sustitución de las exportaciones y desarrollo de la exportación de productos primarios, cada una de las cuales hizo mayor hincapié en el sector exportador y significó un cambio de la tradicional industrialización

[7] Uno de los problemas del SGP fue que los PMD casi no pudieron aprovechar preferencias arancelarias debido al difundido empleo de cuotas. Por ejemplo, en 1980 las importaciones totales de los PMD cubiertas por el SGP fueron de 55 400 millones de dólares. Sin embargo, a menos de la mitad de estas importaciones se les dio trato de SGP, y sólo representaron 8.2% del total de las importaciones de PMD. Véase Kelly *et al.* (1988), cuadro A.25, p. 133.

[8] Véase Sklair (1989), pp. 8-9. El artículo 807 era el esencial, pues permitía exportar bienes a Estados Unidos, con un valor gravable neto calculado sobre los insumos norteamericanos que hubiera en el producto final.

[9] Tomando como base 1970, los TNIC latinoamericanos habían aumentado 50% en una década. El aumento para los exportadores de petróleo fue de 176%. Véase ECLAC (1989), cuadro 276, pp. 506-507.

por sustitución de importaciones (ISI). La promoción de las exportaciones trataba de injertar las exportaciones manufacturadas en el modelo que miraba hacia dentro; la sustitución de exportaciones tendía a desviar recursos de los sectores protegidos, y el modelo de crecimiento impulsado por la exportación de productos primarios intentaba explotar el alza mundial de precios de los bienes. Pero ninguno de los tres logró gran éxito; no cesó la pérdida de la participación en el comercio mundial,[10] y la región se volvió cada vez más dependiente de los préstamos extranjeros para impulsar su crecimiento económico. La combinación de un pequeño sector de exportaciones y crecientes obligaciones del servicio de la deuda resultaría desastrosa cuando, finalmente, se produjo en 1982 la crisis de la deuda.

LA PROMOCIÓN DE LAS EXPORTACIONES

La estrategia de promoción de las exportaciones (PE) se basó en el reconocimiento de que el mercado interno no era lo bastante grande para mantener, en muchas ramas de la industria, empresas de dimensiones óptimas. Al mismo tiempo, esa estrategia mantenía su compromiso de proteger las manufacturas contra la competencia internacional. Por ello, intentó injertar en la ISI un nuevo conjunto de incentivos que hicieran posible la exportación de artículos manufacturados. Por lo tanto, la estrategia de PE fue de industrialización, y se alentó a las empresas a aprovechar las oportunidades que ofrecían el protegido mercado interno y el crecimiento del comercio mundial.

Seis países (Argentina, Brasil, Colombia, México, Haití y República Dominicana) siguieron la estrategia de PE a partir de los sesenta, aunque no en forma congruente. Argentina abandonó esta política durante los setenta en favor de la sustitución de exportaciones (véanse las páginas 369-377). Haití y República Dominicana intentaron aprovechar la nueva división internacional de la mano de obra mediante incentivos para compañías extranjeras que ensamblaban artículos manufacturados en zonas de procesamiento de exportaciones (ZPE). México favoreció las operaciones de ensamblado mediante su industria maquiladora en la frontera norte, y —en vista de su más avanzada base industrial— también promovió otros tipos de exportaciones manufacturadas.

La estrategia brasileña de PE comenzó después del golpe militar de 1964. Sin embargo, durante los tres primeros años la política económica estuvo dictada básicamente por las necesidades de un programa de estabilización que sentara las bases del futuro crecimiento, a expensas de la aguda reducción de los salarios reales y el deterioro de la distribución del ingreso.[11] Este

[10] La participación latinoamericana en las exportaciones mundiales se redujo de 4.9% en 1970 a 4.6% en 1980. Véase Wilkie (1990), cuadro 2600, p. 674.

[11] El programa de estabilización y su efecto sobre la distribución se analizan en Fishlow (973). Véase también Bacha (1977).

periodo de rápido crecimiento, frecuentemente conocido como el milagro brasileño, comenzó en 1967, y produjo un ritmo de cambio en todos los agregados macroeconómicos (incluyendo las exportaciones), que superó, con mucho, los de otros países latinoamericanos y rivalizó con los de los PIR asiáticos.[12] Y sin embargo, aunque la promoción de las exportaciones fuese parte importante del milagro brasileño, tuvo menos peso que algunas otras medidas de política económica. En particular, la concentración del ingreso en los deciles superiores,[13] aunada a nuevas facilidades de crédito, aportaron las condiciones necesarias para un rápido crecimiento de las industrias de productos de consumo duradero, haciendo posible por vez primera la producción en masa de automóviles en América Latina.[14]

La estrategia de la ISI por medio del proteccionismo aumentó el valor industrial agregado por unidad de producción en el mercado interno. Al mismo tiempo, los exportadores de artículos manufacturados resultaron perjudicados como resultado simultáneo de tipos de cambio sobrevaluados y gravámenes a los insumos importados. Por ello, para la mayor parte de los bienes manufacturados el valor agregado por unidad de producción en los mercados mundiales era muy inferior al que habría podido lograrse en el mercado interno.[15] Si se quería que la estrategia de la PE tuviese éxito había que eliminar, o reducir por lo menos, esta tendencia antiexportadora.

Todos los instrumentos que podían emplearse para ese fin estaban controlados por las autoridades. El tipo de cambio era el más importante, porque una devaluación auténtica y efectiva aumentaría el valor agregado por unidad de producción para todos los bienes de exportación. Sin embargo, también elevaría el precio de las importaciones competidoras, dando así incentivos adicionales para que las empresas vendieran en el mercado interno. Por lo tanto, la estrategia de PE necesitaba una política fiscal y crediticia que ofreciera incentivos adicionales a los exportadores. Entre los instrumentos disponibles se incluían las reducciones arancelarias selectivas y las exenciones fiscales, junto con facilidades especiales de crédito y otros subsidios a los exportadores.[16]

Las experiencias de los países de PE con la política cambiaria eran va-

[12] Durante los años del milagro brasileño (1967-1973), el PIB real aumentó a un ritmo anual de 10%. Véase Wells (1979), pp. 228-233.

[13] La ganancia se concentró sobre todo en el 5% más alto, pues su participación en el ingreso aumentó de 27.4% en 1960 a 36.3% en 1970. Véase Baer (1983), cuadro 27, p. 105. Como en 1970 la población de Brasil iba acercándose a los 100 millones, este grupo de élite todavía representaba un mercado considerable.

[14] La producción anual de automóviles brincó de 57 300 en 1960 a 550 700 en 1975. Esto fue comparable con los niveles de producción de muchos países europeos.

[15] La tendencia antiexportadora en Brasil (definida como [valor agregado si se vendía internamente] / [valor agregado si se exportaba]–1), rebasó 50% en 18 de 21 sectores manufactureros en 1967. Véase Bergsman (1970), p. 51.

[16] La variedad de los instrumentos y su impacto sobre la tendencia antiexportadora se encuentran en Bulmer-Thomas (1988), pp. 105-115.

riadas. Haití y República Dominicana mantenían un tipo de cambio nominal fijo frente al dólar, lo que prácticamente excluía la posibilidad de una devaluación real. Por otro lado, durante gran parte de los setenta ambos países evitaron las altas tasas de inflación, por lo que al principio el tipo de cambio no estaba demasiado sobrevaluado. Después de la devaluación de 1954 también México mantuvo un tipo de cambio fijo frente al dólar; sin embargo, la tasa de inflación mexicana superó a la de Estados Unidos (su principal socio comercial), por lo que su moneda se fue revaluando en términos reales, y socavó la estrategia de la PE hasta que en 1976 se produjo una nueva maxidevaluación. Poco después México descubrió enormes depósitos de petróleo, por lo que abandonó la estrategia de la PE en favor de la promoción de las exportaciones petroleras.[17]

Los otros tres países siguieron una estrategia cambiaria conocida como "deslizamiento", destinada a mantener el valor real de la moneda por medio de frecuentes minidevaluaciones, a partir de una realineación inicial de aquélla. Esta política —hoy muy difundida— fue adoptada en Argentina en 1964, en Colombia en 1967 y en Brasil en 1968. El deslizamiento, aunque atractivo para los exportadores, despertó expectativas inflacionarias, por lo que Argentina lo abandonó a partir de 1967 en favor de un tipo de cambio nominal fijo, que rápidamente se sobrevaluó. Así lo hizo también Brasil a mediados de los setenta.[18] En Colombia el auge de los precios del café iniciado en 1975 elevó el tipo de cambio a un nivel que atentó contra las exportaciones manufacturadas.[19] Por consiguiente, la política cambiaria distó mucho de ser congruente, aunque la mejoría del desempeño de las exportaciones manufacturadas en los tres países fue notable mientras estuvo en vigor el deslizamiento.

Incluso en los países en que el tipo de cambio oficial estaba sobrevaluado las autoridades pudieron utilizar un tipo paralelo para promover las exportaciones. Además, fue posible emplear un doble tipo de cambio para compensar a las empresas exportadoras de una manera diferente que a las importadoras, lo que permitía reducir así la tendencia antiexportadora. Una técnica muy socorrida en la República Dominicana permitía a los exportadores vender cierta proporción de sus divisas en el mercado paralelo, mientras entregaban el resto al tipo de cambio oficial. Al variar las proporciones, las autoridades también pudieron alterar los incentivos de acuerdo con la estrategia de la PE.[20] Para evitar pérdidas cambiarias del Banco Central tuvo que aplicarse un plan similar a las importaciones, en el que el cambio más bajo quedaba reservado a los productos de primera necesidad, y se imponía un tipo superior a los bienes suntuarios. Esto causó, inevitablemente, la oposi-

---

[17] Véase Looney (1985), capítulos 5-6.

[18] Brasil no intentó fijar el tipo de cambio nominal, pero su tasa de depreciación cayó por debajo de la diferencia entre la tasa de inflación interna y la externa. Véase Baer (1983), p. 166.

[19] Véanse Thorp (1991), pp. 167-171, y también Edwards (1984).

[20] Véase Vedovato (1986), p. 163. En 1985 se produjo la devaluación oficial frente al dólar.

ción de muchos importadores, y la asignación de importaciones a cada categoría favoreció muchas veces la corrupción.[21]

La estrategia de la PE no tendía tanto a reducir la protección ofrecida a las empresas que vendían en el mercado protegido cuanto a aumentar los incentivos para las que exportaran sus productos. Aunque en todos los países se adoptó una reforma aduanera, el principal propósito era rebajar los gravámenes al componente del insumo importado de los bienes para exportación posterior. Hubo algunas reducciones arancelarias generales, en especial en Brasil, en la segunda parte de los sesenta, pero la liberalización del comercio nunca amenazó seriamente la rentabilidad de los sectores que competían con las importaciones, y durante los setenta, después de la primera crisis del petróleo, varias repúblicas volvieron a elevar los aranceles.

Fueron muy usuales las exenciones o descuentos de aranceles a los insumos importados que formarían parte de las exportaciones (a veces llamados planes de reembolso), y tuvo particular éxito el programa adoptado en Colombia de acuerdo con el Plan Vallejo.[22] En cambio, en México el difundido —y creciente— empleo de cuotas y permisos de importación durante los sesenta redujo la eficacia de los planes de reembolso, porque la principal razón de los altos precios de los insumos fue la cuota más que el gravamen.[23] Sólo en el caso extremo de la industria maquiladora, en el que no se fijaron limitaciones arancelarias ni cuotas a los insumos importados, la política aduanera favoreció inequívocamente la promoción de exportaciones. Lo mismo pudo decirse de las ZPE en Haití y República Dominicana, que ofrecieron un trato fiscal sumamente generoso a los inversionistas.[24]

Los otros incentivos de importancia ofrecidos a las exportaciones manufacturadas incluyeron rebajas de impuestos y créditos subsidiados. El instrumento típico utilizado para rebajar la carga fiscal a las exportaciones no tradicionales fue un certificado, equivalente a una proporción fija del valor LAB de las exportaciones, que podía aplicarse contra futuras cargas impositivas. A menudo estos certificados de abono tributario (CAT) fueron generosos y también lograron promover las exportaciones. No es sorprendente que impusieran una considerable carga fiscal a los gobiernos de la región que los empleaban. El problema se agravó todavía más por el uso de créditos subsidiados. En Brasil, país que aplicó esta política en su forma más extrema, el subsidio total como proporción del valor LAB de las exportaciones manufacturadas era aproximadamente de 25% a comienzos de los setenta.[25]

---

[21] Véase Edwards (1989) para una revisión general de los problemas cambiarios en el contexto latinoamericano.

[22] Sobre los detalles del Plan Vallejo, que sentó las bases de la promoción de exportaciones en Colombia, véase Díaz-Alejandro (1976). Véase también Thomas (1985), pp. 26-29.

[23] Sobre las cuotas a la importación en México y su creciente mejoramiento véase Kate y Wallace (1980), pp. 43-54.

[24] Sobre la difusión de las ZPE en los países en desarrollo, véase Balasubramanyam (1988).

[25] Véase Tyler (1983), pp. 97-107

El difundido uso de subsidios en la estrategia de la PE también iba contra las reglas del Acuerdo General sobre Aranceles y Comercio (GATT). Aunque México, Haití y Colombia no ingresaron al GATT sino hasta los ochenta (Argentina lo hizo en 1967), el hecho de no ser miembros no les dio protección contra las medidas de represalia porque las naciones importadoras aún tenían derecho a imponer gravámenes compensatorios o *antidumping* a los bienes que consideraran deslealmente subsidiados.[26] De hecho, no ser miembro del GATT significaba un mayor riesgo de incurrir en represalias, porque el país transgesor no tenía derecho a recurrir al arbitraje. Sin embargo, la modesta penetración de países de la PE en el mercado mundial hizo que la mayor parte de ellos —con Brasil como principal excepción— se libraran de las medidas de represalia.

En un nivel superficial, la estrategia de PE tuvo éxito. La proporción de bienes manufacturados en el total de exportaciones aumentó en forma notable en todos los países (véase el cuadro X.1), y el incremento de la participación correspondió muy de cerca al periodo en que estuvo en vigor la estrategia de PE. Argentina logró elevar la contribución de los bienes manufacturados en las exportaciones a cerca de 25% en los años en que se aplicó alguna versión de la estrategia de PE. Haití había hecho subir la suya por encima de 50% a finales de los setenta —primera república latinoamericana que lo logró—, aunque el valor interno agregado en relación con las nuevas exportaciones (principalmente de ensamble) siguió siendo modesto. En la República Dominicana el aumento durante los setenta coincidió en general con los primeros años de promoción de las ZPE.[27]

La estrategia de la PE, al alejar la composición de las exportaciones de los productos primarios, cuyos precios eran tan volubles, redujo la inestabilidad de las ganancias por exportación. Como los mercados de exportaciones manufacturadas no coincidían con los de productos primarios, también se redujo la concentración geográfica de las exportaciones. La participación de las exportaciones a Estados Unidos y a la Comunidad Económica Europea (CEE) se redujeron en todos los casos, salvo el de Haití, y surgió buen número de nuevos mercados no tradicionales. Brasil tuvo particular éxito conquistando mercados en otros países en desarrollo. A comienzos de los ochenta, el Medio Oriente —engrosada su demanda de importaciones por la segunda y enorme ronda de aumentos de los precios del petróleo— y África sumaron más de 10% de las exportaciones brasileñas, y una proporción mucho mayor de sus ventas de bienes manufacturados al extranjero.[28]

[26] De acuerdo con las reglas del GATT, podía aplicarse un impuesto compensatorio si se suponía que el exportador estaba recibiendo un subsidio ilegítimo. Podía aplicarse un gravamen *antidumping* si se pensaba que el exportador estaba vendiendo el producto por debajo de su costo. Véase Kelly *et al.* (1988).

[27] Las estadísticas comerciales de la República Dominicana no siempre incluyen exportaciones de las ZPE. Si se les excluye, la participación de los bienes manufacturados en el total de exportaciones es mucho menor de lo que puede verse en el cuadro X.1. Véase Mathieson (1988), pp. 41-63.

[28] Véase Wilkie (1990), cuadro 2614, p. 696.

CUADRO X.1. *Países que promovieron las exportaciones: exportaciones manufacturadas, 1960-1980*

| País | Año | Exportaciones manufacturadas | | Exportaciones como porcentaje del PIB[a] |
		En millones de dólares	Como porcentaje del total	
Argentina	1960	44.3	4.1	7.9
	1970	245.9	13.9	9.2
	1975[b]	717.9	24.4	7.2
Brasil	1960	28.4	2.2	6.7
	1970	420.5	15.4	6.5
	1980	7491.9	37.2	5.6
Colombia	1960	6.9	1.5	17.5
	1970	78.5	10.7	14.2
	1980	775.3	19.7	15.8
Haití	1960	3.6[d]	8.0[d]	15.8
	1970	18.2	37.8	12.3
	1980	199.7	58.6	17.6
México	1960	122.3	16.0	8.4
	1970	391.3	32.5	7.7
	1975[e]	929.4	31.1	8.8
República Dominicana	1970[c]	5.9	2.8	17.2
	1980	166.1	23.6	18.4

[a] Precios de 1980.

[b] Se supone que siguió a la sustitución de exportaciones después de 1975 (véase el cuadro x.2).

[c] Se supone que la promoción de exportaciones sólo empezó a partir de 1970.

[d] Los datos son para 1962.

[e] Se supone que siguió al desarrollo de exportaciones primarias a partir de 1975.

FUENTES: IDB (1982), cuadros 3, p. 351 y 6, p. 353; ECLAC (1989), cuadros 281, p. 520 y 70, p. 105; World Bank (1989); Fass (1990), cuadro 1.8, p. 40.

Mucho menos éxito tuvo la estrategia de la PE en su intento de abrir las economías al comercio exterior y restaurar el sector exportador como uno de los motores del crecimiento. La razón de exportaciones al PIB (véase el cuadro x.1) casi no aumentó. Ninguna de las seis repúblicas logró revertir permanentemente su reducción de la participación en las exportaciones mundiales, pese al hecho de que ahora, en mucho mayor grado, entraban divisas por aquellos artículos (exportaciones manufacturadas) que iban creciendo con más rapidez en el comercio internacional. Vemos así que la promoción de las exportaciones no logró compensar por entero el mediocre resultado de las exportaciones de productos primarios, que siguieron siendo víctimas de la tendencia antiexportadora. Sólo en periodos excepcionales, como el del auge del café en Colombia y el del petróleo en México a finales de los setenta, se elevó su participación en el mercado mundial, y en todos esos casos ese incremento se debió principalmente a los altos precios de las exportaciones de productos primarios.

El desarrollo económico de los países más grandes de América Latina que aplicaron la estrategia de la PE (Argentina, Brasil, Colombia y México) siguió dependiendo, por lo tanto, del mercado interno, mientras el patrón de la demanda estaba marcadamente influido por la distribución del ingreso. La concentración del ingreso en los deciles superiores, que se intensificó todavía más en Brasil a partir de 1964, no causó un estancamiento industrial —como había predicho la CEPAL— pero sí favoreció una estructura de producción que a menudo dio preferencia a los bienes de consumo duradero, intensivos en capital, para los ricos, por encima de los artículos de consumo básico, intensivos en mano de obra, destinados a los pobres. Dado que la estrategia de la PE promovió la industria existente, en lugar de favorecer la creación de nuevas empresas, no era nada seguro que las nuevas exportaciones serían intensivas en mano de obra. De hecho, las exportaciones manufacturadas de Brasil y de México fueron, en general, intensivas en capital, contradiciendo la tradicional prudencia económica acerca de los patrones del comercio internacional,[29] y sólo Colombia logró establecer un patrón de exportaciones manufacturadas intensivo en mano de obra y que contribuyera a mejorar las condiciones del empleo y la distribución del ingreso en la primera parte de los setenta.[30]

La estrategia de la PE representó un valeroso intento por rescatar el modelo de desarrollo que miraba hacia adentro sin sacrificar el manto proteccionista que se seguía considerando esencial para la industria. No le faltaron éxitos: los empresarios industriales habían demostrado que eran capaces de

---

[29] El teorema de Hecksher-Ohlin afirmaba que los países exportarían aquellos productos que utilizaban intensivamente el factor de producción más abundante en términos relativos. En el contexto latinoamericano, por lo tanto, el teorema implicaba exportaciones intensivas en mano de obra. Sin embargo, en muchos estudios se ha destacado el carácter intensivo en capital de las nuevas exportaciones manufacturadas. Véase, por ejemplo, Tyler (1976).

[30] Véase Urrutia (1985), pp. 117-122. En Morawetz (1981) puede encontrarse un excelente estudio de los textiles colombianos, producto de la exportación intensiva en mano de obra.

responder a los precios y a otros incentivos, y que podían penetrar en los mercados mundiales; a menudo el pesimismo con respecto a las exportaciones pareció injustificado, al menos en el caso de los artículos manufacturados. Y sin embargo, no pudo demostrarse que esta estrategia haya tenido un éxito incondicional en ninguna república latinoamericana —ni siquiera en Brasil—, y Argentina ya la había abandonado a mediados de los setenta.

No hubo una razón única del fracaso, pero hay una explicación más creíble que todas las demás: las fluctuaciones del tipo de cambio efectivo real (TCER). Aunque se reconocía la importancia de un tipo de cambio competitivo —el TCER debía ser constante o decreciente (es decir, depreciarse)— la estrategia de la PE fue desviada muchas veces por una revaluación. Ya hemos mencionado el impacto del auge del café colombiano sobre el tipo de cambio en la segunda mitad del decenio de 1970; Colombia también experimentó una afluencia acelerada de divisas a partir de la década de 1960, por la venta de drogas (mariguana y cocaína), que en general se considera que socavó el TCER.[31] En la República Dominicana y en México la resolución de sostener un tipo de cambio fijo, pese al diferencial entre la tasa de inflación interna y la mundial, a la larga ocasionó graves problemas de sobrevaluación de la moneda, que finalmente provocaron fuertes devaluaciones.

Un segundo problema fue el conflicto entre las políticas a corto y a largo plazo. La política cambiaria a largo plazo exigida por la estrategia de la PE entró en conflicto a menudo con las necesidades a corto plazo de los programas de estabilización, para los que se creyó que un tipo de cambio fijo sería una defensa contra las presiones inflacionarias. Argentina fue especialmente susceptible a este conflicto. Y la política del deslizamiento a partir de 1964, que había tenido notable éxito en la promoción de las exportaciones no tradicionales, fue remplazada en 1967 por una maxidevaluación que, se esperaba, fijaría de manera permanente el valor nominal de la moneda.

El carácter semipermanente de los programas de estabilización en Argentina hizo muy difícil, si no imposible, mantener una política cambiaria a largo plazo que fuera congruente con la estrategia de la PE.[32] Pero no fue el único país que padeció el problema. Después de la primera crisis petrolera, que aumentó la participación del petróleo a 25% de la cuenta de importaciones, Brasil permitió que el TCER ascendiera (es decir, se revaluara), en un esfuerzo por contener las presiones inflacionarias. Al mismo tiempo, la limitación de la balanza de pagos a partir de 1973 convenció a los políticos brasileños de que debían dar renovado impulso a los programas de sustitución de importaciones destinados a depender menos de la energía importada.[33] De este modo,

---

[31] Sobre la revaluación del tipo de cambio, véase Thomas (1985), capítulo 2. La repercusión económica de la industria de la droga en Colombia se analiza en Arrieta *et al.* (1991), pp. 47-96.

[32] Véanse Guadagni (1989) y Maynard (1989) sobre las dificultades a las que se enfrentó Argentina en la promoción de sus exportaciones ante problemas de estabilización a corto plazo.

[33] El más importante de éstos fue el programa del alcohol, que convertía azúcar de caña en combustible y que redujo la demanda de petróleo importado. Véase Baer (1983), pp. 146-147.

crisis externas pusieron en peligro los fundamentos mismos de la estrategia de la PE en Brasil, aunque los crecientes niveles de subsidios aún hicieron posible que las exportaciones manufacturadas aumentaran con rapidez (véase el cuadro x.1).

Las diversas barreras levantadas por las naciones desarrolladas contra las exportaciones manufacturadas de los países en desarrollo, sobre cuya importancia había hecho tanto hincapié la CEPAL, resultaron ser un problema menor que lo que muchos habían previsto. Las mayores dificultades las padeció Brasil hacia finales de los años setenta, cuando se impusieron limitaciones voluntarias a la exportación (LVE) a cierto número de sus productos manufacturados.[34] Sin embargo, esto nos da una idea del desempeño de Brasil, pues otros países —que tuvieron menos éxito— no se vieron obligados a enfrentarse a las mismas restricciones. Además, esas limitaciones fueron, al menos en parte, una respuesta a la formidable variedad de los subsidios concedidos en Brasil. En contraste, Colombia sólo logró aumentar su gama de exportaciones manufacturadas intensivas en mano de obra (por ejemplo, textiles), pese a que las barreras no arancelarias eran la regla, no la excepción;[35] también se creó un nicho como el exportador mundial más importante de libros para niños. Las exportaciones manufacturadas mexicanas, particularmente de las maquiladoras, resultaron ser sensibles al ciclo comercial de Estados Unidos, y se vieron adversamente afectadas por la recesión estadunidense de 1974, pero esto no fue distinto de la situación a la que se enfrentaron todos los exportadores de bienes manufacturados. Por todo ello, las deficiencias del modelo de PE no pueden achacarse fácilmente a los países desarrollados, pese a que en sus políticas comerciales hubiese tendencias proteccionistas.

LA SUSTITUCIÓN DE EXPORTACIONES

La estrategia PE había demostrado, al menos, que América Latina podía exportar artículos manufacturados; sin embargo, no había hecho demasiado por eliminar las ineficiencias de la industria nacional causadas por los altos niveles de protección contra la competencia internacional. Dio nuevos incentivos a las exportaciones industriales mientras seguía favoreciendo la producción que competía con las importaciones. De este modo, la promoción de exportaciones se vio aunada a una continua sustitución de importa-

[34] Los países desarrollados usaban cada vez más limitaciones voluntarias a la exportación (LVE), como modo de proteger su industria contra la competencia de las importaciones. Como el efecto de una LVE era un aumento del precio final al que se vendían las importaciones, algunos exportadores lograron incrementar considerablemente su utilidad por unidad vendida. Sobre las limitaciones voluntarias a la exportación en general, véase Kelly *et al.* (1988).

[35] El comercio internacional de textiles estaba regulado por el Acuerdo de Multifibras, establecido en 1962, que fijó las cuotas de exportación e importación para todos los países participantes. Véase Farrands (1982).

ciones en la industria, y las exportaciones manufacturadas sólo pudieron competir en el mercado mundial gracias a numerosos subsidios.

Una alternativa más radical a la PE fue la estrategia de sustitución de exportaciones (SE). Ésta se basaba en la idea de que el desarrollo económico de América Latina había sido gravemente distorsionado por la ISI, la intervención del Estado y el corporativismo. Se consideró que la solución estaría en el giro hacia un medio más orientado al mercado y menos protegido, que permitiría eliminar la tendencia antiexportadora. Entonces, las economías serían más abiertas y quedarían mejor integradas al mercado mundial; los precios internos estarían en mayor armonía con los internacionales. La reducción del proteccionismo y la eliminación de la tendencia antiexportadora favorecerían los productos exportables e inhibirían los importables. Se esperaba así que la estrategia de SE lograra un gran aumento de la proporción de exportaciones e importaciones al PIB, y también podría producir una ISI negativa; es decir, el remplazo de la producción local industrial de alto costo por importaciones menos costosas.

La estrategia de SE fue adoptada durante los setenta por los tres países del Cono Sur (Argentina, Chile y Uruguay), y en Perú se hizo un experimento más modesto. Chile fue el primero en adoptar el programa, tras la caída del gobierno socialista de Salvador Allende en septiembre de 1973 y la imposición de la dictadura de Augusto Pinochet. Uruguay lo siguió, pisándole los talones, tras el desplome de la democracia en 1973, y el programa fue adoptado en Argentina en 1976, tras la intervención militar contra el régimen peronista. Vemos así que la estrategia de SE en el Cono Sur fue aplicada por dictaduras militares.

El paso hacia la economía del libre mercado fue de la mano con la represión política, lo que hizo difícil distinguir su efecto sobre el desempeño de la política económica y de la política autoritaria.[36] En contraste, el programa fue adoptado en Perú a partir de 1978, durante la transición del gobierno militar al civil.

La disposición de los cuatro países a adoptar una estrategia diametralmente opuesta al pensamiento tradicional de gran parte de América Latina fue un reflejo de su profunda frustración por el fracaso de las otras políticas. La participación de las exportaciones en el PIB se había desplomado a niveles tan modestos que las limitaciones de la balanza de pagos impidieron ese rápido crecimiento que generaría una gran demanda de artículos importados. El PIB per cápita había sido inferior por amplio margen al del resto de América Latina, y en todo el Cono Sur el volumen de las exportaciones per cápita se había ido reduciendo desde 1950.[37] Chile y Uruguay nunca se habían desviado mucho del camino de la ISI. El experimento de Argentina con la PE du-

[36] Un valeroso intento en este sentido se describe en Handelman y Baer (1989), capítulos 2 y 3. Los programas económicos en apoyo de la estabilización en el Cono Sur se analizan en Díaz-Alejandro (1981).
[37] Entre 1950 y 1975 el volumen de exportaciones per cápita en Argentina, Chile y Uruguay

rante los sesenta se vio avasallado por una serie de programas de estabilización durante la primera mitad de los setenta. Perú había mantenido su modelo tradicional basado en las exportaciones hasta mediados de los sesenta, pero los regímenes militares, a partir de 1968, habían promovido tan eficazmente el desarrollo hacia adentro que la participación de la república en el comercio mundial se había reducido en dos tercios en una sola década.

En los cuatro países los problemas de la balanza de pagos habían contribuido a las presiones inflacionarias, y la inflación había erosionado la confianza en los instrumentos financieros, por lo que cundió la represión financiera.[38] La inflación se agravó más por la lucha de clases, cuando diferentes grupos sociales trataron de proteger su nivel de vida real mediante aumentos de sus ingresos nominales. Aunado esto a una política fiscal irresponsable, el resultado fue una aceleración de la inflación que contribuyó en buena medida a la caída de los gobiernos civiles en el Cono Sur, y de los militares en Perú. El Chile gobernado por Allende (1970-1973) fue el que más pecó. Una política fiscal y monetaria irresponsable, junto con una gran pérdida de entradas de capital, aceleró la inflación, de 33% en 1970 a 354% en 1973. Aunque la estabilidad del régimen de Allende fue socavada por elementos extranjeros (en particular por organismos de Estados Unidos), la incapacidad de contener las presiones inflacionarias fue tal vez el factor más importante de su caída.[39]

De este modo la estrategia de SE (de hecho un programa de ajuste) se aplicó contra un trasfondo de dislocación económica que exigía drásticas medidas de estabilización. Aunque en teoría es posible adoptar simultáneamente programas de estabilización y de ajuste, en la práctica es muy difícil, como, en su perjuicio, lo han descubierto muchos gobiernos latinoamericanos.[40] Los instrumentos utilizados para favorecer el ajuste (por ejemplo, tipos competitivos de cambio y modificaciones de los precios relativos) pueden atentar contra la estabilización, y viceversa. El conflicto entre los dos

cayó a una tasa anual de 0.2, 2.3 y 1.2%, respectivamente. En el resto de América Latina aumentó a una tasa anual de 1.3% durante el mismo periodo. Véase Ramos (1986), cuadro 1.1, p. 2.

[38] Represión financiera, a veces llamada también financiamiento superficial, es el término empleado para describir una economía con una baja relación entre activos financieros y reales, y una limitada gama de instrumentos financieros. Por lo general se la asocia con tasas reales de interés negativas (por ejemplo, tasas de inflación superiores a las de interés nominal). Las obras clásicas sobre la represión financiera son las de McKinnon (1973) y Shaw (1973).

[39] La bibliografía sobre el periodo de Allende es enorme. Sobre la política véase Kaufman (1988); sobre la economía véase De Vylder (1976).

[40] La diferencia entre programas de estabilización y programas de ajuste depende esencialmente del momento. Mientras que la estabilización se adopta para enfrentarse a desequilibrios a corto plazo (por ejemplo, una crisis de la balanza de pagos), sin producir necesariamente un cambio en la estructura de la economía, el ajuste se requiere para desviar los factores de la producción a plazo más largo hacia una asignación de recursos más congruente con la ventaja dinámica comparativa del país. Así, los programas de ajuste pueden agravar el problema de la estabilización, y viceversa. Véase Kahler (1990).

tipos de programas habría de resultar severo en los países que adoptaron la estrategia de SE y, a la postre, conduciría al fracaso de ambos.

La piedra angular de la estrategia de SE fue la liberalización del comercio. Al principio se efectuó una maxidevaluación para lograr una depreciación significativa del TCER, y luego la moneda se fue reajustando periódicamente para compensar la diferencia entre la inflación interna y la mundial. La intención era estabilizar el TCER después de la devaluación inicial. Sin embargo, en el Cono Sur la represión política fue tan severa que al principio los salarios reales cayeron otra vez, lo que significó devaluación. Esto hizo que los incentivos ofrecidos a los exportadores fuesen aún mayores de los que implicaba el cambio de TCER.

Mientras que la devaluación real favoreció las exportaciones, se emplearon reducciones arancelarias y la desaparición gradual de las barreras no arancelarias para promover las importaciones. Esto fue una desviación radical de la práctica establecida en el resto de América Latina, y produjo controversias aun entre los países que aplicaron la SE. Chile fue el que llegó más lejos, disminuyendo sus gravámenes nominales a un promedio de 10% en 1979; en realidad, el compromiso de Chile con aranceles más bajos fue una de las razones de que se apartara del Pacto Andino (PA), porque la reducción unilateral de los mismos no estaba de acuerdo con el objetivo declarado del PA, de un arancel externo común (AEC). Argentina y Perú habían reducido sus derechos aduanales hasta un promedio de 35% y 32%, respectivamente, a comienzos de los ochenta. Uruguay se concentró en eliminar cuotas y permisos para las importaciones, y sólo hizo modestos progresos en sus reducciones arancelarias.[41]

Al principio la liberalización del comercio tuvo éxito: las exportaciones aumentaron rápidamente y se intensificó la apertura económica de todos los países que la aplicaron (véase el cuadro X.2). También las importaciones crecieron, pero no con tanta velocidad como para agravar el problema de la balanza de pagos en las primeras etapas de la liberalización. Aún más alentadora fue la modificación de la composición de las exportaciones; las no tradicionales (salvo en Argentina) pronto aumentaron en importancia (véase el cuadro X.2). Estos nuevos productos, fuesen de origen agrícola o industrial, pudieron competir en precio en los mercados mundiales. Las empresas locales, oprimidas en el mercado interno por el aumento de las importaciones y por el impacto recesivo de la caída de los salarios reales, fueron alentadas a transformarse en productoras de exportaciones. La sustitución negativa de importaciones (es decir, el remplazo de la producción interna de alto costo por importaciones) quedó aunada así al crecimiento de las exportaciones: la esencia misma de una estrategia de sustitución de exportaciones.

El éxito de la liberalización del comercio fue mucho más limitado en Perú que en los demás países, lo que reflejó, hasta cierto punto, el hecho de

---

[41] Véase Ramos (1986), pp. 125-134.

que fuese adoptada muy tarde y abandonada muy pronto. Gran parte del aumento de los ingresos por exportación a partir de 1978 se debió, en realidad, a un aumento de los TNIC, por lo que el desempeño de las exportaciones siguió estando abrumadoramente dominado por los productos tradicionales (en particular minerales). Las importaciones respondieron con tal energía a las reducciones arancelarias que el déficit comercial se volvió intolerablemente grande cuando, a partir de 1980, se deterioraron los términos de intercambio. Por lo tanto, el breve experimento peruano con la liberalización del comercio y la estrategia de SE dio marcha atrás, y se adoptaron medidas —incluyendo aumentos tarifarios— para proteger la balanza de pagos, antes aún de que estallara la crisis de la deuda en 1982.[42]

La lucha contra la inflación —gran inquietud de todos los países que adoptaron la sustitución de exportaciones, sobre todo en el Cono Sur— fue inspirada por una perspectiva monetarista. Se atacó principalmente el déficit fiscal mediante un recorte del gasto —aprovechando la caída de los salarios reales—, en un esfuerzo por reducir la tasa de crecimiento del activo circulante. Se fortaleció el mercado interno de capitales mediante una variedad de medidas de liberalización financiera. Se liberaron las tasas de interés, se fueron reduciendo gradualmente los controles cuantitativos al crédito, se redujeron las barreras al ingreso de nuevas instituciones financieras, y se simplificaron las regulaciones bancarias. El resultado fue un súbito incremento de la intermediación financiera y en todos los casos aumentó la razón activos financieros-PIB.

Vemos así que el crecimiento del activo circulante se vio sometido a dos fuerzas contradictorias. El descenso del déficit fiscal redujo la necesidad de que el gobierno dependiera de préstamos del Banco Central, pero la liberalización financiera aumentó los depósitos de cuenta corriente y ahorro que el público deseaba conservar. La segunda fuerza resultó mayor que la primera, y el activo circulante creció con tal rapidez que las autoridades llegaron a preocuparse por sus repercusiones inflacionarias. Además, muchas de las medidas adoptadas en apoyo del ajuste —devaluación de la moneda, liberalización de la tasa de interés, abolición del control de precios, etc.— iban agravando las presiones inflacionarias y socavando el programa de estabilización.

La liberalización financiera y la disminución de los déficit fiscales significaban que las autoridades del Cono Sur habían perdido la capacidad de controlar el activo circulante por los medios tradicionales. Sin embargo, la liberalización del comercio había producido una significativa apertura de la economía, en la cual —según sostenían los monetaristas— todo desequilibrio de la oferta y la demanda de dinero se reflejaría en la balanza de pagos. Este enfoque monetarista de la balanza de pagos implicaba que el activo circulante era endógeno —no exógeno— y que tendría que ajustarse a cualquier

[42] Véase Beckerman (1989), pp. 122-126.

CUADRO x.2. *Países con sustitución de exportaciones: estructura del comercio externo*, ca. *1970-1980*

País	Año	A	B	C	D	E
Argentina	1975	7.2	16.4	24.4[a]	3.1	1 287
	1980	11.2	26.2	23.1[a]	14.2	4 774
Chile	1970	12.4	32.8	8.1[b]	8.1[c]	91
	1975	16.9	35.3	19.9	4.5	490
	1980	22.8	48.6	27.3	22.6[d]	4 733[d]
Perú	1978	15.8	25.2	3.9[a]	8.7[e]	192
	1980	14.0	27.4	14.1[a]	16.0[d]	1 728[d]
Uruguay	1970	14.9	31.8	19.8[c]	7.1[c]	45
	1975	18.3	35.0	34.5	4.1	190
	1980	21.6	42.5	42.1	12.3[d]	709

CLAVE:
A Proporción de las exportaciones en el PIB a precios de 1980.
B Proporción de las exportaciones más importaciones en el PIB a precios de 1980.
C Proporción de exportaciones no tradicionales en el total de las exportaciones.
D Proporción de importaciones de bienes de consumo en el total de las importaciones.
E Déficit de la cuenta corriente de la balanza de pagos en millones de dólares estadunidenses.
[a] Las exportaciones no tradicionales se definen como bienes manufacturados.
[b] El dato es para 1971.
[c] Los datos son para 1973.
[d] Los datos son para 1981.
[e] El dato es para 1975.
FUENTES: IDB (1981), cuadros 3, p. 400, y 8 y 9, p. 403, y (1982), cuadros 3, p. 351, y 6 y 7, p. 353; Ramos (1986), cuadros 7.7-7.9; ECLAC (1989), cuadros 70, p. 105, y 281-283, páginas 520-527; World Bank (1991).

nivel que el público deseara conservar por medio de cambios en las reservas internacionales.[43]

Por todo ello, las autoridades consideraron que la mejor manera de lograr estabilizar la inflación sería mediante una nueva liberalización de la balanza de pagos —ante todo la cuenta de capitales— para que las entradas de capital internacional aportaran el mecanismo necesario a fin de equilibrar la oferta y la demanda de dinero. Al mismo tiempo, se esperaba que la liberalización del comercio cerrara la brecha entre los precios locales y los mundia-

[43] Sobre el enfoque monetarista de la balanza de pagos en el Cono Sur, véase Foxley (1983), pp. 114-125.

les, de modo que la inflación interna quedara en armonía con la de los países socios.

En todos estos argumentos se consideraba que el tipo de cambio desempeñaba un papel esencial como instrumento para convertir los precios extranjeros en precios nacionales, como determinante principal de las expectativas inflacionarias, y como mecanismo de equilibrio de la balanza de pagos. Por lo tanto, en el Cono Sur se pasó de una política cambiaria dirigida a favorecer las exportaciones a otra destinada a combatir la inflación. En lo sucesivo la devaluación nominal sería anunciada previamente a una tasa inferior a la diferencia entre la inflación interna y la externa, en un esfuerzo por combatir las expectativas inflacionarias y obligar a las empresas a adoptar para sus productos precios internacionales.[44] La nueva política empezó a aplicarse en Chile a partir de 1976, y fue seguida dos años después en Argentina y Uruguay. Para 1979 los políticos chilenos estaban tan seguros del acierto de su estrategia que el tipo de cambio nominal se amarró al dólar, experiencia casi sin precedentes en la historia económica chilena.

Tanto la política cambiaria como el experimento de liberalización financiera en el Cono Sur resultaron desastrosos. La inflación, es cierto, disminuyó, pero no lo suficiente ni con bastante rapidez, por lo que el TCER se revaluó continuamente. Las importaciones se multiplicaron y las exportaciones padecieron por el tipo de cambio sobrevaluado. El déficit de la cuenta corriente en la balanza de pagos se aceleró, y fue financiado básicamente mediante préstamos comerciales del exterior. La naturaleza no regulada de los préstamos produjo un auge del crédito al consumo, por lo que la composición de las importaciones se alejó de los bienes de producción y hacia los de consumo (véase el cuadro x.2). Pese a las entradas de capital las tasas de interés internas siguieron siendo sumamente altas en términos reales, lo que atentó contra la inversión productiva.[45] Las instituciones financieras decidieron ocultar el pobre resultado de muchos de sus préstamos dando financiamiento adicional a las empresas en apuros. Cuando los prestamistas extranjeros se dieron cuenta de lo insostenible de estas políticas, las entradas de capital empezaron a reducirse, lo que obligó a las autoridades a adoptar medidas de emergencia en apoyo de la balanza de pagos, y ocasionó una crisis financiera.

El fracaso de la estrategia de sustitución de exportaciones provocó en algunos círculos una enérgica reacción contra la economía neoconservadora en general. Hasta cierto punto estaba justificado: el experimento de la liberalización financiera había resultado costoso, los supuestos en que se había basado eran sin duda inapropiados, y algunos mercados habían respondido

---

[44] Esta política cambiaria se conocía como la "tablita", porque regularmente se publicaba una tabla de los tipos de cambio que indicaba el valor de la moneda en fechas futuras. Sobre su papel en Argentina, véase Sjaastad (1989), pp. 259-264.

[45] Las tasas reales de interés permanecieron por encima de 10% durante todo el periodo de la liberalización financiera, y a menudo superaron 20%. Véase Ramos (1986), cuadro 8.11, pp. 154-155.

en forma aparentemente adversa.[46] La liberalización del comercio había tenido más éxito, y sobre todo el desempeño de las exportaciones no tradicionales había confirmado las lecciones de la estrategia de la PE sobre la importancia del TCER. No obstante, el paso a una moneda sobrevaluada —junto con menores gravámenes— provocó una demanda tan grande de importaciones que la balanza de pagos siguió representando una limitación que sólo podía relajarse por medio de niveles peligrosamente altos de ingresos de capital.

Cayó en especial desprestigio el supuesto de que se podía controlar la inflación mediante el enfoque monetarista de la balanza de pagos y un tipo de cambio sobrevaluado. Las primeras etapas de la liberalización del comercio habían hecho aumentar la importancia de los productos exportables, sin producir una enorme reducción de los importables, por lo que al principio había crecido la participación de los primeros en el PIB.[47] Esto hizo que las autoridades creyeran que todos los precios de la economía podían determinarse de acuerdo con los precios, los gravámenes y los tipos de cambio mundiales. Sin embargo, la moneda sobrevaluada no sólo discriminó a las exportaciones, sino que también causó una desindustrialización generalizada cuando las importaciones vinieron a remplazar la producción interna de bienes manufacturados. El resultado fue la pérdida de la importancia de las importaciones sustituibles y un aumento de las no sustituibles como proporción del PIB; sus precios estaban determinados por la oferta y la demanda internas, y no por las condiciones del mercado mundial.

Por consiguiente, las economías del Cono Sur se apartaron más aún de los supuestos en que se había basado el programa de estabilización de la inflación. Después de que en 1981-1982 se aplicaron medidas drásticas para proteger la balanza de pagos (incluyendo la devaluación del tipo de cambio), las tasas de inflación empezaron a acelerarse, al mismo tiempo que la producción se reducía en forma notable. La pérdida del PIB real fue excepcionalmente severa, y redujo el ingreso real per cápita al nivel en que se encontraba al empezar la estrategia de la SE.[48]

Esta estrategia no alcanzó ninguna de sus metas ni en el Cono Sur ni en Perú. No pudo vencer la inflación, la balanza de pagos siguió representando un problema y la tasa de crecimiento de las exportaciones no se sostuvo. Además, incluso los años de crecimiento fueron acompañados por un deterioro en la distribución del ingreso y un descenso de los salarios reales. No obstante,

---

[46] La tasa de ahorro interna (la razón entre los ahorros nacionales brutos y el PIB) siguió siendo baja o incluso descendió, pese a los incentivos que ofrecían las altas tasas de interés real. Véase Ramos (1986), pp. 141-158.

[47] Las sustituibles consisten en exportables e importables. Las primeras comprenden aquellos sectores en que las exportaciones netas son positivas: las últimas, aquellos en que las importaciones netas son positivas. Sobre la baja de la participación de los sustituibles en el Cono Sur, véase Ramos (1986), cuadro 7.15, p. 133.

[48] La caída fue particularmente marcada en Chile, donde se había seguido con más vigor la estrategia de SE. Véase Fortín y Anglade (1985), pp. 191-195.

en su primera fase la estrategia había reforzado la lección de la estrategia de PE: las exportaciones no tradicionales podían prosperar si contaban con los incentivos apropiados.

El desarrollo de exportaciones primarias

Las 11 repúblicas restantes —Bolivia, Ecuador, Paraguay y Venezuela en América del Sur, junto con los cinco países centroamericanos, Panamá y Cuba— no se sintieron atraídas por la estrategia de SE. Además, consideraban que su base industrial era demasiado frágil para soportar una estrategia de PE basada en exportaciones manufactureras.

Durante todo el periodo de posguerra —incluso en la Cuba revolucionaria— el modelo básico había seguido siendo el de crecimiento guiado por las exportaciones, con la ISI como actividad subsidiaria. Muchos miembros de este grupo esperaban que la integración regional sentara la industrialización sobre bases más firmes para la ISI en un contexto regional y no nacional, pero a comienzos de los setenta se iba generalizando la desilusión con este modelo. Las manufacturas eran intensivas en capital, intensivas en importaciones y muy dependientes de capital y tecnología extranjeros. Por otra parte, la estabilidad de los precios, fundamentada en tipos de cambio nominales fijos, era la regla y no la excepción, y por lo tanto había una renuencia natural a promover las exportaciones no tradicionales en general. Y las manufacturadas en particular, por medio de una depreciación real del tipo de cambio.

Aunque se descartaron las estrategias SE y PE, se encontró un modelo alternativo gracias al auge de los precios durante los setenta. El alza de precios de la mayoría de los productos primarios creó oportunidades excepcionales para los miembros del grupo, ninguno de los cuales había abandonado por completo el modelo tradicional de crecimiento guiado por las exportaciones y basado en los productos minerales o agrícolas. Esta estrategia, a la que podemos llamar desarrollo de exportaciones primarias (DEP), favorecía la obtención de divisas por medio de productos primarios (y de servicios, en Panamá), y daba muy poco peso a las exportaciones manufacturadas.[49]

La estrategia DEP trataba de aprovechar las condiciones favorables que imperaban en los mercados internacionales. A veces esto se hizo por un aumento de la cantidad exportada (por ejemplo, el algodón en América Central);[50] otros países se contentaron con cosechar las inesperadas ganancias relacionadas con los altos precios. Esto ocurrió en el caso del petróleo venezolano y del petróleo y el estaño bolivianos, en que los precios, más que los volúmenes, explican el marcado aumento de las ganancias por exportación.[51]

[49] En las 11 repúblicas de DEP la participación de las manufacturas en las exportaciones extrarregionales era baja. Sin embargo, los países centroamericanos habían creado un importante comercio intrarregional de productos industriales.
[50] El auge del algodón en América Central está descrito en Williams (1986), parte primera.
[51] Venezuela se vio limitada por las cuotas de exportación estipuladas por la OPEP. Bolivia,

El alza de los precios mundiales del azúcar a partir de 1973 también obligó a la Unión Soviética a elevar el que le pagaba a Cuba, por lo que ese producto llegó a representar más de 80% del total de las exportaciones de la isla en 1980, pese a la dificultad para elevar el volumen.[52] Sin embargo, quienes más se beneficiaron fueron los países que lograron incrementar los volúmenes en un momento de marcada alza de precios. Esto ocurrió en América Central en el caso del café, después de la congelación brasileña de 1975 y el desplome del sistema de cuotas a las exportaciones impuesto por el Acuerdo Internacional del Café (AIC).[53]

La estrategia DEP también incluyó la explotación de nuevos productos primarios. A partir de 1972, tras la construcción de un gasoducto hasta Argentina, Bolivia llegó a depender cada vez más de las exportaciones de gas natural de la zona de Santa Cruz. A fines de los setenta más de la mitad de todas las exportaciones bolivianas estaban destinadas al resto de la región, y casi 20% a su vecina del Cono Sur.[54] La nueva producción petrolera se inició en Ecuador en 1972, y pronto dominó el valor total de las exportaciones.[55] Paraguay pasó de la exportación de carne y maderas a la de algodón y frijol de soya. Guatemala empezó a exportar petróleo crudo en 1980.

No todas las nuevas exportaciones se registraron oficialmente. Las de pasta de coca, destinadas principalmente a las plantas procesadoras ubicadas en Colombia, crecieron con rapidez en Bolivia y Ecuador, aportando una corriente de narcodólares, lo que contribuye a explicar la combinación de tipos de cambio estables y alta inflación interna en Bolivia.[56]

El contrabando floreció en Paraguay, donde los círculos empresariales (incluyendo a los militares) cercanos al presidente Alfredo Stroessner explotaron la posición geográfica del país y su tipo de cambio, vinculado al dólar

donde los costos unitarios de la producción de estaño eran relativamente altos y donde casi se habían agotado las reservas de petróleo, fue incapaz de aumentar su producción sin grandes inversiones adicionales; sin embargo, a principios de los setenta se creó la primera fundidora de estaño de Bolivia, por lo que el país finalmente empezó a captar una mayor proporción del valor agregado asociado con la producción de estaño.

[52] Desde 1961 la Unión Soviética había pagado regularmente a Cuba un precio superior al mundial por sus importaciones de azúcar. El salto de los precios mundiales de 1974 obligó a la Unión Soviética a seguir la corriente, pero el precio no volvió a bajar cuando comenzó a descender el del mercado mundial. Así, a finales de los setenta Cuba recibía de la Unión Soviética casi cinco veces más de lo que valía el azúcar en el mercado mundial. Véase Brundenius (1984), cuadro 3.9, p. 76.

[53] El AIC, establecido en 1963, tenía el fin de mantener los precios dentro de cierto rango, mediante el uso de cuotas (variables) a la exportación. Sin embargo, el congelamiento brasileño redujo tanto la producción mundial que hubo que abandonar el sistema de cuotas. Aun así, el resto del mundo no pudo compensar la reducción brasileña, y los precios subieron con rapidez, superando con mucho el límite superior originalmente fijado por el AIC.

[54] Véase ECLAC (1989), cuadro 289, pp. 564-565.

[55] El auge del petróleo en Ecuador y su efecto sobre el resto de la economía han sido minuciosamente analizados por Bocco (1987).

[56] Para una estimación empírica del impacto de la coca sobre la economía boliviana, utilizando un modelo computable de equilibrio general, véase De Franco y Godoy (1992).

estadunidense, para comprar y vender a países vecinos, con monedas fluctuantes.

Se deben tener en mente estas actividades no registradas cuando se analizan las estadísticas publicadas.[57] No obstante, hasta las cifras oficiales indicaron una notable mejoría del sector exportador. El valor unitario de las exportaciones aumentó rápidamente en el decenio posterior a 1970, el valor de las exportaciones brincó entre 500 y 1 000%, y el poder adquisitivo de las exportaciones (PAE) aumentó en forma notable (véase el cuadro x.3).[58] Aunque la súbita alza del precio del petróleo a partir de 1973 y 1978 favoreció a los principales exportadores de combustibles (Bolivia, Ecuador y Venezuela), los importadores netos de petróleo del grupo también tuvieron un desempeño impresionante, gracias a los precios, cada vez mayores, de los principales productos primarios de exportación.

La abundancia de divisas sostuvo los tipos de cambio que habían dependido del dólar desde antes de que se desplomara el sistema de Bretton Woods. En la década que siguió a 1970 las 11 repúblicas sólo registraron, entre todas, cuatro devaluaciones frente al dólar, y nueve de ellas no tuvieron ninguna.[59] Los acuerdos con el Fondo Monetario Internacional (FMI) fueron relativamente escasos, y el grado de condicionalidad en general fue discreto.

Y sin embargo, en términos generales, el modelo de DEP no tuvo éxito. Sólo Ecuador y Venezuela —exportadores de petróleo ambos— aumentaron su participación de las exportaciones mundiales entre 1970 y 1980, aunque en el caso venezolano esto se debió exclusivamente a cambios de precios, no de volumen. Pocas de las naciones del grupo aumentaron las ganancias de sus exportaciones a un ritmo congruente con la acumulación de la deuda externa. Su vulnerabilidad a los choques externos era tan grande como siempre, y la débil economía interna no era aún lo bastante flexible como para ofrecer una compensación real. La existencia de tipos de cambio estables resultó un baluarte inadecuado contra las presiones inflacionarias causadas por la expansión monetaria y los altos precios en dólares de las importaciones, por lo que la distribución del ingreso se deterioró más en muchos países,[60] y el tipo de cambio real fue quedando cada vez más sobrevaluado.

---

[57] El impacto de estas actividades ilegales en toda América Latina ha sido tema de grandes especulaciones. Para una evaluación sobria y objetiva del efecto del tráfico de drogas en Colombia, véase Arrieta *et al.* (1991).

[58] El PAE mide el volumen de importaciones que puede comprarse con el valor de las exportaciones. Se calcula ya sea dividiendo el valor de las exportaciones entre el valor unitario de las importaciones, o multiplicando el volumen de las exportaciones por los TNIC.

[59] En la época posterior a Bretton Woods, caracterizada por tipos de cambio flotante, amarrarse al dólar no excluía la posibilidad de depreciación frente a otras monedas. Sin embargo, para la mayoría de los países de DEP, Estados Unidos era el principal socio comercial, de modo que un tipo vinculado al dólar se aproximaba a un tipo de cambio efectivo estable (ponderado comercialmente).

[60] Aunque una tasa estable de inflación en una economía indizada no tiene por qué aumentar

CUADRO X.3. *Países con desarrollo de exportaciones primarias:*
valor unitario y poder adquisitivo de las exportaciones, 1970 y 1980

País	Valor unitario de las exportaciones en 1980 (1970 = 100)	Poder adquisitivo de las exportaciones en 1980 (1970 = 100)	Exportaciones / PIB (precios de 1980, en porcentajes)	
			1970	1980
Bolivia	585	196	36.9	23.6
Costa Rica	299	150	38.2	33.9
Cuba	425	109[a]	15.5	8.1
Ecuador	278	350	15.6	25.0
El Salvador	292	157	28.8	34.8
Guatemala	275	185	21.1	22.2
Honduras	321	146	41.6	37.8
Nicaragua	282	165[b]	29.5	23.9
Panamá	238	455	38.9	45.4
Paraguay	303	167	15.8	13.9
Venezuela	1 234	263	65.4	39.4

[a] Tomado de Brundenius y Zimbalist (1989), cuadros 9.2 y 9.3; se supone que los precios de las importaciones subieron a la misma tasa que el promedio latinoamericano.
[b] Las exportaciones de 1980 sufrieron los graves efectos de la revolución de 1979, por lo cual 1978 se tomó como año de referencia.
FUENTES: Brundenius (1984), cuadro 3.7, p. 75; Brundenius y Zimbalist (1989), cuadro 9.2, p. 146; ECLAC (1989), cuadros 275, p. 504, 279, p. 512 y 4.3, p. 70.

El fracaso de la estrategia de DEP resultó una especial decepción para los tres exportadores de combustible (Bolivia, Ecuador y Venezuela), los que más tenían que ganar de la enorme redistribución del ingreso mundial del petróleo, de los consumidores a los productores, a partir de 1973. Venezuela, como miembro fundador de la OPEP, había pensado durante largo tiempo que una política de cuotas a la exportación, con altos precios, sería preferible a un mercado libre, con bajos precios. Ecuador, tras el ascenso de un régimen militar en 1972, compartió la misma idea e ingresó a la OPEP en noviembre de 1973, pese a la tensión que esto creó en su relación con Estados Unidos.

Al principio, el desarrollo de las exportaciones de petróleo en los tres países había dependido en gran medida de la inversión extranjera. Hasta Bolivia, donde la Standard Oil fue nacionalizada en 1937, había ofrecido condi-

la desigualdad del ingreso, casi invariablemente lo hará una aceleración de la tasa de inflación. Esto se debe a que los deciles inferiores en general sólo pueden responder con retraso a cualquier aumento de la tasa inflacionaria.

ciones excepcionalmente generosas a la compañía Gulf Oil durante la década de los cincuenta, con la esperanza de promover las exportaciones.[61] Los gobiernos de los tres países consideraban que su tarea fundamental era conseguir una proporción creciente de la renta económica asociada con los recursos naturales no renovables, con el objeto de canalizar financiamiento hacia el sector no exportador. Esto se logró por medio de precios de referencia,[62] gravámenes y empresas en asociación, y el ingreso del gobierno llegó a depender cada vez más del sector petrolero.

Este enfoque de busca de la renta tuvo muchas ventajas, pero siguió dejando en manos de las compañías extranjeras las decisiones estratégicas más importantes acerca de inversión, producción y exportación. La creciente oleada de nacionalismo resultó irresistible, y en los tres países, a la postre, el sector petrolero llegó a quedar controlado por empresas de propiedad estatal. La Gulf Oil de Bolivia fue expropiada en 1969,[63] y Yacimientos Petrolíferos Fiscales Bolivianos (YPFB) quedó como principal operador en el campo energético. También la Gulf Oil fue nacionalizada en Ecuador en 1976, raro caso en el que una compañía extranjera buscó su propia expropiación.[64] Anticipándose a la expiración de los contratos petroleros en 1983, el gobierno venezolano nacionalizó su industria petrolera —dominada por empresas extranjeras desde sus principios, en los veinte— a finales de 1975.[65]

El sector petrolero sólo actuó como motor del desarrollo en Ecuador. Entre 1970 y 1980 el PIB real aumentó a un ritmo anual de 9.7%, mientras que el PIB per cápita registraba una impresionante tasa de crecimiento de 6.5%; no obstante, la riqueza derivada del petróleo hizo que el gobierno militar del país aplazara unas reformas fiscales ya tardías, y la sobrevaluación de la moneda debida al petróleo anuló la expansión de las exportaciones no tradicionales. En Bolivia y Venezuela la nacionalización sólo produjo beneficios modestos: la producción neta del sector minero apenas aumentó en ambos países, y el PIB real per cápita virtualmente no se modificó en Venezuela desde 1970.[66] Ambos países sólo se salvaron gracias a la espectacular mejoría de los TNIC que disparó el ingreso del producto interno bruto real, dando lugar a una temporal ilusión de prosperidad.[67]

La ganancia inesperada debida al aumento en los precios de los energéti-

[61] Véase Philip (1982), pp. 455-460.
[62] El propósito de los precios de referencia fue reducir la posibilidad de transferencia de precios por parte de las compañías petroleras como parte de sus estrategias destinadas a minimizar el pago de impuestos. El precio de referencia fue el adoptado para calcular la base gravable.
[63] Véase Philip (1982), capítulo 13.
[64] Véase Brogan (1984), pp. 5-6.
[65] Véase Lieuwen (1985), pp. 209-215.
[66] El PIB per cápita (en precios de 1988) en Venezuela sólo aumentó de 4941 dólares en 1970 a 5225 en 1980. Sin embargo, siguió siendo el más alto de América Latina, aunque estuviera por debajo del nivel de Trinidad y Tobago, rico en petróleo. Véase IDB (1989), cuadro B-1, p. 463.
[67] El ingreso interno bruto (IIB) es el PIB ajustado al cambio de los TNIC. Por lo tanto, resulta sensible al año base que se elija. Sin embargo, si se escoge como base 1970, la mejoría de

cos fue utilizada por los tres países para tratar de promover nuevas actividades fuera del sector. Venezuela mostró el camino con la nacionalización de la industria del mineral de hierro, con empresas en asociación en su industria metalúrgica, y promoviendo la producción de automóviles. Los radicales gobiernos militares de Ecuador llevaron a cabo una enorme expansión de la inversión social en salud, educación y vivienda. Bolivia experimentó incluso con la sustitución de importaciones agrícolas (SIA), en un esfuerzo por reducir su dependencia de los alimentos importados. En los tres países la ambición fue muy superior a lo que se justificaba por la (temporal) mejoría de los términos de intercambio. Las importaciones aumentaron con tal rapidez que los tres cayeron en un déficit de la cuenta corriente de la balanza de pagos durante casi todo el periodo de los altos precios del petróleo,[68] dejándolos peligrosamente expuestos a la ulterior caída de sus términos de intercambio.

Las cinco repúblicas centroamericanas se enfrentaron a otro problema. Como importadora neta de petróleo, la región tuvo mucho que perder en las crisis petroleras de los setenta. Sin embargo, los precios de sus exportaciones tradicionales (café, plátano, algodón, carne y azúcar) aumentaron rápidamente en varios puntos a partir de 1970, de modo que los términos de intercambio no siempre fueron desfavorables. Además, la primera crisis petrolera y el aumento del precio de los insumos importados ejercieron presión sobre las ganancias industriales, lo que las alentó a retirar recursos de la manufactura y del Mercado Común Centroamericano (MCCA) para destinarlos otra vez a la exportación de productos primarios.[69] Aunque la baja del MCCA sólo fue relativa—el total del comercio intrarregional siguió creciendo—[70] una vez más el motor del crecimiento fueron las exportaciones extrarregionales en general, y de productos tradicionales en particular.[71]

En América Central el modelo DEP produjo un gran aumento de divisas. Se elevó la renta de la tierra y el campesinado en pequeña escala que producía alimentos para el mercado interno se vio presionado. En las áreas urbanas estaba surgiendo una presión similar sobre la industria en pequeña escala como resultado del alza de los insumos importados. El resultado fue un gran aumento de la proletarización rural y urbana, y una proporción creciente de la mano de obra que dependió de los salarios.[72]

los TNIC para los exportadores de energía da lugar a un rápido aumento del IIB en el decenio de 1980.

[68] En 1975 Bolivia y Ecuador registraban déficit de la cuenta corriente de la balanza de pagos (Venezuela en 1977). Véase World Bank (1991).

[69] Véase Weeks (1985), pp. 147-150.

[70] Las importaciones intrarregionales experimentaron un modesto descenso el año anterior en 1971 y 1975, pero en todos los demás años, hasta 1981, siguieron creciendo.

[71] Los cinco productos tradicionales de exportación (café, plátano, algodón, azúcar y carne) sumaron 84% de las exportaciones extrarregionales en 1970. Para 1979, después de cerca de un decenio de espectacular crecimiento de las exportaciones, estos cinco productos representaban casi exactamente la misma participación del total. Véase Bulmer-Thomas (1987), p. 204.

[72] Véase Bulmer-Thomas (1987), pp. 218-224.

Aunque las economías centroamericanas dan la impresión de haber vivido un auge durante los setenta, las ganancias se distribuyeron de manera muy desigual. La inflación interna —casi desconocida en las décadas de 1950 y 1960— empezó a acelerarse, promovida por los precios mundiales más altos y la explosión de dinero de origen externo, como resultado del aumento de las reservas internacionales. Al carecer de mecanismos de defensa y de sindicatos fuertes, el movimiento laboral no pudo protegerse, y los salarios reales cayeron durante la primera mitad de los setenta.[73] Esta decadencia se revertiría después en Costa Rica y Honduras, las dos repúblicas que contaban con los sindicatos más fuertes, pero la caída continuó en El Salvador, Guatemala y Nicaragua, y contribuyó en buena medida a la creciente tensión social y política en esos tres países.

En Nicaragua la oposición a la dinastía Somoza no se limitó a los grupos sindicales, y un movimiento de base popular —dominado por el Frente Sandinista de Liberación Nacional (FSLN)— finalmente logró derrocar la dictadura en julio de 1979.[74] Breve fue el periodo del gobierno de coalición y Nicaragua pronto se vio envuelta en una guerra civil y, a la vez, en un enfrentamiento con Estados Unidos, que devastaría la economía en unos cuantos años.[75] Las guerras civiles de El Salvador[76] y de Guatemala,[77] que comenzaron a finales de los setenta, vinieron a aumentar las dificultades centroamericanas, y el MCCA fue una de las primeras víctimas. En 1981 el comercio intrarregional iba cayendo en términos absolutos, y esta decadencia habría de continuar durante varios años.[78]

Las tres repúblicas restantes —Cuba, Panamá y Paraguay— mostraron estilos contrastantes de DEP. Cuba, que a mediados de los sesenta abandonó su hostilidad al monocultivo y a su dependencia del azúcar, procedió a construir su economía socialista sobre los precios preferenciales y otras formas de ayuda que le daban la Unión Soviética y sus aliados de Europa oriental. Al mercado mundial llegaba una parte relativamente pequeña de su producción azucarera, por lo que la escasez de divisas en la isla siguió siendo aguda. Sin embargo, la decisión soviética de permitirle a Cuba vender en el mercado libre todo el petróleo soviético que no requiriese para el consumo interno, estimuló medidas para el ahorro de energía, recompensando a Cuba —brevemente— con un buen ingreso de dólares.[79] Esto, aunado al mejoramiento de

[73] Véase Bulmer-Thomas (1987), cuadro 10.7, p. 219.
[74] Véase Booth (1982), capítulo 8.
[75] Véase Bulmer-Thomas (1990b), pp. 353-365.
[76] Véase Dunkerley (1982) sobre los orígenes de la guerra civil en El Salvador.
[77] En 1960 había estallado en Guatemala una guerra de guerrillas, pero la seguridad se deterioró marcadamente a finales de los setenta. Véase McClintock (1985), tercera parte.
[78] El descenso fue tan marcado que las exportaciones intrarregionales, que representaban más de 25% del total de exportaciones al final de los sesenta, cayeron por debajo de 10% en 1986.
[79] Este cambio de política no fue adoptado hasta 1981, pero coincidió con los más altos precios del petróleo. Para 1985 los ingresos en dólares por la reexportación de petróleo sumaban

las técnicas de planeación y el paso de los incentivos morales a los materiales, hizo que la economía cubana lograra respetables tasas de crecimiento durante los setenta y la primera mitad de los ochenta.[80]

Los gobernantes de Panamá habían reconocido tiempo atrás que su ventaja comparativa se encontraba en su posición geográfica, más que en sus exportaciones de productos primarios. Aunque las exportaciones de plátano, camarón, azúcar y petróleo refinado siguieron creciendo, el verdadero motor del desarrollo durante los setenta fueron los servicios. De este modo, la estrategia DEP en el contexto panameño debe interpretarse en el sentido de la promoción de exportaciones terciarias.[81] El centro bancario, libre de las regulaciones de otros países, adquirió gran importancia. A comienzos de los ochenta había más de 120 bancos y los depósitos sumaron 43 500 millones de dólares en pleno auge, en 1982.[82] La Zona de Libre Comercio de Colón se convirtió en importante punto de transbordo de artículos destinados a todas partes de América Latina,[83] y un oleoducto transístmico permitió a Panamá recuperar parte del ingreso que había perdido porque los supertanques no podían cruzar el canal.[84] El número de navíos que enarbolaban la bandera panameña creció sin cesar,[85] y la industria de los seguros fue un excelente subproducto de la banca y de la navegación.[86]

Aunque el propio canal había sido la clave del desarrollo económico panameño desde el primer día de su historia, su control y propiedad habían

tres veces más que las ganancias en divisas de las exportaciones de azúcar al mercado mundial. Véase Domínguez (1989), pp. 90, 207-208.

[80] Todos los especialistas en este campo coinciden en reconocer el superior desempeño de la economía cubana a partir de 1970 en comparación con la década anterior. Véase Pérez-López (1991).

[81] Las exportaciones terciarias son las de servicios (banca, seguros, fletes). Panamá tradicionalmente tiene en la balanza de pagos un enorme déficit de la cuenta comercial, y un gran excedente en la de servicios. Por ejemplo, en 1980 la primera fue de 959 millones de dólares, y la segunda de 649 millones. Véase IDB (1983), cuadro 42, p. 369, y cuadro 43, p. 370.

[82] Sobre el surgimiento (y posterior decadencia) del centro bancario internacional de Panamá, véase Weeks y Zimbalist (1991), pp. 68-83.

[83] En su punto máximo el valor agregado de la Zona de Libre Comercio (es decir, las reexportaciones menos las importaciones) llegó a representar 10.3% del PIB. Véase Weeks y Zimbalist (1991), p. 67.

[84] La inspiración para el oleoducto fue la necesidad de encontrar una ruta eficiente por la cual el petróleo crudo de Alaska, descubierto durante los setenta, pudiera llegar a las refinerías situadas en la costa atlántica de Estados Unidos.

[85] La bandera panameña se empleó tanto que el país daba la impresión de tener una de las flotas navieras más grandes del mundo (37.1 millones de toneladas en 1980). Sin embargo, casi toda era propiedad de extranjeros a los que la bandera panameña resultaba conveniente en términos fiscales y laborales.

[86] Al principio el sector de servicios de Panamá formó un círculo virtuoso en el que la expansión de una parte promovía el crecimiento de otras y fomentaba nuevas actividades (el lavado de dinero, combinado con el surgimiento del centro bancario, también llegó a ser parte cada vez más importante de la economía de los servicios). Sin embargo, también ocurrió lo contrario, como lo descubrió Panamá a sus expensas en la segunda mitad de los ochenta.

estado firmemente en manos de Estados Unidos. La firma de los tratados Torrijos-Carter en 1977, y su ratificación por el Congreso de Estados Unidos en 1979, permitían vislumbrar un nuevo amanecer: la soberanía de la Zona del Canal regresaba a Panamá, y se prometió el absoluto control panameño para el año 2000.[87] El ingreso por la operación del canal aumentó continuamente, las transacciones con la Zona del Canal dejaron de tratarse como si fueran comercio exterior, y las exportaciones de la Zona de Libre Comercio de Colón por fin beneficiaron a Panamá.[88]

En Paraguay la estrategia DEP incluyó la búsqueda de nuevos productos primarios (algodón y frijol de soya), lo que hizo perder importancia a las exportaciones procesadas (industriales).[89] Sin embargo, el motor del crecimiento paraguayo no se limitó a las exportaciones de productos primarios (ni al contrabando), sino que también incluyó la construcción. La decisión de construir dos enormes plantas hidroeléctricas (Itaipú y Yacyretá) junto con Brasil y Argentina, respectivamente, dio un impulso no sólo al sector de la construcción, sino también a todas las actividades que aportaban insumos a las empresas constructoras y a su vasta mano de obra.[90] Como resultado, el PIB real aumentó 8.7% por año durante los setenta: a todas luces, un desempeño muy meritorio.

La estrategia DEP se anotó sus triunfos, pero en demasiados países el auge de los precios de los artículos se había tratado como si reflejara un nuevo equilibrio a largo plazo. La naturaleza caprichosa de los precios durante los setenta hizo que los sectores público y privado fueran incapaces de distinguir entre las mejoras temporales en su medio externo y las permanentes. Sobre la base de cambios de precios a corto plazo —eco de la política de los veinte en muchas repúblicas— se efectuaron transferencias de recursos hacia el sector exportador de productos primarios, y luego no fue fácil revertirlas. Cuando los precios de los bienes empezaron a caer y se deterioraron los

[87] Los detalles de los tratados aparecen en Majar (1990), como parte de una excelente historia de la Zona del Canal.

[88] En 1979 (último año del viejo sistema para la contabilidad del FMI), se calculó que Panamá tenía exportaciones de bienes por valor de 356 millones de dólares. En 1980 (de acuerdo con el nuevo sistema de contabilidad del FMI), la cifra brincó a 2 267 millones, como resultado, ante todo, de la inclusión de reexportaciones de la Zona de Libre Comercio. No obstante, en ambos años el déficit de la cuenta corriente fue casi idéntico. Sin embargo, quienes empleen las estadísticas deben tomar en cuenta que no todos los organismos internacionales utilizan el mismo enfoque.

[89] En gran medida este cambio de la composición de las exportaciones reflejó los bajos precios de la tierra en el este de Paraguay, que animaron a los brasileños —ya muy comprometidos con la producción de algodón y de soya— a invertir en la república vecina. Véase Baer y Birch (1984).

[90] El auge produjo un aumento anual promedio de más de 30% en la producción neta del sector de la construcción en los tres últimos años de la década de 1970. También la industria y el comercio crecieron a un ritmo de más de 10% anual en el mismo periodo. Véase Baer y Birch (1984), p. 790.

términos comerciales, demasiadas naciones se encontraron peligrosamente expuestas.

Los aumentos de los precios fueron interpretados en general como reflejo de los aumentos de los precios reales promedio o a largo plazo. Los países de DEP respondieron a las favorables condiciones externas con un enorme aumento de las importaciones, por lo que muchas veces el déficit de la cuenta corriente siguió siendo negativo, aun en años de auge para las exportaciones. El sector público se mostró tan miope como el privado: se consideraban nominales los presupuestos elevados por niveles excepcionales de impuestos al comercio, y los gastos crecieron con gran rapidez para eliminar el excedente.[91]

La vulnerabilidad de los países de DEP a los choques externos hubiera podido compensarse mediante una inversión productiva fuera del sector exportador de productos primarios. Como veremos, se hicieron algunos esfuerzos, y se pidieron prestadas enormes sumas en el mercado internacional de capitales. No obstante, la mayoría de las inversiones no llegaron a tiempo para aumentar la flexibilidad ante el impacto externo; gran parte de las finanzas se despilfarró, y algunas naciones sufrieron una grave pérdida de inversiones por fuga de capitales.

Hasta los exportadores de petróleo entre los países de DEP —Bolivia, Ecuador y Venezuela— sufrieron el mismo destino que sus repúblicas hermanas menos afortunadas. Casi lo mismo puede decirse de México después de que se descubrieron nuevos yacimientos de petróleo durante la segunda mitad de los setenta. Aunque la mejoría en los términos de intercambio para los países exportadores de energéticos resultó ser más duradera, no sería permanente. No era viable una estrategia basada en precios permanentemente altos del petróleo, y una estrategia para minimizar los riesgos requeriría la adopción de programas de ajuste con vistas a prepararse para condiciones externas menos favorables. La enorme renta económica asociada con la producción de energéticos hubiera podido ser un lubricante para un ajuste relativamente indoloro, pero los recursos se emplearon en cambio para hacer transferencias y subsidios a las familias y al sector privado. Las inversiones requeridas para el ajuste fueron financiadas mediante préstamos del exterior a un ritmo que sólo podría sostenerse si la mejoría de los términos comerciales resultaba permanente.

El Estado, la empresa pública y la acumulación de capitales

La fuerza impulsora del desarrollo económico latinoamericano en los 100 años anteriores a 1930 había sido el sector privado. Aunque la clase capitalista interna a veces haya desempeñado un papel secundario en relación con

---

[91] Por ejemplo, Venezuela acumuló un gran déficit presupuestal del gobierno central aun en pleno auge del petróleo, en 1981.

los inversionistas extranjeros, no puede dudarse del papel hegemónico del sector privado en todas las decisiones relacionadas con la producción, la inversión y hasta la distribución. El Estado ocupó un papel claramente secundario, ofreciendo un marco regulador que favorecía el crecimiento guiado por las exportaciones, aunque los miembros del sector privado aún compitieran ferozmente por una parte de las ganancias posibles gracias a la regulación estatal.

El giro del tradicional crecimiento guiado por las exportaciones hacia la ISI complicó la tarea de administrar la política pública. Además de otorgar privilegios y establecer un nuevo marco regulador que incluyera una redistribución del ingreso nacional, el Estado tuvo que hacer un gran número de inversiones públicas, con objeto de proteger la rentabilidad del nuevo modelo.

La complejidad de la tarea y el surgimiento de nuevos grupos sociales que competían por el poder del Estado generaron, entre el sector privado y el público, fricciones que socavaron a veces la estabilidad política y la económica. Sin embargo, con raras excepciones, el Estado continuó considerando que su función general era apoyar a la empresa privada, aunque ya no fuera posible seguir favoreciendo simultáneamente a todas las facciones del sector privado. Por ello, en Argentina la oposición de los tradicionales agroexportadores al peronismo fue congruente con el apoyo del Estado a la inversión privada en las manufacturas, y la expropiación de latifundios en México durante los treinta no debilitó mayormente el nexo que iba formándose entre el Estado mexicano y la naciente burguesía industrial.

En las raras ocasiones en que el Estado se mostró profundamente hostil al sector privado, o deseó restringir con severidad la gama de actividades confiadas al mismo, la inevitable contrarrevolución a menudo salió triunfante. En Chile el breve experimento socialista a partir de 1970, con el presidente Allende,[92] cuando la inversión privada se desplomó tras la creación de empresas públicas en todas las ramas de la economía, terminó en una dictadura militar en septiembre de 1973, y en una devoción excesiva a las virtudes del mercado libre. Anteriores coqueteos con un papel más importante del Estado, en Guatemala con Jacobo Arbenz (1951-1954),[93] en Perú con Juan Velasco Alvarado (1968-1975),[94] o después en Nicaragua con los sandinistas (1979-1990),[95] resul-

[92] La difusión de la propiedad estatal bajo el régimen de Allende se describe en DeVylder (1976).

[93] Aunque la influencia comunista durante la presidencia de Arbenz fue considerable, el papel del Estado en la producción siguió siendo esencialmente indirecto, más que directo. No obstante, el sector privado se apresuró a modificar los límites de la intervención del Estado a partir de 1954.

[94] FitzGerald (1976) expone un detallado análisis del crecimiento de la intervención estatal durante el régimen militar en Perú. La posterior retirada del Estado se describe en Thorp (1991), capítulo 5.

[95] Las empresas estatales en Nicaragua durante el régimen sandinista se analizan en Colburn (1990).

taron ser sólo temporales: el sector privado restauró su hegemonía económica tras reconquistar el poder estatal. Cuba, guiada por el mesiánico Fidel Castro, fue la única nación capaz de mutilar al sector privado y de vencer a la contra-revolución, con lo que el Estado quedó prácticamente como única fuente de todas las inversiones, y con el control de la producción y la distribución.[96]

Pese a las quejas de algunas facciones de la clase capitalista nacional, en general la relación entre el sector público y el sector privado fue armoniosa. Este último buscaba en el primero privilegios, protección e inversiones complementarias, y el rango de intervención del Estado fue haciéndose más vasto y más complejo con cada cambio del modelo de desarrollo prevaleciente. Y sin embargo, los recursos de que disponía el Estado para cumplir estas funciones estaban rigurosamente limitados. La razón ingreso-PIB —medida burda del esfuerzo fiscal— era baja de acuerdo con los niveles internacionales. La única excepción fue Venezuela, donde una gran parte de la renta petrolera fue captada por el Estado antes aun de la nacionalización.[97]

El modesto esfuerzo fiscal en la mayor parte de América Latina tiene numerosas explicaciones. Los intereses agrarios habían logrado oponerse con éxito a un impuesto sobre la tierra en el siglo XIX, lo que hizo recaer la carga fiscal en impuestos indirectos regresivos. El sector privado no había podido evitar la introducción de impuestos sobre la renta en el siglo XX, y la estructura de la carga impositiva era progresiva sólo en el papel, con tasas marginales muy por encima de las promedio, pero hubo abundantes exenciones y la evasión era común.

En el periodo de la posguerra los países desarrollados se preocuparon por el "desfase fiscal" (el proceso por el cual la inflación aumentaba los ingresos del impuesto real como resultado de altas tasas de impuesto marginal), pero las repúblicas latinoamericanas se preocupaban por el efecto Oliveira-Tanzi (el proceso por el cual la inflación socava el valor real de los ingresos fiscales). Por otra parte, el crecimiento del sector urbano informal —gran parte de cuya actividad no la detectaron las autoridades fiscales— mermó el ingreso obtenido por impuestos a las ventas internas.

El ingreso podía complementarse con préstamos, pero la debilidad de los mercados internos de capital y el limitado acceso (antes de los setenta) a fuentes extranjeras de crédito fijaron estrictos límites a las dimensiones de los déficit que podían financiarse sin mayores implicaciones inflacionarias. El resultado fue una relación del gasto del gobierno central al PIB baja según los niveles internacionales. De hecho, todavía en 1975 sólo cuatro naciones

[96] El grado de control estatal en Cuba fue mucho más allá del que se había establecido incluso en Europa oriental. Por ejemplo, el gobierno revolucionario cubano, pese a que heredó un sistema de distribución en el que las tiendas pequeñas desempeñaban un papel vital, insistió en la propiedad 100% estatal del sector comercial. Véase Mesa-Lago (1981), cuadro 1, p. 15.

[97] En 1975, un año antes de la nacionalización de la industria petrolera, el ingreso del gobierno central de Venezuela representaba 34.6% del PIB, aproximadamente el triple que en Brasil o en México. Véase IDB (1983), cuadro 19, p. 356.

(Chile, Panamá, Uruguay y Venezuela)[98] superaron la media de los países en vías de desarrollo (22.4%) y sólo dos (Chile y Panamá) rebasaron el promedio de los países industriales (28.6%).[99] Hasta los gastos de defensa, que con mucha frecuencia se consideraron causa de tanto despilfarro, absorbían una baja proporción del PIB a mediados de los setenta (excepto en Chile y en Cuba, donde superaron en 3% del PIB).[100]

Surgió así un conflicto entre los recursos extremadamente limitados de que dispuso el gobierno central en la mayor parte de los países durante todo el periodo de la posguerra y las crecientes demandas que el sector privado le hacía al Estado. Se atribuyó particular importancia al ritmo de la inversión pública, porque la acumulación de capital por el Estado se consideraba esencial para sostener una alta tasa de inversión privada. La "expulsión" de la empresa privada por el gasto público se veía como un riesgo mucho menor que la ausencia de oportunidades lucrativas para el sector privado como resultado de la falta de inversión pública; además, la intervención estatal había adquirido respetabilidad durante los cuarenta y después, tanto por la influencia de la CEPAL como por el impacto de los préstamos para proyectos del sector público del Banco Mundial y otras instituciones financieras internacionales.

El conflicto se resolvió, en gran parte, mediante la expansión de empresas propiedad del Estado (EPE). Aunque no se pasaron por alto los métodos indirectos de intervención estatal, incluyendo el crecimiento de los gobiernos provinciales y hasta municipales, la difusión de EPE se consideró la clave para aumentar la tasa de acumulación de capital. Y en efecto, cuando se incluye el gasto de las EPE con otras ramas del gobierno (central, provincial y municipal), la participación del gasto público en el PIB (con excepción del neoconservador Chile) aumentó marcadamente a partir de 1970 (véase el cuadro X.4).

Aunque las primeras EPE se remontaban al periodo colonial, cuando los lucrativos monopolios del tabaco y del alcohol constituyeron una útil fuente de ingresos para la Corona (después para el Estado), por muy diversas razones habían cobrado mayor importancia a partir de la primera Guerra Mundial. En primer lugar, los servicios públicos que habían sido propiedad de extranjeros fueron expropiados en toda América Latina, y durante los setenta ya quedaban muy pocos bajo control extranjero. A comienzos del siglo XX el gobierno de José Batlle y Ordóñez en Uruguay había sido pionero en este campo,[101] y

---

[98] Cinco, si se incluye a Cuba.

[99] Véase FMI (1986), pp. 78-79

[100] En dos naciones latinoamericanas (Costa Rica y México) la tasa de gasto en defensa se encontraba entre las más bajas del mundo. La primera había abolido su ejército en 1948; el segundo nunca habría podido justificar el nivel de gasto en defensa que necesitaría si Estados Unidos lo invadiera, por lo cual escogió un nivel congruente con las necesidades de su seguridad interna.

[101] Véase Finch (1981), capítulo 7.

llegó a crear servicios públicos para atentar contra la posición monopólica de que habían disfrutado las compañías extranjeras; finalmente, el poderío de esas empresas extranjeras se desmoronó por la oleada de nacionalizaciones al término de la segunda Guerra Mundial. Éstas incluyeron los ferrocarriles de propiedad extranjera, dejando al Estado como principal inversionista de la red ferroviaria en casi todos los países latinoamericanos a partir del decenio de 1950.

En segundo lugar, la industria minera —que durante tanto tiempo fuese gran fuente de inversión extranjera— resultó irresistible para los gobiernos de convicciones nacionalistas. La creación de una compañía de propiedad estatal durante los cuarenta, destinada a extraer mineral de hierro en Brasil,[102] fue seguida por la nacionalización de la industria del estaño de Bolivia durante los cincuenta,[103] y por la difusión de EPE en todo el sector minero de Perú después de 1968, con un régimen militar.[104] La expropiación de las compañías de cobre de propiedad extranjera por parte de Allende, en Chile, no fue revertida por la neoconservadora administración de Pinochet,[105] y el primer periodo del presidente Carlos Andrés Pérez en Venezuela (1974-1978) estableció el control del Estado sobre la producción de mineral de hierro y de bauxita, como parte de sus grandes ambiciones de diversificar la economía alejándola del petróleo.[106]

El petróleo, tanto crudo como refinado, también fue uno de los objetivos predilectos de las EPE. En realidad, Argentina había mostrado el camino durante los veinte con la creación de Yacimientos Petrolíferos Fiscales (YPF),[107] y Bolivia y México habían expropiado compañías petroleras de extranjeros durante los treinta. A finales de los setenta el Estado era activo inversionista en todos los países productores de petróleo, y a menudo controlaba la refina-

---

[102] Esta empresa, Companhia Vale do Rio Doce, junto con la fábrica de acero de Volta Redonda, dio al Estado un control considerable sobre un insumo básico del proceso de industrialización.

[103] El principal objetivo del gobierno revolucionario en Bolivia a partir de 1952 fue cancelar el poder político de la oligarquía minera (la "rosca"). Como la "rosca" dominaba la industria del estaño, se consideró que la única solución era nacionalizarla. Otras compañías mineras (más pequeñas) no fueron afectadas. Véase Dunkerley (1984), pp. 56-60.

[104] Las nuevas EPE en el sector minero fueron Petroperú, Mineroperú y la Centromin. Además, el Estado creó empresas para exportación de azúcar, comercialización de alimentos, pesquerías, generación de energía, transportes, vivienda y financiamiento. Véase FitzGerald (1976), pp. 47-48.

[105] La decisión de conservar la compañía estatal del cobre, Codelco, dentro del sector público, fue un reflejo de la vital aportación de ese sector a la economía. Además, parte del presupuesto militar se pagaba con las ganancias de la Codelco, por lo cual las fuerzas armadas se resistían a toda propuesta de privatizar la industria.

[106] La bauxita es la materia prima utilizada para la producción de aluminio. Dado que el proceso de transformación es intensivo en energía, la abundancia de electricidad barata en Venezuela hizo pensar que era una industria apropiada para el programa de diversificación. Véase Rodríguez (1991), pp. 249-252.

[107] Véase Lewis (1990), pp. 53-55.

Cuadro x.4. *Gasto del sector público en algunos países, 1970-1980*

País	Gasto consolidado no financiero del sector público como porcentaje del PIB			Gasto corriente e inversión de empresas del Estado como porcentaje del PIB		
	1970	1975	1980	1970-1973	1974-1978	1979-1981
Argentina	38.6	46.4	49.1	12.5	17.0	19.5
Brasil	35.9	42.7	52.7	10.4	18.6	25.6
Chile	41.3	40.4	31.6	21.8	31.3	26.1
Colombia	25.9	27.6	29.4	6.4	6.0	8.4
México	22.3	31.9	35.0	11.9	16.4	20.7
Perú	24.5	46.1	60.1	10.1	24.3	32.1
Venezuela	28.7	38.9	53.3	19.3	21.1	28.2

FUENTES: Para todos los países excepto Colombia, Larrain y Selowsky (1991), cuadros 1.1, p. 2, y 8.1, pp. 308-309; para Colombia, tomado de IDB (1984b), cuadro 1, p. 148, y p. 171.

ción incluso en las repúblicas importadoras de petróleo.[108] Las EPE en petróleo, como Pemex de México, Petrobras en Brasil, y PDVSA en Venezuela, se contaban entre las compañías más grandes de América Latina, y hasta aparecieron en la revista *Fortune* en la lista de las empresas más grandes del mundo.[109]

El financiamiento a largo plazo para el desarrollo también había sido bien visto por las EPE. Con la represión financiera generalizada y altas tasas de inflación en muchos países de América Latina, las instituciones financieras privadas preferían los préstamos a corto plazo a clientes directos antes que los préstamos a largo plazo en proyectos de riesgo. Las EPE empezaron a cerrar la brecha en el decenio de 1930, con Nacional Financiera en México[110] y Corfo en Chile,[111] como modelos para muchos otros países de la región.

[108] Por ejemplo, la refinación del petróleo en Costa Rica se nacionalizó en 1968, aunque la distribución del combustible siguió en manos del sector privado.

[109] Sobre la difusión de EPE en la industria petrolera en América Latina, véase Vernon (1981), pp. 98-102.

[110] Nacional Financiera, fundada en 1934, se amplió rápidamente para ocupar el vacío creado por la renuncia del sector privado a hacer préstamos a largo plazo para proyectos de desarrollo. Véase Brothers y Solís (1966), pp. 26-28.

[111] La Corfo, fundada en 1939, había invertido en 46 compañías y era mayoritaria en 31 de ellas antes que Allende subiera al poder. Véase Larraín y Selowsky (1991), p. 93.

Aunque, en algunas ocasiones, el Estado absorbió bancos comerciales privados, esto se hizo en general para evitar su bancarrota y cierre. De hecho, antes de los ochenta sólo Costa Rica —y, desde luego, Cuba— había establecido un monopolio estatal de los depósitos bancarios.[112]

Las industrias de bienes de consumo establecidas de acuerdo con la estrategia de ISI estaban dominadas por la empresa privada, pero no ocurría lo mismo con todos los sectores intermedios y de bienes de capital. En muchos países se establecieron EPE en estas ramas de la industria para llenar el vacío dejado por la falta de interés del sector privado. La industria siderúrgica fue una de las primeras candidatas de las EPE; el capital del sector público desempeñó un papel primordial en las naciones más grandes, donde se consideró que la producción de acero era esencial para el dinamismo del programa de industrialización.[113] Un argumento similar se empleó para establecer EPE en la petroquímica, y a menudo se invocó la "seguridad nacional" para justificarlas en la construcción naval y la producción de armamento.[114]

La difusión de EPE quedó bien ilustrada en Brasil, donde un dinámico sector privado recibió con los brazos abiertos la creación de empresas públicas antes y después de la intervención militar en 1964. El sector privado interno, las EMN y el gobierno formaron una triple alianza en la cual las inversiones públicas estaban destinadas a mejorar la rentabilidad privada y a fomentar nuevas iniciativas del sector privado. A finales de los setenta Brasil había establecido 674 empresas estatales, 198 de las cuales eran de nivel federal;[115] estas últimas cubrieron todo el espectro económico y abarcaron muchas de las compañías más grandes de Brasil. En realidad, en 1979, 28 de las 30 principales empresas eran EPE, enorme aumento frente a 12 de 30 registradas en 1962.[116]

Las EPE brasileñas desempeñaron un papel decisivo para determinar la rentabilidad de las empresas del sector privado, tanto nacionales como extranjeras. En la industria automotriz, dominada por compañías extranjeras, las empresas tenían que comprar toda su electricidad y casi todo su acero de

[112] La nacionalización de la banca fue uno de los primeros actos de la junta revolucionaria que triunfó en la guerra civil de Costa Rica, en 1948. Se consideró que el control del crédito era decisivo para los planes de desarrollo a largo plazo, aunque eso no dejara de estar relacionado con el deseo de atacar al núcleo económico de la oligarquía, que había estado en el bando perdedor. Véase Cerdas Cruz (1990), pp. 386-387.

[113] Katz (1987) contiene varios buenos capítulos (5-7) sobre las empresas fabricantes de acero de América Latina, incluyendo las EPE en Brasil y México y una empresa del sector privado en Argentina.

[114] Se invocó asimismo la seguridad nacional para justificar la creación de plantas estatales de energía nuclear en Argentina y Brasil. Véase Serrano (1992), pp. 51-65. México también empezó a construir una planta de energía nuclear a finales de los setenta, pero esto fue más bien consecuencia de las ilimitadas ambiciones desencadenadas por el auge del petróleo.

[115] La mayor parte de estas empresas, en todos los niveles del gobierno, eran de servicios, y muchas se dedicaban a actividades de investigación y desarrollo que redundaron en beneficios para el sector privado. Véase Trebat (1983), cuadro 3.2.

[116] Véase Evans (1979), capítulo 5.

EPE, y la demanda de automóviles estaba determinada, en parte, por el precio del combustible (gasolina y alcohol), fijado por otras empresas del sector público, y en parte por regulaciones estatales que regían el crédito al consumidor. Mientras las EPE adoptaran políticas de precios e inversiones congruentes con la rentabilidad del sector privado, serían bien recibidas por los elementos tanto extranjeros como brasileños de la clase capitalista.

Sin embargo, a veces la formación de EPE fue en contra de los intereses del sector privado. La intervención estatal en la producción y distribución de productos alimenticios, justificada por los gobiernos en términos de subsidiar el consumo de los pobres, fue vista en general con malos ojos por el sector privado. Las líneas aéreas nacionales, a menudo administradas por el Estado por razones de prestigio, eran un área en la que se podían realizar inversiones privadas redituables. Era difícil explicarle a un sector privado escéptico la necesidad de EPE en el turismo, o hasta —como ocurrió en algunos países— en los centros nocturnos. Además, América Latina, como Europa occidental, no pudo salvarse del efecto de engranaje, por el cual se mantenía una compañía de propiedad pública mucho después de que dejara de ser válida la razón original de su expropiación.

No obstante, el descontento del sector privado ante la expansión de la propiedad pública en América Latina fue limitado... hasta que llegó el decenio de 1980. Ni siquiera los países de SE, con su insistencia en las fuerzas del mercado, la empresa privada y la inversión extranjera, estaban dispuestos a hacer retroceder en medida importante los límites del Estado. Chile llevó a cabo un programa de privatización durante los setenta, pero en su mayor parte se trató de la reprivatización de actividades que durante breve tiempo fueron de propiedad pública con el gobierno socialista de Allende.[117] De hecho, con Pinochet Chile mantuvo cierto número de industrias (incluso la del cobre) en el sector público, aumentando su rentabilidad, reduciendo sus inversiones y utilizando sus excedentes como oportunidad para disminuir las tasas impositivas del sector privado.[118]

Aunque el número de EPE en general solía ser grande, su aportación al PIB real casi siempre era modesta. Sólo en Venezuela, con una economía dominada por el petróleo, las EPE aportaron más de 15% del producto neto a finales de los setenta.[119] Además, si excluimos a Venezuela, la cifra promedio para América Latina estuvo por debajo de la media, tanto de los países en desarrollo como de los desarrollados. El grueso del valor agregado fue generado por el sector privado —extranjero y nacional—, lo que le dio a la clase

[117] Sobre el programa chileno de privatización de los setenta, véanse Edwards (1987), capítulo 4, y también Yotopoulos (1989).

[118] Pero esto no descartó el desarrollo de la inversión extranjera en sectores con EPE, incluso en el cobre. El ambiente de la inversión extranjera, de hecho, se mostró excepcionalmente favorable en tiempos de Pinochet.

[119] En Venezuela la participación de las EPE en el factor costos del PIB fue un enorme 27.5%. Véase Short (1984), p. 118.

capitalista (a falta de altas tasas efectivas de gravámenes directos) una poderosa influencia en la distribución del ingreso nacional.

Las EPE, sin embargo, desempeñaron un papel desproporcionadamente importante en el proceso de acumulación de capital. La presencia de EPE en ramas de la actividad intensiva en capital (por ejemplo, la minería y la energía), aunada a la preferencia del sector privado por las actividades en que había bajas tasas capital-producto y breves periodos de gestación, basta para explicar la mayor parte de este desequilibrio, aunque no faltaron ejemplos de inversión dispendiosa o ineficiente. La aportación de las EPE a la inversión fija bruta tendió a superar su contribución al producto neto. En realidad, la participación de las EPE en el gasto de capital fue muy superior en América Latina que en los PMD en conjunto, y aún mayor que en las naciones desarrolladas.[120]

Pese a la presencia de numerosas oportunidades de inversión socialmente provechosa, y a la falta de oposición del sector privado, la acumulación de capital del sector público estuvo limitada, al principio, por la escasez de financiamiento. Los modestos excedentes de las cuentas corrientes del sector público distaron mucho de estar en condiciones de financiar los ambiciosos programas de inversión de las diferentes ramas de la administración pública. A menudo las ganancias de las EPE se vieron reducidas por el control de precios, y a veces por costos ascendentes, y hasta la reinversión de las utilidades podía verse bloqueada por la obligatoriedad de hacer transferencias al gobierno central.

Esta limitación financiera se relajó finalmente durante la década de los setenta al aumentar los préstamos bancarios internacionales. De hecho, los préstamos al sector público —tanto al gobierno en general como a las EPE— eran aún más atractivos para los bancos extranjeros que los préstamos al sector privado, porque los primeros siempre tenían una garantía pública de pago.

Las grandes empresas propiedad del Estado de los mayores países latinoamericanos fueron los clientes más favorecidos; en México Pemex recibió una enorme proporción de los nuevos préstamos. El gasto en las EPE como proporción del PIB creció de continuo (véase el cuadro x.4). Al reducirse las restricciones financieras la contribución del sector público a la formación bruta de capitales fijos se elevó enormemente. Sólo Chile, donde el Estado había sido responsable de casi todas las nuevas inversiones durante la primera parte de los años setenta, experimentó un descenso de la contribución del sector público a la formación de capitales.[121]

El resultado fue un ritmo impresionante de formación bruta de capitales fijos en América Latina durante la década de los setenta. Aunque sólo Venezuela logró una tasa regular de inversión (como proporción del producto in-

---

[120] El promedio (ponderado) de la participación de las EPE latinoamericanas en la inversión interna bruta a fines de los setenta fue de 29% frente a 4% en Estados Unidos, 11% en Japón y 17% en el Reino Unido. Véase Kuczynski (1988), cuadro 3.8, p. 54.

[121] Véase Short (1984), pp. 115-122, para cifras de los diversos países.

terno bruto) de más de 20% durante los años cincuenta, el promedio latinoamericano nunca estuvo por debajo de 21% en los setenta, y superó 23%
todos los años entre 1974 y 1981.[122]

La tasa de inversión, que a menudo se había comparado desfavorablemente con la de otras regiones, por fin empezó a alcanzar el nivel requerido
para un rápido crecimiento a largo plazo del PIB real per cápita. Sin embargo, ese ritmo no era sostenible; la base, fincada en las arenas movedizas de
los préstamos bancarios internacionales, habría de resultar sumamente frágil hasta que se desplomó durante los ochenta. Además, la disminución de
los préstamos bancarios no sólo redujo el alcance de la inversión pública,
sino que también socavó todo el modelo de acumulación de capital en que se
había fundamentado el desarrollo latinoamericano.

El crecimiento basado en la deuda

Los incumplimientos de pago de los treinta habían excluido a América Latina del mercado privado internacional de bonos, del cual tanto había dependido el financiamiento externo de la región. Aunque el alcance y el mejoramiento de los mercados internacionales de capital se habían desarrollado
con rapidez a partir de los cuarenta, el mercado para los bonos latinoamericanos siguió siendo de importancia secundaria. A comienzos del periodo de
posguerra llegó a América Latina cierto capital accionario privado, pero sobre todo en forma de créditos a corto plazo a la compraventa y a tasas de interés comerciales.

La inversión extranjera directa en América Latina sin duda había aumentado a partir de los cuarenta, y al principio fue recibida con los brazos
abiertos por los gobiernos anfitriones, impacientes por aumentar su acceso a
fuentes externas de capital. Sin embargo, la contribución financiera de las
EMN a América Latina habría de resultar una decepción. El capital a menudo
se obtenía en el país, muchas inversiones representaban la compra de una
empresa ya existente, y no había garantía alguna de que el vendedor reinvir-
tiera sus ganancias allí mismo. Además, el ingreso de inversión extranjera
directa en un año dado solía ser superado por la salida acumulativa de divisas, como resultado de las remesas de utilidades y el pago de regalías.

América Latina, como región escasa en capitales, quería préstamos externos para complementar el ahorro interno, necesario para financiar la acumulación de capital. Bien podría considerarse que un déficit de la cuenta
corriente de la balanza de pagos era el estado de cosas "normal", siempre
que se pudiera financiar con entradas de capital autónomas (y voluntarias).
No obstante, la dificultad para aumentar el influjo neto de capital privado
—directo o accionario— hizo que la región dependiera enormemente de las

---

[122] Véase Wilkie (1990), cuadro 3437, p. 1057.

fuentes oficiales de préstamos externos en los dos decenios posteriores a la segunda Guerra Mundial. Todavía en 1968 las fuentes oficiales de capital sumaban 60% de la deuda pública externa de la región.[123]

Los préstamos oficiales podían ser bilaterales o multilaterales. Los primeros se referían al préstamo de un solo país (por ejemplo el Export-Import Bank o la Agencia para el Desarrollo Internacional de Estados Unidos); los últimos a los provenientes de fuentes controladas por distintos países. Las fuentes multilaterales se habían vuelto importantes al establecerse el FMI y el Banco Mundial en la Conferencia de Bretton Woods, y la creación del Banco Interamericano de Desarrollo (BID), en 1961, representó una tercera institución financiera internacional (IFI) de gran importancia para América Latina.

Durante los sesenta la Alpro había dado gran impulso a las afluencias oficiales de capital que entraban en América Latina, y las IFI, sobre todo, habían aumentado sus contactos. Sin embargo las afluencias bilaterales (sobre todo de Estados Unidos) seguían siendo las más importantes, por lo cual la pérdida de interés en la Alpro por los gobiernos de Lyndon Johnson y de Richard Nixon habría podido tener graves consecuencias para las necesidades de financiamiento externo de América Latina.

Que no ocurriera así se debió a modificaciones del sistema financiero internacional, por las que desde finales del decenio de 1960 a los bancos extranjeros les resultaron atractivos los préstamos a América Latina. El origen de este cambio puede encontrarse en la formación del mercado de eurodólares,[124] el cual generó un inmenso fondo de liquidez internacional bajo el control de bancos internacionales, y para el cual había que encontrar nuevos prestatarios. Financiado al principio por déficit comerciales de Estados Unidos y engrosado después por los inmensos déficit presupuestales de ese país, relacionados con la Guerra de Vietnam, los depósitos de eurodólares brincaron de 12 mil millones de dólares a finales de 1964, a 57 mil millones a finales de 1970.[125]

El crecimiento del mercado de eurodólares sólo fue el primer paso en la transformación de los préstamos bancarios a América Latina. El segundo fue la difusión de sucursales y oficinas de representación de los bancos internacionales en el mercado latinoamericano. Iniciada por instituciones financieras de Estados Unidos (particularmente el Citicorp), la reinstalación de filiales bancarias en América Latina, tras una larga ausencia, permitió a los bancos extranjeros dar servicio en la región a sus clientes, las empresas multinacionales.[126] También constituyó un inapreciable canal de información

[123] Véase IDB (1983), cuadro 58, p. 383.

[124] El término "eurodólar" puede ser engañoso, pues a menudo se le utiliza para describir cualquier depósito de moneda fuera del país emisor. Por ello, a veces puede incluir un depósito de yenes japoneses en el centro bancario internacional de Panamá o los depósitos de dólares estadunidenses en una institución financiera de Londres.

[125] Véase Griffith-Jones (1984), cuadro 5.3, p. 42.

[126] Véase Stallings (1987), pp. 94-102.

acerca de las condiciones locales y las oportunidades de hacer préstamos lucrativos entre la región y las casas matriz.

A pesar de todo, debido a los numerosos incumplimientos de pago ocurridos durante los treinta, seguía habiendo reservas sobre la conveniencia de hacer préstamos bancarios a América Latina. Estas inhibiciones finalmente fueron superadas gracias a dos cambios en las prácticas de préstamo a finales de los sesenta. El primero fue la intervención simultánea de un gran número de instituciones, hasta 500 en algunos casos ("sindicatos"), que permitía atomizar el riesgo de los préstamos externos. La segunda fue la adopción de tasas de interés flexibles; en lo sucesivo, los contratos de deuda exigirían al prestatario pagar una prima fija sobre una tasa de referencia (por ejemplo, la tasa líder de Nueva York), que se modificaba de acuerdo con las condiciones del mercado.

La combinación de préstamos sindicalizados, tasas de interés flexible y primas elevadas hizo sumamente rentables los préstamos a países soberanos antes considerados demasiado peligrosos. Los préstamos del Citicorp, tan sólo a Brasil, sumaron 13% del total de sus utilidades en 1976.[127] Los préstamos bancarios se elevaron de 10.5% de la deuda pública externa de América Latina en 1966 a 26.1% en 1972, cuando casi la mitad del aumento de la deuda se debió a préstamos de bancos extranjeros.[128]

La primera crisis del petróleo estimuló aún más estos lucrativos préstamos. Los depósitos en monedas europeas, engrosados por los petrodólares transferidos de los importadores a los exportadores de petróleo, se dispararon hasta llegar a 205 mil millones de dólares a fines de 1974. La segunda crisis petrolera fue un nuevo impulso, y esos depósitos sumaban 661 mil millones de dólares a finales de 1981. Durante toda la década posterior a 1973 los bancos tuvieron que encontrar, y pronto, nuevos solicitantes de préstamos lucrativos. América Latina, donde el inicial crecimiento de los préstamos sindicados había tenido tanto éxito y donde los bancos internacionales estaban representados ya por toda una red de sucursales locales, era el mercado obvio.

Nadie pudo dudar de la disposición —mejor dicho, la ansiedad— de los bancos por hacer nuevos préstamos a América Latina, que se mostraba igualmente anhelosa de recibirlos. De este modo, la oferta y la demanda de fon-

[127] Véase Sachs (1989), p. 8.
[128] Las cifras de la deuda han sido causa de gran confusión, por muy diversas razones. En primer lugar, es necesario distinguir entre la deuda externa pública y la deuda externa privada: la primera se refiere a toda la deuda (en la que han incurrido el sector privado y el sector público), que lleva una garantía estatal de pago; la segunda no tiene ninguna garantía pública. Por ello, la deuda externa total contiene un elemento de deuda privada no garantizada. En segundo lugar, es necesario distinguir entre compromisos y desembolsos, porque a menudo hay una diferencia considerable como resultado de retrasos en la liberación de fondos, suspensión de pagos, etc. En tercer lugar, hay que distinguir entre la deuda a corto y a largo plazo; las obligaciones que vencen en menos de 12 meses suelen considerarse de corto plazo. Sin embargo, hay que señalar que la participación de los préstamos bancarios en el total de la deuda —cualquiera que sea su definición— creció con rapidez durante los setenta.

dos prestables iban en general de la mano, aunque en ocasiones la avidez de los bancos llevó a técnicas de venta que distaban mucho de las normas éticas y profesionales.[129]

La demanda de préstamos bancarios por parte de América Latina se debió a una serie de razones. A fines de los sesenta la insatisfacción con la inversión extranjera directa estaba generalizada, como se reflejó en la Decisión 24 del Pacto Andino. Se reconocía que las EMN eran necesarias por su capacidad tecnológica en ciertas áreas, pero no se podía contar con que financiaran los déficit de la balanza de pagos. Se necesitaban nuevas fuentes de capital. Al mismo tiempo, las afluencias oficiales de capital iban reduciéndose debido al fin de la Alpro.

Los préstamos bancarios tenían otra ventaja sobre las fuentes de capital accionario: estaban virtualmente libres de condiciones. Mientras que la mayor parte de los gobiernos latinoamericanos habían tenido que esforzarse por satisfacer las condiciones del FMI, en un momento u otro, los nuevos préstamos de los bancos internacionales llegaban sujetos a muy pocas restricciones. De hecho, los bancos ignoraban el propósito de la mayoría de los préstamos solicitados: casi 60% de los préstamos bancarios de Estados Unidos durante los setenta se destinó a "propósitos generales", "propósito desconocido", o "refinanciamiento".[130] Aunque las EPE recibieron la mayoría de los préstamos bancarios, también los gobiernos centrales los obtuvieron para financiar los déficit del presupuesto, la balanza de pagos, o ambas cosas.[131]

Una última razón del entusiasmo por los préstamos bancarios fueron los choques externos creados por las dos crisis petroleras. Para los importadores de petróleo (por ejemplo, Brasil) contar con préstamos bancarios sin condiciones fue un medio de financiar el déficit de la balanza de pagos implícito en los precios más altos del combustible, sin penosos programas de estabilización y de ajuste, y sin sacrificar altas tasas de crecimiento del PIB. A los exportadores de petróleo (como Ecuador y México) el alto precio de éste les ofreció una oportunidad de aumentar su producción o de diversificar la economía, librándose de su dependencia del energético mediante enormes inversiones en la economía no petrolera (por ejemplo, Venezuela). En ambos casos la escala de inversión planeada fue muy superior a los recursos internos, y exigía acceso a préstamos del extranjero.

Los bancos no fueron la única fuente de nuevos préstamos para América Latina —durante los setenta las afluencias de capital oficial también se beneficiaron del aumento de la liquidez mundial—, y desde luego no todos los préstamos de los bancos fueron al sector público. Así creció con rapidez toda

---

[129] Véase Roddick (1988), pp. 24-34.

[130] Véase Stallings (1987), cuadro 10, p. 131.

[131] Cerca de dos terceras partes de la inversión accionaria de Estados Unidos en América Latina durante la década de los setenta fueron para empresas públicas y privadas. La mayor parte del resto fue para los gobiernos centrales. Véase Stallings (1987), cuadro 9, p. 128.

clase de deudas. Siempre que era posible la banca procuraba obtener garantía pública de sus préstamos, incluso si iban destinados al sector privado. El gobierno de Pinochet en Chile, sin embargo, se negó a darla,[132] y se creyó que las abundantes reservas petroleras de Venezuela la hacían innecesaria. Además, los bancos seguían dispuestos a prestar a empresas del sector privado sin garantías públicas en las repúblicas más grandes. Una cuarta parte de toda la deuda en Argentina y Brasil a finales de 1982 era por préstamos privados, no garantizados y de largo plazo.

El entusiasmo de los bancos por prestar a América Latina no fue igual en todos los casos. Mostraron una abrumadora preferencia por los países grandes: Argentina, Brasil, Chile, Colombia, México y Venezuela. Sin embargo, sus esfuerzos por prestar a Colombia fueron en gran parte rechazados debido a la larga tradición conservadora de la república en asuntos fiscales, hasta que llegó el gobierno de Julio César Turbay Ayala (1978-1982).[133] Todavía a finales de 1982 más de la mitad de la deuda de Colombia la tenía con el Banco Mundial y otros acreedores oficiales.

De hecho, el interés de los bancos por las repúblicas pequeñas fue muy limitado. Con excepción de Costa Rica, Panamá y Uruguay, aquéllos siguieron dependiendo en gran medida de las fuentes oficiales de capital. Por ejemplo, cerca de 90% de la deuda de El Salvador y Guatemala a comienzos de los ochenta era con fuentes oficiales, y la proporción era de más de 50% en Bolivia, República Dominicana, Haití, Honduras, Nicaragua y Paraguay. El total de la deuda de la mayoría de las naciones pequeñas, empero, iba creciendo con rapidez, como resultado del aumento de afluencias oficiales de capital y de algunos préstamos bancarios.

El crecimiento de la deuda latinoamericana a partir de finales de los sesenta (véase el cuadro x.5) fue sumamente rápido. Sin embargo, al menos hasta la segunda crisis petrolera, en 1978-1979, era sostenible, porque la tasa nominal de interés sobre la deuda estaba por debajo de la tasa de crecimiento nominal de las exportaciones. Los altos niveles de liquidez internacional, aunados a la recesión de los países desarrollados después del primer choque petrolero, mantuvieron las tasas nominales de interés por debajo de la inflación mundial. Las ganancias latinoamericanas por exportación aumentaron rápidamente, gracias a los precios más altos de los artículos. Por ello América Latina pudo pedir prestados internacionalmente los recursos que necesitaba para pagar los intereses de la deuda, sin correr el riesgo de un insostenible aumento de la relación entre deuda y exportaciones. Sólo Perú, que padeció una pésima administración de sus asuntos fiscales y monetarios, se

[132] Cuando se hizo evidente en 1983 que el sistema financiero estaba al borde del colapso porque no podía pagar los intereses de la deuda no garantizada, el régimen de Pinochet intervino para dar una garantía como parte del paquete de refinanciamiento. Véase Ffrench-Davis (1988), pp. 122-132.

[133] Véase Ocampo (1987) sobre la inicial renuncia del Estado colombiano a aceptar los nuevos préstamos que los bancos estaban tan dispuestos a hacer.

CUADRO X.5. *Indicadores de la deuda externa, 1960-1982*

Año	A	B	C	D
1960	7.2[a]	16.4	17.7[a]	3.6[a]
1970	20.8[a]	19.5	17.6[a]	5.6[a]
1975	75.4	42.9	26.6	13.0
1979	184.2	56.0	43.4	19.2
1980	229.1	56.6	38.3	21.2
1981	279.7	57.6	43.8	26.4
1982	314.4	57.6	59.0	34.3

CLAVE:
A Total de la deuda externa pública, privada y a corto plazo; las cifras se muestran en miles de millones de dólares.
B Participación de la banca en la deuda externa pública (porcentaje).
C Razón de pagos servicio (intereses y amortización)-exportaciones (porcentaje).
D Razón de pago intereses-exportaciones (porcentaje).
[a] Sólo deuda pública externa.
FUENTES: CEPAL (1976), p. 25; IDB (1983), cuadros 56, 58-60; (1984b), cuadros 1, p. 12, y 5, p. 21; (1989), cuadro E-6.

encontró en problemas por la deuda durante los setenta;[134] sin embargo, un plan de rescate elaborado en conjunto con el FMI y los bancos coincidió con un auge de los TNIC a finales de la década, y así los acreedores internacionales se hicieron la ilusión de que habían resuelto el problema.

La segunda crisis petrolera fue un parteaguas en la administración económica global. Los países desarrollados cayeron en recesión, arrastrando a la baja el precio de los bienes y provocando un marcado deterioro de los TNIC para los importadores de petróleo latinoamericano. Pero esta vez los países desarrollados atacaron sus desequilibrios estructurales por medio de una severa política monetaria, elevando la tasa mundial de los intereses a niveles astronómicos. Al llegar 1981 la tasa base de Londres y Nueva York era de más de 16%, lo que hizo subir la tasa de los intereses correspondientes a la deuda con los bancos a cerca de 20%.[135] A medida que el crecimiento de las ganancias latinoamericanas por exportación iba haciéndose más lento a partir de 1980, y cuando llegó al máximo la cuenta por pagar en 1981, tanto para los exportadores de petróleo como de otros productos, el crecimiento basado en la deuda se hizo insostenible.

Y sin embargo, increíblemente los bancos y otros acreedores siguieron haciendo préstamos incluso después de la segunda crisis petrolera. Entre finales de 1979 y 1982 (véase el cuadro X.5) la deuda de América Latina pasó

---

[134] Véase Thorp y Whitehead (1979), pp. 136-138.
[135] Incluso la tasa real de interés de Estados Unidos estaba cerca de 10%. Véase Thorp y Whitehead (1987), cuadro 1.1, p. 3.

de 184 mil millones a 314 mil millones de dólares. Inevitablemente, la relación entre deudas y exportaciones se deterioró muy pronto. Todavía en 1980 esta relación había sido inferior a 200% —burdo indicador de sostenibilidad— en 12 repúblicas. Para 1982 sólo en tres (Guatemala, Haití y Paraguay) se mantenía esta razón favorable. Además, la relación del servicio de la deuda —proporción de las ganancias por exportación requerida para pagar intereses y capital de la deuda— brincó de un factible 26.6% en 1975 a un imposible 59% en 1982 (véase el cuadro x.5).

La continuación de los préstamos a América Latina tras la segunda crisis petrolera dio lugar a un auge sin precedentes de las importaciones. En el transcurso de unos cuantos años las importaciones habían llegado a más de lo doble, y el déficit de la cuenta corriente —pese al aumento del valor de las exportaciones de petróleo— había crecido a 40 mil millones de dólares en 1981. Aún más perturbadora fue la aceleración de la fuga de capitales —en su mayor parte ilegal— cuando agentes privados en muchas repúblicas latinoamericanas perdieron la confianza en la política pública y previeron la devaluación de la moneda. A finales de 1982 se calculaba que el sector privado de Argentina, México y Venezuela tenía en el extranjero activos equivalentes por lo menos a la mitad del valor de la deuda externa pública de cada uno de los países.[136]

No obstante, acreedores y deudores por igual hicieron caso omiso de todas las señales de alarma hasta que fue demasiado tarde. Costa Rica y Nicaragua se enfrentaron a graves problemas de deuda en 1980, pero en general se consideró que esto no tenía mucha importancia para el resto de América Latina.[137] En general, no se consideraba imprudente el hecho de que países exportadores de petróleo —ante todo Ecuador, México y Venezuela— se enfrentaran a déficit presupuestales y de cuenta corriente pese al enorme aumento de los precios del combustible. Al principio, el deterioro generalizado de la relación entre el servicio y la deuda y entre ésta y las exportaciones no causó alarma. Sólo en 1982, cuando el valor de las exportaciones de Latinoamérica empezó a caer del nivel máximo de los años anteriores, se redujo el ritmo de los préstamos. Los términos de intercambio de los no exportadores de petróleo se deterioraron de forma súbita cuando la recesión mundial causó la caída de los precios. Sin embargo, irónicamente, fue una nación exportadora de petróleo la que precipitó el desastre. Cuando México —incapaz ya de cumplir el servicio de su deuda— amenazó con el incumplimiento de pagos en agosto, la crisis de la deuda finalmente había llegado.

[136] Ninguna definición de la fuga de capitales es completamente satisfactoria, pero todas las estimaciones indican que estos tres países fueron los más afectados. Véase Sachs (1989), cuadro 1.5, p. 10.
[137] Véase Bulmer-Thomas (1987), pp. 237-252.

XI. LA DEUDA, EL AJUSTE
Y EL CAMBIO DE PARADIGMA

LA AMENAZA de no cumplir con el pago de su deuda externa pública, hecha por el gobierno mexicano en agosto de 1982, fue el factor que terminó por desencadenar la crisis de la deuda. La afluencia neta de préstamos bancarios a América Latina se detuvo en seco, y la transferencia neta de recursos de pronto se volvió negativa. Hasta un país como Colombia, que había sido prudente en la acumulación de obligaciones de deuda externa,[1] se vio afectado cuando las instituciones financieras privadas de los países desarrollados revirtieron sus anteriores pronósticos optimistas con respecto a América Latina.

La declinación de los préstamos bancarios desencadenó una serie de acontecimientos que, al término de la década, llevaría a un Nuevo Modelo Económico (NME) basado en las exportaciones en la mayoría de las repúblicas.[2] El paso a una nueva trayectoria no fue indoloro, y distó mucho de completarse aun en aquellos países que estuvieron dispuestos a poner en práctica los programas más radicales de reforma. Y sin embargo, no tenían mayores opciones, pues la lógica de la situación exigía una respuesta de los gobiernos de cualquier ubicación política. El antiguo modelo de crecimiento, basado en el papel central del Estado en el proceso de acumulación de capital, fue atacado, por un lado, por la reducción de afluencias de capital hacia las empresas de propiedad estatal (EPE) y, por otro lado, por un nuevo consenso en favor de la economía neoliberal y la menor intervención del Estado.

El nuevo modelo económico guiado por las exportaciones surgió, en parte, como respuesta pragmática a la serie de ajustes y programas de estabilización adoptados durante la década de 1980. Las naciones latinoamericanas, obligadas a acumular excedentes comerciales por la transferencia negativa de recursos, finalmente dieron prioridad a la cuestión de la promoción de las exportaciones, que había estado en la agenda de la mayoría de ellas desde el decenio de 1960. Incapaces de conseguir préstamos del exterior, los gobiernos también empezaron a enfrentarse a los problemas de la reforma fiscal, las ineficientes empresas paraestatales y los subsidios indiscriminados.

El nuevo modelo económico también reflejó un consenso sin precedentes entre las instituciones financieras internacionales (IFI), los académicos y los gobiernos de los países desarrollados en favor del libre mercado, la libe-

---

[1] Aunque sometida a presión para que aceptara nuevos préstamos de bancos comerciales, igual que el resto de América Latina, Colombia acumuló deuda con lentitud hasta que llegó el gobierno de Julio César Turbay Ayala (1978-1982). Véase Ocampo (1987), pp. 240-244.

[2] Con respecto al NME y sus principales componentes, véanse Edwards (1995), Bulmer-Thomas (1996), Thorp (1998) y Stallings (2000).

ralización comercial y financiera y la privatización de las empresas públicas. Esta ortodoxia,[3] pese a sus frágiles fundamentos teóricos y empíricos, abrumó a quienes en América Latina apoyaban la política hacia adentro y el Estado intervencionista. En toda la región subieron al poder gobiernos manifiestamente comprometidos con reducir los límites del Estado, y el ambiente intelectual de América Latina se declaró claramente en favor de la economía de libre mercado. Florecieron institutos de investigación y universidades comprometidos con la nueva ortodoxia, mientras se eclipsaban hasta los centros tradicionales que proponían una versión reformada del antiguo modelo. Sólo en el ámbito de la hiperinflación —fenómeno muy alejado de la experiencia de los países desarrollados— y en los programas de estabilización tendientes a combatirla seguía dejándose oír una voz auténticamente latinoamericana.

La aparición de un nuevo modelo de crecimiento transformó casi todos los ámbitos de la política económica. Se liberalizó el comercio, se desregularon los mercados financieros y empezaron a venderse empresas públicas al sector privado. Las repúblicas latinoamericanas que aún no formaban parte del Acuerdo General sobre Aranceles y Comercio (GATT) solicitaron su ingreso,[4] o a su sucesor, la Organización Mundial del Comercio (OMC), y varias se unieron al Grupo Cairns en busca del libre comercio en la agricultura.[5] La voz latinoamericana, antes casi inaudible, empezó a hacerse oír en las negociaciones del comercio internacional, y los países más grandes expresaron su ambición de alcanzar la categoría de naciones del Primer Mundo.

El cambio de actitud se manifestó, sobre todo, en las relaciones con Estados Unidos. Aunque se condenó la invasión estadunidense a Panamá en diciembre de 1989,[6] se fueron limando continuamente las asperezas entre América Latina y Estados Unidos, al terminar la Guerra Fría y derrumbarse el experimento socialista en Europa del Este y en la Unión Soviética, Cuba quedó más aislada, y se redujo la tradicional preocupación de Estados Unidos por su seguridad. Las drogas remplazaron al comunismo entre las prioridades de la política exterior estadunidense, y los programas de control de

---

[3] La nueva ortodoxia se recoge en un libro —que ejerció gran influencia— de Bela Balassa, Gerardo Bueno, Pedro Pablo Kuczynski y Mario Henrique Simonsen, el cual fue traducido al español y al portugués, y que circuló ampliamente por América Latina. Véase Balassa (1986).

[4] Para el año 2000 todos los países latinoamericanos ya eran miembros de la Organización Mundial del Comercio.

[5] El Grupo Cairns fue formado por los países con exportaciones agrícolas que eran particularmente perjudicados por las barreras no arancelarias, y por los que favorecían el libre comercio de los productos agrícolas. Los miembros latinoamericanos del grupo incluían a Argentina, Brasil y Uruguay.

[6] La invasión estadunidense fue la culminación de una larga campaña de los gobiernos de Reagan y de Bush por derrocar a Manuel Noriega en Panamá. En contraste con la invasión de Granada en 1983, no estaba cubierta por un manto multilateral, y en toda América Latina se le consideró un inaceptable abuso del poder en el ambiente posterior a la Guerra Fría. Véase Weeks y Zimbalist (1991), pp. 136-155.

drogas impusieron un alto grado de cooperación entre Estados Unidos y muchas repúblicas latinoamericanas. La guerra de los Estados Unidos contra el terrorismo, seguida de los trágicos acontecimientos del 11 de septiembre de 2001, dio nuevas oportunidades para estrechar la cooperación entre aquel país y Latinoamérica.

La liberalización del comercio también unió más a la América del Norte con la del Sur. Ante el imperativo de buscar mercados a sus exportaciones no tradicionales, muchas repúblicas latinoamericanas estaban temerosas por la naturaleza arbitraria de un sistema de comercio mundial en el que seguían siendo poderosas las voces del proteccionismo.[7] Se consideraba que el acceso al mercado estadunidense era la clave para lograr que la promoción de exportaciones rindiera frutos, mientras que los Estados Unidos creían que la integración hemisférica era la oportunidad de imponer su propia agenda comercial, obligando a los gobiernos latinoamericanos a efectuar unas reformas económicas que de otra manera se hubieran revertido. El Tratado de Libre Comercio de América del Norte (TLCAN), firmado por Canadá, México y los Estados Unidos en 1994, fue la primera manifestación de este nuevo enfoque, mientras que las negociaciones del Acuerdo de Libre Comercio de las Américas (ALCA), que formalmente habían comenzado en 1998, eran la meta más ambiciosa.

A comienzos del nuevo milenio se habían adoptado ya los nuevos modelos económicos en toda Latinoamérica. Unas reformas económicas, muchas de ellas dolorosas, se habían aplicado y el papel del Estado en las actividades económicas se había reducido bastante. En contraste con el decenio de 1980, en el de 1990 hubo alguna mejoría en los niveles de vida. Sin embargo, Latinoamérica seguía padeciendo muchos de los mismos problemas. La región seguía siendo vulnerable a los choques económicos, y esta vulnerabilidad se había agravado por el efecto de la globalización: el proceso por el cual el producto mundial y el mercado de factores se habían integrado cada vez más. La distribución del ingreso no había mejorado en la mayoría de los países y las cifras absolutas de los niveles de pobreza seguían aumentando. Las pruebas demuestran que el cambio a un nuevo paradigma daría lugar a que el crecimiento y la equidad mejoraran escasamente, lo mismo en comparación con el pasado de América Latina que con la aparición de mercados en Asia.

DE LA CRISIS DE LA DEUDA A LA CARGA DE LA DEUDA

Hacia la época en que México amenazó con el incumplimiento de pagos, en agosto de 1982, muchos de los principales bancos internacionales tenían un

---

[7] La Ronda de Uruguay, de las negociaciones del GATT, iniciada en 1986 y terminada finalmente en 1993, permitió a los países desarrollados mantener un nivel muy elevado de protección contra las importaciones agrícolas y aplazar hasta el año 2005 la eliminación de las cuotas con respecto a las telas y la ropa.

nivel tan alto de riesgo en América Latina que se consideró que su misma viabilidad financiera estaba en peligro. A finales de 1982 la relación de los préstamos latinoamericanos con los activos era superior a 100% en 16 de los 18 bancos internacionales de Canadá y Estados Unidos. En conjunto, estos 18 bancos habían otorgado casi 70 mil millones de dólares en créditos a la región, y uno (Citicorp) había aportado más de 10 mil millones.[8]

Los altos niveles de riesgo de los principales bancos internacionales convencieron a los gobiernos de los países avanzados de que debían interesarse más en la crisis de la deuda latinoamericana. Durante los treinta el clamor de los poseedores de bonos ante la quiebra había sido recibido con indiferencia pública, pero durante los ochenta la respuesta de los gobiernos fue pronta y decidida. El gobierno de Estados Unidos señaló el camino, movido en parte por la amenaza a la estabilidad del sistema financiero internacional, y en parte por el temor a las consecuencias de un desplome económico en México.[9]

Promovido por el gobierno de Reagan, pronto se había formado un cártel *de facto* de acreedores, entre los prestamistas privados y los oficiales (bilaterales y multilaterales) a América Latina, en un esfuerzo por establecer un conjunto de reglas comunes que devolviera la salud económica a los deudores, mientras evitaba una gran crisis bancaria internacional. Se persuadió a los bancos pequeños, que tenían poco que perder en América Latina, de que no llegaran a soluciones unilaterales con los países acreedores, pues eso podría tener graves implicaciones para las instituciones financieras más expuestas. Con grandes préstamos en los que en ocasiones participaban hasta quinientos bancos, hubo que delegar la tarea de representar a los acreedores privados en todas las negociaciones, y para cada país se organizó un pequeño Comité Asesor Bancario.

La disciplina crediticia se impuso no sólo por la existencia de comités asesores bancarios, sino también por medio de frecuentes reuniones formales e informales entre bancos, gobiernos y las IFI. El papel de las IFI resultó de particular importancia. Como institución responsable de los problemas de la balanza de pagos de sus miembros, el Fondo Monetario Internacional (FMI) llegó a adquirir mayor notoriedad de la que nunca tuviera en sus tratos con América Latina. A medida que la reforma iba ocupando el primer lugar de la agenda, el Banco Mundial —comprometido ahora con préstamos de ajuste estructural y sectorial, así como con proyectos más tradicionales de préstamos— también desempeñó un papel importantísimo en la planeación de estrategias para resolver la crisis de la deuda.

Desde luego, mantener la disciplina crediticia no respaldaba la autori-

[8] Véase Griffith-Jones, Marcel y Palma (1987), cuadro 2.

[9] El derrumbe económico en México implicó el aumento de la emigración a Estados Unidos y una gran inestabilidad política en la frontera con este país. En general, se cree que si la crisis de la deuda hubiese empezado más al sur (por ejemplo, en Argentina), la respuesta estadunidense habría sido distinta. Véase Díaz-Alejandro (1984).

dad del cártel de acreedores. América Latina ya tenía una larga historia de incumplimiento, que no puede haber hecho sentir optimista a ningún banquero que conociera el pasado. No obstante, al principio los países deudores aceptaron las reglas del juego establecidas por el cártel, y las más de las veces pagaron el servicio de sus deudas —pese a considerables costos económicos y políticos— pronta y totalmente.[10] Hasta se dio servicio a los préstamos al sector privado que no habían recibido una garantía pública (muy importantes en Chile y Venezuela), aunque en el caso chileno esto sólo fue posible después de que en 1982-1983 el gobierno de Augusto Pinochet intervino en el muy endeudado sector de la banca privada para evitar un probable colapso financiero.[11]

El hecho de que los países deudores se mostraran dispuestos a actuar en forma tan ortodoxa puede atribuirse al acuerdo no escrito al que ambos bandos habían de llegar al parecer a fines de 1982. La disposición de la mayoría de los gobiernos deudores a cumplir con sus obligaciones se debió a la idea —compartida por todos los que intervenían en las negociaciones— de que la crisis financiera era de liquidez y no de solvencia. Se creyó que la serie de choques externos que habían afectado a la región desde finales de los setenta (véanse las páginas 395-401), causando el deterioro del servicio de la deuda, sería temporal. Por ello, nuevos préstamos a América Latina paliarían el problema de la liquidez y darían a la región un respiro hasta que las condiciones externas se volviesen más "normales". Se esperaba que bajaran las tasas de interés nominal (por ejemplo, la tasa líder de Estados Unidos) y también que los países desarrollados —es decir, los que pertenecían a la Organización para la Cooperación y el Desarrollo Económico (OCDE)— reanudaran su crecimiento, y que se recuperaran los precios de los productos primarios. Se suponía que todo esto crearía las condiciones necesarias para que mejorase el ritmo del servicio de la deuda, rebajando los pagos de intereses y aumentando las exportaciones.

Los gobiernos latinoamericanos estaban convencidos de que lograrían salir con dignidad de la crisis de la deuda, siempre que los acreedores privados y oficiales estuviesen dispuestos a reprogramar el pago de las deudas existentes y a seguir prestando nuevo dinero. Sin embargo, los acreedores dejaron claro que sólo darían su cooperación a cambio de disciplina macroeconómica y reforma de la política económica. La reprogramación del pago de la deuda, junto con la perspectiva de nuevos préstamos, se condicionaron, por lo tanto, a un acuerdo con el FMI —y a menudo también con el Banco Mundial— y sólo en casos excepcionales se permitió la acumulación de pagos atrasados.

---

[10] Las excepciones (como Nicaragua) fueron menores, y las sumas en cuestión no representaron una amenaza al sistema financiero internacional.

[11] La intervención estatal en el sistema bancario fue un contraste total con el programa de privatización apoyado continuamente por la dictadura de Pinochet. Véase Whitehead (1987), pp. 126-137.

La condicionalidad de la reprogramación de la deuda y los nuevos préstamos pusieron al FMI y al Banco Mundial en una posición clave. La cooperación entre ambas instituciones y con los gobiernos acreedores llegó a nuevos niveles. Poco a poco la insatisfacción con la política económica latinoamericana previa empezó a cristalizar en una visión coherente (el "consenso de Washington") sobre lo que los acreedores consideraron apropiado para la región.[12] Se adoptaron programas de estabilización y ajuste bajo la mirada vigilante del FMI y del Banco Mundial, en un esfuerzo por establecer las condiciones macroeconómicas y microeconómicas que hicieran posible el servicio de la deuda. Pocos países no se vieron afectados, ya fuese porque la reprogramación resultaba innecesaria (por ejemplo, Colombia), o porque las circunstancias políticas hacían imposible todo apoyo del FMI (por ejemplo, Nicaragua).

Al principio, el acuerdo entre deudores y acreedores pareció funcionar bien. Bajaron las tasas mundiales de interés, se reanudó el crecimiento en los países desarrollados, y empezó a aumentar el volumen de las exportaciones latinoamericanas. La economía de Estados Unidos, en particular, experimentó un rápido crecimiento a partir de 1982, lo que creó un enorme auge de las importaciones. En un mal disimulado intento por recompensar a sus amigos y castigar a sus enemigos, el gobierno de Reagan creó la Iniciativa de la Cuenca del Caribe (ICC), la cual dio acceso libre de derechos a una vasta gama de bienes procedentes de varios países pequeños situados en el Caribe o en sus costas.[13] A mediados de 1985 los países de la región que eran importadores de petróleo estaban beneficiándose de una considerable baja de los precios del combustible.[14]

Y sin embargo, el acuerdo no escrito se enfrentó a dos grandes dificultades. Primera, el aumento del volumen de las exportaciones no provocó un aumento de ingresos, como resultado de la debilidad de los precios de los bienes: reflejo, en parte, de la fuerza del dólar.[15] Los términos netos de intercambio comercial (TNIC) se deterioraron en la primera mitad de los ochenta casi para todas las repúblicas, y el aumento de los volúmenes de exportación no bastó para compensar la caída de los precios. El valor de las exportacio-

[12] El Consenso de Washington quedó esbozado en un libro de gran influencia de Williamson (1990).

[13] La ICC, que empezó a funcionar en 1984, excluyó al principio a Guyana y a Nicaragua debido a la tensión entre los gobiernos de esos países y el de Reagan. El ingreso de ambas sólo fue posible después de que mejoraron las relaciones diplomáticas.

[14] América Latina, como región, es exportadora neta de petróleo y, por lo tanto, se beneficia de los altos precios del combustible. Sin embargo, la mayoría de los países son importadores netos de petróleo, por lo que son más los que ganan cuando caen los precios del petróleo.

[15] Dado que la mayoría de los precios de los artículos están fijados en dólares, la demanda mundial se ve afectada negativamente por toda revaluación del dólar; si no hay otros cambios simultáneos los precios de los bienes tienden a bajar. Sin embargo, éste fue sólo uno de los factores de la debilidad de los precios de los bienes en la primera mitad del decenio de 1980. Véase Maizels (1992), pp. 7-20.

nes de la región no fue mayor en 1985 que en 1981, y un año después —tras la caída de los precios del petróleo— era casi 20% inferior. La proporción del servicio de la deuda no mejoró,[16] y la crisis de la liquidez seguía siendo tan grave como siempre.

En segundo lugar, la disposición de los acreedores a reprogramar no garantizaba nuevos préstamos. Los acreedores oficiales —en especial los organismos financieros internacionales— aumentaron al principio sus préstamos a América Latina, pero en cambio dejaron de hacerlo las fuentes privadas. Los bancos pequeños eran particularmente tercos, y los nuevos paquetes de dinero para los grandes deudores se demoraban meses como resultado de la renuencia de unos cuantos acreedores a aumentar su posición de riesgo. Además, había que pagar los nuevos préstamos de los acreedores oficiales, de modo que para 1987 hasta las tres principales IFI eran receptoras netas de capital proveniente de América Latina.[17]

Se hicieron muchos esfuerzos por mejorar la eficiencia y la flexibilidad de las renegociaciones de la deuda. Empezó a aparecer un mercado secundario de la deuda bancaria, que permitía a los bancos pequeños descargar su participación no deseada, y que redujo el número de los acreedores que intervenían en las reprogramaciones. Acreedores y deudores recibieron con júbilo la adopción de "bonos de salida", que permitían retirarse a los acreedores marginales a cambio de una pérdida parcial sobre su préstamo. Los *swaps* de activos de la deuda, con los que la deuda era adquirida en el mercado secundario, fueron utilizados por algunos países para convertir la deuda pública externa en propiedad de activos reales, y las conversiones de la deuda emplearon el mismo mecanismo para remplazar la deuda externa por una deuda interna (nacional), que se podía pagar en moneda local. Los *swaps* de deuda por naturaleza —cancelación de deudas a cambio de mejoras del ambiente— se pusieron de moda, y la Universidad de Harvard llevó a cabo *swaps* de deuda por educación.

Todas estas innovaciones tenían algún mérito, pero no pudieron ocultar el problema subyacente. Sin afluencia considerable de nuevos créditos, América Latina estaba transfiriendo al resto del mundo mucho más en intereses y remisión de utilidades de lo que estaba recibiendo en ingresos netos de capital. Esta transferencia de recursos, que había producido una afluencia positiva promedio de 13 mil millones de dólares anuales entre 1979 y 1981, de repente se volvió negativa en 1982 y así habría de seguir durante el resto de la década. A mediados del decenio de 1980 la transferencia negativa de recur-

---

[16] La razón del servicio de la deuda mide la proporción de las exportaciones dedicada al pago de los intereses y el capital. No es una medida ideal de la capacidad de pago de la deuda pero es la más usada. Entre 1982 y 1988 la razón del servicio de la deuda fue de más de 40% cada año, y sólo bajó a menos de 30% a partir de 1989. Véase IDB (1992), cuadro E-12.

[17] Las principales IFI para América Latina son el Banco Interamericano de Desarrollo, el FMI y el Banco Mundial.

sos había llegado a cerca de 30 mil millones de dólares: el equivalente a 4% del PIB de la región y a 30% de las exportaciones.

La transferencia negativa de recursos se agravó por la fuga de capitales, gran parte de la cual no se registró en las estadísticas oficiales. Desde antes de que estallara la crisis de la deuda el sector privado de muchos países latinoamericanos había empezado a acumular considerables activos financieros en el exterior (principalmente en Estados Unidos), como respuesta a los diferenciales de la tasa de intereses, el riesgo cambiario y la incertidumbre política. Particularmente afectados se vieron los países que tenían un control de cambios débil o inexistente, pero ni siquiera las reglas draconianas a las salidas de capital (como en Brasil) pudieron impedir cierta sangría financiera.

La fuga de capitales continuó después de 1982, pese a que se hicieron más rígidos los controles cambiarios en todas las repúblicas, y no se limitaron sólo a los muy ricos. Miles de pequeños ahorradores en Argentina, México y Venezuela utilizaron cuentas bancarias en el exterior para protegerse contra la incertidumbre política y económica. La decisión del gobierno mexicano de convertir en pesos las cuentas en dólares que había en México, después de la estatización del sistema bancario en 1982, fue particularmente mal recibida por una clase media que estaba enfrentándose a altas tasas de inflación por primera vez en muchos años. Tan sólo en 1983 la fuga de capitales de Argentina, Brasil, Chile, México y Venezuela se calculó en 12 100 millones de dólares.[18] A mediados de la década los activos financieros extranjeros (principalmente dólares) en manos del sector privado de Argentina, México y Venezuela eran casi tan grandes como la deuda del sector público a los bancos comerciales.

La transferencia negativa de recursos netos, agravada además por la fuga de capitales no registrada, ejerció una severa presión sobre el acuerdo no escrito que había entre deudores y acreedores. La necesidad de transferir al extranjero tan alta proporción de las exportaciones obligó a todas las naciones latinoamericanas a adoptar medidas enérgicas y mal recibidas para reducir las importaciones. Nunca se materializó la esperada renovación voluntaria de los préstamos bancarios, y los esfuerzos de los acreedores oficiales se vieron expuestos a la ley de rendimientos decrecientes. A mediados de 1985, a todos los principales interesados les resultaba claro que la estrategia no estaba funcionando. Como principal nación acreedora, Estados Unidos finalmente reconoció la necesidad de un nuevo proyecto.

El primer reconocimiento público de que la situación de los deudores era insostenible ocurrió en 1985 con el anuncio del Plan Baker. Llamado así por el entonces secretario del Tesoro de los Estados Unidos, dicho plan afirmó que la crisis más bien era de liquidez que de solvencia, pero los recursos adicionales propuestos por el programa eran insuficientes. En febrero de

---

[18] La medición de la fuga de capitales está plagada de problemas, pero en todas las estimaciones se conviene en que en este periodo fue muy importante. Para un cálculo véase Félix y Caskey (1990), cuadro 1.7, p. 13.

1987 Brasil declaró una moratoria y los bancos internacionales se apresuraron a declarar que el valor de sus prestamos a América Latina se había reducido; esto los obligó a imponer condiciones contra pérdida de préstamos, pero éstos fueron amortiguados por el permiso de las autoridades fiscales de sus países para deducirlos contra impuestos.

En 1989 el Plan Baker fue seguido por el Plan Brady, llamado así por Nicholas Brady, quien sucedió a James Baker como secretario del Tesoro. Este plan fue más radical, pues a sus acreedores privados les ofrecía una lista de la que podían elegir siempre que reunieran las condiciones para estabilizar los ajustes aceptados por el FMI. La elección más frecuente fue cambiar el valor nominal de la deuda bancaria por bonos con valor más bajo a la vista por bonos del tesoro provistos de cupones cero colaterales. Estos bonos Brady, como se les llamó inmediatamente, permitieron a los bancos salir del problema en que se hallaban con los países latinoamericanos y por lo tanto poner fin a la crisis de la deuda en el decenio de 1980.

Desde luego, esto no fue el fin del problema de la deuda. La deuda ya había adquirido la forma de bonos más que de préstamos bancarios, pero el sector exportador en la mayoría de los países seguía siendo muy pequeño en relación tanto con la magnitud de la economía como con la deuda misma. En realidad, en ese tiempo muchos comentaristas afirmaron que el Plan Brady, como el Plan Baker, era demasiado pequeño y muy tardío.

Nunca sabremos si los críticos tenían razón o si estaban equivocados, pues el Plan Brady pronto fue rebasado por los sucesos. Por razones que veremos después, los principales países de América Latina de repente se beneficiaron con las nuevas afluencias de capital a partir de 1990, que revirtieron la transferencia neta negativa de recursos durante la mayor parte de la década. En lugar de la escasez de divisas, había —por lo menos hasta la crisis financiera asiática de 1997— abundancia de divisas extranjeras. Incluso algunos gobiernos emitieron nuevos bonos con objeto de retirar los bonos Brady.

El resultado fue una oleada de deudas externas exactamente después de que se supuso que el Plan Brady había puesto fin a la crisis de la deuda (véase el cuadro XI.1). Los principales países latinoamericanos experimentaron un aumento de la deuda que de por sí ya era más grande que en el periodo anterior a 1982. Esta vez los acreedores se mantuvieron mucho tiempo en el anonimato, ya que eran tenedores de bonos más que banqueros, haciendo casi imposible una respuesta coordinada de los acreedores.

Las llegadas de capital en la primera mitad del decenio de 1990 fueron principalmente en cartera. Sólo un tercio era de inversión extranjera directa. Unas cuantas naciones, sobre todo Chile, impusieron limitaciones a los ingresos de capital a corto plazo,[19] pero la mayoría estuvieron felices de captar todos los recursos extranjeros que estuvieran disponibles. El resultado fue

---

[19] Con respecto al acceso de Chile a las afluencias de capital, en ese tiempo, véase Labán y Larráin (1994).

CUADRO XI.1. *Desembolsos totales por la deuda externa*[a]
(en dólares): 1990-2000

País	1990	1995	2000
Argentina	62 233	98 547	146 200
Bolivia	3 768	4 523	4 461
Brasil	123 439	159 256	236 157
Chile	18 576	22 026	36 849
Colombia	17 848	24 928	35 851
Costa Rica	3 924	3 889	4 050
Cuba	8 785[b]	10 504	11 100
Ecuador	12 222	13 934	13 564
El Salvador	2 076	2 168	2 795
Guatemala	2 487	2 936	3 929
Haití	841	902	1 170
Honduras	3 588	4 242	4 685
México	101 900	165 600	149 300
Nicaragua	10 616	10 248	6 660
Panamá	3 795	3 938	5 604
Paraguay	1 670	1 439	2 491
Perú	19 996	35 515	28 353
República Dominicana	4 499	3 999	3 676
Uruguay	4 472	4 426	5 492
Venezuela	36 615	38 484	31 545
América Latina	434 565	609 504	733 932

[a] Incluye la deuda externa tanto del sector público como del privado. También abarca los préstamos del Fondo Monetario Internacional.
[b] 1993.
FUENTE: ECLAC (2001), p. 761.

un aumento peligroso en capital especulativo y una dependencia excesiva del capital extranjero para financiar las inversiones nacionales.

La primera prueba de que el aumento de la deuda era insostenible fue la crisis financiera mexicana de 1994. Considerada la primera de las crisis del siglo XXI por Michel Camdessus (entonces director del FMI), dicha crisis dio lugar a un programa de rescate sin precedente preparado por el FMI y puesto en práctica por los Estados Unidos. México evitó el incumplimiento, y los bonos dispersos por Latinoamérica volvieron a sus niveles anteriores, pero fue una advertencia ominosa de las dificultades que se podrían encontrar más adelante.

El *efecto tequila*, como se le conoció generalmente, sólo contuvo por un tiempo la afluencia de capitales netos a América Latina, que continuaron llegando casi sin interrupción hasta fines de 1998. En este punto, la crisis financiera asiática de 1997, junto con el incumplimiento de Rusia en agosto de 1998, dio lugar a una reevaluación de los acreedores en cuanto a los riesgos que representaba Latinoamérica. Así, la capacidad de los gobiernos y de las compañías latinoamericanos de pedir prestado con objeto de salir de sus dificultades llegó a su fin con la terminación del siglo.

Hubo tres circunstancias por las que los países de la región lograron arreglárselas con la nueva realidad de la deuda. En primer término, algunos países (véase más adelante) pudieron aumentar el tamaño de su sector de exportaciones en relación con el PIB. Así como Corea del Sur pudo liberarse de la crisis por su deuda en el decenio de 1980 debido a que fue capaz de resolver sus problemas exportando, de igual manera algunas de las naciones latinoamericanas fueron capaces de disminuir la razón entre deuda y servicio de deuda a exportaciones mediante el crecimiento rápido de su sector de exportaciones.

En segundo lugar, ciertos países —las razones se analizan más adelante— pudieron financiar una proporción cada vez mayor de sus déficit en cuenta corriente por medio de sus IED más que con deuda. El ajuste "asiático" fue particularmente útil en Brasil, donde las IED habían sido, después de 1995, suficientes para solventar casi todas las necesidades financieras. A fines del decenio de 1990 este país se convirtió en el mayor receptor de IED con respecto al desarrollo mundial fuera de China.

En tercer lugar, muchos países latinoamericanos son demasiado pequeños para atraer a acreedores privados extranjeros. La cartera de inversionistas no invertirá en un mercado accionario con poco movimiento y escasa liquidez. Los gobiernos de tales países se enfrentan a dificultades para emitir sus bonos; en consecuencia, los países latinoamericanos más pequeños han estado dependiendo de las fuentes oficiales de capital, que está sometido a estrictas condiciones, además de ser racionado.

La crisis generalizada de la deuda en la década de 1980 no se repitió, por tanto, en la de 1990, aunque algunos países tuvieron muy serios problemas a causa de la deuda. En 1998 Brasil casi cayó en una moratoria antes de la devaluación del real en enero de 1999, y se enfrentó a otros problemas a mediados del 2002 durante las elecciones presidenciales. En el año 2000 Ecuador no pudo cumplir en cuanto a sus bonos Brady; por su parte, a fines del año 2001 Argentina fue incapaz de cumplir con toda su deuda externa. El incumplimiento argentino dio lugar a una crisis financiera importante en el país e hizo que muchos afirmaran que se anunciaba otra crisis generalizada de la deuda en todos los países de América Latina. Pero esto no sucedió, aunque el contagio por Argentina resultó ser muy grave en Uruguay.[20]

[20] En 2002 Brasil se enfrentó a un grave problema a causa de la deuda, pero esto tuvo menos que ver con el contagio provocado por Argentina y más con la prima por riesgo asociado con las elecciones presidenciales a fines del año.

El ajuste externo

El paso de una transferencia neta positiva de recursos a una negativa, en 1982, tuvo enormes repercusiones para América Latina. Pese a la insistencia en el desarrollo hacia adentro desde los treinta, la región seguía siendo sensible a los choques externos. En realidad, la combinación de gran vulnerabilidad financiera por la deuda externa y una dependencia comercial relativamente baja, hizo que el impacto de la reducción de afluencias de capital fuera grave. Aunque algunos países del este de Asia (por ejemplo, Corea del Sur), también sufrieron por problemas de la deuda, tenían un sector comercial externo mucho mayor que les permitía llevar a cabo las adaptaciones necesarias. Por otra parte, ciertos países con baja dependencia comercial (como la India) no llegaron al mismo grado de endeudamiento. Particularmente peligrosa fue la combinación latinoamericana, más marcada en las repúblicas más grandes.[21]

Para cambiar de signo la transferencia de recursos había que ajustar rápidamente la cuenta exterior. La balanza de pagos se puede resumir como sigue:

Activos	*Pasivos*
Exportaciones de bienes/servicios (E)	Importaciones de bienes/servicios (M)
Recibos de transferencias netas (T)	Pagos netos de los factores (F)
	Déficit de la cuenta corriente (B)
Recibos netos de capital (K)	Caída neta de reservas internacionales (R)

Los pagos de intereses sobre la deuda externa se incluyen en los pagos netos de los factores (F). Por ello, el déficit de la cuenta corriente de la balanza de pagos (B) puede expresarse así:

$$B = (E + T) - (M + F). \tag{XI.1}$$

La igualdad entre los ingresos y los egresos totales significa:

$$E + T + K = M + F + R. \tag{XI.2}$$

Dado que el ajuste externo no puede ser aplicado a largo plazo por la caída de las reservas, R puede fijarse en cero. Después de la adaptación, por lo tanto, encontramos:

$$(F - K) = (E + T) - M. \tag{XI.3}$$

[21] Este contraste entre América Latina y Asia se encuentra en Fishlow (1991).

El lado de la izquierda $(F - K)$ es la transferencia neta de recursos (negativa), y el lado derecho se aproxima a la balanza comercial.[22] Así, el paso de un ingreso positivo a una transferencia neta de recursos negativa de 30 mil millones de dólares implicó un excedente comercial de aproximadamente la misma cantidad. Dado que la transferencia (positiva) neta de recursos (déficit comercial) en 1980 había sido de cerca de 2% del producto interno bruto (PIB), el ajuste a la crisis de la deuda exigió un gran cambio de las cuentas externas, equivalente a 6% del PIB para la región en su conjunto.

Los problemas de ajuste relacionados con la creación de un excedente comercial tan grande empeoraron por el deterioro de los TNIC a partir de 1980 (véase el cuadro XI.1). La recesión de los países desarrollados a comienzos de los ochenta —consecuencia de una severa política monetaria y de altas tasas de interés real y nominal— causó estragos en los precios de las exportaciones de productos latinoamericanos, no petroleros. Dado que la mayoría de los precios de los bienes estaban denominados en dólares, la fuerza de la moneda de Estados Unidos en la primera mitad de los ochenta asestó un nuevo golpe a los precios de las exportaciones latinoamericanas. Por último, los precios del petróleo y del gas sufrieron un marcado descenso a finales de 1985, causando graves dificultades a los principales exportadores latinoamericanos de hidrocarburos (Bolivia, Colombia, Ecuador, México, Perú y Venezuela).

La rapidez con que hubo que efectuar el ajuste externo, aunada al deterioro de los TNIC, hizo inevitable que el excedente comercial se lograra sobre todo suprimiendo importaciones. En general, la promoción de exportaciones, dado el largo historial de la tendencia antiexportadora en muchas repúblicas latinoamericanas, no se logró con rapidez, y la recesión mundial de comienzos de los ochenta no era un clima propicio para lanzar un movimiento exportador. Tanto Estados Unidos como la Comunidad Europea (CE) —los dos mercados principales— se vieron sometidos a intensas presiones proteccionistas que afectaron las exportaciones tradicionales y las no tradicionales de América Latina. Los exportadores de azúcar, en particular, padecieron por el apoyo adicional que el gobierno de Estados Unidos dio a la producción nacional, lo que determinó una marcada reducción, durante los ochenta, de la cuota de importaciones estadunidenses de ese producto. En la CE proliferaron las limitaciones voluntarias de la exportación (LVE), lo que redujo las oportunidades de las exportaciones no tradicionales de las principales repúblicas latinoamericanas. Los acuerdos internacionales sobre bienes, que habían ayudado a sostener los precios por encima de los del mercado libre, tropezaron con nuevas dificultades: se desplomaron los acuerdos del estaño y del café, haciendo caer los precios mundiales a niveles bajísimos.[23]

---

[22] La balanza comercial es $(E - M)$. De este modo, el lado derecho de la ecuación (XI.3), es la balanza comercial ajustada a los ingresos netos por transferencia (T).

[23] El acuerdo del estaño se desplomó en octubre de 1985, con implicaciones particularmente

La supresión de importaciones, pese a sus graves costos sociales y económicos, ya era familiar para todas las repúblicas latinoamericanas. A lo largo de los años se había forjado un formidable arsenal para controlar la demanda de importaciones y racionar las divisas disponibles. Cuotas, permisos, altos aranceles y planes de depósitos previos a las importaciones eran usuales en la mayoría de los países, y los retrasos burocráticos para procesar las solicitudes de divisas eran innumerables.[24] Además, la explosión de préstamos comerciales a algunas repúblicas latinoamericanas había creado, indudablemente, un auge insostenible de importaciones no esenciales, que podían reducirse con rapidez. Por ejemplo, en México el valor de las importaciones había crecido de 6 300 millones de dólares en 1975 a 24 mil millones en 1981.

Todas estas armas tradicionales se emplearon en un esfuerzo por suprimir las importaciones. En muchos países se elevaron los gravámenes a la importación. Hasta países como Chile, que habían reducido considerablemente los aranceles en el periodo anterior a la crisis de la deuda, se vieron obligados a revertir sus medidas de liberalización del comercio. Se hicieron más severas las cuotas y los permisos, y Brasil siguió adelante con los ambiciosos programas de sustitución de importaciones que había lanzado tras la primera crisis petrolera, para depender menos de la importación de energía.

La escala del ajuste requerido hizo, empero, que no bastaran las armas tradicionales. Pese a todas las dificultades, ningún país pudo permitirse descuidar la promoción de exportaciones, y así hubo que tomar medidas que pudiesen suprimir las importaciones sin dañar las exportaciones. El tipo de cambio, tan a menudo sobrevaluado, se volvió instrumento clave de los programas de ajuste externo en muchos países. La devaluación nominal se llevó al punto de garantizar una real depreciación efectiva del tipo de cambio (DETC), como desaliento a las importaciones y, simultáneamente, un impulso a las exportaciones. A mediados de la década de 1980 las únicas naciones que habían experimentado una revaluación real de la moneda eran las que seguían comprometidas con un tipo de cambio fijo nominal (El Salvador, Haití, Honduras y Panamá) y las que sufrían hiperinflación (Bolivia, Nicaragua).

La repercusión de estas medidas fue considerable. La balanza comercial, negativa hasta 1982, se volvió positiva, con un excedente de 30 mil millones de dólares en 1983, y casi 40 mil millones en 1984. Aunque las medidas adoptadas para promover las exportaciones, cuyo volumen aumentó después de 1982, tuvieran cierto efecto, el deterioro de los TNIC hizo que casi no cambiara el valor de las exportaciones. Así, al principio la carga del ajuste a un gran excedente comercial tuvo que soportarla íntegramente la supresión de importaciones, y el valor de las mismas cayó de un máximo de 100 mil millones

severas para Bolivia. Véase Latin America Bureau (1987). El acuerdo del café llegó a su fin en 1990, con consecuencias adversas para todos los exportadores de ese producto.

[24] Un ejemplo de los controles colombianos a la importación lo ofrece Ocampo (1990), pp. 369-387.

de dólares en 1981 a 60 mil millones en 1983, nivel que se sostendría durante los tres años siguientes.

El recorte recayó sobre las importaciones extrarregionales e intrarregionales. Muchas de las segundas eran vulnerables, dado que los bienes solían competir con la producción nacional. Las importaciones venezolanas que llegaban de Colombia, que habían representado en general el núcleo del comercio intrarregional del Pacto Andino, se derrumbaron a partir de 1981. Las importaciones intrarregionales del Mercado Común Centroamericano (MCCA) se redujeron en 60% en los seis años siguientes a 1980, cuando se elevaron las barreras no arancelarias y se profundizó la crisis política. Aun donde continuaron las importaciones intrarregionales no siempre se pudo garantizar el pago, y las deudas entre países de la región se convirtieron en un grave problema. Argentina se retrasó constantemente en sus pagos por importaciones de gas natural boliviano, y el continuo incumplimiento de Nicaragua en el pago de bienes importados del resto de América Central contribuyó, en grado importante, a la crisis del MCCA. Dado que las importaciones intrarregionales de un país eran las exportaciones de otro, la caída del comercio intrarregional no alivió la carga del ajuste externo de la región.[25]

La enorme expansión en la exportación y la reexportación de drogas de muchas naciones también desempeñó un papel, aliviando la carga del ajuste externo sin aparecer en las estadísticas oficiales. Aunque las estimaciones varían mucho, la entrada de divisas a Colombia por la venta de cocaína fue uno de los factores que determinaron el descenso relativamente modesto de sus importaciones. Por razones similares, para 1986 las importaciones bolivianas habían superado su nivel de 1980. El lavado de dinero proveniente del narcotráfico se convirtió en rasgo importante de la economía panameña a mediados de los ochenta, y la reexportación de narcóticos desempeñó un papel de consideración en Costa Rica, Guatemala y México.[26]

La supresión de importaciones fue eficaz, pero era una estrategia a corto plazo y de alto costo. A medida que empezaba a acelerarse la inflación, y mientras los ingresos reales seguían disminuyendo, resultó evidente que la supresión de importaciones no sería la respuesta, a largo plazo, a una crisis de la deuda que no daba señales de cesar. A mediados de los ochenta se iba dando un importante cambio de la política económica en diversas repúblicas en favor de la liberalización del comercio y la promoción de exportaciones, para satisfacer las demandas del servicio de la deuda y, a la vez, de un renovado crecimiento. Al acercarse a su fin la década, más y más países optaban por la nueva estrategia dirigida hacia el exterior basada en el crecimiento

[25] Las importaciones intrarregionales se redujeron aún más rápidamente que las extrarregionales, por lo que su participación en el total había bajado a 13.3% para 1990. Véase ECLAC (1992), cuadro 92, p. 151.

[26] Acerca de las repercusiones del narcotráfico en América Latina, véase Joyce y Malamud (1998). Para los casos de estudio de Colombia y Bolivia, véase Steiner (1999) y Gamarra (1999), respectivamente.

CUADRO XI.2. *Términos netos de intercambio comercial (TNIC),*
1980-2000 (1995 = 100)

País	1980	1985	1990	1995	2000
Argentina	133.4	108.9	97.2	100.0	108.8
Bolivia	209.4	207.1	114.5	100.0	112.0
Brasil	67.2	56.4	60.3	100.0	91.5
Chile	177.9	137.4	84.1	100.0	73.6
Colombia	131.1	120.0	94.8	100.0	115.8
Costa Rica	78.2	80.3	71.7	100.0	95.8
Ecuador	264.9	210.3	141.1	100.0	123.8
El Salvador	77.5	53.6	69.3	100.0	82.7
Guatemala	112.6	79.2	97.9	100.0	84.7
Haití	198.5	178.6	116.4	100.0	88.1
Honduras	116.5	99.5	80.9	100.0	103.8
México	329.0	185.5	109.2	100.0	107.4
Nicaragua	126.2	96.1	119.1	100.0	77.3
Panamá	115.8	102.7	69.1	100.0	99.8
Paraguay	57.0	52.1	86.6	100.0	84.2
Perú	200.0	137.6	92.5	100.0	80.9
República Dominicana	178.3	147.3	97.4	100.0	102.0
Uruguay	85.3	85.9	100.2	100.0	86.2
Venezuela	240.7	227.1	141.6	100.0	157.4
América Latina	161.6	125.5	94.4	100.0	103.6

FUENTE: ECLAC (2001), pp. 508-509.

guiado por las exportaciones. A principios de los noventa una nueva ortodoxia del comercio había recorrido toda América Latina, abarcando a casi todas las repúblicas.

Diversos factores contribuyeron a hacer surgir esa nueva ortodoxia. Se llegó a reconocer que la crisis de la deuda era algo más que un transitorio problema de liquidez, que los bancos comerciales no seguirían prestando a América Latina al mismo ritmo que antes, y que la región tendría que competir por fondos escasos en el mercado internacional con otros países (incluido Estados Unidos, donde los persistentes déficit de la balanza de pagos y del presupuesto eran una especie de imán para los ahorradores mundiales). Ni siquiera los países latinoamericanos que lograron atraer inversión extranjera (directa y accionaria) podían evitar una transferencia negativa general de recursos, lo que tenía más probabilidades de combinarse con la renovación del crecimiento en una estrategia que destacaba la promoción de las exportaciones más que la supresión de las importaciones.

La insistencia en la necesidad de promover las exportaciones fue compartida por los acreedores oficiales, incluyendo las ifi. En particular el Banco Mundial y el fmi, junto con la Agencia de Estados Unidos para el Desarrollo Internacional (usaid), aprovecharon la influencia que les daban las condiciones impuestas para empujar a los países deudores hacia la liberalización del comercio. Se dio una interpretación demasiado simplista al crecimiento basado en las exportaciones del este de Asia y al desarrollo hacia adentro en América Latina, y las ifi sacaron la conclusión de que la liberalización del comercio pronto conduciría a un renovado crecimiento. Por sí sola, la presión de las ifi no bastó para convencer a los países de pasar hacia el crecimiento guiado por la exportación, pero sí contribuyó a impulsar una liberalización del comercio en aquellos países en los que iba surgiendo un consenso interno en apoyo de la reforma en materia económica.

También tuvieron importancia las consideraciones microeconómicas en ese cambio de la política económica. Casi ningún político favorecía el crecimiento guiado por las exportaciones tradicionales. Había que dar prioridad a nuevas exportaciones no tradicionales, incluyendo bienes manufacturados, en lo que América Latina se encontraba en desventaja por el alto costo de muchos insumos, debido a la supresión de importaciones y a otras deformaciones del comercio. Se esperaba que la liberalización comercial pusiera el costo de los insumos de material en mayor armonía con los costos internacionales, lo que permitiría a las empresas locales explotar la ventaja comparativa dinámica a largo plazo que representaba la abundancia de mano de obra no calificada y de recursos naturales.

Los países del Cono Sur ya habían experimentado con las políticas de promoción de las exportaciones en el decenio de 1970, pero se vieron abrumados por la crisis de la deuda y dieron marcha atrás. No fue sino hasta 1984 cuando Chile una vez más se sintió lo bastante seguro para regresar a las políticas de liberalización del comercio que había adoptado con tanto dinamismo después de 1975. Ecuador coqueteó brevemente con la reducción de los aranceles en 1984, pero el Congreso —no era la primera vez que lo hacía en la historia reciente ecuatoriana— obstruyó los instintos neoliberales del Ejecutivo.

Sin embargo, el cambio más importante apartándose de la isi ocurrió en México en 1985 con la decisión tomada por el gobierno de De la Madrid de ingresar al gatt. De un plumazo las limitaciones cuantitativas que habían apuntalado la industria mexicana durante décadas fueron atacadas y también se aprobó un programa para reducir los aranceles. Los demás países latinoamericanos que no habían ingresado al gatt lo hicieron en los años siguientes, de manera que al finalizar el siglo cada una de las naciones de América Latina y del Caribe, excepto las Bahamas, ya era miembro de la Organización Mundial del Comercio.

La decisión del gobierno mexicano tuvo menos que ver con la globalización (palabra recién acuñada) y más con la necesidad de expandir el sector de exportaciones. Aunque pudiera parecer paradójico, la reducción de aranceles y barreras no arancelarias (NTB, por sus siglas en inglés) suele ser el primer paso para promover las exportaciones. La razón es el efecto de limitar las importaciones por el tipo de cambio, que tiende a sobrevaluarse, y el aumento en los costes de la producción para exportar por los elevados aranceles sobre los insumos importados.

Las políticas mexicanas de liberalización del comercio permitieron afianzar la relación comercial con Estados Unidos y una rápida expansión de las exportaciones (véase el cuadro XI.3). La participación de las exportaciones no petroleras, la mayor parte de las cuales va a Estados Unidos, varió de 20% a comienzos del decenio de 1980 a 80% cuando empezaba el de 1990. En este punto, México inició las negociaciones para su ingreso al acuerdo de libre comercio preparado por Estados Unidos y Canadá en 1989. El resultado fue el Tratado de Libre Comercio de América del Norte, que entró en vigor el 1° de enero de 1994. Esto permitió profundizar los lazos comerciales entre México y Estados Unidos hasta el punto de que aquél cuenta con la mitad de todo el comercio entre los Estados Unidos y Latinoamérica.[27]

Sin embargo, este comercio bilateral no es lo característico del comercio entre Estados Unidos y los países latinoamericanos. El comercio mexicano con el mercado estadunidense consiste principalmente en bienes manufacturados y en gran parte es intraindustrial. En realidad, de las 10 exportaciones manufacturadas más importantes de México a Estados Unidos, nueve figuran dentro de las 10 importaciones manufacturadas más importantes de Estados Unidos.[28] Por tanto, México se ha vuelto muy dependiente de las exportaciones al mercado estadunidense, que significan 25% de su PIB. En consecuencia, no es sorprendente que en 2001 México haya caído en una recesión debido a una baja económica de su vecino del Norte.

En otras partes de Iberoamérica, la liberalización del comercio ha tenido mucho menos éxito en su promoción de las exportaciones (véase el cuadro XI.3). Los aranceles se han reducido por doquier, y algunos países como Bolivia y Chile han adoptado un arancel uniforme. No obstante, el resultado de las exportaciones ha sido afectado abrumadoramente por el valor real del tipo de cambio; después de la década de 1980, éste ha avanzado en la "mala" dirección. Cuando las barreras comerciales se reducen, el tipo de cambio real se deprecia, lo cual aporta un incentivo adicional a los exportadores. Sin embargo, en muchos casos esto no ocurre.

¿Por qué el movimiento del tipo de cambio real fue tan adverso? En muchos países la liberalización del comercio ocurrió precisamente mientras el capital regresaba a América Latina. Las afluencias netas impulsaron el valor del tipo de cambio real y alentaron las importaciones, pero no las exportaciones. Éste fue el problema de México desde 1990 hasta 1994, de Argentina después de 1991, y de Brasil desde 1994 hasta 1998. El resultado es que el

---

[27] Véase Bulmer-Thomas y Page (1999).
[28] Véase Bulmer-Thomas (2001a).

Cuadro XI.3. *Volumen de bienes exportados, 1985-2000 (1995 = 100)*

País	1985	1990	1995	2000
Argentina	49.3	70.3	100.0	136.2
Bolivia	42.6	79.8	100.0	119.1
Brasil	71.3	79.6	100.0	137.4
Chile	36.7	63.3	100.0	159.6
Colombia	39.9	78.3	100.0	118.0
Costa Rica	36.6	54.7	100.0	190.1
Ecuador	42.3	55.9	100.0	99.3
El Salvador	78.0	66.2	100.0	195.0
Guatemala	71.3	73.9	100.0	178.4
Haití	96.0	141.1	100.0	220.7
Honduras	60.5	90.5	100.0	146.8
México	27.6	53.1	100.0	205.7
Nicaragua	75.1	62.9	100.0	166.3
Panamá	47.6	79.9	100.0	92.3
Paraguay	19.6	39.2	100.0	58.8
Perú	64.9	69.7	100.0	165.7
República Dominicana	18.5	21.3	100.0	160.4
Uruguay	51.4	82.2	100.0	135.0
Venezuela	52.1	76.2	100.0	122.8
América Latina	44.7	65.3	100.0	159.8

Fuente: ECLAC (2001), pp. 504-505.

desempeño de las exportaciones en muchos países ha sido modesto y el aumento de la participación latinoamericana en las exportaciones mundiales se debe principalmente a México.

La decepcionante actuación del sector exportador fue una de las razones para reexaminar la integración regional. Los programas establecidos en el decenio de 1960 quedaron desacreditados por la crisis de la deuda, ya que estaban sumamente relacionados con la ISI, aunque fuera en el plano regional. Sin embargo, en la década de 1990 se hizo un nuevo intento de aplicar esquemas de integración que promovieran las exportaciones sin que se alentara la protección ante terceros países. El Mercado Común Centroamericano fue reimpulsado en 1990, en 1992 se hizo lo mismo con la Comunidad del Caribe (Caricom), y en 1995 le tocó el turno al Pacto Andino (rebautizado como Comunidad Andina). La CEPAL consideró este renacimiento de la integración como regionalismo "abierto" en contraste con el regionalismo "cerrado" de los decenios de 1960 y 1970.[29]

El esquema de la nueva integración más innovador fue el Mercado Común del Sur (Mercosur), formalmente adoptado en 1991, vinculando a Argentina, Brasil, Paraguay y Uruguay (Bolivia y Chile se unieron como socios en 1996) con claros propósitos políticos lo mismo que objetivos económicos. Cuando el gobierno de Clinton anunció en 1994 el apoyo estadunidense al Área de Libre Comercio de las Américas (ALCA), inmediatamente el Mercosur negoció en bloque a fin de evitar el predominio de Estados Unidos en la agenda hemisférica de la integración regional. Sin embargo, la temprana promesa del Mercosur no se cumplió. Los aranceles comunes externos nunca se adoptaron por completo y el programa sufrió por la inestabilidad económica ocasionada tanto por los choques externos como por la falta de coordinación macroeconómica.[30] El comercio regional, como en el resto de Latinoamérica y el Caribe, no logró aumentar por encima de 20% el comercio total.

La liberalización del comercio sólo es una de las formas en que América Latina se ha adaptado externamente. No menos importante ha sido la liberalización de las cuentas de capital de la balanza de pagos como nuevo enfoque al capital extranjero. La añeja hostilidad contra la IED, tan acentuada en el decenio de 1970, se ha ido, y país tras país han introducido nueva legislación para promover la IED, dejando poquísimos sectores o actividades reservadas al capital extranjero.

Como parte de este nuevo acercamiento a la IED, todos los gobiernos latinoamericanos se han despojado de las empresas de propiedad del Estado (EPE). Todavía existen unos cuantos de estos gigantes, de manera particular en la industria petrolera, pero ya son la excepción más que la regla. Incluso Cuba ha participado en este proceso de privatización con el giro añadido de que la compra de activos se ha limitado a los extranjeros. Dondequiera los grupos privados nacionales han estado activos en la compra de EPE, pero también lo han hecho extranjeros. Resultado: las IED han aparecido en las empresas públicas, aerolíneas, ferrocarriles, en compañías acereras y en otros sectores en los que antes las EPE eran comunes.[31]

Probablemente en el sector minero es en el que la transformación ha sido más notoria. América Latina tiene una larga historia de discriminación contra las IED en el terreno de la minería; para ello basta recordar la fundación de YPF (un monopolio petrolero) por el Estado argentino en 1922, si no

---

[29] Véase Devlin y Estevadeordal (2001).
[30] Véase Bouzas y Soltz (2001).
[31] Sobre el nuevo acceso a la inversión foránea en Iberoamérica, véanse los artículos en Baer (1998).

antes. La razón fundamental de esto fue compleja e incluía el resentimiento contra las prácticas de las empresas extranjeras, la busca de jugosas rentas en efectivo por los gobiernos y el nacionalismo. Sin embargo, cerca de dos siglos después de finalizar el colonialismo, aún son los recursos minerales los que más atraen a empresas extranjeras. Por tanto, Iberoamérica tuvo poco de dónde escoger y no le quedó más que liberalizar el acceso al capital extranjero en el sector minero si deseaba recibir IED.

La liberalización de las cuentas de capital no se ha limitado a la IED. Por lo contrario, la mayor parte de la inversión extranjera que llegó a la región en el decenio de 1990 fue capital de cartera privada. Esto no fue en forma de préstamos bancarios, lo que predominó en el capital extranjero en la década de 1970, sino como bonos y en menor cantidad como acciones. Los créditos bancarios y otros préstamos a corto plazo continuaron, pero en lo general los bancos internacionales sólo se apresuraron a aprovechar la oportunidad de salida que se les ofrecía gracias a los bonos Brady.

El crecimiento del mercado de bonos internacional fue impresionante y los principales gobiernos y empresas latinoamericanos lo aprovecharon con relativa facilidad. Recibieron una ventaja por la emisión de bonos Brady que transformaron, lo que casi se había vuelto una forma exótica de la deuda latinoamericana, en otra de más amplia demanda. Además, este mercado de divisas fue abierto a los nacionales (lo mismo empresas que individuos), dando una protección bien recibida contra la devaluación y una oportunidad de diversificar la cartera.

Los mercados internacionales de bonos ofrecieron a los países de la región la oportunidad de emitir deuda a un tipo de interés real más bajo que en los mediocres mercados financieros nacionales. Esto funcionó así incluso después de que se hicieron concesiones por los movimientos esperados del tipo de cambio, con tal de que la prima por riesgo nacional pudiera mantener un nivel moderado. En consecuencia, los gobiernos debieron hacer un enorme esfuerzo para disminuir la prima por riesgo mediante un complicado *road show* en Nueva York y Londres y con una mayor transparencia en las cuentas fiscales y en las reglas sobre revelación de las empresas.

Estos esfuerzos no quedaron sin recompensa de las instituciones de crédito. Para comienzos del nuevo milenio, Chile ya había obtenido la más alta calificación en su deuda en divisas a largo plazo; Colombia, a pesar de sus elevados niveles de violencia interna, recibió una B+, lo mismo que El Salvador, que todavía en los comienzos del decenio de 1990 se hallaba sumido en una guerra civil. Las instituciones calificadoras se mostraron más prudentes en cuanto a los tres grandes (Argentina, Brasil y México), aunque México fue recompensado con una elevación del nivel de calificación de su deuda externa en el año 2000, que fue considerado como el que marcó por último el fin de la época de partido único de Estado.

Las calificaciones, modesta recompensa por riesgo-país, y las bajas tasas de interés internacionales alentaron a los gobiernos latinoamericanos, lo mismo que a las grandes compañías, a cambiar la deuda en moneda nacional a bonos extranjeros. El resultado fue una nociva expansión de la deuda externa en muchos países, particularmente en Argentina y Brasil, que corrieron el peligro de que se ampliara la prima por riesgo, y la mala voluntad de los mercados accionarios si había que refinanciar. Cuando finalmente las dificultades surgieron en Argentina en el año 2000; el país estaba liquidando en 25% toda su deuda de interés fijo en el mercado. Si los intentos de América Latina por penetrar en el mercado internacional de bonos le dieron muy buen resultado, sus esfuerzos por atraer capital accionario fueron vanos: fracasaron todos los intentos por hacer más atractivo el mercado nacional de acciones; sólo un pequeño número de ellas apareció en la lista, pues la mayoría de las empresas nacionales prefirieron seguir siendo totalmente controladas por familias de accionistas. La mayor parte de las acciones en lista no habían sido activamente negociadas, de modo que la liquidez fue un serio problema. Las empresas de mayor tamaño buscaron inscribirse en la Receptora Norteamericana de Depósitos (RND) de la Bolsa de Nueva York, y las fusiones y adquisiciones de compañías extranjeras hicieron que se salieran de la lista algunas de las empresas más importantes. Para el año 2000 sólo dos mercados —São Paulo y la ciudad de México— tenían cierto atractivo para los inversionistas extranjeros, y las acciones de estos mercados sumaron entre 80 y 90% de un fondo característicamente latinoamericano.

Por consiguiente, la liberalización de la cuenta de capital de Latinoamérica fue muy problemática. Muchos de los países más pequeños siguieron careciendo de atractivo para los capitales foráneos, hicieran lo que hiciesen, mientras la IED fluía principalmente a la extracción de minerales y las antiguas EPE. Las plantas de ensamble establecidas por compañías extranjeras proliferaron en algunas partes de la cuenca del Caribe, pero esto fue un reflejo de una temporal condonación de impuestos en los Estados Unidos, más que nada. Por otra parte, los países más grandes se volvieron demasiado dependientes del mercado de valores extranjero. México fue el primero en sufrir esta situación (en 1994), pero fue rescatado por sus acreedores internacionales y pudo utilizar la devaluación monetaria para formarse una capacidad de exportación muy elevada. Argentina y Brasil no fueron tan afortunados.

AJUSTES INTERNACIONALES, ESTABILIZACIÓN Y EL PROBLEMA DEL TIPO DE CAMBIO

Al reducir la llegada de nuevos capitales a América Latina la crisis de la deuda obligó a todas las repúblicas a reducir sus importaciones y, de ser posible, aumentar con rapidez sus exportaciones. Este ajuste externo coincidió con un proceso de adaptación interna, destinado a reducir la demanda agregada a un nivel congruente con el menor nivel de las importaciones, y a ofrecer incentivos de precio y de otros tipos para que la oferta pasara del mercado interno al mundial.

El excedente comercial proporcionó las divisas para la transferencia neta de recursos a los acreedores de los países desarrollados. Pero en la mayoría de los países ese excedente fue para el sector privado, mientras que la mayor parte de la deuda externa estaba en manos del sector público. Surgió así un problema de transferencia interna, y el sector público tuvo que esforzarse por conseguir acceso a las divisas que ganaba el privado. Sólo en aquellos países como Chile, México y Venezuela, en los que una gran parte de los ingresos por exportación correspondían a EPE, esa transferencia pudo ser relativamente directa.[32]

Por consiguiente, el ajuste interno fue un proceso complicado que exigió una reducción de la demanda agregada, un cambio de la oferta y una transferencia interna del sector privado al público. Cada elemento del ajuste corría el riesgo de agravar las presiones inflacionarias. Si la demanda agregada se reducía con demasiada lentitud, surgiría un exceso de demanda, aun en una recesión, porque el recorte de las importaciones a partir de 1981 había reducido súbitamente la oferta agregada. El paso de la oferta del mercado interno al mundial implicó una modificación de los precios relativos, que podía provocar un alza de los precios absolutos (nominales).[33] Por último, la transferencia interna de divisas al sector público sería sumamente inflacionaria si para asegurarse el control de los recursos el gobierno imprimía billetes en vez de utilizar el ingreso impositivo para generar un nivel suficiente de ahorro público.

Por todo ello el problema del ajuste interno era inseparable del externo y de la estabilización de la inflación. Al mismo tiempo, la mayoría de las repúblicas latinoamericanas cayeron en la crisis de la deuda con graves problemas de inestabilidad interna, incluyendo altos niveles de inflación. En 1981, año anterior al estallido de esa crisis, sólo cinco naciones (Chile, República Dominicana, Guatemala, Honduras y Panamá) tuvieron tasas anuales de inflación de menos de 10%, y en cada caso el tipo de cambio estuvo sujeto en términos nominales al dólar. De las repúblicas restantes,[34] cinco tenían tasas de inflación anual de entre 20 y 50%, tres de 50 a 100%, y una (Argentina) de más de 100 por ciento.

Los déficit presupuestales de los gobiernos centrales también habían empezado a aumentar antes de la crisis de la deuda, y en 1981 casi la mitad de

[32] Ésta fue, sin duda, una de las razones de que los gobiernos comprometidos con la privatización se mostraran renuentes a transferir la propiedad de las compañías mineras que generaban enormes ingresos de divisas. Hasta en Chile, donde gobernaba Pinochet, la compañía de cobre propiedad del Estado siguió estando en el sector público.

[33] Dado que los precios nominales para los bienes y servicios internos son rígidos hacia abajo, toda modificación de los precios relativos implica un cambio de los precios absolutos.

[34] Las comparaciones internacionales de las tasas de inflación casi siempre excluyen a Cuba, en parte por falta de datos y en parte porque la mayoría de los mercados de Cuba no se compensan por medio de ajustes de precios.

los países tenían un déficit superior a 5% del PIB, mientras que sólo Chile y Venezuela tenían un excedente presupuestal. Los déficit del sector público, que incluían las pérdidas de las EPE y los déficit de las administraciones municipales y estatales, solían ser aún mayores que los del gobierno central.[35] Como los mercados internos de capitales en muchas repúblicas se mostraban renuentes o incapaces de aceptar grandes emisiones de papel moneda, las consecuencias inflacionarias de los déficit presupuestales, aunque fueran modestos, podían ser considerables.

El ajuste externo provocó un gran recorte de las importaciones y recesión interna, con graves implicaciones sobre el ingreso gubernamental. Los países pequeños, que aún dependían de los derechos de importación para obtener una gran parte del ingreso del gobierno, sufrieron especialmente por el descenso de las importaciones. Aunque al principio se elevaron las tasas arancelarias en diversas naciones, esto no pudo compensar la repercusión de la marcada baja del valor y el volumen de las importaciones. La recesión lanzó a muchas empresas y trabajadores del sector formal al informal, lo que hizo aún más difícil para el Estado obtener ingresos directos e indirectos por los impuestos sobre la producción y distribución de bienes.[36] Al mismo tiempo, los incentivos planeados para alentar el paso de la oferta del mercado interno al mundial implicaron muchas veces una reducción impositiva para los exportadores. No es sorprendente que el ingreso del gobierno central como proporción del PIB cayera en la mayoría de los países durante los primeros años de la crisis.

Aunque se efectuaron recortes al gasto público como resultado de incontables problemas de estabilización, la dificultad para aumentar los ingresos después de la crisis de la deuda hizo que casi en ningún lugar se lograra generar un excedente de productos primarios de las dimensiones requeridas para financiar, con sus ingresos, la compra de divisas al sector privado para el servicio de la deuda.[37] Además, muchas repúblicas aplicaron un sistema de tipo de cambio múltiple en el que el sector público podía "comprar" divisas extranjeras a un precio especial, lo que implicaba enormes pérdidas cambiarias para el banco central.[38] En general, estas pérdidas no entraron en la definición del déficit presupuestal, por lo que éste produjo a menudo una impresión engañosa de ortodoxia fiscal y monetaria.

Muchos países simplemente imprimieron billetes con objeto de comprar las divisas necesarias para el servicio de la deuda. Sin embargo, los más

---

[35] Véase Larraín y Selowsky (1991), cuadro 8.1.

[36] Véase Cardoso y Helwege (1992), pp. 231-236.

[37] El balance del presupuesto primario se calcula antes de deducir los pagos de intereses. Por ello se necesita un excedente primario si se quiere evitar un déficit presupuestal general.

[38] Un buen ejemplo lo ofrece Costa Rica, donde el tipo de cambio oficial (utilizado por el gobierno para los pagos de la deuda) siguió en 20 colones por dólar después de 1982, pero los tipos interbancario y del mercado libre continuaron depreciándose. Véase Consejo Monetario Centroamericano (1991), p. 38.

grandes (Argentina, Brasil y México) lograron emitir bonos u otros instrumentos financieros para el sector privado como medio de efectuar la transferencia interna. Aunque en teoría esto no fuera inflacionario, en la práctica tuvo graves consecuencias en ese sentido. En primer lugar, hubo que aumentar mucho la tasa de interés interno nominal y real, para convencer al sector privado interno de que absorbiera la deuda del gobierno. En segundo lugar, la propia deuda era sumamente líquida (sobre todo en Brasil), por lo cual de hecho era cuasidinero. Por último, la deuda interna aumentó con tal rapidez que los pagos de interés nominal empezaron a absorber una proporción creciente del ingreso del gobierno, socavando la balanza financiera del sector público. Argentina y Brasil acabarían declarando un incumplimiento parcial de su deuda interna, lo que destruyó temporalmente la confianza del sector privado en el mercado de capitales interno y elevó el costo de los futuros préstamos para el gobierno.[39]

A mediados de los ochenta la inflación en casi todos los países era considerablemente mayor de lo que había sido antes de la crisis de la deuda. Al acelerarse la inflación se vio con claridad que el déficit presupuestal y la tasa de inflación eran interdependientes. Aunque no puede negarse la afirmación ortodoxa de que los grandes déficit presupuestales producen inflación, también fue cierto que la aceleración de ésta provocó la expansión del déficit presupuestal, al menos expresado en términos nominales.

Hubo varias explicaciones de la relación causal entre la inflación acelerada y las dimensiones del déficit presupuestal nominal. En primer lugar, el gasto nominal solía aumentar con mayor rapidez que el ingreso nominal. Para muchos gobiernos fue extremadamente difícil recortar el gasto público, ya que gran parte de éste consistía en sueldos y salarios (incluidos los de las fuerzas armadas) y en pagos de intereses por la deuda externa e interna. En segundo lugar, el ingreso gubernamental real fue socavado por la capacidad del público de aplazar los pagos en un contexto de creciente inflación (el efecto Oliveira-Tanzi).[40] En tercer lugar, hubo que elevar las tasas de interés interno real para convencer al público de que conservara la deuda gubernamental en un ambiente de riesgo creciente. Al mismo tiempo que aceleraba la inflación, esto implicó un aumento cada vez más rápido de las tasas de interés nominales, por lo que el ritmo de crecimiento de los pagos del servicio de la deuda interna superó el incremento de los ingresos nominales.

Algunos gobiernos llegaron aún más lejos, arguyendo que la situación fiscal sólo podía medirse por el déficit real, es decir, el déficit financiero nominal ajustado para la inflación. Esto incluía ajustes no sólo para los pagos de interés real sobre el valor real de la deuda interna y externa, sino también para el impuesto inflacionario: la depreciación del valor real del dinero como

---

[39] Estos incumplimientos parciales de Argentina y Brasil se analizan en Welch (1993).
[40] El efecto Oliveira-Tanzi se describe con más detalle en Cukierman (1988), pp. 49-53.

resultado de la inflación.[41] Dado que el impuesto inflacionario solía producir abundantes recursos, los gobiernos pudieron afirmar que la política fiscal era estricta cuando otros indicadores parecían revelar que era laxa. Por ejemplo, México acumuló un excedente financiero real en 1982 como resultado, ante todo, del efecto del impuesto inflacionario en la medición del déficit real, en un momento en que tanto la balanza primaria como la balanza financiera nominal estaban en déficit.[42]

Aunque la medición de la posición fiscal con una inflación acelerada estuviese plagada de problemas, pocos economistas estaban convencidos de la conveniencia de abandonar los indicadores usuales. Además, el rendimiento del impuesto inflacionario resultó una ventaja cada vez menor para los gobiernos, al ir reduciéndose la base fiscal (el valor real de los haberes de dinero). Durante los ochenta, tras la crisis de la deuda, la razón del activo circulante (M1) al PIB se redujo en casi todos los países de alta inflación, cuando el sector privado aprendió a economizar sobre sus balances de dinero y encontró otras fuentes de liquidez (a menudo el dólar). Por ejemplo, en Brasil la razón se redujo a 3.9% en 1985, comparada con 21% en Venezuela, país de baja inflación.[43]

En unas cuantas repúblicas la no adopción de programas apropiados de estabilización y ajuste como respuesta a la crisis de la deuda ocasionó la hiperinflación, habitualmente definida como una tasa mensual superior a 50%. A finales de 1984 Bolivia sólo estaba cubriendo 2% del gasto gubernamental con ingresos fiscales, y la tasa de inflación de 1985 superó 8 000%.[44] Hasta esta cifra extraordinaria fue rebasada por Nicaragua en 1988, cuando se dio absoluta prioridad a los gastos de la defensa, y la impresión de billetes llevó la inflación a más de 33 000%, una de las más altas tasas jamás registradas en América Latina. Los últimos meses del gobierno de García en Perú (1985-1990) estuvieron empañados por una situación similar, cuando el temor a la moneda local y los enormes déficit fiscales llevaron la inflación por encima de 7 000% en 1990. Argentina y Brasil, oculta la verdadera dimensión de sus déficit fiscales gracias a una creativa contabilidad en todos los niveles del gobierno, cayeron en la hiperinflación en diversos momentos; los gobiernos de ambas naciones, a comienzos de los ochenta, se resistían a dar prioridad a la lucha contra la inflación.[45]

El ajuste interno exigió la adopción de programas de estabilización en toda América Latina. Dado que la reprogramación de la deuda en general

[41] La inflación se analiza en Cardoso y Helwege (1992), pp. 150-154. Otros conceptos del déficit presupuestal real se analizan en Buiter (1983).

[42] Véase Ros (1987), cuadro 4.6, p. 83.

[43] Con la aceleración de la tasa de inflación en Venezuela, a finales de los ochenta, la proporción monetaria cayó marcadamente.

[44] Morales (1988) contiene una buena descripción del episodio hiperinflacionario y del ulterior programa de estabilización.

[45] Véanse los capítulos sobre Argentina y Brasil en Bruno, Fischer, Helpman y Liviatan (1991).

sólo era posible si un país había firmado un acuerdo con el FMI, esta institución pasó a desempeñar un papel clave en la planeación y aplicación de la primera oleada de programas de estabilización de la década de 1980. Sólo cinco países evitaron someterse a las condiciones del FMI durante esta primera oleada: Cuba (que no era miembro del FMI), Nicaragua (a la que se negó el apoyo del FMI, por presión de Estados Unidos), Colombia (que nunca reprogramó), y Paraguay y Venezuela (donde no se necesitó el apoyo del FMI a la balanza de pagos).

La gran participación del FMI en la planeación de programas de estabilización implicó que la política económica, al principio, fuera ortodoxa. Aunque el FMI seguía a favor de la devaluación de la moneda, la liberalización financiera y el control del crédito interno, los programas inspirados por esa institución destacaban la necesidad de reducir el déficit fiscal mediante aumentos de los ingresos y recortes de los gastos. El llamado a una disciplina fiscal se vio reforzado en varias naciones por acuerdos sobre un ajuste estructural con el Banco Mundial, y sobre reducción de actividades en el sector público con la USAID.

La necesidad de reducir el gasto público se vio frustrada por la creciente proporción del ingreso público absorbida por el pago de intereses de la deuda (interna y externa), y la renuencia de los gobiernos a recortar demasiado drásticamente la cuenta de salarios del sector público. Por ello la carga del ajuste cayó desproporcionadamente sobre el capital más que sobre el gasto corriente; la participación de la inversión en el total de gastos públicos se redujo durante los ochenta en casi toda América Latina. Las obras públicas, la salud y la educación padecieron el efecto de los recortes.

Los recortes al gasto público no bastaron para restaurar la disciplina fiscal. De hecho, el crecimiento del pago de intereses por la deuda (interna y externa) hizo que en muchos países el gasto público total siguiera ascendiendo como proporción del PIB pese a los recortes al gasto gubernamental. En Brasil el gasto total del gobierno central brincó de 27% del PIB en 1981 a 51% en 1985.[46] Aun en México, donde se aplicó con más convicción la austeridad fiscal, creció de 21% en 1981 a 31% en 1987. En ambos casos la explicación se encuentra en el aumento desproporcionadamente rápido de los pagos de intereses, que en 1987 absorbían más de 50% del gasto total del gobierno central mexicano, en comparación con menos de 10% en 1980.[47]

Por consiguiente, los programas ortodoxos de estabilización tuvieron que abocarse al lado del ingreso de la ecuación. Pero las circunstancias no podían ser menos favorables. A partir de 1981 la recesión y el refugio en el sector informal dificultaron la recaudación de impuestos, y el ajuste externo exigió numerosas concesiones fiscales para estimular las exportaciones. Por ello no era probable que tuviera mucho éxito una política de aumento de las

---

[46] Véase IDB (1991), cuadro C-2, p. 284.
[47] Véase IDB (1991), cuadro C-17, p. 292.

tasas impositivas (directas e indirectas), y la primera oleada de programas de estabilización —con bastante insistencia del FMI— subrayaba en general la necesidad de elevar los derechos por todos los servicios prestados por el sector público para reducir las pérdidas de las EPE.

Al aumentar la rentabilidad del momento o prevista de las EPE después de estas alzas de precios, se volvió más realista la posibilidad de vender activos del sector público al sector privado (privatización). Sin embargo, pese a la presión del FMI, sólo Chile —poniendo en práctica la política adoptada a partir de 1973— usó a fondo la privatización como solución al problema fiscal en la primera mitad de los ochenta. En otras naciones los gobiernos al principio no se dejaron convencer, ya fuese porque temían que los activos del sector público sólo pudieran venderse al sector privado a unos precios que no reflejaran su actual valor descontado, o porque temían el daño que pudiera causarse al crecimiento a largo plazo por la desinversión del sector público. No obstante, como la crisis fiscal continuaba y llegó a ser evidente que los préstamos externos a las EPE seguirían estando restringidos, otros gobiernos se volcaron a la privatización, por lo que a principios de los noventa la venta de activos del sector público estaba contribuyendo al ingreso fiscal en todas las repúblicas.

La primera oleada de programas de estabilización después de la crisis de la deuda no tuvo mucho éxito. Pese al papel preponderante del FMI y a las condiciones que impuso a los préstamos, a partir de 1981 la inflación se aceleró en casi todas las repúblicas. La incapacidad de alcanzar las metas fijadas hizo que el FMI suspendiera muchos de sus acuerdos y diera nuevas facilidades de financiamiento. Brasil firmó siete cartas de intención con el FMI en unos pocos años, y a menudo le resultaba imposible cumplir con sus metas antes incluso de la primera remesa de fondos.[48]

El FMI culpaba a los gobiernos de falta de disciplina fiscal y monetaria, pero era evidente que el problema tenía raíces más profundas. De los 14 países que sufrieron desequilibrio interno e inflación antes de la crisis de la deuda, sólo uno (Costa Rica) había logrado hacer progresos en el camino de la estabilización a mediados de los ochenta.[49] El golpe que la crisis de la deuda asestó a la estabilidad interna fue en general demasiado grave para poder tratarlo dentro del marco de un programa de estabilización ortodoxo inspirado por el FMI, porque el problema heredado de la inestabilidad ya era excesivamente agudo. Hasta algunos de los países que habían logrado evitar un severo desequilibrio interno antes de 1982 (por ejemplo, República Dominicana, Guatemala y Honduras) fueron incapaces de realizar los ajustes internos necesarios después de la crisis de la deuda.

Cuando se pusieron de manifiesto las limitaciones de una respuesta ortodoxa, aumentó el interés por los programas heterodoxos de estabilización. Empezó a aceptarse una nueva teoría de la inflación que destacaba su carác-

---

[48] Véase Dias Carneiro (1987), pp. 48-58.
[49] Véase Bulmer-Thomas (1987), pp. 244-252.

ter inercial y proponía una reducción coordinada de precios con objeto de reducir las expectativas inflacionarias.[50] El enfoque ortodoxo fue criticado por depender con ese fin de las fuerzas del mercado, en un ambiente en el que las expectativas inflacionarias eran corroboradas por la devaluación del tipo de cambio, los aumentos en la tasa de interés nominal y la elevación de las tarifas del sector público. La tasa de inflación sin un anclaje nominal, según el enfoque ortodoxo, fácilmente podría ascender pese a la recesión y a las severas políticas fiscales y monetarias.

Durante la segunda mitad de los ochenta en buen número de repúblicas latinoamericanas adoptaron programas heterodoxos de estabilización. Un elemento central de los mismos fue un marcado cambio inicial de los precios relativos para suprimir distorsiones, seguido por una congelación de ciertos precios (incluidas las tasas nominales de salarios), para reducir las expectativas inflacionarias. Con unas cuantas excepciones se puso fin al difundido uso de la indización en los países de inflación alta. Al reducirse la inflación se esperaba que el efecto Oliveira-Tanzi empezaría a actuar en reversa, aumentando el ingreso fiscal real y promoviendo el incremento del balance de dinero real (y los ahorros del sector privado). Los creadores de los programas reconocieron que no podía esperarse que la congelación de precios durara para siempre. Un tipo de cambio congelado produciría sobrevaluación de la moneda, los salarios nominales fijos provocarían la caída de los salarios reales y el control de precios haría surgir nuevas distorsiones, pero se supuso que cuando se abandonaran los precios congelados las expectativas inflacionarias habrían bajado de manera permanente.[51]

Los programas heterodoxos de estabilización no carecieron de éxitos. La hiperinflación de Bolivia se detuvo en seco en 1985, tras la adopción de un programa que congelaba los salarios, reformaba por completo el sistema fiscal y liberaba el mercado de divisas.[52] El programa mexicano, lanzado en diciembre de 1987, con un acuerdo tripartito entre las empresas, los sindicatos y el gobierno, también redujo prontamente la inflación; el tipo de cambio controlado desempeñó un papel decisivo para reducir las expectativas inflacionarias. Al bajar la inflación también descendieron las tasas de interés nominales y se hizo más tolerable la carga fiscal implícita en los altos niveles de servicio de la deuda.[53] En Nicaragua la hiperinflación fue detenida en 1991, tras la adopción de un tipo de cambio fijo y una rigurosa política monetaria, así como gracias al acceso a la ayuda exterior en apoyo de importaciones adicionales.[54]

[50] Sobre la inflación inercial, véase Amadeo *et al.* (1990).

[51] Puede encontrarse un buen tratamiento analítico de los programas heterodoxos de estabilización en Alberro (1987).

[52] Véase Pastor (1991). Hay cierta discrepancia sobre si el programa boliviano en realidad fue heterodoxo.

[53] Existe buen número de atinadas descripciones del programa de estabilización de México. Por ejemplo, véase Ortiz (1991).

[54] Véase IDB (1992), pp. 140-141.

Los programas heterodoxos de Bolivia, México y Nicaragua no dejaron de incluir la necesidad de la disciplina fiscal. Por ello se combinaron en una juiciosa mezcla medidas heterodoxas con políticas ortodoxas. En contraste, los programas heterodoxos lanzados en Argentina en 1985 (el Plan Austral)[55] y por Brasil en 1986 (el Plan Cruzado)[56] fueron notables por la falta de una política fiscal estricta. Al principio la tasa de inflación cayó rápidamente en respuesta a la congelación de precios y a la fijación del tipo de cambio, pero la demanda nominal agregada continuó superando la oferta disponible, y pronto resurgieron las presiones inflacionarias. Al reaparecer las distorsiones en los precios relativos hubo que quitar los controles de precios antes de poder restaurar la disciplina fiscal. El resultado fue una explosión inflacionaria que pronto sobrepasó la tasa previa a la implantación de esos programas.[57]

El fracaso de los programas heterodoxos de Argentina y Brasil no condujo, al principio, al regreso a la ortodoxia. Por el contrario, los gobiernos de ambos países se mostraron dispuestos incluso a congelar los activos financieros internos, en un esfuerzo desesperado por controlar la inflación y, a la vez, el déficit presupuestal. No obstante, a comienzos de los noventa, tras una década de fallidos programas de estabilización, finalmente se reconoció la necesidad de combinar medidas fiscales ortodoxas (incluida la privatización) con otras heterodoxas.

El primer país en obtener los resultados del nuevo enfoque fue Argentina. La Ley de Convertibilidad en 1991 introdujo una virtual comisión monetaria mediante la cual la moneda nacional de ahí en adelante dependió del dólar estadunidense, y la base monetaria fue apoyada por reservas de divisas extranjeras. La inflación había descendido a niveles insignificantes en unos cuantos años, y al final del decenio era negativa (es decir, los precios habían caído).[58] Brasil adoptó el plan Real a mediados de 1994, lo que le permitió disminuir la inflación anual a 2.5% en 1998. Cuando la moneda fue agudamente devaluada a comienzos de 1999, todo el mundo creyó que la inflación regresaría. Sin embargo, esto no sucedió y aquélla ha seguido controlada.[59]

La política monetaria, que se ha transformado en América Latina desde que se inició el decenio de 1980, merece mucho crédito por haber reducido la inflación. Los bancos centrales se han vuelto mucho más autónomos (por ejemplo, Brasil) y algunos han logrado su completa independencia (como México). Las regulaciones de los sistemas bancarios se han mejorado, y la llegada de los bancos extranjeros ha aumentado la eficiencia, aunque la com-

[55] Sobre el Plan Austral, véase Machinea y Fanelli (1988), pp. 111-152.
[56] Sobre el Plan Cruzado, véase Modiano (1988), pp. 215-258.
[57] Véase Cardoso (1991), pp. 143-177.
[58] Sin embargo, la inflación regresó en 2002 por la devaluación de la moneda que siguió a la falta de pago de la deuda a fines de 2001.
[59] Véase Ferreira y Tullio (2002).

petencia sigue siendo limitada. La capacidad del sector público para monetizar los déficit fiscales ha sido severamente reducida. El resultado, como se observa en la sección siguiente, ha sido una gran caída de las tasas de inflación de América Latina, como no se había visto en decenios. En efecto, fue tal el mejoramiento de la calidad y la credibilidad de la política monetaria que la devaluación del tipo de cambio nominal ya no sirve como guía del índice de inflación.[60]

La debilidad más seria de la política monetaria es que no ha reducido el costo real de los préstamos. En parte, esto se debe a la superficialidad de los mercados financieros, pero también a la creciente desproporción que hay entre las tasas del dinero prestado y del que se pide. En realidad, es bien sabido que la tasa real del dinero pedido es de más de 10%. En primer lugar, la culpa de esto es la falta de competencia en los mercados financieros, y ésta no se ha superado mediante la liberalización de las cuentas de capital de la balanza de pagos. En la práctica, sólo las empresas más grandes de la región han tenido acceso al mercado internacional de capitales, de modo que a las empresas pequeñas y medianas (EPM) se les han limitado los préstamos al mercado nacional, y las elevadas tasas las han perjudicado.

Este estado de cosas nada satisfactorio se debe particularmente a que las instituciones financieras se han convertido en grandes acreedoras del sector público y no dependen tanto del sector privado. Los bonos en moneda extranjera suelen ser controlados por agentes nacionales, y éstos son principalmente los bancos. En consecuencia, los bancos son los que se benefician con la prima por riesgo, y también son éstos los que con toda probabilidad controlan la deuda en moneda nacional emitida por los gobiernos.

Las elevadas tasas de interés sobre la deuda pública impidieron a los gobiernos eliminar los déficit fiscales. Esto dio la impresión de que la política fiscal no mejoró después de la crisis de la deuda. De hecho, así fue, pero es necesario distinguir entre balance primario (pagos de interés neto) y balance nominal. En la mayoría de los países el balance primario pasó a los superávit al aumentar los impuestos, reducir los gastos de defensa y eliminar los subsidios a las EPE. Las consideraciones de equidad fueron sacrificadas en gran parte, en un intento de aumentar los ingresos haciendo hincapié en los impuestos a las ventas de base amplia, particularmente en los impuestos al valor agregado. Y los países de gobierno federal, como Brasil, han hecho serios esfuerzos por controlar los gastos de los gobiernos provinciales. Sin embargo, el pago de intereses de la deuda pública —tanto nacional como extranjera— siguió minando las finanzas públicas ocasionando déficit nominales que a veces eran importantes, aunque la balanza primaria tuviera superávit.

La tacañería de la política fiscal, en términos de estabilidad macroeconómica, se aproxima mucho más a la balanza primaria que a la nominal.

---

[60] Esto lo ilustra Brasil, cuya inflación anual se mantuvo por debajo de 10% pese a la devaluación nominal generalizada después de enero de 1999.

Así, la política fiscal fue restrictiva en muchos países al costo de baja inversión y también a expensas del gasto social. Apuntando al gasto social en los grupos de ingresos bajos, fue promovida sobre todo por el Banco Mundial, se hizo más popular y disfrutó de algunos éxitos, principalmente en Chile. Sin embargo, el efecto del gasto social casi nunca mejoró la distribución del ingreso.[61]

Las razones de esto han sido complejas, pero destacan dos. En primer lugar, el gasto de la educación en las universidades —una gran parte del total— favoreció a los deciles medio y superior en la distribución del ingreso. En segundo lugar, los gastos del Estado en cuanto a pensiones en América Latina fueron abrumadoramente para las clases medias más que para las pobres. Aunque muchos gobiernos han privatizado —en todo o en parte— sus sistemas de pensiones, pasará mucho tiempo antes de que las pérdidas del Estado terminen, ya que los trabajadores más viejos permanecen en el sistema estatal y continuarán beneficiándose hasta que mueran.[62]

Aunque se ha hecho algo semejante a un consenso en relación con la política fiscal y monetaria desde la crisis de la deuda en América Latina, no se podría decir lo mismo en cuanto a la política del tipo de cambio. Todos los países latinoamericanos (excepto Panamá, que se dolarizó), en el decenio de 1980 y en los comienzos del de 1990, devaluaron su moneda en un esfuerzo por ajustar el sector externo tanto para la creación de recursos para el servicio de la deuda como para promover las exportaciones. Sin embargo, ahí terminó la semejanza. Un grupo, encabezado por Argentina, se encaminó decididamente a establecer una paridad fija y, *de facto*, a la dolarización. Otro grupo, dirigido por Chile, adoptó un tipo fijo pero con deslizamiento cuya meta era un tipo de cambio real. Mientras tanto, un tercer grupo, a la cabeza del cual estuvo México después de 1994 y al que en 1999 se unió Brasil, optó por la flexibilidad en el tipo de cambio.

Inicialmente el primer grupo tuvo un gran éxito. La inflación descendió a niveles internacionales, y la siguió un aumento financiero. Sin embargo, la prima por riesgo no desapareció, y siguió una brecha entre las tasas de interés nacional y extranjera. En consecuencia, la lógica de este grupo ha sido dirigirse *de jure* hacia la dolarización, con Ecuador y El Salvador unidos a Panamá.

Argentina pareció estar actuando en este sentido con casi 70% de los depósitos bancarios en dólares en el cuarto trimestre de 2001. No obstante, el incumplimiento en la deuda externa a fines de 2001 desencadenó una devaluación de la moneda y un periodo difícil de *pesoificación* en 2002, mientras el gobierno luchaba por revertir la dolarización del decenio de 1990.

El segundo grupo también obtuvo al principio buenos resultados en su intento. Pero las dificultades de atraer capital foráneo después de la crisis fi-

---

[61] Véanse varios estudios de caso en Lustig (1995).
[62] Para un estudio de caso en Chile, véase Scott (1996).

nanciera en Asia ocasionó la desaparición de las restricciones al ingreso de capital extranjero y se prefirió la total flexibilidad monetaria. Únicamente los países más pequeños, como Costa Rica, fueron capaces de perseverar en su afán de establecer un tipo de cambio real. Otros países, incluyendo a Chile y Colombia, se unieron efectivamente al tercer grupo al acercarse a su fin el decenio de 1990.

De esta manera, América Latina se vio dividida en dos bandos en la política del tipo de cambio. En el grupo del tipo de cambio fijo, el paso lógico pareció ser la dolarización, por lo menos una unión monetaria basada en una moneda regional. En el otro grupo, la dolarización formal se consideró cada vez más improbable, aunque el dólar solía utilizarse al evaluar los haberes.

EL CRECIMIENTO, LA EQUIDAD Y LA INFLACIÓN
DESDE LA CRISIS DE LA DEUDA

A esta distancia no es fácil juzgar la situación económica de América Latina desde la crisis de la deuda. Por ejemplo, hay un agudo contraste entre el ajuste del decenio de 1980, la recuperación del de 1990 y el estancamiento al comienzo del nuevo milenio. No obstante, surgen con claridad ciertas pautas.

La tasa de crecimiento del PIB per cápita desde 1981 —el año anterior al estallamiento de la crisis— se muestra en el cuadro XI.4; el resultado no es impresionante. En la primera década, el PIB per cápita en la región cayó en total 0.9% a tasa anual, y sólo cuatro países —tres, si se excluye el caso especial de Cuba— obtuvieron una tasa positiva de crecimiento.[63] Puede afirmarse que el desempeño a largo plazo no debería juzgarse basándose en el decenio de 1980, ya que éste fue un periodo de ajustes a los excesos de ISI y de la crisis de la deuda. Sin embargo, incluso si el análisis se limita al periodo transcurrido desde 1990, los resultados siguen decepcionando, con una baja tasa anual de crecimiento del PIB per cápita (1.2%) para la región en conjunto.

Desde la crisis de la deuda sólo un país (Chile) ha sido capaz inequívocamente de superar su desempeño durante la fase del desarrollo hacia adentro desde 1959 hasta 1980, aunque la República Dominicana (véase el cuadro XI.4) a partir de 1990 ha obtenido resultados muy verosímiles en cuanto al PIB per cápita (3.8% de aumento anual). Argentina mejoró su tasa de crecimiento a largo plazo del PIB per cápita real en la década de 1990, pero esto fue socavado por una profunda recesión después de 1998, que duró cuatro años. Los demás casos de crecimiento superior todos son más bien desacostumbrados. Por ejemplo, El Salvador creció rápidamente en parte del decenio de

[63] En la década de 1980, Cuba seguía beneficiándose de los subsidios que recibía del bloque soviético, por lo cual quedó a salvo de los efectos de la crisis de la deuda. Véase Mesa-Lago (2000), tercera parte.

CUADRO XI.4. *Crecimiento del PIB per cápita*
(en dólares y a precios de 1995), 1981-2001

País	1981-1990	1991-2001
Argentina	–2.1	2.1
Bolivia	–1.9	1.0
Brasil	–0.4	1.1
Chile	1.4	4.2
Colombia	1.6	0.6
Costa Rica	–0.7	1.8
Cuba	2.8	–1.6
Ecuador	–0.9	–0.1
El Salvador	–1.5	2.0
Guatemala	–1.6	1.2
Haití	–2.9	–2.8
Honduras	–0.8	0.3
México	–0.2	1.5
Nicaragua	–4.1	0.5
Panamá	–0.7	2.4
Paraguay	0	–0.9
Perú	–3.3	1.8
República Dominicana	0.2	3.8
Uruguay	–0.6	1.8
Venezuela	–3.2	0.3
América Latina	–0.9	1.2

FUENTE: ECLAC (2001), pp. 740-741.

1990; sin embargo, esto sucedió tras una larga guerra civil y la tasa de crecimiento fue influida en forma profunda por las remesas enviadas por quienes habían dejado el país para vivir en los Estados Unidos.[64]

El desempeño de México ha sido una ilustración de los costos y los beneficios de la globalización. Siendo uno de los primeros en hacer ajustes, México también se apresuró a liberalizar sus cuentas corriente y de capital con objeto de integrar su economía al espacio económico de Norteamérica.[65] Aunque su desempeño pudo ser perjudicado por errores internos, como el excesivo aumento de la deuda a principios del decenio de 1990, la tendencia a largo plazo cada vez más clara era a depender más y más del mercado estadunidense.

Cuando la economía de los Estados Unidos estaba en auge, México obtu-

[64] Acerca de los grupos de la economía salvadoreña después de la guerra civil, véase Segovia (2002).

[65] En cuanto a la integración de México a la esfera económica de los Estados Unidos, véase FitzGerald (2001).

vo generosos beneficios. El crecimiento significó exportar, y la expansión de esta actividad dio lugar a un auge en otras ramas de la economía pese a sus débiles y anticuados nexos con la industria maquiladora de la frontera del Norte. La economía se hizo menos dependiente del petróleo, y la exportación de manufacturas se fue liberando de la industria ensambladora. Sin embargo, México cayó en una recesión tan pronto como la economía estadunidense aminoró el ritmo. Con 25% de su PIB en exportaciones, y 85% de esa proporción que iba a los Estados Unidos, quizá esto fuera inevitable.

La actuación de Argentina ha sido un ejemplo de los peligros de las políticas incongruentes. De acuerdo con muchos criterios, en la década de 1990 Argentina tenía la economía más neoliberal de toda América Latina, con extendida privatización, completa liberalización de las cuentas de capital y en buena medida liberalización del comercio. Sin embargo, la política del tipo de cambio, con la cual la moneda del país quedó dependiendo del dólar estadunidense bajo un virtual régimen de consejo monetario, impuso al gobierno unas obligaciones fiscales que nunca fueron respetadas por completo. El resultado fue una falta de disciplina fiscal que ocasionó un enorme aumento de la deuda externa. Mientras la economía creció rápidamente, el problema de la deuda pudo contenerse. No obstante, se volvió insostenible cuando el crecimiento se detuvo a partir de 1998, y las autoridades no tuvieron a su disposición ningún instrumento para estimular la economía.[66]

La otra gran decepción ha sido Brasil. Con la mayor economía de la región, una y otra vez Brasil no logró alcanzar todo su potencial. Los ajustes y la liberalización fueron aplazados hasta el decenio de 1990, de modo que éste podría ser un severo juicio prematuro. Sin embargo, las responsabilidades fiscal y monetaria mayores, la baja inflación, la liberalización comercial y financiera y la promoción de las IED aún no han dado a Brasil la capacidad de cambiar a una superior tasa de crecimiento sostenible a largo plazo.

Los obstáculos que impiden la agilización del crecimiento en Brasil son numerosos. La tasa de inversiones ha sido reprimida, por lo escaso de los ahorros nacionales, lo mismo que en otras partes de América Latina y a diferencia de Asia; no se puede confiar en que el capital extranjero cierre la brecha. Las elevadas tasas de interés reales desalientan los préstamos que el sector privado pudiera solicitar con propósitos productivos. Las exportaciones no han respondido a la devaluación y siguen representando menos de 10% del PIB (comparado con más de 20% en China a fines del decenio de 1990). La desigualdad del ingreso en Brasil, una de las peores del mundo, también sirve de freno en su desempeño económico, aunque éste es más controvertido. Cuando menos, Brasil no disfruta de beneficios tales como altas tasas de ahorro que se supone van juntas con la desigual distribución del ingreso.

La transición, apartándose de la ISI, podría necesitar más atención al co-

---

[66] Véase Mussa (2002).

mercio exterior, con globalización o sin ella. La razón es que América Latina vio descender en forma constante su participación en el comercio mundial desde 1950, hasta el punto en que alcanzó la friolera de 3.5% en 1980 (mucho menos del porcentaje con que contribuye a la población mundial). Aunque algo de este descenso podría atribuirse a una especialización en productos primarios en una época en la que el comercio de éstos estaba creciendo menos rápido que el comercio total, también se debió a la implacable tendencia antiexportadora además del modelo de desarrollo hacia dentro.

La estrategia para dar marcha atrás a la disminución del porcentaje de participación en el mercado mundial ha tenido dos componentes. El primero ha sido la mayor atención que se ha prestado al sector exportador mediante políticas elaboradas para favorecer los bienes industrializados en lugar de los no industrializados y dentro de los comerciables para favorecer los exportables sobre los importables. El segundo es el deseo de diversificar las exportaciones de productos primarios en favor de bienes manufacturados y hasta servicios. En conjunto, para América Latina los resultados a primera vista parecen impresionantes, pero están profundamente influidos por México. En consecuencia, la participación de las exportaciones mundiales en realidad ha aumentado desde mediados del decenio de 1980, pero esto se debe sobre todo al auge exportador mexicano. Para el año 2000, México ya sumaba la mitad de todas las exportaciones de América Latina. Excluyendo a México, los logros de la región han sido mucho menos satisfactorios, aunque algunos países pequeños —sobre todo Chile, pero también Costa Rica— sí aumentaron su participación en el mercado mundial.[67]

La suma agregada de cantidades de los países latinoamericanos siempre ha sido muy influida por Brasil, y el comercio no es la excepción. Por tanto, el pobre desempeño latinoamericano (excluyendo a México) refleja la falta de dinamismo en el sector de exportaciones brasileño. Todo esto ha sido muy extraño en vista del aumento en la competitividad exportadora desde la devaluación de enero de 1999. Las autoridades brasileñas tendían a culpar al proteccionismo agrícola de los países ricos por este triste estado de cosas, pero en verdad el asunto es más complejo.

La diversificación de las exportaciones apartándose de los productos primarios ha sido más alentadora. De nueva cuenta los resultados han sido sumamente influidos por México, pero esta vez los reforzó Brasil. La diversificación ha tenido varias causas: en los países pequeños ha sido impulsada por el crecimiento de la industria maquiladora. Por ejemplo, Haití tiene una de las proporciones más bajas de productos primarios en el total de exportaciones, y esto se debe por completo a las plantas ensambladoras que exportan manufacturas ligeras a los Estados Unidos. El establecimiento en Costa Rica de una fábrica de Intel de *chips* para computadora a fines del decenio de 1990 duplicó el valor bruto de las exportaciones en sólo dos años. En los

---

[67] Véase Steinfatt y Contreras (2001).

países más grandes también se reflejan las inversiones de las EMN como parte de la cadena de producción que eslabona subsidiarias por todo el mundo.

La integración regional también ha sido una causa importante de diversificación. La nueva fase de integración ha alentado la exportación de bienes manufacturados a los países vecinos. En efecto, pese a la falta de discriminación formal contra los productos agrícolas, casi todo el comercio intrarregional de América Latina se hace en manufacturas, y también una proporción creciente de este comercio intraindustrial. Sin embargo, el efecto de la integración regional podría parecer demasiado limitado, ya que cada programa —con la notable excepción del TLCAN— encontró dificultades para elevar la parte del comercio total que es comercio intrarregional. El punto máximo a que éste se elevó fue 20% en el Mercosur, 15% en el MCCA y 10% en la Comunidad Andina, lo mismo que en el Caricom.

Por lo general, en América Latina la equidad se mide en relación tanto con la pobreza como con la distribución del ingreso.[68] En este aspecto, mucho se esperó de este nuevo paradigma. Se afirmaba que el crecimiento de las exportaciones ocasionaría una concentración en las exportaciones intensivas en mano de obra, creando empleos que reducirían la pobreza y elevarían los salarios de los obreros no calificados, a fin de mejorar la distribución del ingreso. Disminuir la inflación eliminaría el impuesto inflacionario que cae con todo su peso sobre los pobres, y así se lograría un mejoramiento de la equidad. Por último, se esperaba que el objeto del gasto social tuviera el mismo efecto.[69]

Con tristeza se observa que los beneficios esperados en general no se han materializado. Como se muestra en el cuadro XI.5, la proporción de familias que viven en la pobreza creció en el decenio de 1980; en el de 1990 disminuyó, pero al comienzo del nuevo milenio sólo fue un regreso a donde se estaba en 1980. Puesto que el crecimiento demográfico ha continuado a lo largo de este periodo, muchos más latinoamericanos están viviendo en la pobreza que al comienzo de la crisis de la deuda.

La suposición de que las EMN mejorarían la equidad no estaba del todo equivocada. Eliminar el impuesto inflacionario tuvo un efecto positivo, como lo demostró la reducción de la pobreza en Brasil después de 1994. El objeto del gasto social también podría ser muy beneficioso, como se demostró en el caso de Chile en el decenio de 1990. Sin embargo, las exportaciones en general no fueron intensivas en mano de obra no calificada. Los productos primarios siguieron siendo intensivos en recursos naturales, y los bienes manufacturados casi siempre fueron intensivos en mano de obra calificada. El resultado fue un aumento real de los salarios de los trabajadores calificados, más bien que en los de los no calificados.

Ésta es una razón de por qué la distribución del ingreso no ha mejorado en América Latina. La región cayó en la crisis de la deuda con algunos de los

---

[68] Cada vez abunda más la bibliografía sobre el tema. Por ejemplo, véase Morley (1995), Bulmer-Thomas (1996), Berry (1998), Ganuza (2000) y Stallings (2000).

[69] Véase Morley (2000).

CUADRO XI.5. *Porcentaje de familias que viven por debajo de la línea de pobreza: 1980, 1990 y 2000*

País	ca. *1980*	ca. *1990*	ca. *2000*
Argentina	s/d	12	16
Bolivia	s/d	49	42
Brasil	39	41	30
Chile	s/d	33	18
Colombia	39	50	49
Costa Rica	22	24	18
Ecuador[a]	s/d	56	58
El Salvador	s/d	48[c]	44
Honduras	s/d	75	74
México	32	39	38
Nicaragua	s/d	68	65
Panamá	36	36	24
Paraguay[a]	s/d	42[d]	41
República Dominicana	s/d	s/d	32[b]
Uruguay[a]	9	12	6
Venezuela	22	34	44
América Latina	35	41	35

[a] Zona urbana.
[b] 1997.
[c] 1995.
[d] 1994.
FUENTES: 1980, dato de ECLAC (2001), pp. 64-65; 1990 y *ca.* 2000, de CEPAL (2001), pp. 221-222.

indicadores de desigualdad más altos del mundo, pero las EMN poco o nada hicieron para cambiar la situación. Chile, el nuevo país modelo de mayor éxito, logró una reducción en el coeficiente de Gini[70] en las zonas rurales en el decenio de 1990, pero padeció un aumento en las urbanas. A México le sucedió todo lo contrario. Brasil, el país con la distribución del ingreso más desigual en la región, vio cómo su coeficiente de Gini se elevaba así en las zonas urbanas como en las rurales en el decenio de 1990.[71]

El desempeño más impresionante de América Latina fue la estabilización de la inflación. Ésta ha sido una historia de buenos resultados sólo con menores reservas, tal como lo aclara el cuadro XI.6. Dada la larga historia de inflación crónica en muchos países antes de 1980, resulta aún tanto más notable. Además, como se ha dicho, el efecto de los programas de ajuste en la década de 1990 agravó al principio las presiones inflacionarias por el efecto

[70] El coeficiente de Gini es el instrumento más conocido para medir la distribución del ingreso; varía desde cero (igualdad total) hasta uno (desigualdad absoluta).
[71] Las cifras sobre el coeficiente de Gini de las zonas rurales y urbanas de latinoamérica se basan en CEPAL (2001), cuadros 23 y 24, pp. 237-239.

de la devaluación monetaria, los aumentos de los impuestos a las ventas y el fin de los subsidios sobre el nivel de precios.

La reducción en las tasas de inflación al comienzo del decenio de 1990 fue atribuible sobre todo a la revaluación del tipo de cambio real.[72] Los ingresos de capital dieron lugar a una sobrevaluación que redujo la inflación, pero al mismo tiempo dañó la competitividad externa. El ejemplo típico lo da Argentina, donde la tasa de inflación cayó de más de 50% mensual, a principios de 1991, a una tasa anual de 0.1% en 1996 (véase el cuadro XI.6). Sin embargo, el coste para Argentina por la pérdida de la competitividad fue alto. El tipo de cambio real se revaluó entre 30 y 50%, dependiendo del índice deflacionario de precios interno que se utilice.

Una baja de la inflación debida a la sobrevaluación monetaria no es sostenible. No obstante, las tasas de inflación siguieron siendo bajas, aunque los tipos de cambio reales se depreciaran. Las razones fueron tanto económicas como psicológicas. Austeras políticas fiscales y monetarias permitieron a las autoridades compensar la repercusión de la caída monetaria, mientras la liberalización del comercio rebajaba los aranceles y aumentaba la competencia en el sector de bienes comercializables. Reducir la inflación también tuvo un componente psicológico. Las expectativas inflacionarias fueron frustradas en la primera mitad de la década de 1990, lo que permitió a los gobiernos graduar la indización y hacer menos probable el regreso de la inflación.

Esta sección se ha concentrado en las tradicionales medidas del desempeño macroeconómico: crecimiento, equidad e inflación. No obstante, en los dos decenios posteriores a 1980 hubo un cambio importante en América Latina que consolidó una tendencia inicial comenzada desde antes. Ésta fue la transición demográfica, en la que el descenso de las tasas de defunción, comenzado en la década de 1920, finalmente fue igualado por una disminución de las tasas de nacimiento. En consecuencia, los principales países latinoamericanos se enfrentaron a un aumento anual más controlable, aunque varios de los países más pequeños como Nicaragua y Honduras siguieron en la primera fase de la transición demográfica (elevadas tasas de nacimientos y bajas tasas de defunciones).

AMÉRICA LATINA Y LA GLOBALIZACIÓN

América Latina comenzó el proceso de ajuste a la globalización a mediados del decenio de 1980. Los objetivos eran no sólo contrarrestar el efecto negativo de la crisis de la deuda sino también invertir su retirada de los mercados mundiales de productos y factores. Esta inversión había sido consecuencia de varias décadas de desarrollo hacia adentro junto con una creciente hostilidad a la inversión extranjera directa.[73]

[72] Véase Devlin, Ffrench-Davis y Griffith-Jones (1995).
[73] La bibliografía acerca de la globalización es abundante. Para un análisis, véase Stiglitz (2002).

CUADRO XI.6. *Variaciones en el índice de precios al consumidor (porcentajes)*

País	1993	1994	1995	1996	1997	1998	1999	2000
Argentina	7.4	3.9	1.6	0.1	0.3	0.7	−1.8	−0.7
Bolivia	9.3	8.5	12.6	7.9	6.7	4.4	3.1	3.4
Brasil	2 489.1	929.3	22.0	9.1	4.3	2.5	8.4	5.3
Chile	12.2	8.9	8.2	6.6	6.0	4.7	2.3	4.5
Colombia	22.6	22.6	19.5	21.6	17.7	16.7	9.2	8.8
Costa Rica	9.0	19.9	22.6	13.9	11.2	12.4	10.1	11.0
Ecuador	31.0	25.4	22.8	25.6	30.6	43.4	60.7	91.0
El Salvador	12.1	8.9	11.4	7.4	1.9	4.2	−1.0	4.3
Guatemala	11.6	11.6	8.6	10.9	7.1	7.5	4.9	5.8
Haití	44.4	32.2	24.8	14.7	15.6	7.5	9.7	19.0
Honduras	13.0	28.9	26.8	25.3	12.7	15.6	10.9	10.1
México	8.0	7.1	52.1	27.7	15.7	18.6	12.3	9.0
Nicaragua	19.5	14.4	11.1	12.1	7.3	18.5	7.2	9.9
Panamá	0.9	1.3	0.8	2.3	−0.5	1.4	1.5	0.7
Paraguay	20.4	18.3	10.5	8.2	6.2	14.6	5.4	8.6
Perú	39.5	15.4	10.2	11.8	6.5	6.0	3.7	3.7
República Dominicana	2.8	14.3	9.2	4.0	8.4	7.8	5.1	9.0
Uruguay	52.9	44.1	35.4	24.3	15.2	8.6	4.2	5.1
Venezuela	45.9	70.8	56.6	103.2	37.6	29.9	20.0	13.4
América Latina	876.6	333.1	25.8	18.2	10.4	10.3	9.5	8.7

FUENTE: ECLAC (2001), p. 743.

La meta de contrarrestar el efecto negativo de la crisis de la deuda sólo en parte se ha alcanzado. La región sí logró liberarse del exceso de deuda representado por préstamos de los bancos comerciales, pero al coste de un enorme aumento de la deuda en bonos. Esto se debió en parte al cambio de préstamos bancarios por bonos, según el Plan Brady, pero también tuvo mucho que ver la facilidad de obtener ayuda del mercado internacional de bonos en el decenio de 1990.

Los mercados de valores demostraron ser tan veleidosos como los acreedores comerciales. El capital fluyó en abundancia a Latinoamérica cuando la liquidez global era fuerte,[74] pero la afluencia resultó vulnerable a acontecimientos que la región no podía prever. La crisis financiera mexicana de 1994 afectó a toda Latinoamérica, aunque las circunstancias de otros países fueran muy distintas. La crisis financiera asiática de 1997 y el incumplimiento

[74] Véase Devlin, Ffrench-Davis y Griffith-Jones (1995).

ruso del siguiente año demostraron ser catalizadores de un aumento en las primas de riesgo en América Latina pese a la falta de sincronización en las economías reales de los mercados recientes. Por último, pero no por eso menos importante, el ataque terrorista a los Estados Unidos en septiembre de 2001 hizo que aumentara la aversión al peligro y una preferencia por la calidad, que inevitablemente afectaron a Latinoamérica.

Por tanto, los ajustes a la globalización no han terminado con los problemas de la deuda, aunque han adquirido nuevas formas. La deuda en el decenio de 1990 aumentó con mayor rapidez que el PIB nominal, lo que hizo aumentar la proporción deuda/PIB. De igual manera, el incremento del valor del dólar de las exportaciones fue insuficiente en muchos casos para reducir la proporción deuda/servicio (interés más amortización como parte de las exportaciones). Aumentó la tasa de ahorros nacional, pero la formación de capital también necesitaba aumentar, a causa de la falta de inversiones en el decenio de 1980. En consecuencia, la brecha entre los ahorros nacionales y la inversión siguió mostrando la necesidad de recursos extranjeros.[75]

El segundo objetivo —la integración a los mercados mundiales de productos y factores— también se alcanzó sólo en parte. Aumentó la participación del comercio (exportaciones más importaciones) en el crecimiento del PIB, pero esto sólo significa que el comercio estuvo creciendo más rápido que el PIB. Dados los prejuicios contra las exportaciones y las importaciones según la ISI, este aumento de la proporción comercial no fue sorprendente. Es más importante la participación de América Latina en las exportaciones mundiales.

Esta participación aumentó desde 1990, pero sustancialmente se debió a México. En efecto, si excluimos a México de las cifras latinoamericanas, la proporción disminuyó a partir de 1990. No menos preocupante es el fracaso de todos los programas de integración de Latinoamérica —con exclusión del TLC— por aumentar su participación en el mercado mundial de exportaciones durante la década de 1990. El desempeño de las exportaciones latinoamericanas acaso haya superado a lo anterior, pero todavía no era rival contra la competencia del exterior, particularmente del este asiático.

Lo destacado de los logros mexicanos en la exportación tiene muchas explicaciones. Del lado de la oferta, la competitividad aumentó mediante una reforma fiscal (que incluyó reducciones arancelarias) y la adopción (desde 1994) de un tipo de cambio flexible. Sin embargo, estas medidas fueron comunes en casi todos los países de la región. Lo diferente en el caso de México fue la demanda. Desde antes de que el TLC entrara en vigor, México se había integrado cada vez más al espacio económico estadunidense con muchas empresas invirtiendo sobre una base regional más que nacional. La inversión extranjera directa vinculó más al país con su vecino del Norte y las empresas mexicanas empezaron a tener presencia en los Estados Unidos.

---

[75] El punto débil del ahorro interno de la región puede observarse en Reinhart (1999).

El comercio que ligó a México con este país demostró ser tan fuerte que dominó todos los nexos comerciales de América Latina. En el decenio de 1988 a 1998 las exportaciones de la región a los Estados Unidos se elevaron en 14% en un año, comparadas con las importaciones de este último de todas sus fuentes, que fueron de 7.8%. En contraste, las exportaciones latinoamericanas a la Unión Europea, Japón y otros países industrializados crecieron con mayor lentitud que sus importaciones de todas las fuentes. De esta manera, la participación latinoamericana de las importaciones estadunidenses aumentó —sobre todo gracias a México—, mientras que su contribución a otros mercados disminuía. Estos otros mercados fueron de poca importancia para México, pero de mucha mayor significación para el resto de Latinoamérica.

La integración regional a los mercados productivos mundiales fue, por lo tanto, decepcionante; sin embargo, hubo una notable excepción: el tráfico de drogas. Pese a todos los esfuerzos por prohibirlas, incluyendo fumigación de los sembradíos, apoyo financiero a sucedáneos y medidas draconianas contra el lavado de dinero, la exportación de narcóticos desde Latinoamérica sigue siendo imbatible. Un descenso de la producción en un país simplemente da lugar a un aumento en otro; suprimir la distribución de un canal siempre ocasiona el surgimiento de otro conducto. Se oyeron unas cuantas voces pidiendo la legalización del comercio de drogas, pero los países importadores aún no estaban dispuestos a dar tan drásticos pasos.

La integración latinoamericana a los mercados mundiales de factores dio mejores resultados que su asociación a los mercados de productos. A fines del decenio de 1990, la participación regional en la inversión extranjera directa mundial tuvo un aumento de cerca de 10% —más de lo doble que en la década anterior— y las IED se extendieron por toda la región, atraídas no sólo por México sino también por otros países. Asimismo, el subcontinente estuvo bien representado —quizá demasiado bien— en el mercado mundial de valores, en el que en 2000 Argentina por sí sola sumó 25% de toda la deuda del mercado de nueva aparición.

El otro mercado de factor global (de trabajo) siguió sujeto a grandes restricciones, aunque esto no impidió una migración en gran escala a otras partes del mundo, sobre todo a los Estados Unidos. Los movimientos migratorios también fueron importantes dentro de la región; por ejemplo, bolivianos y paraguayos formaban gran parte de la mano de obra argentina a fines del siglo, y los nicaragüenses ascendían a por lo menos 10% de la población costarricense. Estos movimientos de trabajadores crearon una corriente generalizada de remesas a sus parientes de América Latina, lo mismo que una modesta transferencia de tecnología.

En lo que la región sigue estando muy atrasada es en la economía del conocimiento. Su déficit educacional sigue siendo grave a pesar del generalizado reconocimiento, en la década de 1990, de la necesidad de acelerar la inversión. El uso de internet tiene uno de los niveles más bajos comparado con el de los países desarrollados. En los comienzos del nuevo milenio, en Latinoamérica sólo había 34 computadoras personales por cada 1 000 personas, en comparación con 229 en la Unión Europea y 311 en los Estados Unidos. Señales de una revolución en la productividad inspirada en la Nueva Economía (como en América del Norte) brillaban por su ausencia.

En consecuencia, la larga marcha hacia la globalización no ha dado los beneficios que muchos esperaban. Las tasas de crecimiento han sido desalentadoras y siguen estando por debajo de las de 1980 en la mayor parte de los países. La región ha abierto sus puertas al comercio extranjero; sin embargo, siguen siendo poco claras las bases de la renovada integración latinoamericana a la economía mundial. Abunda la mano de obra, pero no es barata comparada con la de muchos países de Asia. Escasea el capital en el ámbito interno y sólo puede obtenerse en el extranjero a elevados costos. La región todavía es rica en recursos naturales, pero la pauta de demanda mundial y restos de proteccionismo no favorecen las exportaciones agrícolas. Esto sólo deja las exportaciones mineras, y es triste comentar, a cerca de 500 años de historia económica, que la ventaja comparativa latinoamericana sigue siendo considerada por muchos como basada en los metales preciosos y otros minerales.

XII. CONCLUSIONES

EL DESARROLLO económico de América Latina desde su independencia es una historia de una promesa incumplida. Pese a la abundancia de recursos naturales y a una favorable relación entre la tierra y la mano de obra, y después de casi dos siglos de haberse liberado del yugo colonial, ninguna república de la región ha alcanzado la categoría de país desarrollado. Además, la diferencia entre los niveles de vida iberoamericanos y los de los países desarrollados se ha ensanchado continuamente desde comienzos del siglo XIX, cuando —según algunas versiones— el subcontinente era el más próspero de las regiones en vías de desarrollo.[1]

Aun cuando el desplome del régimen ibérico puso fin a las restricciones al comercio, América Latina siguió actuando en un mundo en el que las reglas eran obra de otros. Incapaz de irrumpir en el círculo encantado de los países capitalistas avanzados, sigue siendo una región periférica en la que ha predominado la influencia externa. Ciclos de comercio, patrones de inversión y de consumo, acumulación de deudas y transferencia de tecnología han sido impuestos por fuerzas sobre las cuales el subcontinente ha tenido poco control. Incluso durante el periodo de desarrollo hacia adentro fue grande la capacidad de los acontecimientos externos para forjar la dinámica interna.

Con frecuencia se ha atribuido el retraso de América Latina a su condición periférica.[2] Sin embargo, otros países se enfrentaron a las mismas limitaciones y lograron transformar su posición, mientras se apegaban a las reglas del juego. Los Estados Unidos, país periférico a principios del siglo XIX, había alcanzado a Gran Bretaña en materia de nivel de vida a comienzos del siglo XX debido a una revolución de la productividad, basada en la tecnología y la inversión.[3] Los países escandinavos transformaron su economía por medio de un crecimiento basado en las exportaciones, especialmente de productos primarios, a comienzos del siglo XX.[4] El apoyo público permitió que la Revolución Industrial se difundiese por buen número de países de Europa central, a finales del siglo XIX.[5] Los dominios británicos alcanzaron niveles

---

[1] Las estimaciones del PIB per cápita a principios del siglo XIX, aunque burdas, indican que América Latina era la más rica de las regiones de lo que hoy es el Tercer Mundo. Véase Maddison (2001), cuadros A1-C, A2-C, A3-C y A4-C.

[2] Véase por ejemplo Frank (1969), Cardoso y Faletto (1979) y, con una perspectiva más matizada, Furtado (1976). Una evaluación crítica de tales opiniones puede encontrarse en Kay (1989).

[3] El PIB per cápita de los Estados Unidos en 1913 era casi 10% superior al del Reino Unido. (2001), p. 185.

[4] Véase Blomstrom y Meller (1991), capítulos 2, 4, 6 y 8.

[5] Véase Berend (1982), capítulo 5.

nunca vistos de exportaciones per cápita para elevar el nivel de vida en su economía.[6] Japón dejó de lado sus hazañas militares para crear una máquina industrial que conquistó el mundo a partir de 1945.[7] Los países de industrialización reciente (PIR) del este de Asia explotaron la oportunidad de una exportación manufacturada intensiva en mano de obra que les brindó el rápido crecimiento del comercio mundial a partir de 1950.[8] Y un puñado de países más pequeños (por ejemplo, Bahamas) han elevado recientemente su nivel de vida hasta alcanzar el de los países desarrollados, basándose en la exportación de servicios.[9]

Tomados uno por uno, todos estos ejemplos podrían descartarse como casos especiales. Sin embargo, en conjunto demuestran que siempre ha resultado posible escapar de la periferia. Las limitaciones externas acaso hayan sido formidables, pero nunca fueron abrumadoras. De esta manera, América Latina no puede encontrar gran consuelo en las lecciones de la historia económica universal. En realidad, libres de un régimen colonial formal, la mayoría de los países latinoamericanos han gozado de un grado de independencia negado a muchas naciones que, sin embargo, lograron escapar de su condición periférica. Por ello, las principales razones del relativo atraso de América Latina se encuentran dentro de la propia región.[10]

Desde la independencia el desarrollo económico latinoamericano cae, con relativa facilidad, en dos fases distintas, pero en parte coincidentes, seguidas por una tercera, que acaba de empezar. La primera corresponde al tradicional crecimiento guiado por las exportaciones, especialmente de productos primarios. Lenta al comenzar, llegó a su clímax en el primer decenio del siglo XX para luego disiparse en las secuelas de la Gran Depresión. La segunda corresponde al desarrollo hacia el interior. Basado en la sustitución de importaciones, que había comenzado en las repúblicas más grandes a finales del siglo XIX, llegó a su cúspide en el cuarto de siglo posterior a la segunda Guerra Mundial. Una tercera fase, fundada en la globalización comenzó a ser predominante a partir de la crisis de la deuda de los ochenta.

América Latina no ha tenido el don de la oportunidad. Su experimento con el tradicional crecimiento guiado por las exportaciones cobró impulso en proporción casi inversa a la ventaja relativa de que disfrutaron los productos primarios sobre los bienes manufacturados en el comercio internacional. Los cambios ocurridos en la estructura industrial y los patrones de

---

[6] Lewis (1989), pp. 1574-1581, hace una comparación ilustrativa entre Argentina y dos dominios británicos (Australia y Canadá). Véase Cortés Conde (1997).

[7] Véase Ohkawa y Rosovsky (1973), capítulo 2.

[8] Véase Lin (1988), donde se contrastan los desempeños del este de Asia y de Latinoamérica.

[9] En cuanto al desempeño económico a largo plazo en el Caribe, véase Bulmer-Thomas (2001b) y Nicholls (2001).

[10] Esto no implica negar que a veces los choques externos han sido importantes, pero a largo plazo es difícil sostener la tesis de que la influencia de los factores externos ha sido siempre negativa.

consumo de los países desarrollados, junto con el progreso técnico que redujo los insumos de productos primarios por unidad de producción, habían desviado el comercio internacional en favor de los bienes manufacturados al término del siglo xix.[11] Se llegó al clímax del desarrollo dirigido hacia el interior cuando la economía mundial entraba en un periodo de crecimiento rápido y sostenido del comercio internacional.

Y sin embargo, el don de la oportunidad no es mera obra de la casualidad. El lento progreso del siglo xix reflejó los retrasos que tantos países sufrieron al tratar de superar los obstáculos puestos al lado de la oferta de la expansión de exportaciones. El desarrollo dirigido hacia el interior se prolongó mucho más de lo que al principio estaba justificado por el desorden de los mercados internacionales. El espacio para promover las exportaciones no tradicionales había sido evidente mucho antes de que se pusiera de moda en la región. Empresas y personas acaso hayan sabido responder a las señales de los precios, pero éstas no siempre reflejaron los cambios producidos en la economía mundial. La ausencia de ciertos mercados, la segmentación de otros e incoherentes políticas públicas hicieron que los precios relativos tardaran en aprovechar las oportunidades que brindaba la economía mundial.

La primera fase del desarrollo latinoamericano posterior a la independencia se basó en la exportación de productos primarios. Se esperaba que un rápido crecimiento transformara toda la economía, aumentando la productividad en el sector no exportador, y haciendo subir el ingreso per cápita. Medido con esta vara, el crecimiento basado en las exportaciones fue, en general, un fracaso. A finales de los veinte, tras un siglo de experimentar con diferentes productos de exportación, la mayoría de los países latinoamericanos registraban insignificantes tasas de crecimiento. De hecho, en algunos casos hasta parece que hubo un descenso de los niveles de vida.

El modesto crecimiento puede verse en el cuadro xii.1. A finales de los veinte el producto interno bruto (PIB) per cápita variaba entre 121 y 592 dólares (a precios de 1970); la mayoría de los países se encontraba en la parte baja de este rango. En el momento de la independencia el ingreso per cápita (a precios de 1970) debió descender a un rango de 100 (nivel de subsistencia) a 300 dólares.[12] Sin embargo, las investigaciones modernas indican que la mayor parte de América Latina, favorecida por una generosa razón entre tierra y mano de obra, y buenos climas, se encontraba por encima del nivel de subsistencia en la época de la independencia, por lo que se puede reducir

[11] Durante gran parte del siglo xix el crecimiento del comercio de productos primarios y el de bienes manufacturados habían sido comparables; en cambio, al llegar 1913 el comercio de bienes manufacturados iba creciendo con mucha mayor rapidez. Véase Lewis (1978).

[12] El actual nivel más bajo de ingreso per cápita en el mundo (a precios de 1970), 100 dólares, puede considerarse el nivel de subsistencia. Las estimaciones (ajustadas a los precios) de Bairoch y Lévy-Leboyer (1981), cuadro 1.7, indican un máximo de 300 dólares per cápita en América Latina hacia la época de la independencia.

Cuadro xii.1. *Tasa anual de crecimiento del* pib *per cápita, ca. 1820 a 1928*
(en porcentajes)

País	PIB per cápita en 1928 (precios de 1970)	PIB per cápita en la década de 1820 (precios de 1970)[a]			
		150	200	250	300
Argentina	571	1.3	1.1	0.8	0.6
Brasil	160	0.1	–0.2	–0.4	–0.6
Chile	501	1.2	0.9	0.7	0.5
Colombia	158	0.1	–0.2	–0.4	–0.6
Costa Rica	219	0.4	0.1	–0.1	–0.3
Cuba	298	0.7	0.4	0.2	0
Ecuador	152	0	–0.3	–0.5	–0.7
El Salvador	121	–0.2	–0.5	–0.7	–0.9
Guatemala	195	0.3	0	–0.2	–0.4
Honduras	223	0.4	0.1	–0.1	–0.3
México	252	0.5	0.2	0	–0.2
Nicaragua	189	0.3	–0.1	–0.3	–0.5
Perú	163	0.1	–0.2	–0.4	–0.6
Puerto Rico	468	1.1	0.9	0.6	0.4
Uruguay	592	1.4	1.1	0.9	0.7
Venezuela	197	0.3	0	–0.2	–0.4
América Latina	262	0.6	0.3	0.1	–0.1

Nota: Se han calculado las tasas de crecimiento utilizando diferentes supuestos acerca del nivel del PIB per cápita en el decenio de 1820, desde 150 hasta 300 dólares.

[a] Se supone que los datos se refieren a 1828, por lo que la tasa anual de crecimiento se ha calculado sobre 100 años.

Fuente: Para PIB per cápita 1928, véase el cuadro A.3.2.

este rango y llevarlo hacia la sección superior (150 a 300 dólares).[13] Esto nos da una matriz de posibles tasas anuales de crecimiento que sólo cumplen unos cuantos países con cualquier crédito que hallen. La gran mayoría tuvo apenas una modestísima elevación del nivel de vida, por lo que la brecha entre los niveles de vida de Latinoamérica y los de los países desarrollados siguió abriéndose.[14]

[13] Se ha calculado que las exportaciones per cápita de Latinoamérica en 1829-1831 eran el doble de las de todos los países del Tercer Mundo, y unas 20 veces mayores que las de África y Asia. Véase Bairoch y Etemard (1985), cuadro 1.5, p. 27. Por ello es improbable que el ingreso per cápita de América Latina estuviese cerca del nivel de subsistencia en la época de la Independencia.

[14] Véase Albala Bertrand (1993), cuadros 2.1 y 2.4.

En la base del fracaso del crecimiento basado en las exportaciones está el lento desarrollo de las mismas. Como motor del crecimiento del modelo, el sector exportador necesitaba crecer con rapidez para elevar los niveles promedio de vida de toda la economía. Y sin embargo, con raras excepciones, el crecimiento de las exportaciones fue modesto o cíclico hasta llegar el auge sostenido de comienzos del siglo xx. De hecho, el primer medio siglo de vida independiente sufrió por la repetida incapacidad de muchas repúblicas para aprovechar las oportunidades que les ofrecía el comercio exterior. A veces pudo culparse a la lotería de bienes, que impulsó ciertos recursos hacia unas exportaciones que después perderían importancia; a menudo el problema se relacionó con la escasez del factor insumos, que no pudo resolverse fácilmente por medio de cambios de precios relativos, y casi siempre el crecimiento del sector exportador fue obstaculizado por problemas de infraestructura.

Sin embargo, no es lo mismo el crecimiento guiado por las exportaciones que el rápido crecimiento de las exportaciones. El crecimiento del sector no exportador, como respuesta a una expansión de las exportaciones, no es automático, por lo que no podían darse por sentados los mecanismos del modelo de crecimiento. La lotería de bienes pudo favorecer la transferencia de los aumentos de productividad de un sector a otro, pero también pudo socavarla. Además, el sector no exportador se enfrentó a muchos de los mismos problemas con que había tropezado el exportador: falta de infraestructura, escasez de factores de producción y de insumos complementarios. Sin embargo, el mayor problema fue el crecimiento del mercado interno. Convertir la expansión del sector exportador en una demanda efectiva de los productos del sector no exportador no era cosa sencilla cuando los nexos internos de transporte eran tan pobres y los mercados de mano de obra se deformaron artificialmente para impedir el alza de los salarios reales. Además, la penetración extranjera en el sector exportador —particularmente de los minerales— redujo más aún el estímulo a la economía no exportadora relacionado con todo aumento de las exportaciones.[15]

Las dificultades de transformar el sector no exportador quedaron bien ilustradas con el sector de las manufacturas. Al llegar la primera Guerra Mundial el motor de las exportaciones había empezado a encenderse en todas las repúblicas, pero sólo en unas cuantas pudo encontrarse una industria moderna. Mientras que en los países escandinavos el nacimiento de empresas aportó los bienes de capital y otros insumos necesarios para su sector exportador, las repúblicas latinoamericanas dependieron en gran parte de las importaciones para satisfacer la misma demanda. El rápido crecimiento del sector exportador en los dominios británicos había contribuido al surgimiento de fábricas que ofrecieron artículos terminados al mercado local, pero en la mayor parte de América Latina esa producción provenía de una

---

[15] Un buen tratamiento analítico de esas cuestiones puede encontrarse en Lewis (1989).

combinación de industria casera y de importaciones. En relación con sus dimensiones y su ingreso per cápita, estaba subindustrializada antes de la primera Guerra Mundial.[16]

Hubo que superar muchos obstáculos antes de que las manufacturas modernas pudiesen echar raíces. El abasto de energía era insuficiente, los fletes de insumos y productos solían ser altos, y había que importar la maquinaria. Pero esto no era muy distinto del problema al que se enfrentaron los países periféricos (como Rumania y Suiza) en los que se estaban estableciendo las manufacturas modernas. La diferencia estuvo en el descuido oficial. Se tomó en serio la ideología de la ventaja comparativa ricardiana, se consideró óptimo el intercambio de importaciones manufacturadas por exportaciones de productos primarios, y la intervención estatal favoreció al sector exportador. Los esfuerzos ocasionales por dar cierta medida de protección a la industria mediante aumentos de aranceles fueron contrarrestados por tipos reales de cambio fluctuantes, que podían bajar el coste de las importaciones más rápido de lo que lo elevaban los derechos aduanales, y una casi total ausencia de facilidades de crédito.

Donde se establecieron industrias modernas, siempre fueron de altos costes y por lo general ineficientes.[17] Sólo eran posibles las exportaciones manufacturadas en las circunstancias artificiales que ofrecían las guerras y otras alteraciones de los canales normales del comercio. La sustitución de exportaciones primarias,[18] basada en la exportación de productos manufacturados intensivos en mano de obra, fue casi completamente desconocida en América Latina; en cambio, ayudó generosamente a que escaparan de la periferia algunos otros países exportadores de productos primarios. Pese a tener acceso al algodón a precios mundiales, y con salarios reales de una fracción de los costes de Inglaterra, la industria textil de América Latina tuvo dificultades para remplazar las importaciones de los países desarrollados, y sin embargo fue la única que generó un excedente para la exportación.

Un camino hacia más altos niveles de vida de acuerdo con el tradicional crecimiento guiado por las exportaciones —especialmente seguido en Escandinavia— era un aumento del valor interno agregado a partir del procesamiento de productos primarios. No obstante, pese a la modestia de los gravámenes en cascada[19] y de otros recursos que deformaron el comercio

---

[16] Esto pudo decirse en particular de Argentina. Véase el capítulo 5, nota 78.

[17] Los economistas emplean el término "ineficiencia" en muchos sentidos distintos. Aquí se refiere, a la vez, a la falta de eficiencia de la asignación —resultado de la distorsión de precios del factor— y a la ineficiencia técnica, es decir, a la incapacidad de maximizar la producción con insumos dados.

[18] La frase "sustitución de exportaciones primarias", acuñada por Ranis (1981), se refiere al cambio de política económica en algunos países del este de Asia a finales de los cincuenta, en favor de la exportación de artículos manufacturados sencillos que hasta entonces habían estado sometidos a la industrialización de sustitución de importaciones (ISI).

[19] Se dice que los impuestos suben "en cascada" cuando aumentan en proporción al grado de procesamiento del producto importado. Esas tarifas alientan a los países exportadores a enviar

durante el siglo xix, existen pocos ejemplos de integración vertical dentro de los países latinoamericanos. Muchas de las exportaciones primarias regresaron transformadas como parte de productos terminados de importación. A veces, como en el caso de los productos de acero basados en mineral de hierro, esto fue comprensible. A menudo, como en el caso de las prendas hechas de lana, fue menos fácil de justificar. Sólo en Argentina, donde el comercio de ganado en pie y de trigo se convirtió en el de carne refrigerada y de harina, se hizo un serio intento por captar el valor agregado que acompañaba a cada etapa de la cadena productiva.

El ejemplo argentino demostró que el crecimiento basado en las exportaciones podía funcionar bien en el marco latinoamericano. Argentina había iniciado con relativa lentitud su impresionante expansión de las exportaciones, y el modo en que funcionó el modelo guiado por éstas presentó muchos defectos, pero ese mecanismo de crecimiento no funcionó a la perfección en ninguna parte. La mayoría de los países que a comienzos del siglo xx eran periféricos vieron a Argentina como modelo legítimo, envidiando la riqueza de sus exportaciones de bienes y sus mercados diversificados. Pese al nivel relativamente bajo de industrialización, a comienzos del siglo xx Argentina había alcanzado un nivel de ingreso per cápita que atrajo a inmigrantes de todo el mundo. Además, ese nivel de vida tenía bases mucho más firmes que en su vecina Uruguay, donde la rápida urbanización y un Estado benefactor se sostenían precariamente sobre un nivel de las exportaciones per cápita sin cambios.

Si Argentina fue la indiscutible historia de triunfo durante la primera fase del desarrollo posterior a la independencia, puede decirse lo contrario de la segunda fase (hacia adentro). No obstante, en esto no hubo nada inevitable y, en realidad, la relativa decadencia de la economía argentina no fue muy evidente hasta el decenio de 1950. No obstante haberse vislumbrado ante el umbral de la categoría de país desarrollado durante los veinte, Argentina tendrá que esperar para ingresar al club al que durante tanto tiempo ha aspirado. Aunque el proteccionismo agrícola en los países desarrollados dañó gravemente a Argentina, fue la acumulación de errores de política económica (evitables) durante la fase del crecimiento hacia adentro la que finalmente hizo que la república fracasara en su esfuerzo.

La fase dirigida hacia adentro en América Latina ha adquirido una categoría casi mítica, como resultado del afán de los sociólogos contemporáneos por contrastarla (desfavorablemente) con la versión moderna del crecimiento guiado por las exportaciones. Aunque muchas de esas críticas son justificadas, no deben exagerar.[20] El desarrollo hacia el interior fue una respuesta legítima a los desórdenes que azotaron los mercados internacionales a partir

sus productos no procesados, y (cosa más importante todavía) constituyen un obstáculo para la exportación de bienes manufacturados basados en recursos naturales del lugar.

[20] Una de las pocas evaluaciones objetivas del modelo de isi (en todos los países en desarrollo) puede encontrarse en Bruton (1989).

de 1913. Lo malo fue que la fase empezó en Latinoamérica muy lentamente y persistió demasiado tiempo. Durante los treinta y aun los cuarenta seguía considerándose en muchos países de la región que el modelo de crecimiento guiado por las exportaciones era el que ofrecía la única opción coherente a largo plazo. Este desarrollo hacia el interior no se convirtió en paradigma de toda América Latina hasta que el comercio mundial empezó a expandirse con gran celeridad tras la segunda Guerra Mundial. El costo de oportunidad del modelo dirigido hacia el interior se volvió cada vez más alto, a medida que se abandonaban las ventajas que podrían obtenerse de la especialización internacional en favor de un proteccionismo creciente.

Aunque los costos del modelo centrado en el interior acabarían por ser excesivos, al principio sus beneficios parecieron considerables. La tasa anual de crecimiento del PIB real per cápita (véase el cuadro XII.2) aumentó casi en todas las naciones que habían adoptado el modelo, en comparación con las tasas calculadas para la fase del crecimiento guiado por las exportaciones (véase el cuadro XII.1). Muchos países alcanzaron, en el medio siglo anterior a 1980, el aumento anual de 1.5% del ingreso real per cápita que habría podido considerarse meta legítima en el siglo XIX. Pero las metas habían cambiado. En los países capitalistas maduros (como Estados Unidos) la tasa a largo plazo estaba ahora cerca de 2%, y las naciones de industrialización reciente de Europa lograron aumentos cercanos a tres por ciento.[21]

Si se juzga por esta norma más exigente, sólo un puñado de países latinoamericanos (Brasil, México, Perú, Puerto Rico y Venezuela) registraron una actuación aceptable, y casi todos ellos se habían desempeñado mal durante el periodo del crecimiento tradicional guiado por las exportaciones. Además, ninguna de las naciones que tuvieron mejor experiencia con el crecimiento guiado por las exportaciones tuvo éxito con el desarrollo hacia el interior. En realidad, si Argentina, Chile, Cuba y Uruguay hubiesen sostenido a largo plazo una tasa de crecimiento de 3% anual (como ocurrió en algunos países) durante la fase dirigida hacia el interior, habrían alcanzado la categoría de país desarrollado antes de que estallara la crisis de la deuda.[22]

Resulta tentador buscar alguna explicación causal en la relación inversa entre la actuación de los países en las dos fases. Las repúblicas (¿Brasil?) a las que les había ido menos bien con el crecimiento guiado por las exportaciones tal vez estuviesen más dispuestas a sacrificar los intereses exportadores en aras del desarrollo hacia el interior; países con un sector exportador triunfante (¿Cuba?) acaso se mostrarían más renuentes a abandonar una fórmula ya probada. Es previsible que los grupos exportadores bien establecidos defendiesen vigorosamente sus intereses comerciales, y el naciente sector in-

---

[21] Algunos de estos países (por ejemplo, Finlandia, Grecia, Hungría y España) triplicaron el valor del PIB real per cápita entre 1950 y 1970. Véase Baíroch y Lévy-Leboyer (1981), cuadro 1.A.

[22] Durante los ochenta, por ejemplo, Argentina y Uruguay hubieran tenido un nivel de PIB real per cápita cercano a tres mil dólares (a precios de 1970), comparable al de buen número de países europeos.

CUADRO XII.2. *Tasa anual de crecimiento del* PIB *per cápita,* ca. *1928 a 1980*
(en porcentajes)

País	Tasa de crecimiento del PIB
Argentina	1.2
Brasil	2.9
Chile	1.3
Colombia	2.0
Costa Rica	2.2
Cuba	2.2
Ecuador	2.4
El Salvador	1.6
Guatemala	1.5
Honduras	0.6
México	2.6
Nicaragua	0.8
Perú	2.7
Puerto Rico	3.2
Uruguay	1.0
Venezuela	3.6
América Latina[a]	2.1

[a] Basado en los países enumerados, con excepción de Puerto Rico.
FUENTE: Cuadro A.III.2.

dustrial habría tenido más espacio para maniobrar en una nación con intereses exportadores fragmentados. Con objeto de superar la resistencia de un sector exportador que antes había tenido éxito (¿Argentina?), acaso se hubiesen requerido medidas extremas que podrían haber desestabilizado la economía, o que ofrecían incentivos tan grandes para el desarrollo hacia el interior (¿Uruguay?) que introdujeron enormes distorsiones de precios. Sin embargo, no se debe llevar demasiado lejos esta línea de análisis. Existen ejemplos en sentido contrario, y muchos países tuvieron una mala actuación durante las dos fases.

La fase dirigida hacia el interior favoreció las economías más grandes con sus enormes mercados internos. Las nuevas actividades promovidas por la sustitución de importaciones se vieron sujetas en general a economías de escala, por lo que los costos unitarios variaban en razón inversa al tamaño de las tandas de producción. No obstante, el tamaño ideal de las fábricas tendió a crecer con el tiempo, y el retraso en la adopción de la política dirigida al interior pudo tener un alto costo. Durante los cincuenta y los sesenta se establecieron en toda América Latina pequeñas fábricas, con niveles de producción subóptimos y altos costos unitarios. Los mismos establecimientos podrían haber competido internacionalmente si se hubieran creado una generación antes.

Durante la fase dirigida hacia el interior surgió la industria moderna en todas las repúblicas. La razón del producto neto manufacturado al PIB aumentó con rapidez hasta en las naciones más pequeñas de América Latina, pero éste fue un pobre consuelo. Protegidas por una muralla arancelaria cada vez más alta, las nuevas fábricas a menudo requirieron además barreras no arancelarias para satisfacer al mercado interno. Al desvanecerse la competencia de las importaciones, desapareció la presión por mejorar la calidad y el diseño. La competencia entre los productores internos acaso hubiese podido aliviar la situación, pero fue mucho más común el oligopolio, con barreras al ingreso dadas por los altos costes iniciales de capital.

El oligopolio se asoció con una alta tasa de retorno del capital en muchas ramas de la industria —incentivo para el capital tanto extranjero como nacional—, pero no condujo a la investigación y el desarrollo asociados con la elevada rentabilidad económica de los países desarrollados. Las subsidiarias de las compañías multinacionales —en contraste con sus competidoras en los países desarrollados— no se enfrentaron a una amenaza interna o externa a su posición de predominio en el mercado; las empresas nacionales se contentaron en general con seguir el ejemplo dado por los líderes de la industria. Como resultado, casi todo el cambio del volumen producido podría explicarse por aumentos de los insumos del factor, con escaso crecimiento de la productividad total del mismo.[23] El análisis de las fuentes de crecimiento de los países más grandes ha demostrado que la productividad del capital durante la fase dirigida al interior casi no se modificó.[24]

Ésta no era una base sólida para enfocar la producción industrial hacia el mercado mundial una vez que empezó a acelerarse el comercio de bienes manufacturados después de la segunda Guerra Mundial. El pesimismo exportador duró más en América Latina de lo que tal vez podría haberse justificado por los enclaves de protección que perduraban en los países capitalistas avanzados, y al principio no se consideraron relevantes las lecciones de los PIR del este de Asia. América Latina virtualmente no desempeñó ningún papel en la modificación de las reglas del comercio internacional después de la guerra, pese a haber estado en el bando ganador, y se pensó que el Acuerdo General sobre Aranceles y Comercio (GATT) era un club de países ricos.

Los experimentos de integración regional de los sesenta constituyeron un intento por superar las limitaciones del modelo dirigido hacia el interior. Inspiradas en parte por el éxito de la Comunidad Económica Europea, las

[23] La productividad total del factor mide la producción por unidad de todos los insumos. Esto significa que es necesario tomar un promedio (ponderado) de los insumos del factor.

[24] Véase Elías (1992), para una peculiar aplicación del análisis de las fuentes de crecimiento a las principales repúblicas latinoamericanas. En cuanto al factor del crecimiento de la productividad en el siglo XX, véase Hofman (2000).

versiones latinoamericanas carecieron del compromiso político y la visión que surgieron en Europa de las cenizas de dos guerras mundiales y la pérdida de millones de vidas. La erosión de la soberanía nacional y el impuesto implícito a los consumidores de productos agrícolas fueron vistos por los políticos europeos como un precio aceptable por la seguridad interna y la competitividad industrial externa. América Latina aspiraba a los beneficios, pero no estuvo dispuesta a pagar los costes. Al llegar los setenta la integración regional había degenerado en planes artificiales para promover las inversiones multinacionales, aun cuando continuara creciendo el comercio intrarregional, gran parte del cual no gozaba de privilegios.

Si la Gran Depresión y la segunda Guerra Mundial acabaron por anular el modelo del crecimiento guiado por las exportaciones, la crisis de la deuda de los ochenta puso fin a la fase dirigida hacia el interior. No había reducción de las importaciones capaz de liberar los recursos necesarios para el servicio de la deuda y el aumento de la producción. Se reforzaron las medidas tentativas ya adoptadas en apoyo de las exportaciones no tradicionales, y en toda la región se adoptaron nuevos planes tendientes a hacer que volvieran recursos al sector exportador. Se liberalizó el comercio, y por fin se obligó a las empresas a competir contra las importaciones. La relación de las exportaciones con el PIB finalmente empezó a ascender de nuevo.

Si es difícil evaluar el nuevo modelo y su repercusión en Latinoamérica, ya que no ha estado en operación desde hace tiempo, por lo menos unos cuantos problemas ya pueden ser identificados. Algunos de los países de mayor éxito durante la fase dirigida hacia el interior (¿Brasil?) pueden encontrar relativamente más difícil adoptar la disciplina relacionada con el nuevo modelo. Muchas de las exportaciones "no tradicionales", de acuerdo con el nuevo modelo, pronto se volverán "tradicionales", y se enfrentarán a los mismos problemas con que tropezaron sus más venerables predecesoras. La lotería de bienes acaso sea hoy menos importante que en el pasado, pero los recursos naturales (en forma no procesada) siguen sometidos a baja elasticidad del ingreso y a la competencia de precios de los productos sintéticos. Aún hay una gran renuencia a completar el procesamiento de productos primarios en su país de origen, y las exportaciones manufacturadas de alta tecnología siguen limitadas a unas cuantas naciones grandes.

El auge secular del comercio mundial a partir de 1950 fue absolutamente excepcional, una edad de oro debida a la acumulación de restricciones al comercio durante los dos decenios anteriores. Y aun si los pesimistas del comercio están equivocados, no debe esperarse que las exportaciones mundiales vuelvan a crecer al ritmo que tuvieron en esa época. La conclusión de la Ronda Uruguay del GATT, a finales de 1993, y el comienzo de la Ronda de Doha en 2001 fueron un logro considerable, pero no anuncian el fin de las fricciones comerciales. Por ello, el nuevo modelo de crecimiento guiado por las exportaciones tendrá que contener más eficientemente el estímulo del comercio si se quiere transformar al sector no exportador. Acaso haya perdido importancia la lotería de bienes, conforme los artículos manufacturados van remplazando lentamente a los productos primarios en la lista de exportaciones, pero la mecánica del crecimiento guiado por las exportaciones sigue siendo tan importante como siempre.

En América Latina siempre ha sido difícil controlar el motor del crecimiento —fuese el sector exportador o la industria tendiente a sustituir las importaciones— para garantizar el desarrollo del resto de la economía. Ante formidables barreras —físicas, económicas y financieras— a menudo se ha perdido el impulso inicial antes de llegar a actividades de baja productividad en las regiones distantes. Con razón se ha considerado que la política pública de la economía es decisiva para la destrucción de estas barreras.

También el medio político ha sido importante para alimentar el propio motor del crecimiento. El empresario aventurero que se abrió paso por la selva tropical en busca de ganancias tal vez haya seducido la imaginación del mundo exterior,[25] pero ningún capitalista extranjero, y muy pocos nacionales, ha invertido siquiera un centavo antes de haber pactado con el gobierno las reglas fundamentales. Aunque al principio el sector público fue incapaz de ofrecer infraestructura, crédito o insumos básicos adecuados, podía brindar tierras, legislación laboral y concesiones arancelarias. En general, la aparición de un motor del crecimiento estuvo íntimamente ligada a estos cambios de la política pública, y muy pocos sectores exportadores poderosos, o aun complejos que compitieran con las importaciones, surgieron espontáneamente en la región.

Estas políticas sectoriales han tenido una historia larga, y a veces exitosa, en Latinoamérica. La carne en Argentina, el café en Guatemala y el petróleo en Venezuela son productos para los cuales el marco político fue ingrediente vital a fin de que surgiera un sector exportador dinámico en la primera fase del desarrollo posterior a la Independencia. La industria básica en Brasil, los textiles en Colombia y las maquiladoras en México son ejemplos de la segunda fase. Las zonas exportadoras de bienes manufacturados (zebm) en la cuenca del Caribe son ejemplos pertenecientes a la tercera fase. Aunque hubo fracasos (por ejemplo, el del café en Honduras durante el siglo xix), también hubo muchos éxitos. El Estado tenía el suficiente control sobre los recursos para influir sobre su ubicación, y a menudo se limitó a responder a la presión del sector privado para favorecer determinadas actividades.

El tipo de cambio ha desempeñado un papel decisivo en la evolución de las políticas sectoriales. Los tipos de cambio reales efectivos fluctuantes han sido instrumento poderoso y transparente para desviar recursos de sectores escogidos. A veces los movimientos monetarios resultaron contraproducentes, provocando la fuga de recursos de las áreas privilegiadas debido a una reevaluación no intencional. No obstante, lo único que hizo fue reforzar la

---

[25] Por ejemplo, véase la biografía de Minor Cooper Keith, fundador de la United Fruit Company, por Stewart (1964).

conciencia pública y privada de la eficacia de una política cambiaria. Desde la independencia ha sido el instrumento más importante controlado por las autoridades, y ha seguido ocurriendo incluso durante los periodos de tipos de cambio nominales fijos, de acuerdo con el patrón oro, plata o dólar, porque los tipos de cambio reales pueden modificarse con suma rapidez.

La dimensión sectorial de la política pública siempre ha sido la parte más fácil. El marco político ha contribuido a la rentabilidad económica (frecuentemente considerable) del sector favorecido. Al surgir señales de agotamiento en el motor del crecimiento, se volvió fundamental la necesidad de invertir esas rentas en otras áreas, con tasas sociales de rendimiento más altas. Los gravámenes podrían haber desempeñado un papel fundamental para facilitar esta transferencia, y sin embargo, la política fiscal ha sido absolutamente inadecuada en América Latina durante toda su historia posterior a la Independencia. El resultado fue la tendencia a la inercia en la asignación de recursos, mientras las actividades favorecidas conservaban su posición privilegiada mucho después de que se la pudiera justificar socialmente. Acaso el mejor ejemplo sea el del café, que sigue siendo uno de los principales productos de exportación latinoamericanos después de casi un siglo en que la oferta mundial ha mostrado una tendencia irresistible a superar la demanda.

Los recursos fiscales inadecuados y las estructuras impositivas anticuadas han impedido en general que los gobiernos iberoamericanos hagan los modestos gastos indispensables para aumentar la flexibilidad del sistema económico. Regiones potencialmente productivas siguieron encerradas por la casi total ausencia de comunicaciones, incapaces de producir excedente agrícola y de ofrecer bienes industriales al mercado. El analfabetismo siguió siendo una maldición durante gran parte del periodo posterior a la independencia, obstaculizando el progreso tecnológico y desalentando la innovación. El crecimiento de la productividad laboral se ha visto limitado por gastos insuficientes en el control de enfermedades y por un sistema de salud centrado en las necesidades de los deciles superiores.[26]

A veces la presión en favor del aumento del gasto público ha superado las inhibiciones resultantes de un ingreso insuficiente. Donde los mercados de capital estaban subdesarrollados, y restringidos los préstamos del extranjero, invariablemente los resultados fueron expansión monetaria e inflación. Durante la primera fase del desarrollo tales episodios solían ser efímeros, aun cuando a fines del siglo XIX Argentina, Brasil y Chile ya tenían reputación inflacionaria; tampoco era desconocida la hiperinflación, aunque este fenómeno antes de los cuarenta siempre se asociara con una guerra o una guerra civil. Sin embargo, en términos generales los gobiernos latinoamericanos aceptaron el freno al gasto público que implicaba un modesto ingreso

---

[26] Según una definición, por ejemplo, el subsidio a la salud por familia en Colombia fue 26% superior para el quintil más alto que para el más bajo. Véase Selowsky (1979), pp. 94-97.

fiscal durante la primera fase de desarrollo. En realidad, la suspensión de los pagos del servicio de la deuda fue una respuesta más común a la brecha existente entre ingreso y gasto que la expansión monetaria.

La segunda fase de desarrollo estuvo asociada con la generalización de la inflación. El nuevo modelo generó cambios en la demanda que no pudieron acomodarse fácilmente dentro de los sistemas casi inflexibles heredados de la primera fase. Los estructuralistas tuvieron razón al llamar la atención sobre estos cuellos de botella que contribuían a las presiones inflacionarias. La pérdida de importancia relativa de la oferta extranjera, y la declinación absoluta de los bienes de consumo importados, hicieron sin embargo que la falta de disciplina monetaria tuviese más probabilidades de ser castigada por el aumento de los precios internos. No era fácil rechazar el argumento monetarista en favor de una política monetaria ortodoxa y precios flexibles.

Aun durante la segunda fase de desarrollo muchas repúblicas latinoamericanas mostraron bajas tasas de inflación y estabilidad cambiaria. No fue sino hasta el decenio de 1980 cuando la inflación se volvió endémica en la región; casi todos los países padecerían tasas anuales de dos dígitos, y serían más comunes los episodios de hiperinflación. Si embargo, la inflación dio al traste con los intentos de los países latinoamericanos de integrarse al mercado mundial y a los mercados de factores, mientras las reformas económicas eran socavadas. Los programas para estabilizar la inflación en la década de 1990 fueron reforzados por el efecto de los ingresos de capital sobre el tipo de cambio real, con lo cual se logró un ajuste permanente en las tasas de inflación moderadas en la mayoría de los países.

Los perjudicados por la aceleración de la inflación durante los ochenta fueron los pobres; en muchos países aumentó la desigualdad del ingreso, así como el número absoluto de quienes vivían en la pobreza; sin embargo, la pobreza (tanto absoluta como relativa) y la desigualdad han sido ya rasgos constantes del panorama latinoamericano desde la independencia; América Latina ha padecido una brecha en los niveles de vida entre los más pobres y los más ricos que le han dado una reputación (casi seguramente merecida) como la región que tiene la distribución del ingreso más desigual del mundo.

A lo largo de su historia desde la Independencia, América Latina se ha caracterizado por extremos de desigualdad en la distribución del ingreso y la riqueza, aun entre regiones de un mismo país. La desigualdad ha producido una concentración del poder en la que el Estado refleja los intereses del grupo dominante. En tales circunstancias el cambio a menudo sólo se ha logrado por la violencia, y el desarrollo económico ha sufrido concomitantemente. Las altas tasas de inversión que en teoría resultan favorecidas por la desigualdad han sido bastante raras, y los ricos han consumido una mayor proporción de su ingreso que sus equivalentes en el exterior. La brecha entre la inversión privada y la tasa de formación de capitales necesaria para elevar rápidamente los niveles de vida fue llenada por el sector público a partir de la segunda Guerra Mundial, pero esto presionó los recursos del Estado más allá de los límites que indicaba la prudencia. Y el proceso se derrumbó durante la década de los ochenta.

El problema de la desigualdad fue heredado del periodo colonial, en el que la distribución de los activos (principalmente de tierra) favoreció la concentración del ingreso. La política fiscal, como en todos los países durante esa época, no tendía a la redistribución, y las transferencias a los pobres por medio de la riqueza del clero eran demasiado modestas para ejercer gran repercusión en la desigualdad del ingreso. Sólo en Costa Rica, donde la abundancia de tierra y la falta de mano de obra hacían que la granja familiar fuese la única opción, el ingreso y la riqueza tuvieron una distribución más equitativa.[27]

La primera fase de desarrollo económico posterior a la independencia representó la oportunidad de corregir el hereditario problema de la desigualdad. Un modelo de crecimiento basado en las exportaciones de productos primarios intensivos en mano de obra, en una época de escasez de mano de obra, fue una fórmula potencialmente poderosa para alterar los rendimientos relativos de los factores de la producción y para modificar la distribución del ingreso en favor de los deciles inferiores. Sin embargo, escaseaban los capitales, y los propietarios de la tierra (a los que después se unirían los inversionistas extranjeros) pasaron a ser los propietarios del nuevo capital que controlaba la dinámica del crecimiento guiado por las exportaciones. El mercado de mano de obra se vio sometido a coerción, y el acceso a la tierra se limitó artificialmente para producir mano de obra para los sectores en expansión al mismo salario real fijo, o inferior incluso. La depreciación de la moneda se convirtió en un recurso adicional para rebajar los costes reales del sector exportador sin la necesidad de ejercer la coerción.

Por ello se manipularon las fuerzas del mercado para minimizar el cambio en la distribución del ingreso que tendría que haber durante la primera fase del desarrollo, y la intervención del Estado exacerbó el problema. El problema de la riqueza desigual heredado empeoró por las cesiones de tierra pública y las concesiones a los propietarios de capital —nacional y extranjero— que volvieron a concentrar el ingreso en los deciles superiores. La privatización de las riquezas del clero —oportunidad adicional de redistribuir el ingreso y mejorar la igualdad— fue de hecho una ocasión más para que los ricos y poderosos lograran aumentar sus posesiones de tierras, frustrando incluso las intenciones redistributivas de ciertos gobiernos.[28]

La segunda fase, dirigida hacia el interior, podría haber dado lugar al principio a una mejor distribución del ingreso en algunos países (no hay estadísticas suficientes para poder afirmarlo con certeza). El desvío de recur-

---

[27] Sin embargo, el igualitarismo de Costa Rica no sobrevivió a la desaparición de las tierras disponibles. A finales del siglo XX la distribución del ingreso era apenas más equitativa en Costa Rica que en el resto de Latinoamérica.

[28] Esto fue lo que ocurrió, sin duda, durante el periodo de la Reforma en México, en la época de Benito Juárez.

sos de la agricultura de escasa productividad y la industria casera a los sectores protegidos de la competencia internacional por altos aranceles, junto con la difusión de los sindicatos urbanos y los partidos políticos de masas, fue un poderoso coctel; mientras la escasez de mano de obra seguía cundiendo. Sin embargo, la aparición de mano de obra excedente en toda América Latina a partir de la segunda Guerra Mundial canceló los pocos avances logrados. Puede demostrarse que al término de la segunda fase el ingreso y la riqueza estaban concentrados en los deciles superiores, y los coeficientes de Gini avanzaban hacia rangos cada vez más altos.

La tercera fase de desarrollo, basada una vez más en las exportaciones, empezó con una oportunidad de mejorar la distribución del ingreso y la riqueza por medio de la privatización de activos estatales. Sin embargo, como ocurrió con la riqueza del clero durante el siglo XIX, los activos del Estado a finales del siglo XX se han transferido abrumadoramente a los deciles superiores. Se han desplomado los mecanismos de defensa que pretendían impedir la concentración de la propiedad, se han vendido muchos bienes del Estado a precios que no reflejan su valor en el mercado, y se han hecho pocos intentos por garantizar que el producto de las ventas sea utilizado por los organismos gubernamentales para mejorar la posición de los deciles inferiores. Por razones de eficiencia aún puede ser deseable la privatización, pero se ha perdido la oportunidad de reducir la desigualdad. Mientras tanto, no es probable que, por sí solo, el nuevo modelo de crecimiento basado en las exportaciones produzca una transferencia de parte del ingreso de los ricos a los pobres, aunque en varias naciones se ha reducido la proporción de familias que viven en la pobreza.

Por consiguiente, durante la mayor parte del periodo posterior a la independencia la dinámica del modelo predominante de desarrollo económico ha mantenido el nivel existente de desigualdad, o lo ha exacerbado. Las fuerzas de contrapeso han dependido en general de la intervención del Estado, y la política pública en América Latina durante el siglo XX a menudo ha tenido una dimensión redistributiva. Sin embargo, su efecto ha sido mucho más limitado. Los instrumentos ortodoxos de que dispone el Estado han resultado obtusos e ineficaces. Los instrumentos heterodoxos han solido producir caos político y contrarrevolución. Ha sido un dilema poco agradable.

La mayor decepción fue la política fiscal. Ésta, utilizada con gran efecto por los países desarrollados, en América Latina sólo ha tenido un insignificante efecto sobre la distribución del ingreso. Es probable que las tasas marginales de gravámenes directos hayan rebasado el promedio, pero la dependencia de los impuestos indirectos ha conferido al sistema fiscal un carácter regresivo. El pequeño número de contribuyentes del impuesto sobre la renta ha hecho difícil modificar el ingreso, después de impuestos, del lado del ingreso. Toda esperanza de que el gasto social se enfocase hacia los pobres ha sido frustrada por la capacidad de la clase media, y hasta de la clase alta, para obtener la mayoría de los beneficios del gasto en salud, educación y seguridad social. Los deciles inferiores han permanecido fuera del sistema por carecer de voz y de influencia política,[29] y sus mayores ganancias se encuentran en la difusión de la educación primaria.

Uno de los problemas de la política fiscal ha sido la constante necesidad de considerar sus otras funciones en el diseño de una política redistributiva. Los impuestos desempeñan muchos papeles, además de redistribuir el ingreso, y el gasto debe ser financiado con recursos internos o externos, con numerosas implicaciones para su asignación. Sólo Venezuela, rica en petróleo, ha logrado utilizar el sistema fiscal básicamente como instrumento para redistribuir el ingreso, sin tomar demasiado en consideración la eficiencia y los incentivos al sector privado. Los déficit presupuestales causados por gastos dirigidos hacia los pobres han producido desequilibrio fiscal, por lo que el grupo que debía ser beneficiado a menudo ha sido víctima de una inflación acelerada.

Las políticas heterodoxas en favor de la redistribución no se han visto sometidas a tales restricciones.[30] Destinadas a "ablandar a los ricos", por lo general han resultado eficaces a corto plazo, pero contraproducentes a largo plazo. La enorme redistribución del ingreso efectuada por Juan Domingo Perón contribuyó a la crisis de la sociedad argentina en los siguientes 40 años. El experimento chileno de Salvador Allende terminó en una dictadura militar. El peruano, de Alan García, condujo a la hiperinflación. Los pobres de Nicaragua a la postre sufrieron más por los sandinistas que por la dinastía Somoza. Y aunque el experimento cubano de Castro ha subsistido, dista mucho de ser cierto que las ganancias hayan sido superiores a las pérdidas.

Las perspectivas de una mejoría de la distribución del ingreso seguirán siendo escasas hasta que la transición demográfica haya eliminado el excedente de mano de obra en Latinoamérica. Y eso llevará tiempo. La tasa bruta de natalidad no se alineará con la de mortalidad sino hasta mediados del siglo XXI, aunque la brecha haya empezado a reducirse. Los remedios heterodoxos siguen siendo problemáticos, por lo que toda mejora a mediano plazo requerirá que se fortalezcan las políticas ortodoxas. Todo esto sirve para subrayar el argumento en favor de la reforma fiscal y de un cambio del modelo del gasto público, áreas ambas que requieren investigación prioritaria.[31]

Si el Estado ha sido relativamente pasivo (e ineficiente) en la distribución, en cambio se ha mostrado más activo en la esfera de la producción. No se deshicieron todos los monopolios heredados de las autoridades coloniales; el Estado tuvo que alimentar al embriónico sector bancario, y hasta los

[29] Sobre el concepto de "voz", véase Hirschman (1981).

[30] Véase Ascher (1984) para una descripción de varios programas redistributivos heterodoxos en América Latina.

[31] A comienzos de los noventa tanto el Banco Mundial como el Banco Interamericano de Desarrollo empezaron a dar mucho mayor prioridad a la reforma fiscal y a la reducción de la pobreza.

ferrocarriles del siglo xix tuvieron, a menudo, un componente del sector público. El siglo xx presenció una expansión de los servicios públicos, la minería, las industrias básicas (incluyendo la refinación de petróleo) y las comunicaciones; hasta la agricultura y la construcción han recibido cierta participación del Estado. La intervención estatal directa en la producción ha sido complementada por una variedad de medidas indirectas destinadas a promover la producción y a afectar la asignación de recursos entre las diversas ramas de la economía.

Ese papel activo del Estado, durante un periodo en que éste ha sido relativamente débil y poco más que una expresión de los intereses de clase de los grupos dominantes, habría sido inimaginable sin la anuencia del sector privado. De hecho, la mayor parte de la intervención estatal —sin duda, antes de los setenta— se puede atribuir a la incapacidad del mercado que tiende a surgir en los países pobres con una infraestructura limitada y pocos productores. El Estado podía estar dispuesto a competir con los intereses privados extranjeros (como los ferrocarriles del siglo xix), o aun a expropiarlos (como el petróleo en el siglo xx), pero el sector privado interno en general tuvo suficiente espacio económico para poner en juego sus propios intereses sin una competencia directa del sector público.

Aunque los fracasos del mercado hayan sido muchos en Latinoamérica, durante la mayor parte de su historia el Estado ha carecido de los recursos necesarios para responder a ellos. Antes de 1940 esta intervención del Estado fue en realidad mucho más modesta de lo que parece sugerirlo la ideología activista.[32] En cuanto aumentaron los recursos a disposición del Estado los gobiernos trataron de ampliar la gama de sus actividades. Los balances en libras esterlinas inconvertibles controlados por Perón fueron una invitación abierta a comprar propiedades británicas después de la segunda Guerra Mundial. Las rentas del petróleo obtenidas por el Estado venezolano desde 1940 aportaron el lubricante necesario para penetrar en territorio virgen. Durante los setenta el acceso a recursos extranjeros que parecían ilimitados constituyó una tentación irresistible para casi todos los gobiernos.

Ahora la intervención del Estado ha dado marcha atrás, conforme el sector público se retira de las áreas que invadió a partir de 1940.[33] Se ha restaurado una relación más tradicional, en la que el Estado está sujeto a la moderación fiscal y la escasez de recursos. Sólo subsisten unas cuantas "vacas sagradas", protegidas ante todo por su capacidad de crear y transferir rentas al sector público.

A pesar de todo, la rentabilidad del sector privado sigue siendo sumamente sensible a la intervención estatal en su sentido más amplio. En la primera fase de desarrollo la rentabilidad del sector exportador dependió a me-

---

[32] Véase Whitehead (1994).

[33] Incluso el Estado se ha retirado de algunas áreas (por ejemplo, los servicios públicos) que había invadido antes de 1940.

nudo de la combinación de los instrumentos controlados por el Estado. De hecho, con mercados mundiales caprichosos, se consideraba que la intervención estatal era esencial para proteger al sector privado de las inevitables fluctuaciones causadas por la condición periférica de la región. La revaluación del café en Brasil fue una respuesta pública a una crisis del sector privado; los derechos de exportación (y de importación) se modificaban de acuerdo con las necesidades del sector exportador. La infraestructura pública se concentró en las necesidades de los productos primarios. En la segunda fase (hacia el interior) la rentabilidad privada tal vez fuese aún más sensible al nivel en que se fijaban los instrumentos públicos. El tipo de cambio, los aranceles, las cuotas y los permisos fueron en general una guía más importante del éxito o del fracaso del sector que competía con las importaciones que las decisiones intraempresariales sobre la asignación de recursos e inversiones.

Por consiguiente, el Estado no ha deseado ni podido retirarse de la arena de la producción, tal como lo exigían los liberales clásicos. En las ocasiones en que por su propia debilidad se vio obligado a mantenerse esencialmente pasivo, el resultado no fue tanto la explosión de la iniciativa del sector privado cuanto la ausencia de toda nueva actividad. De hecho, el retraso en la promoción del crecimiento de las exportaciones (ya no digamos del crecimiento basado en ellas) en tantos países Latinoamericanos durante el siglo XIX puede atribuirse en parte a la incapacidad del Estado de dar respuesta hasta a los menores requerimientos del sector exportador.

Aunque por lo general la intervención del Estado ha complementado y fomentado la inversión privada, no ha producido competencia; por el contrario, el sector formal de América Latina ha estado sometido a competencia imperfecta, a estructuras oligopólicas y (en ocasiones) al monopolio descarado. Donde ha habido una verdadera masa de vendedores, como en algunas ramas de la producción agrícola, se han encontrado en general con un número limitado de compradores; de hecho, cada eslabón de la cadena productiva ha solido asociarse con un aumento de la concentración. Tan sólo en el sector informal urbano (fenómeno relativamente reciente) la competencia y el gran número de compradores y de vendedores se han vuelto lo normal.

El oligopolio y la concentración del mercado no son necesariamente enemigos del progreso económico. Las claves del desarrollo y del mejor nivel de vida a largo plazo son la acumulación de capitales, el progreso técnico y un aumento del factor de productividad total, asociados en muchos países con empresas que disfrutan de poder en el mercado. Aunque la eficiencia en las asignaciones se vea socavada por una competencia imperfecta, en muchas naciones el oligopolio se ha vinculado con rentas económicas que han permitido una tasa más rápida de crecimiento a largo plazo. Sin embargo por muy "perfecta" que pueda ser la competencia en el sector informal urbano, resulta difícil creer que éste sea el camino para una rápida elevación de los niveles de vida por medio del crecimiento del factor de productividad total.

Las estructuras oligopólicas de Latinoamérica han producido ganancias superiores a las normales y considerables rentas económicas, pero éstas, tradicionalmente, no se han asociado con progreso técnico, aumentos de la inversión o crecimiento del total de la productividad del factor.[34] Las rentas del sector de exportaciones de productos primarios se diluyeron en gastos de consumo en las capitales de Europa, debido a la rentabilidad a largo plazo garantizada por la abundancia de tierra y un Estado complaciente; las utilidades extraordinarias durante la fase interna se transfirieron a menudo al exterior, ya que la rentabilidad estaba garantizada por la falta de competidores internacionales. Para emplear las rentas productivamente ha faltado el estímulo tan evidente en Estados Unidos en el siglo XIX o en Japón después de la segunda Guerra Mundial.

La transferencia de activos al sector privado interno, fuese por la enajenación de los bienes de la Iglesia, la expropiación de propiedades extranjeras o la privatización de activos estatales, nunca se ha utilizado para intensificar el ambiente competitivo. En cambio, han surgido nuevos conglomerados (frecuentemente familiares) para desafiar la hegemonía de grupos establecidos e ingresar en el círculo encantado que tiene influencia y poder sobre las decisiones estatales. Las tácticas de la fase dirigida hacia adentro (destinada a buscar más renta), basadas en la transferencia de privilegios estatales de un grupo a otro, empiezan a ser remplazadas por estrategias destinadas a crear renta con base en el acceso a los mercados internacionales y en la reducción del costo. No obstante, la nueva fase de desarrollo no tendrá más éxito que sus predecesoras a menos que pueda encontrarse un modo de transformar las rentas en progreso técnico y en crecimiento del factor de productividad total.

No es realista esperar que todas las repúblicas de Latinoamérica se desempeñen igualmente bien en la nueva fase. Los perdedores sin duda serán más que los ganadores de la primera fase de desarrollo; si la segunda fase produjo un mayor número de éxitos, los fracasos —algunos en extremo espectaculares— siguieron siendo muchos. No hay fórmula que por sí sola pueda garantizar un resultado favorable para todos los miembros de este peculiar club. Y sin embargo, de hecho sería sorprendente que la tercera fase no fuera asociada con una rápida alza de los niveles de vida en algunas repúblicas latinoamericanas, que pusiera a mediados del siglo XXI su PIB per cápita en el nivel de los países desarrollados más pobres. Éste es el rayo de esperanza hacia el cual deberán mirar aquellos que aún viven en una aplastante pobreza. No obstante, aunque la meta es clara, el camino hacia ella es incierto. Los países que han tropezado por culpa de la incompetencia, la corrupción o la voracidad de sus élites podrán esperar un severo castigo. Ésta es la advertencia que deberán escuchar los privilegiados.

---

[34] La lenta tasa de progreso técnico y el bajo nivel de investigación y desarrollo son el tema principal de un importante estudio del atraso económico latinoamericano de Fajnzylber (1990), capítulo 2.

APÉNDICE I
Fuentes de datos de la población
y las exportaciones antes de 1914

LA POBLACIÓN

La calidad de los datos provenientes de los censos de población de América Latina durante el siglo XIX deja mucho que desear. A menudo la enumeración era incompleta, en ocasiones se pasaba por alto a la población indígena, y el margen de error fue considerable. Por lo tanto, deben tratarse con cautela todas las estimaciones de la población total. En cambio, la investigación del siglo XX ha hecho mucho por remediar las deficiencias de las estadísticas decimonónicas. Como resultado, existen cifras para los países latinoamericanos desde mediados del siglo XIX que se pueden combinar para hacer estimaciones sobre toda la región, en diversos intervalos. Para nuestros propósitos actuales he elegido los años 1850, 1870, 1890 y 1912.[1]

Durante la mayor parte del periodo previo a la primera Guerra Mundial, Puerto Rico formó parte de la comunidad latinoamericana, y Panamá no existía como país independiente. En beneficio de la congruencia, por lo tanto, he incluido cifras para Puerto Rico a partir de 1898 (después de su anexión por Estados Unidos), y he seguido incluyendo a Panamá en las cifras colombianas posteriores a 1903 (después de que se independizó de Colombia).

El cuadro A.I.1 proporciona las cifras de población para los años pertinentes. Los datos de 1850 proceden de Sánchez Albornoz (1986), p. 122, con excepción de los correspondientes a las cinco repúblicas centroamericanas, que fueron tomados de Woodward (1985), p. 478, y reflejan una investigación más reciente sobre el número de la población centroamericana. Para años posteriores la principal fuente fue Mitchell (1993), con años intercensales interpolados utilizando la tasa de crecimiento geométrico anual. Las excepciones son República Dominicana, Haití y Uruguay, donde se efectuó la interpolación sobre la base de las cifras de Sánchez Albornoz (1986), p. 122. Para los otros países (Australia, Canadá, Nueva Zelanda y Estados Unidos) he utilizado a Mitchell (1983). El lector interesado también deberá consultar a Maddison (2001), cuadro A2-f, p. 198, que contiene cálculos sobre las tasas del crecimiento demográfico para una muestra de países entre 1820 y 1870, y para todos los países de 1870 en adelante.

---

[1] Para 1900 y 1910 hay todo un conjunto de estadísticas demográficas en Thorp (1998), cuadro 1.1 del apéndice, p. 313.

LAS EXPORTACIONES

Son variadas las cifras sobre las exportaciones de América Latina en el siglo xix. Algunos países (por ejemplo, Brasil y Chile) tienen series completas y congruentes; otros (como Haití y Honduras) sólo muestran los datos más parciales. Además, los datos aparecen en toda una variedad de monedas que deben convertirse a una unidad de cuenta común (he elegido el dólar de Estados Unidos). Esto exige conocer los tipos de cambio pertinentes, lo que —para el siglo xix— no siempre es fácil de obtener.

Con objeto de calcular las cifras de exportación per cápita (tal como se utilizaron en el capítulo iii), fue necesario estimar las exportaciones y la población para los mismos años: 1850, 1870, 1890 y 1912. En vista de las fluctuaciones de las exportaciones de un año a otro, siempre que fue posible utilicé promedios de tres años. En cuatro casos (Puerto Rico en 1850; Cuba, Honduras y Paraguay en 1870), no fue posible hacer una estimación de las exportaciones. En estos cuatro casos calculé las del año más cercano disponible, y las exportaciones per cápita ajustando las cifras de población (una vez más mediante interpolación). Las tasas de crecimiento anual de las exportaciones, o las exportaciones per cápita utilizadas en el capítulo iii, reflejan esta diferencia en la elección de un año base o terminal.

Las cifras de las exportaciones (en dólares) aparecen en el cuadro A.i.2. Las fuentes utilizadas son tantas que se les enumera por separado abajo.[2] Se da información no sólo sobre la fuente para cada año, sino también sobre la moneda adicional (a), y sobre el tipo de cambio utilizado para convertir datos primarios (cuando fue apropiado) a dólares (b). Obsérvese que los tipos de cambio se expresan como unidades de moneda nacional por dólar estadunidense, con excepción del tipo de cambio libra esterlina/dólar, que aparece como el número de dólares por libra (suponiendo que es igual a cinco durante todo el periodo de 1850-1912). Los datos sobre las exportaciones per cápita (véase el cuadro iii.5) se obtuvieron luego de los cuadros A.i.1 y A.i.2.

Argentina

1850. Mulhall y Mulhall (1885), (a) Pesos oro. (b) 1.
1870. Mitchell (1993), (a) Pesos oro. (b) 1.
1890. Mitchell (1993), (a) Pesos oro. (b) 1.
Cortés Conde (1985), cuadro 14, p. 365, contiene una estimación más baja (extraoficial) para las exportaciones de 1880-1890.
1912. Mitchell (1993), (a) Pesos en papel moneda. (b) 2.27. Véase Mills (s/f), pp. 200-201.

---

[2] El lector interesado puede también consultar Madisson (2000), cuadro F-1, p. 360 y, para datos posteriores a 1900, Thorp (1998), apéndice VI.

Cuadro a.i.1. *La población de América Latina, ca. 1850 a ca. 1912 (en millares)*

País	ca. 1850	ca. 1870	ca. 1890	ca. 1912
Argentina	1 100	1 793	3 366	7 333
Bolivia	1 374	1 495	1 626	1 866
Brasil	7 230	9 808	14 334	24 386
Chile	1 443	1 943	2 600	3 414
Colombia[a]	2 200	2 819	3 610	5 363
Costa Rica	101	137	228	355
Cuba	1 186	1 459	1 617	2 364
Ecuador	816	1 013	1 257	1 708
El Salvador	366	493	785	1 107
Guatemala	847	1 080	1 331	1 772
Haití	938	1 150	1 409	1 860
Honduras	230	265	355	570
México	7 662	9 100	11 282	14 262
Nicaragua	274	337	379	558
Paraguay	350	221	350	565
Perú	2 001	2 568	2 972	4 561
Puerto Rico	495	667	835	1 152
República Dominicana	146	242	400	729
Uruguay	132	286	621	1 144
Venezuela	1 490	1 752	2 305	2 387
				77 456
América Latina	30 381	38 628	51 662	
Australia	786	1 609	3 067	4 545
Canadá[b]	2 546	3 790	4 975	7 591
Nueva Zelanda	27	246	617	1 076
Estados Unidos	23 192	39 818	62 948	94 569

[a] Incluye a Panamá.
[b] Incluye a Terranova.
Fuentes: Los datos de 1850 proceden de Sánchez Albornoz (1986), p. 122 (excluyendo a América Central), y de Woodward (1985), p. 478 (para América Central). Para años posteriores y para países no latinoamericanos la principal fuente es Mitchell (1983), con años intercensales interpolados utilizando la tasa de crecimiento geométrico anual. Las excepciones son República Dominicana, Haití y Uruguay, para las cuales se hizo la interpolación sobre la base de las cifras de Sánchez Albornoz (1986), p. 122.

Bolivia

1850. Klein (1992), cuadro 2, p. 320, para el promedio de la producción de plata en 1840-1849 y 1850-1859 (he utilizado el promedio de los dos periodos). Peñaloza Cor-

dero (1983), para el precio de la plata en 1850 en dólares estadunidenses. Luego supuse que la plata representó dos tercios del total de las exportaciones en 1850.
1870. Basado en el aumento de la producción de la plata, utilizando Klein (1992), cuadro 2, p. 32. Supuse que la cantidad de 1870 era igual al promedio de 1860-1869.
1890. Bureau of the American Republics (1892a) contiene una estimación extraoficial en dólares más confiable que el cálculo oficial.
1912. Mitchell (1993). (a) Bolivianos. (b) 2.57. Véase Mills (s/f), pp. 200-201.

Brasil

Para todos los años, Leff (1982). (a) Libras esterlinas. (b) 5.

Chile

1850. Palma (1979), apéndice 11. (a) Libras esterlinas constantes (1900). Ajusté la cifra a las libras en precios corrientes utilizando el índice de precios al mayoreo del Reino Unido que aparece en el apéndice 3 de la misma fuente. (b) 5.
Todos los demás años, Mitchell (1993). (a) Pesos oro. (b) 2.666. Véase Mills (s/f), pp. 200-201.

Colombia

1850, 1870 y 1890. Urrutia y Arrubla (1970), utilizando la serie extraoficial en dólares estadunidenses de McGreevey (incluyendo el oro).
1912. Mitchell (1993) excluye el oro, por lo que no se le pudo utilizar. En cambio, usé a Levine (1914), Eder (1912) y League of Nations (1926). (a) Pesos oro. (b) 1. Para 1912 agregué la cifra correspondiente a Panamá. Véase Mitchell (1993).

Costa Rica

1850. Molina (1851). (a) Pesos. (b) 1.
1870. Mitchell (1993). (a) Pesos. (b) 1.
1890. Mitchell (1993). (a) Pesos. (b) 1.50. Véase Bureau of the American Republics (1892b).
1912. Mitchell (1993). (a) Pesos. (b) 2.15. Véase Young (1925).

CUADRO A.I.2. *Exportaciones latinoamericanas*, ca. *1850 a* ca. *1912*
(en millares)

País	ca. 1850	ca. 1870	ca. 1890	ca. 1912
Argentina	11310	29667	109000	454420
Bolivia	7500	12916	20200	34625
Brasil	35850	83880	136977	346828
Chile	11308	27625	52750	152750
Colombia[a]	4133	18600	20533	32800
Costa Rica	1150	2900	8633	9612
Cuba	26333	67000[b]	90000	153000
Ecuador	1594	4133	5833	13496
El Salvador	1185	3586	5301	9229
Guatemala	1404	2655	10030	12871
Haití	4499	7425	14166	11300
Honduras	1125	951[c]	2874	2668
México	24313	21276	50000	152883
Nicaragua	1010	1178	3833	6051
Paraguay	451	1582[d]	2990	4833
Perú	7500	25834	9910	43000
Puerto Rico	6204[e]	6421	9167	46242
República Dominicana	500	1200	3233	11300
Uruguay	7250	13333	27667	57600
Venezuela	4865	11961	19050	25026
América Latina	159484	344123	602147	1580534
Australia	13000	101833	161833	395333
Canadá[f]	16325	77132	107825	393833
Nueva Zelanda	578	23882	47700	106333
Estados Unidos	162000	400000	859667	2307000

[a] Incluye a Panamá.
[b] El dato es para 1877.
[c] El dato es para 1882.
[d] El dato es para 1879.
[e] El dato es para 1844.
[f] Incluye a Terranova.

Cuba

1850. Mitchell (1993). (a) Pesos. (b) 1.
1870. Mitchell (1993). (a) Pesos. (b) 1. El dato es para 1877.

1890. Mitchell (1993). (a) Pesos. (b) 1. El dato es para 1892 (se supone que es el mismo que en 1890).
1912. Mitchell (1993). (a) Pesos. (b) 1.

Ecuador

1850. Rodríguez (1985), p. 191. El dato es para el promedio de 1847 y 1853. (a) Sucres. (b) 1.
1870. Rodríguez (1985), p. 197. (a) Sucres. (b) 1.
1890. Mitchell (1993). (a) Sucres. (b) 1.428. Véase Bureau of the American Republics (1892c).
1912. Mitchell (1993). (a) Sucres. (b) 2.05. Véase Milis (s/f), pp. 200-201.

El Salvador

1850. Lindo-Fuentes (1990). (a) Pesos. (b) 1.
1870. Lindo-Fuentes (1990). (a) Pesos. (b) 1.
1890. Lindo-Fuentes (1990). (a) Pesos. (b) 1.267. Véase Young (1925).
1912. Mitchell (1993). (a) Colones. (b) 2.42. Véase Young (1925).

Guatemala

1850. Mitchell (1993). (a) Pesos. (b) 1. El dato es para 1851 (se supone que es el mismo que para 1850).
1870. Mitchell (1993). (a) Pesos. (b) 1.
1890. Mitchell (1993). (a) Pesos. (b) 1.39. Véase Young (1925).
1912. Mitchell (1993). (a) Pesos oro. (b) 1.

Haití

1850. Benoit (1954). Usé la cantidad de exportaciones de café multiplicada por el valor unitario de la exportación brasileña en dólares —véase IBGE (1987)— y supuse que el café representaba 88% del total de exportaciones; véase St. John (1888), pp. 328-332.
1870. Benoit (1954). Lo mismo que para 1850, pero suponiendo que el café representa 80% de las exportaciones totales.
1890. Bureau of the American Republics (1892d). (a) Dólares estadunidenses.
1912. Pan-american-Unión (1952). (a) Dólares estadunidenses.

Honduras

1850. Squier (1856). (a) Dólares estadunidenses.
1870. Molina Chocano (1982). (a) Pesos. (b) 1. El dato es para 1882.
1890. Molina Chocano (1982). (a) Pesos. (b) 1.428. Véase Young (1925). El dato es para 1889 (suponiendo que es el mismo que para 1890).
1912. Mitchell (1993). (a) Pesos oro. (b) 1. Se cree que las exportaciones de contrabando fueron de importancia. Véase Bureau of the American Republics (1904).

México

1850. Herrera Canales (1977), p. 161. (a) Pesos fuertes. La cifra para 1828 es de 14 488 793 pesos fuertes; para 1856, de 28 000 000 de pesos fuertes. La tasa de crecimiento anual implícita es de 2.38%, y la usé para obtener la cifra de 1850. (b) 1.
1870. Promedio de 1870-1872. Herrera Canales (1977), p. 161. (a) Pesos fuertes. (b) 1.
1890. Mitchell (1993). (a) Pesos. (b) 1.333. Véase Rosenzweig Hernández (1989), página 174.
1912. Mitchell (1993). (a) Pesos. (b) 2 (fijado de acuerdo con el patrón oro).

Nicaragua

1850. Woodward (1985). (a) Dólares estadunidenses. El dato es para 1851 (suponiendo que es el mismo que para 1850).
1870. Woodward (1985). (a) Dólares estadunidenses. El dato es el promedio de 1870 y 1871.
1890. Bureau of the American Republics (1892e). (a) Dólares estadunidenses.
1912. Young (1925). (a) Dólares estadunidenses. Mitchell (1983) no pudo utilizarse aquí, porque excluye el oro.

Paraguay

1850. Bourgade (1892). (a) Pesos. (b) 1. El dato es el promedio de 1851, 1852 y 1853 (suponiendo que es el mismo que para 1850).
1870. Mitchell (1993). (a) Pesos. (b) 1. El dato es para 1879.
1890. Mitchell (1993). (a) Pesos oro. (b) 1.
1912. Mitchell (1993). (a) Pesos oro. (b) 1.

Perú

1850. Mitchell (1993). (a) Pesos. (b) 1. Véase Gootenberg (1989), p. 164. El dato es para 1851 (suponiendo que es el mismo que para 1850).

1870. Mitchell (1993). (a) Soles. (b) 0.8. Véase Gootenberg (1989), p. 164.
1890. Thorp y Bertram (1978), p. 334. (a) Libras esterlinas. (b) 5.
1912. Mitchell (1993). (a) Soles. (b) 2. Véase Mills (s/f), pp. 200-201.

Puerto Rico

1850. Dietz (1986), p. 18. (a) Pesos. (b) 1. El dato es para 1844.
1870. Dietz (1986), p. 18. (a) Pesos. (b) 1. El dato es el promedio de 1865 y 1874.
1890. Bergad (1983), p. 146. (a) Pesos. (b).1. El dato es la suma del café y el azúcar.
1912. Clark (1975), p. 607. (a) Dólares estadunidenses.

República Dominicana

1850. No existe estimación oficial. Se supone que las exportaciones per cápita son 70% de la cifra para Haití.
1870. Mitchell (1993). (a) Pesos. (b) 1. El dato es para 1872 (se supone que es el mismo que el de 1870).
1890 y 1912. Mitchell (1993). (a) Pesos. (b) 1.

Uruguay

1850. Mulhall y Mulhall (1885), p. 580. El dato es el promedio para 1841-1860. Véase también Acevedo (1902), vol. 2, p. 146. (a) Dólares estadunidenses.
1870. Mitchell (1993). (a) Pesos fuertes. (b) 1.
1890. Mitchell (1993). (a) Pesos fuertes. (b) 1.
1912. Finch (1981), p. 124. Ésta es una estimación extraoficial (el promedio de 1911 y 1913), considerada más precisa que los valores oficiales en Mitchell (1993).

Venezuela

1850. Bureau of the American Republics (1892h). (a) Dólares estadunidenses. Las importaciones y las exportaciones están invertidas por error en la fuente.
1870. Bureau of the American Republics (1892h). (a) Dólares estadunidenses. El dato es para 1872-1873 (suponiendo que es el mismo que para 1870).
1890. Bureau of the American Republics (1892h). (a) Dólares estadunidenses. El dato es el promedio de 1889 y 1890.
1912. Mitchell (1993). (a) Bolívares. (b) 5.18. Véase Mills (s/f), pp. 200-201.

Todos los demás países se tomaron de Mitchell (1993).

APÉNDICE II
Relación de las exportaciones con el producto interno bruto, el poder adquisitivo de las exportaciones y el volumen de las exportaciones, ca. *1850 a* ca. *1912*

Los criterios empleados en el capítulo III para medir el éxito o el fracaso del crecimiento guiado por las exportaciones requieren información sobre la relación de las exportaciones con el PIB y el poder adquisitivo de las exportaciones antes de 1914. Este apéndice explica los métodos utilizados para calcular las estadísticas.

LA RELACIÓN DE LAS EXPORTACIONES CON EL PIB

El cálculo de la tasa de crecimiento de las exportaciones requerido en la ecuación (III.1) incluye una estimación de la relación de las exportaciones con el PIB (w). Como puede suponerse que w cambia con el paso del tiempo, es necesario estimarla al comienzo (*ca.* 1850) y al final (*ca.* 1912) del periodo.

La relación de las exportaciones respecto del PIB es la misma que la relación de las exportaciones per cápita con el PIB per cápita. El cuadro III.5 ofrece datos sobre las exportaciones per cápita en dólares corrientes para todos los países, a distintos intervalos de tiempo, y la figura V.1 proporciona datos del PIB per cápita *ca.* 1912 para 14 países a dólares constantes (1970) (véase el apéndice III). Por lo tanto, se pueden obtener estimaciones para w en 1912 convirtiendo los datos del PIB en dólares actuales utilizando un deflactor obtenido de los índices de precios de Estados Unidos. Véase Mitchell (1993). Si se supone que 1970 es igual a 100, el índice de precios de 1912 puede calcularse en 35. De este modo, los datos del PIB se convirtieron en dólares corrientes multiplicándolos por 0.35. Esto permite el cálculo de w en 1912 para los 14 países que aportaron datos del PIB. En el caso de los otros seis (Bolivia, Ecuador, Haití, Paraguay, República Dominicana y Venezuela), bien puede suponerse que todos ellos tuvieron en 1912 un nivel de PIB per cápita entre el promedio regional y las tasas más bajas registradas (las de Brasil, El Salvador y Perú). Esto nos da un rango de entre 40 y 80 dólares en precios corrientes, y mi opción final se hizo sobre la base de una variedad de indicadores.

Las estimaciones de las exportaciones per cápita, el PIB per cápita y w para 1912 aparecen en el cuadro A.II.1. Dado que Latinoamérica seguía el modelo de crecimiento guiado por las exportaciones antes de 1912, bien puede suponerse que en casi todos los casos el cálculo de w fue más alto al término del periodo que al principio. La excepción es Uruguay, donde el estancamiento de las exportaciones per cápita, aunado a la evidencia de un alza de los niveles de vida, indica que para 1912 w había descendido con respecto a su nivel anterior.

En el capítulo III la medida del éxito o el fracaso del crecimiento guiado por las

473

CUADRO A.II.1. *La relación de exportaciones con el* PIB, w, *1850 y 1912*
(basado en precios corrientes, en dólares)

País	w en 1850	Exportaciones per cápita en 1912	PIB per cápita en 1912	w en 1912	Rango de w
Argentina	0.2	62.0	188	0.33	0.2-0.3
Bolivia	0.1	18.6	(60)	0.31	0.1-0.3
Brasil	0.1	14.2	44	0.32	0.1-0.3
Chile	0.1	44.7	140	0.32	0.1-0.3
Colombia	0.1	6.4	45	0.14	0.1-0.2
Costa Rica	0.2	27.1	76	0.36[a]	0.2-0.4
Cuba	0.3	64.7	148[b]	0.44	0.3-0.4
Ecuador	0.1	7.9	(40)	0.20	0.1-0.2
El Salvador	0.1	8.3	39	0.21[a]	0.1-0.2
Guatemala	0.1	7.2	65	0.11[a]	0.1-0.2
Haití	0.1	6.1	(40)	0.15	0.1-0.2
Honduras	0.1	4.7	67	0.07[a]	0.1-0.2
México	0.1	10.7	78	0.14	0.1-0.2
Nicaragua	0.1	10.8	54	0.20[a]	0.1-0.2
Paraguay	0.1	8.6	(40)	0.22	0.1-0.2
Perú	0.1	9.4	37	0.25	0.1-0.3
Puerto Rico	0.2	40.1	118	0.34	0.2-0.3
República Dominicana	0.1	15.5	(65)	0.24	0.1-0.2
Uruguay	0.4	50.3	195	0.26	0.3-0.4
Venezuela	0.1	10.5	(50)	0.21	0.1-0.2
América Latina	0.1	20.4	81	0.25	0.1-0.25

NOTA: Los datos entre paréntesis son valores estimados.

[a] La cifra de las exportaciones es para 1912, pero la del PIB es para 1920. Esto sesga hacia abajo la estimación de w, lo que se ha tomado en cuenta al calcular el rango de w para Guatemala y Honduras, los países más afectados.

[b] Debido a que la estimación del PIB en Alienes (1950), tal como aparece en Brundenius (1984), p. 140, es en precios corrientes, se prefirió usar esta medida que deflactar la estimación de los precios constantes en el cuadro A.III.2.

exportaciones consiste en si la tasa de crecimiento de las exportaciones excede o no excede la tasa mínima requerida, como lo indican las figuras III.1 y III.2. La tasa mínima se da, si no cambian otros factores, por el valor más alto de w. Así, las estimaciones de la participación de las exportaciones en 1912 son las más importantes, porque (con excepción de Uruguay) determinan los valores máximos de w. Al fijar el límite máximo para el rango de w los números del cuadro A.II.1 se redondearon hacia arriba

CUADRO A.II.2. *Índices de precios de las importaciones* ca. *1850 a* ca. *1912*
(año base = 100)

Años	Precios de exportación del Reino Unido	Precios de importación de Brasil	Precios de importación de Chile	Precios de exportación de Estados Unidos	Promedio	Tasa de cambio anual (en porcentajes)
1850-1870	119	115	118	s/d	117	+0.8
1870-1890	73	75	75	s/d	74	−1.5
1890-1912	108	136	161	113	130	+1.3
1850-1912	94	117	143	s/d	118	+0.3

FUENTES: Para datos del Reino Unido, Mitchell (1988); para datos de Brasil, IBGE (1987); para datos de Chile, Palma (1979); para datos de Estados Unidos, Wilkie (1990).

o hacia abajo para que correspondiesen a los valores elegidos para *w* en las figuras III.1 y III.2.

No se dispone de los datos requeridos para estimar con precisión *w* en 1850;[1] sin embargo, las cifras de exportaciones per cápita y la suposición de que *w* en general iba aumentando con el tiempo, nos permiten hacer suposiciones verosímiles. Las estimaciones del cuadro A.II.1 para 1850 se refieren al extremo inferior del rango de *w* (con excepción de Uruguay que, se cree, tuvo una relación mayor de las exportaciones al PIB en 1850 que en 1912).

Estas conjeturas para calcular *w* para 1850, aunadas a los datos sobre exportaciones per cápita cn 1850, pueden emplearse para obtener los niveles implícitos de PIB per cápita en 1850 a precios corrientes. Para América Latina en conjunto esto da un nivel de PIB per cápita de cerca de 50 dólares. Ajustado al alza (pequeña) de precios del dólar entre 1850 y 1912, esto implica una tasa de crecimiento del PIB real per cápita en América Latina de 0.5% anual entre 1850 y 1912. Sin aspirar a la precisión, esta cifra parece verosímil.

EL PODER ADQUISITIVO DE LAS EXPORTACIONES

En el capítulo III utilizamos estimaciones del poder adquisitivo de las exportaciones (PAE) en diversos momentos entre 1850 y 1912. Dado que el PAE de cualquier país se obtiene dividiendo el cambio del valor de las exportaciones entre el cambio de los precios de las importaciones, sólo se le puede calcular si se dispone de información sobre los valores unitarios de importación de cada país. No resulta irrazonable supo-

---

[1] Hay cálculos brutos para unos cuantos países. Para Brasil y México, véase Maddison (1995), y para Chile, Díaz, Lüders y Wagner (1998), AE 16.

CUADRO A.II.3. *Tasas de crecimiento del volumen de exportaciones,* ca. *1850 a* ca. *1912 (en porcentajes)*

País	1850-1870	1870-1890	1890-1912	1850-1912
Argentina[a]	s/d	5.2	5.2	5.2
Brasil	3.4	1.8	3.7	3.0
Chile	4.1	5.0	2.5	3.8
Cuba[b]	5.6	0.3	4.7	3.5
Ecuador[c]	2.7	2.5	3.7	3.0
México	s/d	s/d	6.5	s/d
Perú	4.4	−4.5	7.2	2.5

[a] Las fechas son 1875-1879 a 1890-1894, 1890-1894 a 1910-1914, y 1875-1879 a 1910-1914.

[b] Basado exclusivamente en el azúcar.

[c] Basado exclusivamente en el cacao.

FUENTES: Para los datos de Argentina, Díaz-Alejandro (1970); para los datos de Brasil, IBGE (1987); para los datos de Chile, Palma (1979); para los datos de Cuba, Mitchell (1983); para los datos de Ecuador, Rodríguez (1985); para los datos de México, Rosenzweig Hernández (1989); para los datos de Perú, Hunt (1973).

ner que el cambio de los precios de importación (en términos de dólares o de libras) era, sin embargo, el mismo para todos los países, porque estaban adquiriendo bienes similares de fuentes similares.

En el cuadro A.II.2 se presenta cierto número de índices de precios para diferentes periodos anteriores a 1912, cada uno de los cuales es una aproximación a los valores unitarios de importación de América Latina. Se supone que el promedio no ponderado de los cuatro índices mide el cambio de los precios de importación de América Latina, y la última columna del cuadro muestra la tasa anual de cambio implícita en cada periodo. Éstos son los factores de ajuste que se aplicaron a la tasa de crecimiento del valor de las exportaciones en el cuadro III.4 para obtener la tasa de crecimiento del PAE.

EL VOLUMEN DE LAS EXPORTACIONES

Un pequeño número de países ofrece información suficiente para calcular la tasa de crecimiento del volumen de las exportaciones en diferentes intervalos antes de 1912. Los resultados aparecen en el cuadro A.II.3 para Argentina, Brasil, Chile, Cuba, Ecuador, México y Perú.[2]

La comparación entre las cifras del cuadro A.II.3 y la tasa de crecimiento del valor

[2] También véase Maddison (2001), p. 361, y Thorp (1998), p. 337.

de las exportaciones revela si los precios de exportación iban subiendo o bajando. Sólo Cuba muestra una marcada tendencia descendente de los precios, lo que es congruente con la evolución de los precios del azúcar a partir de 1850. En los otros países el valor de las exportaciones creció con mayor rapidez que el volumen de las mismas entre 1850 y 1912, lo que implica un alza de los precios de exportación. En el subperiodo de 1870-1890, en cambio, parece que los precios de las exportaciones se redujeron en Chile, Ecuador y Perú.

APÉNDICE III
Producto interno bruto per cápita,
1913, 1928, 1980 y 2000

El nivel del producto interno bruto (PIB) per cápita suele utilizarse ampliamente para medir el desempeño económico, las tasas de crecimiento y las diferencias de nivel de vida entre los países. Aunque todas las naciones latinoamericanas publican estimaciones del PIB per cápita desde 1950, la información para los años anteriores es mucho menos sistemática. Este apéndice reúne toda la información disponible, con la mayor consistencia posible, para ofrecer estadísticas de 1913, 1928, 1980 y 2000.

La fuente básica es CEPAL (1978), que publica datos de series de tiempo para todos los países latinoamericanos (con excepción de Cuba y Puerto Rico) sobre PIB al costo del factor, a precios de 1970. Por consiguiente, las cifras del PIB difieren del PIB a precios de mercado, porque excluyen los impuestos indirectos netos. Los datos sobre los diversos países se encuentran en la moneda local (a precios de 1970), y se les puede convertir a dólares utilizando el tipo de cambio apropiado. Yo usé tipos de cambio promedio anuales en 1970, tal como los publicó el Banco Mundial (World Bank, 1983). Éstos aparecen en la primera columna del cuadro A.III.1.

Estos tipos de cambio son oficiales y, por lo tanto, difieren de los tipos de cambio de paridad de poder adquisitivo (PPA) utilizados en muchas comparaciones internacionales. Los tipos de cambio PPA son importantes en comparaciones entre países en vías de desarrollo y países desarrollados. Son menos útiles en las comparaciones entre un grupo de países con un nivel de desarrollo relativamente similar. Aun así, los tipos PPA, tal como los publica la CEPAL (1978), también aparecen en el cuadro A.III.1. Son uniformemente inferiores a los tipos de cambio oficiales, y la diferencia proporcional que aparece en la tercera columna se puede considerar como el factor de ajuste necesario para convertir el PIB per cápita a las tasas oficiales al PIB per cápita a tipos PPA.[1]

Los datos sobre el PIB per cápita aparecen en el apéndice para 1913 (en vísperas de la primera Guerra Mundial), para 1928 (en vísperas de la Gran Depresión), para 1980 (en vísperas de la crisis de la deuda) y para 2000. Estos datos de referencia se utilizan luego con diversos propósitos a lo largo de todo este libro. CEPAL (1978) contiene una estimación del PIB al costo del factor en 1913 sólo para Argentina, y en 1928 sólo para Argentina, Brasil, Colombia y México. Sin embargo, con los datos de la serie de tiempo de la CEPAL se pueden combinar muchos otros cálculos oficiales y extraoficiales del PIB para hacer estimaciones sobre otros países en 1913 y 1928. Por último, es posible obtener estimaciones burdas del PIB per cápita para Cuba y Puerto Rico, ninguno de los cuales se incluye en CEPAL (1978), por lo cual hay datos para 14

---

[1] Thorp (1998), apéndice II, calcula el crecimiento del PIB per cápita usando los datos obtenidos de las tasas de cambio de la PPA. Maddison (2001), p. 195, hace lo mismo, aunque el número de países antes de 1950 es menor y los precios están en dólares de 1990 y no en los de dólares de 1970.

CUADRO A.III.1. *Tipo de cambio oficial y del poder adquisitivo, 1970*
(por dólar)

País	Tipo de cambio oficial	Tipo de cambio de paridad con el poder adquisitvo	Tipo de cambio oficial/ tipo de cambio del poder adquisitivo	Moneda
Argentina	3.78	2.95	1.28	Peso
Bolivia	11.88	9.03	1.32	Peso
Brasil	4.59	4.14	1.11	Nuevo cruzeiro
Chile	0.0122	0.01	1.22	Peso
Colombia	18.44	10.68	1.73	Peso
Costa Rica	6.62	5.09	1.30	Colón
Ecuador	25.0	14.0	1.79	Sucre
El Salvador	2.5	1.70	1.47	Colón
Guatemala	1.0	0.81	1.23	Quetzal
Haití	5.0	3.99	1.25	Gourde
Honduras	2.0	1.75	1.14	Lempira
México	12.5	8.88	1.41	Peso
Nicaragua	7.0	6.41	1.09	Córdoba
Panamá	1.0	0.76	1.32	Balboa
Paraguay	126.0	85.41	1.48	Guaraní
Perú	38.7	30.72	1.26	Sol
República Dominicana	1.0	0.87	1.15	Peso
Uruguay	0.25	0.20	1.25	Peso
Venezuela	4.5	3.96	1.14	Bolívar

FUENTES: Tipos de cambio oficiales de World Bank (1983); tipos de cambio de paridad con el poder adquisitivo de CEPAL (1978).

países en 1913 y para 15 en 1928.[2] Para 1980 y 2000 es posible estimar el PIB per cápita para las 20 repúblicas latinoamericanas, así como para Puerto Rico.

Los datos de los 16 países para 1913 y 1928 se ponderan por población para producir una estimación del PIB per cápita para América Latina. Sin embargo, la estimación para Latinoamérica en 1980 y 2000 sólo se basa en las 20 repúblicas latinoamericanas. Puerto Rico, que para 1980 tenía un PIB per cápita de casi el doble que el del

[2] Thorp (1998), apéndices II y IX, da una estimación para Ecuador para 1913 y 1928, y para Venezuela para 1913. Estas estimaciones las he incluido en este apéndice, aunque no las utilicé en el análisis estadístico de los capítulos V y VII.

CUADRO A.III.2. *PIB per cápita al costo de los factores, 1913, 1928, 1980 y 2000*
(precios de 1970 en dólares al tipo de cambio oficial)

País	1913	1928	1980	2000
Argentina	537	571	1 044	1 107
Bolivia			288	272
Brasil	125	160	691	747
Chile	399	501[a]	979	1 739
Colombia	128	158	442	553
Costa Rica	218[b]	219	679	783
Cuba	390	298	948	859
Ecuador	67	152	513	453
El Salvador	112[b]	121	278	299
Guatemala	185[b]	195	417	408
Haití			137	77
Honduras	191[b]	223	307	293
México	223[c]	252	972	1 128
Nicaragua	155[b]	189	288	201
Panamá			910	1 113
Paraguay			620	564
Perú	106	163	649	579
Puerto Rico	338	468[d]	2 222[e]	3 255[e,f]
República Dominicana			530	811
Uruguay	557	592[d]	979	1 154
Venezuela	114	197	1 237	910
América Latina	223	262	758	804

[a] El dato es para 1929.
[b] El dato es para 1920.
[c] El dato es para 1910.
[d] Los datos son para 1930.
[e] No se incluye en el promedio latinoamericano.
[f] El dato es para 1997.

país que le seguía en riqueza (véase el cuadro A.III.2), se excluyó de la cifra media ponderada para no sesgar hacia arriba la estimación. Su inclusión aumentaría casi en 3% el PIB per cápita latinoamericano.

Los datos para 1980 se obtuvieron del World Bank (1983), excepto donde abajo se indica lo contrario. Los datos para 2000 son del World Bank (2002a) utilizando tasas de crecimiento del PIB per cápita a precios constantes (dólares estadunidenses de 1995). En el caso de Cuba, la tasa de crecimiento de 1980 a 1990 se obtuvo de Thorp (1998), apéndice IX, y para la de 1990 a 2000 es del World Bank (2002a).

Los datos de los cuatro años de referencia se presentan en el cuadro A.III.2. Por muy diversas razones las estadísticas pueden diferir de las que se encuentran en otras fuentes. En primer lugar, siempre que fue posible las estadísticas se remitieron al PIB al costo de los factores. Esto es inferior al PIB a precios del mercado porque se excluyeron los impuestos indirectos netos. También es diferente del producto nacional bruto, del ingreso nacional disponible y de otros sistemas para calcular el nivel de vida. En segundo lugar, los datos del cuadro A.III.2 son sensibles a la elección del año base. Por ejemplo, el PIB de Venezuela parecería mucho más impresionante si el año base fuera 1980 en lugar de 1970, porque reflejaría la enorme alza de los precios del petróleo durante los setenta. En tercer lugar, los resultados son afectados por la elección del tipo de cambio para la conversión de la moneda nacional en dólares. Por último, no todas las fuentes utilizan las mismas estadísticas de población, y esto puede hacer que los datos varíen, particularmente para los años más tempranos.

Las fuentes y los métodos utilizados para cada país se enumeran más adelante. Para evitar repeticiones, se pueden mencionar antes ciertos rasgos generales. Siempre que fue posible, las cifras son el promedio de tres años del PIB al costo de los factores en moneda nacional, dividido entre el promedio de tres años de población dividido entre el tipo de cambio. Así, por ejemplo, 1928 es el promedio de 1927 a 1929. Los datos de población anteriores a 1980 se tomaron de Wilkie (1974), a menos que se indique lo contrario; los datos de población para 1980 son del World Bank (1983), con excepción de Cuba y Puerto Rico. Los datos de población para 2000 son del World Bank (2002a). Los datos de las cinco repúblicas centroamericanas hasta 1980 se tomaron de Bulmer-Thomas (1987), cuadro A.III.2, ajustados a los tipos de cambio oficial y utilizando los factores de conversión derivados del cuadro A.III.1. Para el año 2000 se obtuvieron del World Bank (2002a).

Argentina

1913. CEPAL (1978).
1928. CEPAL (1978).
1980. World Bank (1983).
2000. World Bank (2002a).

Bolivia

1980. World Bank (1983).
2000. World Bank (2002a).

Brasil

1913. CEPAL (1978), para 1920, ajustado para 1913 por Haddad (1974).
1928. CEPAL (1978).
1980. World Bank (1983).
2000. World Bank (2002a).

Chile

1913. CEPAL (1978), para 1940, ajustado a 1929 por Palma (1984) y a 1913 por Palma (1979).

1928. CEPAL (1978) para 1940, ajustado a 1929 por Palma (1984).

1980. World Bank (1983). La fuente da el PIB a precios de mercado con precios de 1977; ese dato se convirtió a dólares al tipo de cambio de 1977 (21.529), y luego a precios de 1970 utilizando el deflactor del PIB de Estados Unidos de 1970 a 1977 (0.65).

2000. World Bank (2002a).

Colombia

1913. CEPAL (1978) para 1929, ajustado a 1913 por L. Zimmerman en *Arme in Rijke Landen* (1964), citado en Maddison (1991), cuadro 1.7, p. 6.

1928. CEPAL (1978).

1980. World Bank (1983).

2000. World Bank (2002a).

Cuba

1913. El dato es el ingreso nacional real per cápita, y fue tomado de Alienes (1950) tal como aparece en Brundenius (1984), cuadro A.II.1, p. 140, ajustado de los precios corrientes de 1913 a los de 1970, por un promedio ponderado de los precios del azúcar y de otros productos. El cambio de precio del azúcar (+7.79%) se obtuvo de fuentes de la Sociedad de Naciones para 1913 y del Banco Interamericano de Desarrollo para 1970. Se supuso que el cambio de precios de productos que no eran azúcar (+206%) fue el mismo que el del cambio de precios de mayoreo en Estados Unidos. El peso dado a los precios del azúcar y de otros productos se obtuvo de la participación neta en el PIB de 1913 del azúcar (0.28) y de otros productos (0.72). Véase Brundenius (1984), cuadro A.II.1, p. 140. Eso dio un alza del promedio ponderado de los precios de 150% entre 1913 y 1970; este porcentaje se aplicó a la estimación en precios corrientes de Alienes (1950) para obtener el ingreso nacional real per cápita de 1913 a precios de 1970.

1928. La relación del ingreso nacional real per cápita de 1928 (a precios de 1926) con el ingreso nacional real per cápita de 1913 (a precios de 1926) en Alienes (1950) se aplicó a la cifra de 1913 (véase *supra)*, para dar el ingreso nacional real per cápita de 1928 a precios de 1970.

1980. El dato se obtuvo ajustando la cifra obtenida para 1970 para el PIB per cápita en dólares corrientes —véase Pérez-López (1991)— por el crecimiento del PIB real de 1970 y 1980, como se indica en Brundenius y Zimbalist (1989), cuadro 5.8, p. 63.

2000. World Bank (2002a).

Ecuador

1980. World Bank (1983). Los datos se refieren al PIB a precios de mercado. La fuente presenta el PIB a precios de 1975; este dato fue convertido a dólares al tipo de cambio de 1975 (25.0), y luego a dólares de 1970 utilizando el deflactor del PIB de Estados Unidos entre 1970 y 1975 (0. 727).
2000. World Bank (2002a).

Haití

1980. World Bank (1983). Los datos se refieren al PIB a precios de mercado. La fuente presenta el PIB a precios de 1976; ese dato fue convertido a dólares al tipo de cambio de 1976 (5.0), y luego a dólares de 1970 utilizando el deflactor del PIB de Estados Unidos entre 1970 y 1976 (0.69).
2000. World Bank (2002a).

México

1913 y 1928. Solís (1983), cuadro III-1, pp. 79-80, ajustado de precios de 1960 a precios de 1970 por el deflactor del PIB obtenido comparando Solís (1983) y CEPAL (1978) para 1970. El dato de 1913 es para 1910.
1980. World Bank (1983).
2000. World Bank (2002a).

Panamá

1980. World Bank (1983). Los datos se refieren al PIB a precios de mercado.
2000. World Bank (2002a).

Paraguay

1980. World Bank (1983). Los datos se refieren al PIB a precios de mercado. La fuente presenta el PIB a precios de 1977; ese dato fue convertido a dólares al tipo de cambio de 1977 (126) y luego a dólares de 1970 utilizando el deflactor del PIB de Estados Unidos entre 1970 y 1977 (0.65).
2000. World Bank (2002a).

Perú

1913 y 1928. CEPAL (1978) para 1950, ajustado a 1913 y 1928 por Boloña (1981), citado en Maddison (1991), cuadro 1.7, p. 6. El dato de 1928 se refiere a 1929.
1980. World Bank (1983). Los datos se refieren al PIB a precios de mercado. La fuente presenta el PIB a precios de 1973; ese dato fue convertido a dólares al tipo de cambio de 1973 (38.7) y luego a dólares de 1970 utilizando el deflactor del PIB de Estados Unidos entre 1970 y 1973 (0.86).

Puerto Rico

1913. Se supone que el PIB per cápita creció a 1.5% anual entre 1913 y 1930.
1928. La cifra es para 1930. Dietz (1986), p. 244, incluye un cuadro que fue utilizado para obtener una estimación del PIB de 1950 a precios de mercado de 1970; ese dato fue ajustado entonces a 1940 utilizando un índice elaborado a partir del ingreso neto a precios constantes entre 1940 y 1950. Véase Dietz (1986), p. 205. Éste, a su vez, fue convertido a 1930 utilizando un índice elaborado a partir del ingreso neto en dólares en precios corrientes entre 1930 y 1940, suponiendo que no hubo cambio en los precios entre 1930 y 1940. Véase Perloff (1950), cuadro 49, p. 160.
1980. Tomado de Dietz (1986), cuadro 5.1, p. 244.
2000. World Bank (2002a).

República Dominicana

1980. World Bank (1983). Los datos se refieren al PIB a precios del mercado.
2000. World Bank (2002a).

Uruguay

1913. Se supone la misma relación con Argentina que en 1928.
1928. El dato es para 1930. CEPAL (1978) para 1935, ajustado por el cambio del PIB real entre 1930 y 1935. Véase Millot, Silva y Silva (1973), cuadro 23.
1980. World Bank (1983). La fuente da el PIB a precios de 1978; ese dato fue convertido en dólares al tipo de cambio de 1978 (6.125), y luego a dólares de 1970 utilizando el deflactor del PIB de Estados Unidos entre 1970 y 1978 (0.60).
2000. World Bank (2002a).

Venezuela

1928. CEPAL (1978) para 1936, ajustado por el cambio del PIB real entre 1928 y 1936. Véase Rangel (1970), como aparece en McBeth (1983), cuadro 17, p. 114.
1980. World Bank (1983). Los datos se refieren al PIB a precios de mercado. La fuente da el PIB a precios de 1968; ese dato fue convertido a dólares al tipo de cambio de 1968 (4.5) y luego a precios de 1970 utilizando el deflactor del PIB de Estados Unidos entre 1968 y 1970 (1.076).
2000. World Bank (2002a).

BIBLIOGRAFÍA

Abente, D. (1989), "Foreign Capital. Economic Elites and the State in Paraguay during the Liberal Republic (1870-1936)", *Journal of Latin American Studies* 21 (1), pp. 61-88.

Abreu, M. de P. (2000), "Argentina and Brazil during the 1930s: the impact of British and US international economic policies", en R. Thorp (comp.), *Latin America in the 1930s: The Role of the Periphery in World Crisis*, Palgrave, Basingstoke.

—— y A. Bevilaqua (2000), "Brazil as an export economy, 1880-1930", en E. Cárdenas, J. Ocampo y R. Thorp (comps.), *An Economic History of Twentieth Century Latin America*, vol. I: *The Export Age. The Latin American Economics in the Late Nineteenth and Early Twentieth Centuries*. Palgrave, Basingstoke.

Acevedo, E. (1902), *Historia económica de la República de Uruguay*, 2 vols., El Siglo Ilustrado, Montevideo.

Adams, F. (1914), *Conquest of the Tropics*, Doubleday, Nueva York.

Albala Bertrand, J. M. (1993), "Evolution of Aggregate Welfare and Development Indicators in Latin America and the OECD, 1950-85", en C. Abel y C. M. Lewis (comps.), *Welfare, Poverty and Development in Latin America*, Basingstoke, Macmillan/St. Antony's College.

Alberro, J. L. (1987), "La dinámica de los precios relativos en un ambiente inflacionario", *Estudios Económicos*, número extraordinario (octubre), 267-304.

Albert, B. (1988), *South America and the First World War: The Impact of the War on Brazil, Argentina, Peru and Chile*, Cambridge University Press, Cambridge.

Alhadeff, P. (1986), "The Economic Formulae of the 1930s; a Reassessment", en G. di Tella y D. C. M. Platt (comps.), *The Political Economy of Argentina, 1880-1946*, Basingstoke, Macmillan/St. Antony's College.

Alienes, J. (1950), *Características fundamentales de la economía cubana*, La Habana, Banco Nacional de Cuba.

Amadeo, E. *et al.* (1990), *Inflación y estabilización en América Latina: nuevos modelos estructuralistas*, Tercer Mundo, Bogotá.

Andere, E. (1992), "Regímenes antidumping de México y Estados Unidos: consideraciones para la negociación del Tratado de Libre Comercio", en E. Andere y G. Kessel (comps.), *México y el tratado trilateral de libre comercio*, McGrawHill, México.

Anna, T. (1985), "The Independence of Mexico and Central America", en L. Bethell (comp.), *The Cambridge History of Latin America*, vol. III,

From Independence to c. *1870,* Cambridge University Press, Cambridge.

Arndt, H. W. (1985), "The Origins of Structuralism", *World Development* 13 (2), pp. 151-159.

Arriaga, E. (1968), *New Life Tables for Latin American Populations in the Nineteenth and Twentieth Centuries,* University of California, Berkeley.

Arrieta, C. *et al.* (1991), *El narcotráfico en Colombia,* Tercer Mundo, Bogotá.

Ascher, W. (1984), *Scheming for the Poor: The Politics of Redistribution in Latin America,* Harvard University Press, Cambridge.

Bacha, E. (1977), "Issues and Evidence in Recent Brazilian Economic Growth", *World Development* 5 (1-2), pp. 47-67.

Baer, W. (1969), *The Development of the Brazilian Steel Industry,* Vanderbilt University Press, Nashville.

―――― (1983), *The Brazilian Economy: Growth and Development,* Praeger, Nueva York.

―――― (comp.) (1998), *The Changing Role of International Capital in Latin America. Quantitative Review of Economics and Finance,* 38 (3).

―――― y M. H. Birch (1984), "Expansion of the Economic Frontier: Paraguayan Growth in the 1970s", *World Development* 12 (8), pp. 783-798.

Bairoch, P., y B. Etemard (1985), *Commodity Structure of Third World Exports,* Libraire Droz, Ginebra.

―――― y J. Toutain (1991), *World Energy Production,* Libraire Droz, Ginebra.

―――― y M. Lévy-Leboyer (comps.) (1981), *Disparities in Economic Development since the Industrial Revolution,* Macmillan, Basingstoke.

Bakewell, P. (1984), "Mining in Colonial Spanish America", en L. Bethell (comp.), *The Cambridge History of Latin America,* vol. II, *Colonial Latin America,* Cambridge University Press, Cambridge.

Balassa, B. *et al.* (1986), *Towards Renewed Economic Growth in Latin America: Summary, Overview and Recommendations,* Institute for International Economics, Washington, D. C.

Balasubramanyam, V. (1988), "Export Processing Zones in Developing Countries: Theory and Empirical Evidente", en D. Greenaway (comp.), *Economic Development and International Trade,* Macmillan, Basingstoke.

Ballesteros, M. y T. E. Davis (1963), "The Growth of Output and Employment in Basic Sectors of the Chilean Economy, 1908-1957", *Economic Development and Cultural Change,* II, pp. 152-176.

Banco de Guatemala (1989), *Banca Central,* núm. I, Banco de Guatemala, Guatemala.

Banco de la República (1990), *El Banco de la República: antecedentes, evolución y estructura,* Banco de la República, Bogotá.

Baptista, A. (1997), *Bases cuantitativas de la economía venezolana,* Ediciones Fundación Polar, Caracas.

Barbier, E. B. (1989), *Economics, Natural Resource Scarcity and Development,* Earthscan Publications, Londres.

Barraclough, S. (comp.) (1973), *Agrarian Structure in Latin America*, Heath, Lexington.

Batou, J. (1990), *One Hundred Years of Resistance to Underdevelopment*, Libraire Droz, Ginebra.

—— (1991), *Between Development and Underdevelopment*, Libraire Droz, Ginebra.

Bauer, A. (1986), "Rural Spanish America, 1870-1930", en L. Bethell (comp.), *The Cambridge History of Latin America*, vol. IV, c. *1870-1930*, Cambridge University Press, Cambridge.

Bauer Paiz, A. (1986), *Cómo opera el capital yanqui en Centroamérica (el caso de Guatemala)*, Ibero-Mexicana, México.

Bazant, J. (1985), "Mexico from Independence to 1867", en L. Bethell (comp.), *The Cambridge History of Latin America*, vol. III, *From Independence to c. 1870*, Cambridge University Press, Cambridge.

Beatty, E. (2000), "The Impact of Foreign Trade on the Mexican Economy: Terms of Trade and the Rise of Industry, 1880-1923", *Journal of Latin American Studies*, 32 (2), pp. 399-434.

Beckerman P. (1989), "Austerity, External Debt, and Capital Formation in Peru", en H. Handelman y W. Baer (comps.), *Paying the Costs of Austerity in Latin America*, Westview, Boulder.

Benoit, P. (1954), *1804-1954: Cent cinquante ans de commerce extérieur d'Haïti*, Institut Haïtien de Statistique, Puerto Príncipe.

Berend, I. T. (1982), *The European Periphery and Industrialization: 1780-1914*, Cambridge University Press, Cambridge.

Bergad, L. (1983), *Coffee and the Growth of Agrarian Capitalism in Nineteenth Century Puerto Rico*, Princeton University Press, Princeton.

Bergquist, C. (1978), *Coffee and Conflict in Colombia, 1886-1910*, Duke University Press, Durham.

Bergsman, J. (1970), *Brazil: Industrialization and Trade Policies*, Oxford University Press, Londres.

Berry, A. (1983), "A Descriptive History of Colombian Industrial Development in the Twentieth Century", en A. Berry (comp.), *Essays on Industrialization in Colombia*, Center for Latin American Studies, Arizona State University, Tempe.

—— (1987), "The Limited Role of Rural Small-Scale Manufacturing for Late-Comers. Some Hypotheses on the Colombian Experience", *Journal of Latin American Studies* 19 (2), pp. 279-294.

—— (comp.) (1998), *Poverty, Economic Reform and Income Distribution in Latin America*, Lynne Rienner, Boulder.

—— y W. Cline (1979), *Agrarian Structure and Productivity in Developing Countries*, Johns Hopkins University Press, Baltimore.

Bethell, L. (1970), *The Abolition of the Brazilian Slave Trade*, Cambridge University Press, Cambridge.

—— (1985), "The Independence of Brazil", en L. Bethell (comp.), *The Cam-*

bridge History of Latin America, vol. III, *From Independence to* c. *1870*, Cambridge University Press, Cambridge.

Bethell, L. (comp.) (1991), *The Cambridge History of Latin America*, vol. VIII, *Latin America since 1930: Spanish South America*, Cambridge University Press, Cambridge.

—— e I. Roxborough (1988), "Latin America between the Second World War and the Cold War: Some Reflections on the 1945-8 Conjuncture", *Journal of Latin American Studies* 20 (1), pp. 167-189.

—— (1992), *Latin America between the Second World War and the Cold War, 1944-1948*, Cambridge University Press, Cambridge.

Blakemore, H. (1974), *British Nitrates and Chilean Politics, 1886-1896, North v Balmaceda*, Athlone Press, Londres.

—— (1986), "Chile from the War of the Pacific to the World Depression, 1880-1930", en L. Bethell (comp.), *The Cambridge History of Latin America*, vol. V, c. *1870 to 1930*, Cambridge University Press, Cambridge.

Blaug, H. (1976), *Economic Theory in Retrospect*, 3ª ed., Cambridge University Press, Cambridge.

Blomström. M. (1990), *Transnational Corporation and Manufacturing Exports from Developing Countries*, United Nations, Nueva York.

—— y P. Meller (comps.) (1991), *Diverging Paths: Comparing a Century of Scandinavian and Latin American Economic Development*, Interamerican Development Bank, Washington, D. C.

Bocco, A. M. (1987), *Auge petrolero, modernización y subdesarrollo: el Ecuador de los años setenta*, Corporación Editora Nacional, Quito.

Bogart, E. L. (1908), *The Economic History of the United States*, Longmans, Londres.

Boloña, C. (1981), *Tariff Policies in Peru, 1880-1980*, tesis doctoral, Oxford University Press, Oxford.

Bonilla, H. (1985), "Peru and Bolivia from Independence to the War of the Pacific", en L. Bethell (comp.), *The Cambridge History of Latin America*, vol. III, *From Independence to* c. *1870*, Cambridge University Press, Cambridge.

Booth, J. A. (1982), *The End and the Beginning-The Nicaraguan Revolution*, Westview, Boulder.

Bourgade, E. de (1982), *Paraguay: The Land and the People. National Wealth and Commercial Capabilities*, George Philip, Londres.

Bouzas, R. y H. Soltz (2001), "Institutions and regional integration: the case of Mercosur", en V. Bulmer-Thomas (comp.), *Regional Integration in Latin America and the Caribbean: the Political Economy of Open Regionalism*, Institute of Latin America Studies, Londres.

Brading, D. (1978), *Haciendas and ranchos in the Mexican Bajío: León, 1700-1860*, Cambridge University Press, Cambridge.

Bratter, H. (1939), "Foreign exchange control in Latin America", *Foreign Policy Report*, 14 (23), pp. 274-288.

Broadberry, S. N. (1986), *The British Economy between the Wars: A Macroeconomic Survey*, Basil Blackwell, Oxford.

Brockett, C. D. (1988), *Land, Power and Poverty: Agrarian Transformation and Political conflict in Central America*, Unwin Hyman, Boston.

Brogan, C. (1984), *The Retreat from Oil Nationalism in Ecuador, 1976-1983*, Institute of Latin American Studies, Londres.

Brothers, D. S. y M. L. Solís (1986), *Mexican Financial Development*, University of Texas Press, Austin.

Brown, J. (1979), *A Socio-Economic History of Argentina, 1776-1860*, Cambridge University Press.)

Browning, D. (1971), *El Salvador: Landscape and Society*, Oxford University Press, Oxford.

Brundenius, C. (1984), *Revolutionary Cuba: The Challenge of Economic Growth with Equity*, Westview, Boulder.

——— y A. Zimbalist (1989), *The Cuban Economy: Measurement and Analysis of Socialist Performance*, Johns Hopkins University Press, Baltimore.

Bruno, M., S. Fischer, E. Helpman y N. Liviatan (comps.) (1991), *Lessons of Economic Stabilization and its Aftermath*, MIT Press, Cambridge.

Bruton, H. (1989), "Import Substitution", en H. Chenery y T. N. Srinivasan (comps.), *Handbook of Development Economics*, vol. 2, North-Holland, Amsterdam.

Bryce, J. (1912), *South America: Observations and Impressions*, Macmillan, Londres.

Buiter, W. (1983), "Measurement of the Public Sector Deficit and the Implications for Policy Evaluation and Design", *IMF Staff Papers* 30 (2), Washington, D. C.

Bulmer-Thomas, I. (1965), *The Growth of the British Party System*, 2 vols., Baker, Londres.

Bulmer-Thomas, V. (1987), *The Political Economy of Central America since 1920*, Cambridge University Press, Cambridge.

——— (1988), *Studies in the Economics of Central America*, Macmillan, St. Martin's, Basingstoke, Nueva York.

——— (1990a), "Honduras since 1930", en L. Bethell (comp.), *The Cambridge History of Latin America*, vol. VII, *Latin America since 1930: Mexico, Central America and the Caribbean*, Cambridge University Press, Cambridge.

——— (1990b), "Nicaragua since 1930", en L. Bethell (comp.), *The Cambridge History of Latin America*, vol. VIII, *Latin America since 1930: Mexico, Central America and the Caribean*, Cambridge University Press, Cambridge.

——— (comp.) (1996), *The New Economic Model in Latin America and its Impact on Income Distribution and Poverty*, ILAS y Macmillan, Londres/St. Martin's Press, Nueva York.

——— (1997), "Regional Integration in Latin America before the Debt Crisis: LAFTA, CACM and the Andean Pact", en A. el-Agraa (1997), *Economic Integration Worldwide*, Macmillan, Basingstoke.

Bulmer-Thomas, V. (1998), *Reflexiones sobre la integración centroamericana*, Banco Centroamericano de Integración Económica, Tegucigalpa.

—— y S. Page (1999), "Trade Relations in the Americas: Mercosur, the Free Trade Area of the Americas and the European Union", en V. Bulmer-Thomas y J. Dunkerley (comps.), *The United States and Latin America; the New Agenda*, The David Rockefeller Center for Latin American Studies, Harvard University, Cambridge/Institute of Latin American Studies, Londres.

—— (2001a), "Regional Integration and Intra-Industry Trade", en V. Bulmer-Thomas (comp.), *Regional Integration in Latin America and the Caribbean: The Political Economy of Open Regionalism*, Institute of Latin American Studies, Londres.

—— (2001b), "The Wider Caribbean in the 20th Century: A Long-run Development Perspective", *Integration and Trade*, 15 (5), pp. 5-56.

Bureau de Publicidad de la América Latina (1916-1917), *"El Libro Azul" de Panamá*, Panamá.

Bureau of the American Republics (1892a), *Handbook of Bolivia*, Government Printing Office, Washington, D. C.

—— (1892b), *Handbook of Costa Rica*, Government Printing Office, Washington, D. C.

—— (1892c), *Handbook of Ecuador*, Government Printing Office, Washington, D. C.

—— (1892d), *Handbook of Haiti*, Government Printing Office, Washington, D. C.

—— (1892e), *Handbook of Nicaragua*, Government Printing Office, Washington, D. C.

—— (1892f), *Handbook of Paraguay*, Government Printing Office, Washington, D. C.

—— (1892g), *Handbook of the Argentine Republic*, Government Printing Office, Washington, D. C.

—— (1892h), *Handbook of Venezuela*, Government Printing Office, Washington, D. C.

—— (1904), *Honduras: Geographical Sketch, Natural Resources, Laws, Economic Conditions, Actual Development, Prospects and Future Growth*, Government Printing Office, Washington, D. C.

Burns, E. B. (1980), *The Poverty of Progress: Latin America in the Nineteenth Century*, University of California Press, Berkeley.

—— (1991), *Patriarch and Folk: The Emergence of Nicaragua 1798-1858*, Harvard University Press, Cambridge.

Bushnell, D. (1970), *The Santander Regime in Gran Colombia*, Greenwood, Westport.

—— y N. Macaulay (1988), *The Emergence of Latin America in the Nineteenth Century*, Oxford University Press, Nueva York.

Cantarero, L. A. (1949), *The Economic Development of Nicaragua, 1920-1947*, tesis doctoral, University of Iowa.

Cárdenas, E. (2000), "The Great Depression and Industrialization: The Case of Mexico", en R. Thorp (comp.), *Latin America in the 1930s: The Role of the Periphery in World Crisis,* Palgrave/St. Antony's College, Oxford.

—— y C. Manns (1989), "Inflación y estabilización monetaria en México durante la Revolución", *El Trimestre Económico* 56 (221), pp. 57-79.

——, J. Ocampo y R. Thorp (comps.) (2000), *An Economic History of Twentieth Century Latin America,* vol. I, *The Export Age. The Latin American Economies in the Late Nineteenth and Early Twentieth Centuries,* Palgrave, Basingstoke.

Cardoso, E. (1981), "Food Supply and Inflation", *Journal of Development Economics* 8 (3), pp. 269-284.

—— (1991), "From Inertia to Megainflation: Brazil in the 1980s", en M. Brono, S. Fischer, E. Helpman y N. Liviatan (comps.), *Lessons of Economic Stabilization and its Aftermath,* MIT Press, Cambridge.

—— y A. Helwege (1992), *Latin America's Economy: Diversity, Trends, and Conflicts,* MIT Press, Cambridge.

Cardoso, F. H. y H. Brignoli (1979a), *Historia económica de América Latina,* vol. 1, *Sistemas agrarios e historia colonial,* Crítica, Barcelona.

—— (1979b), *Historia económica de América Latina,* vol. 2, *Economías de exportación y desarrollo capitalista,* Crítica, Barcelona.

—— y E. Faletto (1979), *Dependency and Development in Latin America,* University of California Press, Berkeley.

Carnoy, M. (1972), *Industrialization in a Latin American Common Market,* Brookings Institution, Washington, D. C.

Carr, R. (1984), *Puerto Rico: A Colonial Experiment,* Nueva York University Press, Nueva York.

Carroll, H. (1975), *Report on the Island of Porto Rico,* Arno Press, Nueva York.

Catão, L. (1991), "The International Transmission of Long Cycles Between 'Core' and 'Periphery' Economies: A Case Study of Brazil and Mexico, c. 1870-1940", tesis doctoral, Cambridge University Press, Cambridge.

CEPAL (1959), *El desarrollo económico de la Argentina,* 3 vols., Naciones Unidas, Santiago de Chile.

—— (1976), *América Latina: Relación de precios del intercambio,* Cuadernos Estadísticos de la CEPAL, Naciones Unidas, Santiago de Chile.

—— (1978), *Series históricas del crecimiento de América Latina,* Cuadernos Estadísticos de la CEPAL, Naciones Unidas, Santiago de Chile.

—— (2000), *Panorama social de América Latina, 2000-1.* Naciones Unidas, Santiago de Chile.

Cerdas Cruz, R. (1990), "Costa Rica since 1930", en L. Bethell (comp.), *The Cambridge History of Latin America,* vol. VII, *Latin America since 1930: Mexico, Central America and the Caribbean,* Cambridge University Press, Cambridge.

Chalmers, H. (1994), "Inter-American Trade Policy", en S. E. Harris (comp.), *Economic Problems of Latin America,* McGraw-Hill, Nueva York.

Chalmin, P. G. (1984), "The Important Trends in Sugar Diplomacy before 1914", en B. Albert y A. Graves (comps.), *Crisis and Change in the International Sugar Economy 1860-1914*, ISC Press, Norwich.

Chenery, H. (1960), "Patterns of Industrial Growth", *American Economic Review* 50 (3), pp. 624-654.

Chowning, M. (1990), "The Management of Church Wealth in Michoacán, Mexico, 1810-1856: Economic Motivations and Political Implications", *Journal of Latin American Studies* 22 (3), pp. 459-496.

Clarence-Smith, W. (2000), *Cocoa and Chocolate, 1765-1914*, Routledge, Londres y Nueva York.

Clark, V. *et al.* (1975), *Porto Rico and Its Problems*, Arno Press, Nueva York.

Clark, W. (1911), *Cotton Goods in Latin America, Part II*, US Dept. of Commerce and Labor, Government Printing Office, Washington, D. C.

Cline, W. R. (1978), "Benefits and Costs of Economic Integration in Central America", en W. R. Cline y E. Delgado (comps.), *Economic Integration in Central America*, Brookings Institution, Washington, D. C.

Coatsworth, J. (1978), "Obstacles to Economic Growth in Nineteenth Century Mexico", *American Historical Review* 83 (1), pp. 80-100.

—— (1981), *Growth against Development-The Economic Impact of Railroads in Porfirian Mexico*, Northern Illinois University Press, Dekalb.

—— (1993), "Notes on the Comparative Economic History of Latin America and the United States", en W. Bernecker y H. Tobler (comps.), *Development and Underdevelopment in America*, Walter de Gruyter, Berlín y Nueva York.

—— (1998), "Economic and Institutional Trajectories in Nineteenth Century Latin America", en J. Coatsworth y A. Taylor (comps.), *Latin America and the World Economy since 1800*, The David Rockefeller Center for Latin American Studies, Harvard University, Cambridge.

Colburn, F. D. (1990), *Managing the Commanding Heights: Nicaragua's State Enterprises*, University of California Press, Berkeley.

Collier, S. (1986), *The Life, Music and Times of Carlos Gardel*, University of Pittsburgh Press, Pittsburgh.

Connell-Smith, G. (1966), *The Inter-American System*, Oxford University Press, Londres.

Conniff, M. L. (1985), *Black Labor on a White Canal: Panama, 1904-1981*, University of Pittsburgh Press, Pittsburgh.

Consejo Monetario Centroamericano (1991), *Boletín Estadístico 1991*, San José, Costa Rica.

Contreras, M. (2000), "Bolivia, 1900-39: Mining, Railways and Education", en E. Cárdenas, J. Ocampo y R. Thorp (comps.), *An Economy History of Twentieth Century Latin America*, vol. I, *The Export Age. The Latin American Economies in the Late Nineteenth and Early Twentieth Centuries*, Palgrave, Basingstoke.

Corden, W. M. (1971), *The Theory of Protection*, Clarendon Press, Oxford.

Cortés Conde, R. (1985), "The Export Economy of Argentina, 1880-1920", en R. Cortés Conde y S. J. Hunt (comps.), *The Latin American Economies: Growth and the Export Sector, 1880-1930*, Holmes & Meier, Nueva York.

——— (1986), "The Growth of the Argentine Economy c. 1870-1914", en L. Bethell (comp.), *The Cambridge History of Latin America*, vol. v, c. 1870-1930, Cambridge University Press, Cambridge.

——— (1997), *La economía argentina en el largo plazo*, Editorial Sudamericana, Buenos Aires.

——— (2000), "The vicissitudes of an exporting economy: Argentina, 1875-1930", en E. Cárdenas, J. Ocampo y R. Thorp (comps.), *An Economic History of Twentieth Century Latin America*, vol. i, *The Export Age. The Latin American Economies in the late Nineteenth and Early Twentieth Centuries*, Palgrave, Basingstoke.

Council of Foreign Bondholders (1931), *Annual Report*, Londres.

Cowell, F. A. (1977), *Measuring Inequality*, Philip Allan, Oxford.

Cramer, G. (1998), "Argentine Riddle: The Pineda Plan of 1940 and the Political Economy of the Early War Years", *Journal af Latin American Studies*, 30 (3), pp. 519-550.

Cuddington, J. T. y C. M. Urzúa (1989), "Trends and Cycles in the Net Barter Terms of Trade: A New Approach", *Economic Journal* 99 (396), pp. 426-442.

Cukierman, A. (1988), "The End of High Israeli Inflation: An Experiment in Heterodox Stabilization", en M. Bruno *et al.* (comps.), *Inflation Stabilization: The Experience of Israel, Argentina, Brazil, Bolivia and Mexico*, MIT Press, Cambridge.

Cumberland, W. W. (1928), *Nicaragua: An Economic and Financial Survey*, Government Printing Office, Washington, D. C.

Dalton, L. (1916), *Venezuela*, T. Fisher Unwin, Londres.

Dawson, F. G. (1990), *The First Latin American Debt Crisis: The City of London and the 1822-25 Loan Bubble*, Yale University Press, New Haven.

De Franco, M. y R. Godoy (1992), "The Economic Consequences of Cocaine Production in Bolivia: Historical, Local and Macroeconomic Perspectives", *Journal of Latin American Studies* 24 (2): 375-406.

De Janvry, A. (1990), *The Agrarian Question and Reformism in Latin America*, Johns Hopkins University Press, Baltimore.

De Soto, H. (1987), *El otro sendero: La revolución informal*, Editorial Sudamericana, Buenos Aires.

De Vries, M. G. (1976), *The IMF in a Changing World*, International Monetary Fund, Washington, D. C.

De Vylder, S. (1976), *Allende's Chile*, Cambridge University Press, Cambridge.

Dean, W. (1969), *The Industrialization of São Paulo, 1880-1945*, University of Texas Press, Austin.

——— (1987), *Brazil and the Struggle for Rubber: A Study of Environmental History*, Cambridge University Press, Cambridge.

Deas, M. (1982), "The Fiscal Problems of Nineteenth-Century Colombia", *Journal of Latin American Studies* 14 (2), pp. 287-328.

—— (1985), "Venezuela, Colombia and Ecuador: The First Half-Century of Independence", en L. Bethell (comp.), *The Cambridge History of Latin America*, vol. III, *From Independence to c. 1870*, Cambridge University Press, Cambridge.

—— (1986), "Colombia, Ecuador and Venezuela, c. 1880-1930", en L. Bethell (comp.), *The Cambridge History of Latin America*, vol. V, *c. 1870-1930*, Cambridge University Press, Cambridge.

Deas, M. (comp.) (1991), *Latin America in Perspective*, Houghton Mifflin, Boston.

Dell, S. (1966), *A Latin American Common Market?*, Oxford University Press, Londres.

Denny, H. (1929), *Dollars for Bullets: The Story of American Rule in Nicaragua*, Dial Press, Nueva York.

Devlin, R., R. Ffrench-Davis y S. Griffith-Jones (1995), "Surges in Capital Flows and Development: an Overview of Policy Issues", en R. Ffrench-Davis y S. Griffith-Jones (comps.), *Coping with Capital Surges: The Return of Finance to Latin America*, Lynne Rienner, Boulder.

—— y A. Estevadeordal (2001), "What's New in the New Regionalism in Latin America?", en V. Bulmer-Thomas (comp.), *Regional Integration in Latin America and the Caribbean: The Political Economy of Open Regionalism*, Institute of Latin American Studies, Londres.

Diakosavvos, D. y P. Scandizzo (1991), "Trends in the Terms of Trade of Primary Commodities, 1900-1982: The Controversy and Its Origins", *Economic Development and Cultural Change* 39 (2), pp. 231-264.

Dias Carneiro, D. (1987), "Long-Run Adjustment, the Debt Crisis and the Changing Role of Stabilisation Policies in the Recent Brazilian Experience", en R. Thorp y L. Whitehead (comps.), *Latin American Debt and the Adjustment Crisis*, Macmillan/St. Antony's College, Basingstoke.

Díaz, J., R. Lüders y G. Wagner (1998), "Economía chilena 1810-1995: Evolución cuantitativa del producto total y sectorial", documento de trabajo núm. 186, Pontificia Universidad Católica, Instituto de Economía, Santiago de Chile.

Díaz-Alejandro, C. F. (1965), *Exchange Rate Devaluation in a Semi-industrialized Country: The Experience of Argentina, 1955-1961*, MIT Press, Cambridge.

—— (1970), *Essays on the Economic History of the Argentine Republic*, Yale University Press, New Haven.

—— (1976), *Colombia (Foreign Trade Regimes and Economic Development)*, National Bureau of Economic Research, Nueva York.

—— (1981), "Southern Cone Stabilization Plans", en W. R. Cline y S. Weintraub (comps.), *Economic Stabilization in Developing Countries*, Brookings Institution, Washington, D. C.

Díaz-Alejandro, C. F. (1984), "Latin American Debt: I Don't Think We Are in Kansas Anymore", *Brookings Papers on Economic Activity*, 2.

—— (2000), "Latin America in the 1930s", en R. Thorp (comp.), *Latin America in the 1930s: The Role of the Periphery in World Crisis*, Palgrave/St. Antony's College, Basingstoke.

Diederich, B. (1982), *Somoza and the Legacy of US Involvement in Central America*, Junction Books, Londres.

Dietz, J. L. (1986), *Economic History of Puerto Rico: Institutional Change and Capitalist Development*, Princeton University Press, Princeton.

Dirección General de Estadística (México) (1993), *Censo industrial*, México.

Dirección General de Estadística y Censos (Costa Rica) (1930), *Anuario estadístico 1929*, San José.

—— (1974), *Censo agropecuario*, San José.

Domínguez, J. (1989), *To Make a World Safe for Revolution: Cuba's Foreign Policy*, Harvard University Press, Cambridge.

Dore, E. (1988), *The Peruvian Mining Industry: Growth, Stagnation and Crisis*, Westview, Boulder.

Downes, R. (1992), "Autos over Rails: How US Business Supplanted the British in Brazil, 1910-28", *Journal of Latin American Studies* 24 (3), pp. 551-583.

Drake, P. W. (1989), *The Money Doctor in the Andes: The Kemmerer Missions, 1923-1933*, Duke University Press, Durham.

Duncan, K. *et al.* (1977), *Land and Labour in Latin America: Essays on the Development of Agrarian Capitalism in the Nineteenth and Twentieth Centuries*, Cambridge University Press, Cambridge.

Dunkerley, J. (1982), *The Long War: Dictatorship and Revolution in El Salvador*, Junction Books, Londres.

—— (1984), *Rebellion in the Veins: Political Struggle in Bolivia 1952-1982*, Verso, Londres.

Eakin, M. (1989), *British Enterprise in Brazil: The St. John del Rey Mining Company and the Morro Velho Gold Mine, 1830-1960*, Duke University Press, Durham.

Echeverri Gent, E. (1992), "Forgotten Workers: British West Indians and the Early Days of the Banana Industry in Costa Rica and Honduras", *Journal of Latin American Studies* 24 (2), pp. 275-308.

ECLA (1949), *Economic Survey of Latin America 1948*, Naciones Unidas, Nueva York.

—— (1951), *Economic Survey of Latin America, 1949*, Naciones Unidas, Nueva York.

—— (1956), *Study of Inter-American Trade*, Naciones Unidas, Nueva York.

—— (1959), *Inter-American Trade: Current Problems*, Naciones Unidas, Nueva York.

—— (1963), *Towards a Dynamic Development Policy far Latin America*, Naciones Unidas, Nueva York.

ECLA (1965), *External Financing in Latin America*, Naciones Unidas, Nueva York.

——— (1970), *Development Problems in Latin America*, University of Texas Press, Austin.

——— (1971), *Income Distribution in Latin America*, Naciones Unidas, Nueva York.

ECLAC (1988), *ECLAC 40 Years (1948-1988)*, Naciones Unidas, Santiago de Chile.

——— (1989), *Statistical Yearbook for Latin America and the Caribbean, 1988*, Naciones Unidas, Santiago de Chile.

——— (2001), *Statistical Yearbook for Latin Arnerica and the Caribbean, 2000*, Naciones Unidas, Santiago de Chile.

Edel, M. (1969), *Food Supply and Inflation in Latin America*, Praeger, Nueva York.

Eder, G. J. (1968), *Inflation and Development in Latin America: A Case History of Inflation and Stabilization in Bolivia*, University of Michigan Press, Ann Arbor.

Eder, P. (1912), *Colombia*, T. Fisher Unwin, Londres.

Edwards, S. (1984), "Coffee, Money and Inflation in Colombia", *World Development* 12 (11/12), pp. 1107-1117.

——— (1989), "Exchange Controls, Devaluations and Real Exchange Rates: The Latin American Experience", *Economic Development and Cultural Change* 37 (3), pp. 457-494.

——— y A. Cox Edwards (1987), *Monetarism and Liberalization: The Chilean Experiment*, University of Chicago Press, Chicago.

Eichengreen, B. y R. Portes (1988), *Settling Defaults in the Era of Bond Finance*, Discussion Paper in Economics 1988/8, Birkbeck College.

El-Agraa, A. M. (1997), "The Theory of Economic Integration", en A. M. El-Agraa (comp.), *Economic Integration Worldwide*, Macmillan, Basingstoke.

——— y D. Hojman (1988), "The Andean Pact", en A. M. El-Agraa (comp.), *International Economic Integration*, Macmillan, Basingstoke.

Elías, V. (1992), *Sources of Growth: A Study of Seven Latin American Economies*, International Center for Economic Growth, San Francisco.

Engerman, S. y K. Sokoloff (2000), "Technology and Industrialization, 1790-1914", en S. Engerman y R. Gallman (comps.), *The Cambridge Economic History of the United States*, vol. II, *The Long Nineteenth Century*, Cambridge University Press, Cambridge.

Enock, R. (1919), *Mexico*, T. Fisher Unwin, Londres.

Escudé, C. (1990), "US Political Destabilisation and Economic Boycott of Argentina during the 1940s", en G. Di Tella y C. Wart (comps.), *Argentina between the Great Powers, 1939-46*, University of Pittsburgh Press, Pittsburgh.

Evans, P. (1979), *Dependent Development: The Alliance of Multinational, State and Local Capital in Brazil*, Princeton University Press, Princeton.

Ewell, J. (1991), "Venezuela since 1930", en L. Bethell (comp.), *The Cambridge History of Latin America*, vol. VIII, *1930 to the Present*, Cambridge University Press, Cambridge.

Fajnzylber, F. (1990), *Unavoidable Industrial Restructuring in Latin America*, Duke University Press, Durham.

Farrands, C. (1982), "The Political Economy of the Multifibre Arrangement", en C. Stevens (comp.), *EEC and the Third World: A Survey*, vol. II, *Hunger in the World*, Hodder and Stoughton/ODI/Institute of Development Studies, Londres.

Fass, S. M. (1990), *Political Economy in Haiti: The Drama of Survival*, Transaction Publishers, New Brunswick.

Fei, J., G. Ranis y S. Kuo (1979), *Growth with Equity: The Taiwan Case*, Oxford University Press, Nueva York.

Felix, D. y J. P. Caskey (1990), "The Road to Default: An Assessment of Debt Crisis Management in Latin America", en D. Felix (comp.), *Debt and Transfiguration? Prospects for Latin America's Economic Revival*, M. E. Sharpe, Armonk.

Ferns, H. S. (1960), *Britain and Argentina in the Nineteenth Century*, Clarendon Press, Oxford.

———— (1992), "The Baring Crisis Revisited", *Journal of Latin American Studies*, 24 (2): 241-273.

Ferreira, A. y G. Tullio (2002), "The Brazilian Exchange Rate Crisis of January 1999", *Journal of Latin American Studies*, 34 (1), pp. 143-164.

Fetter, F. (1931), *Monetary Inflation in Chile*, Princeton University Press, Princeton.

Ffrench-Davis, R. (1988), "The Foreign Debt Crisis and Adjustment in Chile: 1976-86", en S. Griffith-Jones (comp.), *Managing World Debt*, Harvester Wheatsheaf, Nueva York.

————, O. Muñoz y J. P. Palma (1994), "The Latin American Economies, 1950-1990", en L. Bethell (comp.), *The Cambridge History of Latin America*, vol. VII, *Latin America since 1930: Economy, Society, and Politics*, parte 1, Cambridge University Press, Cambridge.

Fields, G. S. (1980), *Poverty, Inequality and Development*, Cambridge University Press, Cambridge.

Finch, M. H. J. (1981), *A Political Economy of Uruguay since 1870*, Macmillan, Basingstoke.

———— (1988), "The Latin American Free Trade Association", en A. M. El-Agraa (comp.), *International Economic Integration*, Macmillan, Basingstoke.

Fischel, A. (1991), *Politics and Education in Costa Rica*, tesis doctoral, University of Southampton.

Fisher, J. (1985), *Commercial Relations between Spain and Spanish America in the Era of Free Trade, 1778-1796*, Centre for Latin American Studies, University of Liverpool, Liverpool.

Fishlow, A. (1972), "Origins and Consequences of Import Substitution in Brazil", en L. Di Marco (comp.), *International Economics and Development*, Academic Press, Nueva York.

——— (1973), "Some Reflections on Post-1964 Brazilian Economic Policy", en A. Stepan (comp.), *Authoritarian Brazil: Origins, Policies and Future*, Yale University Press, New Haven.

FitzGerald, E. V. K. (1976), *The State and Economic Development: Peru Since 1968*, Cambridge University Press, Cambridge.

——— (2000), "ECLA and the Theory of Import-Substituting Industrialisation in Latin America", en E. Cárdenas, J. Ocampo y R. Thorp (comps.), *An Economic History of Twentieth Century Latin America*, vol. 3, *Industrialization and the State in Latin America*, Palgrave, Basingstoke.

——— (2001), "The Winner's Curse: Premature Monetary Integration in the NAFTA", en V. Bulmer-Thomas (comp.), *Regional Integration in Latin America and the Caribbean: The Political Economy of Open Regionalism*, Institute of Latin American Studies, Londres.

FitzGerald, H. (1992), *ECLA and the Formation of Latin American Economic Doctrine in the 1940s*, Working Paper Series, núm. 106, Institute of Social Studies, La Haya.

Floyd, R. H., C. Gray y R. Short (1984), *Public Enterprise in Mixed Economies: Some Macroeconomic Aspects*, International Monetary Fund, Washington, D. C.

Fodor, J. (1986), "The Origin of Argentina's Sterling Balances, 1939-43", en G. Di Tella y D. C. M. Platt (comps.), *The Political Economy of Argentina, 1880-1946*, Macmillan/St. Antony's College, Basingstoke.

——— y A. O'Connell (1973), "La Argentina y la economía atlántica en la primera mitad del siglo XX", *Desarrollo Económico* 13 (49), pp. 1-67.

Foner, P. S. (1963), *A History of Cuba and its Relations with the United States*, vol. II, *1845-1895*, International Publishers, Nueva York.

Ford, A. G. (1962), *The Gold Standard 1880-1914: Britain v Argentina*, Oxford University Press, Oxford.

Fortín, C. y C. Anglade (1985), *The State and Capital Accumulation in Latin America*, vol. I, *Brazil, Chile, Mexico*, University of Pittsburgh Press, Pittsburgh.

Foxley, A. (1983), *Latin American Experiments in Neo-Conservative Economics*, University of California Press, Berkeley.

Frank, A. G. (1969), *Capitalism and Underdevelopment in Latin America*, Monthly Review Press, Nueva York.

Fritsch, W. (1988), *External Constraints on Economic Policy in Brazil, 1889-1930*, Macmillan, Basingstoke.

Furtado, C. (1963), *The Economic Growth of Brazil*, University of California Press, Berkeley.

——— (1976), *Economic Development of Latin America: A Survey from Colonial Times to the Cuban Revolution*, 2ª ed., Cambridge University Press, Cambridge.

Gallman, R. (2000), "Economic Growth and Structural Change in the Long Nineteenth Century", en S. Engerman y R. Gallman (comps.), *The Cambridge Economic History of the United States*, vol. II, *The Long Nineteenth Century*, Cambridge University Press, Cambridge.

Gallo, E. (1986), "Argentina: Society and Politics, 1980-1916", en L. Bethell (comp.), *The Cambridge History of Latin America*, vol. v, c. *1870 to 1930*, Cambridge University Press, Cambaridge.

Gamarra, E. (1999), "The United States and Bolivia: Fighting the drug war", en V. Bulmer-Thomas y J. Dunkerley (comps.), *The United States and Latin America: The New Agenda*, The David Rockefeller Center for Latin American Studies, Harvard University, Cambridge/Institute of Latin American Studies, Londres.

Ganuza, E., L. Taylor y S. Morley (comps.) (2000), *Política macroeconómica y pobreza en América Latina y el Caribe*, United Nations Development Programme, Inter-American Development Bank y ECLAC, Nueva York.

García, R. (1989), *Incipient Industrialization in an "Underdeveloped Country", The Case of Chile, 1845-1879*, Institute of Latin American Studies, Estocolmo.

Gerchunoff, P. (1989), "Peronist Economic Policies, 1946-55", en G. Di Tella y R. Dornbusch (comps.), *The Political Economy of Argentina, 1946-83*, Macmillan, Basingstoke.

Gilbert, A. J. (comp.) (1982), *Urbanization in Contemporary Latin America*, John Wiley, Chichester.

Giles, J., y C. Williams (2000a), "Export-Led Growth: A Survey of the Empirical Literature and Some Non-Causality Results. Part 1", *Journal of International Trade and Economic Development*, 9 (3): 261-337.

—— (2000b), "Export-Led Growth: A Survey of the Empirical Literature and some Non-causality Results. Part 2", *Journal of International Trade and Economic Development*, 9 (4): 445-470.

Gleijeses, P. (1991), *Shattered Rope: The Guatemalan Revolution and the United States, 1944-1954*, Princeton University Press, Princeton.

—— (1992), "The Limits of Sympathy: The United States and the Independence of Spanish America", *Journal of Latin American Studies* 24 (3), pp. 481-505.

Gold, J. (1968), "Mexico and the Development of the Practice of the International Monetary Fund", *World Development* 16 (10), pp. 1127-1142.

Gómez-Galvarriato, A. (1998), "The Evolution of Prices and Real Wages in Mexico from the Porfiriato to the Revolution", en J. Coatsworth y A. Taylor (comps.), *Latin America and the World Economy since 1800*. The David Rockeffeller Center for Latin American Studies, Harvard University, Cambridge.

Gonzales, M. J. (1989), "Chinese Plantation Workers and Social Conflict in Peru in the Late Nineteenth Century", *Journal of Latin American Studies* 21 (3), pp. 385-424.

Gootenberg, P. (1989), *Between Silver and Guano: Commercial Policy and the State in Post-Independence Peru*, Princeton University Press, Princeton.

—— (1991), "North-South: Trade Policy, Regionalism and *Caudillismo* in Post Independence Peru", *Journal of Latin American Studies* 23 (2), pp. 273-308.

Gravil, R. (1970), "State Intervention in Argentina's Export Trade between the Wars", *Journal of Latin American Studies* 2 (2), pp. 147-166.

Greenhill, R. (1977a), "The Brazilian Coffee Trade", en D. C. M. Platt (comp.), *Business Imperialism, 1840-1930: An Inquiry Based on British Experience in Latin America*, Clarendon Press, Oxford.

Grieb, K. J. (1979), *Guatemalan Caudillo: The Regime of Jorge Ubico, Guatemala-1931 to 1944*, Ohio University Press, Athens.

Griffin, K. (1969), *Under-Development in Spanish America*, George Allen and Unwin, Londres.

Griffith-Jones, S. (1984), *International Finance and Latin America*, Croom Helm, Londres.

——, M. Marcel y G. Palma (1987), *Third World Debt and British Banks: A Policy for Labour*, Fabian Society, Londres.

Grindle, M. (1986), *State and Countryside: Development Policy and Agrarian Politics en Latin America*, Johns Hopkins University Press, Baltimore.

Grosse, R. (1989), *Multinationals in Latin America*, Routledge, Londres.

Ground, R. L. (1988), "The Genesis of Import Substitution en Latin America", CEPAL *Review*, núm. 36, pp. 179-203.

Grunwald, J. y P. Musgrove (1970), *Natural Resources in Latin American Development*, Johns Hopkins University Press, Baltimore.

Guadagni, A. A. (1989), "Economic Policy during Illia's Period in Office", en G. Di Tella y R. Dornbusch (comps.), *The Political Economy of Argentina, 1946-83*, Macmillan, Basingstoke.

Gudmundson, L. (1986), *Costa Rica before Coffee: Society and Economy on the Eve of the Export Boom*, Louisiana State University Press, Baton Rouge.

Guerra Borges, A. (1981), *Compendio de geografía económica y humana de Guatemala*, Universidad de San Carlos, Guatemala.

Gupta, B. (1989), *Import Substitution of Capital Goods: The Case of Brazil, 1929-1979*, tesis doctoral, University of Oxford.

Gwynne, R., y C. Kay (2000), "Views from the periphery: Futures of neoliberalism in Latin America", *Third World Quarterly*, 21 (1): 141-156.

Gylfason, T. (1999), "Exports, inflation and growth", *World Development*, 27 (6), pp. 1031-1057.

Haber, S. (1989), *Industry and Underdevelopment: The Industrialisation of Mexico, 1890-1940*, Stanford University Press, Stanford.

—— (1992), "Assessing the Obstacles to Industrialization: The Mexican Economy, 1830-1940", *Journal of Latin American Studies* 24 (1), pp. 1-32.

—— (1997), "Financial Markets and Industrial Development: A Comparative Study of Governmental Regulation, Financial Innovation and Industrial Structure in Brazil and Mexico, 1840-1930", en S. Haber (comp.), *How Latin America Fell Behind*, Stanford University Press, Stanford.

Haddad, C. (1974), *Growth of Brazilian Real Output, 1900-47*, tesis doctoral, University of Chicago.

Hale, C. A. (1986), "Political and Social Ideas in Latin America, 1870-1930", en L. Bethell (comp.), *The Cambridge History of Latin America*, vol. IV, *c. 1870 to 1930*, Cambridge University Press, Cambridge.

Handelman, H. y W. Baer (comps.) (1989), *Paying the Costs of Austerity in Latin America*, Westview, Boulder.

Hanley, A. (1998), "Business finance and the São Paulo Bolsa, 1886-1917", en J. Coatsworth y A. Taylor (comps.), *Latin America and the World Economy since 1800*, The David Rockefeller Center for Latin American Studies, Harvard University, Cambridge.

Hanson, S. (1938), *Argentine Meat and the British Market*, Stanford University Press, Stanford.

Harpelle, R. N. (1993), "The Social and Political Integration of West Indians in Costa Rica: 1930-50", *Journal of Latin American Studies* 25 (1), pp. 103-120.

Harris, S. (1944), "Price Stabilization Programs in Latin America", en S. Harris (comp.), *Economic Problems of Latin America*, McGraw-Hill, Nueva York.

Harrod, R. S. (1951), *The Life of John Maynard Keynes*, Macmillan, Londres.

Haslip, J. (1971), *The Crown of Mexico: Maximilian and His Empress Carlota*, Holt, Rinehart & Winston, Nueva York.

Herrera Canales, I. (1977), *El comercio exterior de México, 1821-1875*, El Colegio de México, México.

Hewitt de Alcántara, C. (1976), *Modernizing Mexican Agriculture*, UNRISD, Ginebra.

Hillman, J. (1988), "Bolivia and the International Tin Cartel, 1931-1941", *Journal of Latin American Studies*, 20 (1), pp. 83-110.

―――― (1990), "Bolivia and British Tin Policy, 1939-1945", *Journal of Latin American Studies*, 22 (2): 289-315.

Hirschman, A. O. (1963), *Journeys Towards Progress: Studies of Economic Policy Making in Latin America*, Twentieth Century Found, Nueva York.

―――― (1981), *Essays in Trespassing*, Cambridge University Press, Cambridge.

Hoetink, H. (1986), "The Dominican Republic, c. 1870-1930", en L. Bethell (comp.), *The Cambridge History of Latin America*, vol. V, *c. 1870 to 1930*, Cambridge University Press, Cambridge.

Hofman, A. (2000), *The Economic Development of Latin America in the 20th Century*, Edward Elgar, Cheltenham.

Holloway, T. (1980), *Immigrants on the Land: Coffee and Society in São Paulo, 1886-1934*, University of North Carolina Press, Chapel Hill.

Hood, M. (1975), *Gunboat Diplomacy, 1895-1905: Great Power Pressure in Venezuela*, George Allen & Unwin, Londres.

Hopkins, A. G. (1994), "Informal Empire in Argentina: An Alternative View", *Journal of Latin American Studies*, 26 (2).

Horn, P. V. y H. E. Bice (1949), *Latin American Trade and Economics*, Prentice Hall, Nueva York.

Horsfield, J. K. (1969), *The International Monetary Fund, 1945-1965*, vol. I, *Chronicle*, International Monetary Fund, Washington, D. C.

Hughlett, L. J. (comp.) (1946), *Industrialization of Latin America*, McGraw-Hill, Nueva York.

Humphreys, R. A. (1946), *The Evolution of Modern Latin America*, Clarendon Press, Oxford.

—————— (1961). *The Diplomatic History of British Honduras*, Oxford University Press, Oxford.

—————— (1981), *Latin America and the Second World War, 1939-1942*, Athlone Press, Londres.

—————— (1982), *Latin America and the Second World War, 1942-1945*, Athlone Press, Londres.

Hunt, S. (1973), *Prices and Quantum Estimates of Peruvian Exports, 1830-1962*, Woodrow Wilson School Research Program in Economic Development, Discussion Paper núm. 31, Princeton University, Princeton.

—————— (1985), "Growth and Guano in 19th Century Peru", en R. Cortés Conde y S. Hunt (comps.), *The Latin American Economies: Growth and the Export Sector, 1880-1930*, Holmes and Mier, Nueva York

Imlah, A. (1958), *Economic Elements of the Pax Britannica*, Cambridge University Press, Cambridge.

Instituto Brasileiro de Geografía e Estatística (IBGE) (1987), *Estatísticas históricas do Brasil*, Rio de Janeiro.

Inter-American Development Bank (IDB) (1982), *Economic and Social Progress in Latin America: The External Sector 1982 Report*, Washington, D. C.

—————— (1983), *Economic and Social Progress in Latin America: Natural Resources, 1983 Report*, Washington, D. C.

—————— (1984a), *Economic and Social Progress in Latin America: Economic Integration, 1984 Report*, Washington, D. C.

—————— (1984b), *External Debt and Economic Development in Latin America: Background and Prospects*, Washington, D. C.

—————— (1989), *Economic and Social Progress in Latin America. 1989 Report*, Washington, D. C.

—————— (1991), *Economic and Social Progress in Latin America. 1991 Report*, Washington, D. C.

International Monetary Fund (1986b), *Yearbook of Balance of Payments Statistics 1986*, Washington, D. C.

—————— (1987), *Yearbook of International Financial Statistics*, 1987, Washington, D. C.

Irigoin, M. (2000), "Inconvertible Paper Money, Inflation and Economic Performance in Early 19th Century Argentina", *Journal of Latin American Studies*, 32 (2), pp. 333-359.

James, E. W. (1945), "A Quarter Century of Road-Building in the Americas", *Bulletin of the Pan American Union* 79 (1), pp. 609-618.

Jenkins, R. (1984), *Transnational Corporations and Industrial Transformation in Latin America*, Macmillan, Basingstoke.

—— (1987), *Transnational Corporations and the Latin American Automobile Industry*, Macmillan, Basingstoke.

—— (comp.) (2000), *Industry and Environment in Latin America*, Routledge, Nueva York.

Jones, C. (1977a), "Commercial Banks and Mortgage Companies", en D. C. M. Platt (comp.), *Business Imperialism, 1840-1930: An Inquiry Based of British Experience in Latin America*, Clarendon Press, Oxford.

—— (1977b), "Insurance Companies", en D. C. M. Platt (comp.), *Business Imperialism 1840-1930: An Inquiry Based on British Experience in Latin America*, Clarendon Press, Oxford.

Jones, C. L. (1940), *Guatemala, Past and Present*, University of Minnesota Press, Minneapolis.

Jorgensen, E. y J. Sachs (1989), "Default and Renegotiation of Latin American Foreign Bonds in the Interwar Period", en B. Eichengreen y P. Lindert (comps.), *The International Debt Crisis in Historical Perspective*, MIT Press, Cambridge.

Joseph, E. (1982), *Revolution from Without: Yucatán, Mexico and the United States, 1880-1924*, Cambridge University Press, Cambridge.

Joslin, D. (1963), *A Century of Banking in Latin America*, Oxford University Press, Londres.

Joyse, E. y C. Malamud (comps.) (1998), *Latin America and the Multinational Drug Trade*, ILAS/Macmillan, Londres.

Kahil, R. (1973), *Inflation and Economic Development in Brazil 1946-1963*, Clarendon Press, Oxford.

Kahler, M. (1990), "Orthodoxy and its Alternatives: Explaining Approaches to Stabilization and Adjustment", en J. M. Nelson (comp.), *Economic Crisis and Policy Choise: The Politics of Adjustment in the Third World*, Princeton University Press, Princeton.

Karlsson, W. (1975), *Manufacturing in Venezuela: Studies on Development and Location*, Latinamerika-institutet i Stockholm, Estocolmo.

Karnes, T. L. (1978), *Tropical Enterprise: Standard Fruit and Steamship Company in Latin America*, Louisiana State University Press, Baton Rouge.

Katz, F. (1981), *The Secret War in Mexico: Europe, the United States and the Mexican Revolution*, University of Chicago Press, Chicago.

Katz, J. M. (1987), *Technology Generation in Latin American Manufacturing Industries*, Macmillan, Basingstoke.

—— y B. Kosacoff (2000), "Import-Substituting Industrialization in Argentina, 1940-1980: Its Achievements and Shortcomings", en E. Cárdenas, J. Ocampo y R. Thorp (comps.), *An Economic History of Twentieth Cen-*

tury Latin America, vol. 3, *Industrialization and the State in Latin America*, Palgrave, Basingstoke.

Kay, C. (1989), *Latin American Theories of Development and Underdevelopment*, Routledge, Londres.

Kelly, M. *et al.* (1988), *Issues and Developments in International Trade Policy*, International Monetary Fund, Washington, D. C.

Kepner, C. (1936), *Social Aspects of the Banana Industry*, Columbia University Press, Nueva York.

—— y J. Soothill (1935), *The Banana Empire: A Case Study in Economic Imperialism*, Vanguard Press, Nueva York.

Kindleberger, C. (1987), *The World in Depression*, Penguin, Londres.

Kirsch, H. W. (1977), *Industrial Development in a Traditional Society: The Conflict of Entrepreneurship and Modernization in Chile*, University Press of Florida, Gainesville.

Klarén, P. F. (1986), "The Origins of Modern Peru, 1880-1930", en L. Bethell (comp.), *The Cambridge History of Latin America*, vol. v, *c. 1870 to 1930*, Cambridge University Press, Cambridge.

Klein, H. S. (1982), *Bolivia: The Evolution of a Multi-Ethnic Society*, Oxford University Press, Nueva York.

—— (1992), *Bolivia: The Evolution of a Multi-Ethnic Society*, 2ª ed., Oxford University Press, Nueva York.

Knape, J. (1987), "British Foreign Policy in the Caribbean Basin 1938-1945: Oil, Nationalism and Relations with the United States", *Journal of Latin American Studies* 19 (2): 279-294.

Knight, A. (1986a), *The Mexican Revolution*, vol. i, *Porfirians, Liberals and Peasants*, University of Nebraska Press, Lincoln.

—— (1986b), *The Mexican Revolution*, vol. ii, *Counter-revolution and Reconstruction*, University of Nebraska Press, Lincoln.

—— (1990), "Mexico, *c.* 1930-46", en L. Bethell (comp.), *The Cambridge History of Latin America*, vol. vii, *Latin America since 1930: Mexico, Central America and the Caribbean*, Cambridge University Press, Cambridge.

Knight, F. (1990), *The Caribbean: The Genesis of a Fragmented Nationalism*, 2ª ed., Oxford University Press, Oxford.

Kock-Petersen, S. A. (1946), "The Cement Industry", en L. J. Hughlett (comp.), *Industrialization of Latin America*, McGraw-Hill, Nueva York.

Koebel, W. H., (s/f), *Central America*, Scribners, Nueva York.

—— (1911), *Uruguay*, T. Fisher Unwin, Londres.

—— (1919), *Paraguay*, T. Fisher Unwin, Londres.

Korol, J. C. y H. Sábato, (1990), "Incomplete Industrialization: An Argentine Obsession", *Latin American Research Review* 25 (1), pp. 7-30.

Krehm, W. (1984), *Democracies and Tyrannies of the Caribbean*, Lawrence, Hill, Westport.

Kuczynski, P. (1988), *Latin American Debt*, Johns Hopkins University Press, Baltimore.

Labán, R. y F. Larraín (1994), "The Chilean experience with capital mobility", en B. Boswoth, R. Dornbusch y R. Labán (comps.), *The Chilean Economy: Policy Lessons and Challenges*, Brookings Institution Press, Washington, D. C.

Lafeber, W. (1978), *The Panama Canal: The Crisis in Historical Perspective*, Oxford University Press, Nueva York.

Langley, L. (1968), *The Cuban Policy of the United States: A Brief History*, Wiley, Nueva York.

Langley, L. D. (1983), *The Banana Wars: An Inner History of American Empire 1900-1934*, University Press of Kentucky, Lexington.

Larraín, F. y H. Selowsky, (1991), *The Public Sector and the Latin American Crisis*, ics *Press*, San Francisco.

Latin America Bureau (LAB) (1987), *The Great Tin Crash, Bolivia and the World Tin Market*, Londres.

League of Nations (1925), *Statistical Yearbook*, Ginebra.

——— (1926), *Statistical Yearbook*, Ginebra.

——— (1927), *Statistical Yearbook*, Ginebra.

——— (1928), *Statistical Yearbook*, Ginebra.

——— (1930), *International Yearbook of Agricultural Statistics, 1929/30*, Ginebra.

——— (1931), *Statistical Yearbook*, Ginebra.

——— (1933), *International Yearbook of Agricultural Statistics, 1932/3*, Ginebra.

——— (1938), *Public Finance*, Ginebra.

——— (1945), *Statistical Yearbook 1942/4*, Ginebra.

Leff, N. H. (1968), *The Brazilian Capital Goods Industry 1929-1964*, Harvard University Press, Cambridge.

——— (1982), *Underdevelopment and Development in Brazil*, vol. I, *Economic Structure and Change 1822-1947*, George Allen & Unwin, Londres.

León Gómez, A. (1978), *El escándalo del ferrocarril. Ensayo histórico*, Imprenta Soto, Tegucigalpa.

Levi, D. (1987), *The Prados of São Paulo: An Elite Family and Social Change, 1840-1930*, University of Georgia Press, Athens.

Levin, J. (1960), *The Export Economies: Their Pattern of Development in Historical Perspective*, Harvard University Press, Cambridge.

Levine, V. (1914), *South American Handbooks: Colombia*, Pitman, Londres.

Lewis, A. (1978), *Growth and Fluctuations, 1870-1913*, Allen & Unwin, Londres.

Lewis, C. (1983), *British Railways in Argentina, 1857-1914*, Institute of Latin American Studies, Londres.

——— (1986), "Industry in Latin America before 1930", en L. Bethell (comp.), *The Cambridge History of Latin America*, vol. IV, *c. 1870 to 1930*, Cambridge University Press, Cambridge.

Lewis, P. H. (1990), *The Crisis of Argentine Capitalism*, University of North Carolina Press, Chapel Hill.

Lewis, P. H. (1991), "Paraguay since 1930", en L. Bethell (comp.), *The Cambridge History of Latin America*, vol. VIII, *Latin America since 1930: Spanish South America*, Cambridge University Press, Cambridge.

Lewis, W. A. (1989), "The Roots of Development Theory", en H. Chenery y T. N. Srinivasan (comps.), *Handbook of Development Economics*, North-Holland, Amsterdam.

Libby, D. C. (1991), "Proto-Industrialization in a Slave Society: The Case of Minas Gerais", *Journal of Latin American Studies* 23 (1), pp. 1-35.

Lieuwen, E. (1965), *Venezuela*, Oxford University Press, Londres.

—— (1985), "The Politics of Energy in Venezuela", en J. D. Wirth (comp.), *Latin American Oil Companies and the Politics of Energy*, University of Nebraska Press, Lincoln.

Lin, C. (1988), "East Asia and Latin America as Contrasting Models", *Economic Development and Cultural Change* 36 (3), pp. S153-S197.

Lindo-Fuentes, H. (1990), *Weak Foundations: The Economy of El Salvador in the Nineteenth Century, 1821-1898*, University of California Press, Berkeley, California.

Linke, L. (1962), *Ecuador: Country of Contrasts*, Oxford University Press, Londres.

Lipsey, R. (2000), "U.S. Foreign Trade and the Balance of Payments, 1800-1913", en S. Engerman y R. Gallman (comps.), *The Cambridge Economic History of the United States*, vol. II, *The Long Nineteenth Century*, Cambridge University Press, Cambridge.

Lockhart, J. y S. B. Schwartz (1983), *Early Latin America: A History of Colonial Spanish America and Brazil*, Cambridge University Press, Cambridge.

Lomnitz, L. y M. Pérez-Lizaur (1987), *A Mexican Elite Family 1820-1980*, Princeton University Press, Princeton.

Looney, R. E. (1985), *Economic Policymaking in Mexico: Factors Underlying the 1982 Crisis*, Duke University Press, Durham.

Love, J. (1994), "Economic Ideas and Ideologies in Latin America since 1930", en L. Bethell (comp.), *The Cambridge History of Latin America*, vol. VI, *Latin America since 1930: Economy, Society and Politics*, parte I, Cambridge University Press, Cambridge.

Lundahl, M. (1979), *Peasants and Poverty: A Study of Haiti*, Croom Helm, Londres.

—— (1992), *Politics or Markets? Essays on Haitian Underdevelopment*, Routledge, Londres.

Lustig, N. (comp.) (1995), *Coping with Austerity: Poverty and Inequality in Latin America*, Brookings Institution Press, Washington, D. C.

Lynch, J. (1985a), "The Origins of Spanish American Independence", en L. Bethell (comp.), *The Cambridge History of Latin America*, vol. III, *From Independence to c. 1870*, Cambridge University Press, Cambridge.

—— (1985b), "The River Plate Republics from Independence to the Paraguayan War", en L. Bethell (comp.), *The Cambridge History of Latin Ame-*

rica, vol. III, *From Independence to c. 1870*, Cambridge University Press, Cambridge.

Macario, S. (1964), "Protectionism and Industrialization in Latin America", *Economic Bulletin for Latin America* 9 (1), pp. 62-101.

Macbean, A., y T. Nguyen (1987), "International Commodity Agreements: Shadow and Substance", *World Development* 15 (5), 575-590.

MacDonald, C. A. (1990), "The Braden Campaign and Anglo-American Relations in Argentina, 1945-6", en G. di Tella y C. Watt (comps.), *Argentina between the Great Powers, 1939-46*, University of Pittsburgh Press, Pittsburgh.

Machinea, J. L., y J. M. Fanelli (1988), "Stopping Hyperinflation: The Case of the Austral Plan in Argentina, 1985-87", en M. Bruno *et al.* (comps.), *Inflation Stabilization: The Experiences of Israel, Argentina, Brazil, Bolivia and Mexico*, MIT Press, Cambridge.

Maddison, A. (1985), *Two Crises: Latin America and Asia, 1929-38 and 1973-83*, Organization for Economic Cooperation and Development, París.

——— (1991), "Economic and Social Conditions in Latin America, 1913-1950", en M. Urrutia (comp.), *Long Term Trends in Latin American Economic Development*, Inter-American Development Bank, Washington, D. C.

——— (1995), *Monitoring the World Economy, 1820-1992*, OCDE, Development Centre Studies, París.

——— (2001), *The World Economy: A Millennial Perspective*, OCDE, Development Centre Studies, París.

Maizels, A. (1963), *Industrial Growth and World Trade*, Cambridge University Press, Cambridge.

——— (1970), *Growth and Trade: An Abridged Version of Industrial Growth and World Trade*, Cambridge University Press, Cambridge.

——— (1992), *Commodities in Crisis*, Clarendon Press, Oxford.

Major, J. (1990), "The Panama Canal Zone, 1904-79", en L. Bethell (comp.), *The Cambridge History of Latin America*, vol. VII, *Latin America since 1930: Mexico, Central America and the Caribbean*, Cambridge University Press, Cambridge.

Manchester, A. (1933), *British Preeminence in Brazil, its Rise and Decline: A Study in European Expansion*, University of North Carolina Press, Chapel Hill.

Marichal, C. (1989), *A Century of Debt Crises in Latin America: From Independence to the Great Depression*, Princeton University Press, Princeton.

——— (1997), "Obstacles to the Development of Capital Markets in Nineteenth-century Mexico", en S. Haber (comp.), *How Latin America Fell Behind*. Stanford University Press, Stanford.

Márquez, G. (1998), "Tariff Protection in Mexico, 1892-1909: Ad valorem tariff rates and sources of variation", en J. Coatsworth y A. Taylor (comps.), *Latin America and the World Economy since 1800*, The David Rockefeller Center for Latin American Studies, Harvard University, Cambridge.

Marshall, O. (1991), *European Immigration and Ethnicity in Latin America: A Bibliography*, Institute of Latin American Studies, Londres.

Mathieson, J. A. (1988), "Problems and Prospects of Export Diversification: Case Studies-Dominican Republic", en E. Paus (comp.), *Struggle against Dependence: Nontraditional Export Growth in Central America and the Caribbean*, Westview, Boulder.

May, S., y G. Plaza (1958), *The United Fruit Company in Latin America*, National Planning Association, Washington, D. C.

Maynard, G. (1989), "Argentina: Macroeconomic Policy, 1966-73", en G. di Tella y R. Dornbusch (comps.), *The Political Economy of Argentina, 1946-1983*, Macmillan/St. Antony's College, Basingstoke.

McBeth, J. S. (1983), *Juan Vicente Gómez and the Oil Companies in Venezuela, 1908-1935*, Cambridge University Press, Cambridge.

McClintock, M. (1985), *The American Connection*, vol. II, *State Terror and Popular Resistance in Guatemala*, Zed Books, Londres.

McCloskey, D. y J. Zecker (1981), "How the Gold Standard Worked, 1880-1913", en D. McCloskey (comp.), *Enterprise and Trade in Victorian Britain*, Allen & Unwin, Londres.

McCreery, D. (1983), *Development and the State in Reforma Guatemala 1871-1885*, Center for International Studies, Ohio University, Athens.

McDowall, D. (1988), *The Light: Brazilian Traction, Light and Power Company 1899-1945*, University of Toronto Press, Toronto.

McGreevey, W. P. (1971), *An Economic History of Colombia, 1845-1930*, Cambridge University Press, Cambridge.

—— (1985), "The Transition to Economic Growth in Colombia", en R. Cortés Conde y S. Hunt (comps.), *The Latin American Economies: Growth and the Export Sector, 1880-1930*, Holmes and Meier, Nueva York.

McKinnon, R. I. (1973), *Money and Capital in Economic Development*, Brookings Institution, Washington, D. C.

McLure, C. *et al.* (1900), *The Taxation of Income from Business and Capital in Colombia*, Duke University Press, Durham.

Mecham, J. L. (1961), *The United States and Inter-American Security, 1889-1960*, University of Texas Press, Austin.

Meier, G. M. (1984), *Pioneers in Development*, Oxford University Press/World Bank, Nueva York.

—— (1987), *Pioneers in Development (Second Series)*, Oxford University Press/World Bank, Nueva York.

Mendels, F. (1972), "Proto-industrialization: The First Phase of the Industrialization Process", *Journal of Economic History* 32 (2), pp. 241-261.

Menjívar, R. (1980), *Acumulación originaria y desarrollo del capitalismo en El Salvador*, EDUCA, San José.

Mesa-Lago, C. (1978), *Social Security in Latin America: Pressure Groups, Stratification and Inequality*, University of Pittsburgh Press, Pittsburgh.

Mesa-Lago, C. (1981), *The Economy of Socialist Cuba: A Two-Decade Apprai-sal*, University of New Mexico Press, Albuquerque.

—— (2000), *Market, Socialist and Mixed Economies: Comparative Policy and Performance, Chile, Cuba and Costa Rica*, Johns Hopkins University Press, Baltimore.

Meyer, M. C. y W. L. Sherman (1979), *The Course of Mexican History*, Oxford University Press, Nueva York.

Miller, S. (1990), "Mexican Junkers and Capitalist Haciendas, 1810-1910: The Arable Estate and the Transition to Capitalism between the Insurgency and the Revolution", *Journal of Latin American Studies* 22 (2), pp. 229-263.

—— (1993), *Britain and Latin America in the 19th and 20th Centuries.* Longman, Londres y Nueva York.

Millis, G. J. (s/f), *South American Handbooks: Argentina*, Pitman, Londres.

Millot, J., C. Silva y L. Silva (1973), *El desarrollo industrial del Uruguay de la crisis de 1929 a la postguerra*, Instituto de Economía, Universidad de la República, Montevideo.

Mitchell, B. (1980), *European Historical Statistics*, Macmillan, Londres.

—— (1983), *International Historical Statistics: Australasia and Americas*, Macmillan, Londres.

—— (1988), *British Historical Statistics*, 2ª ed., Macmillan, Londres.

—— (1993), *International Historical Statistics. The Americas 1750-1988*, Macmillan, Basingstoke.

Modiano, E. M. (1988), "The Cruzado First Attempt: The Brazilian Stabiliza-tion Program of February 1986", en M. Bruno *et al.* (comps.), *Inflation Stabilization: The Experiences of Israel, Argentina, Brazil, Bolivia and Mexico*, MIT Press, Cambridge.

Molina, F. (1851), *Bosquejo de la República de Costa Rica*, S. W. Benedict, Nueva York.

Molina Chocano, G. (1982), *Estado liberal y desarrollo capitalista en Hondu-ras*, Universidad Nacional de Honduras, Tegucigalpa.

Morales, J. A. (1988), "Inflation Stabilization in Bolivia", en M. Bruno *et al.* (comps.), *Inflation Stabilization: The Experiences of Israel, Argentina, Bra-zil, Bolivia and Mexico*, MIT Press, Cambridge.

Morawetz, D. (1981), *Why the Emperor's New Clothes Are Not Made in Colom-bia: A Case Study in Latin American and East Asian Manufactured Exports*, Oxford University Press, Nueva York.

Moreno Fraginals, M. (1968), "Plantation Economies and Societies in the Spanish Caribbean, 1860-1930", en L. Bethell (comp.), *The Cambridge History of Latin America*, vol. IV, c. *1870-1930*, Cambridge University Press, Cambridge.

Morley, S. (1995), *Poverty and Equality in Latin America: The Impact of Ad-justment and Recovery in the 1990s*, Johns Hopkins University, Baltimore.

—— (2000), *La distribución del ingreso en América Latina y el Caribe*, CEPAL/ Fondo de Cultura Económica, Santiago.

Moya Pons, F. (1985), "Haiti and Santo Domingo: 1790-c. 1870", en L. Bethell (comp.), *The Cambridge History of Latin America*, vol. III, *From Independence to c. 1870*, Cambridge University Press, Cambridge.

———— (1990a), "The Dominican Republic since 1930", en L. Bethell (comp.), *The Cambridge History of Latin America*, vol. VII, *Latin America since 1930: Central America and the Caribbean*, Cambridge University Press, Cambridge.

———— (1990b), "Import-Substitution Industrialization Policies in the Dominican Republic, 1925-61", *Hispanic American Historical Review* 70 (4), pp. 539-577.

Mulhall, M. G., y E. T. Mulhall (1885), *Handbooks of the River Plate*, Trubner, Londres.

Munro, D. (1964), *Intervention and Dollar Diplomacy in the Caribbean, 1900-1921*, Princeton University Press, Princeton.

Mussa, M. (2002), *Argentina and the Fund: From Triumph to Tragedy*, Institute for International Economics, Washington, D. C.

Nicholls, S. (2001), "Panel Data Modelling of Long-Run Per Capita Growth Rates in the Caribbean: An Empirical Note", *Integration and Trade*, 15 (5), pp. 57-82.

Nickson, A. (1989), "The Overthrow of the Stroessner Regime: Re-establishing the Status Quo", *Bulletin of Latin American Research* 8 (2), pp. 185-209.

O'Brien, T. (1996), *The Revolutionary Mission: American Enterprise in Latin America, 1900-1945*, Cambridge University Press, Cambridge

Ocampo, J. A. (1984), *Colombia y la economía mundial, 1830-1910*, Fedesarrollo, Bogotá.

———— (1987), "Crisis and Economic Policy in Colombia, 1980-5", en R. Thorp y L. Whitehead (comps.), *Latin American Debt and the Adjustment Crisis*, Macmillan/St. Antony's College, Basingstoke.

———— (1990), "Import Controls, Prices and Economic Activity in Colombia", *Journal of Development Economics*, 32 (2): 369-387.

———— (1991), "The Transition from Primary Exports to Industrial Development in Colombia", en M. Blömstrom y P. Meller (comps.), *Diverging Paths: Comparing a Century of Scandinavian and Latin American Economic Development*, Inter-American Development Bank, Washington, D. C.

———— (2000), "The Colombian Economy in the 1930s", en R. Thorp (comp.), *Latin America in the 1930s: The Role of the Periphery in World Crisis*, Palgrave, Basingstoke.

———— y M. Botero (2000), "Coffee and the Origins of Modern Economic Development in Colombia", en E. Cárdenas, J. Ocampo y R. Thorp (comps.), *An Economic History of Twentieth Century Latin America*, vol. I, *The Export Age. The Latin American Economies in the Late Nineteenth and Early Twentieth Centuries*, Palgrave, Basingstoke.

———— y S. Montenegro (1984), *Crisis mundial, protección e industrialización: Ensayos de historia económica colombiana*, Fondo Editorial CEREC, Bogotá.

O'Connell, A. (2000), "Argentina into the Depression: Problems of an Open Economy", en R. Thorp (comp.), *The Role of the Periphery in World Crisis*, Palgrave/St. Anthony's College, Basingstoke.

Oddone, J. A. (1986), "The Formation of Modern Uruguay, c. 1870-1930", en L. Bethell (comp.), *The Cambridge History of Latin America*, vol. v, c. *1870-1930*, Cambridge University Press, Cambridge.

Ohkawa, K. y R. Rosovsky, (1973), *Japanese Economic Growth: Trend Acceleration in the Twentieth Century*, Stanford University Press, Stanford.

Oribe Stemmer, J. E. (1989), "Freight Rates in the Trade between Europe and South America, 1840-1914", *Journal of Latin American Studies* 21 (1), pp. 23-59.

Ortega, L. (1990), "El proceso de industrialización en Chile, 1850-1970", 10th. World Congress of Economic History, Leuven.

Ortiz, G. (1991). "Mexico beyond the Debt Crisis: Toward Sustainable Growth with Price Stability", en M. Bruno, S. Fischer, E. Helpman y N. Liviatan (comps.), *Lessons of Economic Stabilization and its Aftermath*, MIT Press, Cambridge.

Palma, G. (1979), "Growth and Structure of Chilean Manufacturing Industry from 1930 to 1935", tesis doctoral, Cambridge University, Cambridge.

———— (2000a), "From an Export-Led to an Import-Substituting Economy: Chile, 1914-39", en R. Thorp (comp.), *Latin America in the 1930s: The Role of the Periphery in World Crisis*. Palgrave/St. Anthony's College, Basingstoke.

———— (2000b), Trying to 'Tax and Spend' Oneself Out of the 'Dutch Disease': The Chilean Economy from the War of the Pacific to the Great Depression", en E. Cárdenas, J. Ocampo y R. Thorp (comps.), *An Economic History of the Twentieth Century Latin America*, vol. i, *The Export Age. The Latin American Economies in the Late Nineteenth and Early Twentieth Centuries*, Palgrave, Basingstoke.

Pan-American Union (1952), *The Foreign Trade of Latin America since 1913*, Washington, D. C.

Parkin, V. (1991), *Chronic Inflation in an Industrialising Economy: The Brazilan Experience*, Cambridge University Press, Cambridge.

Pastor, M. (1991), "Bolivia: Hyperinflation, Stabilisation and Beyond", *Journal of Development Studies* 27 (2): 211-237.

Pastore, M. (1994), "Trade Contraction and Economic Decline: The Paraguayan Economy under Francia, 1810-40", *Journal of Latin American Studies*, 26 (3), pp. 539-593.

Pederson, L. (1966), *The Mining Industry of the Norte Chico, Chile*, Northwestern University, Evanston.

Peek, P. y G. Standing, (1982), *State Policies and Migration: Studies in Latin America and the Caribbean*, Croom Helm, Londres.

Peláez, C. (1972), *Historia da industrialização brasileira*, APEC, Rio de Janeiro.

Peñaloza Cordero, L. (1983), *Nueva historia económica de Bolivia de la inde-*

pendencia a los albores de la guerra del Pacífico, Los Amigos del Libro, La Paz.

Pérez-López, J. (1974), *An Index of Cuban Industrial Output 1950-58,* tesis doctoral, State University of New York, Albany.

—— (1977), "An Index of Cuban industrial output: 1930-58", en J. Wilkie y K. Ruddle (comps.), *Quantitative Latin American Studies: Methods and Findings, Statistical Abstract for Latin America Supplement Series 6,* UCLA, Los Ángeles.

Pérez-López, J. F. (1991), "Bringing the Cuban Economy into Focus: Conceptual and Empirical Challenges", *Latin American Research Review* 26 (3), pp. 7-53.

Perloff, H. S. (1950), *Puerto Rico's Economic Future: A Study in Planned Development,* University of Chicago Press, Chicago.

Petrecolla, A. (1989), "Unbalanced Development, 1958-62", en G. di Tella y R. Dornbusch (comps.), *The Political Economy of Argentina, 1946-83,* Macmillan/St. Antony's College, Basingstoke.

Phelps, D. M. (1936), *Migration of Industry to South America,* McGraw-Hill, Nueva York.

Philip, G. (1982), *Oil and Politics in Latin America: Nationalist Movements and State Companies,* Cambridge University Press, Cambridge.

Pinder, J. (1991), *European Community: The Building of a Union,* Oxford University Press, Oxford.

Platt, D. C. M. (1971), "Problems in the Interpretation of Foreign Trade Statistics before 1914", *Journal of Latin American Studies* 3 (2), pp. 119-130.

—— (1972), *Latin America and British Trade 1806-1914,* Adam & Charles Black, Londres.

—— (comp.) (1977), *Business Imperialism, 1840-1930: An Inquiry Based on British Experience in Latin America,* Clarendon Press, Oxford.

Potash, R. (1969), *The Army and Politics in Argentina, 1928-45: Yrigoyen to Perón,* Stanford University Press, Stanford.

—— (1980), *The Army and Politics in Latin America, 1945-62: Perón to Frondizi,* Stanford University Press, Stanford.

Potash, R. A. (1983), *The Mexican Government and Industrial Development in the Early Republic: The Banco de Avío,* Amherst, Stanford.

Powell, A. (1991), "Commodity and Developing Country Terms of Trade: What Does the Long Run Show?", *Economic Journal* 101 (409), pp. 1485-1496.

Prado, L. (1991), *Commercial Capital, Domestic Market and Manufacturing in Imperial Brazil: The Failure of Brazilian Economic Development in the Nineteenth Century,* tesis doctoral, University of London.

Prados de la Escosura, L., y S. Amaral (comps.) (1993), *La Independencia americana: consecuencias económicas.* Alianza Editorial, Madrid.

Rabe, S. (1988), *Eisenhower and Latin America: The Foreign Policy of Anticommunism,* University of North Carolina Press, Chapel Hill.

Ramos, J. (1986), *Neoconservative Economics in the Southern Cone of Latin America, 1973-1983*, Johns Hopkins University Press, Baltimore.

Ramos Mattei, A. (1984), "The Growth of the Puerto Rican Sugar Industry under North American Domination: 1899-1910", en B. Albert y A. Graves (comps.), *Crisis and Change in the International Sugar Economy 1860-1914*, ISC Press, Norwich, Inglaterra.

Ramsett, D. (1969), *Regional Industrial Development* in *Central America: A Case Study of the Integration Industries Scheme*, Praeger, Nueva York.

Randall, L. (1977), *A Comparative Economic History of Latin America, 1500-1914*, vol. I, *Mexico*, Institute of Latin American Studies, Columbia University, Nueva York.

—— (1987), *The Political Economy of Venezuelan Oil*, Praeger, Nueva York.

Rangel, D. (1970), *Capital y desarrollo: El rey petróleo*, 2 vols., Universidad Central de Venezuela, Caracas.

Ranis, G. (1981), "Challenges and Opportunities Posed by Asia's Superexporters: Implications for Manufactured Exports from Latin America", en W. Baer y M. Gillis (comps.), *Export Diversification and the New Protectionism: The Experiences of Latin America*, Bureau of Economic and Business Research, University of Illinois, Champaign.

—— y L. Orrock (1985), "Latin American and East Asian NICS Development Strategies Compared", en E. Durán (comp.), *Latin America and the World Recession*, Cambridge University Press/Royal Institute of International Affairs, Cambridge.

Razo, A., y S. Haber (1998), "The Rate of Growth of Productivity in Mexico, 1850-1933", *Journal of Latin American Studies* 30 (3), pp. 481-517.

Reed, N. (1964), *The Caste War of Yucatán*, Stanford University Press, Stanford.

Regalsky, A. M. (1989), "Foreign Capital, Local Interests and Railway Development in Argentina: French Investments in Railways, 1900-1914", *Journal of Latin American Studies* 21 (3), pp. 425-452.

Reinhart, C. (1999), *Accounting for Saving: Financial Liberalization, Capital Flows and Growth in Latin America and Europe*, Inter-American Development Bank, Washington, D. C.

Remmer, K. (1986), "The Politics of Economic Stabilisation: IMF Standby Programs in Latin America, 1954-84", *Comparative Politics* 19 (6), pp. 1-24.

Reynolds, C. W. (1965), "Development Problems of an Export Economy: The Case of Chile and Copper", en M. Mamalakis y C. W. Reynolds, *Essays on the Chilean Economy*, Irwin, Homewood.

Rippy, J. F. (1945), *Historical Evolution of Hispanic America*, Appleton-Century Crofts, Nueva York.

—— (1959), *British Investment* in *Latin America, 1822-1949: A Case Study in the Operations of Private Enterprise in Retarded Regions*, University of Minnesota Press, Minneapolis.

Rock, D. (1986), "Argentina in 1914: The Pampas, the Interior, Buenos Aires", en L. Bethell (comp.), *The Cambridge History of Latin America*, vol. v, c. *1870 to 1930*, Cambridge University Press, Cambridge.

Rock, D. (1987), *Argentina 1516-1987: From Spanish Colonization to Alfonsín*, University of California Press, Berkeley.

—— (1991), "Argentina, 1930-46", en L. Bethell (comp.), *The Cambridge History of Latin America*, vol. viii, *Latin America since 1930: Spanish South America*, Cambridge University Press, Cambridge.

Rockland, H. A. (1970), *Sarmiento's Travels in the United States in 1847*, Princeton University Press, Princeton.

Roddick, J. (1988), *The Dance of the Millions: Latin America and the Debt Crisis*, Latin America Bureau, Londres.

Rodríguez, L. (1985), *The Search for Public Policy: Regional Politics and Public Finance in Ecuador, 1830-1940*, University of California Press, Berkeley.

Rodríguez, M. (1991), "Public Sector Behavior in Venezuela", en F. Larraín y M. Selowsky (comps.), *The Public Sector and the Latin American Crisis*, ics Press, San Francisco.

Roemer, M. (1970), *Fishing for Growth: Export-Led Development in Peru, 1950-1967*, Harvard University Press, Cambridge.

Roett, R. y R. S. Sacks (1991), *Paraguay: The Personalist Legacy*, Westview, Boulder.

Ros, J. (1987), "Mexico from the Oil Boom to the Debt Crisis: An Analysis of Policy Responses to External Shocks, 1978-85", en R. Thorp y L. Whitehead (comps.), *Latin American Debt and the Adjustment Crisis*, Macmillan/St. Antony's College, Basingstoke.

Rosenberg, M. (1983), *Las luchas por el seguro social en Costa Rica*, Editorial Costa Rica, San José.

Rosenzweig Hernández, F. (1989), *El desarrollo económico de México 1800-1910*, El Colegio Mexiquense/Instituto Tecnológico Autónomo de México, Toluca.

Rowe, J. (1965), *Primary Commodities in International Trade*, Cambridge University Press, Cambridge.

Sachs, J. (1985), "External Debt and Macroeconomic Performance in Latin American and East Asian nics", *Brookings Papers 2*.

Sachs, J. D. (1989), *Development Country Debt and the World Economy*, University of Chicago Press, Chicago.

Salazar-Carrillo, J. (1982), *The Structure of Wages in Latin American Manufacturing Industries*, Florida International University, Miami.

Salvucci, R. J. (1987), *Textiles and Capitalism in Mexico: An Economic History of the Obrajes 1539-1840*, Princeton University Press, Princeton.

—— (1997), "Mexican National Income in the Era of Independence, 1800-1840", en S. Haber (comp.), *How Latin America Fell Behind*, Stanford University Press, Stanford.

Samper, M. (1990), *Generations of Settlers: Rural Households and Markets on the Costa Rican Frontier, 1850-1935*, Westview, Boulder.

Sánchez Albornoz, N. (1977), *La población de América Latina desde los tiempos precolombianos al año 2000*, Alianza Universidad, Madrid.

——— (1986), "The Population of Latin America, 1850-1930", en L. Bethell (comp.), *The Cambridge History of Latin America*, vol. IV, c. *1870-1930*, Cambridge University Press, Cambridge.

Sanderson, S. (1981), *The Transformation of Mexican Agriculture: International Structure and the Politics of Rural Change*, Princeton University Press, Princeton.

Sandilands, R. (1990), *The Life and Political Economy of Lauchlin Currie: New Dealer Presidential Adviser and Development Economist*, Duke University Press, Durham.

St. John, S. (1888), *Hayti or the Black Republic*, Smith Elder, Londres.

Scammell, W. M. (1980), *The International Economy since 1945*, Macmillan, Basingstoke.

Schneider, J. (1981), "Terms of Trade Between France and Latin America, 1826-1856: Causes of Increasing Economic Disparities?", en P. Bairoch y M. Lévy-Leboyer (comps.), *Disparities in Economic Development since the Industrial Revolution*, Macmillan, Basingstoke.

Schneider, R. M. (1991), *Order and Progress: A Political History of Brazil*, Westview, Boulder.

Schoonover, T. D. (1991), *The United States in Central America, 1860-1911: Episodes of Social Imperialism and Imperial Rivalry in the World System*, Duke University Press, Durham.

Schoonover, T. (1998), *Germany in Central America: Competitive Imperialism, 1821-1829*, University of Alabama Press, Tuscaloosa.

Scott, C. (1996), "The Distributive Impact of the New Economic Model in Chile", en V. Bulmer-Thomas (comp.), 1996, *The New Economic Model in Latin America and its Impact on Income Distribution and Poverty*, ILAS y Macmillan/St. Martin's Press, Londres y Nueva York.

Segovia, A. (2002), *Transformación estructural y reforma económica en El Salvador*, F & G Editores, Guatemala.

Selowsky, M. (1979), *Who Benefits from Government Expenditure? A Case Study of Colombia*, Oxford University Press/World Bank, Nueva York.

Serrano, M. (1992), *Common Security in Latin America: The 1967 Treaty of Tlatelolco*, Institute of Latin American Studies, Londres.

Shaw, E. S. (1973), *Financial Deepening in Economic Development*, Oxford University Press, Nueva York.

Sheahan, J. (1987), *Patterns of Development in Latin America: Poverty, Repression and Economic Strategy*, Princeton University Press, Princeton.

Short, R. P. (1984), "The Role of Public Enterprise: An International Statistical Comparison", en R. H. Floyd, C. Gray y R. Short (comps.), *Public Enterprise in Mixed Economies: Some Macroeconomic Aspects*, International Monetary Fund, Washington, D. C.

Singer, M. (1969), *Growth, Equality and the Mexican Experience,* University of Texas Press, Austin.

Sjaastad, L. A. (1989), "Argentine Economic Policy, 1976-81", en G. di Tella y R. Dornbusch, (comps.), *The Political Economy of Argentina, 1946-83,* Macmillan/St. Antony's College, Basingstoke.

Sklair, L. (1989), *Assembling for Development: The Maquila Industry in Mexico and the United States,* Unwin Hyman, Boston.

Smith, P. (1969), *Politics and Beef in Argentina's Patterns of Conflict and Change,* Columbia University Press, Nueva York.

Smith, R. (1972), *The United States and Revolutionary Nationalism in Mexico, 1916-32,* University of Chicago Press, Chicago.

Smith, R. F. (1986), "Latin America, the United States and the European Powers, 1830-1930", en L. Bethell (comp.), *The Cambridge History of Latin America,* vol. IV, c. *1870 to 1930,* Cambridge University Press, Cambridge.

Solís, L. (1983), *La realidad económica mexicana: Retrovisión y perspectivas,* Siglo XXI, México.

Solomou, S. (1990), *Phases of Economic Growth 1850-1973: Kondratieff Waves and Kuznets Swings,* Cambridge University Press, Cambridge.

———, *The South American Handbook, 1924,* South American Publications, Londres.

Spender, J. (1930), *Weetman Pearson, First Viscount Cowdray,* Cassell, Londres.

Spraos, J. (1983), *Inequalising Trade?,* Clarendon Press, Oxford.

Squier, E. G. (1856), *Notes on Central America,* Samper Low, Londres.

Staley, E. (1944), *World Economic Development,* International Labour Office, Montreal.

Stallings, B. (1987), *Banker to the Third World: US Portfolio Investment in Latin America 1900-1986,* University of California Press, Berkeley.

Stein, S. (1957), *The Brazilian Cotton Manufacture,* Harvard University Press, Cambridge.

Stewart, W. (1964), *Keith and Costa Rica: The Biography of Minor Cooper Keith, American Entrepreneur,* University of New Mexico Press, Albuquerque.

——— y W. Peres (2000), *Growth, Employment, and Equity: The Impact of the Economic Reforms in Latin America and the Caribbean,* Brookings Institution Press, Washington, D. C.

Strachan, H. W. (1976), *Family and Other Business Groups in Economic Development: The Case of Nicaragua,* Praeger, Nueva York.

Stubbs, J. (1985), *Tobacco on the Periphery: A Case Study in Cuban Labour History. 1860-1958,* Cambridge University Press, Cambridge.

Sunkel, O. (1982), *Un siglo de historia económica de Chile, 1830-1930: Dos ensayos y una bibliografía,* Ediciones de Cultura Hispánica, Madrid.

Sunkel, O. y C. Cariola (1985), "The Growth of the Nitrates Industry and Socioeconomic Change in Chile, 1880-1930", en R. Cortés Conde y S. Hunt (comps.), *The Latin American Economies: Growth and the Export Sector, 1880-1930*, Holmes and Meier, Nueva York.

Swerling, B. (1949), *International Control of Sugar, 1918-1941*, Stanford University Press, Stanford.

Syrquin, M. (1988), "Patterns of Structural Change", en H. Chenery y T. Srinivasan (comps.), *Handbook of Development Economics*, vol. I, North-Holland, Amsterdam.

Taylor, C. C. (1948), *Rural Life in Argentina*, Louisiana State University Press, Baton Rouge.

Ten Kate, A. y R. B. Wallace (1980), *Protection and Economic Development in Mexico*, Gower, Westmead.

Thiesenhusen, W. C. (1989), *Searching for Agrarian Reform in Latin America*, Unwin Hyman, Boston.

Thomas, H. (1971), *Cuba or the Pursuit of Freedon*, Eyre & Spottiswoode, Londres.

Thomas, J. (992), *Informal Economic Activity*, Harvester Wheatsheaf, Nueva York y Londres.

Thomas, V. (1985), *Linking Macroeconomic and Agricultural Policies for Adjustment with Growth: The Colombian Experience*, Johns Hopkins University Press, Baltimore.

Thompson, A. (1992), "Informal Empire? An Exploration in the History of Anglo-Argentine Relations, 1810-1914", *Journal of Latin American Studies* 24 (2), pp. 419-436.

Thomson, G. (1985), "Protectionism and Industrialization in Mexico, 1821-1845", en C. Abel y C. Lewis, *Latin America: Economic Imperialism and the State*, Athlone Press, Londres.

——— (1989), *Puebla de los Ángeles: Industry and Society in a Mexican City, 1700-1850*, Westview, Boulder.

Thorp, R. (1967), "Inflation and Orthodox Economic Policy in Peru", *Bulletin of the Oxford University Institute of Economics and Statistics* 29 (3), pp. 185-210.

——— (1971), "Inflation and the Financing of Economic Development", en K. Griffin (comp.), *Financing Development in Latin America*, Macmillan, Basingstoke.

——— (1986), "Latin America and the International Economy from the First World War to the World Depression", en L. Bethell (comp.), *The Cambridge History of Latin America*, vol. IV, *c. 1870 to 1930*, Cambridge University Press, Cambridge.

——— (1991), *Economic Management and Economic Development in Peru and Colombia*, Macmillan, Londres.

——— (1992), "A Reappraisal of the Origins of Import Substituting, Industrialisation, 1930-50", *Journal of Latin American Studies* 24 (Quincentenary Suppl.), pp. 181-198.

Thorp, R. (1994), "The Latin American Economies, 1939-c. 1950", en L. Bethell (comp.), *The Cambridge History of Latin America*, vol. VI: *Latin America since 1930: Economy, Society and Politics*, parte I, Cambridge University Press, Cambridge.

———— (comp.) (1984), *Latin America in the 1930s: The Role of the Periphery in World Crisis*, Macmillan/St. Antony's College, Basingstoke.

———— y G. Bertram (1978), *Peru 1890-1977: Growth and Policy in an Open Economy*, Macmillan, Basingstoke.

———— y L. Whitehead (comps.) (1979), *Inflation and Stabilisation in Latin America*, Macmillan/St. Antony's College, Basingstoke.

———— (1987), *Latin American Debt and the Adjustment Crisis*, Macmillan/St. Antony's College, Basingstoke.

Thoumi, F. E. (1989), *Las exportaciones intrarregionales y la integración latinoamericana y del Caribe en perspectiva*, Banco Interamericano de Desarrollo, Washington, D. C.

Torre, J. C. y L. de Riz (1991), "Argentina since 1946", en L. Bethell (comp.), *The Cambridge History of Latin America*, vol. VIII, *Latin America since 1930: Spanish South America*, Cambridge University Press, Cambridge.

Travis, C. (1990), *A Guide to Latin American and Caribbean Census Material: A Bibliography and Union List*, British Library/Standing Conference of National and University Libraires/Institute of Latin American Studies, Londres.

Trebat, T. (1983), *Brazil's State-Owned Enterprises. A Case Study of the State as Entrepreneur*, Cambridge University Press, Cambridge.

Tregarthen, G. (1897), *The Story of the Nations: Australia*, T. Fisher Unwin, Londres.

Triffin, R. (1944), "Central Banking and Monetary Management in Latin America", en J. Harris (comp.), *Economic Problems of Latin America*, McGraw-Hill, Nueva York.

Truslow, F. A. (1951), *Report on Cuba*, Johns Hopkins University Press, Baltimore.

Tulchin, J. (1971), *The Aftermath of War: World War I and US Policy toward Latin America*, New York University Press, Nueva York.

Twomey, M. (2000), "Patterns of Foreign Investment in Latin American in the Twentieth Century", en E. Cárdenas, J. Ocampo y R. Thorp (comps.), *An Economic History of Twentieth Century Latin American*, vol. I, *The Export Age. The Latin American Economies in the Late Nineteenth and Early Twentieth Centuries*, Palgrave, Basingstoke.

Tyler, W. (1976), *Manufactured Export Expansion and Industrialization in Brazil*, Mohr, Tubinga.

———— (1983), "The Anti-Export Bias in Commercial Policies and Export Performance: Some Evidence from Recent Brazilian Experience", *Weltwirtschaftliches Archiv*, 119 (I), pp. 97-107.

United Nations (1986), *World Comparisons of Purchasing Power and Real Product for 1980*, Nueva York.

Urrutia, M. (1985), *Winners and Losers in Colombia's Economic Growth of the 1970s*, Oxford University Press/World Bank, Nueva York.

Urrutia, M. y M. Arrubla (comps.) (1970), *Compendio de estadísticas históricas de Colombia*, Universidad Nacional de Colombia, Bogotá.

Vaitsos, C. (1974), *Intercountry Income Distribution and Transnational Enterprises*, Oxford University Press, Oxford.

—— (1978), "Crisis in Regional Economic Cooperation (Integration) among Developing Countries: A Survey", *World Development* 6 (6), pp. 719-770.

Van Dormael, A. (1978), *Bretton Woods: Birth of a Monetary System*, Macmillan, Londres.

Vedovato, C. (1986), *Politics, Foreign Trade and Economic Development: A Study of the Dominican Republic*, Croom Helm, Londres.

Véliz, C. (1961), *Historia de la marina mercante de Chile*, Ediciones de la Universidad de Chile, Santiago de Chile.

Vernon, R. (1981), "State-owned Enterprises in Latin American Exports", en W. Baer y M. Gillis (comps.), *Export Diversification and the New Protectionism*, National Bureau of Economic Research, Cambridge.

Versiani, F. (1979), *Industrial Investment in an Export Economy: The Brazilian Experience before 1914*, Institute of Latin American Studies, Londres.

—— (1984), "Before the Depression: Brazilian Industry in the 1920s", en R. Thorp (comp.), *Latin America in the 1930s: The Role of the Periphery in World Crisis*, Macmillan/St. Antony's College, Basingstoke.

Villela, A. y W. Suzigan (1977), *Política do goberno e crescimento da economia brasileira*, IPEA/INPES, Rio de Janeiro.

Viotti da Costa, E. (1986), "Brazil: The Age of Reform, 1870-1889", en L. Berthell (comp.), *The Cambridge History of Latin America*, vol. v, c. *1870 to 1930*, Cambridge University Press, Cambridge.

Vivian, E. (1914), *South American Handbooks: Peru*, Pitman, Londres.

Wachter, S. (1976), *Latin American Inflation: The Structuralism-Monetarism Debate*, Lexington Books, Lexington.

Wadsworth, F. (1982), "La deforestación, muerte del Canal de Panamá", en S. Heckadon Moreno y A. McKay (comps.), *Colonización y destrucción de bosques en Panamá*, Asociación Panameña de Antropología, Panamá.

Walle, P. (1914), *Bolivia. Its People and Its Resources. Its Railways, Mines and Rubber-Forests*, T. Fisher Unwin, Londres.

Wallich, H. (1944), "Fiscal Policy and the Budget", en S. Harris (comp.), *Economic Problems of Latin America*, McGraw-Hill, Nueva York.

—— (1950), *Monetary Problems of an Export Economy*, Harvard University Press, Cambridge.

Watkins, V. (1967), *Taxes and Tax Harmonization in Central America*, Harvard University Press, Cambridge.

Webster, C. K. (comp.) (1938), *Britain and the Independence of Latin America, 1812-1830,* 2 vols., Oxford University Press, Oxford.

Weeks, J. (1985), *The Economies of Central America,* Holmes and Meier, Nueva York.

———— y A. Zimbalist (1991), *Panama at the Crossroads: Economic Development and Political Change in the Twentieth Century,* University of California Press, Berkeley.

Welch, J. H. (1993), "The New Face of Latin America: Financial Flows, Markets and Institutions in the 1990s", *Journal of Latin American Studies* 25 (I), pp. 1-24.

Wells, J. (1979), "Brazil and the Post-1973 Crisis in the International Economy", en R. Thorp y L. Whitehead (comps.), *Inflation and Stabilisation in Latin America,* Macmillan, Basingstoke.

———— (1987), *Empleo en América Latina: Una búsqueda de opciones,* PRELAC, Santiago de Chile.

Weston, A. (1982), "Who Is More Preferred? An Analysis of the New Generalised System of Preferences", en C. Stevens (comp.), EEC *and the Third World: A Survey,* vol. 2, Overseas Development Institute, Londres.

White, A. (1973), *El Salvador,* Ernest Benn, Londres.

Whitehead, L. (1973), "The Adjustment Process in Chile: A Comparative Perspective", en R. Thorp y L. Whitehead (comps.), *Latin America Debt and the Adjustment Crisis,* Macmillan/St. Antony's College, Basingstoke.

———— (1991), "Bolivia since 1958", en L. Bethell (comp.), *The Cambridge History of Latin America,* vol. VIII, *Latin America since 1930: Spanish South America,* Cambridge University Press, Cambridge.

———— (1994), "State Organization in Latin America since 1930", en L. Bethell (comp.), *The Cambridge History of Latin America,* vol. VI, *Latin America since 1930: Economy, Society and Politics,* parte II, Cambridge University Press, Cambridge.

Wickizer, C. (1943), *The World Coffee Economy with special Reference to Control Schemes,* Stanford University Press, Stanford.

Wilcox, M. y G. Rines (1917), *Encyclopaedia of Latin America,* Encyclopaedia Amazona Corporation, Nueva York.

Wilkie, J. W. (1974), *Statistics and National Policy,* suplemento 3, University of California, Los Ángeles.

———— (1985), *Statistical Abstract of Latin America,* 23, University of California, Los Ángeles.

———— (1990), *Statistical Abstract of Latin America,* 28, University of California, Los Ángeles.

———— (1993), *Statistical Abstract of Latin America,* 31, parte I, University of California, Los Ángeles.

Williams, G. (1991), *The Welsh in Patagonia: The State and the Ethnic Community,* University of Wales Press, Cardiff.

BIBLIOGRAFÍA 521

Williams, J. (1920), *Argentine International Trade under Inconvertible Paper Money, 1880-1900*, Harvard University Press, Cambridge.

Williams, R. E. (1986), *Export Agriculture and the Crisis in Central America*, University of North Carolina Press, Chapel Hill.

Williams, R. W. (1916), *Anglo-American Isthmian Diplomacy, 1815-1915*, Oxford University Press, Londres.

Williamson, J. W. (1990), *Latin American Adjustment: How Much Has Happened?*, Institute for International Economics, Washington, D. C.

Winters, L. A. (1990), "The Road to Uruguay", *Economic Journal* 100 (403), pp. 1288-1303.

Woodward, R. L. (1985), "Central America from Independence to *c*. 1870", en L. Bethell (comp.), *The Cambridge History of Latin America*, vol. III, *From Independence to c. 1870*, Cambridge University Press, Cambridge.

World Bank (1950), *The Basis of a Development Program for Colombia*, Johns Hopkins University Press, Baltimore.

—— (1980), *World Tables*, 2ª ed., International Bank for Reconstruction and Development/World Bank/Oxford University Press, Washington, D. C.

—— (1983), *World Tables*, 3ª ed., International Bank for Reconstruction and Development/World Bank/Oxford University Press, Washington, D. C.

—— (1984), *World Development Report 1984*, International Bank for Reconstruction and Development/World Bank/Oxford University Press, Washington, D. C.

—— (1986), *World Development Report 1986*, International Bank for Reconstruction and Development/World Bank/Oxford University Press, Washington, D. C.

—— (1987), *World Development Report 1987*, International Bank for Reconstruction and Development/World Bank/Oxford University Press, Washington, D. C.

—— (1989), *World Development Report 1989*, International Bank for Reconstruction and Development/World Bank/Oxford University Press, Washington, D. C.

—— (1990), *World Development Report 1990*, International Bank for Reconstruction and Development/World Bank/Oxford University Press, Washington, D. C.

—— (1991a), *Social Indicators of Development 1990*, Washington, D. C.

—— (1991b), *World Development Report 1991*, International Bank for Reconstruction and Development/World Bank/Oxford University Press, Washington, D. C.

—— (1991c), *World Tables, 1991*, International Bank for Reconstruction and Development/World Bank/Oxford University Press, Washington, D. C.

—— (1992), *World Development Report 1992*, Washington, D. C.

—— (1993), *World Development Report 1992*, International Bank for Reconstruction and Development/World Bank/Oxford University Press, Washington, D. C.

Wythe, G. (1943), *Industry in Latin America,* Columbia University Press, Nueva York.

Yotopoulos, P. A. (1989), "The (Rip)Tide of Privatization: Lessons from Chile", *World Development* 17 (5), pp. 683-702.

Young, D. (1966), *Member for Mexico: A Biography of Weetman Pearson, First Viscount Cowdray,* Cassell, Londres.

Young, J. P. (1925), *Central American Currency and Finance,* Princeton University Press, Princeton.

Zimbalist, A. (1992): "Teetering on the Brink: Cuba's Current Economic and Political Crisis", *Journal of Latin American Studies* 24 (2), pp. 407-418.

Zuvekas, C. y C. Luzuriaga (1983), *Income Distribution and Poverty in Rural Ecuador 1950-1979,* Center for Latin American Studies, Arizona State University, Tempe.

ÍNDICE ANALÍTICO

ÍNDICE GENERAL